MORDECAI RICHLER
Entre séduction et provocation

Rheinhold Kramer

MORDECAI RICHLER
Entre séduction et provocation

Traduit de l'anglais
par Geneviève Deschamps

SEPTENTRION

Pour effectuer une recherche libre par mot-clé à l'intérieur de cet ouvrage, rendez-vous sur notre site Internet au www.septentrion.qc.ca

Les éditions du Septentrion remercient le Conseil des Arts du Canada et la Société de développement des entreprises culturelles du Québec (SODEC) pour le soutien accordé à leur programme d'édition, ainsi que le gouvernement du Québec pour son Programme de crédit d'impôt pour l'édition de livres. Nous reconnaissons également l'aide financière du gouvernement du Canada par l'entremise du Fonds du livre du Canada (FLC) pour nos activités d'édition.

Nous remercions le gouvernement du Canada de son soutien financier pour nos activités de traduction dans le cadre du Programme national de traduction pour l'édition du livre.

Illustration de la couverture : © Jillian Edelstein Photography

Révision de la traduction et traduction des notes : Chantal Ringuet

Mise en pages : Folio infographie

Maquette de couverture : Pierre-Louis Cauchon

Si vous désirez être tenu au courant des publications
des ÉDITIONS DU SEPTENTRION
vous pouvez nous écrire par courrier,
par courriel à sept@septentrion.qc.ca,
par télécopieur au 418 527-4978
ou consulter notre catalogue sur Internet :
www.septentrion.qc.ca

Édition originale : Reinhold Kramer, *Mordecai Richler. Leaving St Urbain*, Montréal et Kingston, McGill-Queen's University Press, 2008.

Dépôt légal :
Bibliothèque et Archives
nationales du Québec, 2011
ISBN papier : 978-2-89448-673-3
ISBN PDF : 978-2-89664-663-0

Diffusion au Canada :
Diffusion Dimedia
539, boul. Lebeau
Saint-Laurent (Québec)
H4N 1S2

Ventes en Europe :
Distribution du Nouveau Monde
30, rue Gay-Lussac
75005 Paris

Mais Mardochée [Mordecai] ne fléchissait
point le genou et ne se prosternait point.

Esther, 3:2

Si j'étais satisfait de ma vie, je n'écrirais pas.

Mordecai RICHLER

REMERCIEMENTS

Bien que je ne puisse adresser mes remerciements personnels à Mordecai Richler, j'aimerais lui témoigner ma reconnaissance pour m'avoir généreusement permis d'utiliser ses archives et de m'entretenir avec des amis et des membres de sa famille. Un grand merci aux parents, amis et connaissances de Richler qui m'ont parlé avec sincérité, dont Avrum Richler, Florence Richler, Noah Richler, Daniel Richler, Lionel Albert, William Weintraub, Jack Rabinovitch, Max Richler et Bernard Richler. Sans leur contribution, cet ouvrage aurait été beaucoup moins riche. Merci aussi à Myrtle Davidson, qui a gracieusement hébergé ma famille à Montréal au moment où je réalisais certains entretiens.

Pendant les mois que j'ai passés à Calgary, j'ai bénéficié de l'aide, de la patience et des encouragements des bibliothécaires des Archives de l'Université de Calgary, où est conservé le fonds Mordecai Richler : Apollonia L. Steele, Marlys Chevrefils, Judy Loosmore, Lisa Atkinson, Bonnie Woelk, Brooke Montgomery et Jennifer Willard. Les bibliothécaires de la bibliothèque John Robbins de l'Université Brandon – Alicja Brancewicz, Christine Sadler, Carmen Kazakoff-Lane, Carol Steele – et ceux de la bibliothèque de droit E. K. Williams de l'Université du Manitoba – Regena Rumancik et Muriel St-John – se sont également montrées très accueillantes.

Rita Kramer, Tom Mitchell, deux lecteurs anonymes et Claude Lalumière ont parcouru les ébauches du manuscrit. Ils ont corrigé les erreurs et m'ont offert leurs précieuses suggestions. Ira

Robinson a fait de même pour les parties concernant le grand-père de Richler, le rabbin Yudel Rosenberg. Un merci particulier à Kyla Madden et Joan McGilvray, éditrices chez McGill-Queen's, pour avoir mené à bien ce projet. Pour les articles en italien, Paola Di Muro m'a aimablement accordé son aide. Janice Mahoney a fait la transcription d'entretiens parfois pratiquement inaudibles, Shari Maguire a apporté son aide pour l'obtention des droits pour les photos et les notes, et plusieurs autres ont contribué à la réalisation de cet ouvrage : Rosanne Gasse, Joe Sawchuk, Rachel Major, Meir Serfaty, Bob Thacker, Paul Voorhis. Robert Florida et Scott Grills, les doyens qui se sont succédé à la Faculté des Arts de l'Université Brandon ont fait de celle-ci un endroit idéal pour travailler et faire de la recherche.

En particulier, j'aimerais remercier mon épouse Rita pour ses encouragements constants et mes enfants Madeline, Stephanie et Michelle qui, en plus de se faire réveiller par mon pas traînant dès 6h30 du matin, ont dû supporter bien des choses.

J'ai fait tout ce qui était en mon pouvoir pour identifier avec précision toutes les illustrations et photos de cet ouvrage, en mentionner la source et obtenir les droits de publication. Si vous remarquez des erreurs ou des omissions, merci de m'en aviser. Les corrections seront apportées dans les éditions ultérieures.

INTRODUCTION

Mordecai Richler est, comme l'ont démontré ses cinq plus longs romans, l'un des plus grands écrivains canadiens, un poète inégalé de la vie de tous les jours. Il ne respectait aucune théorie, mais offrait à ses lecteurs une profusion de détails passionnants. Il avait l'habitude de dire que les experts qui souhaitent comprendre la révolution russe doivent se tourner vers Isaac Babel[1]. J'ajouterais ceci : les experts qui veulent comprendre le Canada du milieu du siècle – des années 1940 aux années 1970 – et la sécularisation des Juifs occidentaux doivent quant à eux se tourner vers Mordecai Richler.

Richler était un écrivain d'importance cruciale pour diverses raisons. Il était le premier écrivain «ethnique» à être lu par un aussi grand nombre de Canadiens. Son deuxième roman publié, *Mon père, ce héros*, ainsi que bon nombre de ses romans ultérieurs abordaient de manière intime la vie dans la communauté juive orthodoxe de Montréal, de manière si intime d'ailleurs que plusieurs lecteurs anglophones l'ont considéré *de facto* comme le porte-parole des Juifs. Cette situation est très ironique car depuis son premier roman non publié et son premier roman publié, Richler avait cherché à devenir un citoyen du monde laïc et à délaisser sa judéité. Situation ironique, certes, mais cependant pas inhabituelle. En effet, plusieurs écrivains ayant été qualifiés «ethniques» sont à la fois considérés de l'extérieur de la communauté juive comme de fidèles interprètes de celle-ci, et critiqués par ses membres pour être, au mieux, des témoins douteux. Richler s'est débattu dans ce double rôle de confrère et d'intrus

au sein de la communauté juive jusqu'à ce qu'il atteigne un semblant d'équilibre dans ses derniers romans. Il affirmait que la
communauté elle-même avait changé, qu'elle était dorénavant
assez ouverte pour inclure sa vision du monde – une vision, du
reste, fort peu populaire. Le compte rendu qui suit démontre
qu'avec le temps Richler a changé lui aussi : il a cessé de chercher
à devenir un écrivain de l'avant-garde anglo-américaine, comme
c'était le cas au début de sa carrière, pour se tourner vers un cos-
mopolitisme plus diversifié.

Au-delà de la judéité perçue en tant que catégorie ethnique,
Richler était marqué par les contraintes religieuses qu'il avait
connues dans son enfance. Son combat contre l'orthodoxie est
un exemple particulièrement probant des vastes mouvements
de laïcisation qu'on a pu observer au XXe siècle dans presque
toutes les confessions religieuses. Pourtant, bien que cela
explique le cas de Richler, il est encore plus important de souligner l'attitude *spécifique* de ses personnages qui, par la parodie,
le burlesque et même l'imitation sérieuse, se moquent des récits
de la Bible hébraïque, de l'orthodoxie et des fondements religieux
de la nation d'Israël. Les positions laïques que Richler a adoptées
se sont transformées tout au long de sa vie et elles étaient parfois moins complexes que celles de ses personnages.

Richler était aussi important en tant qu'écrivain *canadien*. S'il
a fui le Canada, c'est surtout parce qu'il n'y avait pas d'écrivains
ici. Si cela semble être une affirmation intéressée et s'il a fait
preuve à plusieurs reprises, d'un antinationalisme belliqueux,
cela a eu pour résultat d'en faire un porte-parole du Canada à
Londres. L'un de ses personnages affirme : « Le Canada, ce n'est
pas de la rigolade… Et Walter Pidgeon est né dans ce pays[2]. » La
moquerie de Richler n'aurait pas eu autant d'impact s'il n'avait
été un narrateur de l'histoire canadienne aussi convaincant.
Depuis les contrées éloignées de l'Angleterre, il semblait évident
qu'aucun autre Canadien n'atteignait Richler sur le plan littéraire – il a d'ailleurs vendu beaucoup de romans à Londres. En
outre, dans ses romans et ses articles, la politique canadienne
était digne d'intérêt, et c'est en empruntant ce passage étroit
qu'il a réussi à négocier une trêve fragile : on l'autorisait à critiquer les Canadiens et, s'il le faisait bien, ceux-ci lui promettaient

d'acheter ses romans. Pourtant, l'intérêt de Richler pour la politique concernait davantage la place du socialisme au xxe siècle que le Canada. Sa grande force est d'avoir ressenti le problème de l'inégalité que produit la richesse alors qu'il était un jeune homme et de n'avoir jamais oublié ce sentiment d'injustice ni permis à ses personnages d'y échapper sans éprouver un certain trouble, même lorsqu'il prit ses distances envers le socialisme pour se rapprocher du libéralisme.

Les Juifs, la laïcisation, les Canadiens, la politique : s'il ne s'agissait que de cela, nous ferions face, ici, à un homme d'idées. Mais, comme on le sait, c'est surtout sa réussite sur le plan littéraire qu'ont confirmé très tôt les ouvrages de George Woodcock, Victor Ramraj et Arnold Davidson. L'étude de Ramraj, en particulier, est d'un grand intérêt, car elle montre les ambivalences au cœur de l'œuvre de Richler[3] : le moraliste et l'amuseur, l'acceptation et le rejet de la société juive, la raillerie et l'adaptation aux défauts humains, la tolérance et la censure de voyous tels le personnage de Duddy dans *L'apprentissage de Duddy Kravitz*. La grande réussite de Richler, c'est d'avoir trouvé les clivages, d'avoir su déterminer l'endroit où la politique, la race, la foi et surtout, le langage, traversent la vie des individus. La capacité d'intégrer l'anglais familier dans ses romans et d'en dévoiler la poésie brutale sans faire du mauvais Céline n'était pas innée chez Richler. Ses premiers écrits font état d'un éventail d'influences, de la voix romancée d'un Sholem Aleichem à la version abrégée d'un Callaghan ou d'un Hemingway, jusqu'à une tentative d'utiliser le langage populaire de l'avant-garde. Ce n'est peut-être qu'à mi-chemin dans sa carrière d'écrivain qu'il a véritablement réussi à tirer parti de ses qualités littéraires tout en employant un langage familier issu d'inflexions yiddish et de l'anglais du quotidien, comme dans l'exemple suivant :

> La maison que Duddy avait fait construire à Forest Hill, avec la lettre K gravée sur la porte d'aluminium, flanquée de chaque côté de lanternes anciennes, et dotée de doubles portes de garage à commande électronique, fut somptueusement meublée en l'honneur de Marlene Tyler, la femme de ses rêves, aussi rose et blanche qu'une nursery… Après toutes ces années de lutte et de célibat, de repas

rapidement avalés dans les restaurants, de nuits passées avec des *shiksas*, il avait bien envie de repas préparés à la maison, d'une vie domestique bien réglée et de baisage sur demande. «Comme ces dimanches [*sic*] après-midi pluvieux quand on revient chez soi après un *kiddush* de *bar-mitsvah*. Ou bien ces samedis soir, après le match de hockey, quand il n'y a que des feuilletons idiots. J'ai même fait installer un poste de télévision avec télécommande dans la chambre à coucher pour qu'on puisse la regarder du lit et se mettre dans l'ambiance avant qu'ils ne choisissent les trois stars. Un prélude, quoi, voilà comment j'appelle ça[4].»

On pourrait parler ici d'une forme de sécularisation du langage. Celle-ci prend sa source dans plusieurs histoires d'évolution – celles des primates, de la technologie, des Juifs canadiens, de la sécularisation des sujets traditionnels –, et si on remarque des manifestations de ce langage dans l'œuvre d'Henry Roth, il s'agit d'abord et avant tout d'une invention littéraire de Richler.

Richler a souvent manifesté une objection viscérale à l'endroit des biographies littéraires. Bien qu'il était lui-même une célébrité, il déplorait le culte de «l'écrivain-vedette[5]». Il aimait dire: «Mes livres sont importants, moi pas». Ce sont-là des balivernes: on sait en effet que la littérature doit beaucoup à la vie. Pourtant, on comprend facilement qu'un homme comme lui, qui détestait les entrevues, le manque de naturel, l'hypocrisie du show-biz et l'habitude de fouiller dans le passé des gens, ait tenu un tel discours. Il avait l'impression que l'ego exceptionnel de Normand Mailer avait causé sa perte. Au lieu de s'accomplir en tant qu'écrivain, celui-ci était simplement devenu «une vedette». Mais Mordecai Richler n'était pas non plus l'être humain le plus facile à vivre. Il estimait que le lecteur naïf – soit à peu près tout le monde – avait tendance à faire des associations simplistes entre les personnages de ses romans et les gens de son entourage. Et il avait raison de s'inquiéter. Après avoir lu ce qu'il avait écrit au sujet de la mère du personnage principal de *Joshua au passé, au présent*, la propre mère de Richler, Lily, avait affirmé: «Imagine-toi donc qu'il a dit que j'étais une strip-teaseuse!» Le frère de Richler, Avrum, a tenté de la calmer en lui disant: «il ne parlait pas de toi. C'est un écrivain: il invente des histoires.» Lily ne voulait rien entendre et continuait de répéter: «il a dit que j'étais une strip-teaseuse[6]!»

La mère de Richler savait de quoi elle parlait. En 1935, elle avait elle-même publié une série d'histoires dans la *Canadian Jewish Review*, de sorte qu'elle n'ignorait pas que l'inspiration vient souvent de souhaits, de grossières exagérations, de catastrophes imaginées – bref, tout ce qui nous tombe sous la main. Or, «ce qui nous tombe sous la main» concerne généralement notre famille et nos amis. Même si on aurait tort d'associer les personnages de Richler à des gens de son entourage, il serait tout aussi faux de croire que ceux-ci étaient strictement le produit de son imagination fertile. Richler a d'ailleurs très justement décrit l'écriture comme «un désir d'être connu, oui, *mais seulement selon vos propres conditions[7]*». Pour cette raison, la biographie est essentielle : elle permet de réunir certaines de ces conditions et d'en écarter d'autres. Les histoires et les personnages dignes de ce nom ne sortent pas de nulle part : ils sont façonnés dans l'argile de la réalité. Richler *aurait dû* applaudir Lily.

Récemment, les ouvrages de Joel Yanofsky (*Mordecai and Me*, non traduit en français) et Michael Posner (*Mordecai Richler – le dernier des francs-tireurs*) se sont intéressés à la biographie de l'écrivain. Posner, en particulier, même s'il transcrit principalement des entrevues et ne s'aventure pas à juger les romans de Richler, a révélé des informations cruciales sur la vie de l'écrivain. D'une certaine façon, le titre de son ouvrage est inapproprié (en anglais : *The Last Honest Man*), car l'œuvre de Richler est pleine de diversions et d'exagérations, qu'elles soient exquises ou non – l'honnêteté n'est donc pas ce qui le décrit le mieux. Mais si on tient compte du fait que la fiction de Richler est souvent à la limite de l'autobiographie, le titre est particulièrement bien choisi. La majeure partie du premier roman non publié de Richler, *The Rotten People*, est autobiographique. De même, *Joshua au passé, au présent* avait d'abord été écrit sous la forme de mémoires intitulés *Back to Ibiza*, qui n'ont pas été publiés. Par ailleurs, Ryerson Press avait refusé de publier le manuscrit de *The Incomparable Atuk* (non publié en français) par crainte d'être poursuivi pour diffamation, et l'agent littéraire de Richler avait dit à propos de son roman *Le cavalier de Saint-Urbain* : «j'ai eu beaucoup de plaisir à découvrir à quel point il s'agissait d'un *roman à clef[8]*». Dans les premiers brouillons d'un manuscrit qui a probablement donné lieu à *Mon père, ce héros*, Richler ne prend même pas la peine de modifier les noms de ses personnages. On y retrouve ainsi, entre autres, un «*Zeyda* Richler[9]». Diana Athill, sa première éditrice, l'a convaincu de modifier certains noms de rues et d'organisations pour s'assurer que son roman soit considéré comme une fiction, mais les membres de sa famille lui en ont voulu d'avoir révélé autant de secrets de famille. Les écrits de Richler, sa vie et les commentaires de ses amis apportent la preuve que ses romans étaient, à la base, *presque toujours* des *romans à clef*, même si l'écrivain utilisait parfois des structures littéraires complexes.

Bien qu'ils manquent parfois de complexité esthétique, les *romans à clef* présentent l'avantage d'identifier les sources historiques qui ont inspiré l'écrivain. On peut également utiliser un argument plus philosophique pour les défendre : les auteurs de ce type de romans prennent position en faveur de certaines personnes et attitudes, et ils en rejettent d'autres. Ni la notion moderniste d'un univers de symboles hermétiques ni la notion postmoderne de l'œuvre d'art en tant que simulacre ne peuvent expliquer les préférences de l'auteur. Pourquoi accorder plus d'importance à une personne ou à une attitude en particulier et en écarter une autre ? Seul un examen minutieux des histoires personnelles et publiques peut nous permettre de répondre à ces questions, et la lecture d'un *roman à clef* est, par-dessus tout, un acte historique. Quand Mia Farrow a vu ce que Woody Allen avait fait de leur vie dans *Hannah et ses sœurs*, elle a dit : «il s'est inspiré des aspects ordinaires de nos vies et les a élevés au rang d'œuvres d'art. Nous étions à la fois honorés et scandalisés de cette situation[10]». Si *Hannah et ses sœurs* et les romans de Richler font partie des plus importants vestiges de la culture juive laïque de la période contemporaine, nous sommes aujourd'hui en droit de nous demander d'où viennent ces vestiges, même si la réponse implique un peu de démystification.

«La réalité n'a pas d'importance», affirmait sans cesse Richler. «Seul l'art est essentiel.» Certes, seul l'art *est* l'essentiel, et l'une de mes intentions dans ce livre est de montrer à quel point Richler a façonné tout ce qu'il a écrit, y compris dans ses essais. C'est ce façonnage, et non sa vie, qui a fait de lui l'un des plus grands écrivains canadiens et l'a rendu digne d'être étudié. Pourtant, sa vie était essentielle elle *aussi,* puisque le meilleur de son talent s'inspirait directement de la réalité vécue. Et cela n'est pas une critique.

PREMIÈRE PARTIE

Tiefste Provinz

1931-1950

Les colonies britanniques… sont pour moi des *tiefste Provinz*, des lieux qui n'ont produit aucun art et sont habités par des genres de personnes avec lesquelles j'ai le moins en commun.

W. H. AUDEN

Chez lui, il pouvait révérer Londres et ses attraits impunément. Fulminant à Montréal, il pouvait dire avec Auden que les *dominions* étaient des provinces arriérées.

RICHLER, *Le cavalier de Saint-Urbain*

I

Geyt, yidelech, in der vayter velt[1]

À LA FIN DU XIXe SIÈCLE et au début du XXe siècle, des hordes de Russes antisémites ont changé le cours de l'Histoire par mégarde en attaquant les Juifs. Ces pogroms se sont produits dans l'ensemble de la Zone de Résidence, où quelque quatre millions de Juifs[2] étaient officiellement cantonnés. Ce territoire comprenait entre autres la Galicie, une région aujourd'hui partagée entre la Pologne et l'ouest de l'Ukraine. Cette situation a donné lieu aux premières *aliyah* (vagues d'émigrations) vers la Palestine et à « une fuite panique vers l'ouest », plus précisément vers l'Amérique du Nord. Ainsi, en moins de soixante-dix ans, de vastes territoires de l'Europe de l'Est ont été vidés de tous les Juifs qui y habitaient[3]. On dit que les plus aventureux ont émigré en Palestine et que les plus ambitieux ont choisi la « *goldeneh medina* » – la « terre dorée », comme on appelait alors l'Amérique du Nord[4]. Les Juifs « distingués, réformistes et riches[5] » qui s'y trouvaient déjà ne se doutaient pas qu'une importante vague de locuteurs yiddishophones allait bientôt déferler sur leurs contrées d'accueil.

Parmi les Juifs ambitieux qui ont fui les pogroms se trouvaient deux Galiciens : Shmarya (Shmaryahu) Reichler, un marchand de ferraille rusé et très orthodoxe, arrivé en 1904, suivi en 1912 du rabbin Jehudah (Yudel) Rosenberg, un homme très instruit mais tout aussi orthodoxe. Le jeune Mordecai prétendait avoir peu d'ambition face aux choses matérielles, mais c'est pourtant grâce à ses deux grands-pères, qui ont fait le choix de la prospérité en émigrant, qu'il a connu l'aisance en Amérique du Nord et acquis sa personnalité de Juif laïc. Mordecai a bien connu Shmarya: celui-ci est devenu l'ennemi dont le sens de l'orthodoxie et de l'éthique des affaires le faisaient rager. Quant à Yudel, il est décédé lorsque Mordecai était encore jeune. Son influence, une sorte d'idéalisme qui agaçait son petit-fils et se manifestait par l'intermédiaire de sa fille Lily (la mère de Mordecai), lui sembla tout aussi oppressante.

~

Arrivé le premier du côté ouest de l'océan atlantique, Shmarya Reichler, depuis peu converti aux vertus du capitalisme, a davantage apprécié l'Amérique du Nord que Yudel Rosenberg. Un agent de l'immigration paresseux a réussi à oublier le *e* dans le nom « Reichler » – une anecdote qu'ignorait Mordecai avant de voir le passeport de son père dans les années 1960[6]. Avec un permis de colporteur en poche et un prêt de l'Institut philanthropique Baron de Hirsch[7], Shmarya est devenu « Sam Richler », un marchand de ferraille[8].

Il a travaillé dur toute sa vie. Chez lui et même chez ses enfants devenus adultes, personne ne contestait son statut de chef de famille. Il considérait ses enfants comme sa propriété. Plusieurs d'entre eux ont travaillé dans l'entreprise familiale et l'un des fils, Harry Richler, a passé plusieurs années en prison comme « invité de la Couronne » pour avoir reçu des marchandises volées. Chaque semaine, un membre de la famille, M. Mandelcorn, allait lui rendre visite à la prison de Bordeaux pour lui amener de la nourriture casher afin qu'il n'ait pas à pécher contre les prescriptions alimentaires juives. Selon la rumeur, que certains des frères considèrent fausse, Harry aurait porté le blâme à la place de Shmarya[9]. « Agressif et astucieux », Shmarya connaissait bien la Torah et refusait qu'on la critique en sa présence. Il croyait en la vie après la mort et aimait beaucoup diriger l'office à la synagogue en tant que chantre[10]. Pour Mordecai, Shmarya deviendra un symbole d'orthodoxie irréfléchie. « Mon colérique, mon féroce grand-père », l'appelait

Mordecai, ajoutant qu'il montrait le meilleur de lui-même lorsqu'il jouait avec les enfants[11]. D'autres, qui ont demandé à garder l'anonymat, en parlent plus franchement : « C'était un fils de pute... je le détestais ».

≈

Le grand-père maternel de Mordecai Richler, le rabbin Yudel Rosenberg, était très différent. Avec sa barbe et ses papillotes impressionnantes, ce kabbaliste, toujours vêtu d'une robe d'un noir brillant, d'un *shtreimel* (chapeau de fourrure porté par les Juifs hassidiques le jour du Shabbat) noir et de bottes de la même couleur, en imposait partout où il allait. Lorsqu'une idée de génie lui venait, il prenait sa plume et notait ses pensées dans un grand livre doré. Celles-ci ont par la suite donné lieu à des publications telles que *A Brivele fun di Zisse Mame Shabbes Malkese zu Ihre Zihn un Tekhter fun Idishn Folk* [*Lettre de la douce Reine-mère du Shabbat à ses fils et ses filles du peuple juif*]. Il possédait un « puissant sens de l'humour, pénétrant et satirique », mais « pas amer » pour autant[12].

Bien qu'il fût le descendant d'une famille de rabbins et un homme profondément orthodoxe, Rosenberg ne se contentait pas de lire des ouvrages hébreux rédigés par des *maskilim* de la Haskala (les érudits des Lumières juives); il dévorait aussi des ouvrages de vulgarisation scientifique, des pièces de théâtre et des essais – des ouvrages que ses parents se sont empressés de brûler lorsqu'ils ont découvert le pot aux roses. Pour être reconnu comme un rabbin par le gouvernement russe, Rosenberg a dû apprendre la langue russe, un compromis qui rendait furieux les rabbins qui ne parlaient pas cette langue. Lorsque ceux-ci l'ont trouvé endormi sur un banc, un livre russe à la main, ils ont considéré la situation comme le signe explicite que Dieu cherchait à réprimander Rosenberg pour les avoir trahis[13].

Il était pauvre, mais ses étudiants ne voyaient aucune honte à sa pauvreté, bien au contraire. Un Hassid a même écrit :

Reb Yidl, mon rebbe,
Je vous vois à Lodz,
Dans la pièce sombre de la rue Polnocna

Éclairée par une seule ampoule de cinq watts
Car elle n'a pas de fenêtres.
Mais vous ne l'avez pas mal supportée,
Car votre maison était comme le Temple Sacré[14]...

Rosenberg a publié plus de vingt ouvrages, notamment une traduction commentée de la Zohar en sept volumes, de l'araméen en hébreu – un projet qu'il a mis vingt ans à réaliser[15]. Contrairement à d'autres rabbins plus traditionnels, il croyait que le Zohar, un ouvrage très ancien qui offre une «nouvelle» révélation, pouvait contribuer à freiner la laïcisation[16]. Rosenberg considérait ses œuvres littéraires comme ses propres enfants. Vers la fin de sa vie, lorsque sa fille Lily a voulu lui rappeler que ce serait ses enfants de chair et d'os qui perpétueraient son héritage, et non pas ses livres, il a refusé de lui parler pendant deux jours[17].

Lorsqu'il parlait de son grand-père, Mordecai aimait souligner le fait qu'il avait traduit la Zohar, qu'il croyait aux démons et qu'il blâmait les Juifs débauchés qui n'observaient pas le Shabbat pour le retard du Messie[18]. Mais on pourrait dire bien d'autres choses sur lui. D'un côté, il déclarait que le Ciel lui avait révélé l'existence d'une amulette pour faciliter l'accouchement; de l'autre, il critiquait le manque d'hygiène de nombreux *mikvaot* publics (bains rituels pour les femmes) et houspillait ceux qui disaient aux femmes stériles qu'elles pouvaient remédier à leur condition en mangeant le prépuce d'un garçon circoncis[19]. Il écrivait aussi des œuvres de fiction, même s'il prenait soin de ne pas les qualifier ainsi, dont une histoire sur la création du Golem par le Maharal (le rabbin Yehudah Loewe, 1525-1609) et une autre plagiant de manière éhontée *Le Pectoral du grand prêtre* (*The Jew's Breastplate*, 1899), d'Arthur Conan Doyle – exit le détective britannique et bonjour le Maharal. Rosenberg avait bien compris que les jeunes s'intéressaient beaucoup plus à des vols mystérieux et à des héros juifs capables de magie qu'aux lois impénétrables du Talmud. Son petit-fils ira encore plus loin. Ayant découvert des éléments qui lui plaisaient dans le style des récits judaïsés de son grand-père, Richler écrira notamment qu'Éphraïm Gursky, jusque-là inconnu des livres d'histoire, faisait partie de l'expédition menée par Sir John Franklin[20]. «Ne soyez pas trop pressés de me soupçonner d'avoir – que Dieu m'en préserve –

inventé moi-même ces histoires», s'était insurgé Rosenberg face aux doutes manifestés par certains au sujet d'une des légendes qu'il avait publiées. Les preuves indiquent pourtant le contraire. Rosenberg affirmait avoir emprunté de vieux manuscrits à un homme mystérieux, un certain Hayyim Sharfstein, dont on n'a jamais retrouvé la trace. Les écrits de Rosenberg reflétaient le respect qu'il témoignait aux membres de sa famille et à sa congrégation, mais si ces derniers avaient su qu'il *inventait de toutes pièces ses histoires*, ils se seraient sentis trahis[21].

Malgré toutes ses connaissances et ses expérimentations romanesques, Rosenberg voyait le monde sensiblement de la même manière que Shmarya Richler : c'était un combat frontal entre le Bien et le Mal. C'est aussi la vision du monde à laquelle s'est d'abord identifié Mordecai avant de se rebeller contre elle à chaque instant, même bien après avoir cessé de côtoyer cette réalité. Et bien qu'il en soit venu à manifester violemment son désaccord avec les croyances de son grand-père – ce qu'il considérait vertueux ou inconvenant –, leur certitude morale court dans sa vie et son œuvre comme une veine dont on aperçoit l'ombre bleutée, jamais très loin de la surface.

À cinquante-trois ans, encouragé par les Juifs polonais qui vivaient déjà au Canada et incité par les pogroms, Rosenberg traverse l'Atlantique et s'installe à Montréal, où il deviendra « Der Polishe Rebbe » [le rabbin polonais]. Toute la ville le connaît[22] et toutes sortes d'individus viennent lui demander conseil pour régler leurs problèmes religieux, conjugaux ou financiers. Avrum, le frère aîné de Mordecai, qui avait l'habitude de porter le *talit* de son grand-père, se rappelle les bruyants services de prière. Tout le monde priait en même temps à voix haute, et celui qui récitait ses prières le plus fort était considéré comme l'individu le plus proche de Dieu[23]. D'après sa famille et ses amis, Rosenberg aurait occupé le poste de Grand Rabbin de Montréal[24], mais ce n'est pas tout à fait vrai. Dans les années 1920, Rosenberg a bien défié le pouvoir du rabbin Hirsch Cohen, qui contrôlait l'application de la cacheroute à Montréal, mais en vain. Mordecai, même dans sa jeunesse, avait du mal à croire à l'importance de Rosenberg. Selon lui, Lily conférait chaque année «de plus en plus de prestige au rabbin», impressionnant les *goyim* plus que n'importe qui d'autre[25].

Même après sa défaite épique dans ce qu'on a ensuite appelé la «guerre de la viande cachère» [Kosher Meat War], Rosenberg continuait de bénéficier du soutien de nombreux Juifs hassidiques, et notamment de Shmarya Richler[26]. Lorsque Rosenberg a été contraint de célébrer les offices religieux à la maison à cause de sa santé défaillante, Shmarya Richler est demeuré parmi les rares fidèles[27]. Si le ferrailleur demeurait loyal au rabbin, ce n'était pas simplement pour des raisons spirituelles. Le 18 juin 1924, au beau milieu de la guerre de la viande cachère et alors que Rosenberg atteignait le sommet de sa carrière d'écrivain avec la publication de cinq volumes de sa *Zohar Torah*[28], Shmarya arrangeait le mariage de son fils Moe avec Lily Rosenberg, la fille du rabbin. Lily ne voulait rien savoir de Moe, mais Shmarya a conclu l'affaire en promettant à son père que Moe obtiendrait bientôt une part de l'entreprise familiale.

Étrange revirement que voilà. L'astucieux homme d'affaires avait conservé suffisamment de l'esprit du Vieux continent pour souhaiter le prestige spirituel que lui conférerait le mariage de son fils avec la fille d'un rabbin. Inversement, le mystique rabbin, approchant de sa fin, souhaitait assurer la sécurité matérielle de sa fille par ce qu'il croyait être un mariage prudent. La célébration fut des plus tape-à-l'œil. Les taxis étaient alignés le long de la rue parce que Rosenberg était rabbin[29], mais le couple ne pouvait même pas payer la facture. Bien que Moe et Lily aient tous deux considérablement influencé l'écriture de Mordecai, il serait difficile de trouver deux personnes plus mal assorties. Moe avait vingt-et-un ans et Lily, dix-neuf ans. Elle clamera plus tard qu'elle n'en avait que dix-sept et qu'elle était donc mineure[30]. Bien qu'il était le fils aîné de la famille, Moe n'était ni aussi ambitieux, ni aussi éduqué que ses plus jeunes frères. Lily était quant à elle désespérément ambitieuse et manifestait une soif insatiable d'apprendre depuis que sa propre éducation avait été interrompue de façon prématurée[31]. En raison de ses difficultés en français, une bourse lui avait été refusée et cet événement a mis un terme à son éducation. Fait intéressant, le futur auteur d'*Oh Canada! Oh Québec! Requiem pour un pays divisé* a caché ce détail dans ses nombreux articles sur les batailles linguistiques au Québec.

~

Lorsque Norman Levine l'a décrite trente ans plus tard, Lily avait « une voix criarde et nasillarde », elle dégageait beaucoup d'énergie et une certaine tristesse, moins visible : « Elle me faisait penser à un petit oiseau ; elle avait la vivacité d'un moineau. Quoiqu'elle dise, elle semblait raconter une blague. Tant qu'elle parlait, elle gardait cette assurance. Ce n'est que lorsqu'elle écoutait qu'on pouvait remarquer sa vulnérabilité ; son regard mélancolique[32]. » D'autres, qui la connaissaient mieux, étaient convaincus qu'elle était mentalement instable. Sans prévenir, elle pouvait devenir enragée et laisser échapper des remarques acerbes.

Lily aurait tout donné pour marcher dans les pas de son père et devenir un rabbin orthodoxe, une profession malheureusement inaccessible aux femmes. C'était devenu une blague dans la famille. Rosenberg avait l'habitude de dire qu'il ne manquait qu'une barbe à Lily pour être un rabbin à part entière. Lors d'une visite dans un abattoir, il plaisanta en disant qu'il était en train de faire son éducation pour qu'elle devienne la première femme rabbin[33]. Lily s'est très vite lassée de son humour. Lorsqu'elle a manifesté son désir de continuer ses études au-delà de la petite école de la rue McCaul et de fréquenter l'école secondaire et l'université, c'est son père adoré lui-même qui l'a trahi en lui disant qu'elle était assez éduquée pour être « mère en Israël ». Elle étudiera éventuellement le français de manière autodidacte – trop tard – et ira de conférences en séminaires dans l'espoir de compenser son manque d'éducation. Elle a elle-même écrit alors qu'elle était dans la vingtaine, puis septuagénaire. C'est Lily qui a poussé Mordecai à lire Shakespeare et les poètes romantiques : Byron, Keats et Wordsworth[34]. Bien qu'il ait fini par les mépriser, ils ont tout de même eu une influence déterminante sur sa première perception de lui-même en tant qu'écrivain.

Malgré la trahison de son père, Lily entretenait avec lui une relation très étroite – peut-être même malsaine. Il l'accompagnait à la fenêtre et, lui montrant les oiseaux qui pépiaient, lui disait : «ils t'appellent : "Lily, Lily"». Elle lui lavait les cheveux, la barbe et les papillotes. «Un roi parmi son peuple et un roi parmi les hommes», avait-elle coutume de dire. Difficile pour un époux d'être à la hauteur d'un tel père. Souvent, pendant leur mariage, Lily se tournait vers son père pour trouver du réconfort lorsqu'elle avait l'impression que Moe ne l'aimait pas. Contrairement à ses sœurs, qui n'étaient pas particulièrement enthousiastes face aux restrictions et aux responsabilités associées au fait d'être les filles d'un rabbin – notamment en matière vestimentaire –, Lily adorait jouer ce rôle. Comme l'indique le titre de son autobiographie, *The Errand Runner : Reflections of a Rabbi's Daughter*, elle est même devenue une sorte de «coursier», de médiatrice entre les Juifs de langue yiddish et le gouvernement anglais. Elle réglait des affaires de visa et traduisait des lettres[35], cherchant à se satisfaire des miettes de la table de travail de son érudit de père.

Moe faisait lui aussi des commissions pour les autres, mais celles-ci étaient moins prestigieuses. C'était un homme qui évitait les conflits. Il travaillait comme comptable et chauffeur de camions pour son père. Il était mince, avait la peau sombre et des traits anguleux[36]. Comme Lily, il avait dû quitter l'école assez tôt, en 4e ou 5e année, pour aider son père au dépôt de ferraille[37]. Fils aîné de la famille, il ressentait fortement la pression que son père exerçait sur lui. Dès que Moe faisait une pause dans un quelconque restaurant de quartier pour prendre un café, Shmarya le critiquait en disant que la tasse n'était pas cachère[38].

Passionné de cinéma, il adorait le Chœur des cosaques du Don[39], les spectacles burlesques, les histoires grivoises et les blagues et apprenait par cœur les numéros des humoristes. Ses lectures se résumaient au *Reader's Digest*, à *Mécanique populaire*[40] et au magazine *Black Mask*[41], ainsi qu'aux romans consacrés aux aventures de *Doc Savage*. Contrairement à Lily, il n'avait pas le temps de s'intéresser aux œuvres théâtrales intellectuelles. Dans

Joshua au passé, au présent, lorsque Reuben Shapiro dit, en parlant de Shakespeare, « Enlève les costumes à la con et les épées, qu'est-ce qui reste ? De la poésie, de la foutue poésie[42] », ce n'est nul autre que Moe qui parle. La science-fiction l'enthousiasmait particulièrement. Ce qu'il savait du monde, il l'apprenait grâce au *New York Daily News* et au *New York Daily Mirror*[43], et il « ne jurait que par ces tabloïds ». Il transmettra plus tard ce goût à ses fils adolescents : lorsqu'il arrivait à la maison avec plusieurs journaux à sensation, le premier à crier « Daily Mirror » l'obtenait d'abord[44].

Lily le trouvait idiot[45], et un membre de la famille l'a même décrit comme « un vrai, un authentique ignare ». Son fils, Avrum, conteste avec véhémence : « C'était un homme merveilleux. Il n'était pas ignorant ; il était au contraire très intelligent... Il avait un esprit mathématique. » Avec l'éducation nécessaire, suggère-t-il, il aurait fait un excellent comptable ou un très bon ingénieur. « Je ne comprend pas pourquoi ma mère ne l'aimait pas. Elle avait l'impression qu'il lui était inférieur[46]. » À certains moments, en particulier au début de son adolescence, Mordecai a lui aussi ressenti du mépris pour son père. En vieillissant, il a toutefois atteint un certain niveau de maturité intellectuelle et commencé à apprécier les mauvaises blagues et les expressions populaires de son père et à les utiliser comme matériau brut[47]. Moe se moquait des prétentions intellectuelles de Lily et croyait que Mordecai avait hérité de ses tendances anti-intellectuelles, comme s'il prenait consciemment la défense de son père face aux prétentions de Lily, à l'idéalisme du rabbin Rosenberg et à la culture intellectuelle en général[48]. « Que voulait-il ? », s'interrogera Mordecai après la mort de son père. « À part la paix et le calme qu'il a rarement réussi à obtenir, je n'en ai aucune idée[49]. »

En tous les cas, affirme Lily, « nous n'avons jamais eu de conversation sérieuse avant d'être mariés ». Le peu qu'elle avait vu de Moe lui avait fait peur et elle n'avait pas cherché à le cacher à ses parents. Elle craignait qu'ils n'aient rien en commun. Elle trouvait qu'il avait l'air trop jeune pour se marier et appréhendait le sexe. Juste avant le mariage, une de ses sœurs aînées l'a entraînée à l'écart pour lui expliquer rapidement comment se déroulerait sa nuit de noces. Lily raconte que, conformément à la coutume, Shmarya serait entré dans la chambre le lendemain du mariage pour examiner les draps et confirmer que sa bru était bel et bien vierge avant cette nuit-là. Il serait resté mystifié par l'absence de taches de sang. Elle affirme avoir changé les draps pour le contrarier[50]. Mais l'anecdote semble tirée par les cheveux[51]. Dans *Mon père, ce héros*, Wolf et Leah (des personnages fortement inspirés de Moe et Lily) ne consomment pas leur mariage avant plusieurs mois[52]. Nous savons que Lily et Moe dormaient dans des lits séparés, et Lily admet que Moe faisait preuve «d'une certaine vitalité au point de vue sexuel», mais qu'elle n'y était pas réceptive[53].

Quant à la promesse qu'avait faite Shmarya d'accorder des parts de l'entreprise familiale à son fils, elle a rapidement été oubliée[54]. Il est fort possible que Shmarya ait véritablement eu l'intention, dans le meilleur des mondes, de s'associer à son fils, mais la Dépression a frappé et, bien qu'en 1931 Shmarya se présentait lui-même comme « S. Richler, président de Metal Smelters and Refiners », le titre était beaucoup plus impressionnant que les profits réalisés[55]. Il a simplement refusé de respecter sa promesse[56]. Shmarya traitait les autres chauffeurs de camion avec plus d'égards que Moe – ce n'était qu'un fils, après tout[57]. Quand il était à court d'argent, c'était les chèques de paye de vingt dollars par semaine de Moe qui s'avéraient sans provision[58], pas ceux des autres employés. Shmarya empochait même régulièrement l'argent destiné à Moe. Il avait élaboré un plan pour que Moe se lance dans la fabrication de briques pour la construction. Le rabbin Rosenberg avait prêté 1 000 dollars à Moe pour couvrir les frais initiaux, mais, bizarrement, l'argent s'était retrouvé entre les mains de Shmarya le lendemain. Lily s'en indignait chaque jour devant Moe et l'exhortait à rompre les liens avec son père. « Si tu n'es pas contente, retourne chez tes parents », lui rétorquait Moe. Ce qu'elle faisait régulièrement[59].

Il est difficile de savoir ce que Moe pensait de son père. Dans *Mon père, ce héros*, Wolf est tenté de laisser tomber les deux tonnes de ferraille qu'il transporte avec son derrick sur la tête de son père, Melech, qui se dérobe à sa promesse d'en faire son associé et lui refuse une augmentation de salaire. Mais, tout de suite, Wolf réinterprète l'événement à sa façon et en vient à

croire qu'il a sauvé la vie de son père[60]. Mordecai avait manifestement senti une certaine hostilité refoulée chez Moe. L'agressivité qui transparaît dans le roman est cependant celle de
Mordecai et non pas de Moe. Si Lily a transmis à son fils la notion
de littérature en tant qu'appel divin, l'attitude soumise de Moe
a inspiré à Mordecai la colère et la détermination de ne pas finir
dans la même position que son père. Les motifs présents dans
la majeure partie des écrits de Richler – les débuts socialistes, la
satire punitive, l'offensive en faveur d'une rémunération adé-
quate du travail – peuvent être associés à la hargne qu'il ressentait envers Shmarya lorsqu'il se mettait dans la peau de son père.
La fille de Richler, Emma, a certainement remarqué la qualité
iconique que l'emploi de Moe avait pour son propre père. Dans
son roman *Sœur folie*, le personnage du père, inspiré de Richler,
parle avec une mauvaise humeur mêlée de fierté de son propre
père : « "Il était revendeur de vieilleries ! Un chiffonnier, un ferrailleur quoi !" Cela sonnait davantage comme la fin d'une
conversation que comme le début[61]. »

Moe s'échinait au dépôt de ferraille de 6 heures du matin à
10 heures le soir pour un salaire irrégulier[62]. Lily avait dans l'idée
d'en faire un comptable, mais Moe hésitait[63]. À un moment
donné, il a réussi à se libérer de l'emprise de son père en obte-
nant la distribution des pneus Seiberling, mais lorsque le contrat
est tombé à l'eau, il a dû, penaud, retourner travailler pour
Shmarya. Les percepteurs de loyers et de factures d'eau et les
représentants du fournisseur de gaz trouvaient tous l'occasion
de faire une visite de courtoisie chez Lily et Moe et d'employer
des termes tels qu'« éviction » ou « cessation »[64]. Les Richler ont
évité, au moins à deux reprises, de payer leur loyer en déména-
geant au milieu de la nuit. Ils ont souvent changé de logement :
il y a eu l'appartement de l'avenue de l'Esplanade, celui de la rue
Jeanne-Mance, un autre rue St-Dominique et un autre rue
Clark[65]. Mordecai était trop jeune pour se rappeler des périodes
les plus difficiles, dans les années 1930, mais avec l'âge, il a compris la situation de sa famille et ressenti crûment sa pauvreté et
la position modeste de son père.

2

Une lumière s'éteint en Israël

À LA FIN DU MOIS DE JANVIER 1931, Lily demande à sa sœur Ruth de lui prêter cinquante dollars. À nouveau enceinte, elle a besoin de cet argent pour payer le médecin qui s'occupera de l'accouchement. Bien que Ruth ne le lui ait pas donné[1], elle a tout de même réussi à réunir la somme nécessaire. Le 27 janvier, elle donne naissance à Mordecai. Plus tard, Lily prendra plaisir à rappeler à son fils qu'au lieu de rester à l'hôpital pour savoir si l'enfant était un garçon ou une fille, Moe avait préféré aller se saouler et regarder des films[2]. À l'époque, Avrum avait presque cinq ans, et Lily n'avait pas l'intention d'avoir un autre enfant. Elle songeait d'ailleurs au divorce depuis un certain temps déjà. Ses parents l'avaient eux aussi mise en garde contre une nouvelle grossesse et c'est pourquoi elle se sentait coupable[3]. Mais Avrum grandissait, et elle avait besoin d'aimer et de toucher quelqu'un.

Comme Avrum, le nouveau-né est circoncis par son grand-père, le rabbin Yudel qui, du haut de ses soixante-dix ans, est toujours autorisé à manier le couteau du Mohel. Il donne à l'enfant le nom de son vieux professeur[4] : Mordechai, le héros biblique qui refusa de s'incliner devant les dieux perses et que les Juifs adorent chaque année au moment de Pourim pour avoir convaincu sa cousine Esther, l'épouse du roi Assuérus, d'user de ses charmes et de protéger les Juifs lors du premier pogrom.

Mordechai, le héros des Juifs. Ou, comme le dit Richler, «le pre-mier *pimp* juif[5]». Pour Lily, qui se plaignait qu'après son départ de la maison paternelle, les fêtes de Pourim qu'elle aimait tant – les chants, les danses et les petites mises en scène – n'aient plus jamais été les mêmes[6], ce nom était doté d'un symbolisme très émouvant.

Jusqu'à l'école secondaire au moins, Mordecai est surnommé «Muttie», «Mottle» ou «Mottkele»[7]. Il est d'abord gaucher, mais étant donné les pratiques de l'époque – de violents coups sur les jointures – cette excentricité lui passe rapidement et il devient ambidextre[8]. Moe et Lily adoraient tous deux leurs fils, mais plu-sieurs critiques ont fait remarquer que les figures paternelles des romans de Richler (Wolf Adler, Max Kravitz, Issy Hersh, Reuben Shapiro) avaient généralement bonne presse malgré leurs défauts, tandis que les figures maternelles étaient souvent décrites comme «émotionnellement manipulatrices, domi-nantes, centrées sur elles-mêmes, culturellement prétentieuses[9]». Lorsqu'on l'a interrogé au sujet de cette liste de défauts, Avrum a répondu : «C'est bien elle[10]...»Et Lily l'a elle-même admis. Elle disait de Moe qu'il était un bon père qui parlait à ses enfants d'une façon qu'il n'utilisait jamais avec elle et se décrivait elle-même comme une mauvaise mère – souvent nerveuse, impa-tiente et triste. Ce qui n'a pas empêché Mordecai d'être son chouchou, et que celui-ci soit, pendant plusieurs années, très proche de sa mère. En tant qu'«élément dominant» du couple, Lily s'occupait de faire la discipline et lavait la bouche de Mordecai au savon lorsque c'était nécessaire[11]. Elle le câlinait aussi souvent. C'était une mère aimante, qui pardonnait facile-ment, souriait à Mordecai et l'appelait son «petit bandit[12]». «C'était le chouchou, il n'y a aucun doute là-dessus», affirme Avrum. «Plus vieux, je me disputais souvent avec ma mère à ce sujet. Je l'accusais de le préférer à moi...» Des années plus tard, Mordecai s'excusera auprès de son frère, affirmant qu'il n'était pas conscient de la situation à l'époque[13].

«Je vis à travers mes enfants», a dit Lily en 1981[14]. Elle aurait pu dire la même chose dans les années 1930 et 1940. Dès le début, Lily a reporté ses ambitions frustrées sur ses fils. Selon Richler, elle lui flanquait une raclée lorsqu'elle le surprenait à lire *Tip Top*

Comics ou à écouter Green Hornet à la radio[15]. Aussi, bien qu'Avrum ne s'en rappelle pas, Mordecai se souvient très bien lorsqu'elle a déchiré sa collection de bandes dessinées, incluant l'original de Superman no. I (qui vaudrait d'ailleurs une fortune aujourd'hui)[16]. Mordecai a compris le message et appris à devenir un intellectuel littéraire. Malgré l'éclectisme de ses lectures et la tournure vulgaire de son écriture, Richler n'a jamais vraiment mis de côté l'attitude de sa mère. Il disait que Lily voulait faire de lui un rabbin, mais c'est Avrum qu'elle destinait à cette profession, du moins jusqu'à ce que celui-ci se rebelle contre le scénario préétabli et qu'elle doive se contenter d'un fils aîné optométriste[17]. Sans qu'il en comprenne véritablement le sens, elle faisait réciter des mots d'hébreu à Mordecai alors qu'il n'avait que trois ans[18]. Même si le style d'écriture de Richler s'est développé en grande partie en réaction à sa mère, elle deviendra finalement sa plus fidèle admiratrice. Son style avant-garde puis satirique l'a déçue, mais pas son succès auprès de l'élite intellectuelle.

Chaque fois qu'elle le pouvait, Lily amenait les enfants voir leur grand-père Yudel. Il chatouillait le visage des garçons avec sa longue barbe ou faisait des dessins pour eux en les prenant sur ses genoux. L'été, il louait une maison dans les Laurentides, à Shawbridge ou Piedmont. Ils s'assoyaient tous dans l'herbe pour écouter Yudel lire de la poésie yiddish à voix haute[19]. Pour le jeune Mordecai, c'était du charabia. Moe et Lily parlaient rarement yiddish à la maison, et Mordecai n'a jamais réussi à apprendre plus que quelques mots[20]. C'est à Avrum que Yudel consacrait l'essentiel de son attention, et Lily se plaindra plus tard que Mordecai n'a pas pu profiter de la bonté de son grand-père[21]. Il est évident qu'elle croyait qu'une relation plus étroite aurait eu une incidence positive sur l'écriture de Richler (c'est-à-dire qu'elle aurait permis de la «gentrifier»). Dans son *Discourse on Tefillin*, Rosenberg affirme que l'histoire des amants charnels du *Cantique des Cantiques* montre à quel point les Juifs sont attirants pour Dieu lorsqu'ils portent leur *tefillin* (ou phylactères, petites boîtes qui contiennent les écritures et que les Juifs dévots portent sur le bras gauche et le front). Qu'aurait pu dire Yudel au romancier qui raconte, dans *Un cas de taille*, comment cette chère vieille Mlle Ryerson récompense ses meilleurs élèves en leur faisant une fellation[22]? Dans *L'Apprentissage de Duddy Kravitz*, le portrait du *zeyde* suggère que le grand-père et le petit-fils *auraient*, au bout du compte, des choses à se dire, même si leur conversation risque d'être tendue et le ton, souvent lourd de reproches. Ce sont les commentaires percutants et intimidants de Lily, bien plus que la voix idéaliste de Yudel, que Mordecai apprendra à imiter. Dans l'une des histoires de Lily, une femme demande : «Rabbin, comment puis-je rendre ma fausse dent cachère ?» Le narrateur derrière lequel se cache Lily demande – en silence – comment elle peut rendre sa langue *pesachdig* (prête pour la Pâque juive) si elle l'utilise pendant toute l'année pour des trucs *chumitz*[23], c'est-à-dire pour toutes sortes de péchés et de sacrilèges.

Pendant les chaudes soirées d'été dans les Laurentides, la famille de Lily échafaude des plans pour quitter le pays. Lily n'en peut plus de son mariage et, bien qu'elle ait une prescription pour ses nerfs, l'une de ses nombreuses disputes avec des membres de la famille retarde la livraison de ses médicaments[24]. Au milieu de toute cette obscurité, il semble pourtant y avoir une lueur d'espoir : lorsque le rabbin ashkénaze en chef de la Palestine décède, en 1935, Rosenberg croit avoir une chance d'obtenir le poste. Il a déjà, dans les années 1920, acheté à deux reprises des terres (à Haïfa et à Jérusalem) à des vendeurs sionistes itinérants et des parts dans la Banque anglo-palestinienne[25]. Lily décide d'émigrer avec ses parents en emmenant ses fils avec elle, mais en laissant Moe derrière. Les garçons étaient pourtant convaincus que toute la famille allait partir. Lily avait peut-être même déjà acheté les billets de ferry. On peut se demander à quel point cela aurait constitué une délivrance. L'objectif était de s'installer à Mea Shearim, un quartier de Jérusalem tellement orthodoxe que la plupart des Juifs qui y vivent ne reconnaissent pas la légitimité de l'État d'Israël. «Dieu merci, nous n'y sommes pas allés», a dit Avrum. «Ils sont fous là-bas[26].» Les visiteurs américains qui se rendent à Mea Shearim sont surpris : «L'un des signes… dit : "La

Torah ordonne à une fille juive de se vêtir humblement : il est interdit de se vêtir autrement dans notre quartier". On se croirait en Pologne au XVIIIe siècle[27]. »

Lily avait peut-être l'impression que les choses allaient mal à Montréal, mais elles étaient sur le point d'empirer. Cette année-là, la famille Richler est invitée chez Shmarya pour Simchat Torah, mais Avrum refuse d'y aller et réussit à convaincre les autres d'aller voir Yudel à la place. La famille se rend donc chez Yudel, et c'est la dernière fois que les garçons le voient. Il est terrassé par une attaque peu de temps après. Même s'il est encore capable de comprendre ce que les autres lui disent, il ne peut y répondre. Sa femme Sarah, son fils cadet Abraham (qui deviendra lui aussi rabbin) et Lily le veillent pendant trois jours jusqu'à ce qu'il meure, le 23 octobre 1935. Ses funérailles sont aussi grandioses que Lily aime à le rappeler dans *The Summer My Grandmother Was Supposed to Die* : plusieurs magasins appartenant à des Juifs ferment pour la journée, le cortège est escorté par des motocyclistes et les journaux proclament : « une lumière s'est éteinte en Israël[28] ».

≈

Six semaines plus tard, les papiers d'immigration arrivent. Or il n'est plus question, bien entendu, de partir. Alors que Maurice Duplessis fonde l'Union nationale – un mauvais présage pour les Juifs de Montréal – la seule porte de sortie de Lily se referme. Pour réduire les dépenses de la famille, ils emménagent avec sa mère, désormais veuve, au 4587 rue Jeanne-Mance[29]. Leur déménagement provoque le ressentiment des frères et sœurs de Lily, qui l'accusent de profiter de l'argent du père – leur futur héritage, merci beaucoup[30]. Moins d'un an plus tard toutefois, Lily est accablée d'un nouveau fardeau quand Sarah est à son tour victime d'une attaque. Encore une fois, la nouvelle intitulée *The Summer My Grandmother Was Supposed to Die* raconte fidèlement les grandes lignes de l'histoire : contrairement à son époux, Sarah met sept ans à mourir et, pendant toutes ces années, elle craint que ses enfants ne l'abandonnent[31]. Paralysée, elle finit même par perdre l'usage de la parole et par s'exprimer par des grognements. Lily raconte qu'au début, ses frères et sœurs passaient souvent à la maison pour lui donner un coup de main avec les soins, mais qu'ils ont fini par se lasser. Lorsque Lily suggère qu'ils envoient de l'argent à la place afin de payer quelqu'un pour l'aider, ils proposent de placer Sarah dans un centre. Lily refuse. Déjà dotée d'un tempérament assez fort, elle vit une période très difficile pendant laquelle elle néglige ses enfants. «Au fil des années, je suis devenue de plus en plus fatiguée. Je pestais, je tempêtais contre mes frères et sœurs», raconte-t-elle. «Je voulais que ma mère que j'aimais meure enfin! J'avais une telle rage à l'intérieur[32].» Une fois, elle s'est tenue sur le seuil et a injurié toute la famille[33]. Même si le jeune narrateur de *The Summer My Grandmother Was Supposed to Die* n'est pas tout à fait conscient de la souffrance qui règne autour de lui, le tableau satirique qu'il brosse de la famille démontre clairement que Richler, qui s'identifiait encore beaucoup à sa mère à l'époque, était du même avis qu'elle. Ces événements ont d'ailleurs eu une forte influence sur son œuvre. À travers ses romans, du plus faible au meilleur, court une veine d'honnêteté face aux motivations humaines. Une veine qui prend sa source dans les propos qui ont franchi les lèvres de Lily presque contre son gré : malgré tous les merveilleux hommages qu'on rendait à l'héritage spirituel du rabbin Rosenberg, personne ne voulait faire le sale boulot de s'occuper de sa femme.

«Très tendancieux», disait Lionel Albert à propos du témoignage de Lily. Après l'attaque de Sarah, Ruth (la sœur de Lily et la mère de Lionel) offre son soutien financier et vient régulièrement s'occuper de sa mère. Elle emménage même avec eux pendant un certain temps pour veiller sur Sarah, Avrum et Mordecai et permettre à Lily de sortir un peu. Ruth trouve finalement un centre et tous les enfants acceptent de donner un peu d'argent pour payer la chambre de Sarah. Elle n'aurait vraiment pas dû rester à la maison, raconte Bessie Pine (la fille de l'une des sœurs de Lily), mais Lily se voyait elle-même comme une sorte de martyre qui avait pour mission de prendre soin de «*babashi*[34]». Par ailleurs, si Sarah allait vivre dans un centre, Lily verrait son gagne-pain disparaître : elle lui fournissait une bonne excuse pour compléter le maigre salaire de Moe[35]. Lily exigeait que chacun des enfants lui donne deux ou trois dollars par semaine, ce qui, à l'époque, représentait beaucoup d'argent. Si vous refusiez d'envoyer l'argent, c'était à vos risques et périls. Vous pouviez tout aussi bien ouvrir la porte et vous retrouver nez à nez avec baba (comme le menaçait Lily). Certains des enfants ont apporté leur contribution, d'autres pas. La mère de Bessie Pine, Hannah Hadler, angoissait chaque fois qu'on sonnait à la porte[36].

La vérité se situe quelque part entre le témoignage de Lily et celui de ses sœurs. Manifestement, Lily était une magouilleuse qui cherchait par tous les moyens à obtenir des sous dont elle avait véritablement besoin. Mais il est aussi clair que Sarah ne voulait rien savoir d'un centre. Pendant un court laps de temps, Lily a fini par céder et par placer sa mère dans un centre, mais lorsqu'elle est venue lui rendre visite le lendemain, Sarah a tout simplement refusé de regarder sa fille et, quelques jours plus tard, Lily l'a ramenée à la maison. « Elle n'y a pas passé une semaine », raconte Avrum. « On a réinstallé Sarah dans la chambre d'Avrum et Lily a dû recommencer à changer ses couches et à la nourrir. Elle persuadait parfois Avrum et Mordecai d'aller embrasser leur grand-mère et de lui tenir compagnie, mais celui qui l'aidait le plus était sans conteste – même si Lily refusait de le reconnaître – Moe[37]. »

Autoritaire et malheureuse, Sarah n'était pas une patiente facile. Elle n'acceptait pas que le décès de son mari relève de la volonté divine. Pour le narrateur adolescent de *The Summer My Grandmother Was Supposed to Die*, Sarah fait figure de croquemitaine. Et dans les notes autobiographiques qui ont été reprises presque mot pour mot dans *The Rotten People*, un des premiers romans de Richler (non publié), l'adolescent qui raconte l'histoire, Kerman Adler, se montre encore moins sentimental : « la vieille garce était finalement morte », pense-t-il, se rappelant l'odeur de son pied atteint de gangrène, le « caca » au lit (et, une fois, étalé sur le mur) que sa mère devait nettoyer, la mettant de méchante humeur. Kerman est parfois contraint de veiller sur elle. Quand la grand-mère l'appelle en faisant : « boiyu, boiyu », il pleure et se cache derrière une chaise. Et la conclusion : « Peut-on blâmer Kerman d'être soulagé lorsque sa grand-mère meure[38] ? »

Lorsque Mordecai Richler écrit *The Summer My Grandmother Was Supposed to Die* (neuf ans après *The Rotten People*), il a un peu perdu sa franchise d'alors et est devenu beaucoup plus humain. La mère, une femme d'âge mûr, tient la grand-mère gémissante dans ses bras et la berce. C'est l'une des rares fois où Richler dresse un portrait positif de Lily. Un incident émouvant qui s'est produit pendant cette période n'est pas relaté dans les écrits de Richler – peut-être n'en a-t-il pas été témoin ? À l'époque, Sarah pouvait encore parler. Alors que Lily donne son bain à Sarah, l'émotion suscitée par la joie retrouvée de partager cette intimité et l'inversion des rôles provoquent les larmes de Lily. Embarrassée, Sarah se met elle aussi à pleurer et dit qu'elle n'est qu'un fardeau. C'est faux, réplique Lily. Sarah lui a fait prendre son bain quand elle était petite. Lily prend alors le sein de Sarah dans sa bouche et fait semblant de téter[39].

Dans les premiers mois suivant l'attaque de Sarah, avant que le fait de s'en occuper commence à lui peser, Lily se met à écrire. Chaque fois que Mordecai parlait des membres de sa famille qui avaient aussi été auteurs, il mentionnait le rabbin Rosenberg et son œuvre sur la Zohar ainsi que son oncle Israel Rosenberg et sa tante Vera – « la *shiksa* yiddish » – qui se passionnaient pour les vaudevilles du Lower East Side, à New York[40]. L'oncle Israel avait été étiqueté par la famille comme « le communiste » et Richler, qui le voyait un peu comme une âme sœur, met un point d'honneur à le mentionner dans son premier roman publié, *The Acrobats*[41].

Mais encore plus près de lui, Lily s'adonne elle aussi à l'écriture. À partir de la fin de 1935 jusqu'à la fin de 1937, elle écrit plus ou moins régulièrement une rubrique intitulée « I Pay a Visit to the Beloved Rabbi » dans la *Canadian Jewish Review* (CJR). La narratrice, l'alter ego de Lily, raconte des incidents survenus pendant les séances de conseil du rabbin, généralement suivis d'une description des réjouissances organisées à l'occasion d'une quelconque fête juive. Si certains lecteurs ont été déconcertés par la suffisance conservatrice et presque bébête des premières histoires de Richler, comme « The Secret of the Kugel », un simple coup d'œil aux écrits de Lily leur aurait permis de mieux en comprendre les raisons.

Le personnage du doux rabbin plein d'humanité est évidemment une version idéalisée du père de Lily, déformée par une sorte de flou artistique et la nostalgie qui accompagne toujours, depuis sa mort, les souvenirs du passé dont il fait partie. Dans sa rubrique, Lily aborde aussi, de manière plus subtile, les éléments qui font de sa vie un enfer – les disputes conjugales, les rôles sexuels des années 1930, le manque de culture générale de son mari – et s'invente une vie de rêve comme journaliste célibataire. Dans les nombreuses anecdotes qui abordent le thème du divorce, c'est la femme qui a le beau rôle – ce qui est loin de nous étonner. L'un des cas présenté devant le rabbin doit avoir fait particulièrement enrager Moe. Un homme doit 1 000 dollars à un autre homme et lui explique qu'il ne peut pas les rembourser tout de suite[42]. Qu'avait donc fait Moe des 1 000 dollars que Lily accuse Shmarya d'avoir volés ? Manifestement, Mordecai Richler n'était pas le premier de sa famille à employer la fiction pour lancer des piques et régler ses comptes.

La formule de Lily, dont les histoires se terminaient toujours bien, l'empêchait de faire preuve de réalisme dans son approche des problèmes. Des années plus tard, elle essaiera de changer la formule en écrivant quelques chapitres dans le but (jamais atteint) de publier un jour un roman sur la vie dans sa pension[43] et finira, plus tard encore, par publier une autobiographie. Mais les anecdotes de sa rubrique, qui se terminaient toutes de façon théâtrale et un peu guimauve, ne présageaient rien de bon entre elle et Moe : « Je dois vraiment retourner voir le rabbin un de ces jours[44]. » L'une d'entre elles se termine avec un seder : le rabbin, presque messianique, est vêtu d'une *yarmulke* blanche bordée de fil d'argent et les célébrants sont muets de respect devant lui. Tous ne réagissaient pas à ses histoires comme Lily l'aurait espéré. Moe, par exemple, se moquait de ses écrits et de ses prétentions. Ce qui n'est pas étonnant vu le traitement partial qu'elle faisait de ses problèmes conjugaux et le sérieux avec lequel elle proposait de considérer le rabbin Yudel Rosenberg comme le Messie maintenant qu'il était mort. « [Les railleries de Moe] n'ont pas aidé à leur mariage, c'est le moins qu'on puisse dire », affirme Avrum[45].

Tandis que son épouse écrivait publiquement dans le CJR, Moe tenait, en privé, un journal codé. «Il y listait les injures et les insultes, les trahisons, les querelles familiales et les mauvaises créances[46].» Tandis que Lily considérait la littérature comme un passe-temps qui pouvait lui apporter, sentimentalement et idéalement, ce à quoi elle ne pouvait plus prétendre dans la vie, les écrits de Moe n'étaient que noirceur et pessimisme. On sent, dans les romans de Richler, que cet écart continuel dans l'interprétation des événements a fait forte impression sur lui. Dans son imagination, Lily se rendait régulièrement chez le rabbin. Elle vivait pourtant, pendant tout ce temps, dans cette même maison de la rue Jeanne-Mance, où ne résidait plus aucun rabbin. N'y restait plus que l'épouse du rabbin qui dépérissait lentement, paralysée et contrainte de porter une couche. Richler, témoin du fossé entre le rêve et le monde dans lequel Lily était coincée, adoptera progressivement le regard négatif de Moe, suggérant, dans *Mon père, ce héros*, que Leah (le nom juif de Lily) n'arrive pas à accepter le fait qu'elle n'est plus la fille d'un *tzaddik*[47]. Richler mettra d'ailleurs près de vingt ans de carrière et huit romans (dont un non publié) avant de se permettre une véritable fin heureuse. En outre, là où Lily fait l'éloge des fêtes juives, Richler les rabaisse: «Ce sont les jours de crainte. Demain, c'est Rosh Hashana, notre nouvel an. Une semaine plus tard, c'est Yom Kippour. Le Grand Pardon. Ça veut dire que si tu as emmerdé des gens pendant l'année, tu as le droit légal de te repentir et que Dieu va te pardonner[48].» Dans les histoires de Lily, l'individu existe principalement pour les besoins des fêtes – un point de vue qui se rapproche de celui qui prévaut dans l'œuvre de son père, pour qui l'individu existe pour les besoins de l'argument théologique orthodoxe. À l'exception des œuvres d'une poignée d'écrivains comme Evelyn Waugh et Flannery O'Connor, c'est l'individu qui, dans le roman contemporain (y compris ceux de Richler et, disons, de Rudy Wiebe), donne sa valeur à la fête, et non pas l'inverse. Héritier de Lily et de Yudel, Richler sera constamment tiraillé entre l'allégorie et le roman. Sans allégorie, un roman n'est plus rien qu'une série d'anecdotes sans grande envergure. Mais si on y met trop d'allégorie, le roman perd toute vie et devient une simple diatribe politique ou religieuse qu'on entoure d'un peu de chair. Richler a toujours tenté de rendre ses personnages crédibles même si, lorsqu'il parlait de ces choses, c'était Hugh MacLennan qu'il invoquait, et non sa mère[49].

Et pourtant, la *Canadian Jewish Review*, dans laquelle écrivait Lily, était loin d'être la publication orthodoxe que le rabbin Rosenberg aurait souhaité pour ses mémoires. Avec, dans ses pages, des photos de femmes portant la gaine et, à l'occasion – malgré une politique éditoriale assez conservatrice –, des articles tels que «Moïse était-il Égyptien? Freud étudie les débuts de l'histoire juive[50]», la *CJR* faisait état des tendances mouvantes qui prévalaient au sein d'une élite juive partiellement assimilée tout en publiant des lettres de rabbins qui se plaignaient du non respect du Shabbat, de l'usage de plus en plus répandu des moyens de contraception et du fait qu'on dissimulait trop longtemps au petit Abie et à la petite Sarah qu'ils étaient Juifs[51]. Peu d'enfants issus de familles juives orthodoxes – et, sans nul doute, aucun de ceux appartenant à la famille Richler ou Rosenberg – ignoraient leur origine. D'après plusieurs témoignages, dont celui de Richler, c'est inévitablement lui qui a consacré la rupture avec le passé orthodoxe de la famille. Mais la situation n'est pas si simple: le rabbin Rosenberg avait déjà amorcé la rupture de manière involontaire, en apprenant le russe et en écrivant de la fiction. Moe et Lily avaient ensuite élargi la fissure, le premier en lisant le *New York Daily* et en racontant des blagues grivoises, la seconde en écrivant dans un journal juif non orthodoxe. Dans les années 1930, des changements se manifestaient déjà dans la culture juive canadienne, auxquels une femme ostensiblement orthodoxe comme Lily pouvait aspirer. Et, tandis que le monde se dirigeait vers la guerre, d'autres changements se préparaient pour les Juifs du monde entier et pour Mordecai Richler.

3

À bas les Juifs

Tandis que Lily écrivait, Mordecai, âgé de cinq ans, commençait l'éducation religieuse que le rabbin Rosenberg avait prévue pour ses petits-fils. Il fréquente l'école primaire United Talmud Torah, située sur le boulevard Saint-Joseph à l'angle de la rue Jeanne-Mance. Tous les matins, il étudie l'anglais et apprend un peu de français avec de jeunes enseignantes «à la modernité rafraichissante» et tous les après-midi, il bûche sur les mystères de la Torah et du Talmud en hébreu[1] sous la supervision d'hommes d'un certain âge, prompts à tirer les oreilles et taper sur les jointures des élèves. Malgré son esprit rebelle, il réussit tout de même à apprendre un peu d'hébreu, mais dès 1971 il n'en reste aucune trace[2]. Des interventions spéciales se sont parfois avérées nécessaires. Le directeur, M. Magid, a appelé Lily à plusieurs reprises en lui disant: «Je ne sais pas ce que je vais faire de votre fils[3].» Lily, elle, savait quoi en faire. En présence de Mordecai, elle faisait semblant d'appeler chez Eaton et disait: «J'aimerais échanger mon mauvais petit garçon contre une petite fille bien sage[4].»

En 1938, la famille Richler, emmenant Sarah avec elle, emménage dans l'appartement sans eau chaude situé au deuxième étage d'un immeuble qui sera immortalisé dans les romans de Richler: au 5257, rue Saint-Urbain. De nos jours, l'édifice existe encore: il est situé au milieu d'une série d'immeubles en rangée qui forment une façade unique surplombant la rue étroite. Les balcons en saillie et les longs escaliers en béton, d'apparence délicate, font des deuxièmes étages des endroits étonnamment invitants en comparaison avec les rez-de-chaussée cachés dans le noir sous les escaliers menant aux étages supérieurs. L'appartement se trouve à deux coins de rues de «la Main», où vont flâner le jeune Richler et ses amis – le boulevard Saint-Laurent (St. Lawrence dans *Mon père, ce héros*) –, aujourd'hui située dans le «quartier branché du Mile End». On peut encore y trouver des épiciers grecs et des samosas, y voir des Juifs hassidiques portant leur chapeau noir et leurs papillotes, mais les nouveaux immigrés qui y habitent sont encore pauvres, comme l'était la famille Richler. Sarah occupe une chambre, Moe et Lily en occupent une autre et Avrum et Mordecai se partagent la troisième jusqu'à la mort de Sarah, qui survient en 1942. La chambre du fond, dont hérite Mordecai après la mort de sa grand-mère, a une fissure au plafond, un radiateur bruyant, «des souris qui grattent dans les murs, une fenêtre qui donne sur les draps raidis par le gel sur la corde à linge». À l'exception des souris, il est difficile de déterminer en quoi cette chambre se distingue des autres chambres de Montréal datant de cette période[5].

Dès son plus jeune âge, Mordecai manifeste une grande indépendance d'esprit. À l'âge de sept ou huit ans, il fait une première fugue après une violente dispute avec sa mère. «Je m'en vais», déclare-t-il. «D'accord», répond Lily. «Je vais t'aider à faire tes bagages». Elle lui donne une petite boîte pour mettre ses objets de valeur. C'était l'hiver ou la fin de l'automne, il pleuvait des cordes et il faisait déjà noir. Avrum, alors âgé de douze ans, était terrifié. Il se disait: «Mon Dieu, il s'en va, mais qu'est-ce qu'il va faire?» Mordecai fait son baluchon et sort sous la pluie battante. Avrum se met à pleurer: «Qu'est-ce qu'on va faire? Il est parti!» «Il reviendra», réplique Lily. Moins de cinq minutes plus tard, on sonne à la porte. C'est Mordecai, trempé jusqu'aux os. Assez durement, elle lui demande ce qu'il veut. «J'ai oublié mes bottes de caoutchouc», répond-il d'un ton plaintif. Mordecai fait un pas à l'intérieur et tout est oublié[6].

C'est aussi à l'âge de huit ans que Mordecai se rend pour la première fois à Toronto, en visite chez la sœur de Lily, Hannah

Hadler. Ses cousines Bessie et Frances ont déjà une vingtaine d'années. Là-bas, tout le monde l'aime et trouve qu'il fait pitié : on le considère presque comme un orphelin, un «enfant perdu». Frances l'emmène voir son premier film au théâtre Tivoli. Mordecai a l'impression de visiter le pays des Merveilles[7]. Avec le recul, Richler finira par comparer Toronto à «une sorte de Sodome moderne» où les jeunes de moins de seize ans peuvent aller au cinéma et feuilleter des magazines avec des filles en maillot de bain qu'ils n'auraient jamais pu obtenir au Québec[8]. Bien qu'ils comportent certains détails précis, les souvenirs de Mordecai demeurent trompeurs, car ils n'évoquent ni le style ni l'enthousiasme avec lesquels le «cher petit gars» a vécu cette expérience. Lorsque, sur l'écran, la mer est grosse et fait tanguer le bateau et les marins à son bord, le jeune Mordecai se balance en chœur[9]. Il est amusant de savoir que le farceur narquois qui allait faire une critique acerbe de Toronto dans *The Incomparable Atuk* s'est un jour bercé avec le bateau de son premier film, qu'il a vu dans cette ville.

Si les notes autobiographiques à l'origine de *The Rotten People* sont exactes, l'innocence de Mordecai n'a pas duré long-temps. Kerman, l'alter ego de Mordecai, découvre des préserva-tifs dans le tiroir de son père, et son frère aîné, «Abe» (Richler n'a même pas cherché à modifier son nom), se moque de lui parce que «Kerman ne sait même pas ce que signifie "tirer un coup"…». À l'âge mûr de 13 ans, à l'aide d'un préservatif et d'un magazine porno, Abe montre à son petit frère de huit ans et à un ami comment se branler. Ils fument ensuite des cigarettes, mais quelqu'un les moucharde[10]. Rien de tout cela n'est arrivé, affirme Avrum[11]. Peu importe qui dit vrai, ce qui est certain, c'est que Mordecai n'était pas un saint. Avec Avrum, il ramas-sait les mégots de cigarettes dans la rue pour en fumer les restes et, lorsque cela ne leur suffisait pas, ils fumaient des pelures de banane séchées ou les tiges de bambou qu'on utilisait pour élargir les chaussures. Mordecai aimait contrarier le vieil homme qui tenait le magasin Schacter's Tobacco and Candies en volant tous les bonbons qu'il pouvait pendant que celui-ci jouait aux échecs dans l'arrière-boutique. Il aimait aussi s'en prendre au fils handicapé d'un colporteur[12].

Mordecai avait un cousin, Lionel Albert, qui était davantage de son âge que ses cousines de Toronto. Lorsque Lily était en bons termes avec Ruth Albert, la mère de Lionel, les garçons passaient beaucoup de temps ensemble. Pendant l'hiver, ils dormaient à trois dans un lit dans l'appartement de la rue Saint-Urbain et, pendant l'été, ils flânaient dans Shawbridge, le village des Laurentides (aujourd'hui Prévost) où leurs familles louaient des cabanes sans électricité[13]. Les garçons volaient des pommes et se baignaient dans la rivière du Nord. Ce garçon qui, dès la fin de son adolescence, se considérait bien plus qu'un fils de meunier était qualifié par Lily de «fauteur de troubles» ou, parfois, de «Chat botté»[14]. Une fois, Mordecai faillit se tuer en prenant un raccourci pour descendre «leur» montagne – la végétation morte le freinant moins qu'il l'aurait cru. À la suite de cet incident, le principal souci des garçons fut d'expliquer à Lily comment Mordecai s'était fait cette entaille au front. Un arbre, voilà, Mordecai avait foncé dans un arbre[15]. Dans les notes qui ont servi à l'écriture de *The Rotten People*, Richler explique clairement la situation: «Il était tombé d'une falaise de trente pieds et avait survécu. Lorsqu'ils rentrèrent à la maison, Abe dit à sa maman qu'il [Mordecai] avait foncé dans un arbre parce qu'Abe avait peur[16].»

Lors d'un autre été à Shawbridge, ils sont hébergés chez Mme Lachance. À l'époque, Avrum et Mordecai sont encore très orthodoxes. Si la fille de Mme Lachance s'absente le jour du Shabbat, quelqu'un d'autre doit allumer le feu et Lionel, «qui n'est pas si religieux de toute façon», est l'apostat désigné. Ce ne peut certainement pas être Avrum ou Mordecai, qui doivent respecter le Shabbat à la lettre. Un samedi, alors que les garçons discutent, assis sur la pelouse sèche et envahie par les mauvaises herbes derrière l'une de ces cabanes louées, Mordecai, distrait, déchire une feuille en deux. Avrum le traite immédiatement de «Shabbes goy!» – expression qui signifie littéralement «Gentil du Shabbat», soit un homme à tout faire impur qui accomplit, le jour du Shabbat, les tâches que les employeurs et employés juifs orthodoxes rejettent. Ce n'est pas comme si les garçons mouchardaient tout à Lily, mais l'accusation n'a rien d'une blague. C'était une pique, une façon de dire: «tu n'es pas un vrai

Juif». Lionel n'était pas considéré assez «juif» pour être insulté de cette façon, mais il a souvent entendu Avrum, Mordecai et David (le cadet de Shmarya, Dudy) employer ce terme. Les garçons étaient toujours prêts à se mettre au défi les uns les autres[17]. À plusieurs égards, la réaction littéraire de Richler contre l'orthodoxie peut être interprétée comme une réaction contre le contrôle social qui se manifestait dans de tels moments. Il allait bientôt entendre résonner à nouveau ce cri, «Shabbes goy!», d'une source plus puissante et dans des circonstances plus inquiétantes encore.

L'arrivée de la Seconde Guerre mondiale allait avoir une influence importante sur la vie et l'œuvre de Mordecai Richler, ainsi que sur ses conceptions religieuses et raciales. Au départ, toutefois, la guerre n'est rien de plus qu'une aventure qu'il vit de manière indirecte. Mordecai indique les avancées des troupes alliées sur une carte du monde affichée dans sa chambre et, à la fin de la guerre, il participe à un programme de cadets volontaires organisé par son école secondaire[18]. D'après ses mémoires intitulées *Back to Ibiza*, Mordecai et sa famille s'asseyaient dans le salon pour écouter la radio à ondes courtes de RCA: «Nous sommes tombés sur un discours d'Hitler devant le Reichstag, Hitler furieux, au-dessus de vagues de *sieg heils*, statique. Nous étions pétrifiés[19].» En réalité, comme l'a indiqué Richler par la suite, la famille a entendu Ed Murrow et J. B. Priestley, ce dernier diffusant depuis Londres[20]. Au début de la guerre, personne ne réalisait l'ampleur des plans génocidaires d'Hitler. Ce n'est qu'en 1942 que des rumeurs ont fait surface et, même à ce moment, explique Bernard Richler, «c'était tellement inconcevable... Nous avons commencé à entendre des histoires, mais nous ne pouvions y croire[21].»

Pendant la guerre, les victoires des Canadiens de Montréal, des Royaux de Montréal – une équipe de baseball qui évoluait dans la ligue AAA – et des vedettes de la boxe au Madison Square Garden étaient tout aussi importantes aux yeux de Mordecai que le sort des troupes alliées – voire plus importantes encore. Plus tard, il critiquera les joueurs comme Wayne Gretzky, qui sont des modèles de finesse et de grâce sur la glace mais qui, une fois à l'extérieur, sont incapables de s'exprimer autrement que par des clichés. Il aimait citer Richard Ford : l'athlète « ne risque pas de se sentir divisé, ou aliéné, ou de ressentir une once d'angoisse existentielle... Des années d'entraînement athlétique lui ont appris la nécessité de renoncer au doute, à l'ambiguïté et à l'auto-examen en faveur d'une confortable entreprise d'autopromotion[22] ». À l'adolescence, bien avant les angoisses existentielles, la Coupe Stanley de Maurice Richard et la saison charnière de Jackie Robinson avec les Royaux de Montréal, en 1946, constituaient déjà des préoccupations suffisantes pour Mordecai.

Richler considérait le sport comme une façon de sortir du ghetto. Comme l'affirme son fils Noah : « C'était une façon d'aller de l'avant, de faire sa place dans le monde[23]. » C'était aussi une façon de bouleverser l'ordre établi. Toujours douloureusement attentif aux hiérarchies, Richler avait compris que les prouesses physiques étaient l'un des seuls éléments déterminant la position sociale des garçons. Son ambivalence future à l'égard des athlètes peut être interprétée, en grande partie, comme la vengeance d'un intellectuel pour n'avoir pas réussi à se démarquer dans ce domaine. Richler n'a jamais été un athlète[24]. Quand il a pu s'acheter des patins, il était déjà trop vieux pour rattraper les autres garçons, qui avaient appris à patiner lorsqu'ils étaient jeunes[25]. Au YMCA, sous la supervision d'un prof de gym, Mordecai a appris la boxe et s'est dit qu'il lui plairait bien d'envoyer quelques adversaires au tapis. Mais lors de son premier combat, un camarade plus expérimenté l'a démoli et lui a fait passer cette trop grande confiance en lui[26].

Un autre genre de combat, qu'il était difficile de contrôler, se déroulait à la même période dans les rues de Montréal. Pour les Juifs, la situation était de plus en plus tendue, moins (au début) à cause de ce qui se passait en Allemagne qu'en raison des événements qui se produisaient au Québec. De nombreux Canadiens français avaient en effet rejeté la conscription, s'étaient prononcés en faveur du régime de Vichy, et contre les Juifs. Si le Canada a accepté si peu de réfugiés juifs pendant le règne de la terreur nazie, c'est notamment parce que Mackenzie King craignait une violente réaction de la part des Québécois – et des sondages menés au Canada anglais ont démontré que l'antisémitisme était aussi enraciné dans cette section du pays[27]. Si, après la publication d'*Oh Canada! Oh Québec! Requiem pour un pays divisé* (1992), on pouvait accuser Richler d'accorder trop d'attention au Québec des années 1930 et pas assez à celui des années 1990, ses détracteurs ont trop rapidement écarté les exclusions qu'implique souvent un nationalisme en train d'émerger. À la fin des années 1930 et au début des années 1940, au moment où Richler se forgeait une opinion, le nationalisme québécois avait un visage beaucoup plus sinistre et, si la conscription anglocanadienne était une cible appropriée pour la colère des Québécois, ce sont les Juifs qui en ont porté le fardeau.

Les préjugés raciaux existaient des deux côtés. Mordecai avait à sa disposition plusieurs histoires inventées sur les aberrations sexuelles des prêtres et des sœurs. Il était convaincu que les Canadiens français étaient «profondément stupides» et que leur culture pouvait être résumée avec justesse (comme le disaient certains de ses enseignants) par les poèmes en patois de William Henry Drummond: «An'wedder I see to-morrow, dat's not'ing for I don't care[28].» Mais les préjugés les plus sordides venaient des Canadiens français. «Nous n'attaquons pas les Juifs», écrivait en 1933 Adrien Arcand, ministre du Travail dans le gouvernement Duplessis; «Nous défendons simplement notre pays contre leur complot[29].» Certains dirigeants nationalistes estimaient que les Juifs seraient beaucoup plus heureux en Palestine et qu'ils devraient renoncer à leur citoyenneté canadienne[30]. Dans les Laurentides, où le jeune Pierre Trudeau avait revêtu l'uniforme militaire allemand pour rigoler en se baladant à moto[31], Richler se rappelle avoir vu un graffiti «À bas les Juifs» peint sur un rocher au bord de l'autoroute. Dans la Main, à quelques rues de chez lui, des étudiants canadiens-français s'amusaient à terroriser les Juifs, sous prétexte de chercher les communistes parmi eux. Une foule est même venue manifester dans le quartier juif en criant: «Mort aux Juifs[32]!» Des affrontements se sont produits sur une plage à l'extérieur de Montréal et près du YMHA situé sur l'avenue du Parc[33]. Avrum se rappelle très bien des combats. Une nuit, les Juifs – y compris Avrum – ont été battus. La nuit suivante, ils y sont retournés avec des

battes de baseball pour asséner une raclée aux Canadiens français en fracassant les vitrines de leurs boutiques. Mordecai, boxer
manqué et garçon endurci, s'est battu lui aussi[34].

❧

Malgré tout, les années de guerre ont représenté, pour les Juifs,
une certaine amélioration du niveau de vie. Richler aimait dire
que c'est au cours de ces années que «ma [sa] génération» a abandonné les appartements sans confort pour s'installer dans des
«appartements d'Outremont, des duplex et des maisons à demi
niveaux situés en banlieue[35]». Notez les termes employés (et
trompeurs): «ma génération». Autrement dit: pas moi. Certains
proches parents de Mordecai – Joe Richler, par exemple – sont
devenus assez riches pour déménager de l'autre côté de l'avenue
du Parc, à l'extérieur du ghetto et dans Outremont, une sorte de
«Westmount junior[36]» au pied du Mont-Royal où vivaient déjà
d'autres proches – dont la famille de Lionel Albert. Mais ce n'était
pas le cas de Moe Richler.

La prospérité de Lionel dérangeait. «Je faisais parfois exprès
d'en rajouter pour embêter Mordecai», admet celui-ci. Il reconnaît également que le personnage de Sheldon Leventhal, dans
Joshua au passé, au présent, est un portrait satirique et fantaisiste
de lui. L'écrivain y fait un clin d'œil typiquement richlérien
lorsqu'il raconte que Sheldon ne permet pas à Joshua de jouer
avec l'interrupteur de «la locomotive de Lionel». Lionel Albert
se rappelle avoir eu un circuit de train à une boucle et une drai-
sine mécanique, mais sans interrupteur. Il ne se rappelle pas que
son père ait aidé Mordecai à se sortir du pétrin, comme Harvey
Leventhal tente d'aider Joshua, de manière condescendante, dans
le roman[37].

Même chose pour l'ascension sociale de Joe Richler: au lieu
de l'accueillir comme un symbole de prospérité bourgeoise,
Mordecai l'interprétait comme une insulte personnelle. Shmarya
avait déjà fait de Joe, le cadet de Moe de six ans, l'un de ses associés dans l'entreprise familiale et, pendant la guerre, Joe a connu
le succès grâce à la forte demande en aluminium. Moe était l'esclave; Joe, quant à lui, était «le type supérieur», raconte Avrum.

«Mon père faisait tout le travail, et Joe s'occupait de la conversation». Même si Moe semble avoir accepté le fait que son frère l'ait devancé, Avrum et Mordecai étaient furieux du traitement injuste que Shmarya infligeait à leur père[38]. Ce que Mordecai était en train d'apprendre, il ne l'oublierait pas, une fois devenu écrivain: le statut peu enviable de son père était le résultat de son incapacité à faire de l'argent. Une fois adulte, Richler se montrera toujours extrêmement pointilleux au moment de négocier des contrats avec les rédacteurs en chef et les éditeurs et, lorsqu'il n'obtiendra pas assez d'argent de la vente de ses livres pour lui permettre d'en vivre, il ne dédaignera pas le cinéma ou la télévision. Richler avait compris que dans le domaine culturel comme dans la boue des cours à ferraille de Montréal, l'argent confère un statut. Et si ses personnages, aussi exagérés soient-ils, ont toujours fait preuve d'un réalisme frappant, c'est parce qu'ils se préoccupaient de l'argent.

Back to Ibiza présente un certain «oncle Barney Richler», le «premier de la couvée Richler qui quittera la rue Saint-Urbain pour profiter des plaisirs qu'offre le quartier bordé d'arbres d'Outremont», ce Joe/Barney qui deviendra Oscar Shapiro dans *Joshua au passé, au présent*. Adulte, Richler fera beaucoup de remarques entendues sur les *nouveaux riches*, mais ce sont les expériences qu'a connues Mordecai, adolescent, dans la boutique de Shmarya qui ont éveillé cette hostilité. Joe s'asseyait derrière son bureau – dans une sorte de cabane, il est vrai, mais tout de même derrière un bureau – pendant que Moe conduisait les camions, manœuvrait la grue, déplaçait la ferraille et revenait chaque soir chez lui «aussi sale qu'un mineur»[39]. «Un marchand de ferraille»: c'est ainsi que l'appelait continuellement Lily[40]. Un incident en particulier explique l'hostilité de Mordecai envers Joe Richler: pendant un congé scolaire, Mordecai répond au téléphone dans le bureau de la compagnie de Shmarya. À ses côtés se trouvent Moe et «Barney». Au moment où «Barney» évoque l'argent qu'il est possible de faire avec l'aluminium, Moe écoute et acquiesce, parce que «Barney» a toujours raison. Le téléphone sonne et on demande à parler à «M. Richler». Mordecai tend le téléphone à son père mais, après une ou deux minutes, il devient clair que l'appel est destiné à «Barney», et non à Moe. Après avoir raccroché, « Barney » fait la leçon à Mordecai : « Si on demande M. Richler dans ce bureau, c'est pour moi. Si quelqu'un veut parler à ton père, il demandera si Moe est dans le coin ». Ressentant l'humiliation plus intensément que son père, Mordecai l'envoie promener et « Barney » le gifle. Dans *Joshua au passé, au présent*, le père de Joshua se jette sur son frère et le plaque contre le mur. C'est probablement ce que Mordecai aurait aimé qu'il fasse. Dans *Back to Ibiza*, l'incident se conclut de manière moins satisfaisante. Seul avec son père après l'incident, Mordecai espère sûrement que celui-ci lui donne au moins son approbation tacite. « Tu t'en es bien tiré », fut tout ce que Moe trouva à dire[41]. Des années plus tard, Joe fera faillite – tout comme « Barney ». Mordecai obtiendra une revanche inattendue en pénétrant dans un taxi à Montréal et en voyant Joe au volant[42].

En réalité, même si Mordecai semble extrêmement sensible aux insultes muettes, qui sont d'autant plus évocatrices, il ne s'en sort pas si mal lui-même pendant la guerre. Il apprend à combiner des services rendus à la communauté à un intérêt personnel en faisant du porte-à-porte pour ramasser du métal afin de supporter l'effort de guerre. Il va parfois porter son butin au dépôt, mais à certains moments, il le vend à un marchand de ferraille pour empocher l'argent[43]. Il travaille aussi dans une épicerie, où il fait le ménage, s'occupe des livraisons et place les pommes de terre dans des sacs de cinq livres chacun. Pendant environ un mois, il travaille dans une usine de textile où il fait un boulot similaire à celui de Duddy Kravitz dans le film *L'Apprentissage de Duddy Kravitz*[44]. À la fin de la guerre, Mordecai est riche. Les samedis ou dimanches matins, il enfourche son vélo et va chercher son dû chez les clients d'un boucher cachère de la rue Saint-Viateur. Il gagne deux sous pour chaque dollar ramassé – soit jusqu'à cinq ou six dollars pour quelques heures de travail. Même si la famille a du mal à joindre les deux bouts, Lily lui permet de garder l'argent. Bien que cela semble difficile à croire, il affirme avoir amassé près de quatre cents dollars durant cette période[45].

À cette période, les lectures de Mordecai n'étaient pas très poussées. «Nos mères», disait Richler, «nous» tenaient à l'écart des jeux et nous poussaient vers le *Livre de la connaissance*[46]. Encore une fois, il s'autorise certaines libertés lorsqu'il relate ses souvenirs. Les Richler ne possédaient pas de *Livre de la connaissance*: ce n'est que chez leurs riches cousins qu'Avrum et Mordecai ont pu le voir, et on ne leur a sans doute jamais permis de les consulter[47]. Bien qu'il ait plus tard écrit des livres pour enfants, Mordecai n'en a jamais lus. Il dévorait essentiellement des bandes dessinées[48]. Il lisait les séries des Bible Comics et des Classic Comics, ainsi que des livres comme *Scaramouche*, *Les Trois Mousquetaires*, *Le Comte de Monte-Cristo*, *Robin des Bois*, *L'Île au trésor* et *La terre chinoise*. La lecture de Perry Mason et Ellery Queen, Kipling et Henty le tenait aussi occupé[49].

À l'école talmudique, Mordecai faisait preuve de suffisamment de talent artistique pour convaincre l'une de ses enseignantes, Evelyn Sacks, de lui permettre d'enseigner l'art, une matière qu'elle maîtrisait peu. Sacks, qui jouera un rôle important pour Mordecai, lui a permis, entre autres choses, de réintégrer l'école après avoir été suspendu: un enseignant avait légèrement postillonné sur son cahier d'hébreu et Mordecai avait protesté en disant: «Ne me crachez pas dessus». Il avait été mis dehors sur-le-champ. Sacks raconte avoir alors imploré la clémence de la direction en invoquant la situation difficile que vivait Mordecai à la maison – à savoir, une véritable guerre civile – avec Lily et Moe sur le point de divorcer[50].

Avrum doute que l'histoire du postillon soit vraie[51], mais il est possible qu'il se trompe. Il se peut que l'incident ait réellement eu lieu et qu'il ait entraîné une autre anecdote survenue à l'école secondaire de Mordecai, Baron Byng, mais celle-ci a certainement été inventée de toutes pièces. L'histoire se déroule en 1945. Les camarades de classe de Mordecai, laissés à eux-mêmes dans les locaux de chimie, deviennent turbulents. Le professeur, M. Spracklin, entre dans la classe. Mécontent du chahut, il dit: «Nous aurions besoin d'Hitler pour s'occuper des petits Juifs bruyants». Mordecai se dirige vers lui d'un pas assuré et réplique: «Aimez-vous votre apparence, M. Spracklin?» «Oui», répond ce dernier, et Mordecai le frappe aussi fort qu'il le peut. Du sang fut versé, non pas à cause du coup de poing de Mordecai, mais de ce qui s'ensuivit. Spracklin trébucha contre l'évier et se cogna la tête. «Mordecai, blanc comme un drap», courut voir Frances Katz et lui raconta ce qui était arrivé. Elle en informa à son tour le directeur, qui voulut immédiatement expulser Mordecai. Mais Katz l'avertit qu'elle déposerait une plainte contre Spracklin auprès de la GRC. Le directeur céda à ses pressions et lui demanda de prendre Mordecai dans sa classe de trente-six filles – une classe que Mordecai trouvait étrange et à laquelle il se présentait rarement. L'histoire, attribuée à Katz, fut publiée dans le *Canadian Jewish News*[52], mais les anciens camarades de classe de Mordecai la considèrent grotesque. Certains d'entre eux, qui suivaient le même cours de chimie, ne se rappellent pas qu'un incident du genre s'y soit produit[53]. Bien qu'elle soit fictive, la présomption de nazisme propre aux personnages de Richler finit manifestement par teinter ses propres souvenirs.

Selon Evelyn Sacks, Mordecai avait déjà, très jeune, une bonne plume. Doté d'un humour mordant, il était populaire auprès de ses camarades, même s'il n'était pas particulièrement aimé[54]. Pourtant, ses premières histoires ne faisaient pas spécialement preuve d'esprit. Une fois, en lisant un recueil de nouvelles, il tombe sur une histoire intitulée «The Face on the Wall». La nouvelle a pour décor un club kiplingesque où un Anglais raconte à un autre à quel point il est terrorisé par un visage sur un mur. Le visage disparaît; l'homme meurt[55]. Les frissons qui ont parcouru Mordecai en lisant cette nouvelle à l'âge de quatorze ans l'ont convaincu de s'essayer lui aussi à l'écriture. Ses premières tentatives, qui ont pour décor «le Clubland londonien[56]», s'inspirent plus des bizarreries des Romantiques que de la satire.

La lecture du roman *All Quiet on the Western Front* (*Im Westen nichts neues*) d'Erich Maria Remarque, marque un tournant pour le jeune Mordecai. Il n'a pas prévu de lire cet ouvrage mais comme il est malade et confiné dans sa chambre, des bibliothécaires lui apportent des livres. Lequel d'entre eux a eu l'étrange idée, au beau milieu de la Seconde Guerre mondiale, d'apporter à un jeune garçon juif convalescent un bouquin écrit par un Allemand pendant la Grande Guerre? Quand Mordecai finit par le lire pour se désennuyer, l'impensable se produit : il commence à s'identifier à l'ennemi. C'est un incident banal, une simple recette de cuisine, qui l'affecte le plus profondément. « Quand j'ai pris conscience qu'on y parlait de la fabrication des galettes de pommes de terre, les *latkes*, un de mes mets préférés, à moi et à Paul Bäumer, un plat que j'ai toujours cru juif et certainement pas allemand, c'était comme si j'avais subi un affront. Mais qu'est-ce que j'en savais, en réalité ? Rien du tout ». Les Nazis lui semblent soudain plus humains, même s'il est soulagé d'apprendre qu'Hitler a banni les romans de Remarque[57].

Richler attribue plusieurs dates à cet événement : il devait avoir douze ou treize ans[58]. L'incident s'est produit juste avant une série d'événements importants, ce qui permet de penser que ses lectures ont contribué à son rejet de l'orthodoxie, et que le roman *All Quiet* lui a fait ressentir l'insularité de la société juive dans laquelle il vivait. Par la suite, il s'est mis à lire tout ce qu'il pouvait trouver à la bibliothèque du YMHA[59] et à écouter les pièces de théâtre de la CBC à la radio, tant les adaptations que les pièces canadiennes. Il trouvera plus tard à redire sur les pièces produites localement[60], même s'il décrit avec enthousiasme « l'excitation partagée » qui régnait lorsqu'il a découvert, avec d'autres étudiants, la série de CBC intitulée *Stage*, et notamment les pièces de Lister Sinclair et Len Peterson[61]. Ce n'est qu'avec beaucoup de recul qu'il a découvert à quel point le théâtre européen supplantait les pièces canadiennes traitant des problèmes sociaux.

~

Les pratiques et les restrictions de la religion juive orthodoxe étaient plus fortement ancrées dans sa vie que la littérature. « Le grand-père croit, le père doute et le fils nie », dit un proverbe franco-juif du XIXe siècle[62]. Selon son plus jeune frère, Bernard, Moe n'a jamais douté[63]. Peut-être a-t-il raison, mais si Moe croyait, c'était d'une manière bien particulière. Il mettait effectivement son *talit* et ses phylactères tous les matins et récitait ses prières. Il avait cependant développé l'art de réciter ses prières avec une telle rapidité que ce qui aurait du lui prendre vingt à trente minutes, s'il l'avait fait consciencieusement, ne durait que trente secondes. Moe n'était pas orthodoxe, insiste Avrum. « Mon père ne croyait pas à tout ça. Il le faisait seulement parce que c'était une routine… Il faisait "Rrruuurr, rrruurr, rrruu" et c'était terminé. Trente secondes ».

« Papa, demandait Avrum, comment peux-tu prier aussi vite ? »

« Je prie dans mon cœur », répondait Moe. « Ne pose pas de questions ! Qu'est-ce que tu en sais ? ». Selon Avrum, Moe prétendait qu'il était orthodoxe parce qu'il devait l'être : après tout, il travaillait pour Shmarya. Mais compte tenu de la réaction de Moe au mariage de Mordecai avec une *shiksa*, il est probable que sa foi ait été instinctive – une routine, comme le dit Avrum[64]. En fait, Moe était orthodoxe, mais ses véritables désirs se trouvaient ailleurs.

Tous les samedis matins, pour le Shabbat, Moe emmenait ses fils à la synagogue Young Israël[65], située au 5584, avenue du Parc[66], dans un bâtiment modeste, aujourd'hui démoli, qui était autrefois une résidence privée. Le sanctuaire n'était rien de plus qu'un salon double dans une maison ordinaire[67]. Comme il n'avait pas encore fait sa *bar-mitsvah* et qu'il n'avait pas à faire d'effort particulier le jour du Shabbat, Mordecai portait les châles de prière dans un « petit sac de velours pourpre ». Une fois là-bas, pourtant, Moe ne trouvait pas les sermons du rabbin assez édifiants pour s'empêcher d'aller bavarder à l'extérieur avec ses amis[68]. La synagogue n'était pas un endroit où Moe pouvait oublier sa pauvreté. Les membres les plus riches de la synagogue offraient vingt-cinq dollars pour obtenir l'honneur de l'*aliyah* (la « montée à la Torah », soit un appel à lire la Torah en public), tandis que Moe pouvait ne pouvait offrir plus de deux dollars[69].

Malgré tout, la famille Richler respectait la Torah et Lily veillait à garder la maison cachère[70]. Le jour du Shabbat, les Richler n'allumaient pas les lumières ou le poêle à bois et ils ne répondaient pas au téléphone. Les amis juifs de Mordecai, moins pratiquants, le taquinaient au sujet de ces restrictions. Pendant Sukkot, Moe construisait une petite hutte [*sukka*] sur le balcon de leur appartement et, que le temps soit froid ou non, ils y mangeaient leurs repas tandis que Lily se plaignait du fait que la célébration du Sukkot n'avait plus rien à voir avec celle qui avait lieu autrefois chez son père[71]. Plusieurs jours avant le Yom Kippour, les fils Richler devaient, pour remplacer les offrandes sacrificielles au temple, faire tourner un coq vivant au-dessus de leur tête et réciter une formule traditionnelle, la bénédiction Bnai Adam (des descendants d'Adam), afin que l'oiseau recueille les péchés qu'ils avaient commis durant l'année. De temps à autres, des mésaventures se produisaient. «Une fois, un des coqs m'a fait caca dessus», raconte Avrum[72]. En vieillissant, Mordecai a pris l'habitude se moquer de Shmarya et de ses oncles et tantes les plus stricts, qui dévissaient l'ampoule du réfrigérateur et déchiraient des carrés de papier de toilette supplémentaires, le vendredi, pour s'assurer de ne pas «faire de feu» ou «travailler» le jour du Shabbat[73]. Les mêmes pratiques avaient pourtant déjà eu cours dans le foyer de Moe et Lily, même si on y avait mis fin quand les enfants étaient encore relativement jeunes[74].

Les samedis après-midi, Moe se rendait, souvent accompagné de ses fils, au Schacter's Tobacco and Candies, au numéro 24 de la rue Laurier[75]. Dans l'arrière-boutique, il jouait au gin-rummy avec des mises d'un sou le point avec ses frères[76]. Les règles de la cacheroute y étaient un peu moins strictes: on se nourrissait de biscuits au chocolat arrosés de Coca-cola.

«Comment peux-tu manger ça, demandait Avrum à son père. Ce n'est pas cachère!»

«Qu'est-ce que tu en sais?, répondait Moe. Ne pose pas de questions».

«Qu'est-ce que tu en sais?»: c'était son expression favorite, que Richler allaient attribuer plus tard au personnage de Reuben, dans *Joshua au passé, au présent*[77]. Les frères Richler écoutaient aussi la radio, une autre interdiction lors du Shabbat, mais ils attendaient la tombée de la nuit avant de payer leurs petites dettes de jeu[78].

Il y avait aussi le Théâtre Gayety, peu conforme aux idéaux orthodoxes, dont Moe adorait les spectacles burlesques, et où il allait tous les samedis soirs. Quand ses fils ont atteint l'âge «adulte» – soit vers quinze ans –, il les a parfois emmenés avec lui. Certaines scènes drôles des romans de Richler – notamment lorsqu'un de ses personnages affirme qu'une fellation faite par

une prostituée ne constitue pas une violation du Shabbat – s'inspirent de ces incohérences paternelles : Moe cherchait à concilier
le respect des lois du Shabbat et le plaisir de regarder Lily St-Cyr
simuler une relation sexuelle avec un cygne[79].

Les cours de préparation à la *bar-mitsvah* auxquels assistait Mordecai à l'école talmudique ne l'ont pas convaincu de la
sagesse fondamentale propre à l'orthodoxie juive. Deux fois par
semaine, après l'école, il se rendait au *heder*, dans la salle du fond
de la synagogue Young Israel, pour apprendre l'hébreu moderne
et les traditions hassidiques, matières enseignées par un certain
M. Yalofsky[80]. Plus tard, Richler affirmera qu'il préfère, de loin,
les miracles étranges des Hassidim aux raisonnements des jeunes
rabbins, d'après lesquels la cacheroute était un moyen employé
par Dieu, dans une Palestine torride, pour éviter que les Juifs ne
s'empoisonnent avec la nourriture[81]. Toutefois, Mordecai n'était
pas un passionné des traditions orthodoxes, et il a rapidement
abandonné le *heder*. Mais il a développé sa capacité à débattre.
À partir de ce moment, il s'est mis à discuter de thèmes sensibles avec ses parents : si les tramways des Gentils circulent le
jour du Shabbat, *indépendamment* de ce que font les Juifs, pourquoi serait-il péché de grimper à bord ? Lily cherchait à donner
une tournure positive à la résistance de Mordecai, affirmant
que son fils était en passe de devenir un « penseur de l'éthique
talmudique[82] ».

Des années plus tard, cet endoctrinement raté aura néanmoins permis à Richler de connaître suffisamment les histoires
bibliques d'Abraham, Job et Esther pour les ridiculiser avec brio
dans *Joshua au passé, au présent*. Lorsque le poète et essayiste
David Rosenberg exhorte Richler, alors âgé de cinquante-
cinq ans, à considérer les textes bibliques comme des métaphores
– une importante stratégie intellectuelle qui permet de récupérer
les textes dans le présent, mais qui évacue les mystères et les
absurdités bibliques –, Richler préfère se cantonner à l'idée qu'il
s'en faisait à treize ans : soit la Torah est entièrement vraie, soit
elle n'est qu'absurdités. S'il est reconnaissant d'avoir été éduqué
dans les traditions hassidiques, remplies d'imagination et de
légendes, il est heureux d'échapper à l'asphyxie[83]. Tout ceci allait
éventuellement le mener à un refus joyeux et indécent de laisser

la Bible exercer une autorité sinistre et, en même temps, à une recherche sans doute jamais achevée d'une moralité qui serait apte à remplacer la foi orthodoxe qu'il a abandonnée.

Pendant la guerre, Shmarya a habité un certain temps dans un appartement situé au 5244 de la rue Saint-Urbain, en face de chez Mordecai, ce qui lui permettait de surveiller son petit-fils de près. Les dimanches après-midi, toute la famille se retrouvait chez Shmarya. Si les garçons respectaient le Shabbat, leur grand-père leur donnait parfois 0,25 dollars – « greffe de shabbes » (greffe de Shabbat), comme le disait Moe[84]. Le meilleur ami de Mordecai était alors son oncle David (Dudy), le plus jeune fils de Shmarya, de trois ans son aîné[85]. Shmarya insistait pour que les garçons l'accompagnent à l'office de Maariv (prière du soir), dans une toute petite synagogue galicienne située au 136-38 de la rue Fairmount[86]. Un soir – c'était probablement après 1942, période où Sarah était déjà décédée et où Shmarya avait déjà emménagé tout près, à l'angle des rues Jeanne Mance et Groll –, les garçons ne se présentent pas à la synagogue à l'heure dite. De retour chez lui, Shmarya les trouve au sous-sol, en train de jouer avec un petit laboratoire qu'ils ont fabriqué eux-mêmes. Shmarya fracasse l'ensemble de chimie. C'était assez pour que David lui présente ses excuses. Mais pas pour Mordecai. Peu de temps après, Mordecai prend sa revanche en cherchant querelle à David, mais celui-ci le dit à Shmarya, qui convoque Mordecai dans son bureau et le corrige à coups de ceinture[87]. Il s'agit d'un moment clé pour Richler : après cet épisode, il ne pourra plus jamais aborder les questions de l'orthodoxie et du « sens » du monde avec objectivité. Shmarya a fait de la religion un champ de bataille, en s'assurant que l'issue serait la honte ou la fierté, pas le compromis. Mordecai reprendra plus tard le combat dans la fiction, en utilisant ses romans de manière rhétorique pour riposter aux affronts de son grand-père, d'abord par l'intermédiaire de la critique sociale, ensuite par le biais de la satire.

4

Shabbes Goy

Vers la fin de sa vie, Richler attribuait principalement sa rébellion contre l'orthodoxie au billard. Il voulait simplement jouer au billard les samedis. Et écouter la radio. Et aller voir les matchs de baseball le samedi après-midi. Tout cela peut sembler un peu indécent, mais il y a une part de vérité là-dedans : Mordecai n'était pas un Spinoza ou un Saul Ansky ; il n'était pas non plus un *maskil* du siècle des Lumières qui se révoltait pour des raisons intellectuelles. Il sautait souvent le dernier cours de la journée pour se rendre en toute hâte au Rachel Pool Hall et obtenir la première table. Avec Moe et Lily sur le pied de guerre à la maison, il s'est mis à fréquenter le Rachel les vendredis soirs, une attitude qui s'opposait aux lois du Shabbat mais qui n'était pas très différente de celle de Moe, qui passait ses samedis après-midi chez Schacter's. La différence cruciale était la suivante : au Rachel, on trouvait des hot-dogs, des garçons qui sortaient avec des *shiksas* et des néons clignotants obscènes, tant de choses beaucoup plus visibles qu'un soupçon de gelée de porc dissimulé dans un biscuit au chocolat[1].

Mais si Mordecai a délaissé ses *tefillin*, ce n'était pas seulement pour pouvoir jouer au billard. Sa relation avec Shmarya, de plus en plus difficile, était également en cause. Le fidèle de la Reine du Shabbat, le rabbin Yudel Rosenberg, n'était plus de ce monde pour protester contre l'attitude profane de Mordecai envers Elle[2].

Mais son sergent d'armes, lui, était bien présent. Quand Mordecai faisait le trajet entre les rues Jeanne Mance et Saint-Urbain sans chapeau, Shmarya criait pour manifester sa désapprobation[3]. Selon Bernard Richler, Shmarya était incapable de manifester de l'amour à Mordecai en raison du comportement de celui-ci[4]. Mais il y avait plus. Richler raconte avoir un jour surpris Shmarya en train de tromper un «colporteur irlandais ivre[5]» sur la quantité de ferraille que celui-ci lui avait amenée, un incident qu'il a par la suite repris et exagéré dans *Mon père, ce héros*. Noah y surprend son grand-père Melech en train d'accepter, en connaissance de cause, des marchandises volées et de tenter de tromper un Irlandais. Il est toutefois évident que l'Irlandais est tout aussi déterminé à tromper Melech. Max Richler, une source sûre, estime que l'incident est purement fictif. De 1938 à 1942, période où il travaillait pour son propre père, il affirme n'avoir jamais été témoin d'incidents malhonnêtes de sa part[6]. Le fait qu'Harry Richler ait été condamné pour avoir accepté des marchandises volées alors qu'il travaillait pour Shmarya donne cependant du poids à la version de Mordecai. Dans *Mon père, ce héros*, Noah défie son grand-père. Melech se défend en affirmant que s'il fait des magouilles, c'est pour le bien de ses quatorze enfants[7]. Selon Richler, le véritable incident ne s'est pas terminé ainsi. Mordecai a raconté l'épisode à Moe, qui lui a sorti sa réplique habituelle: «Qu'est-ce que tu en sais?» en ajoutant que de toute façon, les Gentils étaient tous antisémites[8]. Shmarya et ses fils aînés vivaient encore avec l'impression profonde de faire partie d'une communauté et d'être exclus d'une autre. Ils estimaient ainsi que les règles qui s'appliquent à l'intérieur de la communauté ne s'appliquent pas nécessairement à l'extérieur. Attiré par le monde extérieur, Mordecai exigeait déjà une forme de justice plus vaste, qui serait en mesure d'englober les deux mondes. Il était, en quelque sorte, un *maskil* en devenir. En pensée, il était déjà en train de quitter le ghetto de la rue Saint-Urbain.

Ce ne sont pas les petites magouilles de Shmarya qui dérangeaient Mordecai. Il volait lui-même des battes et des balles chez Eaton[9]. Une fois, il a tenté de voler des timbres, mais le commerçant l'a pris en flagrant délit et, le soulevant par le fond de culotte, lui a fait les pires menaces, s'il le voyait à nouveau traîner dans sa boutique[10]. Un autre incident a éveillé son sens de la justice de manière plus viscérale encore. Cela s'est produit quelques mois avant la *bar-mitsvah* de Mordecai, lors d'un samedi où une grande partie de la famille élargie était réunie dans le salon de Shmarya. Comme d'habitude, Mordecai avait violé les lois du Shabbat en prenant un tramway. À son arrivée, Shmarya s'est mis à le traiter de *Shabbes goy*[11]. Devant tout le monde, il l'a pris par l'oreille, l'a entraîné vers la porte en lui donnant des baffes et l'a mis dehors de chez lui.

La famille a pris le parti de Shmarya. Selon Richler, David a eu un petit sourire satisfait[12]. Bien qu'il ait été lui-même un peu diabolique lorsqu'il était jeune, David a tiré une leçon de la disgrâce de Mordecai et il est devenu le plus orthodoxe des Richler, allant jusqu'à nommer son fils d'après son propre père. S'il est devenu un homme intègre, souvent chaleureux, il n'a plus voulu avoir affaire à Mordecai, son neveu rebelle et ancien compagnon. Il refusait de lui parler, y compris en présence des autres membres de la famille[13].

Mordecai espérait au moins que son père compatisse avec lui, mais Moe avait autant de mal que Shmarya à tolérer les manquements de son fils. D'après lui, Mordecai l'avait cherché. «Excuse-toi», lui conseillait-il. Hors de question. L'incident a plutôt sonné la fin des relations entre le petit-fils et son grand-père[14]. Le soir, Mordecai, allongé dans son lit, demande à son frère s'il est croyant. «Non», répond Avrum, avouant qu'il met ses *tefillin* seulement quand Lily l'observe[15]. Très tôt, Avrum a une révélation lorsqu'il voit, à Queens, le rabbin Zacharie (Zeke) Gelber manger pendant le jeûne de Yom Kippour. Avrum n'a jamais été particulièrement fervent, mais cet épisode marque un tournant dans sa vie. «Y'en a marre», se dit-il. À son retour à la maison pour les vacances, il dit à Lily: «Je ne crois plus… Je ferai ce que tu me demandes de faire pour respecter la cacheroute et tout, mais j'ai goûté au homard. Et c'est bon[16].» Quant à Mordecai, il accomplit les rites de la *bar-mitsvah*, chante un passage de la Torah ou du livre des prophètes, mais la cérémonie ne signifie pas grand-chose pour lui.

Le principal facteur de la rébellion de Mordecai n'avait peut-être rien à voir, au départ, avec la religion. Après la mort de Sarah, survenue le 15 juillet 1942[17], les garçons ont eu chacun leur propre chambre durant quelque temps. Assez vite, toutefois, Lily décide qu'il y a de l'argent à faire avec les réfugiés juifs qui ont échappé aux Nazis et elle décide de louer l'une des chambres. Moe s'attendait à ce que les réfugiés soient un peu comme ses propres parents, à savoir «de vrais *greeners* avec des papillotes». Mais la plupart des réfugiés qui se présentent pour louer la chambre chez les Richler sont plutôt des Allemands et des Autrichiens raffinés. «Ma mère était enchantée», se rappelle Richler[18].

En réalité, Lily était plus qu'enchantée. Parmi les cinq mille Juifs[19] qui ont alors réussi à passer le rideau de fer canadien se trouvait Julius Frankel[20]. Grand et basané, «intelligent, volubile et charmant, très versé dans la connaissance de la loi de Moïse et extrêmement cultivé», il était précisément le type d'homme que Lily avait toujours voulu: un homme à l'image de son père, un homme qui préférerait l'opéra italien *Rigoletto* aux stripteases de Lily St-Cyr. Elle l'avait rencontré dans un cours sur le Talmud organisé par la Bibliothèque juive, où elle allait de temps à autres entendre des conférences. Ou peut-être était-ce l'inverse: les conférences étaient de mise parce que de grands et beaux réfugiés y assistaient. «Mon sens moral ne m'aurait pas permis d'avoir un époux et d'entretenir une liaison[21]», insistera plus tard Lily. Son sens moral est particulièrement ravivé lorsque Moe découvre les lettres d'amour qu'elle écrit à Frankel[22].

Dans les notes autobiographiques qui ont servi de matériau au roman non publié de Richler qui s'intitule *The Rotten People*, l'alter ego de l'auteur, Kerman Adler, décrit Frankel de la façon suivante:

> [...] et le pire de tous, c'était Frankel. Il était enchanté et c'était un menteur [*sic*]. Frankel était un réfugié originaire de Vienne et il a demeuré dans la maison longtemps après avoir trouvé un emploi & quitté l'emploi & trouvé un autre emploi & l'avoir quitté & s'être lancé en affaires... Frankel était aimable et malin. Il était attachant et malicieux. Mme Adler est tombée amoureuse de Frankel & Frankel (qui était beaucoup de choses, mais par-dessus tout, un opportuniste) s'est dit que Mme Adler était une bonne baise[23].

À la fin de l'année 1943, la situation atteint un seuil critique[24]. Avrum, alors étudiant à Queen's, reçoit les inévitables lettres de Lily, dans lesquelles elle se plaint des frasques de Mordecai. Mais la lettre qu'il reçoit à la fin de 1943 et qui le presse de rentrer à la maison fait l'effet d'une bombe. «Elle mettait mon père dehors, c'est comme ça qu'elle a présenté la situation... Je me rappelle être rentré à la maison et avoir vu mon père, l'air abattu[25].»

Pour Mordecai, qui ne pouvait se réfugier nulle part, il n'y a pas eu qu'une seule bombe, mais un bombardement constant auquel il ne pouvait échapper. Aux vieilles querelles venaient s'ajouter de nouveaux sujets de discorde:

> — S'il-te-plaît, ne divorce pas de moi. Où vais-je aller? Que vais-je faire? Que suis-je?
> — Non je veux un divorce.
> Avec tant de batailles à la maison, Kerman ne pouvait dormir des nuits entières.
> — Laisse la seule. Ne la frappe pas. Il a sangloté. Il a pleuré. Il est devenu fou.
> — Je suis ton père. Tu ne m'aimes pas. Tu penses seulement à ta mère.
> — Laisse-moi seul. S'il-te-plaît s'il-te-plaît s'il-te-plaît laisse moi seul[26].

Richler a déjà raconté qu'il s'était battu avec son père[27] après lui avoir annoncé qu'il était athée. Mais dans *The Rotten People*, c'est le divorce des parents qui provoque la bagarre. Une nuit, Kerman est réveillé par des cris dans la cuisine. Son père frappe à grands coups de poing sur la table, tandis que sa mère tremble de peur dans un coin. Kerman court vers sa mère et l'étreint brièvement, avant de saisir une chaise qu'il lance vers son père[28]. Cet incident n'apparaît pas dans les notes autobiographiques: sachant que de nombreux éléments de la vie du jeune Kerman sont directement inspirés de celle de Mordecai, il est possible que celui-ci ait été inventé. C'est peut-être à ce moment que Richler a pris conscience qu'il devait contrôler son tempérament irascible[29].

Dans les notes de Richler, le père de Kerman, plus sage qu'il ne le croit, impute la faute aux réfugiés: «Ils lui mettent des idées dans la tête. S'il n'y avait pas eu de réfugiés, elle n'aurait jamais demandé le divorce... (C'est ce qu'il disait toujours à Kerman.

Abe, absent, fréquentait une université située à l'extérieur de la ville)… Les réfugiés & le pire d'entre tous, Frankel Schnitzer [*sic*][30].» Comme le démontrent ces notes, dans le manuscrit de *The Rotten People*, Richler a décidé de remplacer le nom de Frankel par celui de «Schnitzer», un changement mineur mais pourtant nécessaire afin de transformer la réalité en fiction.

Mordecai n'a pas dit un mot de ce qu'il pensait de toute l'affaire, qui fut connue dans la communauté à l'époque de la célébration de sa *bar-mitsvah*. On peut toutefois conclure que la colère du garçon à l'endroit des réfugiés dans la nouvelle «Bambinger» trouve sa source dans l'épisode impliquant Frankel[31]. De manière plus spectaculaire, dans *Joshua au passé, au présent*, Richler raconte le striptease d'Esther, la mère de Joshua, à l'occasion de sa *bar-mitsvah*. Lorsque Lily a lu le roman, elle était horrifiée[32]. On comprend facilement sa consternation : Richler se décrit lui-même comme une personne «qui a tendance à se rappeler des affronts – que j'enregistre dans mon esprit – les transmutant – pour enfin les publier dans une forme beaucoup plus lisible que les écrits de mon père[33]».

On fait donc venir Avrum de Queen's. À son arrivée règne le chaos[34]. «Elle ne veut plus de moi», lui dit Moe[35]. Des rabbins tentent de faire entendre raison à Lily. Moe, qui avait pris l'habitude, les dimanches, d'aller voir jusqu'à quatre longs-métrages pour ne pas avoir à endurer Lily et ses fils indociles[36], fait des efforts pour lui plaire : il lui offre des présents et délaisse les films et les jeux de cartes[37]. Rien n'y fait. Shmarya est furieux. Il se comporte comme si Lily voulait se divorcer de lui plutôt que de son fils[38]. Il n'a pas tout à fait tort car avec le divorce, le lien tant souhaité avec une famille de rabbins risquait de se transformer en stigmate. Dans *The Rotten People*, le grand-père et les oncles de Kerman lui demandent de faire du chantage à sa propre mère en la menaçant d'aller vivre avec son père[39]. On attendait effectivement beaucoup des garçons et, lors de l'une des visites d'Avrum chez son grand-père, Shmarya lui dit, en le regardant intensément :

> — Tu dois faire quelque chose !
> — Mais qu'est-ce que je peux faire ?, demanda Avrum.
> Shmarya ne sut pas quoi lui répondre, mais siffla : — C'est un scandale[40] !

~

Fidèle à sa parole, Lily met Moe dehors. Techniquement, elle n'obtient ni un divorce ni un *get* (divorce juif), mais plutôt l'annulation du mariage. Il était beaucoup plus facile de procéder de cette façon. Elle utilise deux faux prétextes et dit qu'elle n'avait que dix-sept ans au moment du mariage et qu'elle a épousée Moe contre la volonté de son père. D'après Richler, Moe est «assommé, humilié. Le cocu de la rue Saint-Urbain». Avec son «chapeau de paille élégant», sa nouvelle veste sport, sa lotion après-rasage et son whisky, il espère, en vain, devenir un célibataire plein d'entrain. Il emménage dans un appartement de la rue Saint-Urbain, juste à côté, et, bien qu'il continue à subvenir aux besoins de ses enfants[41], pendant deux ans, Mordecai ne veut plus entendre parler de lui[42].

Mais la séparation des combattants n'apporte pas la paix à Mordecai, et les notes qui ont servi à rédiger *The Rotten People* décrivent une scène qui semble l'avoir profondément affecté :

> Le vieux a quitté la maison & a loué une chambre & elle a eu son divorce.
> — Frankel je t'aime.
> — T'es une sacrée bonne baise…
> Une nuit – une nuit que Kerman n'allait jamais oublier, beau temps mauvais temps –, il est arrivé quelque chose d'extrêmement horrible.
> Kerman partageait une chambre avec sa mère. Cette nuit-là, il ne pouvait dormir. Plus tard, Frankel est entré doucement dans la chambre.
> — Est-il endormi (avec un accent de Berlin, à la fois léger et raffiné).
> — Il est endormi.
> Il est entré dans son lit et l'a embrassée. Kerman a tremblé & a essayé de s'endormir comme un fou mais c'était impossible parce qu'il entendait ça. Un son de pompage doux et rythmatique [*sic*] dans le lit d'à-côté, comme quand quelqu'un pompe l'évier, mais en plus bruyant[43].

Pendant plusieurs nuits, Mordecai est incapable d'échapper au bruit de succion – «comme si on plongeait un tuyau dans un seau de vomi pour ensuite le retirer dans un mouvement de va-

et-vient constant». Il se réveille un matin et sa mère n'est plus
là. Il se précipite dans la chambre de Frankel en pleurant. Celui-ci
affirme qu'il ne sait pas où elle se trouve, mais Kerman remarque
une forme sous les draps[44]. Dans *The Rotten People*, Kerman rêve
de poignarder Frankel Schnitzer, l'usurpateur[45].

S'il est possible que Richler ait cherché, à vingt ans, à rajouter
bon nombre d'éléments pour rendre son récit plus vivant, Avrum
raconte cependant que Mordecai, quelques années avant sa
mort, lui a confié un secret choquant à propos de Lily. Au début,
Avrum ne voulait pas en parler, mais il a finalement révélé que
Richler avait été témoin d'ébats amoureux entre Lily et Frankel[46].
Étant donné que la vie de Kerman est, à plusieurs égards, *identique* à celle de Mordecai (un élément confirmé par Richler et
d'autres); que Richler attribue les noms de personnes réelles à
ses personnages; et qu'aucune preuve directe ne contredit les
points injustifiés, les notes de Richler pour *The Rotten People*
semblent être basées sur des faits. Si Richler s'est donné la peine
de changer son nom pour celui de Kerman ou de Noah Adler
lorsqu'il raconte l'adolescence de ses personnages dans *The Rotten
People* ou dans *Mon père, ce héros* – un roman beaucoup plus
romancé que le précédent –, le geste est purement esthétique.
Ce n'est que plus tard, dans la chronologie des deux romans, que
Kerman et Noah deviennent des personnages entièrement fictifs, impliqués dans des événements que l'auteur n'a pas vécus.
Même si Richler détestait l'idée voulant que la littérature
constitue une forme de thérapie (et aussi étroite que semble une
telle perspective), au départ, la littérature *était* thérapeutique
pour lui, car elle lui permettait de panser ses plaies. Plus tard,
Richler parviendra à mieux cacher ses blessures; toutefois, même
son dernier roman, *Le monde de Barney*, révèle qu'il n'a jamais
oublié ses crises de jeunesse et à quel point la littérature doit son
existence au monde réel.

Lily avait fait un mauvais calcul avec Julius Frankel. Malgré
leurs projets de mariage[47], celui-ci part pour Toronto après avoir
profité d'elle durant quelques années. Avec le temps, elle devient
aigrie et elle réagit mal à toute allusion concernant sa situation[48].
Le divorce et la trame sonore qui l'accompagne ont profondément bouleversé Mordecai[49]. Pendant qu'il assistait à des cours

sur le Talmud pour se préparer à sa *bar-mitsvah* et qu'il tentait de respecter le Shabbat, sa mère faisait un scandale dans la communauté orthodoxe. Quelques mois après le divorce de ses parents, au moment où il entre à l'école secondaire Baron Byng, Mordecai abandonne les *tefillin*, les prières du matin et les offices du Shabbat[50]. Quant au *heder*, il cesse tout simplement d'y aller[51].

≈

Décrite par Richler comme «un édifice de briques brunes qui avait autant de charme qu'une maison de correction de l'ère victorienne[52]», l'école Baron Byng n'existe plus, sauf dans la fiction, où elle revêt le nom de Fletcher Field High School et survit grâce aux histoires de ses élèves les plus renfrognés. Byng faisait partie de la division des écoles protestantes et elle avait une réputation d'excellence. Plus d'un millier d'élèves la fréquentaient: 90 p. cent d'entre eux étaient juifs, et presque tous les enseignants étaient des Gentils[53]. Parmi les personnalités connues qui l'ont fréquentée, on retrouve notamment l'ancien chef du NPD David Lewis, l'ancien ministre de la Justice du Québec Herbert Marx, l'ancien MAN communiste Fred Rose, les poètes A. M. Klein et Irving Layton et, à la tête de la classe, William Shatner, le comédien qui a joué le rôle du capitaine James T. Kirk dans la série télévisée *Star Strek*[54]. Au moment où Ottawa rechignait à sauver des Juifs des chambres à gaz en les accueillant au pays en tant que réfugiés, Mordecai apprenait des chansons telles «British Grenadiers[55]» ou la chanson thème de l'école, qui demandait aux élèves d'être «constants et vrais dans votre travail et dans vos jeux». Une version familière de cette chanson en yiddish – *A mentsh zoltsu zayn, sai baym spil sai baym arbet*[56] – exhortait chaque élève à être «*a mentsh*» [une bonne personne].

Mordecai s'exprimait souvent en classe et il avait tendance à s'emporter facilement, ce qui n'a pas manqué de lui attirer des ennuis. Plus tard, il affirmera qu'il détestait l'école[57] et qu'il était un voyou. D'autres se rappellent pourtant d'un Mordecai différent: introverti et studieux[58]. D'après un de ses anciens camarades de classe, Jack Rabinovitch, les deux versions sont vraies. *Tous* les élèves de Byng étaient des voyous, affirme-t-il. «Les gamins qui

ont fait leurs études à Baron Byng sont devenus des escrocs ou
des citoyens modèles. Ils ne sont pas devenus des directeurs de
banque, *ok?*… Chacun faisait des efforts, car aucun d'entre eux
ne voulait finir dans le commerce de la ferraille[59].» Richler raconte
qu'il n'aimait pas beaucoup les classiques de la littérature britannique et son «lecteur d'anglais mortellement ennuyant». Encore
une fois, ses anciens camarades de classe le contredisent, en affirmant qu'il lisait d'avance tous les romans au programme et qu'il
récitait très bien la poésie britannique. Il entretenait une relation
particulière avec un professeur d'anglais, M. McLetchie, un
vétéran écossais qui, pendant la Première Guerre mondiale, avait
lu Milton, Donne, Marvell et Blake dans les tranchées le long de
la Somme en fixant une chandelle à son casque. Tous les garçons,
y compris Mordecai, idolâtraient «Mech» («Mac», surnom prononcé avec le son yiddish «ch», plus doux)[60]. Pourtant, lorsque
les choses se sont calmées, Mordecai a tout simplement tourné
le dos à l'Empire britannique et à McLetchie[61]. Quelque quinze ans
plus tard, «Mech» fera ses débuts littéraires dans le rôle de
M. MacPherson dans *L'Apprentissage de Duddy Kravitz*[62]. Ce qui
perturbait McLetchie, lui-même un romancier raté, c'était le fait
que Mordecai ne semblait pas prendre plaisir à la composition et
cela, même s'il avait du talent pour l'écriture. Les élèves devaient
lire leurs compositions à voix haute et chacun avait hâte d'entendre celle de Mordecai[63]. À l'époque, celui-ci songeait à créer
un magazine littéraire[64]. En 10ᵉ ou 11ᵉ année, après avoir interviewé Toe Blake, le capitaine des Canadiens de Montréal, il a aussi
songé à devenir un journaliste sportif[65].

Frances Katz, aussi nommée Miss Katz, une enseignante d'art
dramatique de 9ᵉ année et une des rares juives du corps profes-
soral de Baron Byng, aimait se rappeler, des années plus tard, de
l'époque où elle avait enseigné à Mordecai tout ce qu'il savait[66].
Mais selon Jack Rabinovitch, elle n'avait rien de spécial, elle
n'était qu'une «enseignante grosse et moche qui aimait la
poésie… Elle aimait Mordecai parce qu'il était cultivé[67]». Quant
à Richler, il hésitait à la considérer avec affection, se rappelant
«des dames au grand cœur pathétiques qui rougissaient au nom
de Keats» et déplorant l'éducation littéraire – Auden, e.e.
cummings – qu'il n'avait *pas* reçue à Byng[68].

Lily n'était pas satisfaite des progrès scolaires de Mordecai. Ses garçons – en particulier son chouchou, Mordecai – devaient compenser pour l'éducation qu'elle n'avait pas reçue, mais Mordecai avait de la difficulté en mathématiques et en français, et il ne faisait pas beaucoup d'efforts dans les matières autres que la littérature[69]. D'après un de ses anciens camarades de classe, apprendre était la *dernière* chose dont Mordecai se souciait[70]. Lily avait pris l'habitude de citer en exemple son cousin Lionel Albert, plus studieux. «Lionel est plus intelligent que toi», disait-elle souvent. Des années plus tard, Richler s'enorgueillira de son succès vis-à-vis de Lionel[71], qui est devenu un consultant en informatique et le co-auteur d'un ouvrage sur le séparatisme québécois. À l'école secondaire, toutefois, Mordecai était plus intéressé par la peinture et le dessin, et un cours d'été qu'il a suivi dans une galerie d'art l'a convaincu de son potentiel[72]. Dans *The Acrobats*, il met en scène une fantaisie, à savoir que pour écrire, il a dû abandonner son succès en tant qu'artiste visuel. Dans la vraie vie, l'appréciation qu'il faisait de son talent était moins optimiste : «J'aurais pu devenir un artiste commercial de troisième rang[73].»

~

À cette période, Mordecai ne pensait qu'aux filles, qui étaient regroupées dans des classes séparées. S'il a bien échangé quelques «frenchkiss» avec certaines d'entre elles[74], rien n'indique qu'il ait été aussi précoce que Duddy Kravitz. Dans *Back to Ibiza*, Richler affirme avoir reçu son éducation sexuelle lors d'une sortie avec Moe, avec qui il entretenait à nouveau de bonnes relations. Moe allait manger avec les garçons avant de les emmener jouer aux quilles, au billard, au gin rummy ou, le plus souvent, au cinéma. Avrum et Mordecai le laissaient toujours gagner et, même s'il en était conscient, il leur donnait toujours quelques dollars chacun[75]. À en juger par les notes qui ont servi à la rédaction de *The Rotten People*, Mordecai n'était pas impressionné par les relations changeantes qu'entretenait son frère avec Moe, et il estimait qu'Avrum soutirait de l'argent à leur père – une affirmation qu'Avrum lui-même nie farouchement[76]. Moe les emmenait aussi au Théâtre Gayety, où ils assistaient aux strip-teases de Lily St-Cyr. Il n'était pas inhabituel de voir des élèves du secondaire au Gayety, en particulier le matin, lorsque l'administration assouplissait ses règles pour avoir des clients et qu'on pouvait s'asseoir au troisième étage pour quelques sous[77]. Cependant, il était plutôt inhabituel que les pères y accompagnent leurs fils.

> «Tu aimes ça?», demandait Moe à son fils.
> «Ouais», répondait Mordecai.
> «Moi aussi.»

Richler raconte qu'après cet épisode, on ne lui a plus jamais demandé de sortir de la pièce quand les hommes racontaient des blagues obscènes[78].

L'histoire diffère dans les notes préparatoires à la rédaction de *The Rotten People*. L'une des jeunes enseignantes de Mordecai à l'école Talmud Torah, Evelyn Sacks, découvre que la mère de Mordecai tient une maison de chambres située juste en face de l'école et qu'elle y sert des repas. Son mari a été envoyé en Europe pour se battre et elle se sent seule et déprimée[79]. Dans le manuscrit complet de *The Rotten People*, Sacks, tout comme Frankel, reçoit un nouveau nom. Richler l'appelle «Helen», du nom de sa future amante à Ibiza. Toutefois, dans les notes destinées à la rédaction du roman, il utilise son vrai prénom[80]. Après s'être battu avec son père, Kerman lui rend visite dans son appartement, et elle lui témoigne de la sympathie pour les difficultés qu'il vit chez lui. Voici comment Richler présente la situation :

> Et au même moment [pendant que Frankel le faisait] quelque chose d'autre se tramait – Evelyn le faisait.
> Evelyn était la jeune enseignante de Kerman.
> Kerman était en amour avec Evelyn & Evelyn était en amour avec Kerman.
> Quelle honte[81].

On aurait tendance à considérer les événements qui suivent comme le produit de l'imagination fertile d'un jeune garçon. La mère de Kerman ouvre une maison de chambres dans les Laurentides, où Frankel et Evelyn se rendent (séparément) pour une visite. Evelyn et Kerman vont faire du canot et trouvent un coin à l'écart pour discuter. Bien qu'Evelyn ait près de deux fois son âge, elle affirme qu'elle peut lui parler comme s'ils avaient le même âge et elle est, selon Kerman, la plus belle femme au monde :

> Des cheveux doux, bruns et bouclés, & des yeux & un nez. Mais les seins mon gars, les seins gros, rebondis, & toujours visibles dans son chandail et qui le regardaient. Tout le monde l'agaçait. Et puis qu'est-ce que ça peut faire, qu'elle soit de huit ans son aînée. Tu t'imagines, cette paire de seins & un garçon de treize ans seul avec son propre engin puissant. Il avait peur de faire quoi que ce soit parce qu'il l'aimait… Cette nuit-là, cette extraordinaire nuit d'été, dans les bois, étendus côte-à-côte sur une roche, il a osé déposer sa tête sur l'un de ces seins… Il l'a embrassée, que Dieu lui vienne en aide. Tout s'est arrêté & a recommencé & s'est arrêté – comme un gros tuyau en plomb qui entre et sort, entre et sort. La nuit suivante, dans les mêmes bois, il a glissé une main nerveuse sous son chandail & il doit s'être accroché à ce merveilleux sein nichon durant des heures. Il a gardé son genou entre ses cuisses parce que (idiot comme il l'était) il pensait qu'elle serait désolée s'il la mettait correctement.
>
> En route vers la maison
> Elle : – Et si j'allais au lit avec toi ce soir, mon très cher ?
> Lui : – Personne ne le saurait.
> De toute façon, elle ne l'a pas fait. Elle a pleuré le jour suivant & est allée à la maison.

Kerman reçoit ensuite une lettre dans laquelle Evelyn raconte à quel point elle se sent coupable : «Mon chéri… Je suis une femme d'un certain âge, mariée & toi, tu es encore un enfant». Elle insiste malgré tout sur le fait qu'il est le seul avec qui elle peut contempler les étoiles en silence[82].

Nous serions tentés de croire qu'il s'agit là de simples fantasmes d'adolescent. Pourtant, même si le contenu des deux lettres de Sacks que Richler a accepté de rendre publiques lors de l'acquisition des archives des Richler par l'université de Calgary en 1999 – c'est-à-dire cinquante ans plus tard – ne permet pas de savoir si leur relation avait une dimension sexuelle, pas plus qu'il ne permet de connaître l'âge réel qu'avait alors Mordecai, il révèle l'existence d'une relation particulière entre eux. Dans *The Rotten People*, la relation entre Kerman et «Helen» – qui le voit grandir et l'écoute se vanter de ses rendez-vous avec des filles de l'université[83] – refléterait, du moins partiellement, la réalité de leur liaison. En 1953, alors que Richler a vingt-deux ans, Sacks lui écrit :

> Accordes-tu de la valeur à l'amour que je te porte, Mordy, ou ta vanité t'autorise-t-elle à le prendre pour acquis. Voilà toute une histoire que la nôtre. Ça ferait rire les gens s'ils étaient au courant. Pas un jour ne passe sans que je pense à toi, pas toujours gentiment, pas toujours chastement – mais au moins je pense à toi… Et si tu veux savoir comment agit une femme frustrée qui, au moment où elle approche de l'âge mûr, désire un homme beaucoup plus jeune qu'elle et qui la considère comme une femme aimante – une mère, une amie – eh bien, cette femme devient impolie et impatiente… Mon mari est très mature, et il m'aime plus qu'un peu… Et je vais continuer à le tromper, parce que j'ai besoin de toi – peu importe ce que tu as à m'offrir…
>
> Avec tout mon amour, Evelyn[84]

Richler n'a pas voulu que le contenu de cette lettre soit rendu public lors de la première et de la deuxième acquisition des archives Richler, mais le fait qu'il n'ait détruit ni les lettres ni le manuscrit de *The Rotten People* suggère qu'il s'attendait à ce que la vérité soit révélée un jour ou l'autre, et qu'il estimait que cette relation avait influencé son écriture.

Dans le roman *The Rotten People*, Richler renomme Evelyn « Helen » et il ajoute de nombreux détails pour en faire un personnage plus complexe et fictif. Aussi, la dimension européenne de la relation Kerman/Helen relève-t-elle entièrement de la fiction. Kerman, alors âgé de dix-neuf ans, invite Helen à Paris. Elle abandonne son amoureux du moment et rejoint Kerman, qui se lasse rapidement d'elle, au point où il imagine qu'il la pousse dans la mer du haut d'une falaise. Aucun de ces éléments fictifs, qui sont apparus tardivement, n'apparaît dans les notes, où Evelyn est appelée par son vrai nom. Parmi les détails ajoutés, on peut notamment citer la description de leurs ébats, juste avant qu'« Helen » ne décide de le priver de sexe parce qu'elle a peur de ruiner sa vie. Il est alors furieux[85]. Si on en juge par les notes qui ont donné lieu à *The Rotten People* et les indices qu'on peut trouver dans *Le monde de Barney*, Mordecai et Evelyn n'ont jamais eu de relation sexuelle, mais l'intérêt de Mordecai pour le sexe était à la fois stimulé et frustré, et l'agressivité sexuelle qu'il manifestera plus tard avec des filles de son âge[86] suppose qu'à seize ans, il avait déjà acquis une certaine expérience sexuelle. Cette liaison place sous un nouveau jour le personnage précoce d'Éphraïm Gursky et toutes les enseignantes sexy qui apparaissent dans les romans de Richler, de Mlle Ryerson, dans *Un cas de taille*, jusqu'à Miss Ogilvy, vers la fin de sa vie, dans *Le monde de Barney*. Pour se préparer à l'écriture du *Monde de Barney*, Richler découpe des articles de journaux à propos d'une enseignante britannique qui se livre à des relations sexuelles avec ses élèves adolescents et encercle (entre autres) le passage rapportant l'opinion du juge, selon laquelle les garçons n'ont pas été blessés et ont plutôt apprécié les attentions de l'enseignante[87].

Étant donné cette situation, Richler, une fois adulte, n'aura aucune patience pour les interprétations thérapeutiques de soi, du genre : « Si je suis comme je suis, c'est parce que mon père s'est retrouvé dans une chambre d'hôtel avec une prostituée quelque part[88]. » Dès lors, il « refuse » d'être blessé à la fois par la liaison de sa mère avec Frankel et sa propre relation avec Sacks. En réalité, il semble que la liaison entre Lily et Frankel ait contribué à l'éveil précoce de sa sexualité et l'ait amené à fréquenter Sacks. Au même moment, les notes utilisées pour l'écriture de *The Rotten People* – « comme un tuyau de plomb auquel on imprime un mouvement de va-et-vient[89] » – donnent à penser que sa relation avec Evelyn a fait ressurgir le spectre de la liaison de Lily, cette fois accompagné de sentiments plus forts et plus contradictoires face aux deux relations. Pendant ses propres ébats, il est incapable d'oublier complètement les bruits repoussants associés au plaisir sexuel de sa mère. Pourtant, s'il a du plaisir avec Evelyn, pourquoi sa mère n'aurait-elle pas été libre d'en avoir avec Frankel ? Certes, la liaison de sa mère a déchiré leur famille ; mais dans ce cas, comment peut-il être enchanté sa relation avec Evelyn ? À l'instar de son futur héros, Hemingway, Richler a choisi la solution masculine traditionnelle pour panser ses blessures personnelles : il ne chialerait pas, mais il se tiendrait droit dans l'adversité. Il y a quelque chose de légèrement dérangeant dans le fait d'être choisi par une femme plus mûre – y aurait-il quelque chose qui ne tournerait pas rond chez elle pour qu'elle désire un adolescent? –, et, bien entendu, cela est très stimulant pour l'ego. Mordecai a toujours été très entouré de l'affection de sa mère et, si cet amour a perdu un peu de sa valeur d'échange avec l'adultère, il avait à ses côtés maintenant une jeune enseignante séduisante pour lui prouver sa valeur. Il n'est pas étonnant que Richler ait ressenti le besoin d'écrire rapidement: il avait de quoi s'inspirer et il était conscient de son importance.

Quant aux détails qui ne sont pas d'ordre sexuel dans *The Rotten People*, leur véracité est difficile à vérifier. La dispute entre Kerman et son grand-père (que l'on retrouve à la fois dans les notes et le manuscrit) s'inspire directement de la vie de Richler, mais il est difficile de déterminer si la biographie intellectuelle de Kerman (qu'on retrouve seulement dans le manuscrit) est elle aussi fondée sur la réalité. À douze ans, Kerman commence à écrire un roman, mais il abandonne trois jours plus tard. Il décide ensuite de devenir médecin et s'abonne à deux revues de médecine. Après avoir feuilleté les premières pages du premier numéro, il dépose la revue et ne se donne pas la peine de déballer les autres numéros. Il met les livres de côté après en avoir lu la moitié. Aussi, la description du comportement de Kerman dans la classe d'« Helen » avant le début de leur relation – le récit ne se veut pas satirique – insiste beaucoup trop sur l'attitude autoglorifiante du garçon de dix-neuf ans pour être considérée autobiographique:

> À l'école, le petit Adler, pâle et maigre, avait la réputation d'être brillant mais incontrôlable, astucieux et pourvu d'une méchante langue d'adulte. Dès ses premiers instants dans la classe, elle eut peur de lui, de son regard insistant, de son dos voûté comme celui d'un vieil homme. Elle voulut d'abord l'ignorer, mais, voyant que cela ne fonctionnait pas, elle se mit à le récompenser avec des faveurs – en vain. Quoi qu'elle fasse, il riait d'elle, et le fait qu'il soit dans sa classe devint un cauchemar. Il la corrigeait quand elle faisait des problèmes d'arithmétique au tableau et argumentait sur la prononciation de certains mots. Une fois, elle l'expulsa de sa classe, mais il sourit avec un air si triomphant qu'elle n'osa plus jamais le faire[90].

D'après certaines preuves, le « succès » précoce et surprenant de Richler auprès de Sacks l'aurait stimulé à la fois en tant que mâle et écrivain novice. À la même période, il fait l'acquisition d'une pipe et se présente comme un «dilettante de la littérature anglaise» en lisant dans des endroits publics des ouvrages volumineux comme l'*Esquisse de l'histoire universelle* de H.G. Wells[91]. Il commence aussi à écrire des histoires. Dans l'une d'elles, une brute antisémite est sauvée de la noyade par un étranger. L'homme demande à son bienfaiteur comment il s'appelle, et celui-ci répond : «Isadore Lipschitz, mais vous pouvez m'appeler Izzy[92].» Il se peut fort bien que les remords de conscience de Sacks aient poussé Mordecai à partir pour l'Europe, à la recherche de la vie de bohème, du Paris d'Henry Miller et, comme Richler le dira plus tard, de filles qui «le font[93]».

Au moment de son départ pour l'Europe, Kerman n'est plus un garçon ; il est devenu «un être malsain, plus complexe et moins inhibé[94]» [*sic*]. Et si le *Weltschmerz* et les faiblesses d'expression du jeune romancier font sourire («moins *non*-inhibé»), sa liaison avec Sacks est certainement venue ajouter de l'agitation à une vie qui n'en manquait pas. Pour Richler, le sexe ne sera jamais quelque chose de simple qui nécessite peu d'explications ou un élément sans importance qu'on peut laisser de côté lorsqu'on tente d'expliquer les motivations masculines. Ses premiers récits de fiction (qui datent de l'école secondaire) sont très stéréotypés et évitent les sujets qui le dérangent vraiment. C'est seulement de manière progressive qu'il réussit à les confronter. Pourtant, la grandeur de la fiction de Richler est due, en partie, au fait qu'il confronte ses blessures directement dans ses premiers romans, puis avec davantage de complexité littéraire et de façon plus évasive dans ses œuvres tardives. Dans *The Rotten People*, il aborde la liaison de Lily et la sienne avec un certain degré de réalisme, mais le résultat, peu convaincant, l'oblige à être plus futé et à traiter les sujets qui l'intéressent de manière indirecte. Dans *Mon père, ce héros*, il fait de nouveau allusion à Sacks, à qui il attribue le rôle anonyme de la femme d'un professeur. Ce n'est que dans son dernier roman que Richler lui redonne son rôle original d'enseignante ; pourtant, la véritable Evelyn demeure alors méconnaissable, car le personnage de Richler correspond en tous points à un fantasme masculin commun.

≈

Pour remplacer Sacks et combler l'absence de filles, Mordecai adhère au mouvement sioniste durant ses études secondaires. Il rejoint le mouvement de jeunesse sioniste de gauche Habonim, terme hébreu qui signifie «les bâtisseurs[95]». Dans les années 1930, les jeunes Juifs politisés rejoignaient la Ligue de la jeunesse communiste; dans les années 1940, ils optaient pour le mouvement sioniste[96] – Bene Akiva et Mizrachi pour les Orthodoxes, Habonim pour les gauchistes. Le procès de Nuremberg et l'émigration croissante des Juifs vers la Palestine durant l'après-guerre ne laissent pas les Canadiens insensibles. La Palestine est toujours placée sous le protectorat britannique et, de 1945 à 1947, les terroristes juifs s'attaquent non seulement à des Arabes, mais aussi à des groupes de soldats britanniques isolés. Finalement, en 1947, le jour de la Saint-Valentin, le ministre britannique des Affaires étrangères, Ernest Bevin, remet le problème palestinien entre les mains de l'ONU[97]. Avrum, qui étudie pour ouvrir un cabinet d'optométrie à Montréal, n'a pas le temps de s'intéresser au sionisme, mais Mordecai saute à pieds joints dans l'aventure[98].

L'objectif des Habonim était de contribuer à l'établissement d'Eretz Yisrael, l'État d'Israël, et d'encourager les Juifs à y émigrer – à «faire *aliyah*[99]». Le groupe de Mordecai était dirigé par Ezra Lifshitz, un étudiant en génie à l'Université McGill. Richler admettra plus tard que les motifs l'ayant incité à adhérer au mouvement n'étaient pas particulièrement idéalistes: son ami Murray Greenberg, une vedette sportive, était lui-même sioniste. Il y a fort à parier que la perception de Mordecai à l'endroit de ce qui était à la mode a influencé sa décision: dans ses meilleurs romans, Richler n'a jamais oublié les motivations des adolescents ou leur prolongement en tant que «principes» dans la vie adulte. Lorsqu'il a révélé ses motifs, Richler avait déjà rejeté le sionisme depuis longtemps. Certaines preuves suggèrent cependant qu'il s'est d'abord intéressé au mouvement de manière très sérieuse, aidé notamment par la lecture de *Daniel Deronda*, de George Eliot, que l'un des locataires de sa mère lui avait offert[100]. La famille élargie de Mordecai n'avait rien contre le sionisme, mais elle avait tendance à accorder son soutien aux Bene Akiva ou aux Mizrachi plutôt qu'aux Habonim, dont les membres enfourchaient parfois leur vélo le jour du Shabbat[101]. D'après Richler, Shmarya se plaignait du bruit que faisaient les *chaverim* (camarades) en chantant et en défilant[102], mais c'était vraisemblablement leur complaisance face aux règles orthodoxes qui lui déplaisait.

Le fait que les Habonim enfourchaient leur vélo le jour du Shabbat ne constituait pas un obstacle aux yeux de Mordecai. S'il a rejoint les Habonim – qui n'obligeaient pas leurs membres à réciter une bénédiction avant les repas –, c'était, entre autres raisons, parce qu'il savait que cela contrarierait Shmarya[103]. Les Habonim servaient en quelque sorte de club social pour les jeunes Juifs : les *chaverim* écoutaient ensemble des orateurs, chantaient et dansaient la hora et récoltaient de l'argent pour le futur État d'Israël[104]. Mordecai apportait sa contribution en préparant des enveloppes[105] et, de façon moins officielle, en harcelant au téléphone un médecin juif qui s'opposait au sionisme[106]. Son affiliation aux Habonim lui a également permis d'éveiller sa conscience politique. Avec ses amis Murray Greenberg, Earl Kruger et Walter Tannenbaum, Richler se rendait à la salle de réunion du club, située au 5392, rue Jeanne-Mance, où on discutait de sionisme, de socialisme et de communisme[107].

Comme les autres *chaverim*, Mordecai avait pour objectif de faire un jour son *aliyah*. Certains de ses amis l'ont fait, d'autres pas[108]. Les sionistes nord-américains, conscients de leur qualité de vie, étaient des êtres peu engagés, selon l'un des enseignants sionistes de Mordecai[109] : ils avaient tendance à envoyer de l'argent, mais présentaient le taux d'*aliyah* volontaire le plus faible au monde[110]. Richler affirme avoir rejoint l'armée de la réserve canadienne en mentant sur son âge afin de se préparer à combattre pour Eretz Yisrael, mais un émissaire israélien lui aurait dit de terminer ses études secondaires d'abord[111]. Avrum est sceptique : si Mordecai s'était enrôlé dans l'armée de réserve, Avrum l'aurait su[112]. En fait, il a plutôt rejoint l'escadron 241 des cadets de l'air de Baron Byng durant une brève période. Et il n'a pas eu besoin de mentir sur son âge. Les cadets de l'air faisaient un peu de tir sur cible dans le sous-sol de l'école et quelques défilés, mais il est peu probable que Mordecai ait touché aux armes. Les activités de groupe ne l'intéressaient pas beaucoup[113].

Le cavalier de Saint-Urbain peut être perçu, en partie du moins, comme la réponse de Richler à ses aspirations sionistes de jeunesse, voire comme une explication permettant de comprendre pourquoi il était providentiel qu'il n'ait jamais émigré en Israël. Qu'est-ce que Mordecai Richler aurait fait à Sion ? Cinquante ans plus tôt, le Baron Maurice de Hirsch se plaignait déjà à Theodor Herzl que la Palestine avait besoin de travailleurs agricoles, et non de nouveaux intellectuels[114]. Mordecai, un homme de la ville, n'était pas fait pour la vie au kibboutz. Avec sa pipe et ses ouvrages volumineux, il n'allait pas tarder à devenir un intellectuel. Moins d'un an plus tard, lorsqu'il écrit un article dans le journal étudiant pour manifester la joie qu'il éprouve face à la création de l'État d'Israël, Richler prend conscience du problème dans les termes suivants : « Jusqu'à quand ces intellectuels idéalistes seront-ils satisfaits dans leur rôle de simples cultivateurs, je me le demande[115]. » L'affiliation aux Habonim constitue cependant une étape importante dans le développement et la laïcisation de Mordecai. Elle lui a permis de faire partie d'un ensemble qui défendait ses idées plutôt que d'être seul au sein du groupe d'orthodoxes insoumis du Rachel Pool Hall.

Cela était particulièrement important en 1947, année où Shmarya meurt et où Mordecai, à la demande de Lily, assiste aux funérailles. D'après l'oncle Joe, Shmarya aurait insisté pour que Mordecai, un mauvais Juif, ne touche pas son cercueil. De sa propre initiative, l'oncle ajoute que Mordecai n'avait pas parlé à Shmarya durant sa maladie, ce qui a peut-être précipité sa mort[116]. Selon Richler, la voix qui le condamnait d'outre-tombe était « à glacer le sang[117] ». Mordecai demande alors l'aide de Moe, en vain[118]. Les autres, c'est-à-dire ses oncles Bernard et Max, ses aînés de quelques années, et son frère Avrum, ne se rappellent pas de l'incident ou d'une telle clause dans le testament de Shmarya[119], et Bernard ne se souvient pas que Mordecai ait assisté aux funérailles. Richler lui-même s'est trompé dans les dates, situant la mort de son grand-père en 1945, lorsqu'il avait quatorze ans, alors qu'elle est survenue deux ans plus tard[120]. Pourtant, l'incident semble véridique. Ses oncles et ses tantes ne l'invitaient plus aux rassemblements familiaux[121] et son ancien compagnon de jeux, David, ne voulait plus rien savoir de lui.

Seul Max (qui officiera aux funérailles de Richler) et Bernard sont restés des proches. Plus tard, lorsqu'on demandera à la grand-mère de Richler, Esther (la veuve de Shmarya), ce qu'elle pense de lui, elle répondra simplement : «*ehr drinkt, ehr pisht*» («il boit, il pisse») [122].

Mordecai avait été banni par une grande partie de la famille Richler. Les Habonim lui offraient donc un nouveau foyer, ils lui apportaient un sentiment de solidarité, voire parfois, à l'occasion, une certaine euphorie. Lorsque Baron Byng a accueilli Malcolm MacDonald, le secrétaire d'État aux colonies et le fils aîné de l'ancien Premier ministre britannique Ramsay MacDonald, Mordecai a fait comme ses amis sionistes : il a refusé de se lever et de chanter «God Save the King». MacDonald avait en effet imposé des restrictions importantes sur l'immigration en Palestine [123]. À la fin novembre 1947, les Nations unies, sous les pressions de l'administration Truman, adoptent, par 33 voix contre 13, le plan de partage de la Palestine entre deux États, l'un juif, l'autre arabe [124]. Malgré le fait que les Arabes avaient refusé le compromis et que le nouveau territoire juif était pratiquement indéfendable, le vote constitue une victoire colossale [125] qui ouvre la voie à l'indépendance six mois plus tard. Après le vote de partition, Mordecai défile avec les Habonim sur la rue Sainte-Catherine, dans le centre-ville de Montréal, en agitant des drapeaux israéliens, en chantant : «Am Yisrael Chai» («le peuple d'Israël vit») et en dansant la hora [126].

❧

Vers la fin de ses études secondaires, Mordecai emménage avec son frère dans un appartement situé derrière le cabinet d'optométrie d'Avrum, rue Sherbrooke Ouest [127]. La nuit, Mordecai replace les quilles à la Park Bowling Academy [128]. Lily paie le loyer de l'appartement et si, en théorie, y réside aussi, elle passe la majeure partie de son temps dans la pension de famille qu'elle a achetée à Sainte-Agathe, dans les Laurentides. Les garçons sont donc laissés à eux-mêmes [129]. Mordecai entretient une certaine aversion pour la vie de bourgeois à laquelle se destine son frère. Les notes autobiographiques qui ont donné lieu à l'œuvre *The*

Rotten People révèlent d'ailleurs que Kerman manifeste un certain mépris envers le nouveau cabinet de son frère et cela, même si Mordecai demandait souvent de l'argent à Avrum durant cette période[130].

Jusqu'au début des années 1950, Lily réussit à maintenir à flots la pension de famille à Sainte-Agathe, nommée Rosenberg's Lakeside Inn.[131]. Selon Bernard Richler, c'était «[u]n endroit où il n'y a rien». La pension pouvait accueillir une famille dans chacune de ses six ou sept chambres. Les jours d'été, elle pouvait accommoder plus de trente personnes. Lily, une cuisinière expérimentée, était aux fourneaux. Avrum coupait les oignons et le foie et il faisait les réparations nécessaires. À l'instar de Duddy Kravitz, Mordecai servait aux tables mais, à la différence de celui-ci, il regardait les autres employés de haut. À partir de 5 heures du matin, Avrum et Mordecai trimaient dur. D'après les amis de Mordecai, Avrum était rarement présent; selon Avrum, Mordecai s'absentait souvent. Il adorait pêcher et nager et, de temps à autres, on le voyait dans une chaloupe ou en train de faire des bêtises avec Dave Gursky au moment où il devait travailler[132]. La clientèle de la pension de famille se composait essentiellement de Juifs d'Outremont[133]; à Sainte-Agathe, Mordecai apprenait encore une fois (mais de manière moins frappante que Duddy) ce que cela signifie d'appartenir à une classe inférieure. Les Juifs orthodoxes, y compris Max Richler, évitaient la pension de Lily parce qu'elle n'était pas cachère[134].

À Montréal aussi, Lily avait cessé de se torturer l'esprit avec les règles de la cacheroute et du Shabbat. Ses positions s'étaient adaptées aux circonstances. Grâce à Avrum, de 1949 à 1953, elle a travaillé en tant que secrétaire dans ce qu'elle appelait «une boîte de nuit[135]», à savoir l'Esquire Show Club; en réalité, c'était une boîte de striptease appartenant à la «mafia juive». Les emplois qu'elle y a occupés ont «adouci» son hassidisme, disait-elle. Lorsqu'elle a dû intégrer le monde du travail, ce qui impliquait le fait de prendre le bus et de travailler le jour du Shabbat, elle s'est découvert une attitude plus libérale, attirant du même coup les railleries de ses fils: «M'man, qu'est-ce que tu fais?» «Eh bien, vous savez, quand il faut, il faut», se défendait-elle. «Elle suivait ses propres règles», raconte Avrum[136]. À la même époque, Lily cherchait à convaincre ses «obstinés de fils» de respecter les fêtes juives. Ils se mettaient d'accord sur une fête, finissaient par ne pas en respecter les règles, tout en les imposant à Lily: «Comporte-toi comme il faut, sinon nous marierons des *shiksas*[137].» Ce contrôle parental fluctuant convenait parfaitement à Mordecai qui, souvent laissé à lui-même – les devoirs et le Shabbat s'en ressentaient –, hantait «les salles de billard, les allées de bowling, les cinémas et les snack-bars près de Baron Byng[138]». Pendant une longue période, Mordecai s'est inspiré de sa mère, à commencer par sa volonté de fer et son empressement à défier les règles qu'elle considérait inopportunes et, de plus en plus désillusionné à l'endroit de sa notion bourgeoise de la réussite, il a eu envie d'explorer d'autres univers.

5

Un collège de second rang

EN JUIN 1948, Richler, obtient son diplôme de Byng[1]. Il est alors le président de sa classe de 11e année, un poste que nul autre ne convoitait. À l'époque, avoir complété une 11e année est suffisant pour être accepté dans une université du Québec, mais Richler n'a pas assez étudié et ses notes sont trop faibles pour lui permettre d'entrer à McGill (du moins jusqu'à l'obtention de son doctorat honorifique en 2000)[2]. Pour être admis dans l'université anglophone, les Juifs doivent avoir obtenu des notes supérieures à 75 p. cent. Avec une moyenne générale de 65 p. cent et un résultat de 35 p. cent en trigonométrie, une note «artificiellement gonflée par le bachotage de la veille», Richler n'aurait pu s'inscrire à McGill, même s'il n'avait pas été juif[3]. N'ayant pas suffisamment étudié, il obtient tout de même un prix de consolation: il est admis au programme de littérature anglaise de ce qu'il nomme «un collège de second rang[4]», à savoir l'université Sir George Williams, une institution aujourd'hui intégrée à l'université Concordia.

À Sir George, Richler devient le genre de gauchiste bohème qu'il se préparait à être durant ses études secondaires. Il achète un béret bleu, qu'il porte exclusivement lorsqu'il est seul[5]. Il laisse pousser ses cheveux. Mavis Gallant se rappelle d'un garçon «très maigre» avec «une masse de cheveux frisés, comme la mère dans les Simpson[6]»; aussi, la fierté de Kerman lorsqu'il arbore sa longue crinière rebelle dans *The Rotten People* s'inspire de celle de l'auteur[7]. Richler rencontre un groupe de Gentils légèrement plus âgés que lui ; ce sont ses premiers amis non juifs, avec qui il développera son caractère bohème[8]. Ceux-ci l'emmènent dans des restaurants italiens et l'invitent à l'Orange Crate, un appartement situé dans la rue Côte Saint-Antoine, à Westmount, où il rencontre des femmes ultra raffinées telles Kina Mitchell ou Joan Cassidy, des étudiantes de *troisième année* entourées de leurs prétendants[9]. Jusqu'à 4 heures du matin, ils récitent de la poésie et écoutent de la musique classique. Richler découvre également qu'il peut faire rire les autres avec certaines bizarreries orthodoxes, dont le rituel qui consiste à faire tourner un coq vivant au-dessus de sa tête ou le fait de cacher le vin de la Pâque juive de crainte que les Gentils, en l'apercevant, le rendent non cachère[10]. D'après ses anciens camarades de classe à Baron Byng, Richler ne refuse dorénavant de les saluer lorsqu'il les croise dans les couloirs de Sir George[11]. Doté d'un caractère contestataire et intense, il adore discuter lors des soirées entre amis, même s'il ne s'y sent pas tout à fait à sa place[12]. Il rencontre les membres du comité de direction de la *Northern Review*, alors le magazine littéraire canadien le plus important, dont le tirage s'élève à quelque 400 exemplaires, au moment où John Sutherland, qui possède une presse rudimentaire dans son sous-sol, resserre son emprise sur le magazine. Des poètes tels Patrick Anderson, F.R. Scott et éventuellement Irving Layton, se préparent alors à se dissocier de la *Northern Review* afin de protester contre les politiques éditoriales autoritaires et anti cosmopolites de Sutherland. Mais ce dont Richler se rappelle surtout, ce sont les « soirées bruyantes et bien arrosées[13] ».

Grâce à ses nouveaux amis, Richler découvre T. S. Elliot, ee cummings, W. H. Auden et l'opéra[14]. Il est difficile de sous-estimer l'influence qu'a eue cummings, en particulier, à son endroit. Plusieurs années après avoir quitté Sir George, Richler écrit encore en minuscules, cherchant par tous les moyens à développer un style décontracté et branché. Des années plus tard, tandis qu'il peine à joindre les deux bouts en « yurop[15] », Richler se plaint : « j'ai seulement envie de me soûler. je me sens complètement stérile, impuissant, inutile. ahhhh le blues de l'artiste[16]!!» Le style de cummings en vient à représenter une réponse d'élévation face à l'archaïsme des institutions politiques et éducatives. Fait important, il est peu probable que Richler aurait trouvé son propre style sans s'inspirer, au préalable, de celui de cummings. À cette période, l'enseignement de la littérature était centré sur les Romantiques, à tel point qu'à la fin des années 1940, la génération précédente d'écrivains montréalais – représentée notamment par F. R. Scott et A. M. Klein – commençait seulement à s'émanciper de cette influence. Pour un jeune écrivain bohème que le romantisme émouvait jusqu'aux larmes, cummings était l'auteur idéal: il était suffisamment romantique pour qu'une génération familière avec ce courant saisisse les émotions qu'il exprime, et assez moderne pour être considéré comme un révolutionnaire. Aussi cummings a-t-il permis à Richler de faire la transition des Romantiques aux écrivains modernes, davantage portés vers l'austérité. Pendant plusieurs années, le style de Richler restera bravache et juvénile, mais ses premières expériences ont constitué une étape obligée pour se libérer de son passé et acquérir le style familier propre à ses œuvres de maturité.

Il n'y a aucun doute que la pique lancée par Richler aux «dames au grand cœur pathétiques qui rougissent [rougissaient] au nom de Keats» s'adresse aussi à sa propre mère. Celle-ci adorait Keats[17]. Peu à peu, Richler en vient à le considérer comme le symbole de sa prétention littéraire[18], mais rien ne prouve que ce fût déjà le cas lorsqu'il fréquentait l'école secondaire. C'est sa mère qui, dès le départ, défend son talent d'écrivain[19]. À cette époque, il n'a pas encore lu les modernistes. À l'exception de certains détails, «Some Grist for Mervyn's Mill[20]», une brillante satire racontant l'histoire d'un jeune romantique qui cherche à devenir un écrivain établi, est une œuvre autobiographique – il s'agit, il est vrai, d'un texte exagéré et romancé, mais il demeure tout de même autobiographique. Richler l'a écrit en 1961, lorsqu'il avait trente ans. Compte tenu des ressemblances frappantes entre les personnages du père et de la mère et Moe et Lily, le lecteur a toutes les raisons de croire que le narrateur, un adolescent dont on ne mentionne pas le nom, est Mordecai lui-même. Et c'est bien le cas. Mais Mordecai est aussi représenté, de manière

encore plus directe, sous les traits de Mervyn, le jeune pensionnaire de Toronto qui a adopté la pipe et évite de lire pour ne pas
être influencé par d'autres écrivains. Bien qu'il ne soit qu'un
novice, il se prépare à écrire une œuvre maîtresse. Dans le style
roman à clef de Richler, le père appelle le personnage de Mervyn
« Moitle[21] » – l'ancien surnom de Mordecai – quand il n'est pas là.
Et Mervyn continue aveuglément de croire que si son roman a
été rejeté, c'est parce qu'il n'est pas homosexuel ; or c'est aussi
ce que croyait Richler en 1951, durant son séjour en France[22]. La
mère est contente de trimer dur pour que son Mervyn, qu'elle
considère comme un génie parce qu'il discute de Shakespeare,
puisse écrire, tandis que le père, un homme méprisé qui rappelle
Moe, se demande pourquoi Mervyn ne peut *travailler* et gagner
sa vie comme tout le monde[23]. Toutefois, lorsque la mère
découvre que Mervyn n'écrit pas dans le style rabbinique de son
père et qu'il ne suit pas ses conseils (dont celui qui consiste à
remplacer le terme « putes » par l'expression « dames de peu de
vertu), son admiration faiblit. Le malaise qui règne entre Mervyn
et son père est à l'image du malaise qui s'installe entre Mordecai
et Moe dès les premiers succès de celui-ci : si mon père a maintenant du temps à m'accorder, est-ce parce que j'écris des scénarios de film ? En définitive, Richler expose, dans cette histoire,
la vision négative qu'il se fait de lui-même lorsqu'il était jeune.

Malgré ses nouveaux amis et ses expériences d'écriture enri-
chissantes, Richler affirmera plus tard qu'il « n'aimerait pas particulièrement retourner à l'époque de ses dix-sept ou
dix-huit ans[24] ». « Some Grist for Mervyn Mill's » nous aide à comprendre pourquoi. Il avait l'impression d'être désespérément
naïf. Il voulait être écrivain[25], mais il avait très peu lu les auteurs
modernes. Il voulait transmettre ce qu'il savait, mais ses résultats
montraient qu'il ne savait pas grand-chose. De toute façon, le
genre de choses qu'il rêvait d'apprendre ne s'enseignait pas à
l'université. Il voulait échapper à l'étroitesse de son éducation
orthodoxe, mais ne pouvait se défaire de ses manières empreintes
de sérieux. Il voulait fuir la pauvreté de ses parents et leur
horizon intellectuel limité, mais il restait Moitle. L'accent yiddish
de ses parents l'irritait[26] – chose étrange, car nul ne se rappelle
que Lily et Moe avaient un accent prononcé lorsqu'ils parlaient

en anglais[27]. Richler était tellement épris de la culture anglophone que le moindre écart l'agaçait. Selon Lionel Albert, ce qui dérangeait Mordecai, c'était que Moe ait un accent commun, le genre de parler qu'on entend chez un chauffeur de taxi[28]. Mordecai ne voulait d'aucune manière être «commun». Il avait déjà dit à Bernard qu'il allait devenir quelqu'un[29], et il était en train de réaliser qu'il n'y parviendrait peut-être pas. L'un de ses amis, Stuart, le lui rappelait sans cette. Stuart reprochait à Richler son «maniérisme» et son ignorance du monde[30]. Les deux jeunes hommes buvaient ensemble, et lorsque Stuart était soûl, il critiquait Richler.

Les femmes représentaient aussi un problème. Un jour, Richler a réussi, grâce à une strip-teaseuse nommée Candy Parker qu'il interviewait pour le *Herald*, à obtenir un rendez-vous pour Stuart et lui-même avec deux filles qui se faisaient appeler «les filles du plaisir». L'orgie tant attendue est tombée à l'eau et, bien que Richler y ait fait allusion sur un ton léger plus tard, les deux jeunes «hommes sans femmes» se sont consolés l'un l'autre avec une bouteille de scotch[31]. Par la suite, à chaque fois que le Richler adulte songera au jeune Richler, il adoptera le regard de Stuart : il sera frappé par l'image du garçon naïf et ignorant qu'il était et dont il a réussi à s'émanciper au prix de graves souffrances.

En 1948-1949, Richler découvre les écrivains Truman Capote, Norman Mailer, Tennessee Williams, Graham Greene, Jean-Paul Sartre, Carson McCullers, A. J. Perelman et surtout, André Malraux et son œuvre *La condition humaine*. Il découvre aussi le magazine *New Statesman*, dont les préjugés et l'injustice le font rager intérieurement[32]. Il dit aussi avoir connu, à la même époque, les revues et magazines *Partisan Review*, *Commentary*, *Kenyon Review* et le *New Yorker*[33]. On peut cependant douter qu'il ait feuilleté certaines de ces revues avant de séjourner en Europe. Avait-il déjà lu Mike Gold? Si le moment où il a découvert Gold demeure méconnu, on sait toutefois que Richler l'admirait[34]. Gold (né Itzok Granich à New York en 1893) était notamment l'auteur de *Towards a Proletarian Art*, un genre de manifeste socialiste à caractère littéraire que le jeune Richler estimait avec sérieux, et dans lequel on retrouvait des affirmations telles: «Nous nous accrochons à la tradition et luttons pour elle et contre nous. Mais elle doit mourir… En cherchant Dieu, nous trouvons l'homme, encore et encore[35].» Sur une feuille datée du 6 février 1949, Richler a gribouillé plusieurs pensées du même ordre: «c'est l'humanité qui a créé Dieu, et non pas Dieu qui a créé l'humanité». Signé «mr mr.[36]». Au bas de cette page presque blanche, il a écrit la phrase suivante: «ce qui est bon est généralement mauvais et ce qui est vivant est généralement mort», encore une fois signée «mr.» Gold avait fait la liste des qualités que devait posséder un écrivain du nouveau genre: c'était «un jeune homme un peu sauvage d'environ vingt-deux ans, dont les parents appartiennent à la classe ouvrière et qui travaille lui-même dans les camps de bûcheron et les mines de charbon… Il est sensible et impatient, tantôt violent et tantôt sentimental. Il manque de confiance en lui, mais il écrit parce qu'il ne peut faire autrement, et parce qu'il possède un véritable talent. C'est un communiste, mais il a peu d'acquis sur le plan théorique[37].» Gold se décrivait lui-même, bien entendu, mais cette description aurait tout aussi bien pu être attribuée au jeune Mordecai. Avant que Mordecai écrive un texte recelant une certaine valeur, il a dû imaginer qu'il incarnerait un certain type d'écrivain; or ce qu'il imaginait, c'était un écrivain apte à bousculer l'ordre social établi sur les plans politique, spirituel et artistique.

Malgré son imagination débridée, Richler demeure un homme mesuré en public. Il gagne en popularité grâce au journal étudiant, le *Georgian*, dans lequel il publie et, en plus des articles obligatoires sur le Ski Carnaval de Sir George, il écrit des textes sur le sionisme. «Israël est l'un des rares miracles de l'époque moderne», déclare-t-il, «l'œuvre grandiose d'un peuple inspiré et courageux». Le style, étranger à celui de Richer, est clairement emprunté: «les premiers monothéistes de ce monde prient à nouveau sur la terre où Abraham, leur père, est enterré». D'autres observations, également exprimées dans un style emprunté, reflètent l'ambivalence du jeune auteur gauchiste face à la guerre israélo-arabe: «ce peuple qui n'a savouré aucune victoire militaire depuis la rébellion de Judas Maccabeus… a une fois de plus goûté le fruit dangereux de la victoire militaire». Après avoir réfléchi au problème du terrorisme associé au groupe Stern, il en conclut qu'au bout du compte, l'Holocauste pèse plus lourd.

Finalement, il prédit la signature imminente d'un accord de paix entre Arabes et Israéliens[38].

Richler réutilise les articles qu'il a publiés dans le *Georgian* pour le Canadian High News et le *Montreal Herald*, aujourd'hui disparu. Son nouveau boulot, bien qu'il soit moins payant que son emploi précédent à l'académie de bowling[39], lui procure la satisfaction de voir son nom apparaître dans un journal distribué aux quatre coins de la ville. D'ailleurs, il découpe avec soin ses articles afin de les conserver. Richler n'est pas un vrai journaliste : il travaille alors en tant que pigiste et il relate des anecdotes à propos de Sir George, le genre d'exercice de RP que les journaux publient souvent pour attirer de jeunes clients. Il fait la couverture de tout sujet que les journalistes à temps plein estiment indignes[40] : les matchs de basketball du collège, le jour ou la semaine de Sadie Hawkins, les visites des conférenciers qui viennent expliquer aux étudiants de Sir George que les universités sont trop matérialistes ou qu'il est plus difficile pour la génération d'aujourd'hui de se choisir un partenaire, etc. Moe aurait sûrement été intéressé d'apprendre qu'on privilégiait dorénavant, au sein de la famille, les relations démocratiques plutôt que la domination paternelle[41].

Mais Richler bénéficie aussi d'une grande liberté, de sorte qu'il peut écrire sur des sujets qui le passionnent. Il fait la critique des « comédiennes » du Théâtre Gayety et de deux pièces de théâtre canoniques du monde juif de l'Europe de l'Est, *The Dybbuk* et *It's Hard to Be a Jew* de Sholem Aleikhem. Il écrit sur les réfugiés juifs qu'on rencontre dans les cours d'anglais, où une survivante du camp de concentration de Belsen, Eva Kupfert, lui a montré le numéro tatoué sur son bras. Il raconte la visite d'un conférencier qui s'intéresse au succès de Mao Tsé-toung auprès de la jeunesse chinoise. De plus, il met en scène le début d'une satire révélant l'existence de « contrebandiers » qui profitent de la différence de prix de la margarine entre les provinces canadiennes. En traversant la frontière ontarienne, « le "rideau de la margarine" du Canada », l'un des contrebandiers dit : « Je me sentais vraiment audacieux et confiant, jusqu'à ce que le train dans lequel j'étais monté s'approche de la frontière ontarienne[42]. » Au cours de cette deuxième année à Sir George, Richler réussit à entrouvrir les portes de McGill en faisant la couverture d'événements tels le concours «Mr Hillel» pour le *Hillel McGillah*, le journal de la Fondation Hillel de l'Université McGill.

Les articles gauchistes qu'il écrit à propos de la controverse du doyen communiste de Sir George sont déjà plus sérieux. À l'école secondaire, Richler militait déjà en faveur du socialisme et il peignait des affiches électorales pour un ancien élève de Byng, le député communiste Fred Rose[43]. À Sir George, Richler et ses amis gentils réclament le désarmement nucléaire en signant l'appel de Stockholm (qui sera identifié plus tard comme une initiative communiste), la fin de la guerre en Corée et («que Dieu nous pardonne», demandera-t-il par la suite) l'élection au poste de président des États-Unis d'Henry Wallace[44], un ancien vice-président qui avait été écarté par Roosevelt après avoir manifesté son désaccord envers la politique de l'administration en URSS. Les jeunes radicaux de salon du syndicat étudiant de Sir George, dont Richler est membre, cherchent à trouver leur place au milieu de ces événements mondiaux en invitant Hewlett Johnson, le Doyen rouge (et non l'archevêque) de Canterbury, sur le campus de l'université. Mais si certaines facultés accordent leur soutien aux étudiants, le Conseil supérieur du YMCA, qui dirige alors l'université, ne veut pas en entendre parler, car Johnson est un partisan de la nationalisation de l'industrie et il fait l'apologie de Staline. Richler écrit des articles sur la décision du Conseil et la pétition qu'ont signée quelque trois cents étudiants pour protester contre celle-ci. À dix-huit ans, il maîtrise déjà la technique qu'utilisent les journalistes pour présenter les choses sous un certain angle avec une citation bien choisie : «Le véritable problème, a déclaré un étudiant, c'est de savoir si nous sommes assez grands pour forger notre propre idée du communisme[45].» Dans le «Forum des étudiants» du *Georgian* paraît une réponse prétentieuse signée «Mordecai Richler, étudiant actif de première année»: «Ayant grandi et vécu dans un environnement libre et démocratique, je crois que toute suppression de la liberté d'opinion serait non seulement nuisible à l'enseignement de la démocratie, mais constituerait par ailleurs un sacrilège des plus dangereux[46].» L'implication politique de Richler, tout comme son adhésion au sionisme, constitue une étape importante de sa vie. Elle le rattache définitivement au monde dans lequel il vit et auquel il ne pourra jamais échapper, malgré les déceptions qu'il connaîtra plus tard.

Malgré son implication dans la vie étudiante, Richler finit par s'ennuyer pendant sa deuxième année à Sir George[47]. Il n'a pas obtenu le poste de rédacteur en chef du *Georgian*[48] qu'il convoitait et plusieurs de ses amis ont terminé leurs études, notamment les plus vieux, dont les histoires avaient fait de Sir George un endroit intéressant.[49] Richler consulte un psychologue qui lui fait passer des tests d'aptitude[50]. Ce dernier lui dit qu'il ne deviendra jamais un savant ou un écrivain, et qu'il devrait plutôt se tourner vers les affaires[51]. C'est à cette période qu'il abandonne l'université. Avrum pense que Richler a peut-être été expulsé de l'école après avoir publié un article provoquant[52], mais ce n'est pas le cas. Richler expliquera plus tard qu'il a quitté l'université parce qu'il craignait que le baccalauréat le mène à la maîtrise et que la maîtrise le mène ensuite au doctorat, un cycle d'études interminable dans lequel étaient engagés certains de ses amis de la *Northern Review*[53]. Il insistera sur le fait qu'il n'était pas un décrocheur au sens que l'on donnait au terme dans les années 1960[54]. À vrai dire, il ne risquait pas de se retrouver coincé dans ce cycle. La véritable explication est beaucoup plus simple : il ne savait pas ce qu'il voulait faire. Avec le recul, on peut dire qu'il était bel et bien un décrocheur au sens que l'on attribuait à ce terme dans les années 1960, même s'il était déjà passé à autre chose au début de cette décennie. En 1949, il voulait faire partie de l'avant-garde et il avait l'impression, probablement avec raison, que l'université l'abrutirait en lui imposant une surcharge d'informations et de sérieux.

Après avoir abandonné l'université, Richler n'a aucune idée de ce qu'il veut faire. Pendant un bref moment, c'est-à-dire une semaine, il écrit des articles et fait quelques dessins humoristiques pour une agence de publicité[55]. Pendant ce temps, ses proches poursuivent leur chemin : Moe s'est remarié[56], Avrum s'est marié à son tour, avec Richler pour témoin. « Pouvez-vous l'imaginer en habit ? », demande Avrum. « Avec une cravate blanche et un haut-de-forme[57] ? » Dorénavant, Richler est seul avec sa mère qui l'adore, une perspective qui ne le réjouit pas particulièrement. Il soumet sa candidature pour un emploi de rédacteur dans un magazine mensuel de mode[58], mais il n'obtient pas le poste. Il écrit, mais il est trop timide pour montrer ses textes à des lecteurs[59]. Et il n'a pas tout à fait tort, si on en juge par le texte intitulé « John D. – a Guy with a Rep », une histoire qu'il a probablement écrite à cette période et dans laquelle il semble chercher, en vain, à imiter le style d'Hemingway : « Si vous ne savez pas jouer au snooker, alors toutes les tables se valent. Cela dit, si vous jouez à l'argent et que chaque coup représente davantage qu'un samedi soir passé en compagnie d'une belle blonde sexy ou une bonne bouteille de whisky canadien, alors il faut aller jouer chez Tony et insister pour avoir la première table près de la porte[60]. » John D., le regard gris comme l'acier, cède enfin aux pressions et accepte de miser 1 000 dollars. Après avoir relaté avec force détails les coups de chacun, Richler abandonnera l'histoire à mi-course.

Richler veut quitter la rue Saint-Urbain. Inspiré par les exemples d'Hemingway, de Faulkner et de Callaghan, il sait que la meilleure chose à faire pour un jeune écrivain est de partir pour Paris. Dans le cas de Callaghan, en particulier, cette décision s'est révélée salutaire. Il a fourni la preuve que les Canadiens étaient non seulement capables d'écrire, de fréquenter Hemingway et Fitzgerald et d'être où il le fallait au bon moment, mais qu'ils pouvaient également, si on leur en donnait la chance, mettre K. O. ce macho d'Ernest[61]. Quand John Sutherland apprend que Mavis Gallant et Richler prévoient tous deux se rendre à Paris, il les invite à manger, un midi, pour les présenter l'un à l'autre. Gallant, qui travaille déjà comme journaliste pour le *Montreal Standard* (un quotidien qui deviendra plus tard le *Star*), est déjà « une personnalité glamour » aux yeux de Richler[62], et leur rencontre ne peut que le conforter dans son projet de partir pour le Vieux Continent.

Mordecai s'était fait dire qu'il avait du talent, et la communauté juive et ses parents constituaient une source d'inspiration illimitée. La communauté orthodoxe et la famille élargie avaient fait de son père un être faible et Richler voulait se venger. Il croyait d'abord qu'il obtiendrait sa vengeance en devenant un nouvel Hemingway, mais il réalisera qu'il peut l'obtenir de manière beaucoup plus directe en explorant, dans ses romans, les tensions qui règnent au sein de sa famille et de sa communauté. Sa mère, en entretenant une liaison, l'a trahi : elle a honteusement exposé son intimité aux railleries des autres, mais aussi, de façon plus directe, à son fils. Sous plusieurs aspects, dont son entêtement et son esprit critique, Richler, qui craint de lui ressembler, lui ressemblera de plus en plus. Dans ce contexte, l'écriture a l'avantage de maintenir une distance entre mère et fils et de révéler l'homme libre et raffiné qu'il est réellement.

Mordecai sait que Lily acceptera son départ avec difficulté. D'abord, Frankel l'a abandonnée, puis Moe et Avrum se sont mariés et maintenant, Mordecai quitte Montréal pour l'Europe. Les sentiments qu'éprouvent Kerman, dans *The Rotten People*, et Noah, dans *Mon père, ce héros*, lorsqu'ils se préparent à partir pour l'Europe et à laisser leur mère seule reflètent donc ceux de Richler. Noah décide « je ne vais pas à remplacer [mon père] pour elle[63] ». Après le divorce, Mordecai s'est rangé du côté de sa mère, à la fois affectueuse et excentrique[64], contre son père, cet incapable qui l'a abandonné à la fureur de Shmarya. La bagarre a cimenté cette identification, mais seulement pour un temps bref. Maintenant que Moe vit au coin de la rue et qu'il est davantage un compagnon et un pourvoyeur d'argent qu'une figure d'autorité, Mordecai prend enfin conscience de ce que d'autres ont toujours su : à savoir que son prolétarien de père[65] est un type marrant[66]. À quelques reprises, Mordecai menace Lily de quitter la maison si elle ne traite pas Moe avec plus d'égards[67]. Plus que quiconque, c'est Lily qui encourage Mordecai à écrire. Pourtant, après Frankel, plus elle s'investit émotivement dans leur relation, moins Mordecai est tenté de lui rendre la pareille, et plus il prend la défense de Moe. Ces alliances fluctuantes, auxquelles s'ajoutent les plaintes continuelles de Lily à propos de choses et d'autres, facilitent la rupture entre mère et fils.

Malgré tout, Avrum est surpris lorsque Mordecai annonce qu'il part en Europe pour écrire : « Ça alors, Mottie ! J'ai toujours su que tu deviendrais un artiste. » Avrum croit que son frère ne tiendra pas plus de six semaines[68]. Moe n'est pas plus emballé par l'idée. À l'époque, Richler ne connaît pas encore l'idée de la «distance artistique», à savoir qu'une fois en Europe, il sera libre d'écrire à propos de Montréal. À son avis, Montréal est quelconque. En Europe... en Europe... il aurait de quoi s'inspirer enfin. Mais n'a-t-il pas déjà de quoi s'inspirer à Montréal? lui demande Moe. Richler a l'impression que ce n'est pas le cas: «J'ai expliqué à ma famille qu'ils étaient des petites gens ordinaires, et pas le genre d'individus qui intéresseraient André Malraux. "Tu sais tout", a répondu mon père. Il ne pouvait dire mieux[69].» Si Richler, à l'âge mûr, aura appris à rire de lui-même, cela aura toutefois requis du temps. Pour ses deux premiers romans, l'un publié et l'autre non publié, Mordecai choisit comme toiles de fond Paris puis l'Espagne. Son troisième roman se déroule à Montréal et vise à «en finir» avec le Canada et son enfance, comme il l'annonce à ses amis; quant à son quatrième roman, il se déroule à Londres. Si, en rédigeant son cinquième roman, *L'Apprentissage de Duddy Kravitz*, Richler trouve enfin sa voie de maturité, révélée à travers son style «Montréal», ses sixième et septième romans reflètent toutefois son désir d'être cosmopolite, d'écrire principalement sur d'autres endroits que son milieu d'origine. Ce n'est qu'avec ses quatre derniers romans, les plus accomplis, qu'il comprend pleinement que ce que certains appellent la Muse est, pour lui, rien de plus et rien de moins que la rue Saint-Urbain, et que ses expériences en Espagne, à Paris et à Londres ne peuvent être interprétées qu'à travers le prisme de la rue Saint-Urbain. «C'était mon époque, mon chez moi», reconnaîtra-t-il plusieurs années après, «et je me suis désigné moi-même pour en décrire l'atmosphère[70].»

Résigné à ne jamais comprendre entièrement son fils, Moe lui prête néanmoins sa malle de voyage bleue[71]. Richler réussit à trouver l'argent nécessaire pour faire le voyage; il reçoit l'aide de Bernard, Avrum, Moe et d'une petite police d'assurance que sa mère avait contractée à sa naissance[72].

Pendant son dernier été au Canada, Richler occupe un petit emploi de serveur à la pension de famille de Sainte-Agathe et il disparaît souvent dans une petite pièce attenante pour écrire[73]. Il demande aussi à Sam Stick, le propriétaire du Castle des Monts

Hotel, de l'engager comme aide-serveur, et il sert aux tables pour un salaire s'élevant à trente-cinq dollars par semaine[74]. Mais il a déjà la tête ailleurs. Chaque soir après le travail, raconte-t-il, il s'allonge dans l'herbe avec une bière[75]. Dans les Laurentides, à l'endroit même où Yudel et Lily avaient échafaudé un plan de fuite qu'ils n'ont jamais réalisé, Richler imagine une autre sorte d'évasion. Il ne rêve pas de faire *aliyah* en Palestine, mais plutôt de quitter sa *tiefste Provinz* et de traverser l'Atlantique pour se retrouver au centre de l'univers. Armé d'une lettre de référence de son professeur d'histoire attestant qu'il était un élève «assidu et alerte... un atout certain lors des discussions qui ont lieu en classe[76]», d'un certificat de son professeur d'anglais, Neil Compton, témoignant de sa moralité[77] et d'une lettre du gérant du *Montreal Herald* déclarant qu'il a toujours été «un employé loyal, diligent et... sobre[78]», Richler abandonne la rue Saint-Urbain et met les voiles vers Liverpool.

DEUXIÈME PARTIE

Yurop

1950-1972

ah oui, la raison pour laquelle vous n'avez probablement jamais entendu mon nom… est qu'avant de naviguer vers l'yurop en 1950 mes activités – artistiques, politiques, etc. – étaient centrées sur l'université et le mtl herald. j'ai seulement vingt-et-un ans.

RICHLER, lettre adressée à Ted Allan, 1952

6

Ibiza : la bohème parmi les pêcheurs

E N SEPTEMBRE 1950, Richler traverse l'Atlantique pour se rendre en Europe, le continent des pogroms et des chambres à gaz[1]. Il accomplit ainsi, à l'envers, le trajet qu'avaient effectué, quelques décennies auparavant, ses grands-parents et les immigrants juifs de langue yiddish qui fuyaient vers l'ouest. Le chef de son groupe Habonim, Ezra Lifshitz, avait fait *aliyah* au cours de l'année et Richler a éprouvé un soupçon de culpabilité à l'idée de ne pas descendre au bon port[2]. Il voyageait *à l'extérieur d'Israël*. Lorsqu'à la fin des années 1930, Robertson Davies s'est rendu en Grande-Bretagne, il voulait devenir un Britannique ; s'il avait décidé de « rentrer à la maison », c'était pour parfaire son éducation. Moins d'une génération plus tard, Richler retourne sur le continent de ses ancêtres en tant que révolutionnaire américain. Cette différence caractérise leurs romans respectifs. Davies épouse le passé et ses romans rendent un hommage explicite, par exemple, à l'importance immuable de la vierge Marie, à Rabelais et son monde, à la pratique artistique de la Renaissance et à la Grande-Bretagne arthurienne[3]. À l'opposé, Richler s'associe au futur ; il *veut* se défaire de la tradition juive et tente, dans ses premiers romans surtout, de détruire son passé. C'est ce qui fera éventuellement de Richler un écrivain plus intense et émouvant que Davies. En effet, Richler, adulte, cherche à tout prix une façon d'être qui ne dépend pas de la Torah mais qui n'est pas non plus entièrement acquis à la modernité.

Richler fait la traversée en mer avec Terry McEwen, un autre étudiant de Sir George et un producteur de musique débutant, qui dirigera plus tard l'Opéra de San Francisco[4]. Le voyage à bord du *Franconia* est pénible[5] et Liverpool n'est pas la plus belle des récompenses : tout y est petit et sale[6]. Après une semaine, Richler se sent seul et misérable[7].

Quelques semaines plus tard, il poursuit son périple en direction de Paris. Lors de sa première soirée là-bas, il se rend au Café de Flore, s'assoit à une table et sort son calepin et sa plume[8]. Voilà Mordecai Richler, l'Européen raffiné, une image qu'il avait en tête depuis longtemps. Dans un scénario pour la télévision intitulé « The Lamplight of Paris », probablement écrit au début de son séjour dans la Ville lumière (ou à Montréal peu avant son départ), deux jeunes Canadiens naïfs, Tom et Artie, tombent sur « Monsieur Eric Richler », un Européen plus âgé qui leur confie l'existence d'un trésor enterré à Mannheim depuis la guerre. Comme il ne peut traverser la frontière allemande, le trésor lui est inaccessible. Tom et Artie se précipitent à Mannheim, creusent le sol au clair de lune et se font prendre au moment où ils ouvrent la boîte. À l'intérieur, ils trouvent un crâne, mais aucune pièce d'or. Dans la mêlée qui s'ensuit, Tom reçoit une balle et Artie, qui réussit à s'échapper, rentre à Paris. « Je voulais que quelqu'un trouve ce corps », admet l'insaisissable M. Richler lorsqu'Artie le retrouve enfin. Le corps en question est celui du frère de M. Richler, « Hans Richter » [*sic*]. Au même moment, un officier SS est jugé pour avoir assassiné un de ses subalternes, révèle M. Richler, mais les plaignants n'avaient aucun corps à leur disposition[9]. En voilà un. Mordecai Richler, un homme d'intrigue cosmopolite, cherche déjà à venger les six millions de victimes de la Shoah.

La réalité parisienne est beaucoup moins séduisante. Plus tard, Richler décrira sa chambre d'hôtel à Saint-Germain des Prés comme un ancien bordel de la Wehrmacht[10], mais la description qu'en fait James Baldwin, une connaissance de Richler, est plus proche de la vérité : « La chambre d'hôtel française, sordide, si admirablement détaillée par la caméra, évoque, par son aspect pittoresque, la romance, mais une fois qu'on l'habite à la place de Jean Gabin, elle subit un changement radical et devient totalement hostile à la romance[11].» La chambre de Richler est située au fond d'une cour, en haut d'un escalier obscur. Comme elle n'est pas chauffée, Richler doit se vêtir de nombreux pulls, écharpes et bonnets[12]. De plus, elle est infestée de souris qui laissent leur trace sur les pulls de l'écrivain. Au cinéma, les sièges bon marché sont infestés de puces[13]. Peu de temps après son arrivée, Richler tente, avec *The Acrobats*, d'offrir une description évocatrice de Paris en dépeignant le nouvel esprit du temps, mais il ne réussit qu'à produire, de manière involontaire, un testament sur la solitude d'un jeune garçon de la rue Saint-Urbain : «Seuls les hommes-enfants de cinquante ans et plus qui y retournent pour la première fois, peut-être, depuis les années 1920, cherchant à retrouver l'idiotie calculée de leur jeunesse à l'étranger ; seuls ceux-là picolent jusqu'à six heures du matin à Montmartre. La nouvelle génération, qui se compose de leurs enfants, vaque dans les cafés avec tristesse et nonchalance ; elle assiste, lasse mais indulgente, à leurs festivités pathétiques. Elle ne dit rien et ne va nulle part, car aujourd'hui ne représente qu'une inévitable déception face à hier. Elle attend quelque chose qu'elle serait bien en peine d'expliquer[14].» Après avoir passé une année sur une île ensoleillée où il aura rencontré quelques amis, au moins un membre de la nouvelle génération serait prêt, lui aussi, à picoler jusqu'aux petites heures du matin.

Pendant un premier mois de solitude terrible, Richler essaie de lire *La Nausée* de Sartre en français, mais il n'y arrive pas[15]. Il espère entrer en contact avec tout ce qui aurait pu appartenir à la Génération perdue d'Hemingway ; il y aurait de l'angoisse existentielle, bien sûr, mais aussi de la camaraderie, quantité d'alcool et la compagnie de femmes «qui le font[16]». De manière inexplicable toutefois, les femmes semblent capables de résister au charme du jeune homme triste qui contemple tout ce qui l'entoure d'un air las. La seule personne avec qui il tente de se lier d'amitié, une jeune femme qu'il aperçoit en train de lire *Sanctuaire* de Faulkner, refuse de lui répondre lorsqu'il s'adresse à elle[17].

Il *devait* y avoir de l'action : Henry Miller l'avait dit. Richler découvre alors les romans d'Henry Miller et de Céline (en anglais[18]), qui lui font l'effet d'une révélation. Miller, un pionnier de la libération sexuelle, n'a aucune inhibition. Par comparaison avec le Montréal coincé de l'époque, il semble appartenir à un autre monde, aussi longtemps qu'on ne cherche pas la structure intellectuelle entre les pages de ses romans[19]. Il n'est pas surprenant qu'un jeune homme comme lui s'intéresse à Miller et Céline, mais au-delà de leurs livres, Richler avait découvert, à travers la liaison de sa mère, que la surface de la vie adulte cache beaucoup de choses. Ce fut assez pour le convaincre que les écrivains qui osaient aborder les aspects refoulés du sexe avaient découvert la Vérité.

Richler se laisse pousser une barbe à la Van Dyke[20] et il adopte les jeans, les sandales et les Gauloises[21]. Mais où donc est le Paris d'Henry Miller? Richler ne le trouve pas. Peut-être qu'en empruntant le style de Céline[22], il parviendrait à faire sortir de leur cachette les artistes bohèmes? Malheureusement, le roman auquel il songe, *The Rotten People*, ne semble pas, une fois transposé par écrit, être l'œuvre de génie qu'il imaginait. Des années plus tard, Richler qualifiera Miller de créateur de mythes, car ses romans érotiques auront mal vieilli[23]. Bien qu'il ait sagement cessé d'imiter Céline, Richler ne l'a jamais répudié et cela, malgré son antisémitisme malveillant[24].

Lorsque décembre arrive, Richler, qui travaille toujours d'arrache-pied sur *The Rotten Peopl*e, s'est enfin fait des amis. Ce sont, pour la plupart, d'anciens Montréalais. Mavis Gallant présente «Mordy» à Alex Cherney et Bill Weintraub[25]. Les expatriés montréalais se serrent les uns contre les autres dans les restaurants et les bars pour écouter du be-bop, la dernière nouveauté. D'après Gallant, Richler est complètement bouleversé par le climat existentiel qui règne à l'époque[26]. Weintraub, de cinq ans son aîné, est un ancien journaliste de la *Gazette* qui travaille alors à la pige. Bien qu'il soit juif lui aussi, Weintraub n'a ni grandi dans le ghetto juif ni été éduqué dans une famille orthodoxe. Richler devient son deuxième ami juif. «Impudent mais charmant – et désespérément irréaliste[27]»: voilà la première impression que se fait Weintraub de Richler. Leur relation est fondée sur les plaisanteries et les taquineries. Ils adoptent tous deux les attitudes à la mode et prennent plaisir à dénoncer tous ceux qui ne satisfont pas leurs exigences[28]. En dépit de la réputation future de dur à cuire de Richler, il est d'agréable compagnie pour ceux qu'il respecte. Weintraub et Richler resteront amis toute leur vie.

Richler rencontre également Sinbad Vail, rédacteur en chef d'un petit journal appelé *Points*. À la différence des autres éditeurs de magazines à Paris, Vail, le fils de Peggy Guggenheim et du peintre Laurence Vail, n'est jamais à court d'argent. Il offre à boire à ses auteurs et les invite à jouer au billard ou dans les cafés[29]. Dès le premier numéro de *Points*, il balance 4 000 exemplaires à un public qui ne s'y attend pas. Il réussit à en vendre quatre cents[30].

Vail accepte trois nouvelles de Richler, qu'il réunit dans une même œuvre mélancolique intitulée « Shades of Darkness ». Ces histoires, que Richler qualifiera plus tard de sentimentales et idiotes, lui permettront d'empocher dix dollars[31]. Selon lui, elles auraient été écrites à l'âge de seize ans, ce qui peut sembler tôt vu le ton qu'il utilise. On sait toutefois qu'elles ont été écrites à Montréal. « Shades of Darkness » se compose de trois épisodes qui représentent chacune une vie d'infortune. Le point de vue oscille sans cesse entre une perspective sentimentale et une autre, plus objective, dans laquelle les personnages sont considérés ironiquement et existentiellement comme les symptômes d'une culture malsaine. Un individu obèse qui fait sans cesse le clown s'aventure trop loin de la rive ; il vient de perdre son emploi dans un hôtel parce que ceux qui lui témoignent de la sympathie n'aiment pas qu'il fasse des blagues sur son poids ; un Italien épouse une Juive et finit par travailler comme un esclave dans l'atelier de son beau-père ; un jeune Québécois victime de mauvais traitements éprouve un sentiment d'accomplissement et d'acceptation sociale en tabassant des Juifs. On serait tenté de qualifier le style employé de « laconique hemingwayen » : « Il s'appelait David Disraeli Wallman, son père était sioniste et il était affreusement gros. Il était tout simplement trop gros. » Ce qui manque – malheureusement ou heureusement –, c'est la retenue émotionnelle caractéristique d'Hemingway et, ce qu'il y a en plus, c'est un intérêt marqué pour le contexte social, signalé ici par l'astucieux « Disraeli ». Sachant que Richler a écrit une lettre d'admiration à Morley Callaghan dans les années 1950, nous pouvons aussi deviner l'influence de ce dernier – un curieux mélange de sympathie et de grossièreté qui a permis à Callaghan de développer une vaste perspective, presque sociologique, tout en interpellant l'humanité du lecteur (mais pas nécessairement celle des personnages). Les fins ouvertes et ironiques sont également typiques de Callaghan. Sans le signaler directement, elles placent les personnages dans des positions dégradantes. Certains éléments subsisteront dans l'œuvre de Richler : la distance objective et la préoccupation pour l'expérience juive – à la fois sympathique et antipathique – se mueront en caricatures féroces. D'autres éléments changeront. Les personnages de Richler développeront des vies intérieures à la fois complexes et fascinantes, leur univers sera dépeint avec force détails et ils seront décrits avec beaucoup plus de vocabulaire que les cent mots employés par Callaghan – « elle pleura, embrassa son petit *boychick* et lui répondit : « *Sam, s'iz shvere tsu zein a yid* » (Sam, c'est dur d'être Juif). Quant à la lettre de Richler, Callaghan n'y a jamais répondu[32].

Lorsque Richler publie ses histoires dans la revue *Points*, il est déjà à court d'argent et son roman est loin d'être terminé. Les dix dollars qu'il en obtient ne l'aident pas beaucoup. Dans *The Rotten People*, Kerman se rappelle avoir ressenti une vague d'extase en arrivant en Europe et avoir eu du mal à résister à l'envie de manifester physiquement sa joie. « Il était libre, inconnu, sans aucune possession ! » Mais après quelques mois, il est désespéré. « Mêlé à toutes sortes de problèmes, il suffoque. C'est exaspérant[33] ! » À l'occasion d'une fête, Richler rencontre un sculpteur britannique qui lui parle d'une île au soleil où on peut vivre avec moins de 100 dollars par mois et écrire, tout simplement. Hemingway n'a-t-il pas lui aussi quitté Paris pour l'Espagne ? Richler demande, puis implore Moe et Avrum, chacun à leur tour, de lui faire parvenir de l'argent pour défrayer les coûts de son billet de train en direction d'Ibiza. Avec le petit pécule qu'il réussit à leur extorquer, Richler, accompagné du manuel d'apprentissage de l'espagnol *Hugo's Spanish Self-Taught* et du *Don Quichotte* en format poche de Penguin, monte à bord du train en direction sud[34]. Il restera six mois à Ibiza, jusqu'à ce que la police espagnole l'oblige à quitter.

Vers la fin décembre, un jeune Canadien élevé sur les rives du Saint-Laurent se tient sur le pont du *Jaime II*, observant Ibiza et sa plus grande ville, San Antonio, qui se rapprochent sur la Méditerranée bleu-vert : « sur les rochers se dressent des maisons blanches et carrées sur lesquelles le soleil fait comme des taches ». Au départ, il a l'intention de rester quelques semaines sur cette île[35] des Baléares, dont la superficie est plus ou moins semblable à celle de l'île de Montréal. Dans les années 1960, Ibiza deviendra une destination hippie ; plus tard, elle accueillera des discothèques bruyantes et les caméras de *Wild On*. Mais au début des années 1950, Ibiza est encore méconnue et la vie sur l'île présente l'avantage non négligeable d'être très bon marché. Ce n'est certainement pas le Paris impersonnel qu'a connu Richler : à peine est-il descendu du train qu'il est entraîné sur-le-champ par un pêcheur d'une quarantaine d'années, Juanito Tur-Guerra, dans un bar situé en bord de mer pour y boire un verre de Fundador. Tur-Guerra, que tout le monde appelle « Juanito Pus », possède deux bateaux de pêche et une remise sur les quais pour entreposer son matériel. Pour Richler, il est le roi du front de mer. Et pour Juanito, Richler est le fils d'un riche Américain qui est venu à Ibiza pour échapper à la guerre de Corée. Devant ses amis, Juanito fait asseoir l'« Américain » récemment arrivé en l'agrippant par le col de sa chemise et, malgré ses protestations dans un espagnol cassé, il le garde à l'Escandell toute la soirée, jusqu'à ce qu'il soit incroyablement soûl. Puis, lorsque la fête semble se terminer, il l'entraîne chez Rosita, un bordel[36], pour vivre ce qui sera peut-être sa première expérience sexuelle. Plus tard, Richler se demandera ce que Juanito voyait en lui et pourquoi il est devenu son mentor : « J'étais si arrogant. Un véritable enculé... Boire jusqu'à s'effondrer, batifoler avec des putes était, à dix-neuf ans, l'expérience ultime. Mieux que les activités du Rotary[37]. » Mais l'important était la chose suivante : dorénavant, il n'appartient plus au ghetto orthodoxe de la rue Saint-Urbain.

Qu'est-ce que Juanito voyait en lui ? L'exotisme, probablement ; une énergie prodigieuse, presque aussi considérable que celle de Juanito lui-même ; et un compagnon de bouteille. Dans l'isolement d'Ibiza, Richler – ou «Mauricio», comme l'appellent les Espagnols – devient soudain une curiosité, et non plus l'un des milliers de fantômes qui errent dans Paris pleins d'espoir, un manuscrit à la main. Il trouve enfin sa bohème, non pas parmi les écrivains et les artistes, comme il s'y attendait, mais auprès des pêcheurs. Ils étaient tous très enjoués, drôles et sympathiques, se rappelle Bill Weintraub[38]. Pendant plusieurs semaines, Richler reste là où il a débarqué. Il prend une chambre dans un hôtel du front de mer, écrit pendant la journée et le soir, il fait la fête avec Juanito Pus et les pêcheurs.

En l'espace de six semaines de canicule, dit-il, il réussit à écrire un roman, mais le résultat n'est pas particulièrement encourageant. Il le réécrit, mais le résultat ne semble toujours pas prometteur. Plus tard, Richler affirmera avoir brûlé le manuscrit[39]. Ce qui est faux. Il s'agit probablement du roman à forte teneur autobiographique intitulé *The Rotten People* (non publié), car sur l'un des premiers brouillons, assez complet, on peut lire «san antonio, ibiza, 1950[40]». Si la date est exacte, on peut en déduire que Richler a consacré ses premières semaines à Ibiza (soit les dernières semaines de l'année 1950) à l'achèvement de cette version de *The Rotten People*. Il est possible qu'il ait cherché à se protéger en brûlant une version antérieure de *The Rotten People* et en conservant la plus récente. Pendant son séjour sur l'île, Richler, un homme persévérant, retravaillera sans cesse son manuscrit.

À Paris, un ex GI, Joe Dughi, lui avait dit : «Quand tu traverses les Pyrénées... Tu laisses l'Europe derrière toi... De l'autre côté, tu te retrouves un siècle en arrière.» Ce qui n'est pas un problème en soi... Du moins au début. Quand Richler écrira plus tard sur l'Espagne, il citera Roger Fry, d'après qui les Espagnols mènent une vie instinctive, et non détachée ou intellectuelle[41]. Malgré la faiblesse d'une telle généralisation raciale – en effet, si Richler a dû quitter en hâte Ibiza, c'est principalement parce que sa vie était devenue *trop* instinctive pour les Espagnols –, la remarque de Fry semble fondée. Richler n'a qu'à se rappeler les bordels ou les bars où on invite les ivrognes à chanter, jongler ou danser devant un public hurlant de rire pour se faire payer un verre ; ou les nuits comme celle où il est allé en moto chez Rosita avec le médecin anarchiste Juanito Villan-Gomez et y est resté jusqu'à quatre heures du matin, pas plus tard parce que Villan-Gomez devait opérer le lendemain ; ou la fois où il s'est fait faire un plombage et le dentiste lui a donné du cognac comme anesthésiant, en s'autorisant lui aussi une rasade[42].

Pour Richler, l'Espagne est un pays exotique parce qu'il s'y sent plus libre. Vers la fin de mois de mars, il se rend à Valence, le roman *Mort dans l'après-midi* d'Hemingway sous le bras, pour célébrer les fêtes de la Saint-Joseph et assister à sa première corrida. Grâce à Hemingway, il sait déjà que les Espagnols sont particulièrement conscients de la mort. Mais comment en douter en voyant Luis Miguel Dominguin toréer ? Le spectacle lui-même est impressionnant, mais quand un garçon de l'assistance saute par-dessus la barrière pour pénétrer dans l'arène, tapant du pied et invitant le taureau à le charger, le cœur de Richler se met à battre à tout rompre. La foule crie et rie tandis que Richler tremble de tout son être, ignorant à quel point il est normal, pour les garçons, d'être si excités par le rituel de la mort qu'ils ressentent le besoin d'y participer. Pendant le jour, il voit les Fallas, ces gigantesques effigies de papier mâché, l'une d'entre elles représentant un gitan bedonnant. Le soir de la Saint-Jean, la Nit del Foc, il assiste, à minuit, à la Crema, la destruction par le feu de toutes les effigies. Rien à voir avec les quelques pétards qui retentissent le jour de la Fête de la Reine : des centaines de figures humaines, dont certaines atteignent une hauteur de plusieurs étages, flambent dans le ciel nocturne. Pour Richler, c'est une révélation. Il abandonnera progressivement la vie physique et instinctive avant de reconnaître, plus tard encore, que l'Espagne l'entraînait dangereusement dans le vice. À l'époque, Richler écrit : « Les flammes de Valence ont consumé… une foule de démons personnels, comme mon expérience frigide de Canadien et certaines règles juives absurdes avec lesquelles j'ai grandi. Le sentiment de culpabilité d'avoir quitté l'université sans diplôme s'est évaporé… J'apprends lentement, mais en m'éloignant de ce feu j'ai compris, pour la première fois, que j'étais un homme libre[43]. » Au XIXe siècle, les principaux signes de l'assimilation juive étaient le savoir des Lumières et la conversion au christianisme, ainsi que l'ont réalisé des individus tels Mendelssohn, Disraeli, Marx et, de manière plus complexe,

Heine[44]. Mais au milieu du XXe siècle, le nouveau symbole de l'assimilation est l'abandon de l'orthodoxie pour la laïcisation et la jouissance corporelle. Dans le cas de Richler, la présence d'un grand-père sévère, le divorce parental et le désir de jouer au snooker le jour du Shabbat ont précipité l'abandon de l'orthodoxie et de la rue Saint-Urbain. Le spectacle des Fallas en flammes marque l'entrée de Richler dans l'Europe laïque. Pour commémorer l'événement, il commence immédiatement à travailler sur une nouvelle, *The Acrobats*, mais il décide, en rentrant à Ibiza, de reprendre encore une fois le manuscrit de *The Rotten People*[45]. Il faudra attendre six mois avant que Richler n'utilise Hemingway et les Fallas de Valence (fête dont il est question dans *Sous le volcan*, de Malcolm Lowry) pour ériger la structure tragique d'une version longue du texte *The Acrobats*.

Richler envoie ses histoires aux magazines *The New Yorker*, *Harper's* et *Atlantic Monthly*, mais personne ne veut les acheter[46]. Même à Ibiza, où la vie ne coûte pratiquement rien, il a besoin d'argent. Il fait parvenir à Moe des télégrammes formulés avec délicatesse, du genre : «ENVOYER IMPÉRATIVEMENT ARGENT PRONTO MADRID C O COOKS WAGON LITS ALCALA 32 MADRID. À COURT D'ARGENT. MORDECAI[47].» Malgré ses propres difficultés financières, Moe vient souvent à la rescousse de son fils, mais il finit par mettre les choses au clair : celui-ci devra rembourser l'argent qu'il lui prête. Il inscrit d'ailleurs les montants prêtés dans un petit calepin[48]. Parfois, Moe profite de l'occasion pour envoyer à son fils un calendrier juif, question de lui faire comprendre qu'il espère toujours que ce dernier confesse ses péchés et célèbre Rosh Hashana[49]. Richler harcèle aussi Bill Weintraub : «mavis dit – que Dieu te bénisse – que tu pourrais peut-être me prêter un peu d'argent jusqu'en sept. – si oui, super – si non, je vois le genre d'ami que tu es!» À un moment donné, à Paris, Mavis Gallant avait dit à Richler qu'elle irait peut-être le rejoindre à Ibiza, auquel cas elle partagerait le loyer avec lui. Vers la fin du mois d'avril, Richler cherche anxieusement à entrer en contact avec elle et il la presse de venir le rejoindre le plus rapidement possible[50]. S'il continue de dépenser sans compter comme il le fait à l'Escandell ou chez Rosita, il ne pourra tenir bien longtemps sur l'île. Certaines de ces «nuits» passées loin de l'Europe dépassent les attentes et les rêves d'un homme libre comme Richler. Lors de l'une d'entre elles, qui débute par un apéro avec Juanito, il se réveille quarante-huit heures plus tard dans un bateau de pêcheur avec son ami. Juanito a le visage tuméfié et Richler a le pantalon déchiré[51].

Après cet épisode, Richler décide de quitter la capitale de l'île : il s'installe dans le village de San Antonio Abad, situé à une quin-zaine de kilomètres. Pour 1 000 pesetas par mois (une somme qui correspond alors à vingt ou vingt-cinq dollars), il loue une finca (maisonnette) avec trois chambres, un salon, un foyer, une cuisine et une « salle de bain ». Pour cinquante dollars de plus, il obtient les boissons, les repas et un cuisinier pour les préparer. Chaque matin, il se fait livrer du vin. Loin de Juanito et des ten-tations de la vie instinctive, il réussit à s'imposer une routine plus spartiate. Il a même un petit jardin et une alcôve à l'ombre où il peut écrire pendant la matinée. Mais Juanito n'en a pas tout à fait fini avec son protégé. Une semaine après son départ, Richler est réveillé à trois heures du matin par l'arrivée de trois vieilles voitures de taxi remplies de filles provenant de chez Rosita, un guitariste flamenco et Juanito lui-même. Richler pro-teste, mais Juanito entre et fait comme chez lui[52]. Il est peut-être tout à fait fortuit que Richler ait donné le nom de « Juanito » à un personnage de *pimp* dans *The Acrobats* – après tout, le prénom Juan est très répandu – mais on peut aussi penser que Richler croyait que les actions de Juanito n'étaient pas toujours moti-vées par son amitié pour l'écrivain.

Mavis Gallant ne viendra jamais rejoindre Richler à Ibiza. Pour la remplacer, Richler cherche à convaincre Bill Weintraub : « san antonio est un endroit fantastique pour plusieurs raisons que je ne peux pas vraiment aborder par écrit », suggère Richler pour le tenter. Weintraub vient le trouver à Ibiza et, d'un air triomphant, il écrit aussitôt à Brian Moore : « J'ai sorti ma machine à écrire sur le patio et j'écoute le bruissement des pal-miers du jardin… Notre cuisinier est en train de préparer le dîner. » Il répète ensuite la fanfaronnade habituelle de Richler : « Ici, il en coûte plus cher de *ne pas* boire[53]. »

Richler retravaille son nouveau roman, mais deux événements viennent bousculer sa vie à Ibiza. Le premier est l'arrivée d'une jeune Américaine, Helen. Ni les caresses échangées avec Evelyn dans les Laurentides ni le batifolage avec les prostituées de chez Rosita n'ont véritablement préparé Richler à ce qui l'attend avec Helen. Lorsqu'elle descend du *Jaime II*, les trois premiers boutons de sa blouse sont défaits. Dans *Joshua au passé, au présent*, elle devient « Monique », une jeune femme pas très intelligente mais pleine d'entrain qui parle avec enthousiasme de la « nature sauvage » et considère excitant le fait que Richler fréquente un bordel. Dans *Back to Ibiza*, elle est « Pauline », un personnage qui s'apparente probablement davantage à la véritable Helen – qui, sans être bête, s'extasie à propos de tout ce qui est « avant-garde »[54]. Richler a certainement permis à Helen d'approuver les pensées profondes qu'il consignait, pendant ces mois-là, dans *The Rotten People* :

> Le temps
> Comme une plaie de pus saignante sur l'anus de la vie,
> va et vient[55].

Si Helen applaudissait, c'était Richler qui écrivait : il n'y avait pas non plus de quoi être fier.

Quelques jours ou quelques semaines après l'arrivée d'Helen, la mère de celle-ci, une femme énergique et protectrice, débarque à son tour[56]. Elle souhaite refréner l'énergie sexuelle de sa fille, mais ne sait comment s'y prendre. Face à l'insistance de la jeune fille, Helen et Richler deviennent rapidement amants. Pendant le séjour de son amante à Ibiza, il semble que Richer ait cessé de fréquenter Rosita. En juin, il se préoccupe même de ses « indispositions mensuelles[57] ».

S'il n'est pas prêt à être père, Richler n'est pas davantage préparé à tomber nez à nez avec un ancien colonel SS qui s'est battu aux côtés de Franco et qui a été condamné à mort en France pour des crimes commis durant la Première Guerre mondiale. Avant de venir en Espagne, Richler, encouragé par ses lectures, s'était imaginé que son arrivée remonterait le moral des républicains, les perdants de la guerre civile espagnole. À Ibiza, il fait la connaissance du médecin anarchiste Villan-Gomez, mais aussi d'un agent secret fasciste (qu'il renomme « Mariano » dans *Back to Ibiza* et *Joshua au passé, au présent*) qui, sous les ordres du général Mola, a exécuté des prisonniers de guerre au moment de la guerre civile. Bien que Richler tente, dans *The Acrobats*, de faire du conflit espagnol entre la droite et la gauche un événement actuel, il arrive sur les lieux trop tard pour y assister et ses espoirs révolutionnaires sont déçus. Ce qui s'est produit douze ans auparavant est bel et bien terminé, et « l'action se déroule désormais ailleurs[58] ».

Dans le cadre de ce récit, le colonel SS est intégré à la géographie mentale de Richler et il devient la cible de sa colère naissante. On le retrouve sous les traits de « Roger Krauss » dans *The Acrobats* et de « Mueller » dans *Back to Ibiza* et *Joshua au passé, au présent*. Se trouvant parmi les officiers espagnols, le colonel se comporte avec une sagesse et une expérience que Richler, conscient de sa naïveté, ne peut qu'envier. Dans l'un des bars de l'île, « Mueller » met Richler au défi de jouer aux dés pour savoir qui payera à boire à l'autre en demandant : « Vous en avez ou vous n'en avez pas ? » Il semble toutefois que Richler ait pu se venger des manières doucereuses du colonel et de l'absence de conflit entre la gauche et la droite, entre Juif et Nazi : un soir, il quitte le bar sous le nez de « Mueller » avec Helen à son bras[59].

Jusqu'à quel point peut-on se fier à *Back to Ibiza* pour savoir ce qui s'est réellement passé avec Helen et l'ancien colonel SS ? Richler écrit qu'il a rencontré « Mueller » lors de sa deuxième nuit sur l'île[60], mais Bill Weintraub, qui a connu Helen, n'en a jamais entendu parler et croit dès lors qu'il s'agit d'un personnage fictif[61]. Pourtant, parmi les éléments jetés sur le papier à Ibiza en préparation de « *letter to Katie* », Richler mentionne notamment :

10. Ma situation grotesque avec les officiers de l'armée à San Antonio.
11. le bateau de croisière allemand
Mme. Allemagne
Il y a plusieurs réfuggiés [*sic*] Nazi et Chinois ici…
21… la pute qui voulait savoir si j'étais un espion[62].

Dans une lettre datée de 1952, Richler écrit à Ted Allan : «après environ six mois à Ibiza, je me suis finalement attiré des ennuis. Un colonel ss qui vit sur l'île – condamné à mort en France – est à mes trousses[63].» Bien entendu, Richler embellit les faits dans ses romans et il y ajoute tout ce qu'il faut pour obtenir une bonne histoire, mais puisqu'il n'existe aucune preuve qu'il ment à ses amis, il y a de fortes chances qu'il ait véritablement rencontré un colonel SS à Ibiza. Ces événements se sont peut-être produits en juin, après le départ de Weintraub. Même sans la lettre adressée à Ted Allan, il est difficile d'imaginer que Richler ait pu se créer une telle obsession à partir de rien, une obsession si forte que, vingt-six ans plus tard, il doive encore l'exorciser dans *Joshua au passé, au présent*.

Les différences entre *Back to Ibiza*, ses mémoires inédits rédigés en 1976, et *Joshua au passé, au présent*, roman publié en 1980, fournissent certains indices. 1) Lorsqu'un incident est relaté dans *Joshua au passé, au présent* mais pas dans *Back to Ibiza*, il est *probablement fictif* puisqu'il n'apparaît que dans une œuvre de fiction. 2) Lorsqu'un incident est relaté dans *Back to Ibiza* mais pas dans *Joshua au passé, au présent*, il est *probablement basé sur des faits* parce que, pour plusieurs raisons, les incidents basés sur des faits sont plus faciles à élaguer : la vraie vie est parfois trop prosaïque, trop embarrassante, elle met parfois à nu des éléments que l'auteur n'est pas prêt à dévoiler. Elle peut aussi contrer les effets artistiques qu'il souhaite donner à son œuvre. 3) Lorsqu'un incident est relaté à la fois dans *Back to Ibiza* et dans *Joshua au passé, au présent*, il est *peut-être* basé sur des faits[64]. Dans *Back to Ibiza*, quelques incidents (qui se produisent ailleurs qu'en Espagne) peuvent être identifiés comme étant fictifs, mais vu que l'éditeur de Richler, Bob Gottlieb, considérait *Back to Ibiza* comme une œuvre non romanesque et non digérée[65], et qu'une grande partie de ce que Richler y raconte a été attesté ailleurs, notamment lors d'entretiens avec des membres de la famille élargie, et que Richler utilise les noms réels de ses proches pour les dépeindre – Florence, Ted Kotcheff, Reuben Ship, Tony Godwin, Bob Gottlieb –, on peut supposer qu'à l'exception de quelques exagérations et de pseudonymes destinés à se protéger, le manuscrit brosse un tableau fidèle de la vie de Richler.

Dans *Joshua au passé, au présent,* la seconde carrière du colonel SS en tant qu'écrivain de westerns, les menaces qu'il profère à l'encontre de Joshua et une foule de détails moins importants sont bien entendu fictifs. En faisant de «Mueller» un auteur d'histoires de cow-boys, Richler établit un lien inspiré entre l'idéologie nazie et le racisme des Américains envers les Amérindiens – une sorte de Karl May avec un Stetson noir. Dans le roman, lorsque Joshua occupe la table du colonel au restaurant, «Mueller» dit, en riant, qu'il aurait facilement pu lui faire exploser les testicules sous la table sans que personne ne le voit. Dans *Back to Ibiza,* la scène se termine de manière plus prosaïque, mais non sans une certaine profondeur. «Mueller» rejoint Richler à sa table et, dans un passage réutilisé ailleurs dans *Joshua au passé, au présent,* il dit : «Pour moi, tout cela fait partie du passé. Le livre est refermé [...] les Juifs, les nègres... Je ne fais aucune différence. Je respecte un homme pour ce qu'il est[66].» Pas de menaces, juste une volonté de paix et la confiance d'obtenir facilement le pardon des Juifs. Mais on ne peut entièrement se fier à *Back to Ibiza* : ailleurs, de tels propos sont attribués au propriétaire du logement de Richler à Munich, un chauffeur de corbillard, qui aurait dit : «C'est assez. Pour moi, un homme est un homme. Qu'il soit juif ou nègre, peu importe[67].»

Dans *Back to Ibiza* sont aussi prosaïques les autres faits et gestes de «Mueller» au restaurant tenu par les Freiberg, des Juifs bourgeois qui ont été assez intelligents pour fuir l'Allemagne après la Nuit de Cristal. Max, un parent des Freiberg, tente de refourguer un appareil photo acheté sur le marché noir à «Mueller». Quand celui-ci commence à user de menaces voilées au sujet des origines raciales de Max pour négocier, Richler intervient. Comme il apparaît à la fois dans le roman et dans les mémoires, l'incident est peut-être basé sur des faits réels, mais il n'y a aucune indication, dans *Back to Ibiza,* que Max ait été victime de violences antisémites et les Freiberg n'y occupent qu'une place mineure. Richler est contrarié par l'attitude servile qu'ils adoptent devant l'ancien Nazi et les accuse très tôt d'être partiellement responsables de son départ précipité d'Ibiza. Toutefois, ils ne sont dépeints ni comme les Juifs timides et effacés que Joshua veut protéger de l'antisémitisme, ni comme les Juifs bourgeois qui se plaignent des ébats de Joshua sur la plage[68]. Ces modifications – les changements subtils dans les détails et l'attribution, ainsi que les éléments plus exagérés – constituent des signes importants du développement de Richler en tant qu'écrivain. Tant à vingt qu'à cinquante ans, Richler aurait souhaité une confrontation plus directe et concrète avec les atrocités de la Seconde Guerre mondiale que ce qui était possible en 1951; il souhaitait que les Juifs puissent se venger de l'Holocauste. L'évolution de son style d'écriture prouve que Richler cherche à atteindre un certain sérieux littéraire. Il prend conscience du fait que ses conflits internes, qu'il exprime de manière insatisfaisante dans la vraie vie, seront également ressentis par d'autres s'il peut les rendre accessibles.

Parmi les incidents qui se sont probablement produits (c'est-à-dire qui apparaissent dans *Back to Ibiza* mais pas dans le roman), on peut notamment citer les conversations de Richler avec Helen et la colère de sa mère lorsqu'elle découvre leur liaison. Richler raconte avoir lu ses nouvelles à «Pauline» et avoir eu de longues discussions avec elle à propos de «l'homme et la place qu'il occupe dans la nature». Il rapporte également que quelqu'un a révélé leur secret à la mère de «Pauline» et que celle-ci, enragée, a fait irruption dans la chambre de Richler à la recherche de sa fille, car elle était affolée par la possibilité qu'il lui transmette une maladie vénérienne qu'il aurait contractée au bordel. Richler suppose que «Mueller» l'a dénoncé pour se venger de lui avoir arraché «Pauline»[69]. Il se peut que les conversations soient basées sur des faits réels, mais qu'elles aient été écartées au moment d'écrire *Joshua au passé, au présent* parce que des discussions faussement profondes entre les amants auraient à la fois nui au rôle de «Pauline» en tant que groupie de l'écrivain et attiré l'attention sur l'égoïsme intellectuel de Joshua (né Richler). De la même façon, la colère de la mère aurait effacé la lutte symbolique entre les Nazis et les Juifs et soulevé la question de la responsabilité sexuelle, une question que Richler souhaite éviter pour une raison bien précise: Helen tombe enceinte et sa mère l'envoie se faire avorter en France. Même si Richler écrit à Weintraub que «la brave fille» savait qu'elle était enceinte depuis deux mois et n'avait rien dit[70], on peut supposer qu'Helen attendait de voir comment évoluerait la situation et qu'elle a finalement pris conscience qu'elle ne pouvait attendre grand-chose de Richler. Celui-ci est d'ailleurs conscient de ses craintes quand elle lui confie que ses règles sont en retard. Il y a fort à parier que Richler souhaite seulement faire bonne figure devant Weintraub. Sinon, pourquoi Richler aurait-il décidé, alors qu'il lui manifeste son amour et loue son courage, de donner le nom d'«Helen» à la petite amie désagréable de Kerman Adler dans *The Rotten People*? Le personnage d'«Helen» est partiellement fictif et partiellement inspiré d'Evelyn Sacks, mais en situant «Helen» à Ibiza et en faisant souhaiter à Kerman, son alter ego, de la pousser en bas d'une falaise, Richler donne à penser qu'il craignait d'être pris au piège par la véritable Helen. On devine, d'après ses écrits, qu'il souhaite simplement fuir.

⟜

À la fin du mois de juin, Richler fait l'objet d'une enquête policière dont il prédit le résultat à ses amis : «je détesterais être forcé de quitter l'Espagne maintenant : je n'ai pas d'argent et je n'ai nulle part où aller[71]». Il est brièvement emprisonné. Pourquoi? Selon Ted Kotcheff, «la police secrète a commencé à le harceler et il est devenu de plus en plus difficile pour lui de travailler. Il a donc décidé de rentrer à Paris.» D'après lui, Richler s'était attiré des ennuis en fréquentant des républicains et en cherchant à obtenir du matériel littéraire de la part de ceux qui connaissaient «Mueller»[72].

Mais Richler n'est pas seulement harcelé par la police : il est carrément arrêté. Dans le récit qu'il fait de l'incident en 1961 et dans *Back to Ibiza*, les raisons évoquées sont multiples : un cambriolage, les Freiberg, «Pauline», une plainte déposée contre lui par «Mueller», une rumeur selon laquelle Richler est un communiste et un espion[73]; tant de raisons que l'on retrouve dans *Joshua au passé, au présent*. Étant donné que les Freiberg jouent un rôle mineur dans *Back to Ibiza* et qu'«Helen» est déjà partie en France avec sa mère au début juin[74], il y a peu de chances que la police soit à ses trousses pour des accusations d'actes d'indécence commis sur la plage, même si les accusations précédentes

ont pu lui nuire. Il est même possible que « Mueller » n'ait eu
aucun lien avec Helen, et donc qu'aucune femme ne lui ait été
« arrachée ». Les accusations d'espionnage, que Richler aimait
évoquer[75], sont les moins plausibles, même s'il est possible que
la police les ait utilisées en l'absence d'autres preuves directes.

Cela nous laisse comme options le cambriolage et « Mueller ».
Dans *Back to Ibiza* et *Joshua au passé, au présent*, Richler/Joshua
vandalise la villa de « Mueller ». Pestant contre le nazisme,
Richler/Joshua, convaincu que « Mueller » est responsable du
départ précipité d'Helen, pénètre par effraction chez le colonel
et il trouve, au lieu de Wagner et *Mein Kampf*, des disques de
Beethoven et Bizet et les œuvres d'Hemingway, Stendhal et
Saroyan. Il brise tout de même les disques et une lampe[76]. Il n'est
pas facile de déterminer si les incidents liés à « Mueller » sont
basés sur des faits réels, car plusieurs d'entre eux, notamment
cette scène de vandalisme, apparaissent dans des brouillons du
roman *Le Cavalier de Saint-Urbain*, écrit à la fin des années 1960,
c'est-à-dire plusieurs années avant *Back to Ibiza*[77]. Encore plus tôt,
en 1961, Richler écrit quelque part que « quelqu'un » fait irruption
dans la villa du colonel et que celui-ci le soupçonne. Richler alimente les soupçons du colonel en soulignant à quel point il est
ironique qu'il vienne tout juste de vendre une nouvelle et d'obtenir de l'argent au moment où le colonel se fait cambrioler.
Richler lui offre un verre. Le colonel quitte la table et les deux
hommes ne s'adressent plus la parole[78]. C'est dans « My One and
Only Countess », rédigé au début des années 1950, qu'apparaît
pour la première fois l'incident, sans toutefois qu'il soit question
d'actes de vandalisme. Dans la nouvelle, le colonel dépose simplement une plainte de vol contre Richler[79]. Mais le plus probable, c'est que l'arrogance de Richler lui a valu d'être accusé – à
tort, peut-être – d'avoir pénétré dans la villa d'un colonel allemand et d'être arrêté par la police[80].

Richler est venu en Espagne avec l'espoir d'y rencontrer
les fascistes et les communistes qui se sont affrontés pendant
la guerre d'Espagne. Au lieu de quoi il tombe sur les vestiges
du nazisme allemand et découvre qu'il est Juif. À des milliers
de kilomètres de Montréal, malgré la compagnie de pêcheurs
qui n'écoutent que leur instinct et en dépit des coquillages et

des femmes négligées, il découvre qu'il est Juif. À Barcelone, il était tombé sur *Mein Kampf* et *Qu'est-ce qui fait courir Sammy*, un roman juif sur Hollywood de Budd Schulberg[81], et il avait entendu parler des Juifs espagnols, les *conversos*, qui avaient tenté d'adopter les coutumes occidentales mais avaient péri sur les bûchers de l'Inquisition[82]. On aurait pu dire que Richler était une sorte de *converso* laïque. À cette période, Richler lit aussi le *Guide des égarés*, un résumé des croyances et des coutumes juives rédigé par le grand Moïse Maïmonide, un auteur du Moyen-Âge espagnol. Malgré les différences majeures entre le roman antibourgeois *The Acrobats*, écrit par un jeune marginal, sensible et campé sur ses positions, et *Joshua au passé, au présent* – plus détaché, mais à la fois beaucoup plus responsable et profond –, les deux ouvrages, écrits à vingt-six ans d'intervalle, témoignent d'une profonde admiration pour Maïmonide, qu'ils citent lorsqu'il affirme que même les sages surestiment le mal qui existe en ce monde[83]. Bien que Richler ait encore quelques mois de « *hauteur* avant-garde » à servir, et même s'il n'appréciera jamais de se concentrer exclusivement sur les bonnes choses de ce monde, les Juifs médiévaux et les ex-colonels nazis conspirent pour l'expulser de l'anarchique province de la jeunesse.

Richler doit mettre en gage sa machine à écrire et demander, une fois de plus, de l'argent à Avrum et à Moe pour payer sa caution[84]. La police lui intime l'ordre de quitter le pays dans quarante-huit heures[85]. Ce qu'il fera, après une dernière fête mémorable chez Rosita[86].

7

Paris : M. Gauche de la Rive-gauche

« R EVIENS, TU ME MANQUES », écrit Reuben à son fils dans *Joshua au passé, au présent*. «Reviens à la maison… et trouve un boulot», écrit Moses Richler à Mordecai dans *Back to Ibiza*[1]. En 1951, Richler n'est pas encore prêt à rentrer à Montréal. Mais où peut-il aller ? Il avait prévu rejoindre Helen sur la Côte d'Azur, mais elle est accompagnée de sa redoutable mère[2]. Il lui faut quelques semaines supplémentaires pour compléter son roman… auquel il a d'ailleurs donné un titre : *The Rotten People*. Comment réussir à passer l'été[3] ?

Richler s'installe à Tourrettes-sur-loup, un village médiéval situé au sommet d'une falaise surplombant la Loup, à 14 kilomètres de la côte entre Cannes et Nice. Il y partage un appartement avec Jori Smith, une artiste montréalaise de 44 ans. Ils ne sortent pas ensemble ; Richler l'a approchée dans un café et, après l'avoir côtoyée pendant quelques jours, il lui a proposé de partager son loyer et son appartement avec lui. Richler lui explique qu'elle a tout intérêt à lui laisser la chambre parce qu'il tape à la machine toute la nuit, et elle s'installe sur le canapé. Il lui promet, si elle se rend un jour en Espagne, de lui donner des noms de personnes qui l'accueilleront avec plaisir. Smith le trouve rébarbatif et renfermé. Des années plus tard, lorsqu'elle ira enfin en Espagne, les gens qu'elle appellera en mentionnant le nom de Richler lui raccrocheront au nez[4].

Le jour de l'arrivée de Richler, Helen termine sa période de convalescence. Elle réussit à échapper à sa mère pendant quelques jours et les deux amoureux font du stop jusqu'à Grasse, la Colombe d'Or et toutes les Cagnes. Malgré le ressentiment de la mère d'Helen, Richler prend toujours leur relation au sérieux. Il prévoit demander Helen en mariage et lui proposer de rentrer au Canada avec lui. Au grand soulagement de Smith, Richler quitte Tourrettes et, toujours à court d'argent, il part s'installer sur la côte, à Haut-de-Cagnes. Il n'est pas tout à fait le gendre idéal. Pourtant, l'appartement qu'il trouve est charmant : de l'une des fenêtres, on aperçoit les collines et la mer ; de l'autre, comme il l'écrit lui-même, « le bar de jimmy et le sexe existentiel[5] ».

Des écrivains et rédacteurs américains expatriés, dont le rédacteur en chef de *New Story*, Eric Protter, arrivent à Cagnes pour y passer l'été. Ils boivent jusqu'à l'aube pour ensuite courir se jeter dans la mer[6]. Parmi eux se trouve le réalisateur montréalais Silvio Narizzano, qui tourne *Twenty-Four Hours in a Woman's Life* avec Ingrid Bergman et Rip Torn. Narizzano fait une faveur à Richler et le laisse, lui et ses amis, jouer les rôles des figurants. Richler, qui peut à peine s'acheter à manger, et encore moins jouer à la roulette, joue l'un des *gamblers* timides de la haute dans les scènes de Monte Carlo[7]. À Ibiza, les histoires de Richler ne semblaient pas avoir beaucoup de succès : « rien reçu de protter le salaud ! je lui ai écrit mais allez-vous sii-vouu-plaît le rejoindre et lui demander ce qui est arrivé à mes histoires, putain. si elles ont été rejetées j'aimerais les ravoir aussitôt que c'est humainement possible[8] ». Mais le plus important, c'est son roman. Le dernier brouillon porte la mention « Août 1951, Tourrettes-sur-Loup[9] ». Il était donc presque fini lorsque Richler a quitté Ibiza. À son arrivée en France, Richler commence à le montrer à ses amis.

~⚬~

De toutes les œuvres de Richler, *The Rotten People* est la plus dépouillé. C'est un manuscrit fascinant, non pour des raisons artistiques, car il s'agit d'un très mauvais roman, mais parce qu'il révèle le potentiel du jeune Richler. Au début de *The Rotten*

People, des rats de Paris tourmentent Kerman Adler, qui s'ouvre
le ventre avec un ouvre-boîtes et décore une rampe avec une
large portion de ses intestins gluants. Ne vous inquiétez pas, il
ne s'agit que d'une hallucination sinistre, suivie d'un dialogue
tout aussi sinistre : « Et après le Styx, et après le Styx, quelle est
la forme de l'âme après ça[10] ? » De tels passages démontrent la
suffisance et le romantisme de cet écrivain aux portes de l'avant-
garde. Évidemment, après le Styx, l'âme prend la forme de jeux
de mots laborieux : les rats représentent la « race de rats » des
bourgeois à laquelle Kerman tente échapper. D'un côté de l'Atlantique, la maman juive de Kerman/Richler le supplie de rentrer
à la maison et de s'installer dans le bureau qu'elle a aménagé pour
lui avec une belle bibliothèque d'occasion. Les souvenirs qu'il
garde de la sévérité de son grand-père, des dernières années de
sa grand-mère et de la liaison de sa mère avec un réfugié expliquent le fait que Kerman/Richler tente d'échapper à sa vie
d'avant. Kerman avait cru que la vie de bohème qu'il mènerait
de l'autre côté de l'Atlantique serait la solution à tous ses problèmes, mais ses amis écrivains et peintres – les plus nuls ou les
plus originaux de leur temps – sont tout aussi pourris à l'intérieur que les figures de son enfance.

Le nom de Kerman suggère que Richler imaginait un rôle juif
et partiellement héroïque pour son personnage. « Kerman » fait
référence à l'un des héros de jeunesse de Richler, Kermit Kitman,
le Juif qui jouait avec les Royaux de Montréal, tandis qu'« Adler »
– terme yiddish qui signifie « aigle » – donne une sublimité lon-
ginienne et une certaine représentativité au personnage en évoquant le journal yiddish de Montréal, *Der Keneder Adler*. Kerman
a le sentiment que ses propres écrits sont peut-être tout aussi
pourris que ceux de ses amis et il est partagé entre sa judéité et
sa laïcité. De toute évidence, il n'est pas particulièrement content
d'être juif :

> Le mieux ce serait de ne pas être né Juif.
> Aussi, merci Dieu,
> Un Juif, ce n'est pas aussi mauvais que d'être un Nègre[11].

Dans le même temps, il déteste que d'autres Juifs l'accusent
de tenter d'effacer son passé. Les sionistes travaillistes – des

voyous – se moquent de lui parce qu'il se comporte comme un Gentil. Ils se moquent aussi de Larkin, un Gentil qui veut se convertir au judaïsme pour apaiser les craintes de la famille de sa maîtresse, une juive. Rejeté, Larkin devient un antisémite convaincu. Pendant ce temps, Kerman prêche et théorise sur Dieu, écartant la «tradition hébraïque-chrétienne», qu'il considère comme «la tragédie de la grande corruption morale», mais cherchant tout de même à conserver le concept de Dieu. Sasha, un mystérieux Blanc d'origine russe (qui semble tout droit sorti de l'imagination de Richler), affirme quant à lui qu'à l'exception de Dieu, tout est relatif. Il ne dit pas que Dieu mène une existence indépendante, mais qu'Il est «la plus belle création de l'humanité et le point d'équilibre mental de notre existence.» Sasha conseille à Kerman de ne pas perdre son temps avec le «salut politico-social de l'homme[12]». De la psychologie simpliste de Larkin au mysticisme pompeux et trop facile de Sasha, voilà l'œuvre d'un auteur immature.

À vingt ans, Kerman a une liaison avec une journaliste de vingt-sept ans séparée de son mari professeur. Elle est raffinée, cynique et parfois dure avec lui. Dans les notes qui ont servi à la rédaction de *The Rotten People*, elle apparaît sous le nom d'«Estelle Connally (Mavis).» On ne sait pas très bien jusqu'à quel point le personnage s'inspire de Mavis Gallant qui, divorcée depuis peu, avait été journaliste et était âgée de vingt-huit ans. En effet, même si le récit de la jeunesse de Kerman est fidèle à celle de Richler, celui de ses séjours à Paris et à Ibiza ne l'est pas. Kerman supplie son ancienne enseignante, «Helen Perlman (Evelyn)[13]» de quitter son mari et de venir le rejoindre en Europe. Ce qu'elle fait, provoquant du même coup une situation ambiguë avec Estelle. Comme le démontrent les lettres qu'il a reçues d'Evelyn Sacks en 1953 et 1954, Richler était toujours en contact avec celle-ci, mais il n'y a aucune preuve qu'elle soit venue le rejoindre en Europe. Manifestement, «Helen» devient, jusqu'à un certain point, un personnage fictif.

Les amis de Kerman, tous des étrangers, théorisent longuement sur le meurtre et le suicide. Kerman, non loin derrière, estime que la moralité, au xxe siècle, est «un concept moralement illégal[14]». Il a l'impression qu'«Helen» l'étouffe et il rêve de la pousser dans la mer. La misanthropie qui apparaît dans le roman lui vient de Lily: c'était la véritable voix de celle-ci, qu'elle déguisait dans ses propres écrits, mais que la fréquentation de Céline a libérée, pour ainsi dire, chez Richler. Les contraintes de l'avant-garde ont évidemment poussé Richler à exagérer ses sentiments pour Evelyn et Helen, mais il serait difficile d'affirmer que Richler est en paix avec lui-même et avec ce que l'amour et les femmes lui ont apporté. À la fin, le problème de Kerman est résolu par un *deus ex machina*: «Helen» est séduite par l'ancien colonel nazi, «Roger Kraus», qui se comporte et parle de la même façon que dans *The Acrobats* et, jusqu'à un certain point, d'une façon similaire à celle de «Mueller» dans *Joshua au passé, au présent*. Pourtant, ce ne sont ni les Nazis ni les femmes que Kerman craint le plus, mais la folie, c'est-à-dire le fait de penser que les rats ne sont peut-être qu'une création de son esprit malade. À la fin du roman, il est donc très content de rencontrer, lors de son retour à Paris, un gros rat gris, très réel celui-là. Dans sa chambre d'hôtel, où les rats sont partout, sur le plancher comme au plafond, Kerman, «heureux et libre comme il ne l'a jamais été», commence à «danser à chanter à pleurer et à crier»[15].

Richler est applaudi par ses amis qui se disent eux aussi écrivains, moins par Weintraub et Gallant que par les Américains de l'avant-garde qu'il a conservés dans son cercle. Protter et sa coterie déclarent le roman cinq fois meilleur que les nouvelles. Richler se vante à la fois de l'éloge et du caractère non publiable de son roman: «ils croient que je suis formidable, jeune et brillant, mais ils sont aussi convaincus que je vais avoir du mal à vendre mon roman (les éditeurs traditionnels ne se rendent pas plus loin que la page trois)... tout le monde se dit que si j'arrive à rendre mon prochain roman plus digeste pour les estomacs sensibles des bourgeois, je serai capable de le vendre[16]». Il a raison, du moins en ce qui concerne le caractère non publiable du roman. Plus tard, sous les traits d'un autre personnage, Richler critiquera ce qu'un de ses élèves a écrit en disant: «C'est de la merde prétentieuse... Tu affiches une confiance excessive[17].» C'est précisément le genre de critique qu'on aurait pu adresser à Richler à la suite de son premier roman. Le jeune Richler a certainement du talent: quelques descriptions fidèles de ses propres expériences se dégagent de l'ensemble, mais son égocentrisme, auquel s'ajoutent ses limites intellectuelles et son manque de compassion pour ses personnages, fait en sorte que les éléments intéressants sont, pour la plupart, dissimulés sous un pieux rejet de la société. Kerman «voit à travers» beaucoup de choses: les fraudes de l'université, la bourgeoisie, la politique et la moralité[18]. Inspiré, Richler rédige rapidement une nouvelle dans le même style que le roman (il s'agit possiblement du texte «Il faut s'agir», qui date de cette période mais dont le manuscrit n'a pas été conservé), et Protter lui promet de la lire attentivement[19]. Quand Richler apprend que Mavis Gallant a vendu une de ses nouvelles au *New Yorker*, il est malade d'envie. Il a lui aussi envoyé des nouvelles au magazine, en vain. Il traite l'événement à la légère et affirme qu'il n'aimait pas beaucoup l'histoire de Gallant[20].

Bientôt, le groupe d'écrivains en herbe retourne à Paris et Richler perd l'intérêt pressant qu'il avait pour Helen, même si Bill Weintraub, de retour à Montréal, se parjure pour Richler en faisant une bonne publicité pour Helen auprès de Lily et en lui jurant que Richler ne boit pas trop. En août, Richler planifie se rendre en stop en Italie le mois suivant; en septembre, il dit qu'il s'y rendra en octobre avec Ulla, une belle Suédoise. D'après certains témoignages, Ulla est bien faite, mais «pas ce qu'on pourrait appeler une Miss Suède». Il se retrouve finalement à Paris avec elle[21].

~~~

Cette fois, Richler ne vit pas dans la pauvreté sur la rive gauche. Pas pour l'instant, du moins. Il a vendu quelques vêtements pour payer son billet de train pour Paris, mais a perdu tout l'argent obtenu dans une fête avant même de l'acheter[22]. C'est finalement Terry McEwen, avec qui il a traversé l'Atlantique, qui lui envoie l'argent pour payer le voyage. McEwen gagne bien sa vie comme directeur artistique pour Decca Records. Il autorise Richler à utiliser sa loge aux concerts de l'orchestre symphonique et lui permet également d'emménager de façon temporaire avec Ulla dans son appartement de la rive droite. Ulla contribue probablement au loyer: son père est le riche propriétaire de la concession

GM en Suède. Il finance le séjour de sa fille en France, mais comme il s'inquiète des bêtises qu'elle pourrait faire, il envoie son fils Arne pour la surveiller. Arne trahit son père et ne lui dit rien au sujet de la liaison de sa sœur avec Richler[23].

À la fin octobre, Richler boit toute la journée avec ses amis bohèmes avant de faire la tournée des bars de Saint-Germain[24]. Il passe beaucoup de temps devant des machines de pinball[25]. Dans *Back to Ibiza,* Richler écrit que lui et «Pauline» se sont lassés l'un de l'autre et qu'il a rompu avec elle à Haut-de-Cagnes[26]. En réalité, Helen a réussi à suivre Richler à Paris et, selon Lionel Albert, Richler entretient simultanément deux relations. Ou trois, si on se fie à Richler lui-même : «je me suis brouillé avec Helen (elle débarque presque tous les jours). il y a aussi ulla et sanki. (j'espère que je n'ai pas l'air trop grossier)[27]». Albert, en visite à Paris à l'époque, raconte : «On laissait Ulla à la maison pour faire la vaisselle et on allait sur la rive gauche voir ses amis, Terry Southern et les autres.» Ils allaient aussi rejoindre l'autre petite amie de Richler, une femme menue, sombre et séduisante, vêtue d'un béret et d'un imperméable foncés. Helen ou Sanki, Albert ne sait plus très bien[28].

La bienveillance de McEwen a des limites. C'est probablement à cette période que Richler trouve une chambre dans la rue Cujas, près du boulevard Saint-Michel. Malgré la faiblesse du franc, qui donne plus de valeur à l'argent canadien que Richler parvient à arracher à ses parents et amis, Richler retourne sur la rive gauche et dans la pauvreté[29]. Après avoir demandé cinquante dollars à Weintraub, qui est retourné vivre à Montréal, Richler dit : «je ne te demanderais pas d'argent si ça n'allait pas si mal[30]». Une irritation de la peau lui fait croire pendant un moment qu'il a contracté la syphilis, mais il s'agit en réalité du scorbut, qu'il a développé parce qu'il mange trop peu de fruits et de légumes. Il passe beaucoup de temps sur la place de Fürstemberg, près de la rue Jacob. C'est là qu'il s'assoit, tard le soir, pour réfléchir, craignant d'avoir fait une grave erreur en décidant de devenir écrivain[31]. Il reçoit une lettre insolente de l'université Sir George Williams dans laquelle on lui dit que, bien qu'il n'ait pas complété assez de crédits pour obtenir le titre de bachelier, il peut, considérant les cours qu'il a déjà complétés et

pour la modique somme de cinq dollars, prétendre au titre de
«Associate in Arts», avec tous les droits et privilèges que cela
suppose[32]. Richler ne répond pas. Une nouvelle inédite et très
banale (évidemment basée sur des faits réels) qu'il a rédigée à
cette époque, «Eating», raconte dans un style callaghanesque
l'histoire d'un jeune Canadien qui profite des célébrations de la
Fête du Canada organisées par l'ambassade canadienne pour se
nourrir[33].

❧

«La moitié des poètes marginaux du monde se serrent les uns
contre les autres dans les bars de Saint-Germain et ils sont
Américains», avait dit Bill Weintraub un an plus tôt[34]. En effet,
le groupe d'amis de Richler – composé de David Burnett et du
groupe du *New Story* qu'il a rencontré à Haut-de-Cagnes – est
désormais principalement composé d'Américains, même si
Weintraub est rentré au Canada et que Mavis Gallant reste à
l'écart. Gallant n'est pas particulièrement enthousiaste face à la
perspective de côtoyer un groupe de jeunes hommes qui boivent
et fanfaronnent comme de jeunes Hemingway. Plusieurs années
auparavant, la mère de Burnett, Martha Foley, a fondé le magazine *Story* dans le but d'attirer de nouveaux écrivains; Burnett
décide de faire la même chose avec des écrivains à la fois plus
modernes et avant-gardistes. Lorsque Jean Genet publie dans le
magazine, *New Story* obtient enfin ses lettres de noblesse. De
jeunes écrivains encore anonymes, dont Alan Temko, Terry
Southern, James Baldwin et Mason Hoffenberg, se serrent les
uns contre les autres autour du feu. Ce sont des pionniers et,
dans le cas de certains, les créateurs des années 1960. Dans la
presse populaire, on assume que ces jeunes rebelles sont des
existentialistes, à savoir qu'ils incarnent la progéniture de Sartre.
Lors d'une nuit de tapage, toutefois, tandis que Richler et ses
amis faisaient les fous dans un café de la rive gauche, Sartre
aurait apparemment placé sur sa table une affiche indiquant (à
tort, comme n'importe quel historien le dira) qu'il n'a rien à avoir
avec ces gamins. Vraie ou pas, l'histoire laisse entrevoir comment
les intellectuels plus âgés considéraient la vague de rébellion de

laquelle naîtra une contre-culture culminant avec la vague du Swinging London, le soulèvement de mai 68 à Paris et le visage de Terry Southern sur la pochette de l'album *Sgt Pepper*[35].

La bande se réunit généralement à la terrasse du Café Saint Germain des Prés ou du Old Navy, un bar-tabac bon marché, pour y boire jusqu'à minuit. On peut y fumer du hash discrètement en restant assis à la table, avant de rentrer à la maison pour écrire durant la nuit[36]. Quand George Plimpton rentre de Tanger avec «un chargement de hachisch» le 1er janvier 1952, l'excitation est à son comble[37]. D'après Lionel Albert, les conversations des amis dans les cafés de la rive gauche ne sont pas particulièrement littéraires, même s'il est déjà arrivé que quelqu'un fasse circuler un carton d'allumettes avec quelques vers gribouillés à l'intérieur. Seul Terry Southern, qui obtiendra son premier grand succès avec *The Magic Christian*, et qui a par la suite écrit les scénarios de *Dr. Folamour*, *Barbarella* et *Easy Rider*, a fait une impression sur Albert[38]. Southern, un Texan, adopte un «faux accent de bourgeois britannique et passe son temps à manifester sa désapprobation ("What? What?")[39]».Il parle de façon désobligeante de «la littérature de qualité»; d'ailleurs, «the quality lit game» est le nom d'une biographie de Terry Southern par George Plimpton[40]. Les écrivains en herbe discutent de baseball et de tout sujet qui leur rappelle leur continent: Fibber McGee, les Sœurs Andrews, les Katzenjammer Kids, etc.[41] Ils insistent pourtant, Richler le premier, pour dire qu'ils sont beaucoup mieux que les touristes américains, des individus terriblement ridicules: «des idiots aux yeux grand ouverts et aux gros culs provenant d'hollowhead, Illinois; des putes carriéristes et raffinées de nyork et tout un troupeau de femmes-oiseaux aux yeux doux, vêtues de salopettes, qui sortent de leur village[42]». Pour des bohèmes libérés, le cercle Hoffenberg/Southern passe beaucoup trop de temps à penser aux banlieues et à «faire des commentaires ironiques sur ce dont sont capables les ringards qui y vivent[43]». Richler ne pouvait alors s'imaginer qu'il deviendrait, 33 ans plus tard, un type bedonnant qui négocierait le prix d'une paire de babouches à Marrakech[44].

«Ceux qui savent ne parlent pas, ceux qui parlent ne savent pas», tel était le credo des hipsters[45], le résultat de formes américaines de masculinité laconique et de courants contemporains non-anglophones à Paris. Comment se fait-il que les merveilleuses fluctuations corporelles, le délire et les écoulements soient réduits à de simples stéréotypes? Isidore Isou et les Lettristes, à qui Richler fait souvent référence[46], désignent les coupables: les mots. «Les lettres ont une autre destination que les mots», souligne Isou. «Quiconque ne peut laisser les mots derrière lui peut rester derrière avec eux!... L'AVALANCHE DES LETTRES EST ANNONCÉE[47].» Ce n'est pas nécessairement une bonne nouvelle pour la littérature, mais le mouvement a donné des œuvres intéressantes dans le domaine de l'art visuel. Le cercle Hoffenberg/Southern est un peu plus circonspect. Selon Southern, l'enjeu n'était pas d'écrire un livre, mais de le réciter[48], et le reste du cercle fait semblant de se moquer d'être publié ou non[49]. «Si c'est assez cucul, assez ringard et assez bourgeois pour être accepté par un de ces éditeurs à la con, comment ça peut valoir quelque chose?» affirme Southern[50]. Ces œuvres, et d'autres tout aussi bourgeoises, sont critiquées par les membres du cercle mais les livres grossiers, tels ceux qu'Hoffenberg écrit pour Maurice Girodias, reçoivent des hochements de tête en guise d'approbation. Écrire des scénarios de films n'est pas bien perçu, mais rédiger le script d'un film de Tarzan est acclamé[51]. Si on se fie au *Monde de Barney*, dans lequel Hoffenberg a inspiré le personnage de Bernard «Boogie» Moscovitch, c'est principalement lui qui établit ces règles.

D'après Richler, Hoffenberg est le plus talentueux de la bande[52]. Il est petit, mince, nerveux et a des yeux globuleux. Il a près de dix ans de plus que Richler et traîne toujours un livre sur lui. Il faisait partie des forces alliées qui ont libéré Paris vers la fin de la Seconde Guerre mondiale et, comme Southern et plusieurs autres, il y «étudie» maintenant aux frais de l'armée américaine. Son père, le propriétaire d'une usine de chaussures à New York, lui envoie aussi de l'argent, ce qui lui laisse le loisir de faire la fête et de discuter. Il connaît tout le monde – Sartre, Beckett, Henry Miller, William Burroughs – et ne recule devant rien. À première vue, il semble être un homme doux, mais il maîtrise l'art des répliques cinglantes et acerbes, et il en adresse souvent à Southern[53]. C'est «un poète digne du prix Nobel», estime Southern[54]. Toutefois, à en juger par «Divination», un poème datant de 1949[55], l'appréciation de Southern et de Richler semble exagérée : c'est davantage le produit de la nostalgie, d'une admiration pour son inventivité conversationnelle plutôt que littéraire et de la culpabilité d'avoir utilisé certains de ses propos dans leurs œuvres respectives. Il n'est par rare que les idées d'Hoffenberg, que celui-ci n'hésite pas à partager avec ses amis dans les bars, réapparaissent comme par magie dans la nouvelle ou le film d'un autre. Dans *Le monde de Barney*, Richler exprime de façon indirecte la culpabilité qu'il éprouve à occuper le rôle «d'exécuteur littéraire» d'Hoffenberg dans une réplique de Boogie, qui affirme : «Si tu veux savoir ce que pensait Boogie hier, il suffit d'écouter Barney aujourd'hui[56].»

Même si Hoffenberg est aussi talentueux que ce qu'en disent ses amis, son mode de vie n'est pas propice à la création de grandes œuvres littéraires. Dans le cercle Southern/Hoffenberg, il est de rigueur de fumer de la marijuana et du haschich, paradis artificiels moins chers que le scotch. Richler, tout en craignant Dieu et la dépendance, fume aussi, car il redoute encore plus de passer pour un trouillard[57]. Mais il n'impressionne pas tout le monde : «Quel enculé tu faisais… avec ta petite barbe d'artiste et tes jeans trop serrés. Te vantant de fumer du haschich. M. Gauche de la rive gauche», se rappelle un de ses amis[58]. Dieu se révèle moins vindicatif que ce qu'on lui a annoncé, mais Richler a raison de craindre la dépendance. Burnett et Hoffenberg sont déjà passés à l'héroïne et on demande parfois à Richler d'accompagner aux toilettes Hoffenberg, ce «modèle de… perfection hippie, afin de tenir sa veine pendant que le poète tente de se piquer[59]. Des années plus tard, lorsque la fête se termine enfin, Hoffenberg retourne vivre chez sa mère avant de mourir, âgé d'un peu plus de soixante ans. Ainsi, au lieu d'écrire ses propres romans, Hoffenberg a servi de modèle pour certains des personnages de Richler.

«Je suis affligé d'un système de valeurs bancal que j'ai acquis à Paris dans mon innocente jeunesse et que je n'ai pas abandonné depuis», dit un Barney Panofsky vieillissant[60]. Il en va de même de Richler. S'il n'avait jamais ressenti le dédain pour la culture bourgeoise qu'il a acquis à Paris, il y a fort à parier que son œuvre n'aurait pas eu la même valeur. D'ailleurs, il n'y a rien d'exceptionnel dans ses histoires plus traditionnelles. C'est pourtant à Paris qu'il découvre, non sans douleur, que la tendance du moment, le Beat, n'est qu'une impasse. À plusieurs reprises dans sa carrière future, par exemple dans *Un cas de taille*, Richler fait de faux adieux à cette vie. Même le bourgeois Barney, un homme beaucoup plus intéressant que le bouillant Boogie, conserve une affection profonde pour le système de valeurs d'Hoffenberg, tout en sachant qu'il ne peut aller de l'avant sans l'abandonner.

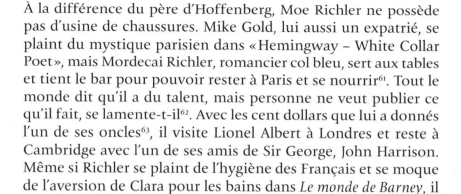

À la différence du père d'Hoffenberg, Moe Richler ne possède pas d'usine de chaussures. Mike Gold, lui aussi un expatrié, se plaint du mystique parisien dans «Hemingway – White Collar Poet», mais Mordecai Richler, romancier col bleu, sert aux tables et tient le bar pour pouvoir rester à Paris et se nourrir[61]. Tout le monde dit qu'il a du talent, mais personne ne veut publier ce qu'il fait, se lamente-t-il[62]. Avec les cent dollars que lui a donnés l'un de ses oncles[63], il visite Lionel Albert à Londres et reste à Cambridge avec l'un de ses amis de Sir George, John Harrison. Même si Richler se plaint de l'hygiène des Français et se moque de l'aversion de Clara pour les bains dans *Le monde de Barney*, il semble que ce soit lui qui ait fait l'objet de critiques durant ce voyage. La femme de Harrison souhaite «de tout cœur» qu'il prenne un bain[64].

Au milieu de l'hiver 1952, à Paris, Richler se met à songer à Montréal, à la perspective d'une chambre gratuite, bibliothèque comprise, dans la maison de sa mère et, à contrecœur, à celle d'un emploi payant. Weintraub est certainement au courant des bonnes occasions puisqu'il a ce qui semble si rare dans le monde bohème de Richler: un bon emploi. Richler lui demande de lui trouver quelque chose qui paye bien et qui ne soit pas trop démoralisant. Correcteur d'épreuves, suggère Richler. Pas chauffeur de taxi. «Christ!», s'exclame-t-il, «je viens de réaliser que tu es le seul de mes amis qui a un vrai boulot[65]!»

Il met de côté *The Rotten People*, qu'il estime non publiable, et il commence un autre roman qu'il intitule d'abord *Only God*

Never Dies[66]. Il s'agit, selon lui, d'un «appel de clairon pour les progressistes qui semblent se replier[67]». En mars, il change le titre pour *The Jew of Valencia*[68]. Vers la fin de *The Rotten People*, Kerman dit à Sasha, le mystérieux Blanc d'origine russe :

> Je n'ai jamais eu de père... Je..J'ai toujours espéré qu'il m'emmène à une parade quand j'étais enfant, une parade, même un cirque, mais tout ce qu'il voulait faire de son temps, c'était de jouer aux cartes. Pendant que le monde s'effondrait et s'écroulait comme une tarte à la boue au soleil mon père a gardé le score sur un morceau de papier avec des chiffres de gin-rummy. Pauvre petit homme misérable[69] !

Le gin rummy est LE jeu de Moe Richler. Tandis que Richler vit grâce à l'argent que Moe lui envoie à l'occasion, Mordecai rêve d'un père chaleureux, intelligent et érudit ; ce père serait un humaniste, pas un Juif orthodoxe. «Peut-être que tu es mon véritable père, Sasha», bafouille Kerman[70]. Dans le nouveau roman de Richler, Sasha revient sous les traits de Chaim, le Juif de Valence qui, selon une courte biographie imaginée par Richler, a grandi dans une famille de rabbins et d'érudits de Varsovie avant d'émigrer à New York. À la fois humaniste et anarchiste, Chaim écrit sur la Kabbale et il continue de croire qu'il existe une lumière dans chaque être humain, même lorsque sa femme communiste accouche d'un garçon mort-né. Il erre au marché noir de Valence, où il croise l'ancien/nouveau personnage de Richler, «Kerman André», qui rêve toujours aux accusations de son grand-père et craint de devenir fou[71]. Richler décide de mettre de côté les Juifs qu'il connaît, de se représenter en fiction en tant que Gentil et de construire lui-même avec soin ses personnages de Juifs laïques. Après plusieurs années d'élagage, *The Jew of Valencia* deviendra *The Acrobats*, le premier roman publié de Richler. Et le tour de passe-passe généalogique de Richler finira par échouer à long terme : il se détache lentement de Chaim, le père qu'il s'est imaginé, et conclut une trêve fictive avec Moe.

«Je travaille trrrrès trrrrès fort», écrit-il depuis l'Angleterre. «et tout le monde, y compris moi, semble penser que j'écris un très bon livre. On en entendra probablement parler au printemps.» John Lehmann, le fondateur de la revue londonienne

New Writing, refuse le manuscrit, que Richler propose ensuite, en vain, aux magazines *Harpers*, *Atlantic* et *Mademoiselle*. Les magazines lui donnent ce qu'il appelle : « toujours la même putain d'histoire – ça alors t'es un type super ! Tu dvrais vraiment. être publié. tes manuscrits. sont très bien, MAIS... signé un éditeur de fiction. » Richler a réalisé très tôt qu'il lui fallait des contacts. À Cagnes, il croyait que s'il avait été homosexuel et qu'il avait couché avec « jimmy », News Directions (l'éditeur de William Carlos Williams, Ezra Pound, Tennessee Williams et, plus tard, des traductions anglaises de Céline) aurait accepté son roman. De retour à Paris, il se plaint : « tout ce qu'il faut Bill, c'est avoir des contacts : ça me donne envie de gerber. » Après le refus de Lehmann, Richler propose ses histoires à Bobbs-Merrill, aux États-Unis, mais rien n'en sortira non plus[72].

Pendant ce temps, il continue de montrer son énorme manuscrit à des écrivains américains et à des éditeurs dans les bars, et son incroyable persévérance se voit enfin récompensée. Comme l'avait prévu Richler, c'est un contact personnel qui lui ouvre enfin des portes. Dans un hôtel de la rive gauche, Richler rencontre le dramaturge Michael Sayers, un ancien éditeur de chez Faber & Faber qui est en contact direct avec T. S. Eliot et Ezra Pound. Que lui importe que Sayers dise qu'il a lui-même du mal à se faire publier (« il semble que les artistes prétentieux qui forment le comité de lecture ne veuillent rien savoir de lui », se vante Richler), l'important, c'est qu'il a lu son manuscrit et fait le genre de commentaire que Richler attendait :

> La chose prinicipale [*sic*] est que tu continues et poursuives à travers l'étendue sauvage de ton roman, en forgeant ton propre chemin. C'est merveilleux !... tu es un écrivain jusqu'au bout des ongles... Tu as cette faculté philosophique-mystique juive damnée et bénie, sauvé – racheté par la vieille ironie juive sans pitié – et ta marque de lyrisme hassidique ; tu auras toujours tendance à exagérer ton expérience pour en faire quelque chose d'universel (pour « minotauriser » tes bœufs)... Mais – en étant plongé si profondément dans ce mode d'être juif et aliéné – je sens profondément que tu devras traverser une initiation plutôt douloureuse afin d'explorer et d'apprendre et de maîtriser les idées.

Que pouvait bien faire Richler, l'anti-orthodoxe par excellence, de ce « lyrisme hassidique » qu'on lui attribuait ? « Il s'agit de la meilleure critique qu'on m'ait jamais faite », affirme-t-il pourtant[73]. « Tu auras toujours tendance à faire d'un bœuf un minotaure »... Mais Sayers ne se contente pas de commenter le style de Richler, il lui donne deux noms : celui de Joyce Weiner, une agente littéraire britannique, et celui de Ted Allan, un écrivain canadien qui vit à Hollywood[74].

Richler avait demandé et obtenu de Moe un billet pour rentrer au Canada en septembre. Il n'a donc pas une seconde à perdre. Il s'éclate tout de même en France, retravaille son roman et flirte avec des femmes. Il se demande s'il devrait marier Ulla, mais répond lui-même à sa question : « c'est une adorable Suédoise, mais je ne pense pas que je devrais l'épouser. Quant à Helen, on s'échange des lettres, mais notre relation relève plus de la paralysie que de la passion. » Il se vante qu'un certain Dave se balade avec un calibre 45 à Montparnasse en jurant qu'il aura sa peau. « j'ai baisé sa copine, ou quelque chose dans le genre », raconte-t-il d'un air désinvolte. En août, il repart à Tourrettes pour y passer du temps avec Kina Mitchell, qu'il a rencontrée alors qu'ils étaient tous deux étudiants à Montréal : « j'ai pas mal baisé depuis que j'ai fini mon roman, il y a environ une semaine. Kina et d'autres étaient dans le coin et m'ont bien aidé. » Selon Albert, « c'était un vrai petit coureur de jupons[75] ».

Pourquoi Richler songe-t-il encore au mariage ? Une lettre d'Ulla, écrite juste après le départ de Richler de Paris, nous permet de mieux comprendre ses raisons. Il y a encore un prix à payer pour toutes ces baises, et ce n'est pas seulement le manque d'argent qui pousse Richler à quitter Paris. Richler écrit à Ulla, probablement depuis Tourrettes ; la réponse d'Ulla est triste et touchante. Ses difficultés en anglais rendent sa lettre encore plus émouvante : celle-ci affirme qu'il lui manque terriblement ; elle est tombée malade trois jours après son départ et, en cherchant à déplacer sa malle de voyage, elle a ressenti une forte douleur à l'« estomac ». La lettre comprend d'autres indices suggérant que, comme Helen, elle s'est fait avorter un peu avant ou un peu après le départ de Richler de Paris. Pendant plusieurs jours, elle saigne « comme une mère qui met son enfant au monde. » Elle écrit à Richler :

Plusieurs fois j'étais juste sur le point de m'évanouir et je me suis vraiment sentie comme si j'avais accouché et ne serais plus jamais capable de le faire de nouveau (pas des bébés, en tous cas). J'aime te le dire, et maintenant que tu penses que je suis stupide mais je n'aime pas l'idée de tuer quelque chose ou d'arrêter quelque chose qui ou qui est n'importe quoi à quitter ou à être là. Je n'aime même pas arrêter quelqu'un en train de rire, ou quelqu'un qui pleure, et moins que tout, détruire une fleur» [*sic*].

Elle est retournée à l'école, mais souhaite que Richler revienne et tente de susciter sa sympathie en lui disant qu'elle a vu «un jeune homme et une jeune fille aux voix tendres discutent ensemble, une chatte enceinte qui se déplace doucement, calme ou gracieuse comme toujours». Toute seule pendant la majeure partie de la journée, elle passe parfois ses soirées avec Hoffenberg, parfois avec quelqu'un d'autre.

Je veux te dire tout, ce que je ressens et ce que je pense. Penses-tu que c'est mal de ma part? Je mène une nouvelle vie, loin de tout, ce qui ne change rien à rien, et si je tends la main vers le soleil, je vais sentir la chaleur… Les matins et les nuits sont encore étranges pour moi. Personne ne me sort du lit personne ne m'embrasse quand je me mets au lit.

Même pendant cette période difficile, elle continue de faire la promotion du roman de Richler auprès d'un éditeur parisien de sa connaissance.

Prommets d'être onnête, et ne m'écris pas au sujet de nouvelles quotidiennes. Je me fiche de ça… J'espère que ta barbe va pousser après deux mois et que mes cils vont faire de même, parce que je les ai coupés. Dieu sait pourquoi.

Et la lettre se termine ainsi, sur un ton déchirant:

Écris moi bientôôt Mordy, s'il-te-plaît. Tu ne veux plus m'embrasser? Pourquoi pas? Mes lèèvres sont chaudes et douces. Avec amour Ulla. [*sic*][76].

Mais Richler est déjà reparti vers Londres, puis vers le Canada. Dans *The Acrobats*, texte sur lequel Richler travaillait alors probablement, André Bennett découvre que sa copine est enceinte et il lui propose de l'épouser. Lorsqu'elle meurt pendant l'avortement[77], il se sauve au Canada. La lettre d'Ulla suggère toutefois que Richler ne lui a fait aucune proposition de mariage.

Quatre jours avant de partir pour Montréal, il contacte l'agente Joyce Weiner[78], une personnalité excentrique selon certains[79]. Richler se présente à son bureau dans une piètre condition, les cheveux longs, pas rasé, l'air pouilleux, et il vide devant elle une pochette de 33 tours pleine à craquer des pages de son manuscrit. Weiner décrit la scène ainsi : « par un après-midi chaud de 1952, ma secrétaire est absente, J. W. a besoin de vacances, mais une lointaine connaissance m'a demandé de rencontrer un autre aspirant écrivain. Mordecai débarque dans mon bureau, un être étrange au regard égaré, timide, avec un énorme MS sous le bras. J. W., sévère, lui dit qu'elle le lira et lui en donnera des nouvelles quand il sera à Montréal. Le jeune homme, farouche, s'arrête vis-à-vis de la porte, se retourne et, avec une belle voix empreinte d'une grande sincérité, dit : "Merci, merci beaucoup." Le cœur de pierre de J.W. fond. » D'après Richler, Weiner cherchait plutôt à se dérober : « Elle n'était pas convaincue ; en réalité, elle a dit qu'elle était certaine que c'était nul. » Elle l'avertit également qu'elle ne pourra le lire avant un certain temps. Malgré ses protestations, elle s'attaque au manuscrit le soir même et affirme avoir bondi, à la fois parce qu'elle a découvert le talent de Richler et constaté qu'il était impossible de publier cette brique. Le lendemain matin, elle téléphone à Richler et lui dit :

> « Jeune homme, vous ne devriez pas connaître des mots comme ceux-là à votre âge. »
>
> « Quel âge me donnez-vous ? »
>
> Elle devine qu'il a vingt-trois ans.
>
> « J'en ai vingt et un[80]. »

Des années plus tard, un auteur plus entêté et capable de négocier seul avec les éditeurs échangera Weiner pour un agent plus raffiné, qui aura davantage de contacts dans le domaine, n'aura jamais connu le jeune homme « farouche » et fera moins de présomptions en critiquant son travail. Mais en 1952, et pour de nombreuses années à venir, Weiner lui servirait de seconde mère[81] en l'aidant à corriger les excès de son style et en le guidant dans l'univers de l'édition.

8

Qu'est-ce que *tu* connais au cirque ?

L'ESPOIR SUSCITÉ PAR LA VISITE DE RICHLER chez Joyce Weiner rend le voyage de retour beaucoup plus facile à supporter. Au moins, Richler ne rentre pas chez lui la queue entre les pattes. Après quelques journées bien arrosées à bord du paquebot, il débarque à Québec, où Avrum et sa première femme Esther sont venus l'attendre avec leur Austin d'occasion. « Et voici que débarque ce petit maigrichon avec sa barbe », raconte Avrum. « Je me suis mis à rigoler. » Mais « Mottle », comme l'appelle toujours Avrum, n'a pas beaucoup changé[1]. Quand Richler rencontre Weintraub et se met à chercher du boulot, la barbe à la Van Dyke fait déjà partie du passé[2].

Le temps que Richler rentre à la maison, son manuscrit est déjà, grâce à Weiner, sur le bureau de David George, un éditeur respecté de chez Jonathan Cape. George est d'accord pour dire que Richler, bien qu'il soit indiscipliné, a du talent, et que son manuscrit est trop littéraire, trop verbeux[3]. Weiner suggère d'abord à Richler de rendre un ou deux personnages plus attachants et de contrôler ses élans lorsqu'il aborde les questions raciales. Elle le convainc d'éliminer de nombreux détails de la scène du bordel[4] et s'efforce de modérer les prétentions du jeune écrivain. Ce qu'elle veut surtout, c'est de l'austérité[5].

Richler accepte les critiques. Comment ne pourrait-il pas les accepter ? Mais la réponse qu'il adresse à George témoigne d'une

certaine assurance. Le prochain brouillon, promet Richler, « parlera moins de trapèze… Ce n'est pas le fait de devoir retravailler
mon manuscrit qui me dérange, c'est de savoir que, pendant ce
temps, d'autres livres ne sont pas écrits ! J'ai au moins trois autres
romans en tête… et je suis impatient de les mettre sur papier.
Honnêtement, ça me tient éveillé la nuit. » Mais la crainte d'avoir
à se soumettre se manifeste dans les reproches qu'il adresse aux
critiques britanniques : « Pourquoi adoptent-ils presque toujours
cette attitude indulgente envers les romanciers américains ? ?
Comme si nous étions une bande d'abrutis bruyants qui ne
savent pas comment se comporter et se font prendre en train
d'essayer d'allumer la pipe du vieux dans le placard du salon. Les
écrits de Mailer, empreints de cafouillage, et ceux d'Algren, ne
sont-ils pas plus sympathiques que ceux de Sansome (et des
autres), qui se précipitent d'un côté et de l'autre avec leur
Brownie à la main pour prendre des photos, petites mais précises, de la banlieue ? ? ? [6] » À en juger par les brouillons de son
manuscrit, Richler l'avant-gardiste est toujours immature, et il
doit sa finesse à venir en grande partie au travail d'édition de
Weiner.

Sans argent et faisant face à des perspectives sombres, Richler
reste au 61 Hallowell Avenue avec Lily, qui a récemment fait l'acquisition du bâtiment pour en faire une maison de chambres.
Lily abandonne une chambre et n'en occupe plus que deux, puis
une seule, laissant le reste à ses pensionnaires. Elle achète de la
vaisselle et des assiettes décoratives représentant des scènes
tirées des romans de Dickens[7]. Richler ne veut pas vraiment travailler pour son oncle chez Richler Industries, mais ses options
sont limitées : l'emploi qu'il espérait obtenir chez CBC par l'intermédiaire de Weintraub ne s'est pas concrétisé. Ce n'est pas
plus mal, estime Weiner. Elle préfère qu'il trouve un emploi qui
ne demande pas beaucoup de réflexion afin de pouvoir se consacrer plus sérieusement à l'écriture[8]. Un boulot abrutissant dans
une compagnie de camions, lui dit-il. En réalité, Max Richler lui
fait rédiger des publicités pour les journaux et la radio. Bien qu'il

soit compétent, Richler n'a aucune envie d'occuper ce poste à long terme[9].

Lorsque CBC l'appelle enfin, au début du mois de décembre[10], il accueille la nouvelle avec enthousiasme ; CBM, la station affiliée à celle de Montréal, l'embauche pour le quart de travail, de seize heures à minuit[11]. Chaque nuit, il épluche les histoires des agences de presse pour rédiger les nouvelles qui seront diffusées le lendemain matin[12]. Très rapidement, il constate que cet emploi fait de lui la conscience de l'Amérique du Nord, un des législateurs inconnus du monde. Il écrit plusieurs nouvelles sur Julius et Ethel Rosenberg et une sur Reuben Ship – un ancien élève de Byng et scénariste d'Hollywood qui deviendra plus tard un ami de Richler –, qui a récemment été déporté des États-Unis pour ses idées communistes. Richler découvre que lorsqu'il écrit exactement les 1 200 mots requis pour le bulletin de nouvelles du matin, il est rare qu'on y fasse des coupures[13].

Bien que cela ne soit pas apparent à première vue, les nouvelles de gauche présentent un avantage heureux, pour ne pas dire un avantage bourgeois. Juste avant d'obtenir le poste à CBM, Richler avait utilisé la seconde carte de visite que lui avait donnée Michael Sayers et il avait contacté le scénariste Ted Allan. Comme Ship, Allan avait fait le saut de Montréal à Hollywood. Et comme Richler, il avait été élevé sur la rue Saint-Urbain quelques années auparavant[14]. Pourquoi Richler ne pourrait-il pas, comme lui, gravir les échelons de la mobilité littéraire ? Politisé par la Grande Dépression, Allan avait défié ses parents et adhéré à la Ligue de la jeunesse communiste avant de rejoindre les Brigades internationales en Espagne et de travailler dans l'unité mobile de transfusion sanguine de Norman Bethune. Allan a par la suite écrit un roman sur la guerre et une biographie de Bethune intitulée *Docteur Bethune*, d'abord publiée en anglais sous le titre de *The Scalpel, the Sword*, qui s'est éventuellement vendue à 1,5 million d'exemplaires. Il a également écrit un film sur la vie du médecin, qu'il a vendu à 20th Century Fox en 1941 pour la coquette somme de 25 000 dollars. Malgré ses succès passés, Allan ne traîne plus sur le bord d'une piscine en Californie. L'avènement de la Guerre froide lui offre une dure leçon sur la relation incestueuse qui existe entre Hollywood et la politique américaine. Au début des années 1950, il est impossible de faire un film avec un héros communiste à Hollywood; Allan, placé sur la liste noire, peut tout aussi bien brûler son scénario à 25 000 dollars[15]. Pour régler la question, le gouvernement américain décide que les scénaristes communistes sont trop nombreux et Allan est forcé de quitter le pays.

À l'automne 1952, Richler appelle, écrit et rend visite à Allan, alors en exil à Toronto[16], sous prétexte de discuter de leur intérêt mutuel pour l'Espagne. Ce que Richler veut en réalité, c'est un emploi : un boulot d'édition ou de rédaction de scripts, puisqu'Allan travaille maintenant pour la radio. Richler lui laisse aussi son manuscrit ainsi qu'une pièce radiophonique d'une heure qui raconte les aventures de Canadiens à Paris, en espérant qu'Allan parvienne à convaincre CBC de la produire. D'après Richler, Bobbs-Merrill a déjà fait l'éloge de son talent, tout en se demandant : « pourquoi cette colère contre ce qui est américain ? » et en déplorant le fait que les idées contrôlent les personnages de Richler. Richler n'est pas vraiment un gauchiste comme il le laisse entendre, mais ses flatteries démontrent qu'il connaît déjà l'importance d'entretenir les relations qui peuvent le faire progresser dans sa carrière. Richler écrit aussi à Allan : « ah oui… la raison pour laquelle vous n'avez probablement jamais entendu mon nom… c'est que, avant mon départ pour l'Europe en 1950, mes activités artistiques, politiques, etc. se résumaient à l'université et au *Montreal Herald*. Je n'ai que vingt et un ans[17] ». Cependant, rien ne ressort de sa rencontre avec le scénariste. L'un des annonceurs de CBC, General Motors, vient tout juste d'annuler un épisode qu'Allan a écrit pour la série « G. M. Theater » sous prétexte qu'il a dépassé les bornes avec une blague désobligeante sur la production de masse[18]. Richler a toutefois eu raison de penser que les nouvelles qu'il écrivait pour CBM sur la situation désespérée des scénaristes canadiens placés sur la liste noire ne lui nuiraient pas à long terme. Plusieurs années après, il tirera profit de sa relation avec Allan.

À l'occasion d'une fête organisée peu après le départ de Richler de Toronto, Allan parle de lui à une amie de la famille originaire de Montréal, Florence Wood. Celle-ci l'a raté de peu mais Allan, sachant que Wood est une grande lectrice, lui offre de lire le manuscrit de Richler. Ce qu'elle fait le soir même[19].

Grâce à son emploi pour CBM, Richler peut échapper à nouveau à Lily. Il a une raison très pressante de vouloir déménager : Catherine Boudreau. S'il a rendu visite à Evelyn Sacks à plusieurs reprises, il n'a jamais vraiment renoué avec elle. Au cours de l'automne, il commence à fréquenter Boudreau, qui deviendra sa première femme[20] et à qui il dédicacera *Mon père, ce héros*. Avec Lionel Albert, ils s'installent dans un demi-sous-sol situé au numéro 1947 de la rue Tupper. Richler et Boudreau occupent une chambre, et Albert l'autre[21].

Boudreau est originaire de St. Catharines, en Ontario. Elle est franco-ontarienne, mais parle mieux l'anglais que le français. Comme Richler, elle a grandi dans la pauvreté. Exubérante et pleine d'esprit, elle aime faire des remarques cinglantes et inattendues sur Richler ou sur n'importe qui, un trait de sa personnalité que Richler admire... du moins au début[22]. Clara, la première femme de Barney dans *Le monde de Barney*, présente certaines ressemblances avec Boudreau, mais avec beaucoup d'exagération[23]. En raison de l'attitude complaisante qu'ils adoptent l'un envers l'autre et des plaisanteries qu'ils échangent, nombreux sont ceux, dans leur entourage, qui ne croient pas qu'il s'agit d'une relation sérieuse. Lionel Albert croyait d'ailleurs que Boudreau « n'était qu'une baise facile[24] ».

À son retour au Canada, Richler est choqué par l'étroitesse d'esprit et le provincialisme de la rue Sainte-Catherine[25]. En même temps, cela lui donne l'occasion de montrer le raffinement européen qu'il a difficilement acquis. Bernard Ostry, un fonctionnaire canadien qui a beaucoup fait pour la culture, se rappelle de sa première rencontre avec Richler : celui-ci était étendu sur le sol dans l'appartement de l'ancien professeur d'anglais et la référence d'emploi de Richler, Neil Compton, un verre de scotch dans une main et la tête appuyée sur l'autre[26]. Dans une boîte de nuit du Square Dominion, aujourd'hui le square Dorchester, Richler observe une show girl qui circule parmi le public et fait sourire ou rire chacun des hommes qu'elle séduit. Elle fait l'erreur de vouloir tester Richler. Dorénavant, il n'est plus un petit reporter du *Herald*, mais un rédacteur de nouvelles qui s'est battu en duel avec des Nazis, a frayé avec les artistes branchés de Paris et publiera bientôt un roman. Son air impassible la refroidit immédiatement[27].

Après le travail, Richler passe beaucoup de temps au club de presse de la rue Mont-Royal[28]. C'est probablement à cet endroit que Bill Weintraub lui présente, pour la première fois, Brian Moore[29]. Moore a émigré de Belfast quatre ans plus tôt et il travaille alors comme journaliste pour *The Gazette*[30]. Même si Moore est son aîné de dix ans, Richler ne l'a jamais considéré comme un substitut de père[31]. Plus tard, Richler parlera de leurs intérêts communs en matière littéraire – Babel, Waugh, Nathanael West – mais le «lien direct[32]» entre Richler et Moore vient plus probablement du fait qu'ils se sont tous deux rebellés contre l'orthodoxie religieuse – dans le cas de Moore, contre le catholicisme fervent de sa mère. Contrairement à Weintraub, qui a reçu une éducation plus libérale, Moore peut comprendre Richler lorsqu'il raconte qu'il a dû payer un prix énorme pour défier une foi déraisonnable. Vers 1952, Moore quitte *The Gazette* pour écrire de la fiction[33]. Son départ est motivé par «un compatriote» de Montréal dont le roman, incroyablement mauvais, a été accepté par une maison d'édition. D'après Weintraub, il s'agit de Richler[34]. De toute évidence, l'exemple de Richler qui, à vingt-et-un ans seulement, fait déjà ses preuves en tant qu'écrivain, a eu un effet salutaire sur Moore.

≈

C'est lorsque Richler envoie à Weiner, au début de l'année 1953, ce qu'il estime être un manuscrit bien révisé, que s'amorce un véritable combat. Richler se rappelle des éloges que lui a faits Michael Sayers et il continue de penser qu'il est devenu, grâce à *The Acrobats*, une sorte de pionner. Weiner, quant à elle, espérait un roman moins tape-à-l'œil, moins avant-gardiste. Vers la fin du manuscrit, elle entoure deux pages et inscrit «révoltant» dans la marge. D'après elle, il «fait toujours l'étalage de tout ce qu'il sait et on perçoit encore trop les processus de réflexion qui ont donné lieu à l'histoire[35]». Richler a l'impression que Weiner veut le castrer, qu'elle veut faire de lui un Britannique gâteux qui écrit à l'heure du thé alors que Richler se définit comme un jeune Américain viril. «Cher M. Richler», écrit Weiner, «vous êtes susceptible, n'est-ce pas?... C'est une bonne chose que vous ne soyez pas un romancier britannique... D'ailleurs, personne ne veut que vous le soyez.» Elle reconnaît que les personnages n'ont pas besoin d'être attachants, mais estime qu'ils doivent être crédibles aux yeux du lecteur. Elle donne ensuite son avis sur les écrivains que Richler a cités pour défendre sa cause : «Sartre est un grand écrivain. Céline, je n'en suis pas certaine. Je ne connais pas Algren, mais j'ai détesté le seul livre d'Henry Miller que j'ai lu, et dont j'ai oublié le titre. Ce n'est qu'un exhibitionniste sans talent. Mais peu importe, car ils ont tous réussi. Ce n'est pas votre cas. Notre objectif est de vous aider à y parvenir[36].» Cette liste montre clairement qu'à cette étape, rien n'est plus éloigné de la perception que Richler a de lui-même que Waugh ou la satire, ou même Isaac Babel. Si Richler peut convaincre un éditeur d'accepter son roman tel quel, sans en modifier les passages choquants, dit Weiner, elle ne s'y objectera pas, mais elle se doute qu'ils partageront son avis.

C'était un peu malhonnête. Jonathan Cape avait déjà décidé de refuser *The Acrobats*. Toutefois, comme Weiner l'a laissé entendre à Richler plus de deux mois auparavant, elle est en contact avec un jeune éditeur qui est nouveau dans le milieu, André Deutsch, un Juif hongrois élevé à Vienne qui a fui l'annexion de l'Autriche par les Nazis[37]. Après la guerre, il a ouvert une maison d'édition portant le nom d'Allan Wingate. Son père lui avait en effet recommandé de ne pas utiliser son propre nom, qui semblait trop allemand. Lors d'une fête, Richler rencontre Diana Athill, qui deviendra brièvement son amante et travaillera ensuite comme éditrice pour lui pendant plusieurs années[38].

Le principal objectif de Deutsch est l'art, et non l'argent. Toutefois, Deutsch a un sens inné des affaires. À la suite de son premier succès avec les mémoires de l'ancien chancelier allemand Franz von Papen, Deutsch rachète les droits britanniques pour *Les Nus et les Morts* (*The Naked and the Dead*), de Norman Mailer. L'auteur préfère que les soldats disent «fuck» et qu'ils le disent souvent, comme il est d'usage dans l'armée. Les éditeurs américains, qui n'ont pas encore le droit d'imprimer ce terme vulgaire aussi souvent, trouvent une solution ingénieuse, mais un peu ridicule : ils proposent de le remplacer par «fug» et «fugging». Deutsch souhaite défendre l'utilisation du «fuck», sans oser le faire. Mais comme certains cherchent malgré tout à empêcher la publication du roman, Deutsch charge un ami de demander devant la Chambre des communes si le procureur général allait bannir le roman. On lui répond, à contrecœur, que ce n'est pas le cas. Le résultat ? De bonnes ventes et l'acquisition, en une seule nuit, d'une réputation de «petite maison d'édition dynamique et audacieuse, qui mérite l'attention des agents qui s'occupent de nouveaux écrivains talentueux». Peu de temps après, Deutsch crée une nouvelle entreprise à laquelle il donne son propre nom. Sa réputation attirera des écrivains comme Terry Southern, Brian Moore, V. S. Naipaul, Jack Kerouac, Philip Roth (deux livres), Mavis Gallant, Jean Rhys, Geoffrey Hill, Simone de Beauvoir et, éventuellement, Margaret Atwood et John Updike[39].

En décembre 1952, Weiner présente Richler à Deutsch, qui manifeste un grand enthousiasme à son endroit, car Richler lui rappelle Mailer à ses débuts[40]. Malheureusement, les lecteurs de Deutsch sont plus modérés. Au départ, Deutsch décide de refuser *The Acrobats* et de prendre une option sur le prochain roman de Richler. Mais Weiner ne veut pas en entendre parler. Deutsch doit accepter *The Acrobats* ou courir le risque de perdre Richler, insiste-t-elle. Elle gagne son pari : au début mars, Deutsch décide d'accepter le roman à condition que Richler élimine 30 p. cent des scènes de sexe. Lorsque Richler reçoit l'appel de Weiner pour le féliciter, Lionel Albert s'exclame : «Réalises-tu que tu vas publier un roman alors que tu n'as que 22 ans ?» Richler n'entend même pas la question[41].

«Avec toute la modestie qui convient, je considère avoir accompli un miracle», s'enorgueillit Weiner. «J'espère que votre maman se dira : "cette femme n'est pas complètement inutile, au fond"[42].» Effectivement, Lily est ravie[43]. Elle avait déjà dit à ses amis que son fils serait un grand écrivain ; voilà la preuve qu'il est sur la bonne voie[44]. Bien que le style de Richler dans *The Acrobats* lui paraisse étrange, elle n'a aucun problème avec la gloire associée à la publication du roman. Pour couronner le tout, le livre lui est dédicacé. Moe est moins optimiste. Lorsqu'il apprend que le roman s'intitule *The Acrobats*, il demande à Richler : « Mais qu'est-ce que tu connais au cirque[45] ? »

≈

Il faut se méfier des premiers brouillons de *The Acrobats* : « J. C. fai une danse en chaussons sur la mer écumante, en lançant des grenades et sifflant Who's Sorry Now… La Vierge Marie oh yeah baise pendant que les Sœurs syphilitiques & le chœur des Saints, Inc. se trémoussent le derrière un deux trois dans l'horizon tournoyant… Yowzuh! Et fourre-toi-le dans le derrière[46] ! » On peut remercier Weiner et Athill d'avoir convaincu Richler d'abandonner ses prétentions avant-gardistes, même si Athill affirme qu'elle n'a pas apporté beaucoup de modifications au manuscrit[47]. Les passages explicites n'ont pas tous été coupés. Torsten Blomkvist, le traducteur suédois de *The Acrobats*, n'a pu s'empêcher de s'arrêter à la phrase suivante : « Les Jésuites qui se branlent et les nonnes ac/dc font une razzia dans l'argent de la messe pour entonner l'alléluia une fois par mois. » Blomkvist croyait comprendre ce que Richler voulait dire, mais il ne savait pas que faire de cette phrase[48].

Plus tard, Richler refusera que soit republié *The Acrobats*, ce qui est plutôt surprenant de la part d'un homme reconnu pour n'avoir aucun scrupule à réutiliser le même texte trois ou quatre fois. Mais dans le cas de *The Acrobats*, dont le titre a été remplacé par *Wicked We Love* pour la publication en format poche aux États-Unis, Richler s'inquiète de sa réputation. Le roman était « vraiment mauvais », se rappelle Athill, « un vrai roman de jeune homme !… Voulez-vous bien m'expliquer ce qui nous a pris de le publier ? » D'une part, Deutsch était désespérément à la recherche de jeunes écrivains prometteurs ; d'autre part, Athill avait perçu, dans l'écriture de Richler, du sérieux et de l'honnêteté – mais rien de l'esprit dont il fera preuve par la suite. Même s'ils ont rarement eu l'occasion d'échanger, Athill avait l'impression que Richler était un homme généreux, bon et authentique[49].

Comme le résume Weiner, Deutsch était « contre la publication d'une brique[50] ». Richler doit beaucoup à Weiner et Athill pour avoir éliminé des remarques juvéniles telles «les gens qui aiment les animaux sont souvent cruels» ou encore cette perle adressée au gouverneur général du Canada et au public britannique: «Kultchir est récompensé à chaque année par un soldat pompeux – la poitrine toujours étincelante de médailles pour distraire de son visage idiot et ennuyeux. C'est habituellement le cousin ou l'oncle d'un déficient mental ou d'un bon vivant qui somnole sur le trône très royal de Buckingham Palace[51].» Malgré des passages provocants comme celui-là, et en dépit des affirmations de Weiner, ce n'est pas non plus un miracle si Richler a réussi à se faire publier. L'histoire, racontée dans le nouveau style truculent de Mailer, est intéressante et, après les coupures réalisées par les éditeurs, le roman n'est pas aussi mauvais que l'affirment Athill et Richler lui-même. Le style de Richler est déjà, à cette période, beaucoup plus moderne et convaincant que celui d'autres écrivains canadiens-anglais de plus en plus populaires comme Hugh MacLennan et Morley Callaghan. Évidemment, le roman soutient aussi la comparaison avec ceux des écrivains britanniques du moment. Walter Allen affirme d'ailleurs qu'il est «probablement insensé de le publier tel quel, mais encore plus de risquer de le laisser passer[52]».

The Acrobats se déroule à Valence pendant le week-end du carnaval, lorsque sont brûlées les Fallas, de gigantesques effigies de bois et de carton. André Bennett, lui-même une sorte d'effigie humaine, est venu en Espagne pour échapper à sa famille riche et bourgeoise et se consacrer à la peinture. Il est traqué par un ancien colonel SS, Roger Kraus, qui a des vues sur sa copine, une prostituée nommée Toni. Dieu sait qu'il ne devait pas y avoir beaucoup de Roger dans les annuaires téléphoniques allemands de 1951... Le conflit entre Kraus et André, un révolutionnaire manqué, se termine par un meurtre. Même si les idées ne sont pas complètement formées, l'intrigue, à caractère mélodramatique, est captivante. Les fantômes toujours vivants de la Guerre civile espagnole, la «dernière» génération de l'après-guerre[53], comme l'appelle le jeune Richler – à savoir des communistes, un policier fasciste, un aristocrate déchu et un écrivain cynique, Derek Raymond – ajoutent à la complexité du triangle formé par André/Kraus/Toni. Le personnage de Barney Larkin, le plus intéressant du lot, dira plus tard Richler[54], est moins sentimental que les autres. «He hates the Cossacks; and one day he hopes to dine with their generals.» Larkin est un riche homme d'affaires juif américain, très terre-à-terre, qui ne comprend pas qu'on puisse gaspiller tant de temps et d'argent pour fabriquer des Fallas qu'on finira par brûler: «Y'ont passé toute une semaine à en faire pis y'ont tout brûlé en une nuit… Pourquoi faire quelque chose seulement pour le brûler? Ça n'a pas l'air pratique.» Pratique, non, mais vu l'importance des Fallas dans la mythologie personnelle de Richler – elles marquent le moment où il tourne définitivement le dos à l'orthodoxie religieuse –, l'écrivain souhaite en tirer profit de manière imaginative dans son œuvre. L'utilisation des Fallas montre à quel point le jeune Richler cherche à développer une théorie tragique de l'art: ses personnages sont des Fallas, des versions exagérées d'êtres humains, faites pour être brûlées, des représentations d'attitudes ou de positions qui doivent être détruites. Derek dit: «on fabrique des jouets maléfiques et on danse autour, après on les brûle. En espérant, peut-être, que ça aidera[55]». C'est une théorie thérapeutique; en vérité, trop thérapeutique. Si on se fie à cette logique, l'écrivain, au lieu de faire appel à ses intuitions les plus profondes, exprime ses pensées les plus ridicules et les exorcise dans une sorte de catharsis littéraire. *The Acrobats*, comme *The Rotten People*, est l'œuvre d'un écrivain encore jeune et immature, qui simplifie le communisme, le capitalisme, la bourgeoisie et Dieu. Les personnages s'apparentent souvent à des clichés: on pense entre autres à la prostituée au grand cœur, au communiste qui n'aime pas les individus, au colonel SS, stupide mais doté d'une grande force physique, et à l'artiste incompris[56]. L'artiste qui cherche la mort est stupide, insinue Richler, mais il est tellement branché de le faire!

Certains passages du roman sont fascinants pour des raisons qui susciteront bientôt l'embarras de Richler. Le lecteur y découvre un Richler immature duquel naîtra un artiste mature. Qui d'autre qu'un Richler de vingt-trois ans, qui intellectualise tout, se plaindrait sérieusement du fait qu'il est cliché de dire «je t'aime[57]»? Le peintre anglo-français André Bennett résiste à la fois à l'attrait du communisme et de la décadence. Le personnage semble être une version idéalisée de l'auteur, même si Richler, assez bon artiste pour considérer faire carrière dans l'art commercial, n'est ni français (comme André) ni anglais (comme Bennett). En décidant que la mère d'André s'enfuie avec un poète pour fonder un petit magazine – comme c'est romantique! –, Richler expose les éléments douloureux découlant de la liaison de Lily avec Frankel. Les explications psychanalytiques ne donnent que peu d'indices sur Richler. L'impression que les adultes lui cachent quelque chose a contribué à en faire un écrivain de l'avant-garde capable d'aborder et de maîtriser ces questions, mais on ne peut dire que la liaison de sa mère ait perturbé Richler tardivement dans sa vie d'adulte. Dans les cercles qu'il fréquente, le fait d'avoir une mère comme la sienne représente plutôt un atout. Il a déjà abordé, de façon à la fois directe et émotive, la liaison de Lily dans *The Rotten People,* et l'événement a peu à peu perdu de son importance. La forte personnalité de Lily n'a cependant pas changé, et Richler manifestera une certaine dureté envers les personnages qui s'en inspirent. Dans le manuscrit de *The Acrobats,* la dédicace adressée à Lily est accompagnée de la mention « avec amour[58] », mais Richler semble avoir décidé de laisser tomber cette partie au moment de la publication.

Dans un élan de maturité plutôt surprenant, Richler évoque Maïmonide par l'intermédiaire du personnage de Chaim, un propriétaire de bar qui a survécu aux camps de la mort. Il s'agit possiblement d'une référence au leader israélien Chaim Weizmann, qui a rejeté la violence pour incarner la conscience de la Haganah, l'organisation paramilitaire juive. Comme dans *The Jew of Valencia,* le Chaim de Richler est le père de substitution d'André, le genre de Juif que Richler trouve facile d'admirer, à savoir un philanthrope qui entretient de bonnes relations avec les prostituées[59]. Même si Chaim à la fois trop éloigné d'un père lecteur de Doc Savage et trop près du Juif intelligent et cultivé qui souffre, Richler le fait citer Maïmonide pour miner la force tragique d'André, révélant par moments l'ironie caractéristique de l'œuvre mature de Richler: « Lorsque quelqu'un est dans un état d'appréhension et n'en connaît pas la cause… Laissez-le sauter de quatre coudées, ou laissez-le répéter "Écoute Ô Israël, etc." ; ou si l'endroit n'est pas approprié pour répéter les écritures, laissez-le réciter pour lui-même "la chèvre du boucher est plus grasse que moi!"» André n'est pas assez sage pour écouter son conseil, même si on ne s'attend pas à ce qu'il en tire quelque chose. Il en va ainsi du jeune Quichotte qui, tout en étant capable de citer Maïmonide, doit patienter dans une prison d'Ibiza en attendant que son frère paye sa caution.

The Acrobats constitue une étape importante dans la carrière de Richler. Plus tard, l'auteur affirmera que son premier roman était peu original et qu'on y trouvait tous les thèmes de ses œuvres à venir[60]. Qu'est-ce que ça peut faire si on y perçoit les influences respectives d'Hemingway, Lowry, Sartre et Céline? Qu'est-ce que ça peut faire si, comme le fait remarquer Ramraj, les personnages sont surchargés d'idéologie mais dénués de vie intérieure[61]. C'est déjà un défi d'écrire un roman d'idées qui soit néanmoins familier, viscéral et issu de l'expérience de l'auteur. *The Acrobats* montre à quel point Richler s'efforce déjà de témoigner de la réalité d'un lieu et d'une époque, même si à cet âge et dans ce pays (l'Espagne), il n'a une bonne connaissance ni du lieu ni de l'époque. Les thèmes chers à Richler commencent à se dessiner: le Juif qui réussit à s'émanciper du ghetto; la lutte, dans un contexte postcommuniste, pour un système politique à la fois humain et réaliste; la confrontation de la deuxième génération avec la réalité de l'Holocauste; la quête existentielle de valeurs morales laïques. Sur la jaquette de *The Acrobats*, Richler écrit: «de nos jours, un écrivain sérieux ne peut écrire qu'à propos d'une seule chose: l'homme sans Dieu. L'homme plongé dans l'embarras[62]». Le scepticisme d'André face à ses maîtres intellectuels et spirituels donne le ton, quoique de manière arrogante, du *Cavalier de Saint-Urbain*. Et certains passages associés à la déception intellectuelle de Richler sont étonnamment poétiques, comme lorsque Derek affiche son scepticisme face à la révolution communiste: «Vous êtes mieux d'en profiter, parce que très bientôt les péquenauds vont prendre d'assaut le palais d'Hiver. Et ensuite, les ténèbres.» Richler cherche déjà à développer une vision affirmative, comme le suggère l'épigraphe de Maïmonide: «Les hommes croient souvent que les choses mauvaises sont plus nombreuses sur cette terre que les bonnes [...]

Les gens ordinaires ne sont pas les seuls à commettre cette erreur ; elle est partagée de ceux qui se croient sages[63]. »

Et quel triomphe, pour un Canadien, d'avoir écrit un roman expérimental ! Bien avant les expérimentations d'autres grands auteurs canadiens, dont *Les Perdants magnifiques* de Leonard Cohen et *The New Ancestors* de David Godfrey, Richler adopte un style familier, qu'on n'aurait pu imaginer dans le cas des expérimentations très habiles, mais encore trop soutenues, de Howard O'Hagan avec *Tay John* (1939), Elizabeth Smart avec *À la hauteur de Grand Central Station je me suis assise et j'ai pleuré* (1945 pour la version originale anglaise) et A. M. Klein avec *Le second rouleau* (1951 pour la version originale anglaise). Dans *Souls What Make No Progress and Souls What Do*, le manuscrit d'une adaptation théâtrale de *The Acrobats*, Richler formule ses propres critiques :

> « Trop intellectuel pour moi ! Ce doit être de la poésie, parce que je n'y comprends rien… Ça pourrait sortir tout droit des pages crasseuses du journal The Daily Worker… Anti-américain… Trivial, quand on compare ça à des problèmes comme la vivisection et les femmes qui s'assoient dans des bars…»
> THE knockshop news, kurst inc.

Certaines de ces critiques, moins tape-à-l'oeil, sont encore plus drôles. Elles montrent que le jeune avant-gardiste s'est engagé dans la voie de la satire :

> « C'est une offre écœurante quand on la compare à Gorki…» *The Daily Worker*[64].

〜〜〜

Lorsqu'il apprend que *The Acrobats* est accepté, Richler se perçoit déjà comme une superstar littéraire. Pour la somme de trente dollars, il achète un billet de paquebot à destination de l'Angleterre pour y faire la promotion du roman[65]. Il envoie ses nouvelles non publiées à Weiner, convaincu que les écrits d'un auteur aussi important valent très cher. Il l'informe qu'il travaille sur deux projets : une nouvelle fantastique et une pièce de théâtre. Il demande que son roman *The Acrobats* soit publié à l'automne, et non au printemps suivant, comme l'a prévu Deutsch. Ne comprennent-ils pas qu'il a désespérément besoin d'argent[66]? Le fait que Deutsch demande une part de 10 p. cent sur les droits cinématographiques ne contribue probablement pas à modérer son enthousiasme[67].

Pendant ce temps, Weiner tente de tempérer les ardeurs de Richler. Au même moment, Brian Moore demande des informations sur la réputation de Weiner à l'un de ses amis de New York et obtient, en guise de réponse, un sourire et un silence, puis un commentaire suggérant que certains écrivains préfèrent des agents agressifs[68]. C'est complètement absurde, et Richler le sait bien. «Vous ne pourrez pas vivre de l'écriture avant longtemps», l'a-t-elle averti. Elle ne manque pas de lui faire des compliments : «C'est normal que vous soyez hébété et effrayé. Je le serais aussi. Ce n'est pas rien de faire "un trou en un".» Toutefois, elle lui conseille de garder son emploi de «camionneur»: «Ça donne une certaine stabilité, même pour un génie, ce que vous n'êtes définitivement pas.» Elle n'est pas impatiente de lire la nouvelle fantastique qu'il écrit. «Aïe aïe aïe, on dirait que tout le monde se lance dans le fantastique, c'est ça ou les livres pour enfants. Pourtant, ça ne se vend pas très bien», se plaint-elle. Et elle considère le théâtre comme une proposition presque aussi vaine : «Les pièces de théâtre peuvent vous faire sombrer plus rapidement que n'importe quoi d'autre, mais c'est quelque chose qu'aucun écrivain n'accepte de se faire dire par quelqu'un d'autre… alors je vous en prie, oubliez ce que je vous dis.» Elle fait de son mieux pour que les nouvelles de Richler ne soient pas déposées rapidement sur son bureau et, lorsqu'elle réalise qu'elle n'y parvient pas, elle met les choses au clair : «Je vous prie de ne pas m'envoyer des histoires qui ne sont pas absolument exceptionnelles. Vous avez une réputation à considérer, et mon temps est précieux[69].» La raison immédiate de sa plainte est «Beyond All Blessings and Hymns», mais les autres histoires qu'il lui envoie, dont «The Secret of the Kugel», «Four Beautiful Sailors Americain», «Mr. Macpherson», «The Shape of the Ghetto» et «My Uncle Mendel the Lion», ne sont pas vraiment meilleures[70]. Dans «Four Beautiful Sailors Americain», Richler tente de copier le style d'Hemingway en racontant l'histoire d'un vieux Juif qui essaie de vendre un appareil photo à des marins américains. Mais la lettre de refus de *Punch* décrit la nouvelle avec une justesse remarquable : c'est une histoire banale, « de celles qui accordent de l'importance à des événements qui se déroulent à Cannes, mais qui passeraient inaperçus à Cape Cod ». En novembre, Weiner a atteint ses limites et elle retourne à Richler les histoires qu'il lui a fait parvenir[71].

Richler n'est pas du genre à gaspiller ses efforts. Il réussit finalement à vendre « The Secret of the Kugel » à CBC, au *Montreal Star* et au *New Statesman,* même s'il n'aurait pas dû[72]. La nouvelle raconte l'histoire d'un jeune garçon qui découvre que sa tante Fanny, célibataire et reconnue pour ses *kugels,* les achète en réalité à la boulangerie de Mme Miller et les fait passer pour les siens. Pour se montrer loyal envers sa mère, dont les kugels sont considérés moins bons, il prévoit dénoncer Tante Fanny. Il décide finalement de ne pas le faire. Sa décision peut être interprétée comme un signe indiquant qu'il a assez mûri pour que sa préoccupation de la vérité et sa partialité envers sa mère soient adoucis par un sentiment de compassion pour Fanny qui, comble de la tragédie, n'a jamais été mariée[73]. L'histoire a probablement été écrite par un Richler adolescent, influencé par Lily et pas encore aveuglé par Céline. Les descriptions excessivement sentimentales qu'il fait de sa famille et de sa communauté, si différentes de l'attitude de rejet qui transparaît dans *Mon père, ce héros,* suggèrent que très tôt et malgré ses tiraillements intérieurs, Richler veut être le fils dévoué de la communauté juive de Montréal. Il cherche à imiter le style littéraire de Sholem Aleikhem, dont il se moquera plus tard. Richler et son personnage découvrent tous deux que le prix à payer pour la compassion à la Sholem Aleikhem est de taire la vérité. Au même moment, la « trahison » du fils suggère, à un autre niveau, que Richler était conscient du fait que l'entreprise consistant à décrire la réalité pouvait nuire à sa communauté, à sa famille et, en particulier, à sa mère. En fait, Richler avait déjà en tête *Mon père, ce héros*, une œuvre beaucoup plus autobiographique et moins sentimentale, mais aussi un roman que la famille Richler interprétera comme rien de moins qu'une trahison.

9

Londres : Cathy,
le commerce et le Señor Hoore

LE 26 AOÛT 1953, Richler quitte la rue Saint-Urbain et se rend
de nouveau en Europe, rempli d'espoirs à la suite de l'annonce de la publication de *The Acrobats*. Cette fois, il n'est pas
seul. Cathy Boudreau l'a suivi, après avoir réservé un billet sur
le même bateau, possiblement sans qu'il le sache[1]. Evelyn Sacks
s'est offerte à lui lors d'une dernière visite à Montréal, mais elle
a affirmé par la suite qu'elle voulait alors le tester. « Mauvaises
manières », c'est ainsi qu'elle justifie son comportement. « J'étais
bouleversée parce que tu partais… Je ne voulais que toi, Mordy,
même si tu ne pensais jamais à moi… Et si tu veux savoir comment une femme frustrée agit lorsqu'elle approche de l'âge mûr
et désire un homme beaucoup plus jeune qu'elle qui la considère
comme une femme aimante – une mère ou une amie – eh bien,
elle devient grossière et impatiente. » Elle promet de le détester
s'il partage ses fous rires avec quiconque[2].

Le voyage à bord du *Samaria* est horrible, se plaint Richler à
Weintraub. « Cathy souffre encore d'un rhume. Et moi, je suis
monté à bord avec de la fièvre et le derrière bourré de pénicil-
line[3]. » Le plan initial est de rencontrer son éditeur et ses nombreux lecteurs anticipés en Angleterre, puis de se diriger vers
l'Autriche ou l'Espagne, où il pourra encore une fois vivre à peu
de frais et écrire son prochain roman. Il n'a pas les moyens de

vivre et d'écrire au Canada, affirme-t-il[4]. En réalité, il veut être là où se trouve l'action, c'est-à-dire dans le monde de l'édition et dans les autres sphères de la vie. Et s'il était vraiment un grand écrivain, que faisait-il au Canada? Son passage à Londres est aussi motivé par des raisons professionnelles: Richler sait qu'une rencontre physique avec son éditeur a beaucoup plus de poids que l'infatigable campagne qu'il mène auprès d'elle en lui écrivant des lettres.

Il ne se rendra jamais jusqu'en Autriche ou en Espagne. En réalité, il trouve un petit appartement dans un sous-sol situé au 509 King's Road, un endroit que Salman Rushdie nommait «le mauvais bout de King's Road[5]», à quelques blocs au sud de la Tamise, dans le quartier de Chelsea. Il habite avec Cathy Boudreau et une certaine Florrie MacDonald. L'arrêt d'autobus situé après le pub au bout de la rue porte le nom très approprié de «bout du monde[6]».Boudreau, qui travaille comme sténodactylo, subvient aux besoins de Richler[7]. Celui-ci demande encore une fois un prêt à son oncle Bernard, mais il semble que cette source de fonds soit en train de disparaître. «Cher Muttle... Tu écris enfin à ton oncle préféré. Je pensais que tu m'avais oublié», écrit Bernard. Il aimerait lui dire oui, explique-t-il, mais il est en train de construire une maison, de sorte qu'il n'a pas d'argent à prêter[8].

Richler réussit toutefois à se payer des billets de théâtre pour les pièces de T. S. Eliot et Graham Greene, et il se plaint du «dernier sermon de grand-mère Eliot, *The Confidential Clerk*[9]». Probablement grâce à John Harrison, il parvient à obtenir une invitation pour aller prendre le thé avec E. M. Forster à King's College, ainsi que la promesse que Forster jette un coup d'œil à *The Acrobats*[10]. La rencontre tourne rapidement au vinaigre. Richler découvre que Forster méprise les auteurs américains qu'il admire, dont Fitzgerald et Algren et, malgré la gentillesse de l'écrivain, Richler se couvre de ridicule en buvant son sherry comme si c'était du whiskey[11]. Avant de faire sa rencontre, Richler pouvait ricaner en pensant au vieux Forster, assis sur son balcon, ses jumelles à la main, prêt à noter les numéros peints sur les ailes des jets militaires américains pour se plaindre du bruit. Mais après s'être entretenu avec lui, Richler perd un peu de son optimisme quant à la valeur de ses propres écrits[12].

Bob Amussen, de G. Putnam's Sons, à New York, décide pourtant d'acheter les droits pour la publication de *The Acrobats* aux États-Unis. Amussen tente de convaincre Richler de modifier la fin du roman et afin qu'André ne meure pas, mais Richler maintient sa position[13]. Dans son rôle d'auteur-sur-le-point-d'être-publié, Richler commence à affecter une certaine gravité. « Un document sacrément impressionnant », dit-il de son contrat. Il admet aussi qu'il commence à se sentir « important[14] ». Comme l'exige son nouveau statut, il laisse tomber « Mordy » pour « Mort ». Il se persuade également que ce ne serait pas la fin du monde – en d'autres termes, il ne vendrait pas son âme à la bourgeoisie – s'il utilisait à l'occasion des majuscules, par exemple au début des phrases et pour les noms propres[15]. Est-ce une coïncidence si, une semaine après la rencontre entre Richler et Forster, Weintraub reçoit la première lettre de Richler dans laquelle celui-ci utilise des majuscules ? Weiner et Athill avaient pourtant déjà tenté de le pousser dans la même direction. Richler continue malgré tout, encore en 1955, d'appeler le secrétaire de Ted Allan « that little mex chic » et de signer « Much merde. Mazel. Cojones. Etc. [16] »

Ce qui est certain, c'est que Richler continue de ressentir le poids du passé. En errant chez Foyle's, alors la plus grande librairie de Londres, il aperçoit une grande table où s'empilent une centaine de romans qui ont été publiés durant la semaine[17], et il est soudainement frappé par la quantité de livres qui existe dans le monde. « Des questions vous viennent à l'esprit et vous font chaque fois de petites blessures. Pourquoi écris-tu ce livre ? Quelle importance cela a-t-il ? » Il devient philosophe et voit plus loin que les vaines tentations qui l'ont un jour poussé à écrire : « Avant de publier mon premier livre et jusqu'à ce que je commence à travailler sur le deuxième, je voulais être célèbre. Avoir un statut. Qu'on raconte des anecdotes sur moi... Mais maintenant, je ne veux plus et je ne pense plus trop à ces choses... Et, pire encore, il n'existe pas de renommée ou de montant d'argent assez important pour compenser les souffrances qu'implique l'écriture d'un roman... Pourquoi est-ce que j'écris ?... La seule réponse qui me vient à l'esprit, c'est : "parce que je dois le faire." » Les passages les plus drôles et les plus prétentieux surgissent plus

loin dans la lettre : il admet que seule l'écriture permet d'appro-
cher la vérité de si près, sans jamais l'atteindre ; «jamais l'orgasme», déplore-t-il. Les imprimeurs, choqués par le langage
obscène du roman, refusent de mettre sous presse *The Acrobats*,
ce qui contribue à flatter l'orgueil de Richler. Il fait les changements qu'on lui demande : il remplace «tits» par «breasts», «kick
you in the balls» par «kick you where it hurts», «bloody Christ»
par «Christ» et, du haut de son piédestal, il estime que toute
l'affaire est «amusante»[18]. En dépit de ses manières pompeuses,
Richler a effectivement besoin d'écrire : il cherche toujours à se
défendre contre les croyances de Shmarya Richler, du rabbin
Rosenberg et de Lily. Les modifications apportées au roman ne
sont pas suffisantes pour la chaîne de librairies W. H. Smith, qui
place *The Acrobats* sur sa liste noire après avoir reçu des plaintes
pour vulgarité[19].

L'attitude grave de Richler profite à ses amis, même si ces
derniers ne le trouvent pas toujours drôle. Il se sent assez en
confiance pour faire pression sur Deutsch et Putnam's afin qu'ils
publient le premier roman de Brian Moore, *Judith Hearne* (*The
Lonely Passion of Judith Hearne*), et le roman *Docteur Bethune* (*The
Scalpel, the Sword*) de Ted Allan. Après avoir essuyé de nombreux
refus, c'est-à-dire possiblement seize, Moore apprend un jour
qu'il a un éditeur[20]. Richler ne dit pas toujours ce que ses amis
auraient souhaité qu'il dise. Il raconte par exemple que «Brian
a perdu beaucoup de temps à écrire pour des magazines super-
ficiels par faiblesse ou par couardise ; il a écrit des trucs dont il
a honte mais qui lui procuraient un revenu auquel il ne voulait
pas renoncer[21].» Quelques mois plus tard, Richler demande à
Michael Sayers comment un écrivain peut faire de l'argent rapidement à Londres. Sans prendre conscience qu'il reprend les
sermons que Richler lui-même adresse à Moore, Sayers lui répète
le conseil que Tolstoï donne à Andreïev : «N'écris jamais pour
l'argent... N'écris jamais sur des trucs qui ne t'intéressent pas[22].»
Beaucoup plus tard, dans *Une réponse des limbes* (*An Answer from
Limbo*), Moore donnera un caractère dramatique à ce qu'ils
avaient tu à l'époque. Max Bronstein, l'alter ego de Richler, qui
a publié son premier roman à New York, dit à Brendan Tierney,
l'alter ego de Moore, qu'il parlera de lui à son éditeur. Tierney,

plus âgé et expérimenté – il a publié six histoires tandis que Bronstein n'en a que deux – peste intérieurement contre l'écrivain arriviste, reconnaissant à la fois, dans une sorte de combat de coqs, sa générosité et sa complaisance. Bronstein admet pour sa part qu'il a besoin de la jalousie de Tierney et que, d'une certaine façon, il le déteste[23]. Ce n'est qu'après 1961 que Moore commence à aborder ces questions. À l'époque, Richler a des problèmes avec les éditeurs américains et Moore doit à son tour intercéder en sa faveur auprès de l'éditeur Seymour Lawrence.

Au début de l'année 1954, ces jalousies entre les deux écrivains sont ravivées lorsque Moore se rend en Angleterre. Moore et Richler discutent à propos des autres écrivains et de la valeur de la vie bourgeoise. Richler a des opinions arrêtées qu'il n'hésite pas à exprimer. Il fait l'éloge, non sans raison, des frères Marx, et traite Jean Cocteau de fumiste[24]. Moore, qui est un peu plus âgé et s'emporte moins facilement, raille le mépris que Richler prodigue si généreusement : « Plusieurs éléments dans le vocabulaire de Mordecai semblent faire partie d'un jargon qui lui est propre. Tous les artistes qui ne sont pas aimés sont des "blagues" [*tricks*]. Tout ce qui n'est pas aimé devient une "blague". Les gens qui dansent ou jouent au bingo sont "hilarants." Ceux qui boivent beaucoup dans les bars sont des "touristes" [25] ». Moore défend les valeurs dont se plaint Richler et lui prédit qu'il adhérera bientôt aux valeurs bourgeoises. Le sous-sol où habite Richler n'est pas inconfortable, il est lugubre, raconte Moore à ses amis. Et la vie de Richler est désordonnée, telle « une suite confuse de pubs », notamment le Mandrake avec ses « Britanniques barbus, ses défenseurs de la petite Angleterre noirs » et ses « poseurs », comme le dit Richler lui-même[26]. Si Richler se considère toujours comme un bohème, Moore lui fait clairement remarquer qu'il entretient des espoirs « bourgeois » et parle beaucoup d'argent et de ventes. Weintraub est d'accord avec lui. Malgré tout, les arguments de Richler sont assez cinglants : Moore signe en effet ses œuvres « Señor Hoore[27] ».

En dépit de la jalousie et de la différence d'âge qui subsiste entre eux, Richler et Moore deviennent de bons amis. Richler travaille sur son deuxième roman, provisoirement intitulé *Losers*[28], et il s'efforce de contribuer au revenu du ménage. Moore,

plus avisé que Richler sur les questions d'argent et moins scrupuleux, imagine un plan à toute épreuve : Richler pourrait écrire
des œuvres alimentaires. Dans la plus longue lettre qu'il a écrite
à Richler, Moore expose en sept pages les grandes lignes de l'histoire, avec force détails et conseils. Comme Moore avant lui,
Richler n'aurait qu'à pondre un thriller, à le publier sous un pseudonyme, prendre l'argent puis s'enfuir. Et qu'adviendrait-il de
Moore ? Il empocherait 25 p. cent des bénéfices. « Copie mon
Wreath for a Redhead », suggère-t-il à Richler, « crée un héros solitaire, un petit malin parfois nerveux mais pas trop intellectuel.
N'essaie surtout pas de le rendre trop réaliste. » Puisque les éditeurs s'intéressent davantage aux sentiments et au rythme de
l'histoire, il n'est pas nécessaire que l'intrigue soit complexe.
Moore avertit également Richler de ne pas prendre à la légère sa
mission : « Ne joue pas au plus fin en essayant de parodier le
genre. » Pour rappeler à Richler qu'il ne se vend pas pour rien et
qu'il existe un précédent important pour ce genre d'ouvrage dans
la littérature, Moore donne un exemple du genre de dialogue
laconique qu'il lui faudra utiliser :

> On est arrivés lentement par-dessus le récif, d'où on pouvait voir
> la plage briller. Il y a plein d'eau au-dessus du récif.
> — On va les emmener directement à la grande plage, que je lui
> ai dit.
> — Prends-la maintenant.
> — Bien sûr, j'ai dit. La prendre doucement. »

Au cas où Richler serait tenté de prendre ses conseils à la
légère, Moore ajoute : « Ne ris pas, mon gars, je me suis inspiré
de Papa et de *To Have and Have Not*[29]. »

Si Moore et « Papa » Hemingway sont en mesure de fabriquer
des romans comme *To Have and Have Not*, Richler, lui, en est
incapable. Il craint d'utiliser les idées qu'il réserve pour *Losers*.
En même temps, les ventes de *The Acrobats* sont beaucoup plus
faibles que ce que Richler avait espéré. Hormis les traductions
en plusieurs langues, Richler mettra dix-sept ans à atteindre la
popularité à laquelle il s'attendait alors. Avant de miser sur
Richler, les éditeurs canadiens veulent savoir si le roman *The
Acrobats* est stupide, si on y parle de communistes et s'il est anti-
canadien[30]. Richler vendra finalement 2 000 exemplaires du livre

en Angleterre, mais moins de 1 000 aux États-Unis et 300 au Canada[31]. Selon l'un de ses oncles, il aurait gagné plus d'argent en tondant les pelouses de ses voisins et cela aurait été plus sain pour lui. Mais Lily, Moe et Avrum sont surexcités. Moe n'est plus aussi certain que l'idée d'écrire soit si saugrenue[32]. L'inconvénient, c'est que Moe, qui a entendu parler du grand Mickey Spillane, suppose maintenant que Mordecai roule sur l'or[33].

Evelyn Sacks est elle aussi très fière de lui. Elle le supplie de lui envoyer tout ce qu'il a : des coupures de journaux, des épreuves, des livres. Elle lui écrit aussi qu'elle serait prête à tromper encore son mari parce qu'elle a besoin de ce que Richler peut lui offrir. « Je t'en prie, n'épouse pas Cathy tout de suite. Elle n'est pas la seule à t'aimer. S'il te plaît, écris moi après avoir surmonté les nausées que cette lettre révoltante n'a sûrement pas manqué de te donner. Avec tout mon amour, Evelyn. » Quelques mois plus tard, pressentant peut-être qu'il pourrait s'éloigner si elle se montre trop insistante, elle se contente de lui prodiguer des conseils sur son travail. Elle craint qu'il ne doive flatter « tous ces hommes d'affaires professionnels, ces escrocs de l'édition », mais seulement « jusqu'à ce que tu sois si bien établi que tu puisses claquer des doigts et dire "allez au diable, je n'ai pas besoin d'abrutis comme vous"[34] ».

Kindler Verlag, une société allemande fondée après la guerre et basée à Munich, est la première maison d'édition non anglophone qui accepte *The Acrobats*. Curieux de découvrir l'Allemagne et convaincu que Kindler aura besoin de son aide pour faire la promotion du livre, Richler décide de se rendre à Munich avec Boudreau en passant par Paris. Il se plaint que la Ville lumière est maintenant trop peuplée de littéraires, à un point tel que le non-conformisme est devenu la norme[35]. À Paris, il demande à Brian Moore s'il devrait ou non épouser Boudreau, et Moore lui conseille de s'abstenir, prétextant une incompatibilité de caractère[36].

À Munich, où Boudreau et lui passent quelques mois[37], Richler est à la fois transporté de joie et horrifié. Transporté de joie, parce qu'à l'âge de 23 ans, une promenade en limousine semble confirmer sa propre confiance en son talent. Il dit ensuite à Weintraub : « C'était la soirée la plus bizarre de toute ma courte vie. Deux hommes prenaient en note toutes mes opinions, déclarations, préjugés – oh oh oh… Je crois que je vais rester ici – pour toujours[38]. » Triomphant, Richler écrit aussi à Brian Moore, mais il adoucit le ton de sa lettre en promettant à celui-ci de lui servir d'agent littéraire :

> Vais parler à Kindlers à ton sjt la sem. prochaine. Je r'çois le gros, gros traitement ici. La nuit dernière, la grosse Mercedes décapotable s'arrête, le cahuffeur en sort et ouvre la porte pour moi. Dedans, y'avait les Kindlers. C'est des gens ok. Il peut pas entrer aux States parce qu'il était un membre du parti… Peut-être que, l'an prochain, ns allons tous deux être des hommes jaunes et noirs en Norvège. Toi, moi, Faulkner, Hem, et Tom Wolfe [*sic*][39].

Dans l'après coup, Richler se rappellera surtout d'un « mélange de terreur et de haine[40] » et, bien qu'il ait réussi à écrire « membre du Parti » avec une nonchalance étudiée, il en est horrifié. Il parle à Moore de l'American Way Club et des affiches qu'on peut y voir, ces affiches qu'il réutilisera dans *Le choix des ennemis* et *Le cavalier de Saint-Urbain* : « BAL CAMPAGNARD » et, juste en dessous, l'inscription « DACHAU : AUTOBUS TOUS LES SAMEDI À 14 HEURES. VISITE DU CAMP ET DU FOUR CRÉMATOIRE ». Il tente de se mettre à l'apprentissage de l'allemand, mais il fraye surtout avec des Américains ; le quartier d'Harlaching, où il habite, est majoritairement peuplé d'officiers américains. Au American Way Club, il trouve des bandes dessinées, une table de ping-pong, les derniers succès musicaux américains et du Coke. Il affirme toutefois y avoir prononcé un discours anti-américain[41].

Il profite de son isolement relatif pour travailler sur son texte *Losers* et entretenir une correspondance assez volumineuse pour que Weiner s'en plaigne. Elle déplore également le fait qu'il coure dans plusieurs directions à la fois et rassemble une foule d'idées sans prendre le temps de digérer quoi que ce soit. Il reste pendant quelques mois dans une zone de conflit – l'Espagne, l'Allemagne – et assume ensuite qu'il a une connaissance approfondie du pays en question. Ces critiques ne plaisent pas à Mordecai Richler, écrivain de la génération Beat. Il a l'impression qu'elle veut faire de lui un épicier. Ignore-t-elle qu'une écriture passionnée ne peut naître d'une existence de bourgeois? «Ah, Mordecai, Mordecai», le sermonne Weiner en laissant paraître un peu d'exaspération, «il faut laisser tomber ces idées préconçues».

Dans l'espoir qu'il développe un meilleur équilibre entre sensualité et esprit, Weiner lui suggère de s'inscrire à l'université. Richler estime quant à lui qu'il peut apprendre beaucoup plus en voyageant et que, de toute façon, Sir George et McGill sont faits pour les jeunes. Dans ce cas, pourquoi pas Oxford ou Cambridge? riposte Weiner. Trouvez-vous un tuteur en logique, en histoire, en philosophie et en pensée politique. En plaçant la logique en tête de liste, Weiner répète implicitement les critiques qu'elle-même ou d'autres ont faites à *The Acrobats*: trop d'émotions non assimilées, trop de harangues philosophiques naïves qui transforment le roman en une simple allégorie. Tout ce qu'elle veut à l'époque, c'est que Richler s'installe dans un endroit calme et ennuyeux où il puisse réfléchir tranquillement. Les voyages, il pourra les faire plus tard[42]. En dépit de la naïveté des arguments de Richler, les voyages ont réellement joué un rôle important dans son œuvre. Sans être un spécialiste de l'Allemagne ou de l'Espagne, il avait enregistré assez d'impressions et de détails sensoriels pour mettre en scène ses propres conflits dans une multitude de décors différents une fois qu'il fut assez mature pour interpréter sa propre expérience de Juif laïque.

Au lieu de suivre les conseils de Weiner, Richler décide d'épouser Boudreau. C'est elle qui a abordé le sujet la première[43]. Lionel Albert, qui a vécu avec le couple, est stupéfait[44]. L'isolement relatif dans lequel ils vivent à Munich a sans aucun doute contribué à la décision. Weiner, espérant que le mariage offrira à Richler cet environnement calme et ennuyeux qu'elle souhaite pour lui, choisit soigneusement ses mots pour le féliciter: «un sentiment de permanence s'insinuera dans ta vie». De plus, elle offre d'organiser un repas de mariage à Londres avec les plus proches collaborateurs de Richler[45].

La date des noces est fixée au 28 août 1954. Brian Moore revient sur sa position et écrit à Richler: «Toutes nos félicitations aux jeunes mariés. Beaucoup de bonheur[46].» La veille du mariage,

Ted et Kate Allan organisent une fête pour les amis de Richler, dont Stanley Mann. Richler croise Mann de temps en temps depuis 1949, quand Richler avait fait l'éloge du jeu de Mann dans une représentation de *The Dybbuk* organisée par le YWHA[47]. À Londres, Mann, Richler, Reuben Ship et Allan se réunissaient parfois pour jouer à des parties de poker entre expatriés[48]. Lors de la fête organisée par les Allan, Richler rencontre pour la première fois l'épouse de Mann, Florence, dont il avait manqué de faire la connaissance à Toronto alors qu'elle était encore Florence Wood. À l'époque, Florence travaille comme mannequin. Elle est grande et gracieuse ; elle a de grands yeux bleus noirs, d'épais cils noirs et une longue chevelure de jais[49]. Pendant la réception, il ne peut détacher son regard d'elle. Lorsqu'il l'approche enfin et lui demande si elle a lu *The Acrobats*, elle répond : « Oui. Ça m'a plu, mais pas assez pour avoir envie de rencontrer l'auteur[50]. » Il encaisse le coup. Richler a rarement parlé de son premier mariage en public, mais il a un jour dit à un journaliste allemand que, lorsqu'il a vu Florence, il a réalisé qu'il venait de commettre une erreur[51]. Après le mariage, Florence devient amie avec Cathy[52], et les Richler fréquentent régulièrement les Mann.

Pour des raisons bien différentes, le clan Richler pense aussi que Mordecai commet une grave erreur en épousant Cathy. Richler pensait peut-être que son père et ses oncles s'étaient réconciliés avec le fait qu'il ne respecte pas la loi juive. Après tout, il s'était souvent vanté, de manière ouverte, de ses exploits européens. Mais il découvre que ceux-ci s'opposent farouchement à son mariage avec une *shiksa*. Lorsqu'il apprend les plans de Mordecai, Moe le supplie d'y réfléchir à deux fois : « Réfléchis, réfléchis, réfléchis, réfléchis bien avant de franchir le pas, parce qu'après le 28 août, jour fatal s'il en est, ma porte te sera définitivement fermée, et tout ce qui vient avec... Il n'en tient plus qu'à toi de choisir entre une femme qui n'est pas la bienvenue et ton père qui a toujours cherché à t'offrir ce qu'il y a de mieux[53]. » Quand Mordecai décide de se marier malgré les conseils de son père, Moe et l'oncle Bernard coupent les ponts avec lui[54]. Bernard se justifie en disant que s'il approuve aujourd'hui le comportement de Mordecai, que feront ses propres enfants et petits-enfants[55] ? Ce père de deux jeunes filles ne veut prendre aucun risque. Certains Juifs orthodoxes vont jusqu'à observer une période de deuil lorsque leur fils ou leur fille épouse un Gentil – ils considèrent alors que leur enfant est mort – et Richler a pris ce risque en toute conscience. Dans *The Acrobats*, le père de Barney observe une période de deuil après le mariage de Barney et de Jessie et il précise dans son testament qu'il ne veut pas que Barney assiste à ses funérailles[56]. Avrum n'est pas certain que Moe ait véritablement pris le deuil pour Mordecai, mais Moe affirme l'avoir fait[57]. Plus tard, Richler racontera, en riant, que Moe l'avait averti que dans les moments difficiles une épouse non juive le traiterait de tous les noms et qu'il éludait habilement le sujet en demandant : « M'man t'a-t-elle déjà lancé des injures[58] ? » À cette période, toutefois, Richler est furieux. Weiner tente de jouer les médiateurs : elle comprend la position de la famille et pense, elle aussi, que les mariages mixtes sont souvent voués à l'échec. Montrez-vous doux et conciliant, l'exhorte-t-elle.[59] Mais ce n'est qu'un an après le mariage que Marion Magid, une amie de la famille, remarque un semblant d'objectivité dans l'attitude de Mordecai[60].

Même si Avrum et Mordecai ont souvent menacé Lily d'épouser une non Juive, celle-ci n'en est pas moins bouleversée lorsque la situation devient concrète. Elle se demande ce qu'elle a fait de mal et, en fouillant dans ses souvenirs de manière sélective, elle cherche à comprendre comment cela a pu se produire, comment le fils qu'elle a élevé dans le giron de l'orthodoxie peut aujourd'hui vouloir épouser une *shiksa*[61] ? Lily n'est pas parfaite : elle aussi a enfreint certaines règles de l'orthodoxie, dont le respect du Shabbat et à l'adultère. Des années plus tard, lorsqu'Avrum divorcera de sa première femme pour épouser une non Juive, Lily cessera de lui parler pendant un certain temps. Avrum ne se souvient cependant pas que Mordecai ait connu le même sort : « Mordecai était son héros… C'était un auteur reconnu. Il habitait à *Londres*[62]. » Selon Jackie Moore, Weintraub exerçait des pressions fructueuses sur Lily : « Maman… adore la mariée, et vous n'avez pas à craindre d'être déshéritée de ce côté-là[63]. »

Richler travaille alors d'arrache-pied sur son roman *Losers*, qui porte aujourd'hui le titre *Mon père, ce héros*. Puisque Moe refuse de lui envoyer encore de l'argent, Richler décide d'abandonner l'idée plutôt stricte qu'il a de l'intégrité que doit avoir un écrivain. En principe, la télévision – l'invention de l'époque – doit pouvoir rapporter de l'argent à un écrivain doté de suffisamment de talent et d'initiative. Richler fait de la nécessité une vertu et abandonne sa résolution de ne pas se laisser influencer par les pressions commerciales. Grâce à *The Acrobat*, Richler est présenté au responsable des scénarios d'une société de production. Au lieu d'un jeune producteur dynamique, Richler rencontre «un homme émacié d'une soixantaine d'années avec un tic facial déconcertant» qui ne s'intéresse pas à *The Acrobats* mais cherche simplement quelqu'un qui serait prêt, en échange d'un salaire de misère, à lire des romans et rédiger des synopsis de cinq pages sur le potentiel cinématographique de chacun. Richler accepte le boulot[64]. À la même époque, et de manière plus prometteuse, la relation qu'entretient Richler avec Ted Allan finit par lui ouvrir des perspectives encourageantes. Allan propose à Richler de l'aider à rédiger les épisodes de la série télévisée *Robin des Bois*, d'une durée d'une demi-heure chacun[65], et Richler ne manque pas de s'en vanter[66].

Vers la fin de la vie de Richler, Bill Weintraub se demandera pourquoi l'écrivain, qui avait une piètre opinion du talent littéraire d'Allan, est resté ami avec celui-ci. Weintraub attribue leur amitié à l'intérêt qu'ils portaient tous deux à la Guerre civile espagnole[67]. Par ailleurs, Richler s'est toujours montré très loyal envers les amis qui l'ont aidé à avancer dans sa carrière. Lorsqu'Edgar Cohen, un critique littéraire au journal *The Gazette*, a publié l'une de ses nombreuses diatribes contre le jeune auteur, Ted Allan a pris la peine d'écrire au quotidien anglophone pour saluer l'émergence d'un romancier important et défendre la vision sombre de Richler en le comparant à Spinoza – rien de moins[68]. Des années plus tard, lorsqu'Allan demande à Richler d'écrire une phrase de présentation pour la quatrième de couverture de ses mémoires, Richler, peu enthousiaste à l'idée de se taper tout le manuscrit mais toujours redevable envers Allan, lui répond : «Écris ce que tu veux». Allan le prend au mot et la loyauté de Richler en prend un coup. «J'ai adoré ce livre. J'aurais aimé l'avoir écrit moi-même», lui fait dire Allan. Par la suite, Richler prendra soin d'approuver tout ce qu'on écrit en son nom[69].

Allan et Richler utilisent des pseudonymes pour écrire les épisodes de *Robin des Bois*. Richler tape à la machine pendant qu'Allan fait les cent pas, mime certains passages et dicte le texte. « Aide-moi. Donne-moi une phrase », demande Allan. Richler s'exécute, mais Allan n'est pas satisfait. « Es-tu fou ? Tout cela est vrai, c'est pour la télévision ! », répond Allan[70]. Malgré tout, c'est grâce à lui que Richler fait son entrée dans l'univers des séries télévisées, une expérience qui lui a sans doute permis d'améliorer son écriture et de confirmer ce que ses éditeurs disaient déjà de lui. Dans *Mon père, ce héros*, il n'y a plus de ces longs discours sur la condition humaine qu'on retrouve dans les pages de *The Acrobats*. Richler écrit à Bob Amussen, qui supervise les coupures de *The Acrobats* à New York : « Aujourd'hui, je ne ressens plus qu'un certain malaise à l'égard de l'essai politique et tout le reste… J'en ai fini avec ce genre de truc[71]. »

Richler envoie le manuscrit de *Mon père, ce héros* à Deutsch en octobre 1954. Si on peut considérer *The Acrobats* comme une tentative détournée de Richler de devenir un écrivain moderne et Gentil, *Mon père, ce héros* se situe dans la même veine, à quelques différences près. En réalité, on y perçoit une appréciation beaucoup plus honnête de lui-même en tant que Juif. Des années plus tard, Richler parlera souvent du fait qu'au début des années 1950, Arthur Miller et Paddy Chayefsky cachaient la religion de leurs héros. Richler aurait aussi bien pu prendre comme exemple *The Acrobats*. En 1953, Saul Bellow remporte le National Book Award, l'une des distinctions littéraires les plus prestigieuses aux États-Unis, avec *Les aventures d'Augie March* (*The Adventures of Augie March*). D'après Richler, le roman prouve que les écrivains juifs américains ne craignent plus d'afficher leur identité juive[72]. En réalité, Henry Roth l'avait déjà fait beaucoup plus tôt, en 1934, avec *L'Or de la Terre promise* (*Call It Sleep*), roman dans lequel le heder occupe une place importante et où les compagnons de David Schearl parlent un anglais aux inflexions yiddish. À son tour, Richler est maintenant prêt à déterrer ses grands-parents décédés et ses parents encore vivants. « Est-ce bon pour les

Juifs ? » demandaient toujours ses parents à propos de tout[73]. Il retourne la question dans l'autre sens : « Qui sont ces Juifs qui s'interrogent à propos de toute chose afin de savoir si elle est bonne pour eux ? »

Richler sait que le roman fera des vagues à Montréal. Il est si près de l'autobiographie que Richler décide d'accompagner Deutsch chez un avocat pour discuter de la possibilité d'éventuelles poursuites pour diffamation[74]. Lorsqu'on lui demande de modifier les noms des gens et des lieux dont il est question dans son texte, Richler accepte, mais le résultat n'est pas très convaincant : le local de la jeunesse travailliste sioniste de la rue Jeanne-Mance devient la maison sioniste de la rue Clark. Ce n'est pas suffisant, estime l'avocat, et Diana Athill réussit malheureusement à convaincre Richler d'aller plus loin, jusqu'à ce que la maison sioniste devienne « la salle de réunion du cercle local des jeunes[75] ». Suivant les conseils de Weiner, Richler a déjà éliminé les scènes d'amour pour éviter le genre de problème qu'il a eu chez W. H. Smith avec *The Acrobats*[76].

Brian Moore estime qu'il y a trop de personnages inspirés de la réalité dans le roman[77]. Le protagoniste, Noah Adler, représente Richler lui-même. Autour de lui gravitent des personnages qui ressemblent, à s'y méprendre, aux parents et grands-parents de Richler. Le rabbin Jacob Goldenberg représente le rabbin Yudel Rosenberg ; le personnage de Melech Adler, le marchand de ferraille, s'inspire de Shmarya Richler ; Wolf Adler, l'aîné de Melech, est l'alter ego de Moe ; et la femme de Wolf représente la mère de Richler. Elle porte même le nom hébreu de Lily : Leah. Seuls Harry Goldenberg et Max Adler, des amalgames des oncles des branches Rosenberg et Richler, affichent moins de ressemblances avec des personnes réelles[78]. Le tableau suivant présente les personnages du roman (colonne 1) et les personnes réelles (colonne 2) dont ils sont un calque.

Dans *Mon père, ce héros*	Dans la réalité
Noah Adler	Mordecai Richler
Wolf Adler	Moe Richler
Leah Adler	Lily (Leah) Richler
Melech Adler	Shmarya Richler

Rabbin Jacob Goldenberg	Rabbin Yudel Rosenberg
Harry Goldenberg et Max Adler	Amalgame des oncles des branches Rosenberg et Richler

À travers ces personnages, Richler tente de brosser un portrait sociologique du ghetto de son enfance et, en même temps, il fournit une vaste explication, à la fois historique et personnelle, des raisons ayant incité un jeune Juif, au début des années 1950, à vouloir désespérément échapper à un Montréal tricoté serré pour s'enfuir en Europe, où les Juifs avaient récemment travaillé comme balayeurs de rues et souffert des pogroms. Dans une lettre, Richler explique ses intentions : « Je cherche à retracer l'évolution du ghetto à travers une diversité de figures et d'influences, du poète érudit à l'individu autoritaire, en passant par le progressiste et le pouvoir de l'argent... Il y a cinquante ans, mon grand-père, un Hassid, était un leader dans le ghetto. Aujourd'hui, il ne serait plus qu'un "personnage" dans sa propre communauté. Je ne veux pas porter de jugement ou crier à l'injustice : je ne fais que rendre compte des faits[79]. » Le système social élaboré par Noah est plus simple que celui qu'avait d'abord imaginé Richler : en premier lieu, viennent les poètes (Rabbi Goldenberg) et les individus autoritaires (Melech) ; puis le ghetto se divise entre les hommes d'affaires (Harry, Max) et les communistes[80]. Par manque de choix, ce sont les premiers qui s'occupent de faire respecter la Torah, mais ils ne se montrent pas à la hauteur. Bien qu'il soit pauvre, Wolf illustre l'allégorie de Richler : il est si embourbé dans le matérialisme qu'il tente de sauver du feu un manuscrit de la Torah parce qu'il pense que la boîte contient de l'argent. L'argent est la priorité, et la Torah lui est subordonnée : tels sont, selon Richler, les fondements du judaïsme contemporain. Si, dans la réalité, Moe fait semblant que son fils est décédé parce qu'il a épousé une non Juive, Mordecai assouvit sa vengeance en imaginant une mort absurde pour Wolf, l'alter ego de Moe Richler, à qui il attribue une fausse gloire posthume en tant que défenseur de la Torah (ce qui est faux pour Wolf comme pour Moe, ainsi que le démontre l'auteur).

Le dernier développement historique du ghetto, qui représente le fardeau du roman, est associé au personnage de Noah. À l'origine, Richler avait nommé son protagoniste « Nathan », mais lorsque lui est venu à l'esprit le nom de « Noah », qui évoque le déluge et le nouveau monde, il n'a pu s'en défaire. C'est d'ailleurs le nom qu'il donnera, sept ans plus tard, à son fils aîné. Dans le roman, le problème de Noah Adler n'est pas sa judéité, insiste Richler[81], et, bien que cela puisse sembler un peu sournois, l'écrivain expose clairement que la judéité n'est qu'un symptôme d'un problème plus vaste, celui du sens de la vie. D'après les critères de Wolf, Noah n'est « rien[82] ». En ce sens, ce personnage annonce, de manière involontaire, l'émergence d'une nouvelle génération existentialiste, plus précisément de la première génération de Rosenberg sans rabbin, comme Richler aimait le rappeler[83].

« Je ne veux pas porter de jugement », dit Richler. Pourtant, les jugements sont bien là, hâtifs et cinglants. À chaque page, on devine que le roman est l'œuvre d'un jeune homme qui cherche à défendre ses libertés. Richler brosse un portrait mélodramatique de Melech et de ses fils, comme s'il avait l'impression que son réquisitoire contre le vrai Shmarya n'était pas assez accablant. Richler s'imagine que Melech/Shmarya a dû, lui aussi, faire un choix similaire à celui de Noah à un certain moment. On apprend ainsi que Melech a dû choisir entre le judaïsme et Helga, une actrice dont il était épris[84], ce qui s'apparente à une explication simpliste et freudienne du personnage : il faut choisir entre l'orthodoxie et le désir. En optant pour l'orthodoxie, il a fait le choix de renoncer à ses sentiments et de devenir à la fois sévère et autoritaire. Les deux fils de Melech, Max et Schloime, sont aussi des personnages simples sur le plan psychologique : pour eux, il existe deux alternatives à l'orthodoxie : le culte excessif de l'argent et la chasse aux communistes.

Les reproches adressés au rabbin Rosenberg, moins sévères, sont tout aussi sérieux. Le roman sous-entend (bien qu'Avrum Richler ne soit pas d'accord sur ce point) que Lily aimait comparer Mordecai à son grand-père Rosenberg[85], et espérait qu'il adopte un style d'écriture respectueux des traditions. Yudel Rosenberg, lui-même un écrivain, est l'auteur d'un récit intitulé « How the Maharal of Prague, with the Aid of the Golem, Foiled a Plot by the Evil Priest Tadisch to Convert a Beautiful Jewish Girl to Christianity ». À la fin de l'histoire, le fils de Duke se convertit

au judaïsme et il fait don du manoir de son père à une *yeshiva*.
Il peut ainsi épouser sa Cendrillon juive[86]. À l'inverse, Richler
dépeint un jeune homme juif qui fuit l'orthodoxie et court après
les *shiksas*. Des années plus tard, après avoir lui-même épousé à
deux reprises des femmes non Juives, Richler réutilisera l'histoire
du rabbin Rosenberg dans son récit autobiographique intitulé
This Year in Jerusalem (1994) et la fera suivre d'un passage où Moe
et d'autres organisent un enterrement de vie de garçon dans une
pièce attenante de la synagogue[87]. À l'époque de ses mariages toutefois, les fables idéalisées de Rosenberg lui semblaient moins
risibles et plus menaçantes. Dans *Mon père, ce héros*, la popularité
du grand-père de Noah, le rabbin Jacob Goldenberg, commence à
faiblir vers 1925, comme ce fut le cas, dans la réalité, de la popularité du grand-père de Richler. Lors de ce qu'on a appelé la « guerre
de la viande cachère » (*The Kosher Meat War*), Rosenberg avait
tenté, sans succès, de contester le droit du rabbin Hirsch Cohen
de contrôler l'application de la cacheroute à Montréal[88]. Le grand
exploit de Richler n'est pas d'avoir su raconter l'histoire du ghetto
de Montréal mais, dans une perspective plus vaste, d'avoir décrit
la laïcisation de la communauté juive nord-américaine. Le rabbin
Rosenberg se montrait hostile à l'éducation laïque ; or celle-ci fut
pourtant le moyen d'émancipation propre à Richler et à Noah. Il
se plaignait que les Juifs, en abandonnant les écoles religieuses,
« faisaient des enfants juifs de nouveaux Gentils[89]. » Dans *Mon
père, ce héros*, Goldenberg délire sur son lit de mort. Il croit qu'il
parle au fondateur du hassidisme, le Baal Shem Tov (maître du
Nom divin), qui a vécu au xviiie siècle, et demande sans cesse à
Leah si elle voit le type de lumière qui aurait brillé au moment
de la mort du Baal Shem Tov. Lorsqu'elle cède enfin et affirme
voir la lumière, il devient évident que le rabbin Goldenberg avait
refoulé l'insignifiance et l'absurdité de sa propre existence, une
répression aussi profonde que celle de Melech.

Les deux parents de Noah meurent, eux aussi, dans *Mon père,
ce héros*. C'est la seconde fois que Richler fait mourir sa propre
mère. La première fois, dans *The Rotten People*, l'objectif était de
multiplier par deux le sentiment de culpabilité de Kerman pour
avoir abandonné sa mère qui l'idéalisait et en partant sur le Vieux
Continent pour écrire[90]. Certains aspects troublants de la

personnalité de Lily, tels son empressement à avoir une liaison, sa misanthropie et son insatisfaction presque chronique, si peu conformes avec sa tendance à idéaliser la foi, frustraient, motivaient et habitaient Richler. En faisant coïncider la mort de Leah avec le départ de Noah, Richler souhaite démontrer à quel point la tendance d'idéalisation propre au rabbin Rosenberg et à Lily ne leur est finalement d'aucune utilité[91]. Chez Lily, en particulier, l'évocation continuelle et pathétique d'un âge d'or, de l'époque révolue où son père était un leader au sein de la communauté juive, ne sert à rien. Des années plus tard, Lily s'assurera que son père, plutôt que d'être enterré comme n'importe quel autre mortel, repose dans une petite maison de briques où une flamme brûle en permanence pour témoigner de sa valeur et, par conséquent, de la sienne[92]. Pendant la majeure partie de sa vie, Richler s'est identifié à Lily, mais il a fini par sentir que même s'il était profondément aimé, il l'était par une personne inadéquate. Dans *Mon père, ce héros,* il commence explicitement à se définir en opposition à elle, non seulement à son optimisme religieux et littéraire peu convaincant, mais à l'ensemble de sa personnalité. Pourtant, Richler ne peut se défaire facilement de certains aspects de la personnalité de sa mère : il partage en effet son caractère obstiné, ses mœurs légères et sa détermination. Dans l'attitude de rejet qu'il adopte envers elle se reflète encore, à un certain degré, le caractère indomptable et la rudesse de Lily.

Dans *Mon père, ce héros,* Richler s'en prend également aux intellectuels anglo-saxons de la classe supérieure, représentés par le professeur de Noah, Theo Hall. Pour ce personnage, Richler s'est inspiré de son ancien professeur d'anglais à Sir George, Neil Compton, chez qui il a été invité à quelques reprises en 1952-1953 à l'occasion de fêtes, et qui lui a fourni des lettres de référence. Le portrait fictif de Compton est loin d'être flatteur. Bien que Hall, sans être antisémite, soit plutôt intelligent et cultivé, il est dépeint comme un être frustré et incapable. Il lui manque la passion de Noah. Sa femme, Miriam, le quitte pour le jeune homme juif. On perçoit également les fantasmes d'un Richler adolescent dans le fait que Noah « vole » puis abandonne la femme de Hall. Le personnage de Miriam s'inspire d'Evelyn Sacks, et non de la femme de Compton, Pauline[93], mais y avait-il meilleur moyen pour Richler de prouver sa virilité intellectuelle que de rendre cocu son professeur ?

D'après Brian Moore, Richler traite Compton de manière injuste[94]. Trente ans plus tard, dans *Joshua au passé, au présent*, Richler examinera de plus près ses motifs en faisant dire à Pauline, la femme de Joshua – que celui-ci, à l'instar de Richler, a « volée » à un autre homme : « Quelque chose en toi aspirait à une blonde *shiksa*[95]. » Même s'il lui dédie *Mon père, ce héros*, Cathy Boudreau, pauvre et déterminée comme Richler, ne correspond pas à ce qu'il cherche. Juste avant que Noah abandonne Miriam dans le roman, on apprend que celle-ci est issue d'un milieu pauvre et francophone – un mauvais présage pour Cathy. Après Helen, Ulla, Cathy et enfin Florence, la blonde *shiksa*, Richler insistera sur le fait que, malgré les apparences, il ne suivait aucune règle et n'était pas fermé à l'idée d'épouser une Juive. Il affirme qu'il aurait même déjà eu une petite amie juive à Paris[96]. Il est toutefois possible qu'il ait menti sur ce point[97]. En tous les cas, en 1954, il semble choisir systématiquement des petites amies non Juives, tant dans ses romans que dans la réalité. C'est un geste de défi à l'orthodoxie, qu'il accomplit au nom de la bohème et qu'il met en scène dans *Mon père, ce héros*, dans un passage où Marg Kennedy répète à Miriam l'éternel refrain sur les jeunes Juifs rebelles : « … ils finissent tous par épouser une des leurs : une Juive terriblement respectable[98]… » Pas moi, dit Richler, pas moi.

Il semble que quelqu'un ait dit à Neil Compton qu'il aurait intérêt à jeter un coup d'œil au roman de son ancien étudiant. Compton écrit à Richler : « Nous avons entendu des rumeurs étranges au sujet du nouveau roman. Dois-je fuir Sir George Williams et prétendre n'avoir jamais entendu parler de vous, ou puis-je affirmer fièrement que c'est là le genre de choses que Sir George peut faire pour la populace[99] ?! » Rien ne prouve que Compton ait adressé des reproches de quelque nature à Richler, même s'il est évident qu'il s'est reconnu dans le roman. Dix ans plus tard, lorsqu'on demandera à Compton d'écrire un article sur les écrivains juifs de Montréal pour *Commentary*, celui-ci dira en blague à Richler : « Je vais peut-être enfin pouvoir me venger pour *Mon père, ce héros*[100]. »

La famille élargie de Richler est encore moins flattée lorsqu'elle découvre *Mon père, ce héros*. Les Juifs de Montréal ont reconnu les personnages, affirme son oncle Bernard, et la famille en veut à Richler[101]. Selon une critique publiée à l'époque par le journal *Jewish Standard* de Toronto, les Juifs de Toronto se portent très bien, mais la communauté juive de Montréal est en train de dérailler. La preuve? Elle produit des individus comme Richler[102]. D'après un lecteur juif plus rusé, le roman est brillamment surchargé, avec des Juifs de music-hall d'un côté et des jeunes qui parlent comme des voyous d'Hollywood de l'autre[103]. Un an après la parution du roman, David Richler, le « Yankel » de l'enfance de Mordecai, nomme son fils aîné « Shmarya », un geste qu'on peut interpréter comme un reproche adressé à Mordecai. Un journaliste a par la suite écrit, en citant probablement Richler, que *Mon père, ce héros* avait été lu par beaucoup de gens qui n'ont pas l'habitude de lire[104], comme si, par contraste, les individus cultivés et raffinés avaient tendance à applaudir lorsqu'ils étaient confrontés à des portraits fictifs et accablants d'eux-mêmes. Bernard parlait au nom de la majeure partie de la famille lorsqu'il a dit à Richler : « Nous n'achetons pas tes livres[105]. »

De manière habile, mais non sans fourberie, Richler, oubliant pour l'occasion le personnage de Chaim, dans *The Acrobats*, riposte en déclarant qu'il n'a aucun intérêt à décrire des Juifs sympathiques et opprimés qui parlent en paraboles[106]. Les mots de Richler renvoient à un certain nombre de projets émancipateurs, mais il va plus loin en affirmant : « Je ne considère pas les [Juifs] comme totalement mignons, adorables ou pathétiques… la classe moyenne juive américaine est très corrompue[107]. » Bien que Richler ait décrit des Juifs débrouillards, stupides, tyranniques, gentils, des Juifs qui sont des figures d'autorité dans le ghetto et d'autres qui le quittent pour devenir des personnalités influentes dans l'univers des Gentils, sa famille a l'impression qu'il fait beaucoup plus que briser des stéréotypes. Toutefois, et bien que certains l'aient fait[108], on ne peut accuser Richler d'antisémitisme. Ce serait ignorer la diversité de ses personnages et exiger que l'écrivain de la minorité fasse la promotion de sa propre communauté. La communauté juive de Montréal semble pourtant avoir compris, de manière tacite, qu'il ne se considère pas comme l'un d'eux mais qu'il cherche, comme il a tenté de le faire avec *The Acrobats* et pendant un certain temps, à se présenter comme un écrivain existentialiste européen et à attaquer le ghetto comme s'il y était étranger, comme s'il était un Juif «libéré».

Ses amis, eux aussi, se plaignent du roman. Jackie Moore est la plus directe : «En gros, tu dis : "les Juifs puent, les Gentils puent, Montréal pue, le Canada pue." Le résultat : une puanteur omniprésente[109].» Weintraub, qui tient Neil Compton en haute estime et a l'impression que Richler y est allé fort avec son ancien professeur à cause de sa décence et de sa consommation modérée d'alcool, prédit que les prochains romans de Richler seront meilleurs... quand sa colère sera apaisée. Weintraub réprimande également Richler pour l'incroyable mauvais goût dont il a fait preuve en donnant le nom de «Moore» à un personnage d'ivrogne irlandais et en appelant un autre de ses personnages Mavis. «Je ne crois pas que Brian sera fâché», précise-t-il. «Mais c'est une très mauvaise blague[110].» Et ce n'est pas tout. Weintraub ne l'a pas remarqué, mais le personnage de Max Adler, qui veut avoir du succès auprès des Gentils, décide de se faire appeler M. Allen, comme l'a fait Ted Allan, né Alan Herman[111]. Weintraub a sans doute remarqué certains autres détails, mais il a choisi de garder le silence, notamment sur la présence d'un certain «Pincus Weintraub» dans le roman de son ami[112].

Cela a dû être un choc pour Richler lorsque Weintraub, Jackie Moore et Nathan Cohen, un nouveau contact à la CBC, ont tous déclaré que le personnage de Noah, si proche de Richler lui-même, leur était antipathique[113]. Seul Brian Moore, qui appelait Richler «Noah», a souligné la distinction cruciale entre les deux : «Le héros te ressemble, mais je pense que tu es un meilleur homme que lui[114].» À part fuir la maison, Noah ne trouve aucune autre solution à ses crises existentielle et artistique ; toutefois, il est clair que Richler voulait que le personnage de Noah suscite l'admiration. Richler utilise la fameuse phrase d'Ivan Karamazov, «Si Dieu n'existait pas, tout serait alors permis», comme épigraphe de *Mon père, ce héros*. Dès le début du roman, Noah combine les méditations funestes d'Ivan avec les idées de jeunesse de Richler pour en arriver à «Pas de Dieu, pas d'éthique : pas

d'éthique – la liberté[115].» Si cela peut sembler naïf, Noah, à la fin
du roman, reconnaît qu'il est semblable à Melech et à Wolf et
qu'il a atteint une position éthique. En ce sens, *Mon père, ce héros*
pourrait s'intituler *Réponse à Dostoïevski*. L'écrivain russe en vient
à associer son éthique à Dieu et par contredire Ivan, qui a
inculqué involontairement à Smerdiakov une idéologie de
liberté absolue. Contrairement à Dostoïevski, Noah *aura* une
éthique laïque qui combine les éléments mis à sa disposition et
qui est finalement reconnue par son grand-père orthodoxe, bien
que celui-ci ne lui accorde pas sa bénédiction. Richler expose
sans ambages la position de Noah en le faisant embrasser son
grand-père tout en se détachant de lui. Melech apparaît tel un
Shmarya davantage soumis, et Richler aurait probablement souhaité pour son grand-père et lui des adieux aussi respectueux
que ceux de Noah et Melech. Il récupère ainsi, dans la fiction, ce
que Shmarya, intransigeant, lui a refusé dans la réalité. Sa décision de traiter le personnage de Melech avec un minimum de
respect est probablement due, en partie du moins, à l'intervention de Weiner, qui a exhorté Richler à mettre l'accent sur Melech
et les parchemins, deux éléments qu'elle considère importants
dans le roman[116]. Richler a par la suite fidèlement réutilisé le personnage de Noah pour expliquer la tâche de l'écrivain. L'artiste,
estime Richler, doit déterminer ce qui est éthique dans un
monde où personne ne s'entend sur les valeurs importantes :
«Nous vivons à une époque où, de manière superficielle, la vie
semble dénuée de sens, et nous devons faire des jugements de
valeur à tous les instants sans pouvoir nous appuyer sur quelque
chose de concret[117].»

Si le roman accorde toujours l'avantage à Noah sur ses oppo-
sants, *Mon père, ce héros* représente, de plusieurs façons, un
énorme progrès dans l'écriture de Richler. On commence à y
percevoir la satire qui donnera tout leur éclat à ses futurs romans
et qui en excusera la mauvaise foi. La logeuse de Noah dans la
province arriérée de Montréal (tiefste Provinz) assume que *Les
Nus et les Morts* est un traité médical. David Lerner, une parodie
d'A. M. Klein, un homme talentueux mais suspect selon Richler,
découvre que son ode à Wolf Adler, le sauveur de la Torah, circule beaucoup mieux dans la communauté juive canadienne que

son « Ode à Sacco et Vanzetti ». Au même moment, l'écriture de Richler devient de plus en plus drôle et de plus en plus honnête. André, l'artiste idéalisé qui a renoncé à la célébrité, a été remplacé par Noah, un écrivain à l'esprit torturé qui doute de lui-même et entretient une relation d'amour-haine avec sa mère, une fervente admiratrice de Keats, et avec son père, un homme facilement intimidé qui tient à l'orthodoxie mais contourne les règles du Shabbat en achetant à crédit de quoi grignoter[118]. Comme Richler traite des situations fictives en ayant recours à la gravité de l'autobiographie, le roman semble dans le bon ton, malgré la polémique contre la communauté juive de Montréal. Certaines situations imaginaires – Wolf saute-t-il dans le feu pour récupérer l'argent ou pour sauver la Torah ? – révèlent avec une grande précision la perception qu'a Richler de la relation qu'entretient son entourage avec le judaïsme de la Torah. Si, d'une certaine façon, le roman à caractère divertissant *The Acrobats* n'a aucune importance dans le parcours de l'écrivain, il en va tout autrement de *Mon père, ce héros*.

10

Amis et ennemis

E N 1955, *Mon père, ce héros* obtient une place de choix dans le catalogue de printemps d'André Deutsch[1]. Malgré tout, Putnam's refuse de publier le roman aux États-Unis en raison des ventes désastreuses de son roman précédent, *The Acrobats*[2]. Au Canada, où la concurrence est moins féroce, *Mon père, ce héros* est considéré comme une œuvre puissante et originale. Lors d'un concours organisé par le magazine *Maclean's*, le jury lui accorde le premier prix, ce qui implique la publication du roman en plusieurs parties dans *Maclean's*. Les rédacteurs en chef du magazine s'y opposent, en qualifiant le roman d'œuvre antisémite[3]. Richler n'est pas impressionné par l'attitude de son pays. «Je ne veux pas être respecté, dit-il je veux seulement être accepté[4]».

Dès janvier 1955, Richler évoquera régulièrement la possibilité de rentrer à la maison. «Je dois rentrer à Montréal en 56. Je songe à m'y installer éventuellement. C'est l'endroit que je connais le mieux et à propos duquel je peux le mieux écrire. Je n'ai pas le choix[5].» Mais il n'est pas encore prêt à mettre de côté le rêve qu'il entretient de percer en Europe, et ce n'est que dix-sept ans plus tard qu'il reviendra s'établir au Canada. Le fait qu'il y pense n'est cependant pas à négliger : il commence à retravailler «Mr. MacPherson» pour en faire le roman qui lui vaudra sa réputation d'auteur. Mais en raison de certains événements internationaux, *Le choix des ennemis*, son autre roman, sera publié en premier.

Richler tente un dernier séjour à Paris. En février et mars 1955, il loue un appartement de trois pièces à Montparnasse et gagne quatre-vingts dollars par mois en écrivant deux articles pour l'Unesco. La plupart ses amis sont déjà repartis. Richler présente toutefois les choses comme si c'était Cathy qui se sentait seule et s'ennuyait de Florence Mann[6]. Pendant qu'il travaille dur à l'élaboration de la trame narrative de son troisième roman – son premier vrai roman, d'après lui –, Richler essaie de convaincre Cathy d'écrire un roman pornographique. Il sait qu'ils pourraient obtenir immédiatement la comme de 200 000 francs (ce qui correspond à environ 600 dollars) d'Obelisque Press, à laquelle s'ajouterait le montant supplémentaire de 300 000 au moment de la livraison[7]. Le roman porno n'a jamais vu le jour, mais les passages du *Monde de Barney* dans lesquels apparaît «Mme Ogilvy» suggèrent que Richler avait lui-même une certaine facilité pour ce genre d'écriture.

Le couple retourne à Londres et trouve un appartement au 5 rue Winchester ; il s'agit d'un trois pièces sans salle de bain situé au troisième étage d'une maison victorienne décrépite dans Swiss Cottage[8]. Pendant que Cathy travaille, Richler écrit. Ce qu'elle désire plus que tout, à cette période c'est avoir un enfant. Au début de 1955, elle fait une fausse couche. Richler en fut probablement soulagé, car il a commencé rapidement à faire des blagues à ce sujet, et a déclaré à Diana Athill qu'il ne voulait pas d'enfant. Si Cathy avait un enfant, Richler craignait de devoir rester avec elle toute sa vie[9].

L'écrivain antillais George Lamming, que Richler avait rencontré à Londres un an auparavant et dont la fille deviendrait sa filleule, s'installe avec eux pour un temps[10]. Les deux hommes, originaires des colonies, sont tout aussi perplexes l'un que l'autre face aux comportements des Britanniques. Dès lors, ils se sentent très proches[11]. Ils fréquentent le Mandrake Club et attendent, le vendredi après-midi, que leurs femmes les rejoignent avec leur paye de la semaine[12]. Lorsque Weintraub arrive à Londres, il trouve «une véritable usine avec George Lamming qui prépare un roman dans la chambre des invités, Mort qui en fignole un autre dans la chambre de devant, et Cathy qui fait des contrats de dactylo pour Reuben Ship dans la cuisine». Richler et

Weintraub travaillent ensemble sur un film de l'Office national
du film du Canada intitulé *First November*. Si Richler se moquait
du personnage principal, Harry Merton, un écrivain qui essaie
de percer et qui, en attendant, vit de ce que gagne sa femme[13], il
recevait lui-même régulièrement des lettres de refus.

Il décide à nouveau de se tourner vers des contrats plus lucratifs et se remet à travailler pour la CBC. Robert Weaver, le jeune
producteur qui a tant fait pour la littérature canadienne, accepte
« Benny, the War in Europe, and Myerson's Daughter Bella[14]. »
L'histoire sur laquelle est fondée la pièce radiophonique n'est
pas très prometteuse. Benny, le protagoniste, en a assez que ses
parents le comparent au « Shapiro boy » et il décide de partir à
la guerre, une expérience dont il reviendra traumatisé. Rien, dans
l'histoire, n'indique que Richler connaissait quelque chose aux
traumatismes. Il utilise plutôt l'état de choc dans lequel se trouve
Benny pour justifier les humiliations multiples qu'il subit, créant
ainsi une forme de pathos qui fonctionne surtout parce que le
lecteur n'est pas autorisé à voir trop profondément en lui.
Richler écrit pourtant à propos de ce qu'il connaît le mieux, à
savoir la communauté juive de Montréal et sa famille. En réalité,
Benny est une version exagérée de Moe ; la mère et l'épouse arrivistes de Benny s'inspirent toutes deux de Lily. Mais le plus
important, c'est que Richler est en train de développer un style
qui lui est propre, notamment avec des phrases comme celle de
Myerson, « J'ai besoin de lui comme j'ai besoin d'un cancer », ou
l'extrait suivant d'une conversation entre Bella et Benny :

> « T'as envie d'une tasse de café ?
> — Je ne dirais pas non[15]. »

Si Richler exploite les clichés, ce n'est pas seulement pour
souligner les limites intellectuelles des personnages, mais aussi
pour rendre compte à la fois de la manière dont ils se donnent
en spectacle et des vestiges d'un certain ordre social juif. C'est
ici que le cliché entre dans l'œuvre de Richler, d'une part en tant
que performance dont les personnages calculent (à tort) qu'elle
leur vaudra un certain respect social et, d'autre part, en tant
qu'expression profonde d'une individualité qui, du point de vue
de Richler, n'est *pas à la hauteur*.

Bien qu'à la même période, il ait apparemment refusé une offre pour écrire sur une base régulière pour la télé en échange d'un salaire de 100 livres par semaine[16], l'un de ses scripts non produits de cette période, *A Tram Named Elsie*, qui n'a pas été retenu, montre les effets positifs de la commercialisation. Un chauffeur de taxi fou, qui dévore des livres tels que «Comment réussir», récupère un tramway avant qu'on ne l'envoie à la casse. Il est traqué par les élèves, méprisé par les femmes et déconcerté par la quantité de règles qui régissent les tramways, jusqu'à ce qu'il se fâche et entraîne Elsie dans un voyage interdit[17]. Aucun producteur ne peut se plaindre que l'histoire contient trop de dialogues ou de profondeur; le scénario est une course à la fois énergique et satirique à travers Londres. Richler travaille sur le script avec son mentor, Michael Sayers, mais le produit final n'est pas suffisamment littéraire aux yeux de celui-ci[18].

≈

Au début de 1956, le nouveau cercle d'amis et de connaissances de Richler se compose essentiellement d'Américains qui ont fui les États-Unis, des écrivains et des gens de la télé – dont Carl Foreman, qui vient d'écrire le scénario du film *Le train sifflera trois fois* (*High Noon*) – inscrits sur la liste noire parce qu'ils sont, pour la plupart, des communistes ou des gauchistes. Doris Lessing, une expatriée de la Rhodésie du Sud, vit tout près de l'appartement des Richler, avec qui elle se lie d'amitié. Elle les invite aux fêtes qu'elle organise, où Richler rencontre des journalistes du *New Statesman* et du *Tribune* ainsi que des vétérans de la guerre civile espagnole. Celui-ci est frappé de mutisme en présence de John Sommerfield, l'auteur de *Volunteer in Spain*. Les invités boivent beaucoup et s'inquiètent des informateurs de la CIA, maudissant Eli Kazan, Clifford Odets et tous ceux qui, en pliant sous la pression, ont accepté de servir de témoins amicaux à la Commission des activités antiaméricaines (*House Un-American Activities Committee*, HUAC). Arthur Miller est leur héros parce qu'il a fait connaître leur situation dans *Les Sorcières de Salem* (*The Crucible*), une allégorie du maccarthysme. Dans ce contexte, il n'est pas surprenant que Richler soit considéré comme un écrivain américain déporté et qu'on l'invite à s'exprimer devant un groupe d'écrivains communistes (seules quelques personnes assisteront à son exposé) ou encore qu'il imite Ted Allan et écrive sur la guerre civile espagnole, LE thème gauchiste de l'heure[19]. Sa position est délicate. Il occupe le poste de Représentant Authentique de la Classe Ouvrière auprès de ses amis de la télé et dépend d'eux pour obtenir des contrats à la télévision. Pourtant, il se moque de leurs politiques.

Deux de ses meilleurs amis figurent sur la liste noire : il s'agit de Ted Allan et Reuben Ship, tous deux originaires de Montréal. À Montréal, Richler avait rapporté sur la CBM que la HUAC en voulait à Ship parce que celui-ci avait contribué financièrement à la défense de Madrid. D'après d'autres comptes rendus, moins sentimentaux, il aurait été directeur littéraire du Parti communiste et prononcé un discours soutenant que les fabricants américains professaient des opinions antisémites et antitravaillistes à la radio. Convoqué devant la HUAC, il accuse ses membres d'être des chasseurs de sorcières et cite Thomas Jefferson : si tu es prêt à sacrifier un peu de liberté pour te sentir en sécurité, tu ne mérites ni l'une ni l'autre. À Los Angeles, le cas de Ship fait la manchette des journaux. Des Américains patriotiques prennent la défense de Dieu et de leur pays en appelant Ship à n'importe quelle heure du jour et de la nuit pour lui crier des obscénités. Menottes aux poignets, il est déporté en 1953 dans son pays natal, le Canada[20].

Ship se met immédiatement à la rédaction d'une satire du maccarthysme intitulée *The Investigator* et destinée à CBC Radio. La pièce connaît un succès clandestin aux États-Unis. L'enquêteur (*the investigator*) meurt et arrive au Paradis, où sa nouvelle commission tente de révoquer le statut de résident permanent de dissidents potentiels tels que Socrates, Jefferson et, pour les Canadiens, William Lyon Mackenzie. Éventuellement, l'enquêteur vise très haut et décide d'assigner à comparaître «le Chef» lui-même[21]. Malheureusement pour Ship, l'enquêteur lui-même est plus intéressant que les dissidents et leurs pieux discours.

Les idées exprimées dans la pièce radiophonique de Ship, diffusée en Grande-Bretagne, ne sont pas très éloignées de celles de Richler lorsqu'il commence à rédiger des textes à caractère politique. Richler aime côtoyer les expatriés qui figurent sur la liste noire, et surtout Ship, qu'il trouve enjoué et, malgré ce à quoi on pourrait s'attendre, pas du tout obsédé par un sens tragique de la trahison[22]. Le fait que Ship donne du travail à Richler, notamment l'écriture d'un des premiers courts-métrages d'humour de Peter Sellers, *Insomnia Is Good for You*[23], n'y est sûrement pas étranger. Malgré l'amitié qui les unit, Richler n'est pas tout à fait à sa place parmi les expatriés de la liste noire[24]. Il commence d'ailleurs à trouver les communistes brouillons et il tend de plus en plus à remettre en question leurs politiques, même s'il supporte lui aussi les travaillistes. Ses amis l'accusent de n'être qu'un cynique apolitique[25]. En février 1956, le discours «secret» de Nikita Khrouchtchev qui, pendant huit heures, décrit avec force détails les crimes de Staline, suscite de nombreux doutes et hésitations au sein du mouvement communiste. Réalisant soudain qu'il a dédié sa vie à un monstre, Ted Allan fait une dépression nerveuse[26]. Pas Richler. Depuis quelques années déjà, il remarque les petits paradoxes que cultivent les riches martyrs de la liste noire en hurlant à l'injustice du système de classes britannique, tout en continuant d'envoyer leurs enfants dans les bonnes écoles. Grâce à Robin des Bois, la série télévisée britannique la plus coûteuse jamais produite à l'époque, ils (c'est-à-dire Ted Allan) vivent comme des rois, mais font tout de même dire au tailleur juif du shérif de Nottingham: «la propriété, c'est du vol[27]!» Ces paradoxes finissent pas déteindre sur Richler: «J'ai appris à… commencer toute description d'un étranger ou de quelqu'un qui ne fait pas partie de ma classe sociale par "c'est un petit bonhomme sympathique"[28].» Quelques années plus tard, Brian Moore sera soulagé quand Richler cédera lui aussi et enverra Daniel, son fils adoptif, dans une «bonne» école[29].

L'événement politique le plus important de l'époque est sans aucun doute la crise du canal de Suez, et Richler s'identifie encore assez à la gauche pour se joindre aux manifestations. En 1952, après la révolution égyptienne, le colonel Gamal Abdel Nasser, un socialiste, renvoie les troupes britanniques chez elles et, en avril 1956, il procède à la nationalisation du canal de Suez. Les Israéliens, privés de leur accès au canal et au golfe d'Aqaba, et conscients du fait que Nasser vient tout juste de former un commandement militaire unifié avec la Jordanie et la Syrie, craignent que les armes égyptiennes, fabriquées en Russie, ne se tournent bientôt vers les Juifs. Le 29 octobre, Israël attaque l'Égypte et réussit à s'emparer de Gaza et du Sinaï. Le Royaume-Uni et la France, depuis longtemps responsables des décisions relatives au canal de Suez, se désignent comme arbitres (après avoir consulté Israël) et envoient des troupes sur le terrain une semaine plus tard. Les Nations Unies, y compris les États-Unis, dénoncent immédiatement l'agression israélienne et l'«intervention» franco-britannique, tout comme la majorité des travaillistes britanniques et quarante députés conservateurs. Le leader travailliste Aneurin (Nye) Bevan condamne l'utilisation d'«armes épiques à des fins sordides et futiles[30]».

Pour de nombreux partisans de la gauche, le choix semble simple : il faut ressusciter le vieil impérialisme obsolète du Royaume-Uni ou permettre aux colonies de décider de leur sort. C'est l'avis de Brian Moore, qui se souvient de l'expérience irlandaise[31]. L'avis de Richler est plus mitigé, comme celui de nombreux autres Juifs. Il accorde son soutien au Parti travailliste et admire particulièrement Bevan qui, bien qu'il soit un fils de mineur, adore lire et boire du bon vin (comme Richler aime le faire remarquer)[32]. En principe, Richler s'oppose au colonialisme. Dans les faits toutefois, sachant que l'Égypte a envoyé des commandos faire des raids de l'autre côté de la frontière israélienne, il est loin de verser une larme lorsque le Premier ministre conservateur britannique, Anthony Eden, adopte une position pro-israélienne. Bill Weintraub se met dans la peau de Richler lorsqu'il dit : « J'imagine que la situation doit être très différente vue de Tel-Aviv… Avec tous ces Arabes qui hurlent qu'Israël doit disparaître[33]. » À la même époque, le soulèvement anticommuniste hongrois vient s'ajouter au problème des allégeances de la gauche. Après la longue période stalinienne, le discours secret de Khrouchtchev trahissait une certaine volonté de libéraliser de manière limitée le système politique russe et de soulager sa propre conscience. Les Hongrois, induits en erreur par ses propos et la mise en œuvre de réformes mineures en Pologne, descendent dans la rue dans l'espoir de fonder une société ouverte et multipartite. La foule renverse une statue de Staline et des gens sont pendus par les pieds aux lampadaires[34]. Au départ, Khrouchtchev hésite à agir, mais le matin du 4 novembre, à 5h19, il envoie des chars soviétiques pour mater la rébellion.

Plus tard ce matin-là, dans une atmosphère soudain chargée du sang hongrois, les travaillistes britanniques se rassemblent pour manifester en faveur de la démission d'Eden et contre l'intervention britannique dans la crise de Suez. Il s'agit de la plus grande manifestation publique depuis la guerre, et la plupart des manifestants sont des jeunes[35]. Commencent à circuler des rumeurs selon lesquelles les États-Unis auraient l'intention de lancer une attaque nucléaire contre l'URSS[36]. Sur les pancartes des manifestants, on peut lire «Faites la loi, pas la guerre». Environ dix mille personnes envahissent Whitehall et Trafalgar Square[37]: parmi eux se trouvent Mordecai Richler, Bill Weintraub, Bernice Weintraub – et Florence Mann.

Depuis qu'il a rencontré Florence, la veille de son propre mariage, Richler est devenu très attentif aux déplacements du couple Mann. En réponse à un commentaire de Richler, Nathan Cohen dit qu'il a fait la morale à Stanley parce que celui-ci ne voulait pas retourner en Angleterre rapidement. «Rien de bon ne peut résulter de son séjour», affirme Cohen et, sentant que Richler serait content d'apprendre la nouvelle, il ajoute que Florence lui en est reconnaissante[38]. Lors d'une soirée, Richler dit à Ted Kotcheff: «Elle est à moi. Je la veux.» Elle est mariée, lui répond Kotcheff. Richler n'est pas homme à se décourager pour si peu: «Je m'en fous. Je la veux et je vais l'avoir[39].» Des années plus tard, Richler dira à Noah: «Je n'ai pas séduit ta mère comme ça, tu sais. Il a quand même fallu faire un peu d'efforts[40].» Il s'agit là d'un euphémisme. À l'époque de la manifestation en faveur de la démission d'Eden, Florence est enceinte de sept mois de Daniel, le fils de son mari Stanley. Celui-ci la trompe depuis quelque temps déjà sans trop faire preuve de prudence. Richler se rend parfois seul chez les Mann, mais Stanley est loin de se douter qu'il s'intéresse à sa femme[41]. Dans *Joshua au passé, au présent*, l'histoire d'amour entre Pauline et

Joshua, l'alter ego de Richler, débute lorsque Joshua profite du désordre provoqué par les manifestations du mois de mars pour se presser physiquement contre Pauline. Weintraub ne se rappelle pas avoir vu Florence à Trafalgar Square ce jour-là[42], mais en réalité elle y était, même si elle ne souhaite pas en parler[43].

Les manifestants sont à Trafalgar square pour protester contre les propos équivoques d'Eden. La Grande-Bretagne n'est pas en guerre, dit-il. Elle se contente de séparer les combattants[44]. Nous ne sommes qu'en situation de «conflit armé[45]». Bevan électrise les manifestants avec un discours passionné : « Si Eden est sincère et qu'il croit vraiment ce qu'il dit – et c'est peut-être le cas – alors il est trop stupide pour être Premier ministre[46]. » La foule répond : « Eden doit partir! Eden doit partir! » et se met en marche. Richler et les Weintraub sont devant, en bas de l'avenue Whitehall. Les *bobbies* laissent d'abord la foule avancer, mais lorsqu'il devient clair qu'elle se dirige vers Downing Street, où Eden est en réunion, la police montée tente d'arrêter les manifestants. Ceux-ci réussissent à avancer à plusieurs reprises, mais ils sont aussitôt repoussés par les forces de l'ordre. Finalement, la foule abandonne et commence à se disperser. En début de soirée, Richler est de retour chez lui[47].

Cet accès de militantisme, couplé à l'influence de l'opinion publique internationale et aux interventions diplomatiques, convainc la Grande-Bretagne d'accepter un cessez-le-feu et de sauver la face en cédant la place aux forces des Nations Unies. C'était ce que je comptais faire dès le début, affirme Eden avec le recul, et il répète les propos d'un chauffeur de bus qui estime qu'on peut très bien ne pas tenir compte de la manifestation, puisque «80 p. cent de la foule était d'origine étrangère[48]». C'est une leçon de politique pour Richler. Il partage la satisfaction des autres manifestants d'avoir réussi à influencer la politique extérieure britannique. Toutefois, vu l'ambiguïté de ses propres sentiments envers Israël, ce qui transparaît le plus dans les récits ultérieurs, c'est le soulagement qu'il a ressenti en voyant l'ordre et la modération des policiers. Le contraste avec les chars soviétiques en Hongrie a sans aucun doute influencé sa perception[49].

Pendant et après la crise de Suez et l'insurrection hongroise – et peut-être précisément à cause d'elles –, Richler écrit plusieurs textes politiques, notamment les scripts de télévision *Harry Like the Player Piano* et *A Friend of the People*, et le roman *Le choix des ennemis*. Lorsque Richler visite l'Angleterre en 1950-1951, vers la fin du mandat du gouvernement travailliste de Clement Attlee, il fait l'éloge du Labour pour avoir réussi à instaurer le système national de santé (NHS) et améliorer les conditions de vie de la classe ouvrière[50]. Peu de temps après toutefois, le Labour commence à perdre de son charme. Richler lit *Cavalerie rouge* (*Red Cavalry*), d'Isaac Babel[51], et partage avec l'auteur juif d'expression russe une foi nouvelle dans le socialisme, puis la désillusion. Le personnage de Babel, un vieux Juif nommé Guédali, qui éprouve une certaine satisfaction lorsque les révolutionnaires donnent une leçon à ses oppresseurs polonais, admet qu'il l'est moins quand « celui qui a battu le Polonais me dit ; "Réquisition, donne ton gramophone, Guédali […] Tu ne sais pas ce que tu aimes, Guédali, je vais te tirer dessus et tu sauras alors ce que tu aimes et je ne peux pas ne pas tirer parce que je suis la révolution"[52]. » Les « fusillades » incessantes en Hongrie en 1956 n'ont pas particulièrement contribué aux inclinaisons socialistes de Richler ni inspiré d'empathie envers les communistes inscrits sur la liste noire. Même si Richler se lie d'amitié avec des gens qui peuvent l'aider dans sa carrière, il n'hésite jamais à s'opposer à leurs opinions… ou à eux. Les trois textes politiques de Richler ne risquent pas de plaire à ses mentors Reuben Ship et Ted Allan, mais il ne s'en fait plus avec ce genre de détails.

Pour certains de ses textes destinés à la télévision, Richler utilise des pseudonymes tels que John P. Swan[53]. Il doit cependant avoir considéré *Harry Like the Player Piano* et *A Friend of the People* comme étant assez bons (ce n'est malheureusement pas le cas) pour utiliser son vrai nom. Au départ, *Harry Like the Player Piano* s'intitulait *The Interview*[54]. Un journaliste, Lou Coleman, s'entretient avec l'écrivain canadien Harry Wharton, qui se sent lésé par la gauche. Pendant des années, la gauche l'a entouré de toutes les attentions et a fait l'éloge de ses œuvres superficielles, puis l'a abandonné comme s'il n'était qu'un vulgaire déchet lorsqu'il a commencé à réfléchir et à questionner le Parti.

Le critique Frank Lalor conseille à Richler de réprimer sa colère. D'après lui, il ne sert à rien d'accuser des faux héros; il vaut mieux déterminer où se trouve la véritable tragédie[55].

Richler tente de suivre son conseil. Il apporte des modifications à *The Interview*, qui sera transformé en *Harry Like the Player Piano*, un texte plus «documentaire», moins à la Harry. Le personnage d'Harry ressemble à Richler et celui du père d'Harry, Jimmy, à Moe. Jimmy dit de son fils: «il a une dent contre le monde entier... Il n'aime pas que je sois barbier. Vous imaginez[56]?» Comme Richler, Harry accorde son soutien au tiers parti d'Henry Wallace pour l'élection présidentielle américaine et manifeste un grand intérêt pour tout ce qui touche la guerre civile espagnole. «Je sais que tu n'aimes pas qu'on fasse des blagues sur les tranchées espagnoles», écrit Ted Allan à Richler en 1985. Mais bientôt, les ressemblances entre Harry et Richler s'estompent, au point où le personnage d'Harry fait étrangement penser à Ted Allan. Allan est vantard, plein d'esprit, et totalement confiant de devenir un grand écrivain. Il a longtemps défendu Staline, et il craignait, en Espagne, d'avoir trahi une connaissance de Montréal, Harry Muscowitz, accusé d'être un trotskyste et d'avoir servi d'espion pour les fascistes[57]. Chez Richler, le personnage d'Harry insiste sur le fait que nous ne serions pas là si les Russes n'avaient pas défendu de manière héroïque la ville de Stalingrad. Lorsqu'on lui dit que la gauche espagnole fusille des trotskystes, il apaise les inquiétudes en disant: «C'est une révolution, pas un débat talmudique». Après son premier roman, *Let Them Eat Cake*, Harry se trouve toujours de nouvelles excuses pour ne pas écrire – il y a des choses plus importantes à faire en Espagne! Lorsqu'il finit enfin par se mettre au travail, son nouveau roman est si polémique que personne n'en veut: «Nous sommes en 1956... les travailleurs du monde entier... épargnent pour faire... leurs prochains paiements sur leur télévision». Le fils conservateur d'Harry, que Richler a nommé Ted, va protester contre l'intervention soviétique en Hongrie, mais Harry considère que la vague anticommuniste n'est le fait que d'une simple «bande de nobles hongrois, de fascistes disciples de Horthy[58]».

Si Richler a l'intention, avec cette pièce, de se moquer des faiblesses des auteurs idéologiques comme Ted Allan, *Harry Like the Player Piano* est aussi une œuvre très idéologique, trop figée. Elle comporte des éléments d'humour, notamment lorsque Lou déclare que l'indifférence canadienne et le système capitaliste ont tué Harry, mais l'implication personnelle de Richler sur ces questions, à laquelle s'ajoute le fait qu'il néglige ses personnages, vient gâcher la pièce. Harry est une version alternative de Richler, ce qu'il «aurait pu devenir si…» Parce qu'il représente l'écrivain que Richler *refuse* d'être, Harry exige une censure sévère. Malgré son caractère figé, la pièce se termine sur une note lyrique lorsque le reporter désillusionné se met à pleurer. «Ces gars qui sont partis en Espagne étaient grands, très grands, et ils se sont fait avoir[59].» La pièce *Harry Like the Player Piano* n'a jamais été produite: des deux côtés de l'Atlantique, on estimait qu'elle ne serait pas comprise [60].

Le choix des ennemis, d'abord intitulé *Till Break of Day*[61], offre une approche beaucoup plus complexe de ces questions. Lorsque Nathan Cohen lit le manuscrit, il s'interroge, comme seul l'impérieux Cohen peut le faire, sur l'objectif que poursuit Richler. La question de savoir s'il faut adhérer au communisme ou non n'a-t-elle pas déjà été définitivement réglée dans les années 1930 et 1940, comme en témoigne *Le Zéro et l'Infini* (*Darkness at Noon*, 1941), d'Arthur Koestler[62]? Pour Richler toutefois, ces questions sont toujours d'actualité. La pièce de John Osborne, *La Paix du dimanche* (*Look Back in Anger*), qui traite de la classe ouvrière, vient tout juste d'être interprétée pour la première fois au Royal Court Theatre et elle a remporté un succès retentissant[63]. Aussi, la plupart des amis de Richler «ont donné leur vie pour la politique[64]», et il discute chaque jour de politique avec eux.

On pourrait considérer *Le choix des ennemis* comme le roman que Joyce Weiner a écrit par télépathie. Il lui est d'ailleurs dédié, et bien qu'elle ait l'impression, elle aussi, que ces débats appartiennent à une autre époque, elle tente depuis des années de convaincre Richler d'adopter un semblant d'«objectivité». Enfin, il capitule et annonce que son troisième roman sera sa première œuvre «objective[65]». Avec *Le choix des ennemis*, il réussit même à tromper quelques critiques[66], surtout parce qu'il n'apparaît pas directement sous les traits d'un personnage. En réalité, il y est, mais sa présence est moins visible.

À coup sûr, on ne le reconnaît pas dans le personnage de Norman Price. *Le choix des ennemis* raconte l'histoire de Norman, un écrivain et professeur canadien anglais d'une quarantaine d'années qui a atterri à Londres après que son nom ait été inscrit sur la liste noire. Norman ne veut pas admettre qu'il est attiré sexuellement par la fille d'un de ses amis, Sally, âgée de vingt ans de moins que lui. Trop égoïste pour la laisser partir et risquer de la perdre, il n'est cependant pas assez sûr de lui pour lui déclarer son amour. Si Richler a échappé au romantisme qui selon lui caractérisait autrefois les Anglos, il a trop lu Morley Callaghan. Norman représente davantage une expérience de pensée qu'un homme : il est trop naïf, trop bon pour son propre bien ; c'est la caricature nietzschéenne d'un homme de principes. Brian Moore décrit les personnages du roman comme des hommes de paille[67]. Dans l'univers catholique de Callaghan, de telles figures, qui incarnent un certain idéal, se heurtent à un ordre social très strict. Et bien qu'elle soit fructueuse, la confrontation laisse des marques. Mais dans l'univers plus aride de Richler, la bonté de principe équivaut à un manque de connaissance de soi-même, et les hésitations de Norman finiront par détruire Sally.

Le «communisme» de Norman est également marqué par l'ambivalence. Comme les écrivains américains des années 1940 et 1950, Richler est attentif à l'histoire et après la publication de son premier roman, il devient dépendant du réalisme, cherchant à associer son œuvre aux événements de l'actualité. Ayant eu la chance d'observer le milieu de Norman, Richler brosse un tableau négatif de ses confrères, des Juifs expatriés de la communauté cinématographique de Londres. Les infidélités, les jalousies mesquines, les manœuvres pour obtenir les contrats, les scripts eux-mêmes, parfois politiques et parfois pleins d'esprit – tous ces éléments ont leur place dans les délicieux bavardages, si peu littéraires, qu'imagine Richler. Mais il s'agit d'un réalisme inquiet qui témoigne d'une certaine hésitation : à quel moment faut-il se débarrasser de l'hyperbole et de l'allégorie ? Norman n'est-il qu'une simple allégorie de l'homme du Parti, qui oublie délibérément les excès de Staline ? Il semble que oui, même si Norman, comme Richler, évolue depuis assez longtemps dans les cercles d'expatriés d'Hollywood pour craindre le «politically correct» que les expatriés ont substitué à l'influence artistique (et politique) en déclin. Norman constate que pour ses amis, le socialisme n'est plus qu'une série de réponses superficielles, et non une façon de vivre. Le véritable affront survient lorsque les amis de Norman l'inscrivent sur la liste noire pour avoir refusé de continuer de défendre les idéaux de gauche. Des années plus tard, Richler développera sa propre série de réponses super-ficielles. Joe McCarthy? Voilà la meilleure chose qui pouvait arriver à Hollywood. Il a permis de faire le ménage et de bannir tous les écrivains peu inspirés, voire carrément mauvais[68].

Lorsque Norman est placé sur la liste noire par les victimes de la liste noire elles-mêmes, il devient un personnage réaliste intéressant, doté d'un fort potentiel d'évolution: il écrit en secret un livre sur John Dryden, le poète révolutionnaire qui est devenu royaliste lorsqu'il semblait prudent de changer son fusil d'épaule. Mais après l'épisode de la liste noire, Richler plonge encore une fois son personnage dans l'allégorie, de sorte que celui-ci est atteint d'une dépression nerveuse et fait de l'amnésie. L'allégorie s'allie au *roman à clef*: dans sa défense de Staline et sa dépression survenue à la suite du discours secret de Khrouchtchev, le per-sonnage de Norman évoque clairement Ted Allan, ce dont les proches de Richler se doutaient bien[69]. Lorsque les révélations de Khrouchtchev au sujet de Staline apparaissent dans la presse, Norman soupçonne le Département d'État américain d'avoir tout manigancé[70]. Ted Allan, quant à lui, s'était moqué de la manière dont le discours de Khrouchtchev réutilisait les vieilles attaques trotskystes contre Staline – la propagande de la CIA, évidemment. Mais l'affaire ne s'est pas arrêtée là, et Allan s'est mis en tête que Khrouchtchev devait secrètement être trotskyste. Ce n'est que plusieurs mois plus tard qu'il a reconnu que Staline avait peut-être commis les crimes dont on l'accusait. Il a sombré dans la dépression et commencé à dire que sa vie n'était qu'une «farce[71]». Aussi le nom de «Norman Price» est-il une blague codée. Pendant des années, Allan a exploité sa relation passée avec le célèbre communiste canadien Norman Bethune, qu'il considère comme son deuxième père. Avec son sens inné de la mise en scène, Allan est même allé jusqu'à nommer son fils Norman Bethune Allan. Adolescent, Norman Allan avait l'impression qu'il devait rivaliser avec Richler pour obtenir l'attention de son père[72]. Ted Allan s'est évidemment reconnu dans *Le choix des ennemis* et il n'en a pas été flatté. Pendant un bref moment, il a même cessé de fréquenter Richler[73].

Norman n'est pourtant pas au centre du roman. S'il est un calque de l'expérience de pensée de Richler, Ernest Haupt, le jeune émigré plutôt violent qui a fui l'Allemagne de l'Est, est quant à lui le personnage qui le représente le mieux. Bien qu'on ne s'attende pas à ce que Richler manifeste de la sympathie pour un ancien Nazi, Ernest incarne l'*enfant terrible* qu'est Richler avec sa tendance à se moquer des vérités qu'Allan, Ship et les autres estiment incontestables. Pourquoi ne pas mettre un ancien membre des Jeunesses hitlériennes dans le poulailler et voir jusqu'où les socialistes sont prêts à aller pour défendre leurs idéaux de fraternité universelle ? La plus grosse erreur narrative de Richler – soit le passage dans lequel Ernest tue le frère de Norman avant de venir à Londres, avait pour objectif de montrer les limites de la fraternité et de la gentillesse civilisée de Norman ; or il en résulte un effet mélodramatique. Ce n'est cependant pas le cas du personnage d'Ernest. Malgré son «déguisement» (son antisémitisme et le fait qu'il bat Sally) et l'antipathie déclarée de Richler pour les Allemands[74], Ernest représente Richler : c'est un garçon du ghetto qui cherche à se tailler un chemin dans un univers étrange.

À plusieurs reprises, et parfois de manière exagérée, Ernest incarne les caractéristiques et les philosophies personnelles de Richler. Il joue le rôle que Richler assume auprès des gauchistes : il est le marginal qui révèle les vérités qui dérangent, notamment dans les fêtes. Les socialistes de l'univers du cinéma, qui ne veulent plus entendre parler de la répression communiste, écoutent Ernest parler des contorsions politiques de l'Allemagne de l'Est. Là-bas, raconte-t-il, il est normal d'enlever son insigne des Jeunesses hitlériennes pour le remplacer par celui de la Jeunesse libre allemande (la branche jeunesse du Parti socialiste unifié). Dès le début du roman, Ernest abandonne la politique[75] et rejette la bourgeoisie du cinéma. Pour Doris Lessing, Richler, comme Ernest, détonnait parmi les communistes et les expatriés. Mais à l'époque, il n'est pas (encore) prêt à faire la paix avec la bourgeoisie. «Mordecai se tenait dos au mur, un verre à la main, bafouillant, bégayant presque, adorablement et authentique- ment modeste», raconte Lessing. «Il me confrontait, moi ou Ted Allan, ou Reuben, ou nous tous qui avions des enfants et des responsabilités, avec ses questions sérieuses et urgentes, direc- tement inspirées du mythe de la bohème : — Pensez-vous qu'un artiste doive se marier et encourir la responsabilité d'avoir des enfants et de s'en occuper ? C'est sûrement mauvais pour son talent, non[76] ?» Si ses positions anti-bourgeoises reflètent alors sa naïveté, elles sont également un indice de l'impatience crois- sante qu'il éprouve envers Cathy – une impatience qui rappelle celle d'Ernest envers Sally. Le désagréable petit Nazi joue d'abord le rôle du jeune Juif arrogant qui séduit les femmes désirables sous le nez des mâles anglo-saxons. Après un certain temps tou- tefois, lorsque Sally déclare qu'ils s'aiment, Ernest acquiesce et dit, d'un air las : «Mais où... où irons-nous tous[77] ?» Le sens du devoir d'Ernest ne revient que dans les moments où il pense avoir laissé Sally pour de bon.

Même si Richler semblait en avoir fini avec Moe et Lily après *Mon père, ce héros*, des circonstances familiales relient également Ernest à Richler. Comme Moe, le père d'Ernest renie son fils et déclare qu'il ne sera plus jamais le bienvenu chez lui, même si cela ne l'empêche pas de lui demander de l'argent. Élément plus important, la méfiance d'Ernest envers la métaphysique est aussi dérivée de Richler. Lorsque Sally lui demande s'il croit en Dieu, Ernest demande : «En qui[78] ?» Dans un épilogue qui a été retiré du roman, un chauffeur de camion canadien demande à Ernest s'il croit en Dieu et, lorsqu'Ernest répond par l'affirmative, le chauffeur propose une version personnalisée du Pari de Pascal : «Si Dieu n'existe pas, vous ne perdez rien à croire en Lui, mais s'Il existe, vous êtes bien mieux d'y croire.»[79] Mais Ernest s'est endormi. Au lieu du bien et du mal, Ernest, dans le roman publié, ne voit que «des récompenses et des punitions[80]». Pour répondre au problème de la moralité dans un univers post-métaphysique, Ernest va plus loin que Richler et adopte une attitude plutôt similaire à celle de Karp, le survivant de l'Holocauste que Richler décrit comme un être insensible. Ce que Karp a retiré de son expérience dans un camp de concentration, à savoir la croyance en rien du tout[81], Ernest y parvient en observant les rouages de la politique.

Aucun personnage du roman n'apporte une solution viable aux problèmes soulevés : ni l'Allemand ni le Juif, ni l'intellectuel désengagé, ni l'avant-gardiste ni la bourgeoisie. Dans l'épilogue qui a été retiré, Ernest reprend la route pour fuir aux États-Unis[82], mais Richler a décidé d'éliminer ce passage, qui idéalisait de manière trop évidente le personnage d'Ernest. Dans le roman publié, Ernest se voit obligé d'épouser la veuve Kramer et Norman l'amnésique se rabat sur le plus improbable des mariages avec Vivian « tête de cheval », s'appuyant sur la solution post-politique de Voltaire, « il faut cultiver notre jardin », et espérant, avec une futilité évidente, que Vivian ait un enfant. Pendant ce temps, le plus raffiné des socialistes, Bob Landis, explique que Staline ne représente qu'une étape du socialisme, fait l'éloge de l'URSS pour avoir réussi à faire reculer son taux de mortalité infantile et, presque dans le même souffle, demande que sa nou-velle maîtresse, Sally, se fasse avorter[83]. À l'époque de *Un cas de taille*, Richler commence à parler de l'écrivain comme de « l'avocat du perdant ». D'après Richler, seuls quelques écrivains se mon-trent à la hauteur de cette responsabilité morale ; la majorité se préoccupent plutôt d'« adresser des éloges déguisés à des gens qui leur ressemblent[84] ». Richler a lu *Judith Hearne* de Moore et, avec un peu de recul, il finit par se convaincre post facto qu'il éprouve lui aussi une sorte de respect pour les opprimés, même s'il les trouve parfois antipathiques ou dignes de railleries. *Le choix des ennemis* se voulait un exemple de cette théorie[85], mais il est difficile de considérer Ernest l'obstiné comme un perdant car il incarne plusieurs positions que soutient Richler et sa situa-tion, et qu'il finit par survivre contre toute attente. Les vrais « perdants » ne sont pas ceux qui sont littéralement sans abri, mais plutôt ceux qui ont perdu leur chemin, à l'instar de Norman dans *Le choix des ennemis* et de Harry dans *Harry Like the Player Piano*. Richler n'a aucune patience pour ce genre de « perdants », et nous devons chercher ailleurs que dans « l'avocat du perdant » l'explication de son sens moral.

La troisième œuvre de Richler durant cette période, le scé-nario pour la télévision *A Friend of the People* (d'abord intitulé

Spain[86]), constitue sans doute son œuvre la plus politique, à la fois de manière explicite et implicite. C'était aussi une œuvre proche du *Choix des ennemis*. *A Friend of the People*, qui se déroule durant la guerre civile espagnole, est centré sur le père de Norman Price, le Dr Max Price (brièvement mentionné dans *Le choix des ennemis*), un Canadien coureur de jupons et un partisan des républicains ayant un penchant pour la bouteille. Certains critiques se plaignent du manque d'originalité de l'intrigue, probablement parce que Price est le genre de personnage populaire dans la littérature – un gauchiste qui se dissocie de la révolution parce qu'il n'est pas d'accord avec ses méthodes – et qu'il présente des ressemblances frappantes avec Norman Bethune. Dans *Le choix des ennemis*, Richler avait combiné Max Price et Norman Bethune pour en faire «Norman Price». Dans *A Friend of the People*, Max Price, contrairement à Bethune, meurt à cause de la jalousie d'une femme. Pour comprendre certains sarcasmes de Richler, il faut avoir lu plusieurs de ses œuvres. Norman Price considère l'époque de son père comme une période où «le choix des ennemis» était clair[87]. Pourtant, en lisant le scénario en parallèle au roman, on se rend vite compte que Richler ne partage pas la nostalgie de son personnage. Heureusement, Richler abandonne assez vite son comté fictif et WASP de Yoknapatawpha en faveur de son véritable chez soi, la rue Saint-Urbain.

A Friend of the People aborde de manière moins subtile la trahison des espoirs gauchistes en confrontant directement le public à la propagande et au meurtre. Le titre, un mot de passe républicain, apparaît pour la première fois dans la bouche de Jan, dont le père a été tué par la police secrète du général Gero, un leader fasciste. Dans un brouillon précédent, Richler avait fait de Jan un poète espagnol prometteur qui, après le meurtre de ses parents, avait totalement cessé d'écrire. Cherchant à en finir avec le romanticisme de *The Acrobats*, Richler, désormais plus mature, décide d'éliminer cette partie et d'attribuer à Jan le nom de famille Lemming. Il ne cherche pas à susciter la sympathie, mais souhaite simplement se moquer de son ami George Lamming. Jan est témoin de la défection du Colonel Matya Proz et de sa conversion en Homme du peuple (Proz aurait en effet des origines paysannes). Plus tard, lorsque Proz est soupçonné d'avoir révélé les positions des troupes aux fascistes, Jan n'hésite pas à le faire assassiner en blâmant les fascistes et en célébrant le tout nouveau martyr républicain. Pour parler à ses camarades plus faciles à impressionner, Jan adopte un langage intransigeant et quelque peu cliché qui relève du réalisme politique : « Oh vous les doux, les minutieux, les humanistes sentimentaux, les rebelles de salon, n'avez-vous pas entendu ? Les humbles n'hériteront pas de la Terre, à moins de développer des âmes de fer et d'en prendre possession[88]. » Les machinations de Jan sont basées sur les histoires que Ted Allan racontait à propos de la guerre civile. Les autorités républicaines avaient chargé Allan, le protégé de Bethune, d'observer ce qui se passait dans l'unité de transfusion de Bethune et de rapporter tout écart de conduite. Tandis qu'Allan « espionnait » Bethune, celui-ci lui confiait qu'il soupçonnait l'un de ses collègues, le Dr Culebras, d'être un saboteur fasciste. Bethune avait raison, mais Allan ne le croyait pas[89]. Souvent ivre et d'un tempérament changeant, Bethune est éventuellement renvoyé au Canada où, bien qu'il soit discrédité en privé, il est tout de même considéré comme un héros en public[90].

A Friend of the People reçoit des commentaires mitigés[91], mais les critiques ne remarquent même pas ce qui a probablement sauté aux yeux d'Allan, Ship et des autres amis de Richler, si attentifs à la progression du communisme dans le monde : les noms des deux personnages espagnols sonnent très peu espagnol. Si, de manière générale, la télévision n'encourage pas le public à prêter attention aux détails, les critiques qui affirmaient que A Friend of the People n'était pas de son temps n'ont pas saisi les indices dans les noms de « Général Gero » et de « Jan ». Lorsque les manifestants hongrois ont contesté le pouvoir communiste et appelé au retrait du Pacte de Varsovie, ce sont les radicaux hongrois, à savoir le secrétaire général du Parti communiste Ernö Gerö et le Premier ministre Ján (János) Kádár, qui ont insisté pour que Khrouchtchev envoie les chars soviétiques. Plus de 30 000 personnes sont décédées en Hongrie, la plupart entre la manifestation du 4 novembre 1956, qui réclamait la démission d'Eden, et l'arrivée de A Friend of the People sur les ondes de la CBC en janvier 1957.

À la suite de ces événements, Richler arrive à une période de sa vie pendant laquelle il voit la politique d'un mauvais œil[92], même s'il s'intéressera bientôt à la politique canadienne et israélienne plutôt qu'à la Guerre froide. Quelques années plus tard, lorsqu'il fait du porte-à-porte pour le Parti travailliste, ce n'est pas par conviction politique, mais dans l'espoir de puiser de l'inspiration pour une pièce destinée à un magazine[93]. Et quand Ted Allan, Doris Lessing et Ted Kotcheff décident de se joindre aux artistes du Centre 42, un théâtre politisé pour la classe ouvrière – ce qui représente beaucoup d'expérimentation pour un salaire de misère – Richler les critique avec virulence[94]. Pour commencer, il n'approuve pas le théâtre et refuse d'y aller, sauf pour voir *La Paix du dimanche* et les pièces de Tchekhov. Comme la télévision, le théâtre est selon lui une forme d'art communautaire ; dès lors, il est moins sérieux que le roman et peut être utilisé à des fins de propagande[95]. Le Parti travailliste britannique est épuisé, annonce Richler en 1959, mais en réalité c'est lui qui en a marre du Labour[96]. La lente rupture de Richler avec le socialisme et son intérêt croissant pour l'œuvre d'Evelyn Waugh[97] a du bon : il écrit de plus en plus librement. Les trois œuvres politiques qu'il a écrites durant cette période lui ont permis de se défaire de l'enthousiasme et du romantisme caractéristiques de nombreux écrits gauchistes.

On pourrait penser que cette œuvre politique a coûté à Richler quelques amis, comme ce fut auparavant le cas de *Mon père, ce héros*, qui avait suscité l'indignation de certains membres de sa famille. Or il n'en est rien. Reuben Ship demeure un ami proche : d'ailleurs, il accueillera Richler chez lui après la séparation de ce dernier avec Cathy. Ted Allan, au chômage et mal portant[98], revient le visiter. Dans *Le choix des ennemis*, les gens de la télévision font souffrir Norman pour le punir de son cynisme politique, mais Richler, lui, se porte bien.

11

Florence Mann, la blonde *shiksa*

COMME IL ÉTAIT D'USAGE chez les gens du cinéma britannique de passer les vacances dans le sud de la France, Richler décide lui aussi, en mars 1957, de se rendre à Tourrettes-sur-Loup, son lieu de prédilection sur les hauteurs de la Côte d'Azur. Stanley Mann, Florence et Daniel, leur bébé, sont repartis pour le Canada[1], mais pas avant que Richler ait déclaré sa flamme à Florence[2]. Le poète canadien F. R. Scott lui écrit : « Je pense souvent avec envie au trio Richler-Moore-Surrey à Tourrette-sur-Loup [*sic*]. Quelle occasion de se déchirer et de descendre le pays en flammes[3] ». Mais la réalité est tout autre. Richler raconte à Weintraub qu'il va se baigner à Juan-les-Pins, puis dîner avec Reuben Ship et quelques autres à Cannes avant de se rendre au Crazy Horse Saloon pour assister à un striptease[4]. Vingt ans plus tard, Richler plaisantera avec Moore au sujet de la « Conférence historique des Écrivains du Gâteau de Foie de Volaille de 1956 » (probablement 1957), la décrivant comme un moment déterminant dans la genèse de la littérature canadienne. À l'époque toutefois, les relations se sont refroidies entre les deux écrivains, car Moore a émis des doutes sur *Le choix des ennemis* – trop de coïncidences, style médiocre, « merdique » – et a pris l'habitude d'appeler Richler « le Barde[5] ».

Les fêtes ne sont pourtant pas rares à Tourrettes, surtout après que Richler y ait invité Terry Southern et Mason Hoffenberg à le rejoindre. À Paris, Southern a commencé à écrire un roman pornographique, *Candy*, parce qu'un livre coquin pouvait à la fois se révéler lucratif et choquer les mœurs sexuelles bourgeoises. Mais il s'enlise dans l'écriture de ce roman. Pourquoi ne pas venir à Tourrettes avec ta femme?, lui suggère Richler. Et pourquoi ne pas emmener Hoffenberg, cette boîte à idées, à titre de collaborateur[6]? La rédaction de *Candy* se révèle un travail difficile, et Hoffenberg n'a pas l'endurance nécessaire pour écrire tous les jours[7]. Les deux collaborateurs ont du mal à écrire les quelques pages de pornographie qui leur permettraient d'avoir la conscience tranquille pour aller jouer au poker avec Richler et un nouveau venu.

Southern et Hoffenberg retournent finalement à Paris pour terminer *Candy*[8]. Le livre se vendra à sept millions d'exemplaires, des éditions pirates pour la plupart. L'éditeur, Girodias, gagnera de l'argent, de même que les contrebandiers. Quant aux auteurs, ils seront rémunérés au forfait, au tarif de cinq cents dollars[9], et auront la joie de voir leur travail publié. Richler, qui se remet à l'écriture de *L'apprentissage de Duddy Kravitz*, suit tout cela avec attention. Il comprend que l'industrie du livre pornographique n'est pas la mine d'or qu'elle semble être. En se basant sur les premiers succès de *Candy*, il dit à son oncle Bernard qu'il aurait facilement pu écrire un livre «coquin» et gagner beaucoup d'argent[10]. D'aucuns pourraient dire qu'il n'était pas sincère, mais il avait en réalité compris que la littérature pornographique était une impasse. Elle pouvait apporter une certaine notoriété, mais n'assurait aucune véritable reconnaissance à long terme. Richler conserve toutefois à l'esprit, pour un prochain roman, que le sexe peut être drôle et qu'il ne nuit certainement pas aux ventes. Sur les conseils de Weiner et Athill, il s'est éloigné de l'approche existentielle du sexe développée dans ses premiers romans pour choquer les bourgeois. À la fin des années 1950 et durant la décennie suivante, il intègre à nouveau «des éléments de charme» dans ses livres, de manière plus légère et agréable.

Avant le départ de Southern pour Paris, Richler et lui collaborent à l'écriture de *The Panthers*, une pièce télévisée d'une demi-heure sur les bandes de jeunes[11]. Face au manque d'intérêt des éditeurs de télévision, Southern conseille à Richler de mentionner

que l'histoire s'inspire d'une étude réalisée par l'université de
Princeton qui établit un lien entre la violence des bandes et la
publicité médiatique. L'ironie, d'après Southern, c'est que la
presse prétend dénoncer la violence des gangs, mais qu'elle la
présente en réalité *sous un jour glamour*[12] ! Difficile de savoir si
Southern était sérieux, c'est-à-dire s'il ignorait que sa grande
découverte était banale et que *The Panthers* pouvait se mériter la
même critique, ou s'il parodiait tout simplement le genre d'excuses nobles que les chaînes de télévision répètent à l'envi pour
défendre la diffusion d'émissions sordides. En dépit du talent des
deux écrivains, leurs jeunes délinquants apparaissent curieuse-
ment mornes et clichés. Soit Richler et Southern n'étaient pas
fait pour écrire des histoires sérieuses, soit ils ne comptaient pas
donner le meilleur d'eux-mêmes dans une œuvre cosignée.

Une collaboration bien plus fructueuse est cependant sur le
point de débuter pour Richler. Le nouveau venu à la table de
poker de Tourrettes est Ted Kotcheff, un cinéaste canadien. Tout
comme Richler, Kotcheff est issu d'une famille pauvre d'immigrés bulgares du quartier de Cabbagetown, à Toronto[13], et se
considère comme un « métèque blanc », presque un Juif. Après
avoir obtenu un diplôme en littérature anglaise et travaillé pour
la CBC, il est passé à la télévision britannique et aux théâtres du
West End londonien. Ses films obtiendront éventuellement un
succès critique, à l'instar de *Réveil dans la Terreur* (*Outback*, 1971),
et même un succès populaire, comme *Rambo : Le dévastateur*, avec
Sylvester Stallone, (*First Blood*, 1982) et *Week-end chez Bernie*
(*Weekend at Bernie's*, 1989)[14]. Nathan Cohen lui a conseillé de rencontrer Richler,[15] mais Kotcheff craint de ne pas l'apprécier[16]. Ils
se retrouvent autour d'un verre un après-midi ; Kotcheff parle
sans discontinuer pendant deux heures tandis que Richler hoche
la tête, prononçant au total une dizaine de mots[17].

Comme ses parents, Kotcheff est un doctrinaire socialiste, ce
qui facilite ses relations avec les cinéastes expatriés, mais ne l'aide
pas à s'attirer les faveurs de Richler. Il est aussi un existentialiste,
ce qui, au contraire, plaît à Richler. L'ouvrage de Sartre intitulé
L'existentialisme est un humanisme est la Bible de Kotcheff : la
raison doit être le guide, l'individu doit se défaire des illusions
métaphysiques et assumer la responsabilité morale de ses pro-

pres actions. Même après avoir pris conscience que Richler peut être vraiment drôle, Kotcheff comprend qu'il a une conception plus radicale de l'existentialisme : « Pour Mordecai, la vie était douloureuse. Il ressentait une mélancolie liée à l'impossibilité de l'existence, à son inaccessibilité, à ses profondes injustices. » Des années plus tard, ils feront du Café Les Deux Magots et du Café de Flore, à Paris, leurs lieux de pèlerinage laïcs[18].

Si Richler est resté presque muet lors de cette première rencontre, c'est, explique-t-il, parce qu'il était préoccupé par *Le choix des ennemis*. Ce qui est vrai. Il vient d'apprendre qu'au Canada et, pire encore, aux États-Unis, ceux dont l'opinion compte n'apprécient pas son roman[19]. Les éditeurs américains refusent le livre, expliquant que les conflits exposés sont d'un autre temps et craignant que les lecteurs ne s'identifient pas aux émigrés d'Hollywood[20]. Bien entendu, la question de l'identification est secondaire. Mais comme Richler veut à tout prix percer aux États-Unis, il est tenté de réécrire le roman pour le lectorat américain. Weiner proteste vigoureusement. Elle et Cathy ont beau l'avoir mis en garde contre l'aspect démodé des conflits politiques, il est trop tard. Ce qu'il a fait de ces conflits « est loin d'être insignifiant », insiste Weiner. Cherche de nouvelles idées, lui conseille-t-elle, ne refais pas la même chose. Réécrire le roman pour les Américains reviendrait à faire un pied de nez aux éditeurs anglais et français. Weiner l'avait aussi mis en garde contre l'habitude incestueuse et non rentable de tant d'écrivains, qui consiste précisément à écrire à propos des écrivains. « Tu n'as pas tenu compte de mes protestations l'hiver dernier », lui rappelle-t-elle. « Et maintenant tu "me ressors tout ça" comme si c'était ton idée. Mordy, oh, Mordy… Je pense qu'on ferait mieux d'oublier le lobbying, les revues et la publicité superflue tant que tu n'auras pas rendu un livre dont tu sois fier. » Le mieux serait d'organiser une « disparition » stratégique[21].

Richler suit les conseils de Weiner concernant la réécriture, mais, comme il se trouve à court d'argent, il refuse sagement de disparaître. De Tourrettes, il s'enquiert auprès de Weintraub, qui travaille alors à l'Office national du film, sur les possibilités d'emploi en tant que scénariste au Canada[22], et auprès de Nathan Cohen sur les possibilités d'embauche à CBC[23]. Quelques mois plus tôt, il a préparé une pièce radiophonique pour l'émission *Anthology* de CBC, qu'il a enregistrée lui-même. Alors que Cohen s'extasie sur Irving Layton en disant à quel point il a été formidable dans son émission *Fighting Words*, Robert Weaver dit à Richler qu'il ne fera jamais un très bon présentateur. Et en suivant une formation, plaide Richler, je pourrais m'améliorer? La réponse est non. Huit ans plus tard, Richler fait un second essai et se heurte à la même réponse: «Comment se fait-il que tu écrives si bien et que tu lises si mal?» demande Weaver[24]. À en juger par l'interview de Lord Thompson réalisée en 1965, on peut dire, contrairement à Weaver, que Richler était un interviewer vif et plein d'esprit, qui a réussi à faire parler Thompson[25]. En 1957, en plus de tout le reste, sa relation avec Cathy commence à se détériorer[26]. Quand Joyce Weiner lui rend visite à Tourrettes, elle constate qu'en dépit de la beauté de l'océan et des nombreuses fêtes, tout le monde a l'air terriblement malheureux[27].

Richler fait un bref séjour à Toronto à la fin de l'année 1957, mais, comme il ne trouve pas de travail, il n'y reste pas longtemps[28]. Pendant cette période, Weintraub est plongé dans une dépression aggravée par sa consommation d'alcool et sa tendance à comparer son propre roman aux réussites régulières de Moore et Richler. Richler tente de le consoler: «Ça me chagrine de penser à toi assis à la fenêtre tous les jours et qui ne dors peut-être pas la nuit… À l'exception de Ted Allan, je ne connais personne qui ne se soit pas senti minable après le premier et même le dernier jet de son roman[29].» Les mauvaises critiques dont fait l'objet *First November*, écrit en collaboration avec Richler, n'arrangent pas les choses, et elles sont d'autant plus blessantes que Weintraub les considère justifiées[30].

Si, en 1957, les perspectives semblent sombres, l'année suivante sera l'une des plus heureuses de la vie de Richler, tant sur le plan financier et artistique que personnel. Il obtient une bourse du tout nouveau Conseil des Arts du Canada pour écrire *L'apprentissage de Duddy Kravitz*[31]. Des années plus tard, Richler trouvera le moyen d'oublier cette bourse, son renouvellement l'année suivante et l'obtention d'une bourse principale en 1966, dans des envolées lyriques sur le fait d'être le dernier des écrivaillons sur le marché et la façon qu'a le Canada de dorloter ses jeunes écrivains en leur accordant toutes sortes de bourses[32].

Mais des événements plus importants que l'obtention d'une bourse sont sur le point de se produire. À son retour à Londres, Richler commence par écrire une lettre à Ted Kotcheff, dans laquelle il présente ses excuses pour son mutisme lors de leur première rencontre et propose qu'ils se revoient[33]. Cette amitié naissante s'avère rapidement bénéfique pour Richler, qui commence à travailler en bas de l'échelle pour Armchair Theatre, une série diffusée le dimanche soir sur la chaîne britannique ABC et produite par le Canadien Sydney Newman. Quel changement pour Richler, de passer des trois guinées qu'il pouvait espérer gagner pour un article publié dans un magazine aux salaires substantiels qu'offre alors la télévision[34]!

En 1954, le Parlement britannique avait ouvert les ondes aux chaînes de télévision privées pour assurer la concurrence avec la BBC[35]. Les offres d'emploi s'étaient donc multipliées sur les différentes chaînes et ABC avait fait venir Newman, de la CBC. Plus tard, lorsqu'il occupera le poste de directeur de la fiction pour la BBC, dans les années 1960, il imaginera *Chapeau melon et bottes de cuir* et *Doctor Who*[36]. Au début de 1958, Newman formule ses attentes pour la série Armchair Theatre. Il ne veut pas de pièces bavardes et élitistes. Et, de grâce, pas de succès réchauffés du West End dans le style de la BBC. Si une pièce ne parle pas «à l'ouvrier de Bradford, au travailleur de chantier naval de Clydeside ou au mineur gallois», on oublie. Une fois la série bien lancée, l'audience moyenne atteint douze millions, et l'objectif de Newman est de la maintenir au même niveau. Il se plaint que lors de la diffusion d'un épisode, «2 700 000 téléspectateurs... "se sont tirés" sur une autre chaîne au cours des sept premières minutes à cause d'un début raté». Les pièces doivent être centrées sur les personnages, pas seulement sur les idées. Elles doivent être très visuelles et s'inspirer de conflits. En tant que producteur, Newman définit également à partir de combien de «merdes» on franchit la ligne entre le manque d'originalité et l'obscénité. Il décide aussi de la profondeur des décolletés nécessaire au réalisme. À ses auteurs potentiels, il fait un petit discours plein d'entrain, exprime ses attentes et donne en exemple *Hot Summer Night* de Ted Willis, une pièce qui raconte l'histoire d'un organisateur syndical libéral dont la fille tombe amoureuse d'un Jamaïcain. Ça ne vous ferait pas de mal, dit-il à ses auteurs, d'aborder d'un sujet qui intéresse tout le monde. Il fait toutefois appel à des auteurs comme Harold Pinter et insiste sur le fait que si un auteur écrit une pièce à thèse, les personnages ne devraient pas en être conscients[37].

Le budget serré exige que le processus entier, du début à la fin, ne prenne pas plus de cinq semaines et que les décors et la distribution soient limités au minimum. Pendant que les décors sont créés à Manchester, les acteurs répètent à Londres. Le vendredi soir, ils prennent le train de 17h55 pour se rendre au Didsbury Theatre de Manchester, où ils participent à la répétition générale et au tournage en public le dimanche soir. Newman a également sa petite idée du réalisateur dont il a besoin : endurci comme un chef de commando, discipliné comme un jésuite et vif comme l'éclair. « Pour créer la surprise, il suspendra une caméra (et un caméraman) à la grille, même s'il doit pour cela cacher trois microphones. Ses caméras bougent… l'arme secrète du réalisateur de télévision[38]. » Bien sûr, le super héros imaginé par Newman a lui aussi, inévitablement, sa petite idée. « Un perpétuel concours de cris » s'ensuit entre Newman et son protégé Ted Kotcheff[39]. Kotcheff s'emporte vite, mais oublie tout aussi rapidement[40]. Lorsque Newman parle des souffrances qu'il a endurées au cours de sa carrière en raison des critiques, des acteurs à fort tempérament, des écrivains qui ne savent pas parler et des réalisateurs monomaniaques[41], on peut imaginer qu'il songe à Richler et Kotcheff.

Armchair Theatre trouve sa place quelque part entre la littérature débridée et la télévision populaire, contribuant ainsi au courant du réalisme ouvrier du nord du pays qui domine le théâtre britannique de l'époque[42]. La première proposition originale de Richler, « Paid in Full » (diffusée en mai 1958), en est un bon exemple[43]. Tommy, un enfant issu de la classe ouvrière, tombe dans un puits. Il finit par être secouru, mais Richler transforme l'histoire pleine de bons sentiments en tragédie. Tandis que les parents de Tommy tentent de monnayer la nouvelle célébrité de leur fils, le Dʳ Logan, qui a soigné Tommy, réalise qu'il pourrait enfin construire sa nouvelle clinique pour accueillir les patients nécessiteux s'il arrivait à garder pour lui ses convictions de socialiste entêté. L'argent ne coule finalement pas à flots, et Logan est incapable de se taire. À la suite de la parution d'un article intitulé « SELON LE Dʳ SOCIALISTE, LES DERNIERS SACREMENTS NE SONT QUE DU BARATIN RELIGIEUX» et du refus de Logan de changer d'avis concernant la facture de Tommy (sa famille n'est plus pauvre), tout s'écroule et la santé de Tommy se détériore. Dans la dernière scène, la mère de Tommy dit au Dʳ Logan : « Si je l'ai fait participer à cette dernière émission, c'est pour pouvoir payer votre facture[44].» Suivent les larmes, puis le rideau tombe. La pièce peut être interprétée comme un regard «intransigeant» sur la nature humaine, un réquisitoire contre la gauche et la droite, contre une classe ouvrière obsédée par l'argent, les riches amorphes et les médias. Bien que Richler affirme n'avoir rien à voir avec le mouvement, un critique a, à juste titre, classé Richler parmi les *Angry Young Men* (jeunes gens en colère)[45], ces écrivains de la classe ouvrière qui connaissent un succès foudroyant en Angleterre en abordant le sujet de l'aliénation sociale[46].

« Paid in Full» est bien dans le ton politique adopté par Richler depuis deux ans. Il y ajoute toutefois des aspects accrocheurs, tels qu'un enfant en danger et l'équivalent d'une victoire à la loterie. «La télévision n'est pas un média sérieux», avait déclaré Richler peu de temps auparavant[47], et il se propose de le démontrer. Malgré ses quelques traits d'humour, «Paid in Full» n'est pas une très bonne pièce. En plus de réunir des personnages excessifs, elle présente un conflit inventé de toutes pièces et souffre de la prévisibilité d'une pièce à thèse. Les personnages excessifs et le conflit inventé de toutes pièces réussissent pourtant à tenir en haleine 3,5 millions de foyers britanniques[48]. Si la plupart des critiques apprécient la pièce, certains sont déçus qu'elle ne soit pas l'œuvre d'un scénariste *britannique*. Pourquoi choisir un cadre nord-américain pour *notre* théâtre commercial[49]?

Pour la série Armchair Theatre, Richler prépare également une adaptation de *La Maison de Bernarda Alba*, de Lorca[50], et de sa propre nouvelle *The Trouble with Benny*[51]. À l'époque, Londres lui paraît moins intimidante et il s'y sent davantage chez lui. Dès son entrée dans le monde du cinéma, Richler se plaint du format imposé par la télévision. Le théâtre télévisé sérieux n'existe pas, assure-t-il à ses lecteurs, il n'y a de place que pour les pièces qui traitent des problèmes sociaux : « Écoute Archie, est-ce que tu laisserais ta fille marier un – un nègre ? » Pour Richler, « la guimauve généralement servie par Armchair Theatre » est ennuyeuse et prévisible, car elle s'inspire des gros titres des journaux. Les solutions sont toujours simples. Avec le recul, le producteur dira, voyant les mauvais résultats d'audience : « Tu vois, j'ai essayé de faire une pièce sérieuse. Mais ça ne sert à rien[52] ». Bien entendu, les critiques de Richler concernaient également « Paid in Full ».

Plus tard, Richler dira en plaisantant que Kotcheff et lui sont responsables – rien de moins – des gros mots et des scènes de nudité qui sont devenus la norme au cinéma et à la télévision après les années 1960[53]. Mais la plaisanterie de Richler s'apparente davantage à la réalité qu'il ne le pense. Ayant étudié avec les membres de l'avant-garde parisienne, il appartient à un mouvement plus vaste qui a fait découvrir au monde de la télévision des réalités qu'il a jusqu'alors éludées et lui a appris à exploiter les désirs du public. Caprice du destin, la fille de Richler, Emma, lui racontera des années plus tard qu'un jour, elle a dû jouer « une stupide scène érotique à l'eau de rose » pour un réalisateur qui avait autrefois travaillé comme caméraman pour Kotcheff et la série Armchair Theatre[54].

En 1958, Richler trouve un travail encore mieux payé en tant que consultant scénario pour l'un des films les mieux accueillis de 1959. On lui confie la tâche – de manière anonyme, sans mention au générique – d'améliorer le scénario des *Chemins de la haute ville* (*Room at the Top*) de Neil Patterson[55]. À l'instar du roman original de John Braine, le film se veut une critique du système de classes. D'après Richler, lui-même issu des basses classes, le scénario est bourré de clichés sur une classe ouvrière chaleureuse et colorée[56]. Il a toutefois dû éprouver de la sympathie pour Joe Lampton, l'ouvrier ambitieux qui souhaite gagner les faveurs de « la fille qui passe ses vacances sur la Côte d'Azur ». Brian Moore écrit à Richler : « *Les Chemins de la haute ville* prouve qu'un bon roman ne fait pas forcément un bon film, mais qu'un mauvais roman peut certainement donner de bons résultats. J'ai eu l'impression de t'entendre dans certaines scènes, notamment celles qui se déroulent dans la résidence d'été[57].» En dépit de l'accueil enthousiaste qu'il reçoit, le film est mélodramatique. Seuls les conflits de classes, qui sont suffisamment réalistes, et les touches d'esprit, que l'on doit probablement à Richler, permettent au film de ne pas être une simple farce. Dans *Le cavalier de Saint-Urbain*, Jake Hersh, l'alter ego de Richler, refuse de se vanter de sa furtive réussite en tant que nègre du réalisateur Timothy Nash[58]. C'est loin d'être le cas de Richler. Censé taire son rôle dans l'amélioration du scénario, Richler ne se gêne pas pour faire des allusions faciles à saisir sur le grand film qui a nécessité l'aide d'un certain jeune consultant juif[59]. Le film *Les Chemins de la haute ville* remportera deux Oscars, dont celui de la meilleure actrice pour Simone Signoret et, comble de l'ironie, celui du meilleur scénario adapté pour Neil Patterson. Au départ, Richler est furieux de ne pas obtenir sa part de gloire, mais le réalisateur Jack Clayton, satisfait, parle à tout le monde de son travail[60]. Richler peut maintenant prétendre au titre de scénariste de film.

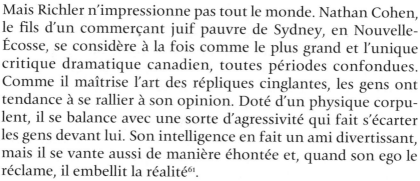

Mais Richler n'impressionne pas tout le monde. Nathan Cohen, le fils d'un commerçant juif pauvre de Sydney, en Nouvelle-Écosse, se considère à la fois comme le plus grand et l'unique critique dramatique canadien, toutes périodes confondues. Comme il maîtrise l'art des répliques cinglantes, les gens ont tendance à se rallier à son opinion. Doté d'un physique corpulent, il se balance avec une sorte d'agressivité qui fait s'écarter les gens devant lui. Son intelligence en fait un ami divertissant, mais il se vante aussi de manière éhontée et, quand son ego le réclame, il embellit la réalité[61].

La confrontation est inévitable, car Richler, tout en étant orgueilleux, n'est pas aussi assuré de sa personne en public. Au début, Richler se montre respectueux. Après tout, Cohen apprécie son travail et il pourrait lui ouvrir les portes de la CBC. Mais, dès le mois de septembre 1956, Richler commence à le trouver agaçant. Cohen réalise une entrevue de Richler pour le premier numéro du nouveau magazine littéraire canadien *Tamarack Review*. Il arrive à Londres et s'attend à être pris en charge par Richler. L'interview se déroule sans heurts, mais Cohen ne peut s'empêcher de suggérer qu'écrire pour la télévision pourrait avoir une influence négative sur une écriture et une pensée sérieuses. «Pas si on exagère[62]», réplique Richler. La critique est loin d'être légitime: écrire pour la télévision provoque peut-être une certaine paresse intellectuelle, mais cela permet à Richler d'améliorer son style. Il doit estimer que sa réponse est boiteuse, car il ajoute rapidement qu'il a utilisé des pseudonymes et refusé un emploi stable à la télévision. Plus tard en relisant l'interview, Richler trouve une remarque concernant un vol commis dans un magasin d'Eaton qu'il souhaite voir retirer de l'article. Robert Weaver, l'éditeur de *Tamarack*, parle en son nom et en celui de Cohen: «Votre attitude timide et bourgeoise à ce sujet nous surprend[63].» Cette remarque a dû piquer au vif Richler, car il n'a pas insisté pour que le passage soit supprimé.

Mais Cohen fait bien pire: il tente de réécrire les romans de Richler. Il convainc la CBC de faire une adaptation radiophonique de *The Acrobats*, puis commence à donner des conseils à Richler sur le style dramatique. Certains sont pertinents. Une pièce, ce n'est pas un roman, dit Cohen, *montrez* les contradictions des personnages dès le début. D'autres commentaires, moins avisés, semblent avoir pour objectif de blesser l'auteur. Cohen suggère que la mort d'André n'est pas nécessaire, laissant ainsi entendre que dans l'ensemble, le roman est mal conçu. Richler n'est plus très attaché à *The Acrobats*, mais le cœur du roman repose sur le fait qu'André doit payer pour son idéalisme, et la fin doit malgré tout laisser entrevoir de l'espoir. Cette fois, Richler obtient gain de cause. Une fois la pièce produite, Cohen, entre deux ronchonnements, lui accorde sa mesquine bénédiction: «Bon sang, pour un premier script, c'est très, très impressionnant.» Lorsque la CBC décide de produire une adaptation télévisée de la pièce radiophonique, Cohen se montre plus dur encore, affirmant à Richler qu'elle est très mal interprétée et que les personnages parlent trop souvent les uns à propos des autres.

À la CBC, le scénario se répète à plusieurs reprises : Cohen rejette une pièce de Richler, puis certaines personnes de la station l'achètent, parfois contre l'avis de Cohen et d'autres fois en suivant ses recommandations. Derrière les critiques se cache pourtant une certaine admiration, car Cohen va jusqu'à dire que son principal titre de gloire devant la postérité serait les livres sur Richler écrits à la mode du « je le connaissais à l'époque[64] ».

À titre de corédacteur de *Tamarack Review*, Cohen estime que le premier numéro du magazine, publié à la fin de l'année 1956, est trop ennuyeux[65] et il décide donc de remédier à cette situation en s'en prenant publiquement à Richler dans le premier numéro de 1958. Cohen soutient que ni la famille juive de la classe moyenne, ni le « mirage marxiste » ne sont pertinents. Ainsi, l'univers de *Mon père, ce héros* n'existe plus depuis longtemps et celui du *Choix des ennemis* n'a jamais existé, car il a été inventé par un écrivain n'ayant pas connu le marxisme. Quant à savoir si le fait d'écrire pour la télévision est dommageable pour Richler, Cohen annonce, avec un faux air de neutralité, que seul le temps le dira, avant de lancer des phrases ambiguës, telles que : « Mordecai Richler ne doute pas une seule seconde qu'il est un écrivain sérieux[66]. » En réalité, à en juger par les dernières phrases, l'objectif de l'essai semble être d'éloigner Richler de l'écriture commerciale qui, avec ses idées bancales, est simplement faite pour coller aux attentes du public, et de le ramener vers une écriture sérieuse dans laquelle l'auteur, estime Cohen, tenterait simplement de voir le monde selon sa propre perspective. Les romans doivent en effet être critiqués, mais Cohen s'est lourdement trompé quant aux effets qui peuvent résulter de l'écriture pour la télévision. Plus que les éditeurs littéraires, les contrats pour la télévision contribuent à faire comprendre à Richler qu'il écrit pour un *public*, que personne n'a envie d'entendre de longs sermons sur les horreurs de la classe moyenne et que, s'il veut être entendu, le mieux est d'apprendre à raconter une bonne histoire. Bien que son travail de scénariste de télévision le pousse à niveler par le bas, il est de bon augure pour l'écriture de romans de qualité ; de plus, il le prépare à l'écriture de *L'apprentissage de Duddy Kravitz* et de ses romans suivants[67].

Cohen s'inquiète de la réaction de Richler à l'article paru dans *Tamarack* et le lui avoue[68]. Il s'est montré suffisamment insolent dans sa manière de donner des conseils pour s'assurer que quelqu'un d'aussi irritable que Richler soit furieux, et celui-ci l'est. « Nathan Cohen m'a massacré », écrit Richler en mars, expliquant à Weintraub que le principal reproche formulé par Cohen est que ses héroïnes ont de petits seins[69]. Cohen s'attend à ce que la tempête se calme rapidement. En mai, il demande à Richler de venir le chercher à l'aéroport de Londres[70]. Richler s'y rend[71], mais il n'a pas oublié pour autant l'affront qu'on lui a fait. Il est relativement satisfait quand *Tamarack* accepte de publier « Mortimer Griffin, Shalinsky, and How They Solved the Jewish Problem » dans son prochain numéro. Il apprend également que l'universitaire Peter Scott est sur le point de publier « un article pro-Richler et anti-Cohen » dans *Tamarack* et s'en réjouit[72]. Et Richler ne s'arrêtera pas là. Quelques années plus tard, lorsque Cohen quittera son poste de responsable de la fiction à la CBC Richler n'hésitera pas à exercer sa vengeance.

~

Grâce au Conseil des Arts du Canada, à son travail à la télévision et aux retombées financières du film à paraître – ce qui représente « cinq cents livres pour trois semaines de travail » –, Richler peut, en 1958, s'offrir quelques mois pour travailler sur son prochain roman. « Mes finances sont dorénavant florissantes, au point où ça en devient embarrassant », écrit-il[73]. Il peut envoyer de l'argent à Lily, lui rembourser les montants empruntés au fil des années, mais il se doute que cet argent servira à financer les entreprises commerciales d'Avrum, et ses soupçons aggravent la brouille entre son frère et lui[74]. Il a deux idées de romans, l'un se déroulant dans le sud de la France et l'autre au Canada[75]. Puisque Diana Athill, son éditrice chez Deutsch, l'a encouragé à écrire un roman comique dans lequel il contrôlerait l'élément de ridicule (ce qu'il n'a pas réussi à faire dans « Mortimer Griffin, Shalinsky, and How They Solved the Jewish Problem »)[76], il accorde la priorité au roman comique canadien.

Dès le mois de juin, Richler décide de repartir sur la Côte d'Azur afin de travailler. À cette époque, Stanley Mann, tout comme Richler, travaille pour Armchair Theatre[77], et Richler organise le séjour de Stanley et Florence dans l'immense villa qu'il occupe avec Cathy[78] à Roquebrune, à proximité de la frontière italienne. L'arrangement présente, entre autres, un avantage économique. Au début du mois de juin, 1958, il y a deux couples à Roquebrune : les Richler et les Mann. En juillet, il n'y en a plus qu'un : Mordecai et Florence. L'année précédente, Florence, qui s'interrogeait à propos de l'avenir de son couple, avait entrepris une psychanalyse. Après une séparation et une aventure avec un médecin qui lui avait brisé le cœur, elle avait tenté de se réconcilier avec Stanley[79]. En décembre, Richler avait dit à Weintraub que Stanley, déprimé et buvant plus que de raison, ne voyait Florence que rarement, mais que leur petit garçon, Daniel, semblait bien se porter[80]. C'est lors de ce séjour sur la Côte d'Azur, à l'occasion d'un dîner à quatre dans une discothèque de Monte-Carlo, que Cathy remarque enfin l'amour que Richler porte à Florence. Un après-midi, lorsque Cathy revient de la plage, Richler lui annonce : « C'est fini. Je ne t'aime plus[81]. » Stanley est déjà reparti à Londres, et Cathy quitte à son tour la villa. Florence et Daniel rejoignent finalement Stanley, laissant Richler seul dans la villa désertée, mais pas avant que leur histoire d'amour ne se soit épanouie[82].

Richler prétend que les deux mariages étaient déjà sur le point de sombrer, mais il ne dit pas qu'il courtisait Florence depuis quelques années déjà. De Roquebrune, il écrit à Weintraub : « Il n'y a pas eu de véritable incident… Le fait est que moi et Cathy, nous ne sommes plus heureux ensemble depuis un bon moment, tout simplement. » Il ne fait pas allusion à Florence et ne parlera d'elle qu'un mois plus tard, en mentionnant de façon négligente qu'elle et Stanley vont peut-être divorcer[83]. Au moment où il oublie Cathy et courtise Florence, Richler progresse avec difficulté dans l'écriture de son roman. Celui-ci raconte l'histoire d'un garçon entêté de la rue Saint-Urbain, un chef de bande de cour de récréation qui persécute les professeurs et ne verse pas dans le sentimentalisme avec sa petite copine française. Pour acquérir le terrain qui lui permettra de prétendre à la réussite,

Duddy est prêt à tout, peu importe qu'il s'agisse de commettre un acte illégal ou immoral. Ted Kotcheff se rend à Roquebrune pendant quelques jours et lit le manuscrit. Assis sur le sol de la villa en compagnie de Richler et Florence, Kotcheff déclare que *L'apprentissage de Duddy Kravitz* est le meilleur roman canadien jamais écrit et il promet de retourner au Canada un jour pour en faire une adaptation cinématographique[84].

À cette époque, Cathy, furieuse, n'a aucune envie de divorcer[85]. Elle trouve du travail dans un camp accueillant des enfants américains à Villefranche et s'y installe[86]. Quelque temps plus tard, elle décide de partir pour l'Espagne[87]. Richler, qui a désormais de l'argent, la soutient financièrement[88]. Stanley Mann, quant à lui, ne semble pas éprouver de rancune. Quelques années plus tard, lorsque Florence s'apprête à donner naissance au fils de Richler, Stanley lui souhaite que tout se passe bien : « Je ne sais pas si tu me croiras, mais cette naissance me fait plaisir. » Il veut avoir des nouvelles de Richler[89]. Mann entretient des relations amicales avec Florence et Richler : il rend souvent visite à Daniel et, lorsque les Richler commencent à passer plus de temps au Canada dans les années suivantes, il se plaint que le quartier de Putney est trop tranquille[90].

Doris Lessing émet la théorie selon laquelle bon nombre de ses amis (Ted Allan, Reuben Ship, Mordecai Richler) ont divorcé de leur première femme, car « les hommes doivent mener un dur combat pour se libérer de l'emprise de leur mère. Lorsqu'ils croient enfin être libres, les circonstances et leur nature font en sorte que leur épouse se transforme en figure maternelle et ils doivent à nouveau s'en affranchir[91] ». Mais Cathy Boudreau n'a rien de maternel. On peut se demander si Lessing a exposé sa théorie à Richler, car lorsque *L'apprentissage de Duddy Kravitz* est imprimé un an plus tard, on y retrouve le personnage de Tante Ida qui, stimulée par la lecture d'un ou deux livres de psychologie, affirme que Duddy souffre du « complexe d'Œdipe[92] ».

Florence, l'aînée de Richler d'un an[93], a été adoptée par une famille anglicane de Lachine[94]. À la fois grande et gracieuse, elle a reçu une éducation élémentaire, mais elle a réussi à signer un contrat de mannequin lucratif, d'une durée de cinq ans, avec la maison Christian Dior, le magazine *Queen* et les grands magasins de Knightsbridge, à Londres[95]. Elle a été courtisée par Sean Connery et Christopher Plummer[96]. Elle espérait un jour, quand Daniel serait plus grand, réaliser son rêve de travailler à Paris[97]. De fait, en dépit de sa chevelure foncée, de son enfance pauvre et malheureuse, elle est la blonde *shiksa* dont rêve Richler. Lessing se souvient de Richler comme d'un homme «tellement anti-romantique, tellement dur», mais après avoir rencontré Florence, «il reste là à rêver d'elle[98]». Selon Diana Athill, Richler ressent pour Florence le même amour passionné que Barney porte à Miriam dans *Le monde de Barney*.

Le contraste entre Florence et Cathy est frappant. Cathy a la langue acérée et lorsqu'elle se trouve en compagnie de Mordecai, il y a, à n'en pas douter, deux Richler dans l'appartement. Elle a également l'élégante habitude d'appeler tout le monde «suceur de couilles[99]». Au départ, Richler est attiré par son côté fougueux, mais avec le temps, ce trait de personnalité commence à l'agacer[100]. Les Richler ont appris à s'envoyer des piques et à compter les points entre eux pour plaisanter[101], et il arrivait que des amis de passage à l'improviste chez eux la trouvent en train de hurler. C'était très désagréable[102]. Avec Florence, les choses sont très différentes. Si «Le Chat Botté» (comme Lily appelait Mordecai) aspirait à rencontrer une femme noble[103], Florence, avec son raffinement étudié, n'est pas loin d'y ressembler. Elle a une prestance et une manière élégante de s'exprimer que Richler admire et qui lui fait défaut. Selon Ted Kotcheff, dans les premiers mois elle tente de changer Richler, de l'adoucir en lui expliquant gentiment, durant les fins des soirées, comment Amy Vanderbilt se serait comportée à sa place[104]. Florence dit elle-même qu'elle n'aurait jamais eu l'audace d'essayer de le changer. Elle l'affronte rarement de manière directe, mais il le sait lorsqu'elle désapprouve sa conduite. Il conclut: «à voir la tête de Florence, je pense qu'il est temps de rentrer à la maison» et pourtant, au final, cette désapprobation l'amuse[105]. D'après les enfants, plus tard, elle sera la seule à exercer une autorité morale sur lui[106].

Florence gagne très vite l'affection de Brian Moore, qui la décrit comme «une fille très gentille et brillante[107]», et celle de Diana Athill qui, bien qu'elle soit intimidée par sa beauté, finit par l'apprécier[108]. Moore s'inquiète toutefois pour l'avenir de

Cathy. Il ne perd pas son temps à consoler Richler, qui n'en a pas besoin : « Comme tu le sais, je n'ai jamais véritablement approuvé cette union et j'ai toujours pensé que tu étais idiot de te marier pour les raisons que tu m'avais données à l'époque[109]. » Moe, quant à lui, ne peut s'empêcher de dire, d'une manière un peu plus directe : « Tu vois, je te l'avais dit », et de répéter la prophétie selon laquelle les mariages mixtes ne fonctionnent pas[110]. De son propre mariage qui, sans être mixte, a tout de même échoué, il ne dit étrangement rien, mais Mordecai ne manque pas de le lui rappeler[111].

Florence aura besoin « de toutes ses ressources » pour supporter la famille de Richler, mais aussi pour l'endurer, lui et ses humeurs noires. Elle admet qu'il était difficile de vivre à ses côtés lorsqu'il se lançait dans l'écriture d'un nouveau roman. On sent, dans la fiction de leur fille Emma, par exemple, que Florence a choisi de faire preuve d'une grande tolérance, car Richler est très talentueux et qu'elle l'adore, et parce que, contrairement à Stanley, il est fidèle. Le portrait qu'Emma brosse du jeune Yakov Weiss représente bien le jeune Richler : « Vous rencontrez un homme à l'air renfrogné, qui n'est à sa place quasiment nulle part, qui n'est pas encore totalement formé, une vraie girouette, un homme caché sous une masse de cheveux bouclés et portant une chemise au col déformé… Il est mince, presque carencé, si cela est possible[112]. » Florence dit qu'elle n'a jamais rencontré quelqu'un d'aussi intense. Il laisse tomber des cendriers et casse des objets accidentellement avec une fureur suggérant que le monde physique est une force malveillante qui s'acharne contre lui. Le bavardage l'horripile. Dans les soirées, il assène des vérités avec une franchise crue qui fait trembler les gens. Il ne demande pas seulement la vérité nue, mais il juge la vie des gens qui l'entourent, et la trouve décevante. « Les gens en venaient à espérer », dit Florence, « qu'il parte très bientôt, pour qu'ils puissent à nouveau faire les fous et agir naturellement[113]. »

12

La fin de l'apprentissage

DE RETOUR À LONDRES, Richler, épris, accompagne Florence
lors de ses séances de photos chez Dior[1]. Comme Cathy
occupe l'appartement de Richler au 5 Winchester Road, la première préoccupation de Mordecai est de trouver un endroit où
habiter. Reuben Ship lui propose de l'accueillir. Ship vit alors
avec Elaine Grand, une ancienne animatrice de télévision de la
CBC, en attendant que le divorce de son premier mariage soit
prononcé. L'appartement de Ship devient un refuge pour Richler.
C'est d'abord sa maison pour quelques semaines, puis un endroit
où il trouve de la compagnie[2].

Le «scénariste de la télévision le mieux payé de Grande-
Bretagne», comme Richler se plaît à se définir avec exagération[3],
doit avoir son propre appartement, même s'«[il est] passé dans
la classe de la pension alimentaire avec de l'avance[4]». Cathy
décide enfin de quitter Winchester Road, laissant ainsi le champ
libre à Richler, qui trouve rapidement un colocataire en la personne de Ted Kotcheff. Les deux messieurs partagent l'appartement: Kotcheff occupe la chambre tandis que Richler travaille
et dort dans le salon. L'appartement ne reflète pas du tout leur
niveau de revenu: le plancher est couvert de papier goudronné
noir, il y a un trou dans le plafond de la chambre de Kotcheff et
leurs livres sont posés sur des étagères de fortune fabriquées
avec des planches et des briques. Des souris et un rat viennent

parfois leur rendre visite. Kotcheff, qui travaille comme réalisateur, a pourtant un bon salaire, et l'écriture de scénarios devient lucrative pour Richler. Ces contradictions les amusent. Ils se font livrer du saumon ou du hareng fumé de chez Harrod's pour le petit-déjeuner ou invitent chez eux des gens aisés du monde du cinéma. Lorsque Richler reçoit son chèque pour *Les Chemins de la haute ville* – il n'a jamais reçu autant d'argent d'un seul coup –, il le change en billets de cinq livres et ramène le butin à l'appartement pour l'agiter sous le nez de Kotcheff. « Nous nous comportions comme les personnages d'un mauvais film », dit Kotcheff, « jetant l'argent par les fenêtres. » Richler cache ensuite l'argent dans les livres de la bibliothèque avant de sortir en ville, oubliant par la suite où il l'a caché. Quand l'argent viendra à manquer, ils devront ouvrir des centaines de livres pour trouver les billets restants. D'après leur femme de ménage, ils vivent comme des cochons[5].

Tous les matins avant de se mettre au travail, Richler souhaite une bonne journée à Kotcheff. À 9 heures précises, il s'assoit à son bureau. À 9h05, le cliquetis de la machine à écrire se fait entendre. À midi, il déjeune, parcourt le *Herald Tribune* et fait parfois une sieste. À 14 heures précises, il s'installe à nouveau à son bureau et à 14h05, la machine à écrire reprend sa course de plus belle. Kotcheff raconte : « Je vivais dans une sorte de fantasme stupide à la Hemingway, dans lequel les écrivains se soûlent ou se droguent en attendant que l'inspiration les frappe, le plus souvent vers minuit, les obligeant à travailler toute la nuit. » Mais la Muse qui se pointe chaque jour à 9h05 et 14h05 ? Richler a déjà essayé de suivre la route hippie empruntée par Hemingway. Mais comme il veut offrir un foyer à Florence et Daniel – et sachant que seul un travail régulier lui permettra de le leur donner –, il adopte désormais l'attitude d'un artisan sérieux. Lorsque Kotcheff rentre des répétitions, Richler l'accueille avec une belle côte de bœuf rôtie ou un cholent, un plat de haricots de lima cuits dans la graisse de poulet. Le plus souvent, Kotcheff rêve de passer une soirée tranquille, mais Richler, qui est seul durant la journée, est remonté comme une pendule et il veut sortir. « Allez Kotcheff ! » lui dit-il, et ils finissent par sortir[6].

Isaac Babel fait dire à un de ses rabbins : « Le chacal gémit quand il a faim, les idiots sont suffisamment stupides pour être malheureux, et seul le sage déchire le voile de l'existence par le rire[7]. » C'est *L'apprentissage de Duddy Kravitz*, son premier roman entièrement écrit sous le mode de la comédie, que Richler accueille tous les matins à 9h05. Il l'a en grande partie écrit à Roquebrune ; il en est maintenant à l'étape de la correction. Ce livre est à la fois son plus long roman et celui qu'il a écrit le plus rapidement[8], et Richler n'est pas très à l'aise avec cette idée. Dans l'intervalle qui a suivi l'écriture du *Choix des ennemis*, il a rajeuni. Même s'il avait déjà cessé de chercher à imiter Hemingway après *The Acrobats*, il était toujours, dans *Le choix des ennemis*, tenté de laisser son passé derrière lui et de s'exprimer sur l'état du monde. Dans *L'apprentissage de Duddy Kravitz*, Richler fonce au contraire, tête baissée, dans le parler juif canadien de son enfance montréalaise et s'exprime de manière plus franche, si bien que l'histoire de Duddy semble plus vraie que celle de Norman.

Richler pense avoir laissé la rue Saint-Urbain derrière lui, mais son imagination l'y ramène parfois, et il parvient, grâce à elle, à trouver sa voix. Dans la préface du *Voyage des innocents*, il écrira que Mark Twain a acquis la maîtrise du langage américain lors de ses voyages en Europe et en Israël. L'un des plaisirs que procure *Le voyage des Innocents* est de « voir le jeune Twain se libérer du joug de la tradition européenne et, de ce fait, affranchir la littérature américaine, accomplissant ainsi un travail de destruction nécessaire[9] ». On pourrait dire la même chose de Richler. « You wouldn't Talk Like That if You Were Dead », une histoire écrite à cette période et ayant pour cadre la rue Saint-Urbain, rend compte de la maturité du style de Richler. Afin de faire des économies sur le montant des frais funéraires, l'oncle Sol met en place une coopérative de parcelles de cimetière pour ses proches. Deux ans plus tard, il n'y a pas eu un seul décès dans la famille, et l'oncle Sol s'impatiente. Chaque fois qu'un membre de la famille demande à un autre comment il va, celui-ci ne peut s'empêcher de sentir qu'on attend sa mort avec impatience. Les dialogues de Richler sont plus naturels; ils ne sont plus durs ou intentionnellement intelligents. On n'y retrouve plus de narrateur externe, mais seulement le choc des motivations égoïstes – si bien que les proches *tiennent* absolument à se relever de façon miraculeuse de leur lit de mort, plutôt que de donner à l'oncle Sol la satisfaction de tirer profit de leurs cadavres. Richler porte un jugement prudent sur la folie humaine lorsque le premier enterrement a enfin lieu: «Quelle première», dit l'oncle Sol, en comptant les membres de la famille encore présents dans la maison, l'air mécontent. «Quelle attraction[10]!»

Mais c'est avec *L'apprentissage de Duddy Kravitz* que Richler se présente véritablement comme le premier auteur canadien d'importance à se soustraire aux traditions britannique et française. Si des auteurs plus anciens et issus de minorités – Frederick Phillip Grove, Laura Gudmund Salverson, John Marlyn (Mihaelovitcz), A. M. Klein et Adèle Wiseman – avaient déjà dressé un tableau de l'expérience des immigrés, ils l'avaient fait en adoptant une voix influencée par les Anglais... comme Richler dans ses trois premiers romans. «Au départ, j'étais un écrivain plutôt sérieux et pompeux», admet Richler[11]. Jusqu'à *Duddy*. Ce qui n'empêchera pas un éditeur américain de penser que le titre du roman est trop spécialisé et trop juif. Seymour Lawrence propose le titre ridicule *What's in It for Me?* [Qu'ai-je à y gagner?][12]. Toutefois, le style qu'utilise Richler dans le roman va à l'encontre d'une telle interférence, par exemple lorsque Duddy essaye de baratiner Hugh Calder sans que cela ressemble à un pot-de-vin: «D'habitude, Duddy ne l'ignorait point, on ne risquait pas de se tromper en envoyant une bonne bouteille à un Goy, mais Calder était le propriétaire d'une distillerie. "Je l'ai! Dites-moi le nom d'une de vos bonnes œuvres, et j'leur envoie cinquante dollars. Une sorte de témoignage, quoi!"[13]». Dans ce genre de phrases, Richler se découvre un style dans la langue («*goy*», «une sorte de témoignage») et dans les manières (Duddy comprend précisément quel genre de pot de vin les Canadiens anglophones, une communauté aveuglée par elle-même et à laquelle il n'appartient pas, trouvent socialement acceptable) qui se révèle tout à fait novateur dans le contexte canadien.

Certains se plaignent du fait que le roman s'inscrit dans la lignée de la littérature américaine – particulièrement des romans *Qu'est-ce qui fait courir Sammy?* de Budd Schulberg (1941), et *Les aventures d'Augie March* de Saul Bellow (1953)[14]. Loin de là. Les autres romans invitent à la comparaison car, à l'instar de *L'apprentissage de Duddy Kravitz*, ils sont des variantes juives de la plus américaine des formes structurelles, la narration progressive, l'histoire de l'homme qui est parti de rien, et parce que leurs protagonistes ont une vivacité qui n'a rien à envier à celle de Gatsby le Magnifique. Le style de Bellow, qui incarne toujours la tradition européenne amorcée par Thomas Mann, ne saurait être plus éloigné de celui de Richler. *Qu'est-ce qui fait courir Sammy?*, roman moins profond et plus conventionnel que *L'apprentissage de Duddy Kravitz*, s'en approche davantage. Richler laisse même l'ennemi de Duddy, Irwin Shubert, le surnommer «Sammy Glick», comme le protagoniste du roman de Schulberg[15]. Il n'est pas étonnant que Richler se soit souvenu de Sammy, dont les problèmes sont si proches des siens : Sammy déteste le *heder*, Richler aussi. Le père de Sammy meurt quand Sammy a treize ans ; Richler, au même âge, est éloigné de son père pendant plusieurs années à la suite du divorce de ses parents. Sammy se rebelle contre l'orthodoxie et ne célèbre pas sa *bar-mitzvah* ; Richler fait sa *bar-mitzvah*, mais cet événement a peu d'importance pour lui car il est, lui aussi, en rébellion contre l'orthodoxie religieuse. Le grand-père de Sammy dit qu'il ne veut plus vivre parce que son petit-fils n'est pas un vrai Juif : «Il était comme ces petits ritals et ces irish qui jurent et se battent et trichent.» Les disputes qu'entretient Richler avec son grand-père Shmarya ont une intensité et une cause semblables. Et Richler comprend parfaitement que Sammy soit à la recherche de la fille en or, du rêve, d'une belle WASP à la fois riche et cultivée[16].

Mais c'est la *vie* de Richler, et non sa fiction, que l'on peut comparer à celle de Sammy. Les nombreux Juifs qui ont renoncé à l'orthodoxie et se sont adaptés aux coutumes nord-américaines pourraient raconter des histoires semblables. Hormis le prénom du père de Duddy, Max, *L'apprentissage de Duddy Kravitz* doit très peu à Schulberg. Certains perçoivent des similitudes entre les deux romans parce que Sammy et Duddy sont tous les deux de jeunes Juifs aux dents longues. Pourtant, l'histoire est totalement différente et l'attitude de Schulberg envers son protagoniste est bien plus moralisatrice que celle de Richler. Au fond, *Qu'est-ce qui fait courir Sammy ?* est un conte moral dont l'idée directrice est la suivante : à trop vouloir accéder à la richesse matérielle, on risque de perdre notre âme. L'histoire de Duddy est bien plus complexe et ambiguë. Qu'il se comporte comme un « bonimenteur » dans sa vie amoureuse ou qu'il cloue le bec aux gens, Duddy a un tel charme, il fait preuve d'une telle loyauté envers sa famille et il est tellement clairvoyant qu'il est difficile de ne pas s'attacher à lui. Lorsque Duddy affirme : « J'suis pas un lord anglais, et y s'agit pas d'la maison ancestrale », comment peut-on condamner la vente intelligente et à bon prix de la bibliothèque et des meubles antiques de son oncle[17] ?

En outre, Duddy n'est pas vraiment l'alter ego de Richler. Parmi les anciens étudiants de Baron Byng, certains de la génération de Richler soutiennent que si Duddy représente quelqu'un, il s'agit sans nul doute de Richler[18] ; or ni la vie de Duddy ni ses attitudes ne s'apparentent véritablement à celles de son créateur. Le roman revisite quelques-uns des lieux de prédilection de Richler enfant, mais sans lui. Une partie du roman se déroule à Sainte-Agathe, où Lily Richler a échoué dans la location de maisons de pension. Là, un Juif de la haute bourgeoisie, Irwin, humilie et plume Duddy à la roulette, mais celui-ci réussit à remporter une victoire morale et à récupérer l'argent qu'il a misé, en plus des intérêts. Contrairement à Richler, Duddy ne rejette pas d'un bloc l'orthodoxie (par exemple, il n'a pas l'intention d'épouser une femme d'une autre religion) et, de toute évidence, il n'affiche pas le dédain que le jeune Richler, animé de sentiments nobles, éprouve face aux affaires. En réalité, si un personnage représente Richler, il s'agit de Hersh : à l'origine un garçon modèle, celui-ci devient un écrivain bohème, aux œuvres non publiées, qui estime qu'il s'est « sauvé » du ghetto et a l'ambition de quitter Montréal pour Paris. Un seul un élément du roman permet d'établir un parallèle entre le père de Duddy et celui de Richler : leur impressionnante volte-face lorsqu'ils prennent conscience de la réussite de leur fils. À la fin du roman, Max se rappelle de la mauvaise conduite de Duddy à l'école et y voit le signe précoce d'un jeune prodige ; l'attitude de Max évoque l'intérêt soudain de Moe lorsqu'il apprend que son fils côtoie des gens comme Sean Connery[19]. Le fait que Moe aimait davantage l'image de Mordecai que Mordecai lui-même était très doulou-reux pour ce dernier. Pourtant, mis à part cet élément, les deux pères sont différents. Quant aux grands-pères, le personnage de Zeyda Simcha, qui conseille à Duddy d'acheter des terres, permet finalement à Richler de dépasser le portrait moralisateur des grands-pères orthodoxes[20]. Il est en train de devenir une per-sonne *différente* de celle qu'il était auparavant. *Le choix des ennemis* témoignait du désir de Richler d'appartenir à une culture plus vaste que celle du Montréal juif et de s'accomplir en péné-trant dans l'univers du cinéma londonien. Après *Duddy Kravitz*, la vie montréalaise de Richler ne tournera plus autour de Lily.

Si Duddy apparaît si sympathique, c'est notamment parce que Richler lui a donné des origines dignes d'un personnage de Dickens... si Dickens avait été un écrivain juif américain du XXe siècle. C'est une histoire d'orphelin conçue pour une ère plus cynique. La mère de Duddy est décédée, et cette blessure origi-nelle motive sa quête d'un statut social et familial. Dans les ébau-ches du roman, on remarque que Richler cherchait un juste milieu entre la satire et la manipulation émotionnelle. Dans l'un des premiers brouillons, la congrégation réformiste juive Holy Blossom Temple s'appelle Lemon Blossom Temple et elle est dirigée par le «rabbin Harvey Finestone». Le rabbin, qui, «au début de sa carrière, était danseur de claquettes», «avait gagné un prix au Major Bower Amateur Hour» et publié un article très apprécié intitulé «J'aime être juif – C'est le pied». Dans les der-nières ébauches, ces passages sont supprimés. Richler apporte aussi des modifications au personnage de Jerry Dingleman qui, de «Boy Plunger», devient le «Boy Wonder». Moins drôle mais plus évocateur, voilà enfin un rôle auquel Duddy peut aspirer. Et Yvette ne rit pas (comme dans la première ébauche) lorsque Duddy lui suggère d'aller voir Lennie pour se faire avorter si jamais elle tombe enceinte. Richler supprime aussi le passage où Duddy pleure après avoir souhaité la mort de Virgil[21]. L'auteur se dit probablement que ce qui aurait pu passer dans un roman de Dickens apparaîtrait trop sentimental en 1959. Dans ses deux romans suivants, Richler tente d'éliminer toute forme de sentimentalisme. Ainsi, *The Incomparable Atuk* et *Un cas de taille* offrent à Richler les rires entendus qu'il attendait, mais les lecteurs ne manifestent pas beaucoup d'intérêt pour ces deux romans. C'est seulement avec *Le cavalier de Saint-Urbain* qu'il renoue avec le procédé – difficile pour lui, voire *embarrassant* – qui consiste à donner à ses personnages une vie intérieure et à leur faire vivre une vaste gamme d'émotions.

Si Duddy attire la sympathie, c'est aussi parce qu'en dépit des apparences, il ne court pas seulement après l'argent. Lorsqu'il qualifie ses quelques hectares couverts de neige «la Terre promise», Richler laisse entendre que les terres que son protagoniste convoite constituent un équivalent symbolique de Sion. Tirée de la poésie yiddish, la phrase lancée par Simcha – «un homme sans terre n'est rien[22]» – dévoile les émotions qui se cachent derrière l'entreprise sioniste et permet peut-être de comprendre le rabbin Rosenberg lorsqu'il se plaint au sujet de la diaspora[23]. Duddy s'attend à ce que le fait de posséder des terres le protège des ghettos, de la pauvreté et de l'antisémitisme. À plusieurs égards, ses objectifs deviennent ainsi plus clairs. La question de l'argent demeure évidemment centrale, en particulier lorsque Duddy reconnaît qu'il serait capable de vendre un bébé pour acheter des terres. Rosenberg avait acheté des terres en Israël, mais, tout comme le personnage fictif de Simcha, il n'avait pas pensé au coût moral qu'impliquerait le fait d'acquérir de nouvelles terres et de les conserver. Duddy, qui cherche à décrire par un euphémisme les mensonges, les vols et les tricheries auxquels il s'est livré pour obtenir ses terres, en vient à qualifier ses agissements de «pas orthodoxes[24]». Le terme est particulièrement approprié. De nombreux rabbins orthodoxes insistaient sur le fait que les Juifs devaient attendre la rédemption miraculeuse de Dieu, et non pas Le devancer en achetant et en s'emparant de terres en Palestine[25]. Les machinations de Duddy, ainsi que sa volonté de profiter de l'infirme Virgil Roseboro pour atteindre ses objectifs, évoquent les moyens «pas orthodoxes» employés par l'Irgoun ou le groupe Stern, c'est-à-dire les bombardements et les crimes de vengeance. Lorsque Duddy offre à Simcha la possibilité de se choisir une terre, ce dernier refuse, dénonçant ainsi les méthodes employées par Duddy.

Outre le sionisme, d'autres éléments font l'objet de la satire de Richler : les réalisateurs d'avant-garde, le judaïsme libéral et, par l'intermédiaire du personnage de Virgil, un épileptique, la défense des minorités. Cet élément de satire frise parfois le mauvais goût, par exemple lorsque Virgil propose, dans sa revue *Le Croisé*, la tenue d'un concours «Miss Handicap physique[26]». Richler effraie les éditeurs avec le caractère jubilatoire et l'éventail apparemment sans fin de ses piques. Nancy Reynold, directrice générale d'Atlantic, craint de possibles attaques en diffamation : «Vous insinuez notamment, à la page 51, que la consommation de Pepsi peut entraîner une transpiration plus abondante et, à la page 61, que la consommation de whisky Johnny Walker peut provoquer des rougeurs au niveau du nez. » Elle désapprouve également les remarques désobligeantes vis-à-vis de John Huston, Alfred Hitchcock, Charlie Chaplin et William Lyon MacKenzie King[27]. Évidemment, les éditeurs ne voient pas tout : *Maclean's* publie un extrait du roman et évite de justesse une poursuite en diffamation par un avocat montréalais du nom de Sivak qui souffre d'angoisses depuis qu'il a lu la phrase : «Sivak donna à Kravitz un coup de pied au cul[28]. » Si Richler n'affiche plus ce mépris pour le commerce devenu tellement banal dans les cercles intellectuels, sa façon de décrire les hommes d'affaires n'est pas au goût de tout le monde, et en particulier à celui des hommes d'affaires juifs sensibles aux préjugés. Cela s'applique non seulement à Duddy, mais aussi aux autres hommes d'affaires qui interviennent dans le roman, entre autres à M. Cohen. Cohen conseille à Duddy de ne pas laisser la responsabilité du handicap de Virgil l'arrêter. S'il le fait, il ne pourra pas participer au financement de l'hôpital ou à la construction d'Israël. Dans de tels moments (et il y en a beaucoup), *L'apprentissage de Duddy Kravitz* va bien plus loin que *Qu'est-ce qui fait courir Sammy?* On ne peut ni mépriser entièrement Cohen ni approuver son raisonnement moral.

❦

Le fait que le personnage de Duddy soit juif contrarie de nombreux Juifs. D'ailleurs, Richler adore raconter l'histoire d'une femme rencontrée à la synagogue, qui lui a demandé pourquoi il n'avait pas donné un nom italien à Duddy[29]. En réalité, Richler *aime* Duddy[30] et veut faire de ce battant quelqu'un d'attachant[31]. Voilà une maigre consolation pour les Juifs, qui se souviennent de la violence satirique à laquelle les membres de leur communauté ont été confrontés sous la république de Weimar[32], le prélude aux fours crématoires nazis. Les Juifs ont raison de penser que *L'apprentissage de Duddy Kravitz* constitue une attaque, mais ce n'est pas une attaque antisémite. Penser cela reviendrait à éluder la complexité du personnage de Duddy, de même que la complexité de la réponse des lecteurs à son personnage et le refus de Richler d'exempter les autres nationalités de sa satire (par exemple, l'homme d'affaires anglophone Hugh Thomas Calder). Les critiques des non-Juifs sont différentes. Brian Moore considère que tous les personnages goyim sont dépeints comme des idiots, et il affirme que les personnages juifs présentent tous des traits de Richler – pas les Goyim[33]. Plus d'un lecteur s'est plaint, avec raison, que l'amie canadienne francophone de Duddy, Yvette, n'était pas un véritable personnage, mais qu'elle incarnait plutôt la conscience morale de Duddy[34].

Au début de l'année 1959, tandis que Richler corrige *L'apprentissage de Duddy Kravitz*, l'une de ses pièces à caractère très juif, *The Trouble with Benny*, est diffusée dans le cadre de la série Armchair Theatre. Benny, un incapable qui travaille fort pour que sa famille puisse déménager à Outremont, est récompensé par la liaison de sa femme avec le fils Shapiro et la réapparition de ses propres démons de guerre[35]. *The Times Educational Supplement* fait une bonne critique de la pièce[36], mais, bien qu'il soit éloigné de Montréal, Richler commence à recevoir des lettres l'accusant d'être antisémite. En rend compte la lettre suivante, à la fois acerbe et pleine d'esprit :

Cher M. Richler,

Vous allez sans aucun doute recevoir tellement de lettres enthousiastes vous félicitant pour votre pièce qu'une de plus ne fera pas de différence, mais je dois vous dire que vous n'auriez pas fait une meilleure propagande antisémite si vous aviez été Oswald Mosley lui-même. Peut-être est-ce vous ? Ce serait très brillant de la part d'un fasciste de prendre un nom de plume juif… Je pense que vous appartenez à une espèce bien plus dégoûtante et bien plus horrible que les antisémites ordinaires. Les Juifs ne sont pas encore suffisamment appréciés dans ce pays pour se permettre d'avoir un porte-parole tel que vous[37].

Richler a peu de patience pour ceux qui l'accusent d'incitation à l'antisémitisme. «Je n'écris pas pour les cinglés[38]», dit-il, ajoutant plus tard qu'«il n'y aucun intérêt à écrire un roman pour les Enoch Powell de ce monde[39]». Lorsque l'adaptation télévisée de *L'apprentissage de Duddy Kravitz* pour la CBC obtient de mauvais résultats d'audience en 1960, Harvey Hart, le directeur de la chaîne, tient Richler pour responsable : «L'auteur a volontairement fait preuve d'antisémitisme dans cette pièce. J'ai tenté de la sauver, mais je n'ai rien pu faire avec un tel script». Richler est furieux : «C'est ce qu'on appelle défendre son travail. Loyauté. Courage. Canada. De toute façon, il est plus petit que moi, et des plus petits que moi, il n'y en a pas beaucoup, alors j'ai bien l'intention de lui en mettre une[40].»

Avec le recul, Richler ne se souvient pas avoir passé beaucoup de bons moments en 1959 ; il se rappelle plutôt «de longues nuits raccourcies par le gin, de journées pleines d'espoir et d'excuses». Il est l'auteur de trois romans, mais les ventes sont décevantes[41]. Malgré tout, et en dépit d'une hernie discale douloureuse qui l'oblige à marcher avec une canne en janvier[42], il n'est pas aussi abattu qu'il le laissera entendre plus tard. *The Trouble with Benny* est réalisé par Ted Kotcheff (cette année-là, Kotcheff est nommé meilleur réalisateur de télévision d'Angleterre par la Society of Film and Television Arts[43]), narré par Ted Allan[44] et Florence Mann, qui prend désormais des cours pour devenir actrice et décroche l'un des rôles secondaires féminins[45]. «Il doit être beaucoup plus stimulant d'être actrice que de défiler», dit-elle à l'époque[46], même si elle admettra plus tard qu'elle l'a fait pour le plaisir et parce que ça lui permettait de passer du temps avec ses amis. Dès la fin de l'année, elle sait qu'elle doit prendre une décision. Lorsqu'on lui propose un rôle dans l'adaptation théâtrale du *Monde de Suzy Wong*, Richler s'immisce dans les discussions.

Il veut protéger ses intérêts, mais Florence découvre rapidement qu'il est jaloux et qu'il ne souhaite pas qu'elle poursuive une carrière[47]. En choisissant Richler, elle prend le parti de renoncer à une période lucrative de sa vie : «Vous ne pouviez pas être à la fois l'épouse de Mordecai et un mannequin ou une actrice ou quoi que ce soit d'autre. C'était une responsabilité à plein temps[48].»

À la même période, Richler est de nouveau sollicité comme consultant scénario pour sauver *Faces in the Dark* (1960), un script basé sur le roman *Les Visages de l'ombre*. L'intrigue est bien ficelée, mais les personnages sont trop figés. «Le patient», explique Richler, «est un polar écrit par deux Français malins – les gars qui ont écrit *Les Diaboliques* et *Sueurs froides* – et le producteur est un certain Sid Box.» Le tarif des «retouches chirurgicales», comme les appelle Richler, atteint 1 500 livres pour six semaines de travail. Sa confiance est au beau fixe. «Si les choses se passent aussi bien que je peux l'espérer, je pourrai accorder une subvention au Conseil des Arts du Canada l'année prochaine.»[49] Adoptant le pseudonyme d'Ephraim Kogan[50], Richler se met au travail, convaincu de recueillir tous les lauriers[51]. Mais il devra finalement les partager avec les deux écrivains français, Pierre Boileau et Thomas Narcejac.

La grande majorité des lecteurs, surtout ceux qui comptent, apprécient *L'apprentissage de Duddy Kravitz*. Weiner, Athill, Moore, Jack McClelland et, à la plus grande satisfaction de Richler, l'éditeur américain Seymour Lawrence, comprennent immédiatement qu'il s'agit d'un grand pas en avant[52]. Robert Fulford écrit dans le *Toronto Star* que *L'apprentissage de Duddy Kravitz* devrait remporter le Prix du Gouverneur général[53]. «Cher Duddele», écrit Moore à Richler, «Tu peux revenir à la maison maintenant et tu n'auras plus jamais à parler à Earle Birney. Tu as laissé tous les noms de la littérature canadienne tellement loin derrière toi qu'Ils Ne Te Serviront Plus Jamais À Rien[54].» Réjoui par de telles réactions, Richler annonce que *L'apprentissage de Duddy Kravitz* est le premier volume d'une trilogie. Non, d'une série tout entière! Le prochain volume sera *Dudley Kane's First Marriage*. Il écrira ensuite «un tas de romans, courts et longs, sur les anciens élèves de la rue Saint-Urbain», un roman sur Hersh et un plus court sur l'oncle Benjy. «Pour faire court, je revendique le ghetto juif de Montréal dans la tradition de H. de Balzac et du Grand Bill Faulkner[55].» Mais le retour aux sources n'a pas lieu aussi vite que prévu. En effet, Richler n'écrira qu'un seul de ces romans, et il faudra attendre douze ans.

Ce n'est pas tout le monde qui apprécie Duddy. Cathy, encouragée par Bea Narizzano, qui sous-loue un appartement à Florence, se présente un jour à l'improviste à l'appartement de Richler alors que Kotcheff est seul à la maison. Lorsqu'elle découvre que Richler, après tout le soutien qu'elle lui a apporté, a dédicacé *L'apprentissage de Duddy Kravitz* à Florence, Cathy s'emporte, tente de déchirer le livre et jette la machine à écrire Olivetti de Richler par la fenêtre, dans la boue. Kotcheff doit pratiquement la gifler pour l'arrêter[56]. D'après Richler, c'est Bea qui se mériterait une claque. «Seul Stanley, une partie lésée, a le droit de dire à Cathy tout ce qu'il veut, explique Richler, mais je ne pense pas qu'il soit aussi irresponsable[57].»

Cathy ne veut pas entendre parler de divorce, et le divorce pour abandon du domicile conjugal ne peut être prononcé qu'après une période de sept ans ; or Richler n'a pas l'intention d'attendre aussi longtemps[58]. Il existe une autre possibilité : invoquer le divorce pour adultère. Reuben Ship donne à Richler le nom d'un détective minable à qui il avait fait appel lors de son propre divorce, et Kotcheff s'occupe de faire le nécessaire pour que sa petite amie soit découverte *in flagrante delicto* dans le lit de Richler, vêtue d'un simple négligé en froufrous, les bouteilles de champagne vides racontant le reste de l'histoire. Kotcheff, qui s'est caché dans les toilettes à l'arrivée du détective, tire la chasse d'eau pour couvrir ses rires, et Richler a lui aussi du mal à garder son sérieux pendant que le détective enregistre sa déclaration[59]. Cathy accepte de se rendre au tribunal en octobre, et Richler espère que le jugement définitif interviendra en janvier. Dans le même temps, le double standard qui prévaut dans le droit britannique de l'époque stipule que pour obtenir le jugement provisoire de son divorce avec Stanley, Florence ne doit pas avoir de relations sexuelles pendant six mois. En vertu de la loi, si un procureur de la Reine surprend une requérante dans une situation embarrassante, il peut annuler la procédure de divorce. Le premier jugement du divorce de Florence doit intervenir le 28 juin et le jugement définitif, le 28 septembre, mais dès le mois de juin, Florence et Richler passent toutes leurs soirées ensemble. Kotcheff se souvient avoir passé de longues heures, dans son Austin Healy garé devant l'appartement de Florence, prêt à prévenir Richler en klaxonnant trois fois. Un jour, une personne louche est entrée dans l'immeuble et Kotcheff a klaxonné à trois reprises. Richler a sauté par la fenêtre du rez-de-chaussée et s'est enfui dans la nuit à bord de la voiture[60]. Apprenant que Bill Weintraub se sépare lui aussi de sa femme, Richler, contre toute attente, continue de croire que tous les mariages ne sont pas voués à l'échec. En fait, il parle même d'avoir des enfants avec Florence et de retourner vivre au Canada avec elle. En décembre, il écrit à Weintraub : « Suis dans une période d'attente et de sorties. Brian me dit que tu penses que je suis heureux ou que je semble heureux ou quelque chose dans ce goût-là. Et si je l'étais vraiment, mon vieux[61] ? » Même la situation de ses parents s'améliore, car Moe est très impatient de tout savoir et, comme Max Kravitz, de parler des succès de son fils. « Au départ, Moe n'aimait pas du tout Mordecai et puis il a commencé à l'apprécier[62] », dit Bernard Richler. « Quand il est devenu plus célèbre, j'imagine qu'il s'est mis à l'aimer. » Moe, un véritable cinéphile, voit enfin *Les Chemins de la haute ville*, et le père et le fils rétablissent le contact qui avait été rompu à la suite du mariage de Mordecai avec une femme non-juive. Sara, la seconde femme de Moe, explique à Richler ce que Moe a ressenti lorsqu'ils ont repris leur correspondance : « tu as donné à ton Papa tant de fierté, c'est un homme neuf aujourd'hui. Il a toujours eu une tendance à la déprime. Mais depuis que tu lui écris, etc. Il est tellement changé[63]. » Bernard tient un discours semblable à celui de Sara dans ses lettres, racontant que Moe se vante des succès de Mordecai et montre à tout le monde leur correspondance : « Ton père attend ton retour avec tellement d'impatience qu'il va probablement tuer le veau gras[64]. »

Au départ, les ventes de *L'apprentissage de Duddy Kravitz* ne sont pas à la hauteur des attentes. Collins, l'éditeur canadien de Richler, n'a commandé que sept cent cinquante copies, et le livre cumulera en effet peu de ventes. Mais des choses plus intéressantes se trament au Park Plaza Hotel de Toronto, où Collins a loué une suite pour célébrer le lancement du livre. Richler y amène Daniel, maintenant âgé de trois ans. Il demande aussi que Jack McClelland soit convié, mais Collins refuse d'inviter un rival. Richler donne donc rendez-vous à McClelland au bar situé dans le hall de l'hôtel[65]. Tandis que le pingre de Collins fête son auteur de talent à l'étage, celui-ci se trouve au rez-de-chaussée en train de négocier un meilleur contrat avec un autre éditeur.

De manière lente mais assurée, *L'apprentissage de Duddy Kravitz* se fait connaître par le bouche-à-oreille, mais aussi grâce aux enseignants et professeurs des années 1960 et 1970 qui le donnent à lire à leurs élèves, sachant qu'ils l'apprécieront. Bien plus tard, désormais riche et sûr de lui, Richler rejettera l'idée d'imposer des romans aux élèves : on devrait lire par plaisir, non ? Il en arrive à oublier à quel point les ventes de ses livres suivants ont bénéficié des recommandations des professeurs qui conseillaient *L'apprentissage de Duddy Kravitz* à leurs élèves. Des années plus tard, *L'apprentissage* reviendra sur le devant de la scène lorsque, déchaînant les passions, il sera retiré de certains lycées à cause du langage profane et des références sexuelles qu'il comporte, ainsi que de l'absence de morale qui le caractérise. En 1977-1978, le Conseil de l'éducation de Norfolk retire *L'apprentissage* et *L'attrape-cœurs* de ses listes de lecture. En 1980-1981, le Conseil de l'éducation d'East Parry Sound lui emboîte le pas. Dans le Norfolk, c'est le Révérend Harry Strachan, de l'église Bethel Baptist de Simcoe, qui a proposé le retrait. Strachan n'a pas lu le livre, mais dit : « Je ne suis pas ici pour débattre avec les gens... Tout ce qu'ils ont à faire, c'est de choisir un bon livre et de l'analyser avec leurs élèves... Ça m'est égal qu'il y ait une histoire ou non. C'est juste une façon humaniste de voir les choses[66]. »

Alors que Richler, qui a terminé son propre apprentissage, gravit les échelons de la littérature et du cinéma en 1959, la série comique de Reuben Ship est annulée, et celui-ci sombre peu à peu dans l'alcool. Richler s'occupe de lui, mais pas assez, admet-il : « Nous n'avions pas encore trente ans, nous étions de toute évidence immortels, avides, égocentriques et intéressés par nos seuls promesses et plaisirs sans égal[67]. »

13

Certifié sans danger de poursuite

G RÂCE À L'ARGENT DU FILM, en janvier 1960, Richler met fin à sa seconde période de célibat et emmène Florence et Daniel quelques mois à Rome[1]. « La situation n'était pas idéale en Grande-Bretagne à cette époque », avoueront plus tard Richler et Florence[2]. Florence est enceinte[3], mais ils décident tous deux d'attendre juste avant la naissance pour se marier. Pour l'instant, ils ont prévu de s'envoler vers Paris et d'y acheter une voiture. Mais Richler doit d'abord apprendre à conduire. Bien qu'il approche de son vingt-huitième anniversaire, il n'a pas encore appris à conduire parce qu'il n'a jamais eu d'argent pour le faire. Avec Ted Kotcheff comme professeur[4], il doit se dépêcher d'apprendre.

À Paris, Richler achète une petite Renault, qu'il paie en espèces, et il retourne sur ses lieux de prédilection. Mais il n'y reconnaît personne. Maintenant qu'il loge dans les grands hôtels, il incarne l'image du « touriste » bourgeois qu'il méprisait allègrement quelques années plus tôt[5]. La famille suit le cours du Rhin. Dans une pension allemande, un groupe d'anciens soldats entonne avec nostalgie la chanson qui avait résonné dans les villages allemands lorsque la France s'était rendue à l'Allemagne, en 1940. Il s'agit de l'hymne du Parti nazi, le Horst Wessell Lied :

Die Fahne hoch, die Reihen fest geschlossen,
S.A. marschiert mit ruhig festem Schritt…

(Le drapeau haut, les rangs bien serrés,
Les S.A. défilent d'un pas calme et ferme[6]...)

Peu après leur passage en Allemagne, des swastikas seront peints sur les murs des synagogues de l'Allemagne de l'Ouest, possiblement par des agents de l'Allemagne de l'Est qui cherchent à discréditer le gouvernement de Bonn. Richler écrit à ses amis: «Honnêtement, je n'ai rien à voir là-dedans.» De toute façon, il était trop occupé à autre chose: le blizzard, les pannes, un arrêt pour acheter un petit siège de toilette pour Daniel, le fils dont Richler était déjà fou[7].

À Via Biferno, la petite famille loue un appartement avec un jardin où pousse un oranger, et elle engage une jeune fille au pair pour s'occuper de Daniel[8]. Dans ses lettres, Richler décrit sa période de vacances-travail de telle manière qu'elle semble idyllique[9]. Pourtant, lorsqu'il reçoit une lettre désagréable de l'un de ses partenaires de poker, à laquelle celui-ci a joint une facture[10], il n'est pas du genre à la laisser passer. La réponse de Richler à Silvio et Bea Narizzano, une lettre de deux pages rédigée à simple interligne, est un modèle d'humour caustique. Elle débute ainsi: «La lettre... que vous avez adressée à Florence est arrivée ce matin (avec les pièces jointes)... Florence est probablement trop gentille et indulgente pour vous répondre de la même façon. Pas moi». Il ajoute une épigraphe, «Silvio Narizzano est un homme qui se tient (parfois) debout... (ce qui veut dire «dans une fête»)», et fait l'éloge de Narizzano parce que celui-ci défend son portefeuille et son chien, même si ce sont les seules choses pour lesquelles il est prêt à se battre. Entre autres choses, les Narizzano demandent à Richler de leur envoyer cinq shillings pour payer les appels que Ted Kotcheff a faits depuis leur appartement. Ce à quoi Richler répond: «Disons, Monsieur, que Kotcheff et moi avons un arrangement: il paye ses factures, je paye les miennes. Alors pourquoi vous ou Bea ne l'appelez pas directement pour récupérer vos cinq shillings? Il est possible qu'il trouve votre comportement un peu excentrique, étant donné qu'il vous a apporté quelques bouteilles de champagne la dernière fois qu'il vous a vus et que, la fois précédente, il a dépensé près de quarante livres dans un restaurant chic, mais allez-y, téléphonez-lui.» Richler conclut avec modestie: «Le Conseil du Canada accorde à votre facture toute son attention et sa considération. Ne sautez pas tout de suite sur le téléphone, car votre agent pourrait tenter de vous joindre. À bientôt. M.[11]»

Bien que Richler soit satisfait de sa vie avec Florence sous les orangers de Rome, il a d'autres préoccupations. Juste avant de partir pour l'Italie, il a terminé la rédaction d'un scénario intitulé *Pas d'amour pour Johnny* (*No Love for Johnnie*), son premier long métrage en solo[12]. Il n'a d'autre choix que d'attendre afin de savoir comment celui-ci sera accueilli. De plus, on a demandé à Richler d'adapter un best-seller d'ambition politique écrit par le député travailliste Wilfred Fienburgh avant sa mort dans un accident de voiture en 1958. À travers l'histoire fictive du député Johnnie Byrne, Fienburgh démontre les machinations du pouvoir : Johnnie estime d'abord qu'il est dans son intérêt personnel de servir une faction dissidente du Labour, puis de l'abandonner lorsque le débat parlementaire interfère avec sa vie amoureuse. La sensibilité du roman n'est pas si éloignée de celle de Richler : celui-ci raconte l'histoire d'un jeune homme de la classe ouvrière qui tente de se défaire de son accent du Yorkshire pour grimper les échelons et qui en demande toujours plus. Richler comprend parfaitement les émotions qui se dégagent du roman, notamment les motifs qui incitent Johnnie à tenter de charmer – en vain – Pauline, un séduisant mannequin. Lorsque, au moment fort du film, Johnnie doit choisir entre le poste de sous-secrétaire du ministre des Postes et la réconciliation avec sa femme Alice, dont il est séparé, son choix, dicté par l'ambition, est vite fait[13].

L'adaptation demeure fidèle au roman et Richler n'y ajoute que très peu de détails[14]. Mais elle ne plaît pas à la productrice de Rank Organization, Betty Box, qui a supervisé la série télévisée populaire *Doctor in the House* (1954) et dont le mari a récemment produit le premier épisode de la série de films à succès *Carry On...* Box n'est pas non plus impressionnée lorsque Richler, qui se considère déjà comme une grande vedette, lui envoie des factures de dépenses, dont une facture de restaurant au montant de trente-six livres parmi d'autres dépenses. «S'il vous plaît, dites-lui que nous ne remboursons pas ce genre de choses», dit-elle à Weiner[15]. Élément plus important encore, Box pense que l'objectif du film consiste à divertir le public, et non de passer des messages sociaux. Elle demande à Nicholas Phipps de revoir le scénario de Richler.

Celui-ci, gêné, songe à renoncer à la moitié de l'argent qui lui a été promis pour le scénario. Il devait sûrement se rappeler à quel point il s'était vanté après avoir ranimé *Les Chemins de la haute ville* – «Ils disent que ce bum de [Neil] Paterson n'a pas pu écrire *Les Chemins*[16].» Weiner calme les inquiétudes de Richler et lui conseille de ne pas renoncer à l'argent[17]. Voilà un conseil judicieux, car le film se mérite des éloges et remporte même un prix de la British Academy of Film and Television Arts (BAFTA). Dans le roman et le scénario de Richler, Johnnie est un malotru, mais Peter Finch, à qui échoit le rôle, est à la fois critiqué et admiré pour avoir fait de Johnnie un personnage attachant. De nombreux critiques ont été enthousiasmés par les thèmes «adultes» abordés dans le film, dont la politique et le sexe (hors écran). Toutefois, certains journaux de gauche, comme *The Daily Worker*, ont voulu savoir pourquoi aucun personnage du film n'exprimait «les aspirations politiques de l'honnête socialiste». Le roman original a contribué à la défaite du Labour aux élections de 1959; le conservateur Harold Macmillan, un partisan d'un «juste milieu», l'emporte alors avec une majorité. Avec le recul, Nina Hibbin a déclaré que Box et le réalisateur Ralph Thomas avaient placé «une arme entre les mains des partisans de Gaitskell et de leurs amis conservateurs[18]».

Au lieu d'accepter la rédaction du scénario pacifiste qu'on lui offre après *Pas d'amour pour Johnny*, Richler commence un nouveau roman, *It's Harder to be Anybody*, qui deviendra, plusieurs années ensuite, *Un cas de taille*[19]. Le roman raconte l'histoire de «Mortimer Griffin, Shalinsky et comment ils ont réglé le problème juif». C'est le premier roman de Richler qu'édite Florence[20]. Shalinsky, un Juif, décide que son professeur responsable des cours du soir, Mortimer, a besoin de son aide pour admettre qu'il est lui aussi juif (or il ne l'est pas). Doris Lessing avait raconté à Richler qu'après une lecture publique, quelqu'un lui avait

demandé si elle était juive. Non, avait-elle répondu. Mais Lessing
était si cultivée et intelligente – des signes infaillibles de sa
judéité – insistait son interlocuteur. Elle n'avait pas à avoir honte
de l'admettre[21]. L'éditrice de Richler, Diana Athill, a l'impression
que Shalinsky n'est qu'une poupée et que Richler, en cherchant
à exercer sa satire sur tout le monde, finit surtout par se moquer
des Juifs. Elle craint que Richler ne soit taxé d'antisémite. « Est-ce
que ça a de l'importance ? » se demande-t-elle. « Je ne sais pas ».
Même si elle craint de perdre Richler, le nouveau roman n'est
pas digne du précédent, *L'Apprentissage de Duddy Kravitz*[22]. Joyce
Weiner est du même avis, et André Deutsch affirmera que The
Acrobats était meilleur[23].

Lorsqu'on examine les brouillons de *It's Harder to be Anybody*,
il est facile de comprendre ce que voulaient dire Athill, Weiner
et Deutsch. Mortimer, qui travaille pour un éditeur, feuillette
un *Guide de l'auto* : « une photo en noir et blanc montre une main
résolument masculine saisissant le pistolet d'une pompe à
essence, qui dégoutte et vibre encore, pour le retirer des sombres
profondeurs du réservoir d'une Mercedes Benz[24] ». Pas mal. Mais
après trois pages, la blague est usée. On peut aussi songer à la
recherche artificielle d'ancêtres littéraires canadiens (personni-
fiés par Frederick Philip Grove, auteur n° 1 de la « Nouvelle
Librairie Canadienne » de McClelland & Stewart) qui permet à
Richler de « découvrir » un auteur négligé : « Angus Wilfred
Robertson ». Robertson, un écrivain fictif, avait une orthographe
imprévisible – comme F. Scott Fitzgerald ! – et il est décédé à un
âge avancé – comme Dickens ! ; son livre, *Out Fishin'*, que plusieurs éditeurs refuseront, contenait des descriptions sans équivalent des « mouches noires, couleuvres, moustiques, castors et
marécages[25] ». Encore une fois : on peut en rire, mais inutile de
faire durer la blague sur quatre pages.

Athill voulait quelque chose du même genre que *L'Apprentissage
de Duddy Kravitz*. « C'est que nous sommes impatients de lire un
roman canadien et les histoires de la rue Saint-Urbain », dit-elle
pour atténuer le choc[26], mais Richler est mécontent et il commence à chercher un nouvel agent et un nouvel éditeur. Il
conclut déjà lui-même des contrats en Grande-Bretagne et au
Canada, mais il ne manque pas de donner à Weiner sa commis-

sion, y compris lorsqu'il négocie lui-même. En deux phrases, il réussit à convaincre la CBC de lui donner cinq cents dollars d'avance pour sa prochaine pièce, «Kane's Coming». Le personnage principal, Kane, mène une mystérieuse campagne avec le slogan: «Kane's Coming». Lorsqu'il apparaît enfin, il descend et remonte la rue en costume d'homme-sandwich sans slogan, et les gens projettent leurs préoccupations sur lui. Richler offre les droits pour la Grande-Bretagne à Sydney Newman: «Je me suis trompé une seule fois dans toutes nos négociations. Avec Peacock. Et j'ai remboursé la moitié cette fois-là. Je veux qu'on me promette cinq cents livres pour un brouillon final, accepté (vous m'en avez donné 425 pour Duddy)... Écrivez-moi directement s.v.p. Je ne vais pas mêler cette chère Joyce Weiner à tout ça tant que nous ne nous serons pas mis d'accord. Je pense que c'est mieux ainsi[27].» Peu après, Richler signe un contrat avec Monica McCall, une agente plus influente de New York[28], et explique à Weiner qu'il a besoin de quelqu'un pour promouvoir ses romans sur la scène littéraire américaine pendant qu'elle s'occupe de la Grande-Bretagne[29]. Dans une lettre triste et polie, Weiner répond qu'elle n'est pas d'accord avec son raisonnement, mais qu'elle s'attend à percevoir ses commissions pour les quatre premiers romans, en plus du roman sur lequel Atlantic Little/ Brown dispose d'un droit de refus, même si, pour faire «un geste», elle renonce à ses commissions sur ses nouvelles[30].

Richler ne rompt pas tout de suite avec Weiner, mais laisse clairement entendre que la fin approche. Au cours d'une longue conversation, il se plaint qu'elle tente de le dominer et de l'intimider; qu'elle n'est pas assez «commerciale» et ne lui obtient pas beaucoup de contrats d'écriture de scénarios; et qu'il doit établir beaucoup de contacts par lui-même. Voilà un mélange de vérités et de mensonges. Quelques jours plus tard, Weiner lui écrit deux lettres dans lesquelles elle tente de se défendre. S'agit-il d'intimidation? Richler est trop sensible. Elle ne voit pas l'écran de fumée de cette première accusation: Richler n'est plus le petit écrivain facilement intimidé, encore moins par une agente aussi peu «commerciale». Il a toujours voulu écrire pour choquer et s'est toujours senti brimé par les goûts littéraires conservateurs de Weiner. Mais on comprend facilement, avec le ton qu'elle adopte dans sa réponse, ce qui déplaît à Richler. Elle cherche encore à le pousser vers son idéal d'écrivain cultivé, «objectif», et, même s'il demande déjà depuis un certain temps qu'on l'appelle «Mordecai», Weiner et Deutsch continuent de le surnommer «Mordy». Peu de temps après, Jack McClelland demande à Deutsch comment il a réussi à s'en sortir en appelant Richler «Mordy». Lors d'une fête, McClelland présente Richler à l'hôtesse et celle-ci dit: «Oh mon Dieu, je ne peux pas vous appeler Mordecai. Ça vous dérange si je vous présente aux autres sous le nom de "Mort"?» «Oui, ça me dérange», répond Richler. «Appelez-moi Mordecai ou M. Richler[31].» Weiner et Deutsch, qui connaissent Richler depuis si longtemps, ne sont pas conscients du changement qui s'opère en lui et du fait qu'il devient de plus en plus soucieux de son image.

Weiner se défend d'être une agente «peu commerciale» en critiquant le travail de Richler: «Donne-moi les outils, cher Mordy, et je vais finir le travail pour toi... Je vais continuer de négocier avec André pour toi, et de vendre tes histoires à des magazines pour quelques sous[32].» André pose un autre problème: la maison d'édition d'André Deutsch est pas mal pour un bohème sans le sou, mais elle n'est pas la boîte commerciale avec qui Richler souhaite maintenant faire affaire. Les critiques selon lesquelles Weiner est incapable de lui trouver des contrats pour des scénarios et le fait qu'il doive établir la plupart des contacts par lui-même ne sont que partiellement fondées. En effet, c'est Weiner qui a mis Richler en contact avec Sydney et Betty Box, ces individus qui ont confié à Richler la rédaction des scénarios *Pas d'amour pour Johnny* et *Faces in the Dark*, avec la promesse d'autres films[33]. D'un autre côté, c'est lui qui a négocié les contrats avec Newman et Kotcheff; il est même allé à Toronto et à New York pour discuter avec des gens susceptibles d'acheter ses textes.

Mais là où il blesse le plus Weiner, c'est lorsqu'il lui dit qu'il continue de faire affaire avec elle par sentimentalité. Elle lui répond: «Même si on oublie le fait que cet élément a toujours été absent de tes négociations depuis près de cinq ans, ça ne peut pas être tout à fait vrai. Avec moi, tu sais que tu peux obtenir des arrangements honnêtes... que tu peux en avoir pour ton argent.» Même si cela peut paraître cruel, Richler dit vrai. Weiner le sait, et elle est prête à profiter de cette sentimentalité pour le garder, en lui disant par exemple : «Lorsqu'ils se baladent dans leur Jag, tes deux autres agents ont peut-être une brève pensée pour l'agente si peu commerciale qui a travaillé fort pendant dix ans pour leur permettre de faire de l'argent.» Même si elle critique les «garçons et les filles riches et chromés», Weiner, sentant la corde se resserrer autour de son cou, tente maladroitement de se comporter comme l'une d'elles. Elle reproche à Richler de ne pas lui envoyer des textes de qualité pour ensuite faire un éloge exagéré du nouveau roman sur lequel il travaille. D'après elle, *The Incomparable Atuk* est «un tour de force!» Drôle, subtil, «un pur plaisir», tout comme l'article «London for Beginners», qu'elle qualifie de «très amusant», l'une de ses meilleures pièces du genre. Même si elle estime qu'il devrait explorer de nouveaux thèmes, il fait de nets progrès[34].

Mais il est trop tard pour Weiner. Est-ce vraiment si terrible de faire affaire avec des propriétaires de Jaguars? Dans un article rédigé à la même époque (non publié), Richler se plaint des critiques britanniques qui ne comprennent pas la sensibilité des romans américains qui ont du chien comme *Laisser courir (Letting Go)*, de Philip Roth – et qui crachent donc dessus. Les libéraux britanniques, affirme Richler, «permettent tout aux Juifs sauf leur grossière humanité, leur snobisme clanique, etc... Ils ne veulent rien savoir du matérialiste comblé qui mâchonne son cigare et conduit une Jaguar ou du garçon de la classe ouvrière qui tente par tous les moyens de grimper les échelons[35]». L'histoire de Norman Levine, avec qui Richler fait régulièrement des échanges de maisons[36], doit servir de leçon. Levine est lui aussi venu en Grande-Bretagne pour écrire, mais il n'a réussi à faire que très peu d'argent. Avec sa femme britannique et ses trois enfants, il a décidé de s'installer à St. Ives, en Cornouailles, lorsque la ville était envahie par les écrivains et les artistes. Après quelque temps, les artistes de la bohème ont décidé de s'installer ailleurs et Levine, trop pauvre pour suivre, n'avait plus personne à qui parler, à l'exception du gérant de la banque, du laitier et du facteur[37]. Il était enterré vivant. «Mais quelle sorte d'avance avez-vous donné à Norman pour ses histoires?» grommelle Richler à l'adresse de Jack McClelland. «Il se balade à Trafalgar Square avec une boîte de cirage à chaussures et un chandail portant au dos l'inscription mcclelland and stewart[38].» Envieux du succès de Roth, Richler espère que Monica McCall lui ouvre les portes des magazines américains les plus prestigieux. Il remplace bientôt Weiner en Grande-Bretagne aussi. Elle peut difficilement contester le fait que Richler accomplit lui-même le gros du travail. Et elle ne le nie pas non plus. «Tu engages quelqu'un pour faire ce que tu finis par faire toi-même, ce qui n'est pas particulièrement économique», le gronde-t-elle[39]. Richler partage son avis.

Serait-il en train de se convertir en homme d'affaires? Il n'exprime pas directement ses craintes, mais elles font surface lorsqu'il s'indigne du matérialisme de Norman Mailer et des écrivains de la génération Beat. Bien qu'il soit doué, Mailer est, d'après Richler, beaucoup trop préoccupé par les ventes de ses romans et pas assez par leur qualité. Et maintenant que Richler ne se considère plus lui-même comme un hippie, il peut révéler un secret auparavant inavouable: Kerouac, Corso et Ginsberg ont eux-mêmes fait la promotion de leurs écrits[40]!

En mars 1960, un an et demi avant la dispute avec Weiner, Richler et Florence reviennent à Montréal[41]. Ils se marient le 27 juillet et Noah naît deux jours plus tard[42]. Ted Kotcheff fait le voyage depuis la Grande-Bretagne. «C'est beaucoup de fric pour quatre jours», écrit-il d'abord à Richler. «Avec cet argent, on pourrait acheter le plus gros cadeau de mariage qu'on ait jamais vu. Mais bon, on n'a pas non plus des tonnes de meilleurs amis et ce n'est pas tous les jours que celui-ci épouse Florence[43].» Richler n'est pas prêt à accepter des excuses. «Ted», lui dit-il au téléphone. «Je ne veux pas que mon fils naisse bâtard[44].» Puisqu'à l'époque seule l'Église unie célèbre des mariages entre Juif et protestant, le couple opte pour un mariage civil[45]. Kotcheff est désigné comme le témoin de Richler et le parrain de Noah[46]. Bill Weintraub est également présent, mais aucun membre de la famille n'assiste à la cérémonie. Comme le suggère le film qu'a réalisé Kotcheff avec *Joshua au passé, au présent,* la fête est un succès et les amis ont beaucoup de plaisir. Comme Florence, la fiancée de Joshua est si près d'accoucher qu'elle peut difficilement se tenir debout pendant la cérémonie. Du clan Richler, seul Max rend visite aux mariés un peu plus tard[47]. La majeure partie de la famille s'oppose toujours aux mariages mixtes, même si Lily et Moe ont fini par se résoudre à avoir pour bru une *shiksa*[48]. Mordecai refuse de s'inquiéter de savoir si ses enfants seront élevés dans la religion juive ou chrétienne, voire aucune des deux. Il est pourtant déterminé à ce que son mariage fonctionne et souhaite offrir à ses enfants la stabilité qu'il n'a pas connue[49]. Il fait d'ailleurs des démarches pour adopter officiellement Daniel[50]. Richler est souvent impressionné par Daniel, notamment par sa facilité à lire, qu'il a acquise très jeune, sa curiosité et son habileté tactile. Quant à Florence, elle a déjà fait son choix. Maintenant que deux jeunes enfants réclament son attention, elle a difficilement le temps de s'occuper de la maison, et encore moins de retourner travailler[51].

Si Richler et Florence sont revenus vivre un an au Canada, c'est pour renouer avec la ville qui a servi de décor et d'inspiration à Richler pour ses meilleurs écrits[52], mais l'écrivain ne semble pas très enthousiaste : « Je visite le Canada. Je fais le plein pour ne pas avoir à revenir avant longtemps[53]. » Par une journée pluvieuse, Richler accompagne son oncle Max à l'ouverture d'une nouvelle synagogue à Montréal. Lorsque le soleil apparaît à travers les nuages, le président de la synagogue interprète l'événement comme un signe de Dieu, une manifestation de sa satisfaction[54]. Richler fronce les sourcils. « J'étais consterné par le manque d'humilité que suppose le fait de penser que Dieu, qui semblait être trop occupé ailleurs quand six millions d'entre nous se faisaient assassiner en Europe, avait le temps de manifester sa satisfaction pour ce genre de détail », écrit Richler. Cette théorie, encore au stade de l'ébauche, servira malgré tout de fondement pour aborder le thème de l'Holocauste dans *Le cavalier de Saint-Urbain.* Quelques minutes après l'apparition des premiers rayons de soleil, le rabbin rend hommage aux donateurs qui ont permis la construction de la synagogue. Là aussi, Richler a des raisons de fulminer : « Un jeune rabbin au visage lunaire se lève et, après nous avoir assuré qu'il n'a pas connu la femme dont la contribution a permis l'acquisition de l'arche, il la décrit en des termes si exagérés qu'on croirait qu'il s'agit d'une sainte[55].» Qu'aurait-il pu dire d'autre d'une femme qui a donné 5 000 dollars? réplique Max. Bien qu'il soit déçu, Max n'est pas surpris lorsqu'il lit l'article de son neveu. Il se rappelle à quel point Richler, plus jeune, était gêné que son père ne puisse donner suffisamment d'argent pour que son nom apparaisse sur les panneaux de la synagogue[56].

De plus en plus connu, Richler est invité à prendre la parole dans des synagogues[57]. Des Juifs viennent l'entendre à la synagogue Beth Ora, espérant savoir comment l'un des leurs en est arrivé là. Au lieu de quoi, ils ont devant eux un homme de petite taille, aux cheveux longs, vêtu d'une *yarmulke*[58], et dont le visage reflète une expression de chien battu. Cet homme leur dit que l'orthodoxie est kaput, finie et, dans le même temps, que les tentatives de moderniser le judaïsme sont une véritable farce: les *bar-mitzvahs* sont devenues des «comédies musicales» et les synagogues, des «drugstores religieux[59]».À la fin de ses présentations, il y a toujours un long silence, suivi de chuchotements et de protestations. Vous êtes un jeune homme frustré. J'aime le fait que notre synagogue serve de centre communautaire. J'ai moi aussi fait mes études secondaires à Baron Byng, et vous ne présentez qu'une partie de la réalité. Croyez-vous que vous êtes le Messie? Vu les piques de Richler à propos des rabbins, même celui qui organise le débat ressent le besoin de se lever et d'argumenter avec son invité. Parmi le public, certains demandent à Richler ce qu'il propose pour régler les problèmes qu'il aborde. Désolé, dit-il, je n'ai aucune réponse, que des questions[60].

Du fait de sa personnalité et de ses réactions face à une exclusivité qu'il méprise, Richler se bâtit une réputation d'intransigeance. Certains Juifs, ignorant l'étendue de sa désaffection religieuse et le fait qu'il se moque du judaïsme libéral dans *L'Apprentissage de Duddy Kravitz*, pensent qu'en répondant aux inquiétudes de Richler par des contributions financières volontaires et secrètes, Richler réintégrera leurs rangs[61]. Lors d'une séance de questions, un homme se plaint que Richler ait parlé des Juifs qui surnomment les Canadiens français «frogs». Pas que ce soit faux, admet l'homme, mais il s'agit d'une mauvaise publicité pour les Juifs[62]. D'autres le taxent d'antisémite. Pour certains, le terme de «Juif» n'est qu'une désignation religieuse et n'a rien d'ethnique. Richler n'est donc pas l'un des leurs. Bernard Schachter, empruntant le langage des Macchabées, lui écrit: «Si les Juifs sont différents, c'est que, tandis que le monde entier vivait dans la peur et la superstition, dans l'ignorance de Dieu et dans le mépris de l'unité de l'homme, eux marchaient la tête haute et croyaient fermement en la bonté de l'homme, dans le fait que chaque homme est le gardien de son prochain et dans l'unité de Dieu.» Selon Schachter, tout le reste n'est qu'hellénisation: «Si tu peux balayer ces différences du revers de la main et les considérer sans importance», affirme Schachter, «alors je dois dire que tu n'es pas juif[63].» Richler a tendance à répondre à de tels discours comme s'il se considérait chanceux d'avoir échappé à telles absurdités. Comme le réalise rapidement son public, il ne parle pas comme un membre de la communauté qui souhaite simplement réformer les traditions. À cette période, il reçoit des lettres de plusieurs lecteurs qui l'invitent gentiment à approfondir ses recherches et à *ouvrir les yeux*, car *Les Protocoles des sages de Sion* racontent avec une grande précision historique le complot des Juifs visant à prendre le contrôle du monde[64]. C'est à ce moment de sa carrière qu'il commence à insister sur le fait qu'un bon satiriste n'est pas un vendeur de panacées, mais un éternel pessimiste.

Richler planifie de quitter Montréal pour Toronto, New York ou Miami Beach. Comme il l'explique à Sydney Newman, «Richler suit les riches Juifs partout. C'est un espion[65].» Il finit à Toronto, où il prend la parole dans le cadre de la Conférence canadienne des Arts. Richler ne s'y montre pas plus aimable que dans les synagogues qu'il a visitées. Aux quatre cents personnes qui sont venues l'écouter, il dit notamment qu'un véritable écrivain n'aurait rien à leur dire. Des discussions sérieuses ne peuvent s'engager qu'entre artistes. Richler ne s'est pas encore entièrement résigné à faire partie de la bourgeoisie, et il considère qu'il y a trop de chapeaux et de robes élégantes dans le public. Il est peu probable, affirme-t-il, qu'il y ait beaucoup d'artistes sérieux sous ces luxueux chapeaux[66].

Les mois qu'il passe à Toronto sont consacrés non pas à faire la collecte de potins sur les riches Juifs qui y vivent, mais à rencontrer les réalisateurs de la CBC et à étudier les habitudes de prédateur propres aux journalistes et aux producteurs de la télévision. C'est suffisant pour se lancer dans la rédaction de ce qu'il décrit comme un « court roman satanique » sur Toronto[67]. Comme *It's Harder to Be Anybody*, qui continue de mijoter dans l'esprit de Richler, son nouveau roman, *The Incomparable Atuk*, se veut une parodie de l'« argumentation spéciale ». Pour aller au-devant des critiques qu'il appréhende – à savoir que Richler ne prétend plus créer des personnages vivants[68], qu'il est raciste, ou même sexiste –, Richler dit à tout le monde que le roman est « complètement déconnecté de la réalité », dans la tradition de Nathanael West et d'Evelyn Waugh[69]. On remarque en effet un clin d'œil à la rubrique conseil de *Mademoiselle Cœur brisé* (*Miss Lonelyhearts*), dans le roman éponyme de West[70] et, comme *Le Cher disparu (The Loved One)* de Waugh, le roman de Richler raconte d'abord l'histoire d'un Britannique expatrié qui, incapable de faire sa place en Grande-Bretagne, en est réduit à se frayer péniblement un chemin à travers l'absurdité qui fait office de culture en Amérique du Nord. Mais les ressemblances s'arrêtent là, car *The Incomparable Atuk* n'a pas la retenue de West ou de Waugh. Il s'agit, purement et simplement, d'une farce. D'abord, Richler n'a pas oublié le tort que lui a causé l'article publié par Nathan Cohen dans *Tamarack Review*. Maintenant que Cohen a quitté la CBC pour se consacrer à la critique de pièces de théâtre pour le *Toronto Star*[71], Richler n'a plus à craindre de l'offenser. Dans le script de l'émission *Q is for Quest*, diffusée par la CBC, Richler fait quelques ajouts de son cru – qui n'ont probablement pas été filmés – annonçant notamment « une soirÉe sans belafonte… Nathan Cohen chante et joue quelques chansons populaires esquimaux.[72] » Mais ce n'est rien en comparaison avec *The Incomparable Atuk*. Le roman met en vedette Seymour Bone, un critique de théâtre obèse et narcissique. Sa femme s'entend particulièrement bien avec son jardinier noir et prépare Bone à un éventuel choc en lui rappelant qu'ils sont Juifs, et que certains Juifs ont des bébés qui ont la peau un peu foncée – disons « yéménite ». On ne peut pas écrire ce genre de choses dans un roman, lui dit Jack McClelland, affolé. Il faut éliminer le passage du bébé à la peau foncée[73]. Au final, le passage a été conservé.

Comme il est désormais d'usage pour les romans de Richler, Diana Athill demande à ses avocats de préparer un rapport pour se protéger des poursuites en diffamation. Même si la confrontation entre la rectitude de la loi et l'irrévérence de Richler n'est pas aussi violente que dans *Un cas de taille*, la lecture du rapport demeure amusante. À plusieurs reprises, les honorables avocats britanniques, prêts à faire payer des frais exorbitants tout en méconnaissant la réalité canadienne, sont incapables de déterminer si les personnages présentent un caractère potentiellement diffamatoire. Tout ce que Rubinstein, Nash, and Co. peuvent faire, consiste à demander à Athill d'interroger l'auteur à ce sujet : « Vous obtiendrez sans aucun doute de l'Auteur les garanties satisfaisantes permettant d'affirmer qu'aucun des personnages ne peut être identifié objectivement[74]. »

L'Auteur s'empresse donc de rassurer tout le monde. Il tient toutefois compte du rapport et remplace « Compagnie de la Baie d'Hudson » par « Compagnie Twentyman Fur[75] », même s'il ne va pas aussi loin que les avocats l'auraient souhaité. Les meilleurs juristes britanniques s'entendent au moins sur une chose : si la Compagnie de la Baie d'Hudson existe, le fait de modifier le nom dans le roman ne réduit pas les risques de poursuite[76]. Mais ils ignorent si une telle organisation a déjà existé ou existe encore (pour les lecteurs non-Canadiens, sachez que de nos jours, elle existe encore). Richler apporte également des modifications au récit de l'ascension de Bone vers la gloire. Dans le premier brouillon, il décrivait de manière très réaliste le parcours de Cohen, les critiques et les articles qu'il a publiés et l'émission de télévision qu'il a animée[77]. Dans la version finale (certifiée sans danger de poursuite), Bone obtient accidentellement l'approbation des Canadiens parce qu'on parle de lui dans les journaux britanniques, plus précisément dans une colonne humoristique sur la culture au Canada[78]. Richler ajoute suffisamment d'éléments pour être capable de prouver que Bone n'est pas Cohen : contrairement à Cohen, son personnage est un rouquin presbytérien, né dans l'Ouest. Mais il intègre aussi un certain nombre d'indices qui permettent de l'identifier: à l'instar de Cohen, Bone est un critique de théâtre obèse et très autoritaire, et les deux noms se composent d'un nombre de syllabes similaire. L'émission qu'anime Cohen à la CBC, *Fighting Words*, où des personnalités sont invitées à débattre de questions d'actualité, devient, dans le roman, *Crossed Swords*. Plusieurs années ensuite, Peter Gzowski insistera naïvement sur le fait qu'il n'y avait aucune attaque personnelle dans *The Incomparable Atuk*, et que, bonne nouvelle, personne n'y était humilié[79]. Dans les faits, Richler et Cohen ont mis plus d'un an à rétablir le contact après la publication du roman[80]. Voyant son ancien patron humilié, Robert Fulford rêve d'un procès retentissant dans lequel Cohen, convaincu à tort que Bone est un portrait de lui, poursuit Richler pour diffamation. Des spécialistes de la littérature canadienne, dont Robert Weaver, Ken Lefolii (de *Maclean's*) et Fulford, allaient venir d'aussi loin que la Colombie-Britannique pour donner leur avis. «Ce serait le Dreyfus du Canada moderne, le plus grand événement de notre vie», anticipe avec enthousiasme Fulford[81].

L'un des participants fictifs de *Crossed Swords*, le rabbin Glenn Seigal, est aussi la parodie d'une personnalité réelle: le rabbin Abraham Feinberg, de la congrégation réformiste de la synagogue Holy Blossom, à Toronto[82]. Les participants à l'émission, y compris Seigal, sont incapables d'identifier l'auteur de la citation «Bénis soient les humbles», et Seigal met fin au jeu lorsqu'il écarte la formule en affirmant que de toute façon, elle manque de mordant[83]. Avec ce passage, Richler démontre l'ampleur de la détérioration culturelle. *L'Apprentissage de Duddy Kravitz* avait déjà réussi à choquer un lecteur éditorial. Celui-ci, offensé par la satire de Richler contre le judaïsme libéral, avait dressé une liste impressionnante de ce qu'il considérait comme des erreurs. Il reconnaissait toutefois que le sujet du sermon, «les athlètes juifs de Bar Kochva à Hank Greenberg», se voulait satirique[84]. Plusieurs années après, Richler attaquera explicitement Feinberg, le surnommant «le Norman Vincent Peale juif». Feinberg embrasse toutes les bonnes causes – celles des travailleurs, des Jaunes, des Noirs, des Juifs, la défense des droits civils, le désarmement nucléaire, et ainsi de suite» – mais le judaïsme libéral ne mène à rien, répétait souvent Richler[85]. L'orthodoxie est «austère, illogique et même bigote», mais elle est également «riche de tradition poétique et... très présente [86]».Bien qu'il soit athée, Richler continue de chanter les vieilles chansons qu'il a apprises à la synagogue[87], mais Feinberg suppose, à raison, que Richler s'est suffisamment éloigné de l'orthodoxie pour en oublier les coups de fouet[88]. Pourtant, Richler a raison de croire que seul un petit nombre de Juifs se sentent concernés par la réforme[89]. Et les jeunes Juifs libéraux semblent adopter des positions semblables à celles de Richler. En 1965, deux ans après la publication de *The Incomparable Atuk* et quatre ans après le départ à la retraite de Feinberg, des jeunes membres de la congrégation de la synagogue Holy Blossom demandent à Richler l'autorisation de faire une lecture théâtrale d'une de ses pièces radiophoniques, *Such was St. Urbain Street*[90].

D'autres personnages de *The Incomparable Atuk* sont faciles à identifier. Harry Snipes, l'auteur de *Ejaculations, Epiphanies, et etc.*, qui affirme *ad nauseam* que les Canadiens sont «beaucoup trop conventionnels[91]» et menace d'exhiber les beautés de son corps en public, représente clairement le poète Irving Layton. J. P. McEwen est Pierre Berton, alors journaliste d'enquête pour le *Toronto Star*. À l'instar de McEwen, Berton dépend d'informateurs; contrairement à McEwen, Berton n'est pas un travesti[92], même si ses nœuds papillons peuvent susciter quelque hésitation. Le personnage de Betty Dolan, qui incarne Marilyn Bell, la jeune fille de seize ans ayant traversé à la nage le Lac Ontario, est encore plus fascinant. Richler semble avoir une dent contre les athlètes innocents comme Bell et, plus tard, Wayne Gretzky. À la lecture d'un brouillon de *The Incomparable Atuk*, on comprend mieux pourquoi. Dans ce brouillon, c'est un Britannique dissipé, Lucas Hartley, qui déflore Betty Dolan. Lucas veut ensuite s'excuser, «mais que peut-on dire au Canada après avoir coupé les forêts de Jasper ou asséché les chutes du Niagara[93]?» Voilà un vieux thème cher à Richler: l'innocence des Canadiens. Dans *The Acrobats*, avant que Weiner et Athill n'y apportent des modifications, on pouvait lire: «Les artistes canadiens! La médiocrité drapée dans une feuille d'érable... Des sonnets composés par les grands-mères vierges et vieillissantes des commerçants conservateurs[94].» Dans la version publiée de *The Incomparable* Atuk, Richler a heureusement coupé l'allégorie maladroite (Betty =

Canada; Lucas = Grande-Bretagne), mais il n'a pas éliminé les motifs qu'elle cachait. Richler avait sans doute l'impression que l'adoration d'idoles innocentes comme Bell et Gretzky portait atteinte à la culture intellectuelle de la nation, et que les Canadiens étaient dès lors incapables d'admirer des artistes plus expérimentés et cyniques comme Mordecai Richler. Ainsi, même si la version finale du roman est beaucoup plus légère – Richler fait disparaître Lucas et laisse Atuk déflorer Dolan –, l'agressivité envers Dolan est plus apparente et elle ne semble plus associée à l'allégorie politique, bien qu'elle le soit probablement toujours dans l'esprit de Richler.

Avec le personnage d'Atuk, Richler joue davantage franc jeu. Comme il est entièrement fictif et qu'il est le plus complexe parmi un éventail de personnages de carton[95], Richler (suivant la tradition de *Sarah Binks*, de Paul Hiebert) peut difficilement être accusé de racisme pour avoir fait une impitoyable satire de l'art «naïf». La production industrielle d'«authentiques» sculptures en pierre à savon et la transformation hilarante d'Atuk de poète naïf –

«je vais chasser l'ours dans l'aube claire
les bons esprits viennent avec moi».

– à un émule des poètes de la génération Beat –

«Twentyman Fur Company,
J'ai vu les meilleurs chasseurs d'otaries de ma
génération se putréfier en mourant de la tuberculose,
Massey, tête carrée,
Les eskimos ne se frottent pas plus le nez que les chats
Ils creusent autour de la baie de Baffin des maisons de banlieue[96].»

– est une parodie non pas d'Atuk lui-même (qui comprend ce qu'il doit faire pour faire de l'argent), mais de son public blanc, qui applaudit parce que le poète est Inuit, et non parce qu'il a du talent. À l'époque, les connaissances qu'avait Richler des Inuits et de l'Arctique étaient limitées, et il est fort probable qu'il ait eu l'idée d'une industrie de l'art esquimau en voyant un sketch que Robert Fulford et un ami avaient écrit pour *Spring Thaw*, un spectacle de variété qui a pris l'affiche à Toronto pendant plusieurs années[97].

Comme Jack McClelland l'a rapidement fait remarquer, de nombreuses blagues apparaissant dans le roman s'adressent aux individus locaux. Dès lors, il était fort possible que *The Incomparable Atuk* n'intéresse pas le public extérieur à l'establishment torontois[98]. *The Tatler*, un magazine britannique, viendra d'ailleurs confirmer cette critique en taxant le roman d'«étrange *inside joke* canadienne[99]». Richler lui-même n'est pas convaincu de sa valeur et se dit à plusieurs reprises qu'il est trop frivole pour être publié[100]. Des noms comme See-more Bone ou Buck Twentyman et des personnages comme l'officier de la GRC travesti semblent tout droit sortis de la *Kiwanis Komedy Revue*, mais Richler avait peut-être aussi l'impression que sa détermination à employer la satire pour aborder les questions actuelles était suspecte. Dans quelle mesure le roman est-il actuel ? Si Richler avait choisi un extrait d'un roman de Dostoïevski en tant qu'épigraphe à *Mon père, ce héros*, il a plutôt opté, dans le cas de *The Incomparable Atuk*, pour une citation nationaliste tirée d'un numéro du magazine *Maclean's* datant de 1960 qui exhorte les Canadiens à fermer leurs frontières pour éviter d'être envahis par la culture américaine. D'où le «besoin» qu'éprouve le Canada face à l'art d'Atuk, plaisante Richler, et la promesse des Libéraux d'obtenir un nouveau drapeau canadien au lieu de mesures pour réduire le chômage. Mais l'actualité du roman crée un certain paradoxe. Les Torontois semblent penser qu'ils habitent le centre de l'univers connu ; ce genre de réflexion fournit matière à satire. Toutefois, en plaçant les Torontois au centre du roman, ne capitule-t-on pas devant leur prétention démesurée ?

C'est pourtant son caractère actuel qui a contribué à l'importance de *The Incomparable Atuk* et de ce curieux paradoxe de la satire. En mars 1961, lors d'un séjour à Toronto visant à réunir du matériel pour le roman, Richler lit dans *Commentary* un article de Philip Roth, un écrivain qu'il admire beaucoup[101]. Roth estime que la réalité américaine a atteint un niveau d'absurdité stupéfiant et révoltant, mais que cela démontre la faiblesse de l'imagination de l'écrivain. Le danger immédiat est que l'écrivain ignore la vie publique et s'évade dans la fantaisie ou à l'intérieur de lui-même[102]. Il ne faudra pas attendre longtemps avant que Richler tiennent des propos semblables au sujet de ses propres

romans : « Aujourd'hui, il est terriblement difficile de faire concurrence à la réalité, car la réalité devient si grotesque[103]. » Avec
la bénédiction involontaire de Roth, *The Incomparable Atuk* prend
la forme d'une réponse directe et cinglante à la vie publique
canadienne. Alors que Leacock s'était moqué des péquenauds
vivant dans des bleds perdus, Richler, lui, s'attaque sauvagement
aux plus importantes institutions culturelles et politiques
urbaines. Avec *The Incomparable Atuk*, il devient l'une des premières véritables voix publiques du Canada anglais à se moquer
d'elle-même. Il peut sembler ironique qu'un roman mineur de
l'œuvre richlérienne ait joué un rôle aussi central dans l'histoire
de la littérature canadienne. Richler a souvent parlé de l'importance d'être un témoin de son temps, mais il se lassait beaucoup
trop rapidement pour se contenter de rapporter des faits. Selon
Alvin Kerman, il a donc fini par développer ce qui, était à la base
de la satire : des malédictions envers ses propres ennemis[104]. Si
l'exagération caractéristique des personnages place *The Incomparable Atuk* en retrait du monde réel, Richler, profondément
préoccupé par l'état de la culture publique, a donné au personnage d'Atuk la flexibilité nécessaire pour suivre les contours du
régime canadien, abordant ainsi, de manière indirecte, les questions de l'heure.

Au fil du roman, le personnage d'Atuk, qui représente l'exemple
même de l'artiste canadien naïf, s'ouvre à d'autres cultures et
devient une parodie du jeune Juif rebelle qui s'obstine avec son
père au sujet des mariages mixtes. Plus tard, il sert de véhicule
pour attaquer le sionisme, probablement à la suite du voyage que
Richler fait en Israël en 1962, un an avant la publication du roman.
Atuk explique patiemment à Rory Peel, un Juif nerveux, que les
Esquimaux aimeraient que tous les autres Canadiens soient
déportés dans une seule province, « une sorte de parc national[105] ».
Pourquoi ? Parce que Dieu leur a promis la terre, et que les Inuits
ont connu de terribles épreuves. Vers la fin du roman, Atuk participe à une émission intitulée *Stick Out Your Neck*, une émission
dont l'intensité n'a pas encore été égalée par *Fear Factor* et dans
laquelle il se mérite la guillotine s'il ne répond pas correctement
à une question difficile. Dans un moment de gloire, il devient un
saint-martyr du nationalisme canadien, assassiné par une entre-

prise américaine de produits alimentaires... si on se fie à Buck Twentyman, millionnaire canadien et propriétaire d'Esky Foods.

Le roman est dédié à Moe Richler, ce qui n'est pas surprenant, vu la dimension kitsch et les mauvaises blagues qu'il comprend. Moe pouvait aussi apprécier la satire contre le protectionnisme culturel; il aurait été attristé de voir ses précieux tabloïds new-yorkais rencontrer quelque difficulté aux frontières. Mais il existe une autre raison, plus troublante, qui explique la dédicace. Richler s'était récemment rapproché de son père[106] et avait fini par admettre qu'il lui devait beaucoup, en particulier dans le cas de la voix montréalaise dans *L'Apprentissage de Duddy Kravitz*. Diana Athill résume bien la situation: «Votre père est merveilleux. Il est triste de penser que s'il tente un jour de dire que vous lui devez beaucoup, il ne saura jamais à quel point il a raison. Mais chaque fois que vous le citez, c'est toujours génial[107].» Richler avait sous-entendu la même chose dans l'histoire *Some Grist for Mervyn's Mill* (1961), dans laquelle il se moque de Lily et de lui-même à travers le personnage du jeune écrivain Mervyn, qui croit qu'il est un futur Shakespeare. Le seul personnage qui semble doté de raison est celui du père du narrateur, une sorte de nègre qui raconte à l'écrivain une histoire bien meilleure que tout ce qu'il a écrit, une histoire dans le genre de *The Summer My Grandmother was Supposed to Die*[108].

Juste après avoir quitté de nouveau le Canada, Richler apprend que Moe est à l'hôpital. Au lieu de l'interroger lui-même, Richler demande au frère de Brian Moore, un médecin de Montréal, de mener l'enquête. Moore découvre que Moe s'est fait enlever une petite tumeur à la vessie. Il ne parvient pas à savoir si la tumeur était bénigne ou non[109]. Même avant l'opération, Moe et sa femme Sara avaient déjà des difficultés financières; Avrum et Mordecai leur envoyaient donc régulièrement de l'argent. Mordecai remboursait enfin l'argent qui lui avait permis d'écrire et de survivre en Europe quelques années plus tôt. Lorsque Lily offre de contribuer en donnant cinquante dollars par mois, Mordecai lui répond qu'elle a travaillé trop fort pour ce qu'elle possède[110]. Pour se désennuyer, Moe lit et collectionne les timbres, Sara tricote des pulls pour les enfants de Mordecai et Moe leur envoie parfois des petits montants d'argent, entre autres pour Hanoukka[111].

14

Les idoles de la tribu

AU MILIEU DES ANNÉES 1960, Richler est devenu à la fois l'*enfant terrible* du nationalisme canadien (le traître qui critique les idoles de la tribu) et le modèle canadien (l'exemple du Canadien qui a réussi). La maison d'édition canadienne Ryerson Press, fondée par des méthodistes et toujours gérée par l'Église unie du Canada, refuse *The Incomparable Atuk*. L'éditeur Robin Taylor considère que le roman est plein d'esprit, mais inégal, et il craint les poursuites en diffamation[1]. Il ne mentionne pas le fait que dans un brouillon du roman, Richler se moque d'une «maison d'édition financée, tenez-vous bien, par des membres du clergé[2]». Aux États-Unis, Seymour Lawrence, qui travaille pour Atlantic Little/Brown (l'éditeur de *L'Apprentissage de Duddy Kravitz*), refuse aussi le roman en raison des trop nombreuses références canadiennes[3]. Comme *The Incomparable Atuk* est le livre sur lequel sa maison d'édition a un droit de refus, Lawrence craint de perdre Richler, mais il annonce qu'il a toujours l'intention de publier les autres livres de l'éventuelle trilogie de Duddy[4]. Il est très peu probable que Richler propose son prochain roman à Lawrence (le «prochain» roman est toujours un gros vendeur). En réalité, Richler n'est pas trop déçu par ces refus parce qu'il a déjà établi des contacts avec deux autres éditeurs. Tandis que Joyce Weiner continue de négocier avec Robin Taylor, Richler tâte le terrain auprès de Jack McClelland, un éditeur non-ecclésiastique avec qui il se découvre de fortes affinités. Au départ, McClelland hésite à publier *The Incomparable Atuk* et il énumère à Richler les noms de ceux qui n'ont pas aimé le roman chez MacClelland & Stewart. Mais il veut Richler à tout prix. Mieux encore, il manifeste de l'intérêt pour d'autres textes de Richler, dont un recueil de nouvelles, un recueil d'essais et le roman *It's Harder to Be Anybody*, que Deutsch et Weiner avaient boudé. Sept mois et une révision approfondie plus tard, McClelland qualifie *The Incomparable Atuk* d'œuvre «géniale» et n'estime plus qu'il soit nécessaire d'avoir certaines connaissances «locales» pour l'apprécier[5].

Dans la biographie de tout écrivain canadien dont les romans ont été publiés entre le début des années 1950 et la fin des années 1970, il est possible qu'il y ait un moment de silence respectueux devant la grandeur de Jack McClelland, et cela n'est pas surprenant. Après la retraite de McClelland, Richler quitte McClelland & Stewart, mais il reconnaîtra toujours qu'il doit beaucoup au parrain de la littérature canadienne. McClelland acceptait les écrits qui n'appartenaient pas à la tradition raffinée. Comme le disait Richler, «dans un monde d'après-guerre peuplé de voyous juifs qui se prennent pour des écrivains et de femmes poètes et romancières aux écrits polissons, il dirigeait la maison d'édition respectable qui appartenait à son père en se débattant et en criant[6]». Dans une lettre adressée à Jack McClelland, Leonard Cohen exprime cette situation d'une manière poétique :

vous étiez le
vrai Premier Ministre du Canada. Vous l'êtes
encore. Et même si tout s'est très mal
terminé, le pays que vous gouvernez
ne s'effondrera jamais[7].

Richler et McClelland s'entendent bien : ils aiment tous deux boire jusque tard dans la nuit[8]. Même s'ils sont tous les deux des obstinés et que McClelland n'est pas du genre à se censurer, ce dernier permet à l'écrivain d'être le roi. Cela convient à Richler qui préfère, de loin, que son éditeur le maudisse au lieu de se fâcher contre lui.

Sur le front américain, Richler n'a pas beaucoup d'inquiétudes. Pendant que Lawrence flattait Richler dans l'espoir qu'il écrive une suite à Duddy, Monica McCall s'entretenait au téléphone avec Bob Gottlieb, de chez Simon & Schuster[9]. Tout ce dont Richler a besoin, c'est d'un meilleur éditeur, soutient Gottlieb. *Le choix des ennemis* était plein de bonnes idées, mais ce n'était pas un bon roman ; un meilleur éditeur – à savoir Gottlieb lui-même – aurait pu empêcher Richler de faire mourir Sally[10]. Richler et Gottlieb entretiennent une relation privilégiée : Richler « adorait cet homme », affirme Florence[11]. Les Richler, en particulier Florence, sont devenus assez proches de Bob et de sa conjointe, Maria, pour prendre leurs vacances avec eux et les nommer parrain et marraine de leur fils Jacob[12]. Ils ont en commun des amis et un humour irrévérencieux. Il n'est pas rare de trouver Gottlieb, en jeans et chaussures de course, allongé sur le plancher de son bureau, un sandwich à la main, en train de revoir un manuscrit avec un de ses auteurs. Sur son bureau se trouvaient des statuettes d'Elvis et du Lone Ranger, d'un goût douteux[13]. Éduqué dans un foyer athée, Gottlieb est un Juif laïc qui ne sait rien du judaïsme. Cela convient parfaitement à Richler[14].

Gottlieb passe sa vie à lire, et Richler est content de la rapidité avec laquelle il lit les manuscrits, c'est-à-dire souvent le soir même, ou en deux ou trois jours au plus. En outre, Gottlieb n'est pas le partisan d'un travail d'édition qui s'effectue une ligne à la fois, et Richler est bien content d'être débarrassé de ce surplus de travail[15]. Florence relit déjà les écrits de son mari[16], commentant les personnages et les situations, et il s'attend à la même chose du réviseur. Il ne veut plus avoir à « repenser » ses livres. Quant à Gottlieb, il est d'avis qu'un éditeur de magazine peut se permettre de se montrer impérieux, mais qu'un éditeur de fiction doit servir l'écrivain ou être rejeté[17]. De manière générale, les rencontres avec Gottlieb se déroulent de la façon suivante : Richler entre dans son bureau, écoute « solennellement » les critiques et les avertissements de Gottlieb et il fait ensuite « ce qu'il veut[18] ». Une fois, pendant l'édition d'*Un cas de taille*, Gottlieb lui dit : « Si tu ne veux pas faire les changements que je te suggère, ne les fais pas. De toute manière, seules cinq cents personnes vont voir la différence ». C'est parfois par la flatterie qu'on arrive le plus facilement à ses fins : Richler suivra les conseils de son éditeur[19].

Les mois passés à Toronto (ainsi que l'épigraphe d'Atuk) ont permis à Richler d'améliorer son statut auprès de *Maclean's*, le plus grand magazine canadien et une source non négligeable de revenus. Ses débuts à *Maclean's* n'avaient pourtant pas été très brillants : Peter Gzowski avait acheté « Making It with the Chicks » en 1960 pendant que l'éditeur en chef, Ralph Allen, était en vacances. À son retour, Allen avait explosé et déclaré que le récit n'était rien d'autre qu'une « séance de masturbation derrière la ferme[20] ». Allen avait toujours eu une idée plutôt pompeuse de *Maclean's*. Lorsque Ken Lefolii, Peter Gzowski et Robert Fulford, âgés de 29 à 34 ans[21], ont commencé à mener la barque, un journaliste du *Toronto Telegram*, McKenzie Porter, s'est indigné du fait qu'ils s'habillaient mal et n'étaient pas à l'aise en société. Avant qu'ils prennent la tête de *Maclean's*, aucun employé ne pouvait quitter le bâtiment sans porter un chapeau, ce qui était un signe infaillible de sérieux. Porter s'est aussi plaint que les jeunes rebelles [Young Turks] formaient leur propre petit cercle dans les cocktails parties et se moquaient « des invités qui ont plus de vécu ». Richler fait rapidement sa place dans le cercle. En fait de moqueries, on peut même dire qu'il est un membre fondateur. F. G. Brander, l'éditeur de *Maclean's*, a reconnu qu'il n'avait jamais aimé l'écriture de Richler, qu'il trouvait trop abrasive ; mais Lefolii, Gzowski et Fulford ont l'impression que le panache de Richler, alors âgé de 33 ans, est précisément ce dont *Maclean's* a besoin pour devenir autre chose qu'une imitation sans grande prétention intellectuelle du *Saturday Evening Post* et pour se distinguer sur le plan littéraire[22].

Selon Brian Moore, le journalisme est un « gaspillage de talent[23] ». Richler n'a pourtant pas l'impression de faire un compromis comme c'était le cas avec ses contrats cinématographiques[24]. Le journalisme le force à sortir dans la rue, à quitter l'univers des écrivains et des médias pour se mêler à toutes sortes de gens qui jonglent avec diverses préoccupations et à utiliser les expériences qu'il vit comme le matériau brut de ses romans. En 1963, le rédacteur en chef de *Maclean's*, Blair Fraser, l'envoie passer une semaine sur la base de l'Aviation royale du Canada à

Baden Söllingen, près de Baden-Baden, en Allemagne de l'Ouest, pour écrire sur la vie dans l'ARC[25]. Fraser ne s'oppose pas à ce que Richler se moque des hommes des rangs inférieurs, mais il tente, en vain, d'éliminer les potins que Richler a entendus au mess des officiers. À la suite de la parution de l'histoire, *Maclean's* reçoit une plainte de l'ARC[26].

Au début de l'année 1962, *Maclean's* achète à Richler un billet d'avion à destination d'Israël afin qu'il écrive une pièce sur les kibboutz, et celui-ci fait également des plans pour aller passer l'été à Amagansett, au Long Island. «L'shana haba'a b'yerushalayim» («et l'an prochain à Jérusalem»): ainsi se terminent plusieurs prières juives que Richler connaît, y compris une que l'on récite à la fin du repas de la Pâques juive[27]. Pour de nombreux Juifs, dont la mère de Richler[28] et Sandra Kolber, la femme de Leo Kolber (future victime de la satire de Richler), l'arrivée en Israël est un moment d'extase:

> Depuis le Mont des Oliviers nous avons regardé vers le bas
> Pour te saluer, oh Jérusalem la Glorieuse.
> Les yeux enflammés dans des visages transfigurés,
> Nous avons désiré le contact de Dieu…
> Mais nous avons perdu le point de référence[29].

Tandis que l'avion où prend place Richler descend vers l'aéroport de Lod, certains passagers se mettent à applaudir, d'autres à pleurer. Richler se joint aux chants[30], ressentant lui aussi l'excitation d'être arrivé sur la terre natale de la tribu d'Abraham. Il changera d'endroit presque tous les deux jours[31], mais évitera de chercher ses anciens camarades des Habonim – Ezra Lifshitz, Sol et Fayge Cohen, Gdalyah Wiseman –, parce qu'il a l'impression de les avoir trahis en n'émigrant pas en Israël[32]. Il fait la connaissance de véritables patriotes, mais aussi d'Israéliens qui critiquent le gouvernement, d'Arabes et de promoteurs juifs. Ces rencontres ne suscitent pas, chez lui, le profond respect qu'inspire Israël à sa mère. Comme Ahad Ha'am, Richler perçoit l'écart entre l'image idéalisée d'Israël et la réalité[33]. Il a beaucoup de respect pour ceux qui sont venus vivre sur cette terre aride et ont construit Eretz Yisrael à partir de rien. Pourtant, il s'interroge afin de savoir s'il faut vraiment que le développement du désert du Néguev culmine avec la création d'un terrain de golf de dix-huit trous et de soirées de danse traditionnelles bédouines. Au kibboutz Gesher Haziv, situé près de la frontière libanaise, il fait l'expérience de la peur que ressentent régulièrement les Israéliens lorsque l'alarme est coupée et que des gardes armés se mettent à patrouiller[34], mais il ne peut s'empêcher de remarquer que le kibboutz, son idéal de jeunesse, est désormais considéré comme l'équivalent d'un bled perdu des prairies canadiennes[35]. Richler n'aime pas les kibboutz, qu'il trouve trop communautaires[36], et il n'est pas impressionné par Jérusalem, qui selon lui est trop vieille et trop religieuse. Le compromis des sionistes travaillistes avec l'Agoudah, le mouvement des Juifs palestiniens orthodoxes dans la mère patrie, a entraîné l'application d'une série de règles pour le Shabbat, la cacheroute et le mariage[37], ce qui n'est pas du tout au goût de Richler. C'est à Tel Aviv, la plus occidentalisée des villes israéliennes, qu'il se sent le plus à l'aise[38].

Richler appartient aux Juifs de la diaspora qui s'inspirent de la culture juive de New York, et non de celle d'Israël. Son séjour suscite une profonde réflexion: est-il assimilationniste? Oui, admet-il. S'il devait vivre en Israël, il lui manquerait les goyim et le choc des cultures, qu'il considère favorables à la création. En répétant à l'envi qu'ils sont «un nouveau genre de Juifs», les Israéliens sous-entendent qu'ils ne s'inclineront plus obséquieusement devant les Gentils, mais Richler perçoit dans ce refrain des nuances plus sombres: s'il devait y avoir des Pharaons, ils seraient certainement juifs; et s'il devait y avoir des esclaves, ils seraient sans aucun doute arabes. Il entend un Israélien dire que les conditions dans les camps de réfugiés arabes de Gaza sont terribles, mais que c'était pire à Dachau. Furieux, Richler conclut ses articles pour *Maclean's* en établissant un parallèle entre l'oppression actuelle de la minorité arabe et l'oppression passée des Juifs. Il estime qu'il a moins en commun avec les membres de son propre groupe qu'avec l'entrepreneur arabe astucieux qui vend de la terre certifiée «Terre sainte» dans trois emballages distincts portant respectivement la Croix, le Croissant et l'étoile de David[39]. À la fin des années 1950, Moshé Sharett, l'ancien Premier ministre israélien, visite Londres et, à l'occasion d'une rencontre d'écrivains juifs, il demande, au grand agacement de Richler, pourquoi ceux-ci ne viennent pas écrire en Israël[40].

Après la guerre des Six-Jours, en 1967, Richler s'identifiera moins facilement avec les Arabes et, en préparant *Le cavalier de Saint-Urbain*, il approfondira sa compréhension de la complexité du problème du Moyen-Orient. Toutefois, à la fin de son séjour en Israël, il se sent «misérablement seul» et noie sa solitude dans l'alcool chaque soir[41]. Peu importe les liens qui le rattachent à Israël, il sait déjà, en 1962, qu'il ne s'y sent pas chez lui.

❦

Avant son départ pour Israël, Robert Weaver avait sous-entendu que Richler écrivait trop de satire sur les Juifs et que la CBC hésitait à accepter d'autres histoires pendant un certain temps[42]. Daryl Duke, un producteur de la CBC, se montre plus franc : «il est grand temps que tu te débarrasses de cette obsession pour Montréal, Mordecai, et que tu regardes le monde autour de toi.» Duke place pourtant Richler dans une situation inextricable en ajoutant que la CBC apprécie le travail de Richler précisément parce qu'il ne reproduit pas l'anglo-saxonisme de la classe moyenne. Selon lui, les Canadiens en ont leur dose[43]. Richler réagit en invitant Weaver, Duke, Lefolii et Gzowski, de *Maclean's*, à passer quelques jours avec lui au cours de l'été suivant à Amagansett, au Long Island[44]. À New York, Ted Solotaroff, le rédacteur adjoint de la revue *Commentary*, accepte de publier «Their Canada and Mine», mais il refuse la brillante nouvelle «The Summer My Grandmother Was Supposed to Die». Richler ne sait-il pas que ce genre d'histoire est commun aux États-Unis ? S'il connaît bien la scène américaine, pourquoi prétendre que la communauté juive canadienne est unique ? Il doit accentuer le caractère typique de l'histoire et y ajouter le plus possible de références américaines. Richler réagit encore une fois en invitant Solotaroff à passer quelques jours avec lui à Amagansett, et Solotaroff estime que Richler est très aimable de l'inviter alors qu'ils se connaissent si peu[45].

Amagansett. Des rues bordées d'arbres, des maisons en retrait, la destination de prédilection des New-Yorkais qui en ont marre d'être confinés à des appartements[46]. Les plages sont envahies d'écrivains, de peintres, de gens de la télévision et de psychiatres[47]. Cela fait plusieurs années que Richler pense venir y passer l'été, à l'instar de Bill Weintraub et Brian Moore, qui l'y invitent chaque fois[48]. En 1962, il décide finalement d'y séjourner entre mai et novembre avec sa famille, qui compte maintenant cinq membres. Emma, la petite dernière, est née au mois d'octobre précédent. Moore, son parrain gâteau[49], trouve une maison pour les Richler et apprend à Daniel à conduire un deux roues[50]. Norman Mailer, William De Kooning, A. J. Leibling, du *New Yorker*, Peter Matthiessen, de *Paris Review*, et David Shaw (le frère d'Irwin Shaw, qui écrit pour la télévision) passent tous leurs vacances à Amagansett, ainsi que les romanciers Wallace Markfield et Josh Greenfield. Et surtout, Philip Roth – l'auteur à surveiller. «Baby Boy Roth», comme l'appelle Moore, est le voisin de Moore et il occupe le sommet de la hiérarchie informelle des écrivains. Selon Weintraub, Roth, un homme prompt à regarder de haut les autres écrivains, n'est pas d'agréable compagnie. Pour leur part, Richler et Moore le trouvent sympathique et drôle, mais tous deux estiment qu'il a tendance à parler beaucoup de lui. Il y aurait de quoi faire une satire, éventuellement. Peu après la visite de Richler, Moore craint que son protégé ne lui «vole» sa destination de vacances en se moquant de «ny Jewville» dans ses écrits. Il avertit Richler que le fait de passer un été là-bas n'en fait pas un spécialiste de l'endroit[51].

Moore a raison de s'inquiéter, car il vient juste de terminer *Une réponse des limbes*, dont le personnage principal, l'écrivain Max Bronstein, ressemble à s'y méprendre à Richler. Mais celui-ci, qui n'a eu besoin que de six mois pour trouver le matériel nécessaire en vue de faire une satire de Toronto, rassure Moore en lui disant qu'il n'a pas l'intention de heurter les sensibilités d'Américains influents et qu'il n'a pas d'objection à ce que le personnage de Bronstein s'inspire de lui. Il s'objecte cependant au passage dans lequel Mrs Tierney, la mère du protagoniste, a une attaque en regardant la télévision. «Je savais ce qui venait, et je t'en voulais pour ça[52]», dit Richler à Moore. Ce qui venait, c'était la longue agonie de Mrs Tierney devant le feuilleton *The Edge of Night*, un nombre incalculable de publicités pour des produits de beauté, l'annonce de lourdes pertes au Vietnam et l'applaudimètre pour la meilleure «histoire triste qui finit bien»

– les banalités et les dangers des États-Unis[53]. Richler était vexé parce qu'il avait eu la même idée et ne pourrait l'utiliser. Pour obtenir la bourse Guggenheim, Richler avait promis une trilogie sur Duddy. Il avait prévu intituler le troisième roman *The Bathtub* et de faire mourir Max Kravitz dans son bain en regardant la télévision. Kravitz serait ainsi forcé de passer ses derniers instants à regarder ce que les programmeurs, dans leur grande sagesse, avaient prévu pour les spectateurs de l'ensemble du continent. Moore avait réussi à exploiter l'idée avec beaucoup de tristesse et de profondeur, l'âme d'Irlandaise catholique de Mrs Tierney se fusionnant et s'entrechoquant avec une Amérique aliénée. « Naturellement, je pense que j'aurais pu faire beaucoup mieux avec la même idée », affirmera toutefois Richler[54].

De retour à Londres, Richler obtient des contrats lucratifs, mais ceux-ci lui offrent peu de satisfaction artistique : il retravaille un autre scénario rédigé par un *Angry Young Man* (Jeunes gens en colère) pour Betty Box, *The Wild and the Willing*, et il écrit des dialogues supplémentaires pour le premier long-métrage de Ted Kotcheff, *La Belle des îles* (*Tiara Tahiti*), une comédie sociale. Début 1963, Richler décide de revenir vivre au Canada, à la grande joie de Weintraub et de Moore[55]. Mais Florence ne veut pas y aller et les réponses aux nombreuses lettres qu'il envoie à Toronto pour proposer ses services sont décevantes. La CBC ne veut pas l'embaucher[56] et Robert Weaver l'informe qu'il n'a pas beaucoup de chances d'obtenir un emploi en tant que conseiller littéraire pour un éditeur, pour la simple et bonne raison que ce genre de poste n'existe pas au Canada[57]. Les quelques contrats que lui promet *Maclean's* ne suffiront pas à le faire vivre, lui et sa famille. Lorsque Richler demande au rédacteur de *Maclean's*, Ralph Allen, sur quoi il devrait écrire, ses suggestions sont tristement sociologiques : « Je m'intéresse surtout à ce qui se passe aujourd'hui, ici et maintenant. Peux-tu m'apprendre quelque chose sur les relations entre les Canadiens français et les Canadiens anglais au Québec, dans les Maritimes ou dans l'Ouest ? Sur la situation du chômage au Canada ? Sur l'impact de l'automatisation sur les travailleurs ? Sur l'exode des cerveaux canadiens aux États-Unis et la réaction du Canada ? Il y a des centaines de possibilités[58]. » Des centaines de possibilités, oui, mais presque toutes sont étroitement liées à l'idole du nationalisme. Aussi n'est-il pas étonnant que Richler éprouve une telle aversion pour les chansons et les danses patriotiques.

En Grande-Bretagne, il adapte pour la BBC « Sunset », une œuvre brillante de l'écrivain russe Isaac Babel, écrite en 1926, et l'intitule *The Fall of Mendel Krick*. Mais la pièce ne satisfait pas aux critères canadiens. Elle n'aborde pas assez ce qui se passe de nos jours, ici et maintenant. La responsabilité en incombe en partie à Richler. Il est devenu l'Écrivain Canadien Célèbre, et on s'attend maintenant à ce qu'il donne son avis sur les affaires nationales. Richler est furieux de n'avoir pas réussi à vendre *The Fall of Mendel Krick* au Canada, car son échec laisse supposer qu'il a suffisamment de talent pour Londres mais pas assez pour Toronto. Et l'adaptation de Babel représente beaucoup plus qu'une source de revenus pour Richler. D'après les informations dont il dispose, Babel, un petit Juif à lunettes né à Odessa, a vu son père s'agenouiller dans la boue devant un officier cosaque pendant un pogrom[59]. Il a décidé qu'il ne ferait pas partie des perdants de l'histoire et s'est converti en Juif non-juif – une réaction que Richler comprend parfaitement. Adolescent, Richler a lui-même été confronté (de manière indirecte mais tout de même pressante) à la brutalité de l'Holocauste et, pour des raisons distinctes de celles de Babel, entre autres pour protester contre le statut inférieur de son père, il a décidé d'abandonner l'orthodoxie religieuse. Lorsque ses écrits plus sérieux ne suffisent pas à le faire vivre, Richler, comme Babel, se tourne vers le journalisme et les scénarios de film. D'après Richler, Babel était encore plus solide qu'Hemingway : il s'était si profondément réinventé qu'il avait fini par faire la guerre aux côtés des cosaques[60]. C'est dans l'introduction de *Collected Stories*[61], rédigée en 1955 par Lionel Trilling, que Richler avait glané ces informations. À l'époque, il ignorait ce que la fille de Babel, Nathalie, a révélé en 1964 : à savoir que le père de Babel ne s'était probablement jamais agenouillé dans la boue devant un cosaque, que son entrepôt n'avait pas été la cible des pogroms et que c'est comme correspondant, et non pas soldat, que Babel avait chevauché aux côtés des cosaques[62]. Il aurait en effet servi de correspondant pour le journal de propagande du général Budyonny, le *Red*

Trooper, mais il aurait déplu à Budyonny en écrivant *Cavalerie rouge*[63], un texte dans lequel il raconte en détails son initiation à la brutalité. Le roman compte malgré tout des passages d'une tendresse surprenante. Il peut sembler un peu naïf de comparer la réaction des Juifs de Montréal à *Mon père, ce héros* au courroux du général Budyonny mais, dans les deux cas, la franchise de l'écriture a provoqué l'indignation de la communauté à laquelle appartenait l'écrivain, une communauté qui s'attendait, au contraire, à un certain respect.

« Lorsqu'un Juif monte à cheval, il cesse d'être un Juif et devient russe », affirme, dans l'œuvre de Babel, le personnage de Levka[64]. Dans cette brève citation, Richler voit le fondement de « la querelle entre les Israéliens et les Juifs de la diaspora[65] ». Mais les choses ne sont pas si simples pour Babel. Pour Staline du moins, Babel était toujours juif. Pire encore, c'était un écrivain juif. Richler raconte comment Babel, après avoir témoigné contre les crimes de Staline et les restrictions imposées à la liberté d'expression, a prononcé un discours ironique devant le Congrès des écrivains en 1934, affirmant qu'il adopterait doré-navant un nouveau genre littéraire, celui du silence. Si Richler, à l'instar de Trilling, a fait de ce discours un mythe, le décrivant comme un discours beaucoup plus ironique et audacieux qu'il ne l'était en réalité[66], Babel a tout de même été arrêté en 1939, année où il a disparu[67].

« Lorsqu'un Juif monte à cheval, il cesse d'être un Juif… » Cette citation a incité Richler à écrire une courte pièce intitulée « My Cousin, the Horseman[68] », le premier indice de son œuvre maîtresse, *Le cavalier de Saint-Urbain*. La pièce raconte l'histoire de Joey Hersh qui, dans sa jeunesse, commence par commettre des actes de délinquance avant d'apprendre à monter à cheval et de se battre pour les Juifs. Comme Babel, il finit par dispa-raître. S'agit-il d'un voyou ou d'un héros ? La pièce d'origine ne présente pas particulièrement d'intérêt.

Dans un essai, Richler donne les détails de la vie de l'écrivain soviétique et il résume la philosophie littéraire de Babel ainsi : « Je n'ai pas d'imagination… Je ne peux pas inventer, je dois tout savoir, jusque dans le moindre détail, sinon je ne peux rien écrire. Je prône l'authenticité[69]. » Moins direct que Babel, Richler n'a jamais rien dit de tel, mais il défendait l'authenticité lui aussi. Il n'aimait pas parler d'«imagination» et préférait se considérer comme un témoin honnête de son temps. Son attitude semait d'ailleurs la confusion chez de nombreux lecteurs, pour qui les termes «satire» et «témoin honnête» ne pouvaient figurer sur le même plan. Contrairement à Babel, Richler inventait beaucoup, mais ses inventions étaient presque toujours fondées sur des événements réels. Parfois, notamment dans ses premiers romans, la fiction servait simplement de vernis. Avec le temps toutefois, le vernis s'est épaissi, et bien qu'on ne sache pas très bien si Richler avait besoin de faire de Babel un mythe ou s'il acceptait simplement le fait que Babel se présente lui-même comme un mythe, l'image de Joey Hersh, le cavalier mythique, a commencé à se former dans son esprit.

Richler n'a pas écrit *The Fall of Mendel Krick* pour l'argent ou la célébrité, mais pour l'amour de l'art, et il a fait un boulot exceptionnel. Le travail d'adaptation n'était pas particulièrement difficile, car Richler souhaitait rester le plus près possible de l'original, un pari qu'il a réussi à tenir grâce à l'aide d'un traducteur[70]. Les fils de Krick frappent leur père despotique à la tête et celui-ci entre dans une colère qui rappelle celle du roi Lear. Richler a réussi à rendre toute la grâce brute de l'original :

> Le jour est le jour, mes amis, et le soir est le soir. Le jour nous trempe dans la sueur de notre travail, mais le soir offre la promesse de sa fraîcheur divine. Joshua, le fils de Nun qui a arrêté la course du soleil dans le ciel était un fou. Et maintenant, nous voyons que notre ami Mendel Krick n'est pas devenu plus rusé que Joshua, le fils de Nun. Il voulait se réchauffer au soleil toute sa vie durant. Il voulait rester durant toute sa vie sur les lieux où l'heure du midi l'avait trouvé. Mais Dieu a des surveillants dans chaque rue et Mendel avait des fils dans sa maison. Les surveillants viennent et mettent les choses en ordre. Le jour est le jour et le soir est le soir. Tout est comme il se doit. Buvons un verre de vodka[71].

En 1965, lorsque Richler se met enfin à rédiger *Le cavalier de Saint-Urbain*[72], cette conscience naissante de l'assaut du temps conférera une dimension approfondie à son œuvre.

Ted Kotcheff réalise *The Fall of Mendel Krick* pour la BBC et il obtient de bonnes critiques. Malgré tout, et en dépit du soutien de Robert Weaver, la CBC n'en veut pas, ni pour la radio ni pour sa vitrine culturelle télévisée, *Festival*. Un producteur de la CBC qui ne connaît pas Babel et ignore à quel point Richler est resté près de l'original déclare que l'adaptation est inexacte sur le plan historique et diffamatoire à l'égard des Juifs. Aucun Juif ne frapperait son père à la tête avec la crosse d'un fusil; si les cosaques étaient capables d'une telle chose, ce n'était pas le cas des Juifs. Pour s'en assurer, le producteur consulte son père, un homme originaire de Russie qui abonde dans le même sens[73]. Malheureusement pour Richler, le conseiller de la CBC pour *Festival* n'est nul autre que Ralph Allen: s'il a moins d'idées préconçues sur les relations père/fils chez les Juifs, il préfère cependant une pièce originale. Il craint que Richler ait passé trop de temps à l'extérieur du pays pour savoir ce qui risque de déplaire aux Canadiens: «J'aimerais qu'on me propose une pièce qui a quelque chose de pertinent à dire aux spectateurs canadiens en cet hiver de 1963-64: le thème est-il assez vaste pour toi[74]?»

En décembre 1963, Florence trouve une maison – Hillcrest – à Kingston Hill, dans le Surrey[75], et les Richler abandonnent leurs plans de s'installer à Toronto. Avec un peu d'aide de Brian Moore, et en misant sur l'argent qu'il obtiendra pour *Les chemins de la puissance* (*Life at the top*, la suite des *Chemins de la haute ville*), Richler fait enfin le grand plongeon dans la vie bourgeoise[76]. Pour les Nord-Américains, Hillcrest pourrait être le nom d'un domaine à la campagne, et Ted Solotaroff demande immédiatement à Richler: «Serais-tu en train de devenir l'un de ces Juifs chasseurs de renard[77]?» Solotaroff n'est pas très loin de la vérité. Richler a fait l'acquisition d'un grand terrain boisé et d'une grande maison – presqu'un château – qui se dresse fièrement sur la colline. Malgré la rue passante en contrebas[78] et le fait qu'on prévoit construire un lotissement sur le terrain adjacent[79], Florence est enchantée. Pour atteindre la maison, il faut monter un long chemin de pierre qui serpente entre les arbres. Dans leur ancien appartement de Lower Hamstead, les enfants devaient dormir à trois dans la même chambre. Les Richler possèdent

maintenant une élégante maison à trois étages pour des paiements hypothécaires moins élevés que leur ancien loyer. Celle-ci
comprend un salon de dix-neuf pieds de longueur, décoré de
panneaux de chêne, une cuisine spacieuse où trône une table de
réfectoire et, derrière la maison, un étang et un jardin où peuvent jouer les enfants. La priorité de Florence est alors d'amé-
nager le troisième étage pour en faire un bureau pour Richler,
un endroit où il pourra éparpiller ses papiers et travailler sans
être dérangé[80].

Richler souffre à nouveau d'une hernie discale. Il doit porter
un plâtre et être transporté sur une civière[81]. Après le retrait du
plâtre, il est forcé de mettre une ceinture chirurgicale – «cet
accessoire des gens sophistiqués», comme la décrit en riant
Weiner[82]. Même lorsqu'il est rétabli, Kingston lui semble mort. Et
lorsqu'il se sent agité, il retourne errer dans les rues de Londres[83].

Sur le plan professionnel, Richler a l'impression de faire du
surplace[84]. Il décide de reprendre un vieux script de film intitulé
Reward qui traîne dans ses affaires depuis un certain temps.
Quelque temps auparavant, lorsqu'un locataire de la maison de
chambres de sa mère était mort, l'anecdote avait poussé Richler
à écrire l'histoire d'un groupe de pensionnaires fainéants soup-
çonnés de meurtre, et qui finissent par résoudre eux-mêmes le
crime. Il écrit le script en prose en empruntant quelques passages
à sa propre pièce *The Trouble with Benny*. Le résultat n'est pas
mauvais, sans être remarquable, et Richler n'en tire pas grand-
chose. C'est du remâché et personne n'est intéressé[85]. Au début
de l'année, il avait adapté un autre thriller pour le petit écran,
The Night of Wenceslas de Lionel Davidson, un genre de James
Bond bas de gamme qui, entre les mains de Richler, parodie le
genre par moments. Le Britannique Nicholas Whistler, envoyé
contre son gré en mission d'espionnage en Tchécoslovaquie,
place un cheveu dans l'espace situé entre les portes de son balcon
pour savoir si sa chambre est fouillée en son absence, mais il se
brûle les doigts en allumant une cigarette. Son opposante communiste, Vlasta, admet qu'elle aspire secrètement à la décadence
occidentale, parce qu'«à Londres il y a aussi le Twist». Nicholas
tombe également sur des membres de la police secrète tchèque,
dont un très bon tireur, un certain «Peter Gzowski». Remplacé

par un «deuxième secrétaire de l'Ambassade de Hongrie qui s'est fait prendre en train d'importuner les messieurs dans les toilettes de la station de métro d'Earl's Court», Nicholas réussit finalement à rentrer chez lui en Grande-Bretagne[86]. Si cela est mieux que *Reward*, il s'agit encore d'une adaptation.

Richler propose également une série d'émissions sur des journaux intimes d'écrivains célèbres, dont ceux de Boswell, Pepys, Defoe, Dostoïevski, Rousseau, Kafka, Sartre, Bellow. Ou bien de Josephus, Tolstoï, Gide, Gorki, Fitzgerald[87]. Finalement, seule la biographie du Dr Johnson écrite par James Boswell semble être passée à l'antenne. Richler a adapté *The Fall of Mendel Krick* et envoyé au Armchair Theatre le synopsis de «Run Sheep Run», une version télévisée mélodramatique du *Choix des ennemis* – mais il s'agit, encore une fois, d'adaptations. À la fin du synopsis de «Run Sheep Run», il écrit: «Et nous arrivons donc à la fin d'un autre drame fort et substantiel du studio d'ABC à Manchester[88].» Le ton de raillerie qu'il emploie laisse deviner sa frustration. Lui qui disait croire fermement que l'écriture ne s'enseigne pas, il songe même à s'inscrire à l'Atelier des écrivains de l'Iowa, possiblement parce que Philip Roth y a enseigné quelque temps auparavant. Un ami l'en dissuade: «Mon Dieu, non! À moins que tu aies vraiment besoin de changement, n'y va pas[89]!»

Richler n'est pas du genre à se laisser abattre par l'impression de piétiner. Pour lui, le Shabbat et le dimanche ne sont pas des journées de repos et lorsque des problèmes de dos l'obligent à s'allonger, il décide d'intituler sa prochaine œuvre *Sloth* [Paresseux, du nom de l'animal]. Il doit en effet écrire un scénario de film pour l'acteur Dirk Bogarde, le Rock Hudson britannique qui, bien qu'il soit discret sur sa vie privée, a joué le rôle d'un homosexuel dans le film *The Victim* (1961) peu de temps auparavant. Mais dans l'extrait de cinquante-neuf pages que Richler parvient à écrire, il s'aventure dans la farce, évitant encore une fois son passé juif. Il souhaite désespérément se moquer des Britanniques, comme il a tenté de le faire dans *It's Harder to Be Anybody*. *Sloth* raconte l'histoire de Lord Harry O'Brien, un aristocrate qui a déjà occupé un emploi durant une brève période. Malheureusement, son bureau était situé au cinquième étage et il n'y avait pas d'ascenseur; il préfère maintenant rester au lit. Il a des moments d'abjecte autoévaluation, lors desquels il se compare surtout à son ennemi, l'étoile montante Barney Rosen, un Juif. Des bribes du monde extérieur pénètrent parfois dans son univers : « Les autres s'habillent eux-mêmes. Et s'ils n'ont personne pour faire leurs commissions, ils – ils y vont-eux-mêmes. » Son serviteur, Luther, ajoute gentiment : « Beaucoup d'Allemands sont comme ça. » Parmi les personnages de *Sloth* se trouve un écrivain portant des pulls à col roulé et des jeans serrés et qui répond au nom de Fulford. Le personnage de Fulford écrit dans la presse populaire les mercredis et il condamne ensuite les riches oisifs dans les revues de qualité les vendredis[90]. Il n'est pas difficile d'écrire des scénarios, a déjà affirmé Richler après la parution d'œuvres plus brillantes[91], mais dans l'ensemble, *Sloth* est plutôt bancal, et Richler est forcé de le mettre de côté pour se consacrer à l'adaptation du scénario des *Chemins de la puissance*, de John Braine, qu'il a promis à Kotcheff et doit remettre avant le 30 avril. Ce n'est pas plus mal. De toute manière, Bogarde et son gérant et partenaire Tony Forwood considèrent qu'il est impossible de faire un film avec *Sloth* et ils refusent d'investir une somme plus élevée d'argent dans le projet[92].

Si *Les Chemins de la puissance* n'obtient pas un succès similaire à celui des *Chemins de la haute ville*, le film n'est cependant pas un échec. Dans *Les Chemins de la haute ville*, Joe Lampton avait travaillé fort pour grimper rapidement les échelons ; il avait été forcé de choisir entre l'amour et le succès, un choix que Richler n'a jamais eu à faire, mais dont il comprenait la difficulté. Dans *Les Chemins de la puissance*, le personnage principal, maintenant marié à la fille d'un propriétaire de moulin du Nord et d'un terrain de quatre acres de première qualité, se sent prisonnier de sa belle-famille conservatrice, qui le considère comme un genre de caniche. Il se sent aussi prisonnier de ses propres enfants, trop gâtés, qui méprisent le camelot parce qu'il appartient à une classe inférieure. Las de sa femme et faussement nostalgique de son ancienne pauvreté, Lampton ne sait pas ce qu'il veut – un dilemme déjà beaucoup moins compréhensible pour Richler. Après la sortie des *Chemins de la puissance* en Amérique du Nord, Richler reconnaît qu'il n'est pas toujours facile de se projeter dans des personnages créés par d'autres[93]. Lampton tente de fuir, de renoncer à la richesse pour emménager avec une journaliste de télévision londonienne, mais il découvre que les employeurs de la haute ne s'intéressent pas à lui et que, passant désormais pour un fainéant, il ne présente plus le même intérêt pour sa copine. À la fin du film, le rebelle est de retour chez lui, pantoufles aux pieds, assis à la place de son beau-père qui a pris sa retraite en tant que président du conseil d'administration. Mais il est visiblement malheureux. Bientôt, Richler se moquera de l'habitude des réalisateurs de faire un travelling avant sur «la grille d'égout en tant que symbole social[94]», mais c'est exactement ce que fait Kotcheff dans la scène finale des *Chemins de la puissance*, en réalisant un panoramique de la clôture en fer forgé de la propriété de Lampton, derrière les barreaux de laquelle on aperçoit la voiture de Lampton sur le chemin du retour. Malgré l'attention accordée aux différences de classe, il est difficile de ressentir de la sympathie pour Lampton, qui se morfond sur sa vaste propriété. Richler se plaint, avec raison, pour avoir dû jongler avec une «intrigue dépassée» et un personnage principal qui s'apitoie trop sur lui-même[95].

Pourtant, à la différence des films sentimentaux dont on a l'habitude à l'époque, *Les Chemins de la puissance* aborde sans les résoudre des problèmes d'adulte, et la plupart des critiques l'ont applaudi[96]. Richler et Kotcheff, le premier à Hillcrest, le second dans sa nouvelle maison de Highgate[97], ont le vent en poupe : ils représentent fièrement les garçons de la classe ouvrière qui ont réussi en racontant les histoires tragiques de garçons de la classe ouvrière qui ont réussi.

Au lieu de retourner immédiatement à la fiction après *Les Chemins de la puissance*, Richler décide de s'intéresser au débat national canadien. Les rédacteurs en chef veulent des articles sur le Canada ici et maintenant ? Ils les auront ! Ils veulent de la controverse ? Ils en auront aussi ! Richler se prononce sur la question du nationalisme en affirmant que le Canada devrait rejoindre les États-Unis. De toute manière, ajoute-t-il, ce qu'il y a de meilleur au Canada est américain[98]. Irving Layton a sorti un nouveau livre ?

«Je ne vois aucun autre poète canadien qui illustre mieux le cliché à la mode, la rébellion inadéquate», déclare Richler[99].

Layton et Richler se répondent dans les pages de *Maclean's* et du magazine de voyage américain *Holiday*. Leurs attaques sont à la fois politiques et personnelles. Il y a fort à parier que Layton était déjà furieux d'avoir été parodié dans *The Incomparable Atuk*. Layton, un poète doué qui faisait souvent preuve d'une certaine profondeur, était aussi un m'as-tu-vu dont les lamentations sur la répression exercée par les WASP frôlaient parfois le stand-up comique. Plusieurs années auparavant, Layton avait composé un poème dans lequel il s'imaginait faire l'amour à Jackie Kennedy. Il avait ensuite invitée celle-ci dans une soirée à Pittsburgh, au cours de laquelle il prévoyait lire son poème en public[100]. Richler évite de faire référence aux grands poèmes de Layton et, grâce à son intuition de satiriste, il repère ceux qui trahissent l'égotisme démesuré du poète. Dans son dernier recueil, *Balls for a One-Armed Juggler*, Layton regarde de haut les visages sans importance qu'on aperçoit dans les restaurants entre «9 et 5» et tourne en ridicule un professeur d'anglais qui fait de l'esprit devant les dames à l'heure du thé. «Layton ne lit-il pas ses poèmes devant les dames à l'heure du thé?» demande innocemment Richler. Et que veut-il dire exactement par «visage sans importance»? Richler avait lui-même déjà écrit dans un style affecté comme celui de Layton. Dans *The Acrobats*, Chaim le «sage» songeait: «Tant de gens anonymes... sont anonymement heureux durant une nuit anonyme. Pourquoi quelqu'un ne leur dit pas[101].» Mais à l'âge de vingt et un ans, Richler avait fait l'erreur et il avait eu la bonne fortune de se faire taper sur les doigts par Weiner et Athill.

Le fait que l'article en question soit accompagné d'une caricature de Layton habillé à moitié en travesti n'arrange pas les choses. Celui-ci répond avec l'ardeur attendue, mais les amis de Richler chez *Maclean's* décident de publier uniquement l'invitation que Layton adresse à Richler de retourner à Sir George pour finir ses études. Ce n'est qu'en privé que Richler aura à supporter les piques les plus cinglantes de Layton, dirigées contre le malaise de Richler par rapport à son passé juif et son ambivalence face à la bourgeoisie. Layton disait de Richler: «Il y a plusieurs années de

cela, il a décidé qu'il était malin et rentable de déterrer les sque-
lettes de la famille et de faire la caricature des Juifs... Son truc?
Embrasser tous les culs distingués et déculottés de l'establishment
tout en réussissant à se faire passer pour un rebelle revêche[102].»

Le débat politique paraît dans les pages de *Holiday*, le magazine
qui avait d'abord publié l'article dans lequel Richler laissait
entendre que le Canada n'avait pas d'identité propre, affirmant
qu'il ne voyait pas d'inconvénient – sur le plan culturel, du moins
– à ce que le Canada devienne le 51ᵉ État de l'Union. Layton attire
l'attention des lecteurs sur le fait que «l'auteur de ce programme
dérisoire» ne vit plus au Canada depuis dix ans: «comme il n'a
rien à offrir, si je puis dire, il est prêt à tout donner». D'après
Layton, Richler a abandonné son pays pour l'argent, ce qui
explique que ses romans sont devenus des «pets éphémères».
Layton affirme que la décision de Richler de quitter le Canada
n'a «rien à voir avec le risque de s'attirer trop d'éloges, comme il
le dit de manière si touchante et modeste[103]». Layton sait très bien
que sa déclaration sur le fait que Richler ne vit pas au Canada
n'est pas tout à fait exacte, mais dans l'ensemble, il a raison.
Richler ne ressent plus vraiment d'attachement envers sa communauté, qu'elle soit juive ou canadienne. S'il était brillant de
guillotiner Atuk, grâce à qui l'homme d'affaires canadien
Twentyman pouvait utiliser le nationalisme à des fins mercan-
tiles, l'idée de Richler d'inviter le Canada à se conformer au Destin
manifeste des États-Unis est moins séduisante. De manière plus
préoccupante, les écrits les plus récents de Richler (et son manque
d'inspiration) révèlent les effets du déracinement.

Leonard Cohen, un ami de Layton, décide de se mêler du débat.
Il affirme que s'il avait rencontré Richler peu après la publication
de l'article dans *Holiday*, il lui aurait certainement donné un coup
de poing dans la figure. D'après Cohen (qui publiera bientôt son
roman *Les perdants magnifiques*, dans lequel le narrateur atteint
presque l'orgasme pendant un rassemblement de séparatistes
québécois), le nationalisme est le moteur de l'art. Ce n'est qu'après
nous être inquiété de nos ressources naturelles que nous com-
mencerons à nous préoccuper de nos poètes. Il considère comme
une forme de trahison le fait de nous identifier aux Américains
alors que des bombes explosent dans des boîtes aux lettres de

Westmount[104]. Les amis de Richler donnent raison à Cohen et qualifient de naïve la proposition de Richler[105].

Même Richler l'anticonformiste finit par réaliser qu'il ne peut défendre longtemps cette position alors que la situation au Vietnam se détériore. « D'accord, nous sommes plus sympathiques », admet-il[106]. Dans sa réponse à Layton, Richler reconnaît qu'il ne souhaite pas vraiment rejoindre les États-Unis ; mais en pesant ses mots, il insiste sur le fait que les différences entre le Canada et les États-Unis sont régionales, et non pas nationales, et que, puisqu'il n'y a pas de véritable distinction culturelle entre les deux nations, les politiciens ne devraient pas ériger de fausses délimitations protectionnistes[107]. En 1964, Richler n'a qu'une connaissance limitée de ce que signifie le terme « nationalisme », et il le conçoit manifestement (tout comme Cohen d'ailleurs) dans le sens européen et tribal du terme, à savoir comme une identité raciale. Dans le futur, il se réjouira que le Canada ne soit pas, en ce sens, une « nation[108] ». Quant à l'homme qui dirige le Canada et tente de combler le fossé qui ne cesse de s'élargir entre francophones et anglophones, le premier ministre Lester Pearson, Richler le traite à l'époque « d'incompétent foireux[109] ». Par la suite, il déclarera pourtant qu'il s'agissait du « plus grand Canadien de notre temps[110] ». D'après Richler, le fait que le pays continue de fonctionner malgré tout ne justifie pas son existence[111]. Le nationalisme existe dans les tripes et nulle part ailleurs. Ses tripes lui disent qu'il est juif, mais son séjour en Israël est venu confirmer ce que le Montréal orthodoxe lui avait déjà fait sentir : qu'un tel nationalisme exige beaucoup trop. En même temps, il ne connaît du « Canada » que Montréal[112] et, plus que la plupart des Canadiens, son sens de la culture l'attire vers New York et Londres, et non vers Toronto ou – que Dieu l'en préserve – Ottawa, qui n'est rien de plus qu'un trou perdu à ses yeux. Pour quelqu'un qui, comme lui, a vécu sur le Vieux Continent, quel intérêt les colonies peuvent-elles avoir ?

Dans un tel contexte, il n'est pas étonnant que Richler ne puisse comprendre l'attraction qu'exerce sur certains une nation multiculturelle et créée de toutes pièces comme le Canada, mais qu'il saisisse de manière intuitive les raisons du séparatisme québécois. Jusqu'alors, Richler avait très peu réfléchi et écrit sur le

Québec francophone. Le décès de Duplessis, en 1959, avait entraîné une sorte de détente politique, et lors des élections de 1960, Richler, alors en visite à Montréal, était resté éveillé jusqu'à deux heures du matin pour voir Jean Lesage et les Libéraux remporter la victoire et inaugurer une nouvelle ère. Content d'être débarrassé de l'Union Nationale, Richler n'avait toutefois pas prévu la montée du Front de libération du Québec (FLQ)[113]. Il évitait les personnages canadiens français dans ses romans parce qu'il n'avait aucune idée de ce qui les faisait tiquer[114]. En 1961, il menace d'écrire un article déclarant à quel point il se moque des Canadiens français. «Pourquoi pas?», lui répond Peter Gzowski[115]. En 1963, lorsque les bombes du FLQ commencent à exploser, Richler, depuis Londres, est d'abord ravi. Enfin de l'action! Ces prétentieux Anglais marchent enfin sur des œufs au Québec! La pauvreté de sa famille pendant la Grande Dépression avait fait de Richler un radical dans les années 1940 et, bien qu'il ait perdu ce radicalisme avec les années, il se sentait toujours plus proche de la classe ouvrière et de Pierre Vallières, un poseur de bombes du FLQ et l'auteur de *Nègres blancs d'Amérique*, que de Lester Pearson.

En mai 1964, Richler revient à Montréal à la demande de *Maclean's* pour écrire un article sur la Fête de la Reine, un jour férié dont la simple existence ne manque pas d'exciter la colère des nationalistes québécois. Richler observe les manifestants prendre d'assaut les rues étroites du centre-ville de Montréal. Une bombe a été placée sur le pont Victoria, mais elle n'explose pas. Pendant huit heures, mille policiers à cheval, à pied et en voitures de patrouille tentent de contrôler ce que *The Globe and Mail* décrit comme «des gangs de voyous et de séparatistes[116]» et de mettre fin à ce qu'on a par la suite nommé la «Nuit de la Matraque». Quatre-vingt-cinq personnes sont arrêtées. Malgré tout, ce ne sont ni les bombes ni les manifestations qui ont finalement refroidi l'enthousiasme de Richler : c'est le graffiti «Québec Libre» peint en bordure de l'autoroute. Richler se souvient du graffiti de sa jeunesse, «À bas les Juifs», et se dit que lorsqu'on commence à peindre des slogans sur le bord des routes, c'est que la situation est critique pour les Juifs[117]. L'avenir lui donnera finalement tort, mais ce qu'il a vécu dans les années 1940 l'empêche alors de se sentir à l'abri.

15

Un cas de taille : un ver flétri

R ICHLER MET DÉFINITIVEMENT UN TERME à sa collaboration avec Joyce Weiner en 1964. Peu de temps après qu'elle ait lancé *L'apprentissage de Duddy Kravitz* sur le marché israélien, il trouve un nouvel éditeur en Angleterre[1]. Weiner s'est d'ores et déjà inclinée devant sa décision[2]. L'année 1964 est également marquée par la naissance de sa fille Martha ; bien que Richler ait l'habitude de s'inquiéter avant chaque naissance, tout se déroule bien[3]. Il laisse passer l'occasion de partir en Afrique afin d'écrire un scénario pour lequel il recevrait la somme de 7 000 dollars. « Courageux ! », se réjouit Robert Weaver[4]. « Cinglé ! », dira quant à lui Jack McClelland : « Tu dois avoir plus d'argent que de cervelle[5]. »

Richler reçoit désormais de nombreuses propositions du monde du cinéma, dont certaines sont… peu conventionnelles. Il craint de rater une bonne occasion, mais il peut enfin se permettre de choisir. Martin Stern, un scénariste pour la télévision, lui propose 1 000 dollars pour les droits cinématographiques de *L'apprentissage de Duddy Kravitz* et 4 000 dollars supplémentaires une fois que le film sera terminé. Si aucun film n'est tourné, Richler devra rendre les 1 000 dollars. Stern lui confie que le roman l'a touché de façon personnelle et qu'il préfère donc ne pas traiter avec des agents. Richler répond : « Bien entendu, je suis touché que DUDDY vous ait touché et je suis désolé si vous me trouvez trop direct… Mais je n'ai aucune envie "d'emprunter" 1 000 dollars sur un, deux ou trois ans, et je ne vendrai jamais les droits d'adaptation cinématographique d'un livre pour 5 000 dollars… Si mon agent me proposait une offre telle que la vôtre, je me dirais qu'elle a perdu la tête. Vous êtes soit très naïf, soit très habile.» Quels films avez-vous fait? demande Richler[6]. Stern admet que son nom n'est jamais apparu au générique d'un film et, au lieu de lui donner son cv, il énumère une longue liste de raisons pour lesquelles il est difficile d'adapter des histoires juives au cinéma: «Les producteurs d'Hollywood ont dédiabolisé Hitler. Ils ont envoyé tous les Juifs d'Amérique dans les fours à gaz littéraires en prétendant qu'ils n'existaient pas». «Vous êtes le genre d'homme», révèle-t-il à Richler, «avec qui je pourrais bien m'entendre si nous habitions dans la même ville[7]». Richler décide de ne plus gaspiller de timbres.

Richler écrit alors de manière plus soutenue dans les magazines. Ses articles, plus controversés, provoquent de violentes réactions de la part des lecteurs. Dans un de ces articles, Richler suggère que Hank Greenberg a fait le nécessaire pour ne pas battre le record de circuits établi par Babe Ruth afin de ne pas être considéré comme un Juif agressif. Les fans de baseball, qui n'apprécient pas l'ironie, expriment leur désaccord: «En tant qu'athlète professionnel dans le sens le plus pur du terme, Hank Greenberg n'aurait jamais fait ça[8]…» Un lecteur britannique se plaint du fait que Richler, lorsqu'il écrit sur le Québec francophone, en revient toujours à la question juive et qu'il s'entête à parler de son enfance juive quand il aborde des sujets comme la politique canadienne ou les changements sociaux[9]. À Leeds, le propriétaire d'un restaurant juif en difficulté s'indigne de la liberté que s'accorde Richler en changeant les faits pour les rendre plus intéressants. L'attention du public britannique a été attirée par les taches de vin et les miettes qu'on trouve sur les tables de l'établissement; or, le propriétaire affirme de manière catégorique qu'il n'y a ni taches ni miettes sur les nappes de son restaurant. Il menace donc de porter plainte. Accompagné de l'avocat du magazine, Richler revient sur la scène du crime et inspecte les nappes qui sont à l'origine de la controverse. Elles sont impeccables. L'avocat propose au restaurateur de lui verser cinquante livres, sans rétractation. Celui-ci décline l'offre. L'avocat propose alors cent livres, sans rétractation, et le marché est conclu[10].

Lily se rend en visite à Londres, suivie de Moe et sa deuxième femme, Sara[11]. Depuis le milieu des années 1950, période où Richler était marié à Cathy Boudreau, Lily y est allée quelques fois. Le plus souvent, Richler achète lui-même les billets d'avion avec l'argent qu'il a accumulé pendant des mois, en mettant cinq dollars de côté par semaine sans le dire à Florence, ce qui lui permet de faire apparaître des billets comme par magie[12]. En apparence, Lily vient s'occuper des petits-enfants ; en réalité, elle vient surtout visiter son célèbre fils[13]. Les enfants, qui n'ont pas l'habitude de voir des membres de leur famille, trouvent grand-mère Lily étrange, c'est-à-dire légèrement exotique. Elle arrive avec une valise pleine de cadeaux et leur en donne un chaque jour. Tel qu'elle l'exige, les enfants font la queue devant la porte de sa chambre et chacun reçoit un baiser baveux accompagné d'un jeu tel Serpents et échelles. Lily donne également de multiples conseils à Florence sur la manière d'élever les enfants[14] ; Florence fait de son mieux pour être aimable, mais elle sent que Lily ne fait pas vraiment d'efforts[15].

Lorsque Moe vient à Londres, Richler loue à son attention un appartement situé à proximité d'une synagogue, d'une boucherie cachère et d'un cinéma. Il donne à Florence quelques indications sur la nourriture cachère et accompagne sans grand intérêt son père au théâtre, pour voir des comédies musicales que celui-ci appréciera. Moe est particulièrement content lorsqu'il réussit à serrer la main de James Mason. A-t-il passé un bon moment ? Lorsque Richler insiste, il consent à répondre : « Je n'ai pas à me plaindre. » Compte tenu du caractère taciturne de Moe, cette déclaration représente « une hyperbole inespérée », ce dont Richler est bien conscient[16]. Quelque temps auparavant, Richler s'était promené dans les Catskills aux frais du magazine *Holiday*, à la recherche de bizarreries dans des hôtels juifs comme Grossinger's. Il réalise que cela plairait à Moe. Tandis que Richler se moquerait des promenades vitrées (« afin que personne n'ait à respirer trop d'air frais[17] »), d'un mauvais goût tel que ça en est stimulant, Moe apprécierait l'opulence et la présence d'acteurs juifs. Il se promet donc d'y emmener son père prochainement[18].

Bien que Richler ait refusé le scénario lucratif qui l'aurait emmené en Afrique un an plus tôt, il accepte l'offre de Jack Clayton, le réalisateur des *Chemins de la haute ville*, de travailler sur *Le Miroir aux espions* [*The Looking Glass War*], de John Le Carré[19]. Sous prétexte de faire des recherches pour le scénario[20], il se débrouille pour aller à Varsovie et se vante auprès de ses amis de la vie qu'il mène dans le monde du cinéma[21]. Ted Solotaroff répond : « Ça doit être agréable de mener grand train... Est-ce que Julie Christie te parle de ses problèmes pour que tu les résolves grâce à ton sage cœur juif ?... Ça doit être grisant[22]. » Mais après deux ans, Clayton n'a pas réussi à trouver suffisamment d'argent pour terminer le scénario[23]. Dans la version de Richler, Clayton et lui ont « abandonné » le projet quand Columbia Pictures leur a demandé de modifier le personnage principal, un vieux polonais pathétique, pour en faire « un très jeune homme au torse dénudé[24] ». Le réalisateur Frank Pierson, qui a écrit son propre scénario pendant que Richler se languissait, est finalement retenu pour faire le film.

À la fin de l'année 1966, Richler a deux romans inachevés sous le coude, ce qu'il n'apprécie pas du tout[25]. Il dispose toujours du roman grotesque *It's Harder to Be Anybody*, pour lequel il a déjà essuyé un refus, et il a également commencé *Le cavalier de Saint-Urbain*, un roman davantage autobiographique et humain qui le ramène sur le terrain de *L'apprentissage de Duddy Kravitz*, comme le souhaitent ses éditeurs. Richler refuse de rédiger le scénario du *Crépuscule des Aigles*, avec James Mason et Ursula Andress, pour la Twentieth Century Fox, car il veut poursuivre l'écriture du *Cavalier de Saint-Urbain*. Lorsqu'il constate que son roman n'avance guère et qu'il a raté d'autres occasions, il regrette sa décision[26].

Richler n'a pas l'intention d'abandonner *It's Harder to Be Anybody*, même si ce roman n'est pas à la hauteur de *L'apprentissage de Duddy Kravitz* ; comme il se trouve au point mort dans l'écriture du *Cavalier de Saint-Urbain*, il décide de ressusciter son roman précédent[27]. Tel *The Incomparable Atuk*, *It's Harder to Be Anybody* est davantage une collection de parodies qu'un récit. Comme dans l'histoire sur laquelle est basé le roman, Shalinsky est convaincu que le protagoniste, Mortimer Griffin, est juif. Un expatrié canadien et directeur d'édition « coincé », Griffin subit une série d'humiliations tandis que sa femme, Joyce, s'engage dans des causes progressistes et qu'un sinistre «faiseur de stars» hollywoodien reprend Oriole Press, la maison d'édition qui emploie Mortimer. L'intrigue permet à Richler de se moquer des écoles progressistes, de l'importance de la «nature» pour la contre-culture, d'Hollywood, des modifications apportées aux lois sur l'obscénité et, bien sûr, du chauvinisme juif. Il hésite entre toutes sortes de nouveaux titres peu inspirés, comme *The Last Hero, Hero's End, It's Harder to Be a Hero, Limp Hero* et *The WASP in the Woodpile*, avant de trouver *The Importance of Being Cocksure*. Bien que le livre ne soit pas particulièrement réussi, son titre demeure excellent[28].

Le titre original et le sous-titre choisi, *It's Harder to Be Anybody*, révèle que Richler a des comptes à régler avec un écrivain. À la suite d'un discours que prononce Richler dans une synagogue, un membre du public fait une distinction radicale entre le très apprécié Sholem Aleikhem (1859-1916), un auteur de langue yiddish, et Richler qui, selon lui, écrit des âneries sur les Juifs[29]. La description colorée de la vie dans les *shtetlekh* (villages) de l'Europe de l'Est par Aleikhem dans des œuvres telles *It's Hard to Be a Jew* et *Un violon sur le toit* [*Fiddler on the Roof*] l'a rendu populaire auprès des Juifs, qui ont envie de se souvenir d'un *shtetl* bien-aimé n'ayant jamais existé. Tout le monde semble vouloir préserver les traditions, pourvu qu'elles restent gentiment confinées au monde du music hall[30]. Richler, lui, assiste à la représentation de «la pièce outrageusement sentimentale *Un violon sur le toit* (ha ha, c'est un pogrom)[31]» sans verser une seule larme.

En 1949, Richler avait déjà fait une critique d'une représentation de *It's Hard to Be a Jew* par le B'nai B'rith[32], et il avait sans doute été en contact avec l'œuvre d'Aleikhem auparavant. Dans une des histoires qu'a écrites Lily, son «rabbin adoré» inspecte les poulets utilisés pour le sacrifice de Rosh Hashana. «Si le poulet est gras et *trefah*, c'est-à-dire interdit à la consommation, les femmes hochent tristement la tête et murmurent: "Ah, qu'il est dur d'être juif"[33]!» La pièce *It's Hard to Be a Jew* (*Shver tsu zayn a yid*, 1915), basée sur son propre roman intitulé *The Bloody Hoax* (1912-1913), reprend l'intrigue classique de «l'échange d'identité» à l'époque des pogroms en Russie: le Russe Ivan Ivanov, croyant qu'il n'est pas si difficile d'être juif, échange son identité avec

celle de son ami juif Hersh Shneyerson. Ivanov découvre que le
fait d'avoir une Médaille d'or académique ne facilite pas son
entrée à l'université de la ville si, en tant que Juif, il n'a pas le
droit de résider dans la ville en question. Victime du harcèlement
et de la mauvaise volonté de la police, Ivanov comprend qu'il est
en effet difficile d'être juif. Pour le public juif et démuni
d'Aleikhem, la pièce sert davantage de soupape que de protestation politique directe. L'imbroglio identitaire, léger et comique,
est adapté pour le public juif lorsqu'apparaît le spectre du
mariage mixte : le prétendu «Juif» Ivanov et le prétendu «non
Juif» Schneyerson se battent pour obtenir la main de Betty, la
fille de leur logeur juif. Le mariage mixte, prévient Aleikhem, est
néfaste. Sous sa plume, Schneyerson prédit lui aussi que «dès la
première dispute, ce parfait amoureux non juif lui rappellera à
quelle race elle appartient[34]». La phraséologie est identique à
celle qu'utilise le père de Richler lors de leurs disputes. Au plus
fort de celles-ci, Moe célèbre le deuil d'un fils qu'il considère
mort depuis qu'il a marié une non Juive. Malgré sa bienveillance,
il est évident qu'Aleikhem cherche à inciter les jeunes Juifs bons
à marier à demeurer dans le droit chemin. Finalement, la décision héroïque de Schneyerson, qui consiste à révéler son identité
afin que la loi le punisse à la place d'Ivanov, fait contraste avec
la réaction du père de Betty, qui se réjouit lorsqu'il constate que
sa famille est «libérée» du mariage mixte. Si Aleikhem s'attaque
à la bigoterie russe, il semble étrangement peu conscient de sa
propre bigoterie. Lorsqu'on aborde le thème du mariage mixte,
il est plus difficile, au final, d'être Ivanov que d'être juif.

Mortimer, le personnage principal d'*Un cas de taille*, tente par
tous les moyens de prouver qu'il n'est pas juif. Son attitude en
dit long sur la confusion qu'éprouve Richler vis-à-vis de son
identité. Pendant des années et sur plusieurs fronts, Richler a
cherché à oublier son passé juif, comme en témoigne le sous-
titre *It's Harder to Be Anybody*. Il n'est pas croyant, Florence n'est
pas juive et les enfants ne sont pas élevés dans la foi : alors pourquoi réveiller le fantôme du judaïsme ? D'après Bernard
Malamud, «tous les hommes sont juifs». Philip Roth, plus proche
de la sensibilité de Richler, n'est pas d'accord : «En fait, nous
savons que c'est faux ; car même les hommes qui sont juifs ne

sont pas certains d'être juifs[35].» Ces Juifs incertains de leur identité ont substitué un moi humaniste et plus libéral à un moi élitiste et sectaire. D'un côté, le terme «Juifs» désigne une minorité
relativement prospère, mais toujours sur le qui-vive, qui craint
les bigots tout en ne voyant pas de raison de s'interroger sur sa
propre bigoterie. Il en va de même de Shalinsky dans *Un cas de
taille*[36]. D'un autre côté, si le terme «Juifs» désigne ceux qui ont
connu l'Holocauste, alors il ne convient pas aux hommes d'affaires de Montréal ; il doit plutôt qualifier tous ceux qui ont
souffert de persécutions. En tant qu'«avocat du perdant»,
comme se décrit lui-même Richler avec tromperie[37], l'écrivain
doit élargir la notion de la souffrance pour qu'elle englobe toute
l'humanité. Le personnage de Shalinsky introduit également
cette notion (Richler ne ressent pas le besoin d'être cohérent)
lorsqu'il dévoile la chute du roman à un Mortimer troublé : «Vous
ne vous rendez pas compte ? Un Juif, c'est une idée. Aujourd'hui,
vous êtes mon idée du Juif[38].» Si le terme «Juif» est tout simplement un synonyme du terme «victime» et que le monde devient
un lieu inhospitalier pour les WASPS traditionnels comme
Mortimer, alors Shalinsky a raison. De ce point de vue, il est aussi
difficile d'être *quelqu'un*. Dans l'histoire sur laquelle s'appuie *Un
cas de taille*, Richler résout le problème terminologique : Mortimer
épouse une femme nommée Gitel, cesse de manger du bacon,
ne célèbre plus Noël et emménage avec ses beaux-parents[39]. Cette
façon simpliste de faire de Mortimer un Juif disparaît dans *Un
cas de taille*.

Comme dans l'ensemble de ses romans à l'exception de
L'apprentissage de Duddy Kravitz, Richler tente d'échapper à
son passé orthodoxe dans *Un cas de taille*. Il raille le chauvinisme juif d'Aleikhem à travers le personnage de Shalinsky, et
lorsqu'il évoque l'Holocauste, il le fait de manière burlesque
afin d'offenser les Juifs. Nous apprenons donc que la mère
de Miss Fishman était la millionième victime juive qui a été
brûlée à Treblinka et que les Allemands ont décidé de souligner
l'événement à leur manière. Lord Woodcock, qui encourage
Miss Fishman à s'inspirer de sa philosophie visant à «oublier
et pardonner» après la guerre, reçoit un prix pour son action
en faveur du renforcement de l'amitié germano-juive. Ha, ha,

c'est un pogrom : en bannissant Aleikhem, Richler n'a pas abandonné l'humour, et il semble penser que tant que l'humour
est noir, il ne déshonore par les morts. Certains passages supprimés allaient encore plus loin dans l'humour noir. Dans une
version précédente, Lord Gross (qui deviendra Lord Woodcock)
se souvient des temps anciens, quand les « Sturmbannführers
et les Juifs condamnés avaient pour un temps oublié les fours
et donné le meilleur d'eux-mêmes au cours d'un match de football » sur les terrains de Dachau, prouvant ainsi que les deux
groupes avaient beaucoup en commun[40]. La satire vise clairement les efforts déployés pour passer à autre chose après l'Holocauste. Peu de temps auparavant, Richler avait lu les journaux
de Chaïm Kaplan, sortis clandestinement du ghetto de Varsovie
après la mort de celui-ci dans les chambres à gaz. « À mon avis, les
Allemands sont une abomination », écrit Richler. « Je suis content
que Dresde ait été bombardée inutilement, sans objectif militaire[41]. » Cependant, à l'instar des magnats juifs d'Hollywood mais
d'une manière différente, il a sa propre idée de son immersion
en Amérique. On sent ici un désir ardent, une protestation trop
appuyée pour être honnête. Autrement dit, Richler a trop envie
de montrer qu'il ne fait pas partie des Juifs frustes. En utilisant
l'humour noir pour aborder l'expérience juive, il se place lui-
même au-dessus de cette expérience, et en faisant fi de sa propre
expérience, il donne à penser qu'*Un cas de taille* a été écrit non
par un Juif quelconque, mais par un membre non sectaire d'une
élite artistique branchée, précisément le genre de personne que
le roman critique lorsqu'on le lit au premier degré.

Gottlieb considère que Richler a retiré « beaucoup de judéité
du roman[42] ». Le désarroi que ressent Mortimer lorsqu'on lui dit
qu'il est juif, un désarroi implicite dans la version finale, peut
conduire le lecteur à ne pas le voir comme Richler le souhaiterait
et à le considérer comme un Juif qui ne veut pas admettre son
identité juive. Le prénom « Mortimer » rappelle le surnom de
Richler, « Mort », mais la ressemblance s'arrête là. Lorsque Richler
fait dire au personnage de Daphne Humber-Guest, une roman-
cière à la mode (qui n'a rien à voir avec Isaac Babel) : « Je ne peux
pas inventer. Je dois tout connaître d'expérience », le lecteur est
censé se moquer d'une vision si étroite, si lourde de la littérature

et féliciter l'écrivain qui, dans *The Incomparable Atuk* et *Un cas de taille*, a tout inventé. Une fois débarrassé des contraintes de sa vie personnelle, un écrivain aussi talentueux sera certainement à même de rédiger son plus grand chef-d'œuvre, n'est-ce pas ? Malheureusement non. *Un cas de taille* est un roman divertissant, mais léger, principalement parce que Richler s'éloigne de l'autobiographie. « La littérature », dira Cynthia Ozick, « ne vient pas du besoin d'universalité, mais des racines[43]. »

L'aspect le moins convaincant du livre est l'intrigue secondaire concernant le faiseur de stars [Star Maker] hollywoodien, le jeu de mots trop intelligent et malheureusement intentionnel, une allégorie simultanée de l'orthodoxie religieuse et d'un Hollywood mécanique et solipsiste. Richler veut montrer que, d'un point de vue intellectuel, il ne doit rien à l'industrie du cinéma. Un pari qu'il réussit en partie en raillant les clichés cinématographiques qui le font vivre. À titre d'exemple, il refuse de donner une fin au polar dans lequel se trouve Mortimer. Aussi, avant de comprendre la sagesse littérale de l'expression « va te faire foutre », le Star Maker crée des stars : les American Goy Boys I (capables de répéter une seule phrase), II, et III (capables de répéter trois phrases différentes !). Ces stars correspondent parfaitement aux goûts simples et sains du public WASP. Dans une version antérieure, les Goy Boys I et II ont des noms : Alan Ladd et Richard Chamberlain. Un autre Goy Boy s'est enfui, est entré en politique et est devenu très puissant en Californie[44]. Pour les lecteurs, il n'aurait pas été difficile de deviner qu'il s'agissait de Ronald Reagan, puisque l'ancien président de la Guilde des acteurs avait été élu gouverneur de Californie en 1966. Mais les noms ont été supprimés, et l'intrigue secondaire hollywoodienne de Richler perd beaucoup de son esprit.

Richler prévient Jack McClelland que certains passages d'*Un cas de taille* risquent de provoquer quelques froncements de sourcils, mais McClelland n'est pas inquiet : « D'accord, vas-y, fais-nous un livre sexy. Tu n'arriveras pas à me choquer. On publie Leonard Cohen. On est des spécialistes du sexe[45]. » *Un cas de taille* n'est pas aussi cru que le dernier roman de Cohen, *Les perdants magnifiques*, mais le sexe n'est pas le seul sujet qui pose problème.

On peut notamment penser à la scène de la pièce de théâtre. Richler s'est fait dire qu'un père devait assister aux concerts de son fils. Il se rend donc à l'un d'eux avec un ami, mais il est passablement soûl et, pour le plus grand plaisir de Noah, il commence à lui faire des grimaces depuis le deuxième ou troisième rang[46]. À quoi pense-t-il dans des moments comme celui-là? Certainement pas au petit Jésus. Dans le roman, Mortimer assiste au spectacle de Noël à l'école de son fils. Il est quelque peu surpris de découvrir qu'au programme de la Beatrice Webb House (il s'agit d'un clin d'œil à l'un des membres fondateurs du Parti travailliste britannique et, comme le fait remarquer Victor Ramraj[47], à l'école Summerhill), une école très progressiste, figure une adaptation de Sade. Comme tous les enfants le savent, le Marquis de Sade a été emprisonné par les puritains parce qu'il était un tel diseur de vérité, et les bons élèves peuvent même citer les experts français en la matière, dont Apollinaire et Simone de Beauvoir (Foucault et Deleuze, quant à eux, viendront plus tard). Cependant, la satire de Richler devient plus troublante lorsque les enfants citent Sade: «J'ai vu des filles plus jeunes que vous soutenir de plus grosses bites encore[48].» Prenant la défense de Richler, Anthony Burgess déclare qu'*Un cas de taille* n'a rien d'obscène qu'il devait jouer sur limites de ce qui est socialement acceptable pour aborder l'obscénité. Il ajoute: «Il n'y a rien dans le livre pour dépraver ou corrompre[49].»Tony Godwin, qui transmet l'élogieuse critique de Burgess à Richler, ne peut s'empêcher de lui lancer une pique sournoise: «Il va vraiment falloir que je surveille mon langage en ta présence[50].»

Godwin sait bien que Richler n'est pas partisan du conservatisme moral et pourtant, il est loin de défendre les extrêmes pervers de «La Philosophie dans le boudoir». On pourrait même dire que la satire de Richler à l'encontre de la légitimation du Marquis présage avec beaucoup de justesse le futur caractère branché de Sade. Richler utilise aussi d'autres moyens, plus acceptables, pour provoquer ses lecteurs. Pour sa défense, il sait distinguer l'obscénité de la pornographie: l'obscénité consiste simplement à décrire crûment et impitoyablement tous les aspects de la vie humaine, tandis que la pornographie a pour objectif ultime l'excitation sexuelle. Avec quelque exagération, il décrit *Un cas de taille* comme «un livre bouleversant de moralité», obscène mais non pornographique[51] (il n'est pas forcément contre la pornographie, tant qu'elle ne se fait pas passer pour du grand art)[52]. La délicate analyse qu'il fait de son propre roman est loin d'être fiable. Il est vrai qu'en citant Sade, Richler veut se moquer et déranger. Cependant, *Un cas de taille* regorge de gros mots et d'allusions, notamment dans les noms de Lord Woodcock et de Hyman Rosen, et procure aux lecteurs un certain frisson sexuel. En visite à Londres, Mlle Ryerson (fait à signaler, il s'agit ici d'une autre attaque contre Ryerson Press), l'ancienne enseignante de Mortimer, décide que la mère patrie a besoin d'elle quand elle entend «f__k» à la télévision britannique[53]. Dans l'espoir de relever le niveau académique, elle trouve un emploi à la Beatrice Webb House. Elle réussit à tenir son pari, mais en utilisant des méthodes peu orthodoxes : elle récompense les meilleurs élèves en leur faisant une fellation. Comme on peut s'y attendre, le directeur est scandalisé : il comprend tout de suite que les méthodes employées par Mlle Ryerson peuvent provoquer une compétition abrutissante à la manière capitaliste. Ainsi, le directeur décide que Mlle Ryerson devra faire des fellations à tous les élèves ou à aucun d'entre eux. En voulant faire la morale, en formulant un jugement sur cette scène, Richler passe en partie de manière involontaire pour un temporisateur, car il est, au moment de l'écriture du roman, trop tributaire de l'esprit de l'époque. Arnold Davidson décrit *Un cas de taille* comme «une impressionnante allégorie du péché et de la damnation», mais il admet aussi que le roman fait surtout dans l'humour puéril[54]. De toute évidence, il appartient à la culture branchée qu'il prétend railler.

Certains écrivains, comme Leonard Cohen, plongent la tête la première dans les années 1960. Richler, dont les films n'ont pas particulièrement contribué à faire des années 1960 ce qu'elles sont, se contente de s'y immiscer brièvement. En un certain sens, Cohen est un écrivain «plus profond» que Richler : il puise très loin dans les sources de l'Être, là où il n'y a pas de garde-fou, et refuse de s'inquiéter de la viabilité de ses expériences sur la psyché. *Les perdants magnifiques* semble être un roman pertinent non seulement du point de vue du résultat artistique, mais en

partie aussi parce que les baby-boomers l'apprécient pour son
côté rock & roll, sexuellement libéré et avant-gardiste. Pour le
meilleur et pour le pire, Richler devra se contenter d'être l'observateur le plus modéré des deux. La faiblesse ou l'indécision
caractéristique d'*Un cas de taille* réside dans les efforts considérables que déploie l'écrivain pour oublier sa famille, qui vit deux
étages en dessous de son appartement. Si Cohen va plus loin en
érigeant une véritable maison dans le désert, Richler est sur le
point d'embrasser une vie bien plus riche d'expériences. Pendant
tout le temps qu'il écrit *Un cas de taille*, Richler est conscient de
l'écart entre le Londres ordinaire dans lequel il vit et le « Swinging
London » auquel s'intéressent les médias : « Des orgies ? *Où ça ?*
Je n'ai jamais participé à une orgie et je ne connais personne qui
ait eu cette chance[55]. » Peut-être ne fait-il pas partie de la bonne
clique ? Dans *Un cas de taille*, il adopte une attitude ambivalente
à l'endroit de la révolution sexuelle et se donne beaucoup de mal
pour se moquer de ceux qui annoncent l'avènement d'une nouvelle société libérée. Malgré tout, le roman ne parvient pas à dis-
siper le mythe. Avec des auteurs comme Philip Roth, Richler fait
désormais partie d'une élite artistique qui se définit principalement par le rejet des canons traditionnels du goût. « Si on faisait
la liste de nos contributions », dit Luke Scott dans *Le cavalier de
Saint-Urbain*, « tout ce qu'on pourrait mettre à notre actif, c'est
d'avoir fait passer le mot "baiser" de la tradition orale à la tradition écrite[56]. » Un soir, lors d'un dîner, Richler et Roth se mettent
au défi de raconter l'histoire la plus obscène, justifiant par la
suite leur attitude en expliquant qu'ils n'ont fait que s'adapter à
ce qu'exige l'époque. Parmi les épouses présentes, certaines sont
consternées ; Florence trouve tout cela très amusant[57]. Au
moment de la parution d'*Un cas de taille*, Robert Fulford estime
qu'il s'agit du roman le plus « cochon » des années 1960[58]. Neil
Compton, le bouc-émissaire de *Mon père, ce héros* qui s'est montré
assez aimable pour trouver à Richler un boulot à l'université, lui
demande : « Comment va-t-on pouvoir faire plus outrancier que
ce que tu viens de faire ? Ton roman sonnera-t-il le glas de la
satire[59] ? » Peu de temps après, la sortie de *Portnoy et son complexe*
[*Portnoy's Complaint*], consacre cette nouvelle liberté artistique.
Malgré son côté grisant, Richler ne peut s'empêcher de se sentir

mal à l'aise. Si *Portnoy et son complexe* et *Les perdants magnifiques* célèbrent la révolution sexuelle avec peu de réserves, il n'en va pas de même d'*Un cas de taille*.

Bien sûr, Richler ne veut pas que ses jeunes enfants lisent son livre[60], et une «visite» de Mason Hoffenberg le conduit également à revivre les aspects les plus sombres de la libération des années 1960. Depuis un certain temps, Hoffenberg profite de l'appartement luxueux de Marianne Faithfull à Londres, mais il souhaite cesser de consommer de l'héroïne, chose peu facile quand on est constamment entouré de fans des Rolling Stones. Aussi demande-t-il de l'aide à Richler. Il lui confie qu'il ne va presque plus aux toilettes et que lorsqu'il y va, ses selles sont dures comme de la pierre. Richler trouve de la méthadone, le succédané de la morphine utilisé dans les cures de désintoxication, et il aide Hoffenberg à se faire une injection. Il a du mal à trouver une veine. Les veines d'Hoffenberg, peut-être plus sages qu'Hoffenberg lui-même, semblent fuir l'aiguille. Richler le ramène à la maison, transfère un de ses enfants dans une autre chambre et accueille Hoffenberg pour le week-end. Au fil des ans, Florence et les enfants ont entendu suffisamment d'anecdotes sur Hoffenberg pour s'attendre à des conversations pleines d'esprit, mais à l'exception d'une demi-heure de silence dans le jardin, Hoffenberg reste enfermé dans sa chambre. Après deux nuits, Hoffenberg abandonne : il demande à Richler de le conduire à Leicester Square pour trouver une dose[61].

De quel point de vue Richler se moque-t-il dans *Un cas de taille* ? Est-il *favorable* à la libération des mœurs des années 1960 ou y est-il *opposé* ? Impossible de le dire. Ses lecteurs «libérés» peuvent manifester une certaine suffisance vis-à-vis du style non censuré, mais ils peuvent également être gênés de voir Richler se moquer des écoles progressistes et défendre potentiellement un retour de la censure. Leslie Fiedler, qui cherche par tous les moyens à se placer à l'avant-garde de la culture, dit d'*Un cas de taille* qu'il témoigne du nihilisme de la culture populaire, mais que la connaissance qu'a Richler du cinéma l'empêche malheureusement d'écrire un véritable roman obscène[62]. D'un autre côté, les lecteurs plus conservateurs peuvent approuver le fait que les écoles progressistes sont décriées, mais ils sont vite effrayés par la licence sexuelle du livre. Philip Toynbee note, à juste titre, que le roman aborde continuellement les jugements moraux avant de faire marche arrière au dernier moment[63].

Vous n'avez rien compris, s'indigne Richler. Il est du côté de Mortimer depuis le début et se fait l'avocat de «de cet homme abusé, ce ringard[64]». En réalité, Richler est, à cette époque de sa vie, un homme divisé. Il a conservé l'instinct avant-gardiste et souhaite vendre *Un cas de taille* comme une œuvre de son temps – une œuvre branchée, qui chercher à tester les limites tout en restant légère sur le plan métafictionnel. En même temps, il a lu suffisamment de livres de Waugh pour vouloir faire d'*Un cas de taille* un antidote de son temps et montrer les écueils des libertés des années 1960. Or Richler ne parvient pas à mener la double tâche de temporisation et de moralisation qu'il s'est fixée. Il ne peut pas aller de l'avant et, contrairement à Waugh, il ne peut pas non plus faire machine arrière. Si les satiristes conservateurs considèrent le présent comme un véritable désastre, Richler a vécu durant une période suffisamment longue dans le Montréal juif pour ne pas se sentir nostalgique d'un retour de la «tradition, tradition» et de l'univers de ses parents. D'une certaine manière, il essaye toujours, en vain, d'écarter Lily. Dans *Un cas de taille*, il proclame qu'il ne fera pas la paix avec les traditions hassidiques auxquelles elle tient; de manière ironique pourtant, l'une des formes de sa rébellion, à savoir la licence sexuelle littéraire qu'il s'accorde, doit encore quelque chose à la résistance instinctive de Lily face à l'orthodoxie. La liaison de Lily a peut-être aidé Richler à dompter ses désirs: or il ne veut pas *être comme elle*.

Une fois de plus, Richler écrit comme s'il n'avait pas de famille. Ses enfants sont assez petits pour qu'il les considère comme des extensions de lui-même. Les écrivains sont des personnes spéciales; ils peuvent moraliser sans moraliser; ils peuvent provoquer avec Sade et s'attendre malgré tout à ce que leurs enfants disent *s'il vous plaît* et *merci*. *Un cas de taille* n'est pas une œuvre nihiliste, mais Richler ne proclame pas non plus ses allégeances. À l'époque du *Cavalier de Saint-Urbain*, il commence à comprendre que ses enfants sont des êtres à part entière et qu'il doit proclamer ses allégeances; s'il peut continuer d'inventer des

personnages de méchants, il doit, comme tout écrivain bourgeois, finir par les punir. Il veut être un moraliste satirique, en
particulier avec les membres de son entourage, mais comment
faire ? Contrairement à Hoffenberg, Richler semble devenir de
plus en plus civilisé, ce qui n'est pas une mauvaise chose. La différence entre le jeune homme qui urinait dans le lavabo et
l'homme d'âge mûr est frappante. Bien qu'elle ait tendance à le
nier, Florence est en partie responsable de cette transformation.
Jeunesse anarchique ; père bourgeois : cette division ne dispa-
raîtra jamais complètement mais, avec le temps, elle s'estompera
et conférera davantage de profondeur à ses œuvres à venir.

Sur la question du politiquement correct, en revanche,
Richler n'est jamais divisé, notamment à cause de ses premières
convictions anti-bourgeoises. Il a démontré son indépendance
en adoptant une attitude de snobisme vis-à-vis de la communauté orthodoxe ; s'il s'enrôlait dans l'intelligentsia libérale, il ne
serait qu'un autre Juif apostat qui aurait abandonné ce qui lui
revenait de droit : une place parmi les bouffons. En y réfléchis-
sant bien, il s'est peut-être convaincu que le fait de courtiser
l'incorrection politique revenait à ne choisir aucun camp. En
prenant tout le monde comme cible, ne fait-il pas preuve d'une
objectivité de principe, voire de raison ? Pour sa défense, il commence à réaliser à quel point il est difficile, même pour un écrivain de fiction, de s'exprimer librement. Il réalise aussi que les
lecteurs sont prompts à crier à la censure lorsqu'ils estiment
qu'on ridiculise leur cause. Richler se moque de la préoccupation
travailliste de Joyce, la femme de Mortimer, qui veut apporter
une réponse politiquement correcte à tous les problèmes – elle
soutient Oxfam et la ligue anti-apartheid. Il se moque non pas
parce que ces causes sont suspectes, mais parce que la correction
politique semble plus importante que les causes elles-mêmes.
En réalité, Richler fait des dons aux œuvres dont il se moque et
participe aux manifestations anti-apartheid à Hyde Park. C'est
à contrecœur qu'il le fait, car il ne pense pas que ses protestations changeront quoi que ce soit et il sait qu'il se sentira bête,
embarrassé par ses compagnons démagogues. Malgré tout, il
annonce qu'il manifestera tous les dimanches après-midi s'il
pense que quelque chose de concret en ressortira.[65] À la maison,

les enfants sont conscients des positions travaillistes de leurs parents ; ils savent que ceux-ci apportent leur soutien à Harold Wilson et au système de santé public. À l'occasion du scrutin de 1966, qui a vu la réélection de Wilson, Daniel Richler doit faire une affiche électorale pour l'école. Tous les élèves – des enfants de riches pour la plupart – dessinent une affiche aux couleurs du Parti conservateur. Daniel ne résiste pas à la pression de ses camarades et crée lui aussi une affiche bleue. Plus tard, honteux, il gribouille son affiche et la jette à la poubelle. Il est sans aucun doute conscient des opinions politiques de ses parents, sans cela il n'aurait pas ressenti de honte[66].

Un incident survenu quelques années plus tôt a probablement contribué à l'agacement de Richler pour le « politiquement correct ». Lors d'une soirée chez les Richler, le dramaturge David Mercer discute avec Ethel, une Sud-Africaine juive opposée à l'apartheid. George Lamming s'approche de lui par derrière, l'attrape par l'oreille et lui dit : « C'est ma femme que vous essayez de draguer. » Furieux, Mercer commence à crier après Lamming, et Richler ramène le calme en demandant à Mercer de partir[67]. Quelques jours plus tard, Mercer présente ses excuses aux Richler non pas pour les paroles qu'il a prononcées, mais pour l'éclat qu'il a causé. Il déclare : « J'exige d'avoir le droit d'aimer ou de détester George, ou quelque nègre que ce soit, en tant qu'être humain d'abord – et non pas en tant d'homme blanc difforme[68]. » Reprenant la position progressiste de Mercer, Richler fait la satire des libéraux : si les Blancs et les Noirs appartiennent à la même humanité, alors les Noirs doivent avoir les mêmes droits, mais pas de privilèges particuliers. Margaret Laurence, qui a eu une liaison avec Lamming et qui assiste à cette même soirée – souffrant en silence car elle est toujours amoureuse de Lamming et buvant beaucoup – se reconnaît en partie dans le personnage de Joyce et approuve le refus de Richler de faire preuve de sentimentalisme dans *Un cas de taille* : « La femme de [Mortimer] me fait penser à moi, non pas tant pour ses opinions libérales sur le sexe, mais plutôt pour ses idées progressistes sur les races, et si vous avez jamais été un Blanc progressiste, vous n'oublierez jamais comment ça se passait à l'époque, même quand si vous avez changé et que vous n'imaginez plus être d'accord avec des gens simplement parce que la couleur de leur peau n'est pas la même que la vôtre[69].»

Dans *Un cas de taille*, la critique du politiquement correct est tout, sauf mesurée. D'après Oswald Hickson Collier and Co., le cabinet d'avocats du nouvel éditeur de Richler, George Weidenfeld, elle frise la diffamation. Le roman prend à partie le vieil ami de Richler, James Baldwin, parce qu'il s'emporte à chaque fois que les Nègres sont considérés comme de meilleurs danseurs ou de meilleurs athlètes que les Blancs, mais proclame en même temps que les Nègres ont un plus gros pénis. Comment le sait-il ? se demande Mortimer. A-t-il fait des comparaisons ? Il reconnaît que ce savoir est «probablement intuitif […] Comme la découverte par Mahler que le cancer en Amérique avait été causé par les protestants.» [*sic*][70] Le rapport des avocats sur ces passages est particulièrement cocasse : «MM. Baldwin, Mailer et LeRoi Jones n'apprécieront certainement pas la description qui est faite de leurs écrits au quatrième paragraphe. Nous recommandons que ce paragraphe et le suivant soient supprimés.» On pourrait dire que le ton du rapport est extrêmement précautionneux : «Bernard Levin peut tout à fait réfuter la déclaration selon laquelle "il est passé de mode". Nous recommandons donc que son nom soit supprimé.» Mieux encore, la référence au grand artiste juif, Marc Chagall, trahit le soin minutieux apporté aux subtilités légales, mais aussi les lacunes artistiques et historiques des avocats : «On croit que Chagall est mort et si tel est le cas, il n'y a aucun risque à dire que c'est un mystique myope.» Chagall est décédé en 1985, presque dix-huit ans après la préparation du rapport, mais le pseudo-objectif «on croit que» et la clause échappatoire «si tel est le cas» protégeront, sinon l'éditeur Weidenfeld, au moins Oswald Hickson Collier and Co.[71].

Les avocats ne pensent pas que l'utilisation des noms «Joyce» et «Lord Woodcock» pose problème. *Un cas de taille* n'associe pas explicitement Joyce, la femme susceptible de Mortimer, à Joyce Weiner, mais dans *It's Harder to Be Anybody*, l'épouse de Mortimer s'appelle «Dauphne», un prénom plus à la mode et plus approprié[72]. Après avoir mis fin à sa collaboration avec son agent de toujours, Richler, dans son nouveau roman, donne son nom à la principale victime de sa satire… Il est difficile d'imaginer qu'il s'agit d'un simple hasard. Mais comme rien d'autre ne permet d'identifier Joyce Weiner, l'éditeur ne risque pas d'être poursuivi pour diffamation. En réalité, l'objectif de Richler n'est pas de faire un rapprochement entre la modeste Joyce Weiner et l'épouse lascive de Mortimer, mais plutôt de les mettre en opposition. On devine une certaine misanthropie, une envie de couper tous les ponts, au cas où Weiner continuerait de penser à lui comme à son cher Mordy. Si Richler choisit d'appeler un des personnages d'*Un cas de taille* « Woodcock », c'est évidemment pour des raisons figuratives. Par l'intermédiaire de Weidenfeld, il demande toutefois aux avocats si le critique littéraire canadien George Woodcock risque de s'en offenser. Peu de temps auparavant, Woodcock a écrit une bonne introduction pour l'édition de la New Canadian Library de *Mon père, ce héros*, mais elle n'est pas tout à fait du goût de Richler. D'après lui, Woodcock est un bûcheur. Une fois de plus, Richler ne peut être poursuivi en diffamation pour l'utilisation de « Lord Woodcock », car, à l'exception du nom, rien ne permet d'établir un lien explicite entre le personnage et le critique littéraire[73]. Quatre ans plus tard, Woodcock publie un petit livre sur Richler et, dans le chapitre consacré à *Un cas de taille*, il mentionne « Le saint Lord Woodcock ». Woodcock inverse également les rôles, mentionnant la « vanité » de ceux qui se sont reconnus dans les personnages de *The Incomparable Atuk* et la jalousie de ceux qui ont été ignorés. Pas de déclarations retentissantes de la part de Woodcock concernant *The Incomparable Atuk* (« amusant mais peu de substance ») ou *Un cas de taille* (il n'apprécie par les blagues sur le sexe)[74], si bien que Richler ajoutera sournoisement « puritain sans humour » à la liste des défauts de Woodcock[75].

Quant aux risques d'être poursuivi pour obscénité, Oswald Hickson Collier and Co. cite les quelques points clairement sensibles – l'extrait de Sade, le système de récompense de Mlle Ryerson – et plusieurs passages moins importants, comme lorsque Richler suggère que Jésus aurait peut-être eu une érection. Les avocats soulignent que l'obscénité peut être justifiée si un roman apporte quelque chose au point de vue de la littérature ou de l'apprentissage. « On peut envisager », écrivent les avocats, « que cet argument ne pourra être invoqué[76]. »

Richler dira plus tard qu'il a refusé d'éliminer les passages suggérés par les avocats[77]. Techniquement, ce n'est pas tout à fait vrai : il supprime en effet le nom de John Osborne lorsqu'il apprend qu'Osborne est « sensible à sa réputation » et qu'il n'hésiterait pas à intenter un procès[78]. Autrement, Richler apporte très peu de modifications. En dépit de tous ses défauts, *Un cas de taille* aurait été bien mièvre si Richler avait suivi les conseils de ses avocats, car il avait été conçu pour offenser à peu près tout le monde. Si Mordecai et Florence auront toujours un faible pour *Un cas de taille*[79], la question de la correction politique reviendra dans d'autres ouvrages et elle continuera de hanter Richler jusqu'à sa mort.

❦

Tandis que Richler peaufine *Un cas de taille* et fait de gros efforts pour être « quelqu'un » malgré son déracinement, en 1967, un décès et une guerre le ramènent parmi les Juifs. L'année précédente, les médecins lui avaient dit qu'il souffrait peut-être d'une maladie cardiaque. C'était une fausse alerte, mais, pendant quelque temps, Richler a suivi les conseils de son médecin et il a arrêté de fumer[80]. Pour son père, en revanche, l'inquiétude est réelle. À l'automne, les médecins découvrent que Moe a de nouvelles tumeurs cancéreuses et décident de l'opérer. Il garde le moral et sa femme Sara est certaine que les tumeurs sont bénignes. Max, le frère de Moe, en est lui aussi convaincu, jusqu'à ce que Richler lui apprenne que ce n'est pas le cas. Max s'est arrangé pour que les frères Richler payent la différence entre l'assurance de Moe et son salaire habituel, et il promet maintenant que les frères le reprendront au travail pour qu'il se sente utile et qu'il s'occupe[81]. Quand Bill Weintraub annonce qu'il va avoir quarante ans, Richler, de cinq ans son cadet, réplique : « Tu ne peux pas avoir quarante ans, mon père a quarante ans[82]. » À la même époque, Nathan Cohen a une attaque cardiaque pendant ses vacances et, inconscient de son état, il continue de voyager à travers l'Europe pendant trois semaines[83].

Au printemps 1967, Moe subit une nouvelle opération et Richler prend l'avion pour lui rendre visite pendant Pâques. Afin de se tenir à l'écart de Lily et de ne pas avoir à «boire en cachette dans les chiottes», Richler s'installe chez Weintraub[84]. Avrum, qui est en train de quitter sa première femme juive pour épouser une non Juive, s'est disputé avec Moe, et ils ne se parlent plus. Cette brouille perturbe beaucoup Avrum, qui aime son père mais est incapable de le lui dire. Mordecai s'arrange pour qu'Avrum rende visite à Moe. C'est un geste charitable, selon Max Richler : «Tu ne te rends peut-être pas compte de ce que tu as fait – amener Avrum et les enfants voir Moe – mais c'est le genre de chose qui témoigne de la valeur d'une personne.» Avant le départ de Mordecai, les deux frères célèbrent un seder dans la petite chambre de Moe[85]. Vingt ans plus tard, Avrum, qui pense encore souvent à Moe, demande à Mordecai dans quel roman se trouve le récit fictif du dernier seder (il apparaît dans *Le cavalier de Saint-Urbain*), considérant qu'il représente une description juste de l'événement[86]. Que l'auteur qui s'est pavané dans *Un cas de taille* ait véritablement aperçu «le pénis de son père sortant de son caleçon. Comme un ver flétri» – la vision qui frappe Jake dans *Le cavalier de Saint-Urbain*[87] – ou qu'il ait trouvé l'image dans *Cavalerie rouge*, quand Babel décrit le pénis d'Ilya, mourant, «cette virilité flétrie, [tendre], crépue de Sémite délabré[88]», Richler comprend à ce moment que Moe et lui n'iront jamais dans les Catskills. C'est un moment très difficile. Moe essaie de parler, mais il arrive à peine à articuler quelques mots, le plus souvent incompréhensibles. Allongé, il regarde et écoute Avrum et Mordecai poser la question rituelle[89] : «Pourquoi cette nuit est-elle différente de toutes les autres ? […] Car toutes les autres nuits, nous pouvons manger n'importe quel légume, mais ce soir, il n'y a que des herbes amères[90].» Tandis que Moe est à l'article de la mort, Mordecai repart à Londres, et Sara l'encourage à écrire des lettres enjouées à son père[91].

À la même époque, au printemps 1967, le président égyptien Abdel Nasser remilitarise le Sinaï, bloque le golfe d'Aqaba, signe un accord militaire avec la Jordanie et promet sur Radio Le Caire de «jeter les Juifs à la mer» par la force ou l'étranglement économique[92]. Le Congrès juif mondial envoie au *Sunday Times* une lettre ouverte signée par de nombreux intellectuels juifs, et notamment par Richler, pour demander au gouvernement britannique de mettre fin au blocus égyptien[93]. Mais le 5 juin, Israël déclenche une attaque préventive et détruit les forces aériennes égyptiennes au sol. La Jordanie et la Syrie contre-attaquent, mais en l'espace de six jours, Israël réussit à occuper la vieille ville de Jérusalem, la Cisjordanie, le plateau du Golan et la péninsule du Sinaï. Pour de nombreux Juifs fervents, la guerre des Six-Jours et la victoire d'Israël sont considérées comme un miracle de Dieu. Après cet événement, Richler se montre réticent à signer une seconde lettre du *Writers for Israel Committee*. Cela provoque le mécontentement de son président, Louis Marks : «[Richler] semble nous dire de ne jamais nous battre si notre combat a une chance réelle d'être couronné de succès, de peur d'avoir l'air idiot[94].» Marks déforme la réalité. La guerre des Six-Jours a rappelé à Richler la fragilité d'Israël et celui-ci s'est réjoui de sa victoire. Si le succès militaire d'Israël l'inquiète, c'est que les Israéliens qui revendiquent la création du «Grand Israël» et le droit biblique d'Israël à posséder toute la Palestine lui semblent soudain très crédibles[95]. On sait aujourd'hui que ces nouvelles conquêtes ont ressuscité la droite israélienne : Richler était donc, en quelque sorte, un visionnaire. Doit-on considérer la guerre des Six-Jours comme un acte d'auto-défense ou comme un acte d'agression ?

Moe décède le premier jour de la guerre. Richler revient à la maison pour assister à la *shiva* d'un père qui avait prématurément organisé celle de son fils. Son père est mort, les Juifs sont en guerre. Lorsque Max vient le chercher à l'aéroport, Richler a déjà une bouteille d'alcool à la main. À l'époque, on ne peut pas aller au cinéma, écouter la radio et encore moins boire de l'alcool pendant la *shiva*[96], mais Richler n'a rien à faire des traditions. Entouré de sa grand-mère, ses sept oncles, ses six tantes et son frère[97], Richler s'assoit par terre et boit, à lui seul, une bouteille de scotch[98]. Il refuse de porter ses *tefillins*. Tout le monde est scandalisé. Pendant la *shiva* et chaque matin pendant onze mois, Avrum va à la synagogue réciter le *kaddish* pour Moe[99]. Mordecai ne semble pas l'avoir fait. Au lieu de quoi, dit Mary, la femme de Bernard Richler, «il écoute ce que tout le monde dit et l'écrit ensuite dans un livre[100].»

D'après Bernard Richler, Mordecai est alcoolique ; Lionel Albert et Avrum trouvent simplement qu'il boit beaucoup. En

visite chez les Richler, Albert dit que de temps en temps, il
apprécie le fait de ne pas boire d'alcool pendant une journée
entière. Florence jette immédiatement un regard plein de sous-
entendus à Mordecai. D'après Max, qui a déjà entendu son neveu
dire : « Je veux être bourré avant de monter dans l'avion », Richler
boit pour affronter les situations difficiles. Quant à Kotcheff, il
estime que la consommation d'alcool de son ami est liée à la
relation torturée que Richler entretient avec sa mère[101]. Des
années plus tard, un journaliste demande à Richler ce qu'il fait
quand il n'écrit pas. « Je bois », répond-il[102]. Cette plaisanterie
comporte cependant un fond de vérité. Il prend en général quelques verres avant le dîner et, quand il rencontre des gens, il boit
encore plus[103].Trois doubles scotchs ne lui font pas beaucoup
d'effet, selon un compagnon de soirée anonyme, et Richler
affirme qu'il peut encore conduire après trois verres[104]. Quand
Avrum demande à son frère pourquoi il boit, Mordecai répond :
« Si je ne bois pas, je ne peux pas écrire[105]. » Ou, comme il le
résume en quelques mots à propos de Graham Greene : « Pas d'alcool, pas de muse[106]. »

Après la *shiva*, Sara donne à Mordecai le *talit* de Moe et les lettres d'amour que Lily a reçues de Julius Frankel, mais elle refuse
de lui donner le journal de Moe, que Mordecai souhaite pourtant
désespérément récupérer[107]. Peut-être devine-t-elle ce qu'un écrivain comme lui peut faire avec ce genre de chose. Apparemment,
le journal finit entre les mains de Bernard Richler, qui n'autorise
même pas à Avrum à le feuilleter[108]. Mordecai continue d'apporter
un soutien financier à Sara[109] et cela, bien que Max estime que
Mordecai n'a pas à assumer cette responsabilité[110].

Le double choc du décès de son père et de la guerre des Six-
Jours rappelle violemment à Richler que malgré son détachement
de l'orthodoxie, il n'est plus seulement un fils rebelle, mais aussi
un père – quel genre de père ? – et que les « Juifs » ne sont pas seulement des fabricants de pièces détachées pour des camions bourgeois et sécuritaires de l'ouest de Montréal. Ses oncles doutent
qu'il envisage la mort de son père avec sérieux, et certains Juifs
pensent que Richler tente de renier les siens. Est-ce le cas ? *Le cavalier de Saint-Urbain* fournira une réponse à cette question.

La rue Saint-Urbain dans les années 1930. (Archives de l'Université de Calgary)

◂ Le rabbin Yudel Rosenberg Antler.

Généalogie : le second cercle à partir de la gauche (de couleur [rouille] foncée pour indiquer qu'il s'agit d'une femme) représente le deuxième plus jeune enfant du rabbin Rosenberg, sa fille Leah/Lily. Les deux cercles au-dessus représentent ses deux fils, Avrum et Mordecai. À noter qu'on utilise une couleur foncée pour les femmes et une couleur pâle pour les hommes. La branche senior – identifiée « Hébreu A » (Aleph), c'est-à-dire n° 1 – commence sur la gauche ; elle croise la branche junior et se poursuit vers la droite. Elle se lit donc de gauche à droite. S'y trouve inscrit le nom de la première femme du rabbin, mais il est difficile à déchiffrer : il s'agit possiblement de « Chava, fille de ? »

De gauche à droite et de bas en haut, les quatre enfants qui font partie de la branche senior et leurs enfants sont :

1 Fille Hesil (Glass)
• Petit-fils Hershel (Harry)
• petite-fille Gittel (« Gussie » Brody)
• petite-fille Simah (mère de « Alte » Chaya, veuve de feu le rabbin Pinchas Hirschsprung)
• petit-fils Mordecai (Max)

2 Fils Aaron Alimelech
• Petit-fils Lazar (Louis)
• petite-fille Chana (Eva Mintz)
• petit-fils Israel (Irving)
• petit-fils Moshes (Moses « Moe »)
• petite-fille Braindl (Brenda Kossover)
• petite-fille Broche (Bertha Cohen)

3 Fils Mair Yehoshua (rabbin Myer Joshua)
• Petite-fille Chana (Eva)
• petit-fils Shlomo (rabbin Israel Solomon Rosenberg et, en Israël, Solomon Ben-Mair, homme politique)
• petite-fille Miriam Broche (Rosensweig)

4 Fille Sureh (Sarah Zucker)
• Petite-fille Chana (Eva Rosenberg – a marié un cousin)
• petite-fille Miriam (Bennett)
• petit-fils Yitzchak (Isaac, Irving « Zeke »)
• petite-fille Dvora (Deborah, Dora Maker)
• petite-fille Feiga (Fay Leibtag)
• petit-fils Beryl (Dr Bernard)

La branche junior – identifiée « Hébreu B » (Beth), c'est-à-dire n° 2 – commence à droite, croise la branche senior et se poursuit vers la gauche. Elle se lit donc de droite à gauche. Le nom de la seconde femme du rabbin est inscrit dans la branche : Sarah Gittel b. (fille de) Yitzhak (Isaac Greenberg)

De droite à gauche et de bas en haut, les sept enfants de la seconde femme du rabbin et leurs enfants sont :

5 Fils Binyamin (Benjamin, dont le cercle est entouré de noir parce qu'il est décédé avant que cet arbre généalogique ne soit dessiné)
• Petite-fille Raizeh (Rosalie Zinde), qui a écrit sous le nom de plume de Suzanne Rosenberg et pris le nom de Suzanne vers 1939

6 Fille Chana (Annie Hadler)
• Petite-fille Frimmt (Frances Schwartz, née Hadler)
• petite-fille Basha Miriam (« Buhshie », Bessie Pine)
• petit-fils Chaim Yitzhak (« Chum-Itz », Prof. Herbert)

7 Fils Israel Mordecai (« Srolke »)
• Petite-fille Rivkah (Rebecca, Betty Perlov)

8 Fille Broche (Elsie Roher)
• Petit-fils Jakov Moshe (Milton)
• petite-fille Frimmt (« Florrie », Florence Lesser)

9 Fille Rivkah (Rebecca, Ruth Albert)
• Petit-fils Binyamin (Benjamin, « Benjy »)
• petit-fils Leibl (Lionel)

10 Fille Leah (Lily Richler)
• Petit-fils Avrum (« Vrummi »)
• petit-fils Mordecai (« Mutti », « Mordy »)

11 Fils Avrum Yitzhak (rabbin Abraham Isaac)

Sont nés après la réalisation de cet arbre généalogique
• petit-fils Jules
• petite-fille Judith (Sklar).

Les « feuilles » dessinées tout en haut de l'arbre représentent vraisemblablement les arrière-petits-enfants du rabbin Rosenberg nés avant que l'arbre ne soit réalisé.
(Collection de Lionel Albert)

Le rabbin Yudel Rosenberg, son épouse Sarah et leur fille Lily, 1930.
(Collection de Lionel Albert)

Portrait de Mordecai
à l'âge de 6 ans,
réalisé par sa cousine,
Frances Hadler, 1937.
(Esquisse au crayon
de Frances Hadler,
© Mucie Saitowitz)

La femme du rabbin, Sarah, en
fauteuil roulant en compagnie de Lily
et de Ruth Albert, vers 1940.
(Collection de Lionel Albert)

Shmarya Richler et sa famille, vers 1945. À l'extrême gauche de la photo se trouvent Mordecai (deuxième rangée), son père Moe (troisième rangée) et son frère Avrum (quatrième rangée). La photo a probablement été prise après le divorce de Moe et Lily, car Lily n'y apparaît pas. Les enfants de Shmarya sont identifiés par leur simple prénom, tandis que les conjoint(e)s de ceux-ci sont identifiés par la lettre B et les petits-enfants de Shmarya, par la lettre C. Du plus vieux au plus jeune, les enfants de Shmarya Richler sont : Moses (Moe), Celia, Harry, Joseph, Sarah, Etta, Anne, Michael, Bernard, Israel, Max, Freda, Lily et David.

Première rangée : Libby et Rhoda (filles de Harry et Goldie), Jerry (fils de Sarah et Louie Weiser), Sheila et Benjy (enfants de Joseph et Sarah), Sarah, Mechel et Shayna (enfants de Celia et Shimshon Hershcovich).

Deuxième rangée : Mordecai (fils de Moses), David (fils de Sarah et Louie Weiser), Esther (épouse de Shmarya), Shmarya, Molly (mère d'Esther), Yidel (fils de Celia et Shimshon Hershcovich).

Troisième rangée : Moses (Moe), Sarah (épouse de Louie Weiser), Etta, Sarah (épouse de Joseph), Goldie (épouse de Harry), Miriam (épouse de Bernard), Anne, Lily, Freda, Celia et Shimshon Hershcovich, Shmuel (fils de Celia et Shimshon Hershcovich).

Quatrième rangée : Avrum (fils de Moses), Harry Cooperman (époux d'Etta), Joseph, Harry, Bernard, Israel, Michael, Max, David.

(Collection de Sarah Snowbell)

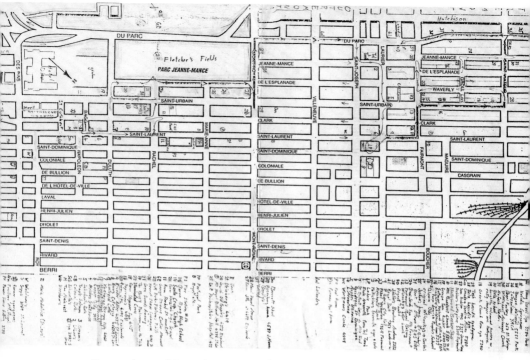

Carte géographique du quartier de la rue Saint-Urbain à l'époque
où Mordecai Richler était enfant.
(Fonds Richler, acc. n°582/50.10)

Avrum, Mordecai et Lily.
(Photographe inconnu)

Mordecai et son père Moe, vers 1953.
(Photographe inconnu, Archives
de l'Université de Calgary)

Invités au mariage de Mordecai et de Cathy Boudreau.
Première rangée (de gauche à droite): Marjorie Weiner, Terry McEwen,
Cathy, Mordecai, Joyce Weiner et, à l'extrême droite, George Lamming.
Accroupi à droite de Joyce Weiner: Brian Moore.
Deuxième rangée: à l'extrême droite, Arthur Mackenzie Peers (barbu).
Dernier rang (de gauche à droite): E. M. Forster, David Pitt, Syd Lamb; la femme
vêtue d'une robe à pois, Kate Allan; premier homme à sa gauche, Ted Allan.
(Collection d'Arthur Mackenzie Peers)

◀ Mordecai et Cathy Boudreau lors de leur mariage, en 1954.
(Collection d'Arthur Mackenzie Peers)

Florence, Mordecai, Noah, Daniel et Emma à Long Island, 1962.

(Collection de Bill Weintraub)

Ruth Albert, Noah dans sa chaise longue, Mordecai. Formant un demi-cercle devant Mordecai (dans le sens inverse des aiguilles d'une montre): Emma Richler, Vanessa Albert (aujourd'hui Lowry), Joshua Albert, Martha Richler, June Albert (tournant le dos à la caméra), Florence Richler (debout), 1966.

(Collection de Lionel Albert)

De gauche à droite : June Albert, Martha dans les bras de Daniel,
Ruth Albert tenant dans ses bras sa petite-fille Anita Albert
(aujourd'hui Beaty), Emma (embrassant le bébé), Noah et Florence, 1966.

(Collection de Lionel Albert)

Mordecai Richler avec
Bill et Magda Weintraub
le jour de leur mariage, 1967.

(Collection de
Bill Weintraub)

Richler et Ted Kotcheff sur le plateau de tournage
de *L'Apprentissage de Duddy Kravitz*, automne 1973.

(Collection de Jean-Yves Bruel)

Fausse affiche de la campagne ▶
électorale de Richard Holden :
dessin d'Aislin, texte de Richler (1994).

When the blind Diogenes set out with his lantern in search of an honest man it was obviously Richard Holden he was seeking. Support integrity. Vote for Holden.

— **Mordecai Richler**

(Note that in deference to that distinguished libertarian, Cam Laurin, the English type here is half the size of the French.)

Lorsque Diogène, les yeux éteints, partit à la recherche d'un homme honnête, sans nul doute cherchait-il Richard Holden. Optez pour l'intégrité. Votez pour Richard Holden.

— **Mordecai Richler**

(Par égards pour cet illustre libertaire, Camille Laurin, les caractères du texte anglais sont deux fois plus petits que ceux du texte français.)

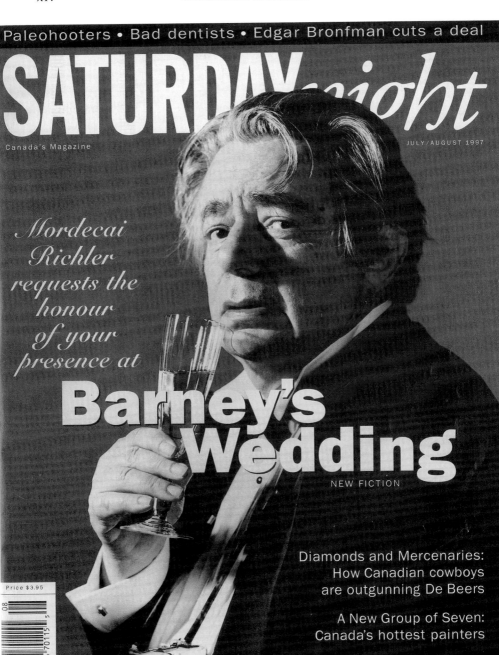

Paleohooters • Bad dentists • Edgar Bronfman cuts a deal

SATURDAY *night*

Canada's Magazine   JULY/AUGUST 1997

*Mordecai
Richler
requests the
honour
of your
presence at*

Barney's
Wedding

NEW FICTION

Diamonds and Mercenaries:
How Canadian cowboys
are outgunning De Beers

A New Group of Seven:
Canada's hottest painters

Price $3.95

08

7 25274 70115 5

Robert Weaver et Mordecai Richler.
(Photographe inconnu, Archives de l'Université de Calgary)

◀ Mordecai Richler buvant
de la vodka Absolut, 1997.
(Collection de Jim Allen)

Florence et Mordecai.
(Photographe inconnu, Archives de l'Université de Calgary)

16

Mortimer Ringard et la contre-culture

Richler ne montre pas *Un cas de taille* à Athill et Deutsch car il y a eu, dit-il à Athill, une perte de «relation» concernant son travail. En d'autres mots, Richler a demandé une avance de cinquante livres, qu'il a reçue, et il en a ensuite demandé une nouvelle, qui lui a été refusée. Le raisonnement de Deutsch est simple: Richler n'a pas fait gagner suffisamment d'argent à la maison d'édition, il ne peut donc pas s'attendre à en recevoir davantage[1]. En revanche, Richler estime que s'il n'a pas gagné beaucoup d'argent, c'est précisément parce qu'il écrit pour Deutsch.

S'agissant d'intrigues de palais et de mutineries, Richler ne fait pas dans la demi-mesure. Il contacte Tom Maschler, des éditions Jonathan Cape, pour négocier de meilleures conditions. Il insuffle ensuite un vent de révolte chez Brian Moore, dont les romans sont publiés depuis plus de dix ans par Deutsch grâce à Richler. Moore, qui va bientôt commencer à travailler sur *Frenzy*, d'Alfred Hitchcock – cette expérience se révélera abominable, mais Moore ne le sait pas encore – pense lui aussi être promis à un plus grand destin, un destin que «Deutschland» ne peut lui offrir. Il a également des comptes à régler avec la maison d'édition de Deutsch, qui a retardé la sortie d'un de ses romans et a fini par le publier la même semaine qu'un roman de Graham Greene. Moore jure fidélité à Richler: «Toi et Moi, on prépare secrètement un schisme. Dis à Maschler que je suis prêt à devenir trotskiste». Deutsch crie à l'injustice[2], mais il ne peut faire grand-chose, si ce n'est mener une campagne de calomnie inefficace contre ses anciens auteurs[3]. Athill écrit à Richler une lettre pleine de tact (que Deutsch signe également), dans laquelle elle lui souhaite, à lui et à son roman, un succès qui les ferait passer pour deux idiots pour avoir rechigné à publier le roman[4].

Richler ne s'arrête pas là. Tout en poursuivant ses négociations avec Maschler, des éditions Jonathan Cape, il organise une rencontre avec Tony Godwin, l'éditeur aux airs de lutin de Weidenfeld et Nicolson. Godwin se définit lui-même comme «un Anglais dépravé, très mou, qui demande beaucoup d'attention». Pour ces raisons, des années plus tard, alors qu'il prépare des vacances au Canada, il refusera de se laisser convaincre de se baigner dans un lac. Malgré ses airs de lutin, il peut se montrer renfrogné et impatient avec les idiots[5]. Au cours de leur tête-à-tête, Godwin offre à Richler une avance de 1 000 livres, et Maschler se retrouve les mains vides[6]. Lorsque Deutsch apprend quel est le montant de l'avance, il en a le souffle coupé et respire avec difficulté[7]. Richler comprend qu'il a tout intérêt à obtenir une bonne avance s'il veut s'assurer que l'éditeur investisse dans la commercialisation et que son roman ne soit pas simplement considéré comme une publication de prestige conçue moins pour vendre des livres que pour faire connaître la maison d'édition. Tony Godwin est un éditeur plus avisé et moins inhibé que Joyce Weiner, et Richler lui dédiera d'ailleurs *Le cavalier de Saint-Urbain*.

※

Depuis un certain temps déjà, Neil Compton et d'autres tentent de faire revenir Richler au Canada pour qu'il enseigne à l'université Sir George Williams[8]. Sa présence à Sir George, la petite sœur de McGill, ferait une bonne publicité à l'université. Richler y voit l'occasion de gagner de l'argent en travaillant peu, une sorte de congé sabbatique[9]. Mavis Gallant annonce qu'à la «suite de la venue du Grand Charles» (en juillet 1967, Charles de Gaulle, en visite à Montréal, a lancé «Vive le Québec Libre» depuis le balcon de l'hôtel de ville), la rhétorique nationaliste domine les débats. D'après les médias, les Canadiens français sont opprimés et n'ont pas les moyens de s'acheter de la viande, dit-elle. Le Québec pro-Vichyssois n'existe plus, mais d'autres souvenirs, plus anciens, semblent refaire surface, car Gallant a lu quelque part que les Québécois ont « été forcés de vivre dans des maisons construites par le Conquérant ». Et comme les maisons n'étaient pas adaptées aux conditions climatiques, les pauvres Québécois ont eu très froid[10]. Si Richler décide de revenir, c'est d'abord parce qu'il comprend qu'il a besoin de se faire connaître au Canada avant la parution d'*Un cas de taille* et des deux autres ouvrages qu'il projette d'écrire, soit un recueil d'essais et un livre de nouvelles et ensuite, parce qu'il a besoin de faire d'un retour aux sources pour écrire *Le cavalier de Saint-Urbain*.

Florence, qui a déjà eu quatre enfants et en attend un cinquième, n'a pas très envie de partir[11]. Mais elle finit par le faire. Au printemps 1968, Bill Weintraub leur trouve une maison à Wildwood, à proximité de Vaudreuil et pas très loin de Montréal. Pour que Richler puisse garder ses distances avec Lily, Weintraub promet de ne pas parler du bébé à venir[12]. Les Richler se lassent rapidement de leur manoir, qui a été baptisé « Coach House ». L'endroit est sale, les ressorts des matelas sont cassés, il y a des fuites, un fil sous tension qui pend du plafond et une odeur épouvantable. Les souris portent le coup de grâce : Florence a peur de se lever la nuit pour s'occuper du dernier-né, Jacob[13]. La famille déménage finalement à Westmount, au numéro 1 de la rue Malcolm.

Une fois par semaine, Richler fait un saut à Sir George pour enseigner la création littéraire. Il rédige régulièrement des articles pour *Saturday Night*, dont Robert Fulford est, depuis peu, le rédacteur en chef. À Sir George, Richler répète continuellement à ses dix étudiants que l'écriture ne s'enseigne pas. Il a d'ailleurs envie de dire à plusieurs d'entre eux qu'ils n'ont rien à faire là et qu'ils devraient rentrer chez eux, mais une telle franchise n'est pas très appréciée à l'université. Son bureau est bien rangé, car il n'y va jamais, et il plaisante en disant qu'il songe à le sous-louer à un bookmaker. « C'était la fête pendant un an », dit-il de cette époque. Il travaille peu et a l'impression d'être un imposteur. Lorsque l'université Carleton lui propose un poste d'écrivain en résidence, il refuse, considérant qu'il n'est pas assez sociable pour enseigner. «Je ne le ferai plus jamais», jure-t-il. Il tiendra parole pendant trois ans[14].

C'est à cette époque que Richler prend conscience de la valeur de ses services. Lorsque Peter Gzowski lui demande conseil à propos du licenciement d'employés de *Maclean's*, Richler l'encourage dans sa démarche, en disant qu'ils lui volent son argent[15]. En 1968, Gzowski est rédacteur en chef du *Star Weekly* et il demande à Richler de rédiger des critiques de romans. Il n'est pas particulièrement content lorsqu'il découvre que certaines paraissent d'abord dans le *New Statesman* et que Richler recycle des idées. Mais Gzowski ne peut faire grand-chose. «Je sais que nous avons plus besoin de toi que toi de nous», se lamente-t-il. «Espèce de profiteur sournois, double vendeur, j'ai trouvé une de tes phrases sur Berton dans un des deux nouveaux articles (qui sont réussis), c'est donc que tu nous vends deux fois la même phrase. Serions-nous en train de te gâter? Qu'est-ce que ça peut bien vouloir dire? Oui, je pense que tu es gâté et que tu le seras encore à l'avenir[16].»Le zèle que met Richler à s'assurer qu'il est payé à sa juste valeur l'expose aux taquineries de Jack Ludwig, un écrivain en résidence à l'Université de Toronto qui l'invite à venir donner une conférence: «À ce sujet, Mordecai, je pensais que j'avais à faire à un homme blanc ou, sachant que tu as résidé en Angleterre, à un Juif blanc, et donc, naturellement, j'ai omis tes considérations de youpin dans un contexte de gentleman.» Après la conférence, Ludwig lui envoie un chèque accompagné d'un mot disant: «Voici l'argent. Prends-le. Si on les considère comme un signe extérieur de richesse, les frais de représentation montrent que tu es deux fois, ou peut-être trois fois supérieur à Brian, un fait que tu peux citer si tu as besoin de critères objectifs[17].»

~

À la fin des années 1960, période du radicalisme étudiant et des soulèvements sur les campus universitaires, Richler, qui prétend lire les critiques de ses livres comme s'il s'agissait d'études de marché[18], se retrouve dans une drôle de position. Les gens s'imaginent que l'auteur d'*Un cas de taille* comprend les rebelles et tout ce que l'*Age of Aquarius* a à offrir, surtout après que W. H. Smith ait refusé de vendre son roman parce qu'il ne correspondait pas à l'image de la maison. Si la chaîne britannique distribue des magazines féminins, *La Vallée des poupées (Valley of the Dolls)*, et bientôt *Portnoy et son complexe (Portnoy's Complaint)*, elle refuse toutefois de vendre *Private Eye*, *Penthouse* et *Un cas de taille*, qui font trop souvent l'objet de plaintes pour diffamation[19]. Tony Goldwin estime que les ventes de Richler sont coupées en deux parce qu'*Un cas de taille* n'est pas vendu dans les gares ou les aéroports et que W. H. Smith est le seul libraire dans de nombreuses villes. Pour justifier la décision de la maison d'édition, son porte-parole, Leonard Cotterell, explique que W. H. Smith doit préserver son image, tout comme le ferait un épicier[20]. Cet argument peut faire sourire. Or comment Richler, qui s'est moqué de la société permissive dans *Un cas de taille* et déclare soutenir le droit d'être et de rester un ringard propre à Mortimer Griffin, peut-il se plaindre qu'un libraire établisse librement ses limites ? Dans la pratique, il ne semble pas si pressé de défendre la cause des vrais Mortimer.

À la fin des années 1960 et au début des années 1970, l'attitude de Richler à l'endroit de la censure est constamment mise à l'épreuve. S'il apparaît comme un grand défenseur de la liberté d'expression, son attitude dépend beaucoup de la personne qui instaure la censure. Lorsque John Metcalf demande l'autorisation d'utiliser « The Summer My Grandmother Was Supposed to Die » pour une anthologie de Ryerson destinée aux écoles secondaires et que les conseillers en éducation de Toronto, après une longue hésitation (la nouvelle contient des mots comme « merde » et « orgasme »), demandent à Richler de supprimer un paragraphe[21], Richler exprime son indignation sur-le-champ :

> Flûte !
> Doux Jésus !
> Mince alors !
> Y a-t-il encore un enfant de dix ans qui ne dit pas « merde » en Ontario ?... Selon moi, répondre par l'affirmative reviendrait à admettre que le passage est d'un goût douteux. Ce qui est faux. C'est pourquoi je vous réponds non. Un non catégorique[22].

Il décide finalement de proposer à Ryerson «Bambinger», une histoire bien moins brillante[23]. Il tombe aussi sur Robert Fulford quand celui-ci se permet de supprimer un passage sur la fellation et les fausses dents dans une de ses chroniques sans le consulter au préalable. Fulford lui présente ses excuses et plaide la lâcheté[24].

Pourtant, lorsque l'éditeur de *Maclean's*, Walter Stewart, décide de supprimer les commentaires de Richler sur les penchants sexuels d'Andy Warhol, Richler ne proteste pas[25]. Vu qu'il risque d'être attaqué en diffamation, l'accord de Richler est compréhensible. Il l'est moins dans le cas des passages du *Cavalier de Saint-Urbain* publiés par *Châtelaine*. La directrice de la rédaction, Doris Anderson, a très envie de publier Richler, mais elle lui demande de supprimer quelques mots «salés», notamment «pig shit» [merde de cochon] et «Old Lady Dry Cunt» [Vieille Dame au Con sec]. Si Anderson elle-même n'est pas opposée à l'utilisation de ce langage, elle n'a aucune envie de répondre à des centaines de lectrices choquées. Elle propose donc de les remplacer par «manure» [fumier] et «Old Lady D.» [Vieille Dame C. S.][26]. Étrangement, pas de cri de douleur ou d'indignation de la part de Richler. Les passages sont imprimés selon les demandes d'Anderson et Richler accepte même de supprimer «crap» [merde] et «Oh God» [Oh mon Dieu][27]. Il est facile d'en deviner la raison. Richler sent qu'il est de son devoir d'emmener la vieille fille – Ryerson Press est dirigé par un conseil de l'Église Unie – faire un tour dans le quartier des prostituées. Par ailleurs, «The Summer My Grandmother Was Supposed to Die» a déjà été publié dans *Rue Saint-Urbain*, et les droits supplémentaires de Ryerson seront infimes, une fois divisés entre les auteurs. Quant à *Châtelaine*, c'est un grand magazine qui paye bien et paiera bien plus tard. Et, chose plus importante encore, la publication d'un extrait du roman dans *Châtelaine* risque de lui offrir une très bonne visibilité.

Le refus de W. H. Smith de publier *Un cas de taille* en 1968 requinque immédiatement Jack McClelland. Celui-ci pense que l'agitation autour du livre va contribuer à en faire un best-seller canadien; or il est déçu de constater que ce n'est finalement pas le cas[28]. À quoi McClelland peut-il s'attendre en publiant le roman trois semaines avant l'élection fédérale? Malgré tout, *Un cas de taille* est apprécié de certains membres de l'intelligentsia et, tout comme son recueil d'essais *Hunting Tigers Under Glass*, le roman gagne le Prix du Gouverneur général l'année la plus étrange de toute l'histoire des prix. Quelque temps avant la remise des prix, un jeune producteur de la CBC qui interviewe Richler à la radio explique qu'en cette période de contestation, les Prix du Gouverneur général sont un anachronisme. Puisque la littérature est démodée, le chanteur folk Gordon Lightfoot ne devrait-il pas en recevoir un? Richler, qui est sur le point d'atteindre le sommet de son art au Canada, n'apprécie pas cette remarque. Donnez à Lightfoot un autre prix s'il le faut, répond Richler sèchement, mais ne comparez pas le travail de Lightfoot avec celui des écrivains ou les Prix du Gouverneur général. «Mais vous êtes tous dans le business de la communication», insiste le journaliste. «Je ne suis pas dans le business de la communication», grommelle Richler, «je suis écrivain[29].» Lors de la cérémonie de remise des prix, le romancier Hubert Aquin et le sociologue Fernand Dumont remportent un prix dans deux catégories de langue française. Aquin, un ancien membre du Rassemblement pour l'indépendance nationale (qui deviendra le Parti Québécois), refuse la récompense. Dumont l'accepte et en reverse l'intégralité au Parti Québécois[30]. Leonard Cohen, originaire de Montréal et lauréat du Prix dans la catégorie «poésie de langue anglaise», peut-être le plus grand poète canadien de l'époque, ne sait pas quoi faire. Comme il représente tout ce qu'il y a de plus branché, il ne peut pas vraiment se permettre d'aller à contre-courant, surtout depuis qu'il a souligné les possibilités orgiaques du séparatisme dans *Les perdants magnifiques* (1967). Mais il est anglophone et la majorité de ses fans le sont aussi. La solution qu'il trouve est plutôt ingénieuse. Cohen annonce qu'il ne peut accepter le prix; lorsqu'on lui demande pourquoi, il répond d'un air très solennel: «Une grande partie de moi aspire à cet honneur, mais les poèmes eux-mêmes me l'interdisent absolument.» Richler, trop coincé pour faire lui-même ce genre de tour, est furieux. Il sent que la gloire lui échappe. Le soir de la cérémonie, Jack McClelland organise une fête au Château Laurier, à Ottawa. Lorsque Cohen arrive, Richler l'entraîne dans la salle de bains et commence à l'engueuler[31].

Richler est lui aussi récompensé, mais le prix qu'il reçoit n'entre dans aucune catégorie. Celles-ci ont évolué : en fonction de la qualité des candidats, deux prix peuvent être décernés dans la catégorie poésie et aucun dans la catégorie fiction, comme c'était le cas en 1967. Le prix doit cependant récompenser *un* livre, et non pas une œuvre. Dans la catégorie « fiction », le prix est accordé à Alice Munro pour son recueil de nouvelles *La Danse des ombres heureuses (Dance of the Happy Shades)*. Richler est quant à lui récompensé pour *Un cas de taille* et *Hunting Tigers Under Glass*. S'il obtient d'abord une nomination dans la catégorie « Fictions et Essais », cette double catégorie n'existe pas d'après le règlement des Prix[32]. Richler dira plus tard que les responsables guindés des GG ne pouvaient pas attribuer le prix à un roman pornographique et que, par conséquent, ils ont inclus *Hunting Tigers Under Glass*[33]. Il y a une seconde explication : il est tout à fait possible que les juges aient trouvé le travail de Munro plus profond, mais qu'ils n'aient pas voulu passer pour individus démodés en écartant un livre aussi tendance qu'*Un cas de taille*.

Malgré tout, les ventes d'*Un cas de taille* ne décollent pas. « Les gros livres se vendent bien, pas les petits », écrit le romancier américain Josh Greenfield à Richler en guise de consolation[34]. Richler évalue la situation avec davantage de finesse et reconnaît que la satire fait perdre au lecteur toute compassion. *Un cas de taille* n'est pas suffisamment humain. Richler pense que la récompense qu'il a reçue et que les goûts de la société permissive favoriseront la future adaptation cinématographique d'*Un cas de taille*, mais son scénario aboutit sur une étagère[35]. Bien qu'ils aient très envie de faire le film, les réalisateurs craignent la censure : ils ne veulent pas supprimer trop de passages, mais qui veut prendre le risque d'être poursuivi en justice et de subir un procès onéreux pour obscénité ? Les enfants de Richler, assez grands pour comprendre ce qu'on raconte sur *Un cas de taille* mais encore trop jeunes pour avoir le droit de le lire, apprennent par des amis que leur père a écrit un livre pornographique. « Mon père a lu le livre de ton père », dit un garçon à Daniel Richler, « *Mon père* dit que je ne dois même pas prononcer le titre[36]. »

Sur les campus canadiens en pleine effervescence comme dans les toilettes du Château Laurier, Richler ressemble davantage à un Mortimer téméraire qu'à l'auteur d'un roman dont on ne peut prononcer le titre. Il remarque que la rébellion contre-culturelle semble aller de pair avec une mode vestimentaire bien particulière. Excédé par les pattes d'éléphant[37], il étrille les professeurs qui s'efforcent de faire rentrer leur bedaine dans une «veste Nehru extrêmement serrée, un pendentif de céramique à leur cou noueux»,[38] leur conversation ponctuée de «c'est pas mon truc» ou de «tire-toi».[39] «Utilisez l'argot de votre génération[40]», les réprimande-t-il. Si Richler ne risque pas d'être pris pour un hippie avec ses habits classiques et toujours froissés, il n'y a pas de danger qu'on le confonde avec le président du conseil d'administration. Par la suite, Richler sera souvent taxé de conservateur. Même s'il a parfois accordé son soutien au parti progressiste-conservateur et à l'économie libérale et admis que la satire allait de pair avec un conservatisme qui s'écrit avec un «c» minuscule[41], on ne peut pas vraiment le considérer comme tel. Richler est une véritable figure de la contre-culture: il se moque du système quand il n'est pas à la mode de le faire et se refuse à le faire dans le cas contraire. S'il défend Joe McCarthy[42], il le fait d'une façon telle que personne ne peut l'accuser d'être un idéologue de droite. Sa spécialité est la contre-attaque.

Or il ne manque pas de matière pour faire une contre-attaque. Patrick Lyndon, président du Centre des Communication et des Arts de l'université Simon Fraser, invite Richler à donner une conférence en novembre 1968[43], c'est-à-dire une semaine après l'arrestation de cent quatorze étudiants qui ont participé à un sit-in. Les étudiants veulent mettre fin au gel du budget de l'éducation en Colombie-Britannique et obtenir le droit d'être transférés d'une université à une autre sans perdre leurs crédits[44]. Dans l'article que Richler écrit sur le sit-in dans *Saturday Night*, il ignore les problèmes et se concentre sur les ironies personnelles. Après le sit-in, les étudiants demandent au président de l'université de convaincre le ministre de la Justice de supprimer les condamnations qui figurent dans leur casier judiciaire. Apprenant cela, Richler écrit: «Ainsi, dans le feu de l'action, ce qui inquiète le plus les gardes rouges de Simon Fraser, c'est de se voir refuser un emploi à La Compagnie de la Baie d'Hudson ou chez Shell dans cinq ans parce que leur nom figure sur une vieille main-courante[45].» Cette remarque cinglante trahit en partie l'ambivalence de Richler quant à son positionnement politique. D'un côté, il ressent toujours l'attrait des grandes idées politiques désintéressées qu'il défendait, plus jeune, et entretient dès lors des attentes irréalistes envers les radicaux. Et lorsqu'il n'obtient pas de réponse satisfaisante à ses attentes, il recourt à la satire. D'un autre côté, il s'est maintenant éloigné de toute forme de radicalisme.

Dans *Saturday Night*, Richler se plaint aussi du fait qu'un film étudiant, qu'il qualifie de «spectacle modérément excitant dont les personnages sont relativement dénudés», soit traité par le professeur résident de l'université Simon Fraser comme s'il s'agissait d'un film d'Ingmar Bergman[46]. Lyndon, qui a accueilli Richler à l'université et appelle désormais à la défense des programmes de l'université, regrette de l'avoir invité. «Mordecai Richler s'est toujours montré parfaitement indifférent à tous les arts, à l'exception du sien», se dédit Lyndon, avant d'expliquer que si l'université Simon Fraser a formé des réalisateurs professionnels et des artistes de théâtre, il y a peut-être de bonnes raisons pour lesquelles de nombreux étudiants n'ont pas encore atteint «ce niveau d'efficacité et réussi à éviter les excès qui, selon l'auteur de *Mon père, ce héros*, sont les racines de l'art[47]».

En février 1969, l'émeute des locaux d'informatique de Sir George vient confirmer l'opinion de Richler à propos des étudiants radicaux. L'année précédant son arrivée, des étudiants antillais ont accusé le professeur de biologie Perry Anderson de racisme et ils ont obtenu sa suspension. Mais au début de l'année 1969, lorsque les manifestants voient que l'enquête de l'administration piétine et que les conflits liés à la composition du comité d'enquête perdurent, ils décident d'occuper le salon du personnel. Richler s'adresse à leurs dirigeants et s'accorde avec eux sur le fait qu'Anderson doit être licencié s'il fait preuve d'un comportement raciste dans l'attribution des notes. Il demeure toutefois conscient des dérapages qui peuvent se produire lorsqu'un individu épouse un point de vue qui va à l'encontre de l'orthodoxie dominante. Pour corroborer une accusation de « racisme », les étudiants doivent être en mesure de démontrer qu'Anderson a eu un comportement abusif particulier. Richler leur suggère plutôt d'insister sur ses absences répétées – Anderson aurait en effet omis de se présenter à vingt-et-un cours. Et s'ils n'arrivent pas à étayer cette accusation, comment espèrent-ils prouver qu'Anderson est raciste ? Malheureusement, les propositions de Richler ne captent pas l'imagination des protestataires. Fatigués de rester dans le salon du personnel, quelque cent cinquante étudiants vont s'installer dans les locaux d'informatique situés au neuvième étage. Voyant que cette nouvelle situation n'a aucun impact sur la procédure semi-judiciaire, les étudiants endommagent les équipements informatiques à coups de hache et mettent le feu aux locaux, causant ainsi des dommages estimés à deux millions de dollars. La police arrête quatre-vingt-dix-sept personnes accusées de complot en vue de provoquer un incendie criminel. Richler, qui se trouve à Ottawa ce jour-là, réagit immédiatement en disant que les manifestants sont menés par une poignée d'aventuriers et soutenus par quelques jeunes gens naïfs qui ne connaissent pas grand-chose à la vie[48].

Sur le campus, Richler refuse de suivre le courant dominant, comme il le faisait autrefois dans les synagogues. Il est invité à l'émission de la CBC intitulée *Under Attack* pour discuter avec des étudiants[49]. À l'université de Calgary, il dit à des étudiants que la phrase « s'ouvrir, s'accorder, s'évader » du Dr Timothy Leary lui rappelle le slogan « There's a Ford in your Future » (Il y a une Ford dans votre futur)[50]. Si vous croyez que l'université est une institution corrompue, quittez-la, lance-t-il aux manifestants. Lorsque ceux-ci répondent qu'ils souhaitent obtenir leur diplôme, Richler dégaine la satire : dans vingt ans, les étudiants d'aujourd'hui utiliseront les mêmes moyens de pression dans les congrès des progressistes-conservateurs. Il confesse qu'il apprécie les Beatles et les Stones, mais insiste sur le fait qu'ils ne sont pas importants et que personne ne s'en souviendra d'ici quelques années. Dans le journal de Sir George, qui porte le nom tendance d'*Inner Space*, il publie un article sur une conférence estudiantine internationale au cours de laquelle un dirigeant des manifestations étudiantes de mai 1968 à Paris, Daniel Cohn-

Bendit, et d'autres dirigeants étudiants de l'Europe de l'Ouest ont milité en faveur du socialisme et du contrôle des universités par les étudiants alors même que les étudiants du bloc de l'Est criaient «non, non, c'est déjà ce que nous avons et ça ne fonctionne pas[51]». Richler s'oppose à la création d'un département d'études afro-américaines, revendiqué par les manifestants de Sir George. Il estime que le Canada n'a pas de problème de racisme et que les étudiants canadiens ne font qu'imiter leurs voisins américains, dont les demandes sont davantage justifiées. Les Américains ont raison de descendre dans la rue, ajoute-t-il. S'il vivait aux États-Unis, il estimerait que c'est un devoir de manifester en faveur des droits civiques et contre la guerre au Vietnam, et ce, même s'il croit que les écrivains sont des citoyens comme les autres[52]. Il parle beaucoup du mouvement en faveur des droits civiques à ses enfants, établissant des parallèles entre l'expérience des Juifs en Europe et celle des Noirs aux États-Unis[53]. Sur la question du Vietnam, il a écrit, deux ans plus tôt, un petit texte satirique, «Preparing for the Worst», qui s'inspire d'un article du magazine *Time* sur les soldats américains qui se préparent à l'éventualité d'être fait prisonniers de guerre. Dans l'armée du Général Richler, les nouvelles recrues doivent ramper tête la première dans un tonneau rempli d'abats avant de se soumettre à une séance de torture. Les quatre soldats qui survivent à l'entraînement, dont un Juif, sont menacés d'être tués par balles s'ils ne parlent pas. Ils refusent de parler et sont abattus[54]. Dans une entrevue, Richler reconnaît que les appelés qui brûlent leur ordre d'incorporation s'engagent dans une contestation sincère et nécessaire de l'État, et que les Américains ont certainement raison de demander la mise en place de programmes d'études afro-américaines dans les universités. Mais si les Canadiens manifestent, c'est parce qu'ils s'inquiètent de ne pas avoir de tels problèmes et qu'il est tellement *in* de manifester[55].

❧

Richler n'est pas le plus impartial quand il s'agit d'aborder les frustrations des Noirs. Quelque temps auparavant, il avait d'ailleurs eu un accrochage avec l'écrivain noir Austin Clarke lorsqu'il avait adopté une position libérale mais politiquement incorrecte, semblable à celle qu'il présente dans sa fiction. Invité par *The Canadian* à exprimer ses multiples doléances, Clarke se révèle : il déteste la politique d'immigration raciste du Canada ; il est opposé aux mariages mixtes, car les enfants issus de telles unions sont forcément moins noirs que leurs parents ; il n'aime pas qu'on l'appelle « l'écrivain noir de Toronto », car cette étiquette exprime une forme de patronage ; il sent qu'il n'est pas apprécié des éditeurs blancs de McClelland & Stewart ou de la CBC ; et on ne lui a jamais proposé de participer à *Front Page Challenge*, un jeu télévisé canadien exaltant dans lequel quatre invités doivent identifier une célébrité mystère[56]. Après avoir lu les critiques de Clarke à propos de leur éditeur commun, Richler n'a plus aucun remords à l'attaquer dans *Saturday Night*. Richler n'a pas été invité à *Front Page Challenge* non plus, confesse-t-il, et il ajoute : « Jusqu'ici, j'étais passablement énervé à ce sujet. » Il prétend « soupçonner » que les victoires de Clarke au concours de nouvelles organisé par *Saturday Night*, celles de Sidney Poitier aux Academy Awards, ainsi que le récent hommage à Martin Luther King sont peut-être le résultat de manipulations de Blancs paternalistes. Il passe ensuite aux choses sérieuses et accuse Clarke de bigoterie inversée : son opposition aux mariages mixtes – comme celle des Juifs d'ailleurs – en serait la preuve[57].

Clarke, qui se rend peut-être compte que sa diatribe contre les nombreux exemples de discrimination dont a souffert un certain Austin Clarke est davantage dictée par l'émotion que par la logique, ne répond pas publiquement. En privé, bien sûr, il est furieux, et la lettre qu'il adresse à Richler montre clairement qu'il ne s'agit pas d'un débat sur la discrimination raciale, mais plutôt d'un combat entre mâles dominants :

> Tu manques d'idées et d'imagination, chéri, si tu te sens obligé d'étaler toute cette merde sur quatre colonnes. J'allais répondre à ce truc, mais je me suis dit qu'il n'y avait pas de réponse à donner. J'allais te défier en duel (on n'a pas besoin de crayon dans ce cas) et peut-être botter ton petit cul, mais une fois de plus, j'ai un avantage sur toi. Je ne manque pas d'idées, chéri. Tu piges ?...
>
> Espèce de bouillie, pourquoi ne travailles-tu pas sur tes propres œuvres, au lieu d'écrire un article sur un article dont je suis le sujet ?

Est-ce qu'on m'a dit la vérité, toi aussi tu as écrit une histoire
pour le premier prix Belmont de nouvelles?

Salaam et affectueusement,
Austin C.[58]

Richler est-il raciste? Dans un cas comme celui-ci, le terme
est imprécis et sentimental. Il est vrai que Richler n'est jamais
très exigeant concernant les blagues racistes. Lorsqu'un ami lui
transmet les «salutations» de Clarke après l'incident, Richler
répond: «Bien, Florence a tenté de le joindre. Elle voudrait qu'il
fasse le service à table ce soir[59].»Toutefois, en ignorant les raisons
de la colère des Noirs – qui sont en permanence les victimes
d'une discrimination pour le logement et l'emploi, surtout à
Toronto et à Montréal, villes où la population noire est en croissance[60] –, Richler dénature les problèmes et donne à penser que
la colère des Noirs est infondée. Et lorsqu'il affirme qu'il n'y a
pas de racisme au Canada, il ne sait tout simplement pas de quoi
il parle. Il n'est pas plus cruel avec les Noirs qu'il ne l'a été avec
les Juifs, mais comme il est juif lui-même et que les Juifs souf-
frent moins de la bigoterie dans les années 1960 que dans les
années 1940, la dynamique sociale n'est pas comparable.

D'une certaine façon toutefois, il a raison d'ignorer les causes:
il est quelque peu tendancieux d'établir un lien entre la colère
des Noirs face à la discrimination dans le secteur du logement,
les dommages causés dans les locaux informatiques de Sir George
et l'affront de *Front Page Challenge*. Au pire, cette comparaison
invite à une politique de victimisation selon laquelle la discrimination perpétrée par l'oppresseur excuse toute action illégale
ou insensée de la victime. On ne peut demander des oppresseurs
qu'ils assument la responsabilité sociale de la discrimination
tout en déchargeant la victime de sa responsabilité dès que les
choses tournent mal. De plus, la fiction de Richler *n'est pas*
raciste. Bien qu'il s'adonne à des blagues racistes – rien ne nuit
plus à la fiction que les sermons ou la suppression des éléments
susceptibles de causer un malaise –, Richler se moque du racisme
en permanence.

Et si les remarques humiliantes de Richler sont rabaissantes,
elles n'ont rien d'original dans les cercles qu'il fréquente. On

pourrait même dire que la capacité à exprimer et à accepter les répliques cinglantes est indispensable pour en faire partie. En rendent compte les lettres de son ami Kildare Dobbs, ainsi que de Jack et d'Haya Clayton, à qui *Un cas de taille* est dédié. Dans une lettre à Richler, Dobbs dessine une croix gammée dans la marge et signe : « Ton frère en Christ[61]. » Jack Clayton a commencé l'adaptation cinématographique du *Cavalier de Saint-Urbain* bien avant que le roman ne soit terminé[62], mais la lettre que Clayton fait parvenir à Richler six mois avant leur dispute reprend la même remarque désobligeante que Richler avait utilisée avec Clarke :

> Mon cher Mordecai,
>
> Je trouve que tes lettres perpétuellement injurieuses sont intolérables. Qu'est-ce qu'on en a à foutre de la date à laquelle tu vas revenir au pays ou même de savoir si tu vas revenir : nous avons de nouveaux amis maintenant, et d'une classe bien meilleure.
>
> Nos amitiés à Florence et à la famille.
> Affectueusement, Jack et Haya.
>
> PS. S'il te plaît, n'oublie pas de prendre ta toque et ton tablier de chef afin d'avoir l'air davantage d'un professionnel quand tu t'occuperas de notre barbecue.
>
> Haya.
> PPS. S'il te plaît, soigne ton apparence de manière générale.
>
> J.[63]

On retrouve ici une liberté d'expression *à la Richler*, qui exige de pouvoir faire la différence entre la vraie bigoterie et l'humour. Si la première est responsable de blessures physiques ou matérielles, la seconde met à l'épreuve l'ouverture d'esprit de la personne à qui elle se destine et exige une réplique pleine d'esprit, pas des cris de colère.

Richler n'entretient plus d'espoirs utopiques, notamment celui de voir l'artiste à l'avant-garde d'un monde meilleur. Le mieux que l'on puisse espérer est de conserver ses libertés, de faire de petits progrès et d'être gouverné par des personnes raisonnables. Étant «soucieusement libéral», *The Observer* a depuis longtemps oublié son *No Love for Johnnie* et, avec ou sans l'adverbe, *The Observer* n'est pas loin d'avoir raison[64]. L'été précédent son début de poste à Sir George, l'affection que porte Richler à l'establishment est renforcée par l'arrivée de Pierre Elliott Trudeau à la tête du Parti libéral. Les Québécois juifs ont longtemps soutenu les libéraux aux niveaux provincial et fédéral, tant lorsqu'ils étaient au pouvoir que lorsqu'ils formaient l'opposition. Cette loyauté s'explique probablement par le fait que le statut de minorité propre aux Juifs les rapproche de la gauche, des partis qui militent en faveur des droits des minorités, mais que les espoirs que les Juifs fondent sur l'intégration leur interdit de soutenir des partis situés plus à gauche de l'échiquier[65]. Juste avant l'arrivée de Richler au Canada, Max Richler lui raconte que Trudeau, Jean Drapeau (alors le maire de Montréal) et Daniel Johnson (le premier ministre du Québec), ont dû faire face aux manifestants nationalistes québécois. Lorsque les choses se sont envenimées, Johnson a quitté son poste, mais Trudeau et Drapeau ont tenu bon, le premier en conservant «un sourire calme[66]». Richler l'a déjà rencontré chez Bernard et Sylvia Ostry alors qu'il était ministre de la Justice[67]. Un homme politique avec qui on peut discuter du *Grand Inquisiteur* de Dostoïevski, de Céline et de Malraux! Richler est immédiatement impressionné[68]. «Trudeau», dit Richler, «me semble être un Juif assimilé, riche, élégant et très cultivé, qui montre l'impatience d'un aristocrate du ghetto de Québec, avec son grand rabbin et défenseur, René Lévesque[69].» Avec sa classe naturelle, Trudeau ravit bientôt l'intelligentsia anglophone. Celle-ci se dit en effet qu'un intellectuel francophone et fédéraliste comme lui est probablement la personne la mieux placée pour faire baisser les yeux aux séparatistes. Peter Gzowski écrit à Richler: «Trudeau pourrait bien *gagner*. Jésus! Pierre Trudeau comme Premier ministre! Lefolii comme directeur de la CBC! Fulford à la culture! Richler président du Club Mont-Royal! Des camps de concentration pour Occidentaux… la totale[70].» Richler prend le train en marche.

Même s'il doute que «M. et Mme Tout-le-Monde» élisent un intellectuel, Richler fait l'éloge de Trudeau dans un article du

Star Weekly intitulé « A Man for Today ». Il tente d'ajouter un peu de satire en se moquant de l'attention que porte Trudeau à l'industrie du fromage, mais il ne réussit qu'à montrer son impatience avec les détails économiques. Si Richler, tout au long de sa carrière d'écrivain controversé, ignore les affaires économiques quotidiennes du gouvernement, il s'intéresse de près aux politiques sociales et il fera plus tard l'éloge de Trudeau pour avoir facilité les procédures de divorce et légalisé l'avortement et l'homosexualité[71]. On sent que l'écrivain est dans son élément lorsqu'il évalue les dirigeants, leur potentiel et leur folie. Pour lui, le chef du NDP David Lewis est un personnage tragique. Même s'il est moralement et intellectuellement supérieur à tous les autres membres du Parlement, Lewis, un ancien élève de Baron Byng, est à la tête d'un parti qui ne gagnera jamais une élection nationale. Au sein des libéraux, Richler identifie Jean Marchand, John Turner et Trudeau comme des personnes qui méritent qu'on les prenne au sérieux[72]. Après avoir lu l'article de Richler, Peter Newman lui montre immédiatement le chemin pour se rendre au quartier général de Trudeau.

En juin 1968, M. et Mme Tout-le-Monde succombent à la Trudeaumania et les libéraux l'emportent haut la main. Quelques mois plus tard, Richler émet l'hypothèse selon laquelle Trudeau s'est seulement présenté pour faire la promotion de son livre, plutôt ennuyeux, mais à la fin de sa chronique fantasque, il fait preuve d'un sérieux inhabituel : « Pierre Elliott Trudeau représente un espoir et un honneur pour ce pays, et ceux-ci ne doivent pas être trahis[73]. » En tant que libéral culturel, Richler vote comme un libéral en politique aussi, une position de compromis qu'il défend sur le campus et dans ses chroniques. S'il reconnaît que la justice sociale est plus importante que l'art[74], son opinion sur les manifestations et le rôle de l'écrivain devient de plus en plus contenue au fur et à mesure que son pouvoir social (mesuré à l'aune de sa chronique dans *Saturday Night* et du Prix du Gouverneur général) s'accroît. Si on manifeste, soupire-t-il, « c'est par politesse radicale, sans véritable espoir de provoquer des changements. On le fait machinalement, c'est tout[75]. » Ce ne sont pas les écrivains, mais les hommes politiques qui ont la responsabilité de faire évoluer la société – « Je plains l'écrivain qui croit qu'il va faire changer les choses[76].» Puis il se contredit et insiste sur le fait que l'écriture comporte un objectif politique, celui de modeler le monde, rien de moins. Plus tard, il racontera avec approbation que Saul Bellow, autrefois un jeune trotskiste, se définit «comme une sorte de libéral[77]». Les premiers romans de Richler, et notamment *L'apprentissage de Duddy Kravitz*, ont montré à quoi il s'oppose, mais pas ce qu'il *soutient*. *Le cavalier de Saint-Urbain* vient éclaircir ce point: même s'il se considère toujours comme un socialiste[78], Richler est devenu, avec le temps, une sorte de libéral.

17

Le cavalier

E N 1970, Richler a affirmé qu'il avait toujours cru, au fil de sa
carrière, qu'une écriture sérieuse était fondée sur la vérité
et l'intention morale. « Le divertissement est secondaire »,
affirmait-il[1]. Cette déclaration peut paraître étrange à la lecture
de ses satires de l'époque : en effet, le divertissement n'est nul-
lement secondaire dans des œuvres telles *The Incomparable Atuk*
ou *Un cas de taille*. Mais il a ses raisons pour se rétracter. À moins
d'être à court d'argent, il tourne de nouveau le dos au cinéma
et refuse d'adapter les œuvres d'un autre. Il reprend la rédaction
du roman le plus complexe qu'il ait jamais entrepris d'écrire : *Le
cavalier de Saint-Urbain*[2], qui suscite de nombreuses questions.
Jusqu'à quel point la fiction de Richler doit-elle représenter sa
propre vie ? Jusqu'où doit-il se laisser guider par un objectif
moral ? Et, tandis que Richler recrée son univers en imaginant
la rue Saint-Urbain, une autre question difficile surgit : qu'est-
ce qu'un Juif ? La question est à la fois fictive et réelle. Avec
Daniel et Noah à la veille de l'adolescence, Florence et Mordecai
se demandent s'ils doivent transmettre quelque chose du
judaïsme à leurs enfants.

On ne peut pas non plus qualifier Richler d'individu vieux
jeu et de véritable père de famille, comme l'a fait Peter Gzowski.
Si Richler adore ses enfants, il n'est pas très proche d'eux[3]. Il
conduit chaque jour ses garçons à l'école[4], mais ses enfants pren-

nent rapidement conscience que s'ils veulent en savoir plus sur leur père, le meilleur moyen reste de rôder dans le coin quand Jack Clayton, Ted Allan ou Ted Kotcheff viennent à la maison pour boire un coup et raconter des histoires jusque tard dans la nuit. C'est dans le *Time* que Noah découvre que son père a déjà été marié avec une autre femme. Lorsqu'à l'âge de sept ans il dit à son père : «Papa, tu ne m'as jamais dit que tu avais déjà été marié», celui-ci répond : «Tu ne me l'as jamais demandé[5].» Richler associe les marques d'affection excessives à sa mère Lily, et il n'a aucune intention de l'imiter en embrassant ou en étreignant souvent ses enfants dans ses bras. Il valorise beaucoup plus la justice, la loyauté et un amour plus mesuré. Sans pour autant rester à l'écart, il a l'habitude de s'asseoir tranquillement dans un coin pour regarder ses enfants jouer. Son attitude était très patriarcale, se rappelle Florence[6]. Il travaillait sept jours sur sept et s'attendait à ce qu'elle lui apporte du thé et un cendrier vide. Les enfants, qui n'avaient pas le droit de monter à l'étage pendant qu'il travaillait[7], marchaient sur la pointe des pieds et, sauf lorsqu'ils étaient dans leur propre chambre avec la porte fermée, ils parlaient à voix basse. Évidemment, il était beaucoup plus difficile de faire respecter ces règles quand les enfants étaient petits. Par la suite, cela a mis en valeur l'originalité de la famille. Florence se rappelle de l'un de ses enfants rentrant à la maison après une visite chez un ami et déclarant, comme s'il avait découvert un terrible secret : «Savais-tu que dans les autres maisons, les enfants ne marchent pas, comme nous, sur la pointe des pieds[8]?»

En s'inspirant de sa propre famille, Richler décide d'écrire une histoire pour enfants, *The Last Plum in the House*, qui raconte les soupçons qui pèsent sur les autres membres de la famille après la disparition de la prune d'Emma. Dans l'histoire, Richler révèle que lorsque les enfants rechignaient à sortir de la maison pendant l'hiver londonien, il leur racontait de manière répétitive qu'il devait, plus jeune, se rendre à l'école pendant les épiques hivers canadiens, marcher dans le blizzard et les bancs de neige de cinq pieds de haut, tamiser chaque soir les cendres et alimenter la chaudière. Sa famille n'avait ni voiture, ni bonne, ni même de télévision. Les enfants apprennent à garder pour eux leurs doléances. Apparemment, Richler n'a écrit que sept pages : c'est un début remarquable, aussi bon que *Jacob Deux-Deux et le Vampire masqué*, mais pas une histoire susceptible d'intéresser les éditeurs pour enfants, même en cette décennie de libération. Dans le premier chapitre, les enfants apprennent que les Kotcheff, ainsi que Jack et Haya Clayton, viennent manger à la maison. Dès lors, ils savent que leurs parents iront au lit « très très tard, se lèveront très très tard et seront de mauvaise humeur ». Papa aura mal à la tête. Même si les enfants sont très sages, il se plaindra du bruit et, lorsqu'Emma se mettra à scander : « Je veux ma prune, je veux ma prune[9] », il dira : « Donnez-lui sa foutue prune ! » Bref, c'est une histoire honnête *à propos* des enfants, mais elle ne s'adresse pas particulièrement *à eux*.

Les enfants de la famille Richler sont sous la responsabilité de Florence. Dans le second roman d'Emma Richler, le père dit aux enfants indisciplinés : « Ça suffit ! Qu'est-ce que vous voulez ? Quoi ? Demandez à votre mère ! Vous ne voyez pas que je suis en train de lire[10] ! » Si, par moments, Florence accepte mal d'avoir à s'occuper seule des enfants,[11] elle est néanmoins une bonne femme au foyer[12]. Compte tenu de sa propre enfance, Richler ne s'attend pas à ce que l'harmonie règne dans la famille, et il se montre reconnaissant envers Florence pour avoir réussi ce pari[13]. En tant qu'enfant adopté, Florence a eu sa part de difficultés familiales et elle ne se sent proche que d'une de ses sœurs. Ni Florence ni Mordecai ne souhaitent répéter les erreurs de leurs propres parents : aussi décident-ils de garder leurs enfants à l'écart de la famille élargie et de s'en remettre à l'amour qu'ils éprouvent l'un pour l'autre[14]. Dans les excellents romans d'Emma Richler, *Sister Crazy* (*Sœur folie*) et *Feed My Dear Dogs*, dont les descriptions de la famille de Jem, la narratrice, présentent une forte dimension autobiographique, « Mummy » constitue le noyau émotionnel de la famille. « Mummy » sait ce que pensent les enfants. Son boulot, qui consiste à s'occuper de la maison et des enfants, « est très tendu et exige à la fois force physique, cir-conspection mentale et comportement raffiné ». Les risques de ce boulot – « une sorte de regard solitaire, surpris et obstiné, comme celui d'un animal perdu ou peut-être d'une plante assoiffée » – peuvent être écartés grâce au champagne et au

Meursault; «à l'art, en particulier par des tableaux représentant ses amis»; la beauté, notamment de ciels étoilés; et par des actes de prévenance[15]. Martha, elle aussi, décrit Florence comme une femme sympathique et une véritable pédagogue. Les enfants ne demandent jamais conseil à Mordecai, car ils savent que celui-ci se contenterait de déposer une pile de livres devant leur porte en insinuant que la réponse se trouve quelque part là-dedans[16]. Dans *Feed My Dear Dogs*, le père de Jem croit qu'il peut soigner sa dépression en criant: «Un! Deux! Trois!… Ça y est, on l'a eu? Six! Sept!…» Si Jem s'anime un peu, c'est surtout pour l'apaiser, car elle ne croit pas à ses méthodes[17]. Les mauvais jours, c'est de la présence de sa mère dont elle a besoin, et elle l'imagine dans un tableau de Fra Filippo Lippi, attirant dans son giron tous les saints, c'est-à-dire ses cinq enfants et son époux[18].

Afin d'éviter d'éventuelles crises d'identité, Richler tente de dissimuler les articles à son sujet. Contrairement à Florence toutefois, Richler n'accorde pas beaucoup d'importance au fait de passer du temps de qualité avec les enfants. Daniel se rappelle qu'un jour, son père lui a dit: «Je ne suis pas le genre de père qui amène son fils à la pêche, mais j'ai hâte que tu sois assez grand pour t'amener boire un gin tonic[19]» Lorsqu'il s'ennuie, Richler ne tente pas de le cacher, même devant les enfants[20]. Plus jeune, Martha le craignait et avait l'impression qu'il avait toujours l'esprit ailleurs quand il lui parlait. Un nuage de ténèbres et de silence l'entourait, et il était difficile de percer son égocentrisme et d'obtenir son attention. «J'ai été un père plutôt distant», admettra plus tard Richler[21]. Au lieu de discuter avec ses enfants, il leur demande d'écrire des essais pendant le week-end et exige qu'ils utilisent des mots comme «empressement» et «paroissial[22]». Une fois, il emmène Noah en voyage à Paris et en profite pour aborder la question du sexe. Le résultat n'est pas loin du condensé d'éducation sexuelle que Moe a donné à Mordecai une génération plus tôt (sans l'aide visuelle des spectacles du Théâtre Gayety). Lorsque l'auteur d'*Un cas de taille* demande à Noah: «Tu sais comment…?», celui-ci s'empresse de l'interrompre: «Oui», ment-il. Richler répond, soulagé: «Bien. Parfait[23].»

Richler et Florence sont d'accord pour élever les enfants dans la laïcité – «Je suis ok avec ça, toi aussi; pas de problème, mais pas de magie non plus. Tant pis[24].» En vertu de l'accord conclu entre les époux, Mordecai a le droit de chanter de vieilles chansons sionistes et des chants de synagogue et Florence peut jouer ses cantiques de Noël[25], mais seul un fin dialecticien pourrait trouver les arguments permettant d'affirmer qu'ils ne font pas simplement preuve de tolérance. On ne peut guère dire qu'il y a un quelconque rapprochement entre les deux confessions. En Grande-Bretagne, les garçons fréquentent la King's House, une école anglicane, et Noah – que Richler qualifiait en riant de «fasciste prometteur» – est nommé capitaine en second[26]. Tant en Grande-Bretagne qu'au Canada, Florence envoie Emma et Martha dans des écoles de couvents parce que celles-ci sont très bien cotées. Florence est consciente que les propos de Mordecai contredisent parfois ce que les enfants apprennent à l'école, mais elle estime que la diversité des opinions ne peut qu'enrichir leur éducation: «Les avantages sont considérables, et les enfants prennent rapidement conscience des inconvénients[27].» Comme l'exige son devoir, Richler assiste en observateur silencieux[28] à une célébration organisée à la King's House pour Noël[29]. Pourtant, comme le suggèrent *Le cavalier de Saint-Urbain*, *Sœur folie* et *Feed My Dear Dogs*, il est de plus en plus anxieux à l'idée que ses enfants adoptent les superstitions chrétiennes, et notamment le signe de la croix. Dans le même temps, Mordecai est toujours une *persona non grata* pour une grande partie de sa famille, qui lui garde rancune pour ce qu'elle considère comme des attaques contre la famille et le judaïsme. Les rares fois où il se présente aux réunions de famille du dimanche après-midi chez la veuve de Shmarya, il s'assied dans un coin et personne ne vient lui parler. Lorsque son jeune cousin, Sam Orbaum, demande qu'il soit invité à sa *bar mitzvah*, sa mère lui répond: «Il ne viendra pas, nous n'avons pas de bar[30].» Que faire maintenant que ses propres fils approchent de l'âge de la *bar mitzvah*?

La jeune Emma pense avoir trouvé la solution: «Vous, les gars, vous êtes Juifs», dit-elle à Noah et Daniel, «et nous les filles, nous ne le sommes pas[31]». Si Richler décide de demander à un rabbin d'assurer l'éducation de ses fils, il revient sur son propre rejet de la religion. S'il décide d'ignorer tout ce qui a trait au judaïsme, il contribue à l'assimilation de ses fils à la culture anglo-saxonne au sein de laquelle il n'a jamais été complètement intégré lui-même et, par ce fait, il donne raison aux oncles qui lui ont prédit son futur au sein d'un mariage mixte. Le cauchemar assimilationniste de Richler se manifeste dans *Le cavalier de Saint-Urbain* lorsque, aux funérailles de Jake, son fils, «Lord Samuel Hersh», s'interroge sur ce que peut bien être le *kaddish* et demande: «Qu'allons-nous faire des cendres de ce vieux prout[32]?» Craignant l'assimilation, le couple Richler décide de respecter certaines obligations religieuses, une ou deux fois par année au maximum. Pendant quelques années, Mordecai célèbre le *seder* et amène les enfants à la synagogue pour le Yom Kippour[33]. L'idée vient de Florence, qui souhaite que les enfants en sachent le plus possible sur les religions. Elle demande à Richler s'il peut faire quelque chose et celui-ci répond, après un moment de réflexion: «D'accord, on va faire un *seder*.» Ce n'est pas facile pour lui, mais, comme dira Florence par la suite, «il ne faisait jamais rien contre son gré». Les Richler commencent donc à célébrer le *seder* à la fin des années 1960 ou au début des années 1970 à Londres – d'après Noah, la famille possède toujours, quelque part, une Haggadah sur laquelle Jack Clayton a renversé du vin. Après leur retour au Canada, la famille continue de célébrer le *seder*, jusqu'à ce que Noah parte étudier à Oxford en 1978. Chez les Richler, le catéchisme relève plus de la leçon d'histoire que de l'enseignement de la religion, et Mordecai passe rapidement, pour la forme, sur les versets faisant l'éloge de Dieu. Ces séances donnent inévitablement lieu à des moments comiques, entre autres lorsque Mordecai bute sur les mots hébreux ou que Florence pose toutes sortes de questions alors que les enfants s'impatientent[34].

Il n'était pas simple d'annoncer aux enfants qu'ils étaient juifs, racontera Richler des années plus tard[35]. Noah trouvait que le seul garçon juif de son école était bizarre[36]. Quelques années plus tard, au Canada, Richler appellera Max pour lui demander de les amener à la fête de Simchat Torah, et ils se retrouveront tous à la synagogue. Mais ces rares moments d'observance des rituels du judaïsme ne dureront pas. «Question d'héritage», dit Max[37], et Richler ne proteste pas, admettant qu'il est nostalgique des prières de la synagogue mais qu'il ne se languit pas de les entendre. Son grand-père, le rabbin Rosenberg, s'était plaint en 1924 que les Juifs violaient le Shabbat en manquant les offices à la synagogue, en poussant des landaus et en allumant ou éteignant les lumières. Pour 25 cents, on pouvait lire, dans sa *Lettre de la douce Reine-mère du Shabbat à ses fils et ses filles du peuple juif* que manger du pain cuit le jour du Shabbat revenait à se nourrir de sang juif. Richler a renoncé à de telles croyances, et bien que Jake, son personnage autobiographique dans *Le cavalier de Saint-Urbain*, exprimer son émotion à l'arrivée du Shabbat le vendredi soir – comme s'il s'agissait de sa fiancée[38] – son code moral est existentiel-humaniste. En l'absence de Dieu, les hommes doivent accepter d'être responsables de leur propre conduite[39]. La première fois que Noah est invité à la *bar mitzvah* d'un ami, il s'habille normalement, sans se douter que ses vêtements ne sont pas adaptés pour l'occasion. Il enfile un coupe-vent et des chaussures Adidas faites en peau de porc. Richler le voit quitter la maison mais ne dit rien. Et il glousse lorsqu'à son retour, Noah raconte qu'il a dû se battre à la synagogue[40]. Il n'y aura pas de *bar mitzvah* pour les garçons de la famille Richler[41].

Richler est pourtant préoccupé par le problème de l'assimilation, dont les dangers sont si bien exprimés par Cynthia Ozick : « si nous choisissons d'être des hommes plutôt que des Juifs… Nous ne serons pas entendus ; pour nous, l'Amérique aura été une aventure ». « Amerikanergeboren » (né en Amérique), c'est le terme que son grand-père utilisait pour qualifier avec mépris les Juifs qui avaient perdu leurs principes moraux[42]. Richler décourage ses enfants de s'identifier sentimentalement à la nation juive[43], et il utilise l'Histoire pour leur dispenser une éducation juive passionnée et morale : il leur parle de la Grande Dépression, de la guerre civile espagnole, des pogroms et de l'Holocauste. Les enfants de la famille Richler sont autorisés à regarder seulement une heure de télévision par jour, à moins qu'il y ait d'autres émissions – comme *Les Raisins de la colère* (*The Grapes of Wrath*) ou un documentaire sur la Seconde Guerre mondiale – qui présentent un intérêt culturel. Lorsque, dans *Sœur folie*, Jem est autorisée à rester debout tard pour regarder un film, elle prédit qu'il y aura des Nazis dedans[44]. Dans ses écrits, Richler épargne généralement ses enfants. Pourtant, dans *Joshua au passé, au présent*, il relate un

incident « juif » qui s'est sans doute produit dans la réalité.
Lorsque les enfants rient en voyant un film dans lequel Hitler
fait quelques pas de danse pour célébrer sa victoire après la chute
de Paris, Richler, furieux, leur ordonne de se taire et de regarder.
Une autre fois, l'un des garçons – possiblement Noah – arrive à
la maison avec un modèle à coller d'un avion Messerschmitt, et
Richler l'oblige à le ramener au magasin. C'est la crise. Pour atténuer le choc, Richler lui parle de Norman Bethune, du raid aérien
sur Guernica, en 1937, et du millier de républicains qui ont trouvé
la mort à cause des chasseurs Messerschmitt. Si Noah ne se rappelle pas de l'incident, il exprime bien l'état d'esprit dans lequel
se trouvait son père : « Nous étions certains d'une chose, c'est
que nous n'allions jamais avoir de Volkswagen[45]... » De manière
involontaire, Jacob saisit l'essence de la nouvelle religion de son
père. Un jour où il l'entend chanter dans son bain « Los cuatro
generales », un chant révolutionnaire espagnol, Jacob demande
à son père s'il s'agit d'une de ses chansons hébraïques. En effet,
Richler, dans son bain, entonne indifféremment le chant révolutionnaire ou « Adon 'olam », un hymne de la liturgie juive dont
le titre signifie « Maître de l'univers[46] ».

À l'approche de la puberté et de la *bar mitzvah*, Daniel et Noah
deviennent de vraies personnes, avec des goûts et des attitudes
qui leur sont propres. Au grand désespoir de Richler, ils sont
notamment des admirateurs inconditionnels de James Bond : ils
ne veulent pas seulement regarder le film, ils rêvent d'être
comme lui, ignorant que les Juifs jouent les rôles de méchants
dans les histoires d'Ian Fleming[47]. De cette inquiétude naît l'un
des essais les plus ambitieux et problématiques de Richler, un
article publié en 1968 dans *Commentary* et intitulé « James Bond
Unmasked ». L'article ne se contente pas d'associer la critique
littéraire et les questions raciales, la fiction et la biographie ou
la jeunesse de Richler et celle de ses fils ; comme l'indique le titre
original, « England's Golem[48] », il pave également l'une des nombreuses voies qui conduiront Richler à l'écriture du *Cavalier de
Saint-Urbain*.

Lorsqu'il était jeune, Richler avait apprécié la lecture des *Trente-neuf marches* (*The Thirty-Nine Steps*, 1915), un roman d'espionnage de John Buchan qui se déroule pendant la Première Guerre mondiale. Son raisonnement d'adulte, plutôt simpliste, lui fait pourtant affirmer que la description que fait Buchan du «petit Juif au visage blême, aux yeux de serpent à sonnette[49]» a empoisonné ses relations avec son grand-père paternel. De la même façon, Richler estime que Fleming est antisémite parce qu'il utilise des stéréotypes juifs pour décrire les adversaires de Bond. Richler déclarera plus tard qu'il n'aurait pas accepté son Prix du Gouverneur général si Buchan avait été à ce poste au moment où il a été récompensé[50]. Buchan (dit Lord Tweedsmuir) avait en effet été nommé Gouverneur général du Canada et créé le Prix du Gouverneur général en littérature. Le complot juif que décrit Scudder, l'un des personnages de Buchan, rappelle celui évoqué dans *Les Protocoles des sages de Sion*, cette théorie du complot utilisée par les autocrates russes pour s'opposer à toute forme de démocratisation et inciter à la violence contre les Juifs. Parmi les nombreux admirateurs des *Protocoles*, on peut notamment citer Henry Ford, Nasser, l'ayatollah Khomeini et, plus récemment, le Premier ministre malaisien Mahathir Mohamad, qui a été chaleureusement applaudi après avoir cité *Les Protocoles* lors d'un sommet de l'Organisation de la conférence islamique (OCI)[51].

Mais c'est une erreur de compter Buchan, un simple patriote, parmi ces admirateurs[52]. Dans sa réponse à l'essai de Richler sur Bond, le rabbin Noah Gamze décrit l'antisémitisme comme l'expression d'une hostilité envers les Juifs, et non comme une aversion liée à la race. Si on se fie à cette définition, Buchan n'est pas antisémite[53]. Il a apporté son soutien à la création d'une patrie pour les Juifs et son nom s'est même retrouvé sur une liste de cibles nazies parce qu'on estimait qu'il était, selon certains, beaucoup trop pro-juif. D'un autre côté, il est fort possible que son sionisme soit né du désir d'éloigner les Juifs du Canada[54]. De manière plus importante, ceux qui ont critiqué l'essai de Richler l'ont mis en garde contre l'assimilation des opinions des personnages à celles de l'auteur. Vers la fin du roman de Buchan, le personnage principal, Richard Hannay, qualifie l'histoire de

Scudder de «poudre aux yeux» et d'«étrange subterfuge[55]». De la même façon, n'importe qui aurait pu, avec des œillères et une paire de ciseaux, prendre les trois derniers romans de Richler et le faire passer pour un antisémite.

Richler est toutefois convaincu de la xénophobie de Fleming. Il la replace dans le contexte d'une Angleterre diminuée qui, au milieu des années 1950, est privée de ses colonies et doit composer avec la révolte de ses propres classes inférieures. Pendant un court moment, Richler songe même à écrire une satire basée sur la réalité britannique s'intitulant *Reflections on the Anti-Jews: Ten Years on an Offshore Island*, dans laquelle il prendrait Fleming à son propre jeu. Pourquoi les Britanniques agissent-ils toujours comme s'ils étaient le peuple élu? De toute évidence, ils descendent des tribus «perdues» d'Israël (c'est-à-dire «bêtes et incompétentes»), comme le prêche l'excentrique Mouvement de l'israélisme britannique. Dans cette optique, tout semble clair : l'hostilité des Britanniques envers le nouveau pharaon Nasser ; la mentalité insulaire de la Grande-Bretagne ; l'horreur qu'implique le fait de se marier avec quelqu'un d'une autre classe sociale ; l'empressement des assimilationnistes à pénétrer le Marché commun et à drainer sa «clientèle privilégiée» ; l'étrange ressemblance entre le Ministère des Affaires coloniales [Colonial Office] et les Sages de Sion ; l'avidité typiquement juive de Lord Roy Thompson, un baron de la presse qui affirme que «les articles, c'est ce qu'on met entre les publicités[56]».

Les éditeurs ne sont pas intéressés par un livre qui traite d'un seul sujet et *Reflections on the Anti-Jews* ne verra jamais le jour, mais Richler continue de considérer «James Bond Unmasked» comme son meilleur essai[57]. Pour le taquiner, Weintraub affirme que son ami tente de s'attirer les faveurs de la congrégation Shaar Hashomayim, dont les membres appartiennent à l'élite montréalaise[58]. Dans ses écrits, Emma, la fille de Richler, décrit avec finesse l'attitude de son père envers l'antisémitisme. Dans *Sœur folie*, le père de Jem lui interdit de lire les romans d'Enid Blyton «pour cause de préjugés lamentables exprimés dans une langue approximative[59]». Voilà le plus important : une langue approximative. Conscient de la vulnérabilité de Richler à ce sujet, l'un des critiques de l'essai sur Bond lui demande pourquoi il ne compte pas Graham Greene parmi les écrivains de thrillers anti-sémites[60]. Il n'est pas difficile de deviner la réponse : d'après Richler, Greene a du talent. Malgré tous ses défauts, l'essai est effectivement le meilleur qu'ait écrit Richler. Il a raison au sujet de l'antisémitisme de Fleming, et sa réflexion l'a amené à soulever des questions qui sont au cœur du libéralisme et qui hanteront *Le cavalier de Saint-Urbain*. Jusqu'où doit-on tolérer les manifestations politiquement incorrectes de la haine ? À partir de quel moment peut-on les qualifier de criminelles ?

***

Le cavalier de Saint-Urbain est le résultat de toutes ces préoccupations et réflexions – l'anxiété de Richler par rapport à ses enfants, le regard rétrospectif qu'il pose sur l'antisémitisme et l'Holocauste, le besoin de s'inventer une sorte de foi post-religieuse, etc. Si Bond est le Golem de l'Angleterre, le Golem demeure une invention juive, un vengeur juif qu'on imagine souvent en train de lutter contre les pogroms en Europe de l'Est. Des années auparavant, le grand-père de Richler, le rabbin Rosenberg, avait écrit des histoires de Golem ; pourquoi Richler ne pourrait-il pas à son tour créer un Golem contemporain pour aborder les thèmes de l'Holocauste, la création d'Israël et la guerre des Six-Jours ? S'il a déjà utilisé l'idée du Golem dans *Un cas de taille* avec les Goy-Boys d'Hollywood et Hyman Rosen, il s'était alors contenté de le faire de manière burlesque.

Plutôt que de chercher à maintenir un certain niveau de paroxysme comme il l'a fait dans les deux romans précédents, Richler tente, avec *Le cavalier de Saint-Urbain*, de retrouver le naturalisme qui prévalait dans *L'apprentissage de Duddy Kravitz*. Ce n'est pas aussi simple qu'on pourrait le croire. Richler mettra au total cinq ans à écrire son nouveau roman, sur lequel il travaille de manière irrégulière. À un moment, il ne réussit qu'à écrire deux pages en plusieurs mois[61]. En 1969, il rassemble quelques-unes de ses histoires et saynètes pour en faire *Rue Saint-Urbain*. Il obtient ainsi un peu d'argent et peut continuer de trimer sur son roman. Ses éditeurs sont beaucoup plus enthousiasmés par la perspective d'un nouveau roman que par celle d'un recueil de nouvelles. Si Tony Godwin fait l'éloge de *Rue Saint-Urbain*, il ne comprend pas pourquoi Richler n'a pas créé une seule intrigue à partir des différentes nouvelles. « Je peux te prêter mon livre sur les intrigues si tu es bloqué », lui offre gentiment Godwin, « deux-cent-quatre-vingt-trois nouvelles idées d'intrigues[62] ! »

En réalité, Richler n'a pas besoin de nouvelles idées : il attend de pouvoir se consacrer à la rédaction d'un scénario intitulé *The Survivor* et basé sur l'histoire de Ken Lindenberg, l'un des sept milles Juifs qui, pendant l'occupation nazie du Danemark, ont réussi à fuir en Suède grâce à l'intervention de citoyens danois[63]. Richler prend une option sur l'histoire de Lindenberg et prévoit aller en Suède pour le rencontrer[64]. Il est dommage que Richler n'ait jamais écrit *The Survivor*. En effet, le synopsis de sept pages qui en est resté est fascinant, même si on ignore dans quelle mesure l'histoire s'inspire de l'expérience de Lindenberg et dans quelle mesure elle est le fruit de l'imagination fertile de Richler. Dans sa fuite, Lindenberg rencontre un déserteur de l'armée allemande, Kurtz, un aryen, qui réalise qu'une fois en Suède, il ne pourra s'attendre à la clémence de Lindenberg ou des Suédois. Il demande donc à Lindenberg de lui montrer les rudiments du judaïsme. Lindenberg s'exécute, mais se permet de mêler aux vérités reçues des clichés malveillants, créant ainsi, comme le dit Richler, « son propre Golem ». Si Kurtz sort vainqueur du combat qui oppose les deux hommes pour obtenir les papiers d'identité de Lindenberg, il reçoit un accueil glacial lorsque, dans une synagogue, il jure alors qu'il croit être en train de louer Dieu. Derrière l'intrigue principale, on devine une intrigue secondaire, plus contemporaine, dans laquelle un homme mystérieux poursuit un Kurtz/Lindenberg qui a atteint un certain âge[65]. Entre les mains de Richler, l'histoire aurait pu faire un film fascinant, mais l'écrivain a décidé d'accorder la priorité au *Cavalier de Saint-Urbain*.

Ce n'est qu'à partir de septembre 1969 que l'écriture du *Cavalier de Saint-Urbain* commence véritablement à couler de source[66]. Après son retour de Londres à la suite d'une sabbatique inversée, Richler termine l'écriture du roman en l'espace de dix mois seulement[67]. Vingt ans plus tard, Saul Bellow s'attirera des ennuis en demandant : « Qui est le Tolstoï des Zoulous ? Et le Proust des Papous ? » et il déçoit Richler en s'excusant par la suite pour cette « boutade[68] ». Dans les années 1960 pourtant, on aurait pu poser la même question au sujet des Juifs de Montréal ou des Canadiens. Plus que quiconque, Richler tente d'écrire des romans d'une envergure suffisante pour nous permettre de répondre à cette question. Dans *Le cavalier de Saint-Urbain*, il utilise des éléments de sa propre vie pour décrire un procès pour viol – une histoire fictive – qui met en cause deux hommes : Harry Stein, un individu de toute évidence coupable, et Jake Hersh, son présumé complice. Ce dernier réfléchit à sa propre ascension sociale, qui l'a mené de la pauvreté de la rue Saint-Urbain à la célébrité qu'il a acquise en tant que réalisateur. Il compare sa vie idéale, désormais compromise, à celle, si excitante, qu'il a imaginée pour son cousin Joey Hersh. Jake s'est vu attribuer la vie de tous les jours, la routine, tandis que Joey – le Golem de Jake, le Cavalier – a hérité des plus fantastiques rencontres historiques. Richler admet qu'il a beaucoup de points communs avec Jake, et ses amis le remarquent eux aussi. Voilà enfin un personnage auquel les lecteurs pourront s'identifier[69] ! Comme avec n'importe quelle *apologia pro vita sua*, il existe toujours un risque de se montrer trop complaisant envers soi-même, et Kerry McSweeney critique Richler pour avoir permis à Jake de s'en sortir aussi facilement[70]. La majorité des lecteurs sont cependant de l'avis de Brian Moore, qui écrit à son ami : « Tu y es mon gars, tu y es[71]. »

Ses amis reconnaissent immédiatement les personnalités dont s'est inspiré Richler. Le romancier John Fowles avouera : « Il y a plusieurs scènes dans le roman que j'apprécie pour des raisons qui n'ont rien à voir avec leur qualité littéraire. J'aimerais voir le visage de certaines personnes lorsqu'elles les liront à leur tour[72]. » Joyce Weiner a beaucoup de plaisir à identifier les membres des cercles littéraire et cinématographique de Londres[73]. Mais ces personnages n'occupent qu'une place secondaire. Le *roman à clef* tourne essentiellement autour de Richler, son épouse, son meilleur ami, son père et sa mère. Nancy, la femme de Jake, est décrite comme une sainte. Parmi les trente à quarante mille mots que Richler a coupés, on retrouve d'ailleurs de longs passages où Jake exprime ses inquiétudes en ce qui concerne la fidélité de Nancy et aborde les problèmes qu'il avait avec sa première femme, Carol[74]. D'après Tony Godwin, l'éditeur de Richler, il y a une grande part d'idéalisation dans la description du couple de Jake[75]. Cela s'explique notamment par l'incapacité de Richler à imaginer que Florence puisse être complètement désemparée, y compris dans un contexte de procès pour viol, et, comme l'a admis Richler par la suite, par une «faiblesse congénitale» dans la description des personnages féminins[76]. Ses premiers romans accordaient une attention limitée aux femmes, et rien ne prouve que la perception qu'a Richler de l'amour soit bien plus évoluée que celle de ses premiers personnages principaux. Dans ses écrits, les femmes sont souvent les victimes innocentes (comme par exemple Sally dans *Le choix des ennemis* et Yvette dans *L'apprentissage de Duddy Kravitz*) ou malheureuses (Miriam dans *Mon père, ce héros*) des personnages masculins, qui occupent une place beaucoup plus importante! Leurs traits de caractère sont choisis avec soin pour leur qualité symbolique afin de représenter l'Anglo-saxonne, la Canadienne ou la Québécoise. Dans *Un cas de taille*, le personnage de Joyce – une femme robuste, libérale et totalement antipathique – est encore plus symbolique et moins humain que les premiers personnages féminins, plus puissants, de Richler.

Au moment où Richler reprend l'écriture du *Cavalier de Saint-Urbain*, Margaret Atwood publie son premier roman, *La Femme comestible* (*The Edible Woman*). Les différences qui existent entre Atwood et Richler résument bien celles qui distinguent souvent l'écriture masculine et féminine. Chez Richler, l'utilisation du genre demeure conventionnelle et, la plupart du temps, les personnages féminins sont peu convaincants. Atwood, pour sa part, est capable de créer des personnages masculins crédibles. Si, dans l'œuvre de Richler, rien n'égale l'inventivité du *Dernier homme* (*Oryx and Crake*), qui serait en mesure de faire un choix objectif entre deux grands Künstlerromane comme *Œil-de-chat* (*Cat's Eye*) et *Le cavalier de Saint-Urbain*? Chacun a brillamment réussi en fonction de ses propres critères – les uns féminins, les autres masculins. Atwood désapprouve l'utilisation de rôles sexuels traditionnels, mais par cette critique, elle révèle d'une certaine manière ses propres limites. Dans *Captive* (*Alias Grace*), par exemple, l'allégeance que prête Atwood à l'«histoire des femmes» l'empêche de soumettre le personnage de Grace à une analyse morale complète. Si Atwood est plus habile pour décrire les éléments qui influent sur l'existence sociale du sujet, Richler est quant à lui très à l'aise pour aborder les thèmes raciaux et politiques. Alors qu'Atwood exige d'abord la justice entre les individus, Richler est partisan de la justice devant la loi, l'État et, malgré son athéisme, devant Dieu. Avec *Le cavalier de Saint-Urbain*, les femmes prennent la place qu'elles occuperont désormais, pour le meilleur et pour le pire, dans les œuvres de Richler : elles représentent l'autorité morale. Dorénavant, il s'inspire du rôle de femme au foyer et de noyau de la famille que joue Florence pour imaginer ses personnages féminins. De la même façon, l'évolution de l'amour et celle du protagoniste masculin se mesurent par l'empressement de ce dernier à assumer ses responsabilités auprès de sa famille, des responsabilités qu'a définies sa propre femme.

Dans le roman, son meilleur ami, Ted Kotcheff, devient l'écrivain Luke Scott. Richler l'écrivain devient Jake Hersh, le célèbre réalisateur, et Kotcheff le réalisateur (fait intéressant, il possède un diplôme en littérature anglaise) devient le célèbre écrivain Scott. Dans le cas de Kotcheff, la transposition est simplement structurelle ; en effet, le personnage de Scott présente très peu de ressemblances avec Kotcheff. Richler remplace les ancêtres hongrois et pauvres de Kotcheff par des WASPs membres de l'Ordre de l'Empire britannique, multipliant ainsi les occasions de contraste entre anglo et Juif. Il s'inspire de ses propres parents pour décrire ceux de Jake. À travers le personnage du père de Jake, Issy – «Isaac» était le deuxième prénom de Moe Richler –, Mordecai ressuscite l'amour de Moe pour le kitsch et son opposition à son premier mariage avec Cathy Boudreau. Le récit de la mort d'Issy est l'un des passages d'intimité les plus bouleversants que Richler a jamais écrits ; il s'agit d'un hommage à la fois sentimental et émouvant à son propre père. L'ex-femme d'Issy, quant à elle, ne se mérite aucun hommage. On peut difficilement s'attendre à ce que Lily soit flattée du portrait que brosse Richler de Mme Hersh, une mère contrôlante et fouineuse qui vient à Londres s'occuper des enfants de son fils[77]. Avec le temps, les aspects traumatisants de la liaison de Lily se sont estompés. Elle n'a plus l'ascendant qu'elle avait sur Richler et qui était transposé dans *The Rotten People* et *Mon père, ce héros*; dorénavant, elle correspond au stéréotype de la maman juive fouineuse et intrusive. «Mme Hersh était un personnage fictif», affirmera Florence par la suite, «mais si Lily s'est identifiée à elle, eh bien, c'est dommage[78]...»

D'après certaines rumeurs, le portrait que Richler brosse de Mme Hersh dans *Le cavalier* serait à l'origine de la dispute ayant séparé la mère et le fils pendant plus de vingt ans[79]. Or ce n'est pas tout à fait exact. La véritable altercation est survenue plus tard, au moment de la première du film *L'apprentissage de Duddy Kravitz*, en 1974[80], mais *Le cavalier de Saint-Urbain* n'a certainement pas contribué à atténuer les tensions existantes, d'autant que l'un des voyages de Lily pour venir garder les enfants de Mordecai lui avait causé quelque embarras. Lily avait dit à Avrum (qui avait ouvert un cabinet d'optométrie dans la ville de St John's, à Terre-Neuve) qu'elle ne pouvait plus faire de longs voyages pour venir s'occuper de ses enfants. Lors d'un voyage d'affaires à Londres, Avrum décide de rendre visite à Mordecai et reste stupéfait lorsque sa propre mère ouvre la porte et lui explique que Mordecai et Florence sont au Canada[81]. La lecture du *Cavalier de Saint-Urbain* bouleverse la perception qu'a Lily d'elle-même, soit celle d'une grand-mère attentionnée qui vient de loin pour dépanner un fils reconnaissant. D'autres membres de la famille y sont encore plus malmenés. Un des oncles de Mordecai, Chaim Shimshon Hershcovich, un homme aussi sévère que Shmarya, a un fils, Yidel, un garçon sympathique qui veut à tout prix faire partie de la bande. Lorsqu'ils étaient jeunes, Avrum et Mordecai lui disaient: «Yidel, fais le tour du bloc en courant.» Et il le faisait. Richler s'est inspiré de Shimshon et de Yidel pour créer les personnages de l'oncle Abe et de son fils Irwin, un obèse qui se gave de crème glacée et qu'Abe présente à Jake comme un modèle de dévotion filiale[82]. Pour Richler, écriture et vengeance sont de proches parents: «On doit se venger de la manière la plus grossière des affronts, réels ou imaginaires, qu'on a subis», affirme-t-il[83]. Le désir de vengeance, l'idéalisation et l'attitude défensive s'évanouissent cependant dans la description que fait Richler du co-accusé de Jake, Harry Stein, et de la fascination de Jake pour Harry. Pour Richler, Harry présente toutes les caractéristiques du véritable mâle. Celui-ci, excité en permanence, fait preuve de finesse intellectuelle, surtout lorsqu'on aborde sa subordination sociale et sa pauvreté, mais aussi d'agressivité lorsqu'il n'obtient pas ce qu'il estime qui lui revient (ce qui se produit souvent). S'il se montre méprisant envers les classes sociales supérieures, il est plus avide de pouvoir que d'égalité. À l'instar de Richler, Jake considère Harry comme un exutoire acceptable pour ses tendances misanthropes, entre autres pour sa crainte, lorsqu'il était plus jeune, de ne jamais être dans le coup. Quel homme pourrait désavouer complètement Harry Stein?

Pour la première fois, Richler fait des recherches sérieuses pour son roman. John Ponder, un journaliste responsable des affaires criminelles pour *The Evening Standard*, prend des dispositions afin de lui permettre de s'asseoir avec les avocats invités dans les sièges VIP de l'*Old Bailey* et d'assimiler les procédures judiciaires britanniques[84]. Richler demande également à l'Association Mensa de lui faire parvenir un formulaire d'adhésion et un test préliminaire. L'Association lui écrira par la suite (mais pas la délicieuse missive qui apparaît dans *Le cavalier de Saint-Urbain*[85]!) pour lui demander de renvoyer le test préliminaire, mais il y a déjà inscrit ses propres réponses. Il semble que la plupart d'entre elles étaient correctes[86]. Si Jake est incapable de compléter le test, Harry, lui, réussit. Au-delà de l'aspect intellectuel, le personnage de Harry, pourtant mauvais, est traité avec beaucoup de sympathie. Pour la première fois, Richler tient son pari et plaide en faveur d'un perdant[87]. Dans le cas de la fameuse citation d'Harry («Pour le recensement, les impôts et les pogromes […] Je suis juif»), Richler a repris les mots de Greta Nimiroff, une professeure d'anglais de Sir George qui s'était plaint à propos de l'un des articles qu'il avait soumis[88]. Pour la scène dans laquelle Harry suggère au pédicuriste de récolter la crasse d'orteil d'Elizabeth Taylor pour la vendre, Richler s'est inspiré – avec un peu d'exagération – d'une expérience qu'il a lui-même vécue. Il a en effet déjà discuté d'un film sur l'assassinat de Trotsky avec un acteur «surpayé de façon obscène», tandis qu'un pédicuriste taillait «avec révérence» ses ongles d'orteil[89]. Fait intéressant, il existe une ambivalence cohérente dans la scatologie de Richler : s'il se délecte souvent des traces de l'animal humain, il manifeste du dégoût lorsqu'il découvre que certaines personnes sont si méprisables qu'elles ont de la crasse entre les orteils. Bien que Richler n'ait pas nommé la star à qui il faisait référence, on sait que Richard Burton a joué le rôle de Trotsky dans *L'Assassinat de Trotsky* (1972).

Ce sont les manifestations de haine chez Harry, à la fois pleines d'esprit et politiquement incorrectes, qui rendent ce personnage aussi fascinant et dérangeant. Jake s'impose l'amitié d'Harry pour se punir de son tout nouveau statut social et de sa richesse[90], et pour se souvenir de celui qu'il était avant. De manière plus générale, Richler soulève la question de savoir jusqu'à quel point la méchanceté de Harry doit être tolérée dans un contexte de pluralisme libéral. Richler a lui-même, comme il le dit, «un goût pervers pour la vulgarité des autres», et ce goût – qui est sans aucun doute un atout pour un romancier – le place en présence de gens que d'autres auraient tendance à fuir. Le personnage d'Harry s'inspire d'un certain Benjamin Franklin Levene[91], un déserteur de la marine responsable de plusieurs fausses alertes à la bombe, notamment dans deux ambassades. Levene a même réussi à faire fermer la gare Victoria, très achalandée, pendant près de quatre heures, en affirmant y avoir placé du matériel radioactif. D'une manière ou d'une autre, Levene finit par se lier d'amitié avec le célèbre réalisateur Silvio Narizzano, une connaissance de Richler, et les deux larrons sont accusés par une jeune Suédoise au pair d'attentat à la pudeur, de viol et de sodomie[92]. En juillet 1963, Richler assiste au procès. Comme dans le roman, le juge conclut à la culpabilité de Levene et le condamne à sept ans d'emprisonnement. Quant à Narizzano, il s'en sort avec une simple amende, car on estime qu'il se trouvait tout simplement au mauvais endroit au mauvais moment[93]. Levene, croyant que les articles du journaliste David Roxan sont à l'origine de sa condamnation, envoie des centaines de cartes postales à Roxan et à ses voisins, l'accusant «de frayer avec des criminels, d'être un *pimp* et un homosexuel». Par la suite, la police prendra Levene sur le fait au bureau de poste où il était venu poster ses cartes[94].

Richler commence lui aussi à recevoir du «courrier» qui dévoile une sensibilité pleine d'esprit mais très sombre: des cartes avec des timbres représentant Jésus, des cartes d'enfants sur lesquelles on peut lire «Bon anniversaire Grand-papa», des cartes de condoléances signées «votre cher Harry Stein», des numéros de *Capital Gay* (un journal britannique gay) et du journal fasciste *New Frontier* («La voix du nouveau Front national»). Pendant des années, les Richler recevront des lettres de Levene. À un moment, Mordecai cesse même de les montrer à Florence. Souvent, l'expéditeur fait preuve d'une certaine originalité dans l'adresse de destination:

Morty Richler:
«Auteur»
c/o Policier rural principal
Montréal
Québec, Canada

Ou encore:

Chez de la
Madamercai Rubenstien-Richler
Sherbourn Saint Ouest, Montrial
Montréal, Canada [*sic*][95]

Ou même:

De «Harry Fitznorman Stein» à
Morticia Richler
Secétaire
Mouvement travailliste-sioniste
c/o Résidence du gouverneur général, Ottawa [*sic*][96]

Si Postes Canada réussit tant bien que mal à acheminer les lettres, Richler est prié de donner à ses correspondants une adresse valide. Cela n'est pas nécessairement une bonne idée si on se fie au ton de ces lettres: «Silvio naratzano ton ami est sans doute un morceau nauséeux de merde humaine en plus d'être un homosexul vicieux – qui a sodomisé ce trou-du-cul suédois et a obtenu au pauvre Harry 7 ans en prison. Bon, la puanteur monte de cette saleté canadienne, ce qui r'vient à dire souviens-toi des promenades à Hamstead Heath – plutôt tard, en faisant la compétition aux exhibitionnistes les plus compétents de cette

Angleterre joyeuse, ha ha ha, quelles aventures on a eu dans les années cinquante.» [sic][97] Levene, obsédé par son séjour en prison, envoie une carte «In Memoriam» dans laquelle il écrit «Harry Stein 1963–68»: «Décédé entre les mains infâmes de Jake et cie en 1963 – Ressuscité en 1968.» La colère de Levene est principalement dirigée contre Narrizano et Roxan, mais Richler – dont le roman novateur, *Le cavalier de Saint-Urbain*, reprend l'histoire de Levene – n'a pas échappé à son attention: «tu m'as créé, alors vis avec Harry Stein… Tes couilles et ta vessie doivent avoir lâché quand tu as réalisé que Nous avons découvert et lu le Livre??? C'était l'idée de qui, est-ce que ça t'a fait beaucoup rire, et beaucoup Plus d'argent??? C'était l'idée de qui d'essayer de me donner un coup de pied dans les couilles; pendant que je suivais le Traitement?? 7 ans pour un crime que ton pote a commis.» [sic] Ce n'est qu'en 1993, soit vingt-deux ans après la publication du *Cavalier de Saint-Urbain*, que Levene réalise qu'il a été injustement calomnié dans le roman. Il poursuit donc Richler et la maison d'édition Weidenfeld & Nicolson pour dommages et intérêts et demande une injonction contre la publication future de propos diffamatoires semblables, mais le procès n'aboutira à rien[98].

Lorsque Richler se plaint de son incapacité à dépeindre avec justesse le système de classes britannique dans *Le cavalier de Saint-Urbain*[99], il songe probablement aux marqueurs subtils qui distinguent les membres d'une même classe sociale, car il n'a aucune difficulté à exprimer la rage de la classe inférieure (chez Harry) ou la culpabilité qui accompagne l'ascension sociale (chez Jake). Tandis qu'Harry raye les voitures de luxe avec ses clés, Jake se tourmente à propos des tâches qu'il peut confier à son vieux jardinier. Si Richler n'a pas de pédicuriste à son service, il n'a pas non plus un salaire de misère, et la conscience socialiste coupable de Jake trouve son origine dans l'ascension sociale de Richler. À Kingston Hill, Richler s'est déjà fait prendre pour un jardinier[100]. Dans la réalité, Richler a déjà à son service une jeune fille au pair et décide bientôt de faire venir un jardinier pour une heure ou deux par semaine[101]. C'est Ted Kotcheff qui est à l'origine de ce problème de conscience. Quelques années plus tôt, celui-ci avait engagé une bonne à Torremolinos, en Espagne, et avait dit à Richler : « Ted le vieux sentimental se sent mal lorsqu'il voit la pauvre petite à genoux en train de frotter le carrelage, Ted le vieux gauchiste se précipite sur la terrasse et se blottit dans le confort bourgeois d'un transat[102]. » Dans un roman aussi proche de l'autobiographie, la solution morale que choisit Jake pour combattre son sentiment de culpabilité – le licenciement du jardinier – est loin d'être flatteuse, mais Richler n'est pas sentimental au point de renoncer aux avantages que son travail lui apporte.

La lecture de *Herzog*, de Saul Bellow, pousse Richler à s'ouvrir au monde et à écrire sur lui-même. Bellow recevra le prix Nobel de littérature en 1976, mais déjà, en janvier 1965, Richler décrit *Herzog* comme : « un chant de louanges à caractère hassidique dans son intensité. Un véritable plaisir de la vie », et il affirme que Bellow est alors le plus grand romancier américain vivant.[103] Il connaît très bien les premiers romans de Bellow. Romancier de premier plan et Juif assimilé, Bellow a vécu près de la Main lorsqu'il était enfant, entre 1918 et 1924, dans le même quartier que Richler. Il est l'un de ces Américains avec qui Richler ose se mesurer. Bellow avait l'habitude de dire : « Les Juifs se tiennent à l'écart du nihilisme qui prévaut en Occident. »[104] Depuis *The Acrobats*, Richler sait bien que la négation n'est qu'une solution facile aux problèmes post-religieux qu'il s'est créé, et il n'a pas besoin qu'on le lui rappelle. Sa satire se rapproche de plus en plus de la négation : bien qu'elle soit plus spirituelle à chaque fois, il n'en reste pas moins qu'elle se situe dans un registre négatif. La lecture de *Herzog* a donné à Richler non pas un style ou du matériel, mais l'indice qu'il pourrait écrire quelque chose d'une plus grande portée et d'une plus grande sensibilité que les satires.

Un an avant la publication de *Herzog*, Bellow avait expliqué ses objectifs littéraires dans *Encounter*, un magazine que Richler avait l'habitude de lire[105]. Si la vie publique a tendance à écraser l'écrivain et à l'inciter à soustraire sa vie privée aux regards, il doit résister, selon Bellow, et d'offrir une expression achevée de son être humaniste, tant public que privé[106]. Sur ce point, *Herzog* tient sa promesse. Tandis que Richler s'éloignait de l'autobiographie avec *The Incomparable Atuk* et *Un cas de taille*, Bellow s'en rapprochait (tout en demeurant collé au genre romanesque, bien sûr), estimant pouvoir trouver dans ses propres émotions, ses propres connaissances et sa propre stupidité les tendances qui se dégagent de la vie américaine. Richler est impressionné. À son avis, Bellow montre «comment être à la fois simple et complexe... Comment faire partie des riches riches et souffrir dans sa propre petite personne tous les maux de l'Homme[107].» Voilà qui est pire que l'incorrection politique de la satire. De façon involontaire, il est possible que Naïm Kattan ait nourri les réflexions de Richler à ce sujet et qu'il l'ait, d'une certaine façon, encouragé à écrire Le cavalier de Saint-Urbain. Dans un article analysant la carrière de Richler qui se trouve dans ses archives, Kattan reconnaît le talent de Richler, mais estime que son combat contre sa propre judéité a pris le pas sur la compréhension réelle qu'il en a. À la fin de l'article, Kattan affirme avoir bon espoir que Richler suive les pas de Bellow et de Malamud, au lieu de se contenter d'Herman Wouk. Comme Richler déteste Wouk, qu'il considère comme un écrivain s'adressant à un public moyen, il s'agit là d'une critique sévère, dans laquelle on perçoit pourtant un éloge très flatteur[108].

Malgré l'avertissement de Kattan et l'intérêt de Richler pour le cinéma, la culture de la classe moyenne n'a jamais représenté un danger pour celui-ci. Même si Richler comprend que son avenir ne passe pas par la farce, c'est là que réside le véritable danger. Ses réflexions le poussent toutefois à mêler à sa vie privée des préoccupations publiques à propos de l'Holocauste et de la création de l'État d'Israël. Il va jusqu'à affirmer que s'il s'est mis à écrire, c'est notamment à cause de «l'impulsion historique qui nous pousse à vouloir voir les choses telles qu'elles sont[109]». Peut-être perçoit-il aussi, encore une fois grâce à Bellow, qu'il est faux de penser que «les écrivains peuvent être à la fois des bureaucrates et des bohèmes, qu'ils peuvent agir comme des hommes d'affaires tout en fumant de la marijuana, avoir une famille tout en conservant des pratiques sexuelles de bohème, qu'ils peuvent respecter la loi tout en étant, dans leur cœur et leur attitude, aussi subversifs qu'ils en ont envie[110]». À travers «cette créature étrange», le «parvenu à multiples facettes» que décrit Bellow[111], Richler comprend qu'il n'a pas à choisir entre l'humour d'adolescent et la gravité, qu'il peut utiliser sa propre vulgarité de manière expansive, et pas seulement pour marquer des points faciles contre les médias torontois ou les écoles progressistes britanniques, mais pour redécouvrir l'histoire récente des Juifs, un sujet qui l'a tant fasciné lorsqu'il était plus jeune.

Richler est fasciné non seulement par l'Holocauste et Israël, mais par toute l'histoire de la Seconde Guerre mondiale. Il a lu les journaux de Sir Harold Nicolson et s'est inspiré de la description des enfants infestés de vermine qu'on évacue à la campagne pour construire le personnage d'Harry Stein[112]. Il donne ainsi un visage humain aux enfants crasseux qui inspiraient un profond dédain à leurs bienfaiteurs. Mais l'Holocauste pèse lourd. Selon Richler, c'est ce qui permet d'associer Malamud et Bellow[113]. Si vous voulez connaître le caractère d'une nation, demandez aux Juifs. Ils connaissent le caractère de chacune des nations – Richler a lu cette phrase dans les journaux de Chaïm Kaplan, qu'on a fait sortir clandestinement du ghetto de Varsovie[114]. Lorsqu'on lui demande ce qu'il pense des Allemands, Richler répond sans ambiguïté : «Je n'aime pas particulièrement les Allemands, non.» S'il admet qu'il est injuste d'adopter une telle attitude, il a l'impression qu'il est trop tôt pour que sa génération se montre raisonnable[115]. Il fait pourtant preuve, dans *Le cavalier de Saint-Urbain*, d'une subtilité et d'une complexité qui révèlent une plus grande objectivité. On y trouve, d'une part, des descriptions très dures des conditions de vie dans les camps de concentration (comme celles qu'on peut trouver au Centre de documentation Simon Wiesenthal) que Jake a trouvées dans des documents utilisés dans le cadre du procès des gardiens d'Auschwitz à Francfort, le plus long procès de l'histoire juridique allemande (décembre 1963-1965)[116]. Ces extraits parlent d'eux-mêmes : ils ne comportent aucune ambiguïté morale. D'autre part, et il s'agit là de la contribution unique de Richler, on retrouve chez Jake, Harry et les autres personnages qui appréhendent le génocide vingt ans plus tard, un enchevêtrement inextricable de culpabilité et d'innocence.

Selon David Roxan, Richler s'est accordé très peu de liberté face à l'affaire Levene-Narizzano. Au mieux, il s'est contenté de rendre la jeune fille au pair moins innocente qu'elle ne l'était et de lui donner la nationalité allemande[117]. C'est tout, me direz-vous? Le changement est loin d'être anodin. Il est à la fois absurde et pertinent que Harry et Jake accusent la jeune fille au pair, Ingrid Lœbner, des crimes de l' Allemagne : en effet, elle est trop jeune pour avoir appartenu aux Jeunesses hitlériennes ; de plus, son père aurait apparemment sauvé des Juifs. Pourtant, l'attitude désinvolte qu'elle adopte envers le passé et la religion de Jake – « Oh, c'est un truc démodé[118] » – fait précisément d'elle le genre de spectateur de l'Holocauste dont l'immobilisme exige des explications. Dans son anthologie des écrivains qui ont écrit sur la Seconde Guerre mondiale, *Writers on World War II*, Richler inclut un extrait des récits de voyage de Martha Gellhorn dans l'Allemagne de l'après-guerre : « Personne n'est nazi. Personne ne l'a jamais été. Il y avait bien quelques Nazis dans le village voisin et, ah oui, à une vingtaine de kilomètres d'ici, la ville de --- était un véritable foyer nazi... Les Juifs ? Et bien, il n'y avait pas beau-coup de Juifs dans ce quartier. Deux, ou peut-être six. On les a emmenés. J'ai caché un Juif pendant six semaines. J'ai caché un Juif pendant huit semaines[119]. » Bien entendu, sans la contribu-tion active de millions d'Allemands – Paul Johnson estime notamment que le nombre de SS s'élève à 1 million et le nombre de travailleurs des chemins de fer à 1,2 million, sans compter tous ceux qui ont reçu des biens qui avaient été confisqués aux Juifs[120] – et sans la connivence d'autres millions d'Allemands, l'Holo-causte n'aurait jamais eu lieu. D'après Brian Moore, Richler aborde des questions que Hannah Arendt avait déjà soulevées dans le contexte du procès d'Adolf Eichmann à propos de la banalité du mal[121]. Ingrid n'est peut-être pas responsable de l'Ho-locauste... mais si elle était née et en âge de comprendre les faits pendant la guerre, elle aurait, tout comme Eichmann, donné son accord tacite au génocide. Dans le même temps, son franc-parler, qui révèle son appartenance à une classe sociale inférieure, et son empressement à faire les quatre volontés de Harry parce qu'elle pense qu'il est un célèbre réalisateur, ne lui attirent pas la sympathie d'une audience habituée au raffinement des classes supérieures. Si Richler avait innocenté Ingrid de tout crime, il aurait, du même coup, diminué l'importance de l'Holocauste :

du statut d'opprimés, les Juifs lascifs et méchants seraient simplement devenus, vingt ans plus tard, des oppresseurs. À l'inverse, si Richler avait absous Jake de tout péché et introduit un coupable nazi dans l'histoire, le roman aurait frôlé le mélodrame en encourageant la victimisation des Juifs. Richler souhaitait d'ailleurs intégrer dans le roman un coupable nazi : au départ, Jake se rendait en effet en Espagne pour y rencontrer « Mueller », un ancien colonel nazi[122]. Mais Tony Godwin estimait qu'il y avait trop d'intrigues secondaires[123] et Richler a décidé d'éliminer les passages qui se déroulent en Espagne et de les conserver pour son prochain roman, dans lequel il tentera de brosser le portrait d'un ancien Nazi sans tomber dans le mélodrame.

Malgré la complexité inhérente au traitement de l'Holocauste, le roman révèle aussi les préoccupations de Richler au sujet de l'éducation laïque de ses enfants. À plusieurs reprises dans le roman, Jake exprime sa crainte que ceux-ci soient victimes d'un pogrom. Dans l'Allemagne nazie, le médecin en chef et les idéologues de la race aryenne avaient décidé que ceux qui n'avaient qu'un grand-parent juif étaient allemands, mais que ceux qui avaient un parent juif étaient juifs. Dans les cas où plus de la moitié des ancêtres d'un individu étaient juifs, le côté juif « prédominait », pour ainsi dire. Dans un régime comme celui-là, la famille de Jake aurait été condamnée. Mais la fonction publique allemande, qui édictait les lois, avait décidé que seuls les demi-Juifs pratiquants et ceux qui étaient mariés à des Juifs devaient être considérés comme juifs[124]. Ainsi, Jake et Nancy (et Mordecai et Florence) auraient péri pendant l'Holocauste, mais leurs enfants auraient pu survivre grâce à leur éducation laïque (dépendamment du fait qu'on respecte l'intention ou la loi). Si cette information peut apporter un quelconque soulagement à Jake/Mordecai, ce n'est pas nécessairement la meilleure des nouvelles pour un écrivain laïque dont les enfants ne sont pas en danger et qui subit les attaques des milieux religieux parce qu'il se permet de parler au nom des Juifs. Si la judéité peut être un handicap longtemps après qu'on ait cessé d'avoir la foi, dans certains cas marginaux (c'est-à-dire lorsqu'un seul parent est Juif), c'est la pratique de la religion, et non les traits du visage, que les antisémites estiment être la caractéristique la plus «fiable». Les mariages mixtes et l'absence d'identification directe au judaïsme diminuent le risque d'être exposé à l'antisémitisme. En analysant le personnage du Cavalier, Joey Hersh, on devine que Richler était parfaitement conscient des contradictions de son approche (mais peut-être pas des détails de la loi raciale nazie). Très tôt dans le roman, Jake se rappelle une phrase qui a marqué Richler dans l'œuvre *Crépuscule*, d'Isaac Babel : « Quand un Juif est sur un cheval, ce n'est plus un Juif[125]... » Mais si les choses n'étaient pas simples pour Babel, elles ne le sont pas non plus pour Richler. Peut-on encore considérer Joey comme un Juif lorsque, en 1948, il tire sur ses compatriotes pour les empê-cher de livrer Jérusalem aux Arabes ? Qu'en est-il de Jake, qui idolâtre Joey et choisit la voie de l'assimilation ? Et que dire de Richler, qui a imaginé les personnages de Jake et Joey, et qui adore les Westerns[126] ? À l'époque de la publication du *Cavalier de Saint-Urbain*, la fille de Richler, Emma, décide qu'elle sera elle aussi écrivain[127]. Plusieurs années ensuite, lorsqu'elle publie son premier roman, elle fait dire à son personnage principal : « Est-ce qu'on peut être un cow-boy quand on est juif ? [...] Un jour je le demanderai à mon père, qui est à la fois un juif et un cow-boy, peut-être le seul individu du genre qui ait jamais existé[128]. »

Le personnage de Joey et la quête de Jake pour retrouver non pas un simple cousin, mais un Cavalier juif, s'inspirent des his-toires de la famille Rosenberg et du roman d'A. M. Klein, *Le second rouleau* (*The Second Scroll*). À l'origine, ils sont issus d'une histoire que Lily a probablement racontée à Mordecai. Si le rabbin Yudel Rosenberg avait émigré au Canada avec la majeure partie de ses enfants, son fils aîné, Baruch (Benjamin), était resté en Russie jusqu'à ce qu'il trouve la mort en 1919 sur le front ukrainien, où il se battait avec les communistes. Après la mort de Baruch, sa veuve, Helen Rosenberg, une femme très pauvre malgré son poste au Commissariat du commerce extérieur, arrive au Canada avec sa fille Suzanne (Shoshana) et son fils illégitime, Shurri. Lily, alors âgée de seize ans, va les chercher à la gare Windsor. Accueillis comme il se doit par la famille Rosenberg, les nouveaux arrivants s'installent pendant quelque temps chez le rabbin. Mais lorsqu'il devient clair qu'Helen, loin d'avoir l'intention de changer, res-tera une communiste athée et tapageuse, des tensions surgissent et elle se dispute avec son beau-père. Sans le sou, elle quitte la maison et rompt avec les Rosenberg. Dans son nouveau logement, elle accroche côte à côte sur un mur les portraits de Lénine et de Trotsky. Quant à Suzanne, elle fréquente l'école secondaire Baron Byng, où elle s'éprendra d'un certain Irving Layton.

Au début des années 1930, Helen décide que le Canada ne l'apprécie pas à sa juste valeur et elle rentre en URSS avec sa famille. Pendant la paranoïa stalinienne survenue après la Seconde Guerre mondiale, Suzanne et son mari sont arrêtés et envoyés dans un camp de travail en Sibérie. Shurri, dont le nom est inscrit sur la liste noire, est incapable de trouver un emploi. Il sombre dans l'alcool et se suicide en se jetant sous un train vers 1950. Pendant un certain temps, les Rosenberg ont perdu tout contact avec Suzanne. Or dans les années 1960, Lily assiste à une conférence d'Irving Layton et elle apprend que celui-ci a rencontré Suzanne dans la capitale russe : dorénavant, elle travaille comme traductrice pour la bibliothèque de Moscou. Lorsque Lily raconte la nouvelle à Mordecai, celui-ci décide de lui payer un billet pour aller la voir. La visite de Lily ouvre la voie à la réunification de la famille et, éventuellement, à la venue de Suzanne Rosenberg et de sa fille Victoria (maintenant Zinde-Walsh) au Canada[129]. Richler rencontre brièvement Suzanne lorsque celle-ci, ignorant ses positions antipatriotiques, l'invite à prendre la parole à Londres dans le cadre d'une conférence sur l'économie américaine et la domination culturelle[130].

C'est l'histoire d'Helen Rosenberg dans son ensemble qui a inspiré Richler, et non les personnages individuels qui en font partie. Si on peut faire un parallèle entre Hanna, Jenny et Arty, les trois membres de « la famille de Baruch[131] », comme les appelle Jake dans le roman – et, respectivement, Helen, Suzanne et Shurri, c'est parce que Richler a élaboré ses personnages à partir des informations dont il disposait. Ainsi, Hanna et Arty ne présentent qu'une ressemblance superficielle avec Helen et Shurri. Jenny semble être plus près de Suzanne : toutes deux intellectuelles, elles jouent un rôle important dans l'éducation du jeune frère. Quant au quatrième membre de « la famille de Baruch », Joey Hersh, il semble qu'il ait été inventé de toutes pièces, même s'il présente toutes les caractéristiques d'Helen qui déplaisaient à la famille Rosenberg, à commencer par son athéisme et son penchant pour le communisme.

Si Richler s'est certainement inspiré de l'histoire de la «disparition» de la branche soviétique des Rosenberg, il s'est également appuyé sur une source littéraire : *Le second rouleau* (*The Second Scroll*, 1951), le roman expérimental du poète montréalais A. M. Klein. Vingt ans plus tard, Richler fera une parodie mordante de Klein dans *Gursky* ; aussi peut-on se demander si Richler a agi par ressentiment, sachant qu'il devait beaucoup à Klein pour la quête métaphysique qui donne son sens au roman[132]. Du point de vue stylistique, les deux écrivains sont aux antipodes : si l'écriture de Klein est joycéenne et soutenue, parfois pompeuse, celle de Richler est familière et directe. Toutefois, sur le plan de la structure, Richler doit beaucoup à Klein. *Le second rouleau* est une histoire de détective spirituelle qui raconte les déboires de l'oncle Melech, un homme qui devient tour à tour professeur de loi juive, bolchevique, catholique et réformateur social en Israël. À la recherche de son mystérieux oncle, le narrateur arrive toujours trop tard aux endroits où celui-ci est passé. Même si on ne peut s'attendre à ce que l'esprit que cherche le narrateur de Klein s'incarne dans un être humain en particulier, il s'agit tout de même d'une sorte de quête messianique[133]. En dépit de son scepticisme, le personnage de Jake doit se coltiner à une quête semblable. Les lieux historiques que semble avoir visités le Cavalier – l'Espagne au moment de la guerre civile, le Mexique à l'époque de Trotsky, Munich (le berceau du nazisme, à dix minutes de Dachau), Israël en 1948, la frontière entre l'Argentine et le Paraguay (où se cache Mengele) – réveillent les mêmes fantômes que les destinations de l'oncle Melech : ceux des pogroms, du communisme et de l'indépendance d'Israël[134]. Que la photographie de l'oncle Melech soit, en quelque sorte, une «image taillée», a également influencé Richler. Dans *Le cavalier de Saint-Urbain*, Jake sent qu'il a enfreint le deuxième commandement en faisant du Cavalier son idole[135]. Dans l'esquisse finale du roman, le mystère entourant le Cavalier est encore plus vaste, car Richler décide d'éliminer de longs passages consacrés à Joey[136]. En faisant de Joey une star du baseball, un combattant sioniste et un chanteur western et country, Richler va de toute évidence plus loin que Klein. Il se révèle plus malin que celui-ci, sachant qu'un messie qui peut se faire passer pour Bugsy Siegel risque d'ébranler davantage le marché littéraire qu'un messie qui évoque Gershom Scholem.

D'après le Talmud, un ba'al shem (Maître du nom) peut créer son propre monde s'il est suffisamment vertueux[137]. C'est donc peu de chose de façonner dans l'argile un serviteur et de lui donner la vie en lui insufflant le nom de Dieu (jhwh). Le golem du grand-père de Richler, le rabbin Rosenberg, aurait été créé par le Maharal de Prague pour protéger les Juifs contre les pogroms (même si Gershom Scholem s'est plaint que le récit de Rosenberg n'était «qu'une fiction moderne et tendancieuse» et qu'il n'avait rien à voir avec la véritable légende)[138]. Contrairement au golem de Rosenberg, Joey Hersh (JH)[139] éprouve un désir sexuel. Mais il défend les Juifs comme lui, même si, à l'instar de certains golems rebelles, il représente parfois un danger pour son propre peuple. Le nom qu'attribue Richler au Cavalier, soit Joey, ou Joseph, s'inspire du nom du golem de Rosenberg, Yosele Golem. Si, comme l'affirme Bettina Knapp, le golem est, de manière générale, un archétype du sauveur, il est clair que celui de Rosenberg joue son rôle sans ambiguïté, ce qui n'est pas le cas de celui de Richler : l'obsession de Jake pour le Cavalier l'a en effet mené à Ruthy, qui lui a envoyé Harry, qui lui a imposé Ingrid[140]. À certains égards, la fiction déguisée du rabbin Rosenberg n'a rien à voir avec la réalité des garçons de la rue Saint-Urbain, pour qui les golems sont, d'après Richler, des genres de Superman ou de Captain Marvel[141]. Jake a d'ailleurs recours au vocabulaire de sa jeunesse lorsqu'on lui demande d'expliquer ce qu'est un golem : «c'est une sorte de Superman juif», déclare-t-il[142]. Malgré son discours ironique, Richler aime bien les héros, y compris à l'âge adulte. Il raconte à Noah et Daniel des histoires d'officiers qui ont ordonné à leurs hommes : «Suivez-moi» et les ont entraîné dans la bataille[143]. Lorsqu'il était adolescent, Mike Gold, l'un des premiers écrivains desquels s'est inspiré Richler, espérait qu'un messie vienne flanquer une raclée aux Gentils. Cet espoir s'est transformé plus tard en utopisme de gauche[144]. Jake entretient le même genre d'espoir vis-à-vis de Joey. Dans l'histoire originale sur laquelle se base *Le cavalier de Saint-Urbain*, Jake est écrivain (et non pas réalisateur) ; pour supporter les critiques des éditeurs et des Juifs orthodoxes, il imagine que le Cavalier lit ses œuvres avec beaucoup d'admiration[145]. Or le roman est beaucoup plus complexe. Même s'il n'est pas particulièrement sympathique, le personnage d'Harry possède des qualités semblables à celles du Cavalier et il partage les obsessions de Richler. Jake est lui aussi une sorte de Cavalier pour Harry : en effet, il apporte son aide à une « victime » juive, en quelque sorte. D'ailleurs, Richler a toujours refusé d'affirmer si le Cavalier était bon ou méchant[146].

C'est à travers le personnage de Joey Hersh que Richler formule une réponse à l'Holocauste. Dans *Writers on World War II*, il inclut les grandes lignes de la réponse juive. Pour les orthodoxes, il réutilise une légende hassidique qui raconte l'histoire d'un rabbin et de son disciple à qui des Nazis ordonnent de franchir une fosse dans laquelle se trouvent des cadavres. Contre toute attente, ceux-ci parviennent à atteindre l'autre côté. Comment ont-ils réussi ? « Je me suis inspiré de mes mérites ancestraux », révèle le rabbin, « aux basques de mon père, de mon grand-père et de mon arrière-grand-père, bénie soit leur mémoire. » Le disciple, quant à lui, s'est cramponné au rabbin[147]. Richler, qui a abandonné depuis belle lurette les « basques » de son père et de ses grands-pères, est conscient, bien entendu, que de telles fables font peu de cas des millions de Juifs gazés qui, même s'ils se sont eux aussi accrochés aux basques ancestrales, n'ont pas réussi à franchir la fosse. L'auteur aurait pu facilement choisir une histoire de martyr[148] qui aurait donné une meilleure image des orthodoxes dans le climat laïc de l'époque. En choisissant un récit miraculeux, il semble vouloir discréditer la réponse orthodoxe. Pourquoi Dieu est-il Un ? demande Joey dans *Le cavalier de Saint-Urbain*, avant de répondre lui-même : « Notre Seigneur doit avoir un ver solitaire. Il a un appétit si prodigieux qu'il peut avaler six millions de Juifs en un repas. Vous pensez si le Seigneur notre Dieu était Deux [...] Deux, nous n'aurions pas pu nous le permettre. » Ici, la réplique du rabbin Irwin Meltzer, « Ne questionne pas le Tout-Puissant, ou Il pourrait te demander des comptes[149] », s'avère tout à fait inadéquate. À ce propos, des Juifs qui penchent vers l'orthodoxie, comme Chaïm Bermant, font remarquer que Richler aborde souvent l'orthodoxie par le biais de personnages stéréotypés et qu'il sait probablement mieux ce que signifie être libéral que d'être juif[150].

D'une certaine façon, la question de Joey traduit la position de Richler: aucun Dieu n'était présent lors de ces événements. Il s'agit certes d'une position laïque, mais elle n'est pas complètement étrangère à certains courants de la pensée judaïque. L'accueil favorable qu'a reçu *Le cavalier de Saint-Urbain* laisse penser que de nombreux Juifs américains ont perçu en Joey et Jake le reflet de leur propre incompréhension du rôle de Dieu dans l'Holocauste. D'un point de vue moins laïc, la question de Joey peut être interprétée davantage comme le point de départ d'un débat avec Dieu plutôt qu'un déni complet de Son existence. Contrairement à Richler, la majorité des Juifs américains non orthodoxes croient en Dieu. Mais comme lui, la plupart d'entre eux ne croient pas que Dieu ait *fait* quoi que ce soit[151]. Après l'Holocauste, les Juifs qui ont voulu garder la foi parlent souvent, parfois avec ambiguïté, de l'impénétrabilité de Dieu et de ses intentions vis-à-vis des affaires des hommes[152]. Dans *Writers on World War II*, Richler cite Primo Levi et Elie Wiesel; il s'inspire notamment de Wiesel pour décrire la révolte religieuse de Joey, même si ce dernier articule le problème d'une manière moins blasphématoire que son personnage. En regardant un garçon mourir sur le gibet dans *La nuit* (*Night*), Wiesel entend un homme demander: «Où est donc Dieu?» et il entend en lui une voix répondre: «Le voici: il est pendu ici, à cette potence[153]…» Cette réponse, tout comme celle de Joey, peut être interprétée de deux manières différentes. D'abord, comme dans le Zohar du rabbin Yudel Rosenberg: «Il était affligé de toute leur affliction, et l'ange de sa présence les a sauvés… Il était d'avance résolu à partager leurs souffrances[154].» Ou encore comme l'a interprété le petit-fils existentialiste de Rosenberg: Dieu est mort. Wiesel accuse Dieu d'être responsable de la création d'Auschwitz et se retrouve seul, «terriblement seul dans le monde, sans Dieu, sans hommes[155]», même s'il finit par contrôler son sentiment de révolte et continue à prier Dieu[156]. Le passage où Joey raconte comment, le jour de la Yom Kippour, certains Juifs orthodoxes détenus à Auschwitz ont refusé pour la première fois de leur vie de jeûner, s'inspire également des mémoires de Wiesel.

Richler ne va pas aussi loin que Theodor Adorno, d'après qui écrire un poème après Auschwitz est un acte barbare, mais il est d'accord avec ceux qui estiment qu'après Auschwitz, toute théodicée est vaine ou, en d'autres termes, que les voies de Dieu seront désormais impénétrables, comme le font Wiesel, Richard Rubenstein et Emmanuel Levinas[157]. Pour un spécialiste de la réforme comme Rubenstein, le concept de peuple élu doit être rejeté, mais les rituels du judaïsme peuvent continuer de revêtir une certaine importance, non pour leur contenu mythologique, mais pour leur contenu psychologique[158]. À propos de la fin de la transcendance, Richler est plus catégorique, une attitude qui correspond mieux à l'importance qu'il accorde à la vie physique. À l'instar de Rubenstein, il se moque de la croyance selon laquelle Israël serait une nation élue ; mais contrairement à lui, il ne voit aucune utilité à continuer d'observer des rituels en vertu d'une métaphorisation fluctuante qui n'applique pas les croyances juives à la lettre, même s'il amène ses garçons à la synagogue pour la Yom Kippour.

Dans certains récits juifs (dont *Le second rouleau*), la création de l'État d'Israël constitue une réponse décisive à l'Holocauste : elle relève presque de la théodicée et pourrait potentiellement justifier les «voies» obscures de Dieu. On affirme, entre autres, qu'en revendiquant la Palestine, les Israéliens ont grandement contribué à ce qu'un massacre comme celui de l'Holocauste ne se reproduise plus. Le roman *Exodus*, de Leon Uris, qui a donné lieu en 1961 à un film épique mettant en vedette Paul Newman, offre une version idéalisée de cet argument. Selon Arnold Band, il s'agit simplement d'un western dans lequel les Arabes jouent le rôle des Indiens[159]. On pourrait ajouter qu'il s'agit d'un décor approprié pour un cowboy juif comme le Cavalier. Richler fait évoluer son personnage dans la vieille ville de Jérusalem, où la Légion arabe du roi Abdallah l'emporte contre les Juifs et où, juste après la lecture de la déclaration d'indépendance d'Israël par David Ben Gourion, les affrontements sont les plus violents. Richler a bien sûr senti l'attrait de la position des défenseurs du sionisme et de la théodicée, qui ont imaginé un monde dans lequel tout est à sa place[160]. Après la guerre des Six-Jours, il a envie de rentrer sous terre chaque fois que circulent des caricatures de Moshe Dayan et des Israéliens, en particulier dans les journaux de gauche. Dans le *New Statesman* par exemple, une caricature montre un vieil Égyptien indigent accompagné de ses femmes et ses enfants avec, à l'arrière-plan, un regroupement de tentes – qui observe un bombardier israélien. « Qui est juif ? » peut-on lire sous le dessin. Bien qu'elle soit passionnée, la réponse de Richler est tout aussi facile : « Et bien, si c'est la seule alternative, je préfère que nous ayons les bombardiers et qu'ils se contentent de bâtons cette fois-ci[161]. » Le commentaire n'est pas anodin. Richler n'oubliera jamais la rigueur des Lumières qui l'avait rendu méfiant par rapport à ceux de « sa propre espèce » dans *Un cas de taille*, mais selon lui, après les horreurs de l'Holocauste et les menaces de la Ligue arabe, Israël devrait avoir le droit de se défendre. En même temps, il lui apparaît inimaginable que la création de l'État d'Israël soit en mesure de compenser pour les six millions de victimes de l'Holocauste.

Les écrivains de la diaspora juive ont fait du « pèlerinage en Israël » un important dispositif littéraire. Même *Portnoy*, qui a pour slogan « Libérez ma bite », veut émigrer en Israël. Les Juifs « nouveau genre » qu'il y trouve sont terriblement purs, et aussi longtemps que Portnoy demeure en Israël, il est incapable d'avoir une érection. Richler adore *Portnoy et son complexe*[162] et il est d'accord avec Roth sur le fait que la création d'Israël, tout en étant nécessaire, n'a pas résolu l'ensemble des problèmes juifs. Depuis un certain temps déjà, Richler s'éloigne du sionisme de Theodor Herzl pour se rapprocher d'un courant opposé représenté par Ahad Ha'am. À l'époque de son premier séjour en Israël, en 1962, Richler a lu l'introduction qu'Hans Kohn a rédigée pour une nouvelle édition anglaise de l'œuvre de Ha'am[163] et il a été intrigué par la description évocatrice que fait Kohn des Israéliens, qui formeraient « un nouveau genre de Juifs ». Ha'am s'oppose aux solutions militaires et il estime que de restaurer les anciennes frontières d'Israël reviendrait à confondre l'espoir messianique et la politique[164]. Il serait dès lors facile pour les « nouveaux » Juifs de commettre des atrocités en invoquant le nom de Dieu et l'intérêt de la nation, d'oublier la diaspora palestinienne et, pour les autres Juifs qui en sont témoins, de sombrer dans la désillusion. À plusieurs reprises dans le roman, Joey se retrouve confronté

à des actes d'antisémitisme et demande : « Qu'allez-vous faire[165] ? »
Richler a beaucoup de respect pour une nation qui s'affirme et
répond de manière agressive à une question comme celle-ci, mais
il se méfie de la rhétorique nationaliste d'Israël. On ignore si
Richler a véritablement entendu des Israéliens déclarer « Nous
sommes un autre genre de Juifs ici » comme il le soutient[166], ou
s'il a simplement emprunté la citation à Kohn. Chose certaine,
il a l'impression que ce discours ne s'accorde pas tout à fait avec
le célèbre énoncé de Babel : « Lorsqu'un Juif monte à cheval, il
cesse d'être un Juif. » Richler avait déjà démontré son scepticisme
dans *The Acrobats*, à travers le personnage de Barney, qui semble
croire que la prospérité d'Israël peut compenser à ses propres
échecs[167]. Pour rédiger *Le cavalier de Saint-Urbain*, Richler s'inspire
de son séjour en Israël en 1962 ; Jake – nom dérivé de Jacob, qui
signifie « fils d'Isaac » – nourrit d'abord l'espoir que le nouveau
nom et le nouvel État, Israël, fournissent une réponse finale à
l'Holocauste, mais il finit par ne plus y croire. Ni Jake ni Richler
ne sont prêts à admettre que les Juifs de la diaspora doivent
choisir entre *Eretz Yisrael* et l'assimilation[168]. Et si Joey a participé
au massacre de deux cent cinquante civils arabes perpétré par
l'Irgoun et le groupe Stern à Deir Yassin (un massacre applaudi
par Menachem Begin et considéré par le Dr Yisrael Eldad, un des
principaux idéologues du groupe Stern, comme un acte nécessaire à la survie d'Israël)[169], la conscience de Jake/Richler n'est pas
si aveuglée par le nationalisme. En réponse à Vladimir Jabotinsky,
le fondateur du sionisme révisionniste, qui avait déclaré : « Dieu
merci, nous les Juifs n'avons rien à voir avec l'Est », Richler laisse
entendre que les réseaux d'allégeances sont plus complexes qu'on
ne le croit : comme les Juifs américains, les Arabes palestiniens
ont peut-être des devoirs à l'égard d'autres pays que le leur[170]. En
cherchant à aborder la création d'Israël d'un point de vue moral,
Richler entreprend une tâche complexe qui l'entraîne bien au-
delà des jeux de temporisation d'*Un cas de taille*, vers une vision
plus large et plus humaine. En un certain sens, *Le cavalier de
Saint-Urbain* est la façon qu'a trouvé Richler de dire ce qu'Hannah
Arendt avait déjà affirmé avant lui : « On ne peut pas dire que
"j'aime" les Juifs ou que je "crois" en eux ; je fais simplement
partie de leur communauté[171]. »

Si le Cavalier, Dieu et Israël ne fournissent pas à Jake les réponses qu'il cherche, vers quoi doit-il se tourner? Au départ, Richler tente de se dérober sur ce point, mais son éditeur, Tony Godwin, n'est pas satisfait. Quelle que soit la philosophie ou la conclusion à laquelle tu aboutis, insiste Godwin, il doit y en avoir une[172]! Richler formule donc, avec beaucoup de talent, sa vision de l'humanisme. Il n'est pas prêt à reconnaître que la logique religieuse des Dix commandements offre une explication à l'Holocauste ou aux problèmes de Jake – qui ne sont pas, selon Jake, des événements par lesquels Dieu cherche à châtier «la faute des pères sur les fils jusqu'à trois et quatre générations[173]». En se donnant lui-même le nom d'Aaron, Jake trahit son idolâtrie du Cavalier, ce veau d'or qu'il a lui-même créé pour remplacer l'Être divin et Ses commandements. Si on considère l'histoire de Jake comme l'autobiographie imaginaire de Richler, on peut y voir la perception qu'a Richler du rôle du romancier dans la tradition juive : confronté à l'épopée de Moïse (une position trop étroitement associée à Shmarya Richler), «Aaron» le romancier se voit forcé, en l'absence du divin, de créer un veau d'or qui, en fin de compte, ne peut être adoré. Pourtant, et même si Moïse le législateur refuse de l'admettre, le romancier/Aaron n'ignore pas qu'il a créé une idole.

Le veau d'or, cette image à la fois fausse et nuisible du Divin, n'est pas aussi nuisible qu'on le croit. Lorsqu'il découvre que l'arme du Cavalier n'est qu'un revolver d'acteur, Jake est soulagé. L'image du gangster s'estompe. Le fait que Herzog, le personnage de Saul Bellow, ait invoqué la justice au lieu d'utiliser le fusil de son père a sans aucun doute influencé Richler. La violence métaphorique est bien différente de la violence véritable, et en décidant de considérer le Cavalier comme un «présumé mort», Jake s'assure que le veau d'or n'est pas complètement détrôné. En admettant que son idée du Cavalier est en grande partie illusoire, Jake démontre sa capacité à distinguer la violence actuelle d'Harry de la violence passée du Cavalier. Il s'agit d'une distinction très importante s'il doit aimer Nancy et ses enfants au point de s'assurer que ses propres obsessions ne détruisent pas sa famille. Mais en refusant la mort du Cavalier, Richler semble entretenir une sorte de foi, manifestement une foi humaniste.

Dans une certaine mesure, en acceptant une certaine responsabilité morale pour la création de ses propres dieux et, par conséquent, pour ses propres actions (après tout, le Cavalier reste un
personnage fictif), Jake incarne lui-même le Cavalier.

Confronté à la question de Joey, « qu'allez-vous faire ? », même
après la mort de celui-ci, Richler ne peut plus se contenter de se
moquer comme il le faisait dans *Un cas de taille*, et Jake ne peut
pas offrir une version adolescente du Cavalier. Il ne peut que
s'incliner devant la mortalité de l'homme : « Il pleura, voilà ce
qu'il fit [...] Il pleura pour son père, pour son pénis qui sortait
de son caleçon comme un ver de terre desséché[174]. » On devine
ici la signification que comportait pour Richler le fait d'avoir
quarante ans, un âge qui a continué de le hanter même après
qu'il ait atteint soixante ans : « Je ne crois pas en la conscience I,
la conscience II ou la conscience III », a-t-il déjà dit à un interviewer. « C'est bon pour le magazine *Vogue*, comme McLuhan.
Oubliez ça, il n'y a rien de nouveau là-dedans, vraiment. Nous
allons tous mourir, et rien n'a vraiment changé[175]. »

On est loin de *The Incomparable Atuk* et d'*Un cas de taille*,
mais ce n'est pas non plus comme si Richler avait décidé soudainement de se convertir à l'empathie et à la correction politique. Dans ses papiers, on a notamment retrouvé une lettre des
Artistes-Peintres de la Bouche et du Nez de Londres, qui sollicitent son appui, un article sur « le jeune artiste qui a franchi le
mur de la vision[176] » et une lettre d'une jeune femme de Melfort,
en Saskatchewan, qui veut obtenir des explications concernant le rejet d'un texte qu'elle avait soumis pour publication au
Toronto Star Weekly. Celle-ci raconte qu'elle a récemment survécu
à une série d'attaques qui, en plus d'entraîner d'autres handicaps
physiques, ont appauvri son vocabulaire et lui ont fait perdre
sa maîtrise de l'orthographe. Pourtant, écrit-elle, « l'écriture est
mon seul espoir de revenir à la vie, et si je ne peux vendre ce que
j'écris, je peux aussi bien prendre une dose mortelle de quelque
chose tout de suite. » Elle nourrit aussi une sorte de rancœur qui
lui permet de s'expliquer la réticence du *Star Weekly* à publier son
texte : « Comme la plupart des gens de l'ouest, je pense que nos
opinions et points de vue ne sont pas abordés dans les prétendus
"magazines nationaux de l'est"[177]. » Richler adore recevoir ce genre

de courrier[178], et il s'empresse de réutiliser dans sa propre fiction ce type d'argument – publiez-moi parce que vous avez pitié de moi – pour imaginer la stratégie de manipulation qu'utilise la femme de l'avocat de Jake dans le but de vendre des tableaux réalisés par des handicapés, ainsi que l'histoire du garçon aveugle et infirme qui s'obstine à vouloir travailler. Cependant, Richler réutilise l'anecdote du Macy's d'une manière moins prévisible. Devant le grand magasin, une femme vêtue de manière élégante sollicite l'aide de Richler et de ses amis pour récupérer «cinq (5) millions de dollars» qui appartiennent à son père et dont se sont emparés Hersz Cukier, Hersz Sztern et Jankiel Totelbaum, de New York. Elle prétend que les trois hommes tentent de la tuer avec des rayons supersoniques et qu'ils ont installé un radar pour surveiller ses moindres mouvements[179]. Au lieu de se moquer d'elle, Richler réutilise cette anecdote pour la scène dans laquelle Jake, en route pour New York, rencontre un vieil homme atteint de paranoïa : lorsqu'il aperçoit le numéro tatoué sur le bras du vieil homme, Jake cesse brusquement de rigoler[180].

D'un point de vue à la fois intellectuel et émotionnel, *Le cavalier de Saint-Urbain* est alors, et de loin, le roman le plus ambitieux de Richler. C'est pourquoi celui-ci décide qu'il doit être publié à une date symbolique, c'est-à-dire le jour de son quarantième anniversaire, le 27 janvier 1971[181]. Lorsqu'il l'apprend, Jack McClelland est estomaqué. «C'est une très mauvaise idée», grommelle-t-il, et il propose plutôt de faire paraître le livre en octobre 1970, juste à temps pour le marché de Noël[182]. Finalement, vu la longueur du processus éditorial, *Le cavalier* ne paraît qu'à la fin du printemps 1971, mais le plan initial laisse deviner à quel point ce roman était important pour Richler. Dorénavant, il n'y aura plus de retour en arrière. Plus de petites satires acerbes. Ses futurs romans seront des compendiums de sa vie et de la folie humaine qui lui permettront de clamer son refus du désespoir.

Le cavalier de Saint-Urbain est encensé par la critique[183], à tel point que Robert Fulford affirme que le roman est en passe de devenir une référence. Sachant que Richler se préoccupe aussi peu des romans de Hugh MacLennan que de «l'identité canadienne», Fulford ajoute : «Je crains que vous n'ayez écrit, sans le vouloir, les *Deux solitudes* (*Two Solitudes*) dans les années 1970.

Qu'est-ce que ça vous fait[184] ?» Par la suite, Richler remportera un autre prix du Gouverneur général avec *Le cavalier de Saint-Urbain* et, chose plus importante encore à ses yeux, le livre est acclamé en Grande-Bretagne, où il reçoit une nomination au Booker Prize, l'un des prix littéraires les mieux cotés[185]. Parmi les autres auteurs mis en nomination se trouvent notamment Doris Lessing, une vieille amie de Richler, avec *La Descente aux enfers* (*Briefing for a Descent into Hell*) et V. S. Naipaul, qui publie toujours chez André Deutsch, avec *Dans un État libre* (*In a Free State*). Richler devait être conscient qu'il avait de bonnes chances de gagner : parmi les cinq membres du jury, Philip Toynbee avait durement critiqué *Un cas de taille*, mais John Gross (le président) et Saul Bellow étaient juifs, et le romancier John Fowles n'avait pas tenté de cacher son appréciation du *Cavalier de Saint-Urbain* lorsqu'on s'était interrogé à savoir s'il devait figurer sur la liste du *Times*. «Il mérite de figurer sur cette damnée liste – encore mieux, la liste mérite qu'il y soit inscrit», écrit-il à Richler, et il promet de s'assurer que le roman soit admissible pour le Booker Prize[186]. Brian Moore est convaincu du triomphe de Richler : «Peu importe ce qui arrive, tu l'auras, c'est sûr. Booker est juif, Bellow est juif, Mascler est juif, Richler est juif… On sait tous que c'est arrangé[187] !» En fin de compte, c'est Naipaul qui remporte le prix ; Richler et Lessing, quant à eux, n'assistent pas à la cérémonie. André Deutsch exulte : il répète à qui veut l'entendre que c'est une merveilleuse soirée pour sa maison d'édition[188].

TROISIÈME PARTIE

Le retour au pays

1972-2001

Il fait bon de revenir à la maison,
et de pouvoir s'en prendre à d'autres de près.

RICHLER, «Playing the Circuit», 1972

18

Retour à Avonlea

Tandis que richler révise *Le cavalier de Saint-Urbain* à Londres, la situation devient critique à Montréal. Le 5 octobre 1970, le Front de libération du Québec (FLQ) procède à l'enlèvement de James Cross, le commissaire commercial britannique et, quelques jours plus tard, à celui de Pierre Laporte, le ministre du Travail du Québec. Le Premier ministre Trudeau décrète la Loi sur les mesures de guerre et déploie 7 500 soldats canadiens, la plupart à Montréal. Le 17 octobre, le cadavre étranglé de Laporte est découvert dans le coffre d'une voiture. Le magazine *Life* demande à Richler de faire la couverture de l'événement. Le hic, c'est qu'il est coincé à Londres jusqu'au début du mois de novembre[1]. En attendant, il demande à Bill Weintraub de prendre des photos d'un Montréal en état de siège. Weintraub refuse en expliquant qu'il est trop risqué de se balader en ville[2]. À son arrivée à Montréal, Richler interviewe Trudeau et le chef du Parti Québécois, René Lévesque, deux personnalités qu'il admire beaucoup[3] et qu'il continuera d'admirer pendant toute la crise d'octobre, en particulier lorsque Lévesque traite les membres du FLQ de «bums» et dénonce leur violence[4]. Dans les années à venir toutefois, Richler perdra tout le respect qu'il avait pour Lévesque lorsqu'il apprendra qu'au moment des attentats terroristes du milieu des années 1960, Lévesque avait qualifié les cellules du FLQ de courageuses[5], les incitant indirectement poursuivre leurs actions, ce qui allait les mener à commettre leurs crimes des années 1970.

« J'ai eu très peur pendant la crise d'octobre », admet Richler, qui craignait que Montréal ne devienne un nouveau Belfast[6]. Malgré son angoisse, il observe les événements avec l'œil du satiriste. Il remarque que de nombreuses personnalités sont insultées du fait que, dans une ville sur le pied de guerre, on ne place pas de soldats à leur porte[7]. Dans son article pour *Life*, Richler ne peut s'empêcher de déformer les propos de David Molson, le président de l'équipe des Canadiens de Montréal. En entrevue, Molson, insistant sur les efforts de rapprochement entre anglophones et francophones, avait déclaré à Richler que sa famille avait toujours été proche des Québécois et que ses enfants apprenaient le français grâce à un couple de domestiques québécois qu'il avait engagé. Richler fait dire à Molson : « De toutes les vieilles familles WASPs de la province, la nôtre a toujours été la plus proche des autochtones... Nous avons une bonne francophone à la maison et les enfants en profitent. Ils apprennent[8]. » Indigné, Molson envoie une lettre à Richler, mais autrement, il semble lui pardonner ses agissements[9].

Après avoir mis la dernière main au *Cavalier de Saint-Urbain*, Richler se montre satisfait et confiant. « Les critiques n'ont rien à dire », se vante-t-il. « Je crois fermement que tout le monde finit par trouver son propre niveau. Les télégrammes et la fébrilité finissent par s'estomper et les gars qui se sont lassés sont découverts deux romans plus tard[10]. » Rapidement toutefois, il se sent partir à la dérive, désœuvré[11]. Plusieurs événements viennent jeter une ombre sur le succès du roman. Au début de 1971, Nathan Cohen meurt d'une attaque cardiaque et sa femme, Gloria, semble incapable de s'en remettre. Robert Weaver exhorte Florence à lui envoyer un mot de temps en temps[12]. Moins d'un mois plus tard, Neil Compton, l'ancien mentor de Richler qui l'avait accueilli peu de temps auparavant à Sir George, est victime d'un horrible accident : il subit une fracture du crâne et se retrouve en fauteuil roulant. À la même époque, Richler apprend que Cathy Boudreau, son ex-femme, est atteinte du cancer du sein[13]. Elle vit alors à Taipei, où elle a rejoint le temple Yung Ming et se fait appeler par son nom bouddhiste, « Jh-an-anda ». Bien qu'elle parle beaucoup de « paix de l'esprit », elle se sent seule et anxieuse et espère pouvoir éviter une opération. Sa sœur Tess et la section canadienne de son groupe bouddhiste lui envoient de l'argent. Il semble que Richler l'ait fait lui aussi[14]. Boudreau finira par rentrer à Toronto[15].

De manière plus troublante, mais tout de même irritante, Richler rencontre des soucis avec l'adaptation potentielle de *Stick Your Neck Out* (le titre américain de *The Incomparable Atuk*) pour en faire une comédie musicale. Les producteurs Steven Sharmat et Sandy Baron prennent une option : ils engagent le compositeur Jerry Schwartz et le parolier Bob Hilliard, qui avait déjà écrit « Bongo Bongo je ne veux pas quitter le Congo... Bing, bang, bing, je suis si heureux dans la jungle. » Ceux-ci mettent de côté la satire et ne conservent que les blagues les plus poussées. En septembre 1966, le livret de la comédie musicale en est à sa cinquième réécriture. Les répétitions auront lieu en juillet, promet Sharmat en 1967, mais les années passent et il ne réussit pas à rassembler les fonds nécessaires. Il mène Richler en bateau, et lorsque celui-ci pose des questions, il l'apaise en lançant des noms de stars. Phil Silvers pourrait très bien jouer le rôle de Buck Twentyman, et Ringo Starr celui d'Atuk. L'agente de Richler, Monica McCall, lui répète un mantra qu'elle croit apaisant : « Le résultat final nous semblera peut-être horrible, mais il rapportera peut-être aussi beaucoup d'argent[16]. »

À l'été 1971, Richler en a marre. Son ami Norman Jewison lui dit qu'il aimerait faire un film avec *The Incomparable Atuk*, mais qu'il ne peut pas laisser une comédie musicale lui voler la vedette. Puisque Sharmat n'a toujours pas engagé le metteur en scène et l'acteur principal, Richler l'informe, le 15 juin 1971, que l'option qu'il a prise sur le roman n'est plus valide. Sharmat lui répond qu'il serait ridiculement facile d'engager une vedette et un metteur en scène pour valider l'option, mais que, si Richler le veut bien, il préfère attendre de trouver quelqu'un pour jouer le rôle de Twentyman. McCall, peu disposée à prendre le risquer de rater une occasion, quelle qu'elle soit, ajoute son grain de sel : « Si tu peux signer tout de suite un contrat de film lucratif, alors il n'y a rien à ajouter, mais si on n'agit pas maintenant, on risque de perdre la pièce, la saison, les acteurs[17]... » Cela après avoir enduré pendant cinq ans les manœuvres dilatoires de Sharmat.

Même si Richler n'est pas d'accord[18], Baron et Sharmat finiront par avoir le dernier mot. En dépit du harcèlement que Richler fait subir à Jewison, *Stick Your Neck Out* ne sera jamais adapté au cinéma. Quelques années plus tard – juste après avoir réalisé le film *Jesus Christ Superstar*, une adaptation de la comédie musicale du même nom –, Jewison fait l'éloge d'un scénario de *The Incomparable Atuk* rédigé par Don Harron[19], l'auteur des livres de l'atroce série des Charlie Farquharson et l'ami de Jewison. L'ex-mari de Florence, Stanley Mann, qui a vu le scénario de Harron, annonce la mauvaise nouvelle à Richler, qui a les mains liées par des contrats et par ses propres espoirs : « Je pense que ça nous laisse quelque chose à espérer – une réécriture complète, par exemple[20]. » Depuis un certain temps déjà, Jewison a reporté ses espoirs sur *Le cavalier de Saint-Urbain*, mais United Artists refuse d'acheter les droits et, en janvier 1972, Richler est forcé d'assister à l'échec de non pas un, mais deux contrats de film pour *Le cavalier de Saint-Urbain* – le premier avec Jewison, le second avec Alan Pakula[21]. Pendant tout ce temps, Jewison prolonge l'option qu'il a prise sur *The Incomparable Atuk*. En 1975, il n'a toujours pas réglé les problèmes avec le script[22], et ses projets de films avec Richler finiront par tomber à l'eau.

～

Déjà, au printemps 1971, Richler tente de négocier avec Florence un retour permanent à Montréal. « Plus jamais l'enseignement ! » avait-il dit à la fin de son contrat à Sir George quelques années plus tôt. Pourtant, lorsque le président de l'université Carleton, A. Davidson Dunton, le sollicite pour enseigner, Richler, en plus de demander un contrat de deux ans, évoque la possibilité de rester plus longtemps[23]. Au Canada, Richler espère être introduit dans des cercles plus hétérogènes qu'en Grande-Bretagne, où il fréquentait presque exclusivement des écrivains et des gens de la télévision et du cinéma[24]. Par ailleurs, même s'il aime se décrire comme un écrivain cosmopolite, Richler ne peut ignorer le fait qu'en dépit de sa nomination au Booker Prize, les deux tiers des ventes du *Cavalier de Saint-Urbain* ont été réalisées dans son pays natal[25]. Chose plus importante encore, il reconnaît qu'il doit le succès *artistique* du *Cavalier de Saint-Urbain* à son retour dans le Montréal de son enfance. En pensant peut-être aux romans de Doris Lessing, il évoque l'appréhension qu'il éprouvait en voyant les autres expatriés (d'Afrique du Sud ou d'ailleurs) écrire des histoires ayant pour décor des pays mythiques ou se déroulant dans le passé ou le futur[26]. Lorsqu'il vivait en Grande-Bretagne, il ignorait toujours à quoi pensaient les gens lorsqu'ils rentraient à la maison après le travail[27]. Noah affirmera plus tard que son père souhaitait simplement rentrer à la maison[28], mais il n'était probablement pas conscient que chaque fois qu'il écrivait un article, celui-ci recevait des tonnes de lettres dans lesquelles on lui reprochait de ne pas connaître la réalité canadienne. Il craignait qu'ayant vécu aussi longtemps loin des siens, il ne comprenne plus les Canadiens – comme le lui reprochaient ses détracteurs. Plusieurs années auparavant, il avait proposé la publication d'une anthologie irrévérencieuse sur le Canada vu par des non-Canadiens, de Voltaire à Steve Canyon, mais le projet n'a jamais été concrétisé[29] et Richler s'est contenté de réutiliser certains éléments dans *Le cavalier de Saint-Urbain*. Mais pour continuer d'écrire sur la «tiefste Provinz», il devra retourner y vivre.

La transformation de Richler en provincial s'opère depuis un certain temps déjà, mais elle n'est pas sans douleurs. À la fin des années 1960, Richler est forcé – à cause des articles qu'il publie dans la presse canadienne et de son travail sur une anthologie d'écrivains canadiens (*Canadian Writing Today*) – d'essayer de comprendre la mentalité des habitants du cœur du pays. Il se moque de la maigreur typiquement coloniale des Riderettes de Saskatchewan et de la Coupe Grey. Il se plaint aussi – à raison selon lui – d'avoir dû uriner avec deux cents autres personnes au parc Lansdowne, à Ottawa[30]. Pour se moquer de son côté snob, un fan écrit: «La réticence de Mordecai à participer au rituel de la miction collective m'a fait rigoler! Ça prend vraiment quelqu'un comme Mordecai pour grimacer à l'urinoir[31]!» Lorsque l'article «Bedlam in Bytown» est repris dans *Home Sweet Home*, quelques années plus tard, la plainte de Richler a disparu[32].

À chacune de ses visites au Canada, Richler était déjà accueilli comme un fils prodigue. En mars 1970, il se rend dans l'Ouest

canadien pour faire le «circuit des vaudevilles de campus[33]». À
Brandon, au Manitoba – une ville considérée par certains comme
le centre spirituel de la nation –, Richler parle de son voyage dans
l'Ouest comme d'une expérience étrangère[34]. Ses hôtes s'auto-
flagellent: ils admettent que le grand écrivain a atterri sur une
autre planète. Aurait-il l'amabilité d'excuser le caractère provincial des questions qui lui sont adressées[35]? À certains moments,
Richler fait preuve de l'équanimité demandée: «Aucun hippie
n'aurait pu agir avec plus de douceur», affirme avec enthousiasme un observateur après qu'on lui ait adressé une question
particulièrement inepte à l'université de Calgary[36]. Mais à d'autres
moments, Richler, enhardi par l'alcool, se montre moins cour-
tois. Lorsque Jack McClelland lui fait traverser le nord de l'Ontario et l'entraîne jusqu'à Elliot Lake pour qu'il prenne la parole
dans un congrès d'enseignants au secondaire[37], il refuse de faire
un discours et offre plutôt de répondre aux questions du public,
à condition qu'elles ne soient pas trop stupides. D'après certaines
rumeurs, le silence est tombé dans la salle et, après quelques
minutes, la présidente s'est levée pour remercier Richler et
mettre fin à la rencontre[38]. Ce compte-rendu doit être exagéré,
car l'organisateur du congrès a pris la peine d'écrire à Richler
pour le remercier de «son attitude informelle» et de son «honnêteté», ce qui faisait changement des conférenciers qui se
contentent de répéter le texte d'un autre[39].

Pendant son voyage dans l'Ouest, Richler traverse les
Rocheuses avec l'éditeur canadien Mel Hurtig. Selon Hurtig, le
temps est exécrable et l'humeur de Richler aussi. Cette excur-
sion donne lieu à un article peu enthousiaste intitulé «Endure,
Endure[40]». Malgré les reproches ultérieurs de Hurtig, le texte est
plein d'esprit. Il ne sera cependant pas reproduit de manière inté-
grale dans *Home Sweet Home*: dans la version originale, Richler
affirme être à la recherche des «radieuses montagnes de légende»
mais n'avoir découvert que le Banff Springs Hotel, où de «vieux
protestants méritants, bénis par Dieu et le Fonds de croissance
pour les investisseurs», livrent leur dernier combat. Comme on
peut s'y attendre de la part d'un satiriste habitué à la ville, Richler
considère que les Rocheuses sont plus propices au silence qu'à
l'écriture[41]. Bien qu'on puisse constater une certaine autocritique

involontaire dans l'approche de Richler – on n'a qu'à penser à lui avec quelques années de plus, se plaignant de l'ennui qu'il lit dans les yeux des Américains lorsqu'il leur parle de l'Arctique –, ses remarques sont souvent habiles et bien senties : « Demain, Winnipeg brillera de tous ses feux comme Byzance. D'ici là, il fait froid et on vieillit[42]. »

Hurtig, un des membres fondateurs du Comité pour un Canada indépendant (CIC), dont l'objectif est de protéger l'indépendance économique et culturelle du pays par rapport aux États-Unis, n'apprécie pas ses remarques. Il tente de faire prendre conscience à Richler que son antinationalisme est un péché. À l'époque, Richler est content d'être canadien[43] et prend souvent la défense de son pays, notamment avec l'anthologie *Canadian Writing Today*, publiée chez Penguin[44]. Malgré tout, et même si certains de ses amis comme Jack McClelland et Peter Newman rejoignent le CIC, Richler est prêt à aller à contre-courant. Le CIC a réussi à obtenir la création de l'Agence d'examen de l'investissement étranger (FIRA) et du Conseil de la radiodiffusion et des télécommunications canadiennes (CRTC), qui fixe les règles de contenu pour les diffuseurs canadiens[45]. Richler, peu enclin au protectionnisme culturel, manifeste son désaccord. Il n'est pas particulièrement peiné par la vente de Ryerson Press à une maison d'édition américaine, bien qu'il admette qu'il aurait pu l'être s'il s'était agi de McClelland & Stewart[46]. Hurtig dit à Richler que ses articles sur le Canada sont bourrés d'idées arriérées. Comment Richler peut-il écrire sur son pays natal alors qu'il vit à Londres ? Il ne suffit pas d'y venir en visite une fois de temps en temps[47]. À l'instar de Layton et d'autres nationalistes, Hurtig a surtout du mal à accepter que Richler soit considéré, à l'extérieur du Canada, comme un représentant *de facto* du pays. Hurtig fait le même constat qu'avaient fait les Juifs avant lui et qu'allaient bientôt faire les Québécois : Richler est un traître ; il ne nous comprend pas. Pendant un temps, Richler continue de parler en bien du travail d'édition que fait Hurtig à Edmonton[48], mais cela ne durera pas.

Les contrats réalisés par Richler au Canada à la fin des années 1960 et au début des années 1970 ont influencé sa décision d'accepter l'offre de l'université Carleton et de rentrer à la maison. Comme il n'y a plus de paquebots canadiens, Richler et sa famille (sauf Daniel, qui reste en Europe pour compléter sa dernière année d'études secondaires) embarquent, le 21 juin 1972, à bord de l'Alexandre Pouchkine, un navire soviétique ou, comme le décrit Richler, «une sorte de palace communiste flottant[49]». Richler, Florence, quatre enfants, une bonne, une voiture et tous leurs bagages prennent la mer[50]. Et ils quittent la maison, comme disent les enfants[51]. Jack McClelland tente de faciliter la traversée en confiant à l'équipage soviétique que «le voyage pourrait être beaucoup plus plaisant et agréable s'il [Richler] était [est] reconnu pour ce qu'il est vraiment, c'est-à-dire une célébrité internationale[52]».

Puisque Florence n'y était pas favorable, la décision de rentrer à la maison n'a pas été prise à la légère[53]. Elle avait renoncé au Canada bien avant de rencontrer Richler et, compte tenu de ses projets avec le Armchair Theatre et Rank Organisation, elle n'avait aucune raison de croire qu'il souhaiterait un jour y retourner[54]. Florence avait l'impression qu'elle et Richler avaient fondé une merveilleuse famille et créé un foyer douillet; et qu'ils risquaient de tout gâcher en quittant la Grande-Bretagne. «Je ne voulais pas que ça finisse», raconte-t-elle. «C'était une réaction puérile face au bonheur[55].» Pour empirer les choses, Florence contracte l'hépatite et doit traverser une période d'incubation de quatorze semaines pendant laquelle elle est déprimée sans savoir pourquoi[56]. Si elle est remise au moment du voyage, on lui interdit de boire de l'alcool pendant un an et, au milieu de la décadence qui règne à bord de l'*Alexandre Pouchkine*, elle doit se contenter d'une eau minérale géorgienne qui sent le Javex[57].

Il faut aussi considérer l'éducation des enfants. Richler craint qu'une éducation canadienne leur nuise et que ses enfants, si doux et polis, soient écrasés par les jeunes Canadiens agressifs[58]. Il décide de louer la maison de Kinston Hill plutôt que de la vendre[59]. D'après Richler, Londres est «la ville la plus agréable et la plus civilisée du monde occidental», mais la décision ultime ne peut être prise en fonction des souhaits de sa femme ou de ses enfants, ou même des siens : le risque de voir son inspiration se tarir est trop élevé.[60] Et pourquoi ne pas fuir un pays où ses enfants apprendront à dire « graws » au lieu de « grass [61] » ? Richler pense que ceux-ci sont gênés de son accent. Pas tant que ça, le réconfortent-ils[62].

Lorsqu'il vivait en Angleterre, des Canadiens patriotes lui demandaient pourquoi il estimait que le Canada n'était pas assez bon pour lui. À son retour à Montréal, ces mêmes Canadiens patriotes lui demandent joyeusement pourquoi il n'a pas réussi à Londres[63]. Même si Richler doit enseigner à l'université Carleton, il n'est pas question pour lui de vivre à Ottawa, une ville qu'il décrit comme « six pâtés de maisons de raffinement et un village d'éleveurs[64] ». Le fait que tout le monde au club de presse national connaisse Larry Zolf et que personne ne le connaisse, lui, n'a pas dû contribuer à lui faire apprécier la ville. Zolf disait : « Le voilà dans la capitale, et personne ne sait qui il est. Les imbéciles ne lisent pas[65]. » Richler s'ennuie souvent lorsqu'il est à Ottawa. Pour se distraire, il passe beaucoup de temps chez Bernard et Sylvia Ostry[66].

S'il souhaite que son retour au Canada ait une quelconque valeur littéraire, il doit nécessairement s'installer à Montréal[67]. Le président de l'université Carleton, M. Dunton, n'y voit pas d'objection : Richler ne doit se rendre à Ottawa que deux jours par semaine[68]. En cherchant un endroit où vivre, Mordecai et Florence remarquent une pancarte « À vendre » devant l'ancienne maison des Richler. Quelques années plus tard, à la télévision, il se montrera évasif et, en pointant hors champ, dira : « d'aussi loin que je puisse me souvenir, c'était ma maison[69] ». En réalité, il savait exactement quel petit bout de la rue Saint-Urbain il avait laissé derrière lui. Emballée à l'idée d'acheter la vieille maison et de boucler la boucle, Florence propose de faire les rénovations nécessaires. Impossible, répond Richler. Il voit déjà les caricatures et entend les blagues qu'on fera à son sujet. « Tu dois être consciente que, pour des raisons publiques, je ne peux tout simplement pas habiter aussi bas », explique-t-il à Florence[70]. Il trouve une maison à Westmount, au numéro 218 de la rue Edgehill, tout en insistant sur le fait qu'il n'a jamais rêvé d'habiter Westmount[71].

À l'université, Richler propose de donner un cours sur les principes de la critique de livre, mais Dunton y oppose son veto[72]. Même s'il ne l'a jamais dit à son protégé, Dunton considérait que ce genre de cours ne convenait pas à une université. Il propose plutôt à Richler d'agir comme «une personne ressource mythique» dans le séminaire de Rob McDougall en contribuant aux discussions sur l'alphabétisme, le principe de réalité, la critique, les liens entre la littérature et le cinéma et l'enseignement de la littérature[73]. Rien de bien compliqué, selon James Downey. Richler s'assoit dans la classe et prend la parole lorsqu'il en a envie, c'est-à-dire «à l'occasion[74]». L'année suivante, il participe encore une fois au séminaire avec Jack Healy, qui se spécialise dans l'influence de la vie aborigène sur la conscience australienne[75]. Il enseigne en outre, comme il l'a déjà fait à Sir George, ce qui, à son avis, ne s'enseigne pas : la création littéraire. Il avertit Dunton qu'il remettra aux étudiants une longue liste d'ouvrages à lire et qu'il s'attend à ce qu'ils travaillent fort. Il ne veut pas que son cours ressemble à «une thérapie de groupe de la classe moyenne», mais aspire plutôt à ce que les étudiants fassent preuve de «discipline[76]». Dunton a dû apprécier d'entendre son jeune protégé rejeter avec autant d'assurance la nature de l'éducation universitaire.

La classe de Richler compte douze étudiants avec qui il s'est entretenu au préalable[77]. Ce que Richler pense de ses étudiants est bien connu. Il aime raconter l'anecdote de l'«aspirant Hemingway» qui, lorsqu'il lui demande de nommer le dernier roman qu'il a lu, cherche à gagner du temps en renvoyant une question à Richler : «Fiction ou non[78]?» Selon John Aylen, l'un de ses étudiants, Richler avait raison de ne pas s'émerveiller devant les talents littéraires de sa classe[79]. Pendant l'entretien de pré-admission, Richler se sent obligé d'informer les étudiants qu'ils n'ont pas grand-chose à espérer de son cours. Il faut du talent pour écrire, et le talent ne s'enseigne pas. Le mieux qu'il puisse faire, c'est de les critiquer chaque fois qu'ils utilisent des clichés ou des thèmes éculés.

Selon l'un de ses anciens étudiants, Henry Makow, les cours eux-mêmes n'étaient pas particulièrement intéressants : Richler n'avait pas la vocation. Souvent mal à l'aise en public, il l'est encore plus dans un rôle qu'il perçoit comme étant futile et n'arrive pas à se détendre devant ses étudiants. Au premier cours, il tente de leur faire comprendre qu'il faut être lettré pour savoir écrire – et il a tout à fait raison là-dessus. Il répète mot pour mot son discours lorsque, au deuxième cours, deux nouveaux étudiants font leur apparition. *Encounter, Tamarack Review, North American Review* et Cyril Connolly: voilà ce qu'il leur conseille de lire. Y en a-t-il parmi eux qui les lisent déjà? Par ce discours, Richler vise surtout à condamner les mauvaises habitudes de lecture des écrivains en herbe – et ne vous imaginez surtout pas que votre facilité à vous exprimer oralement peut compenser! Les bons écrivains, les met-il en garde, sont souvent nuls pour faire la conversation. Il est évident qu'il parle de lui. Pendant les pauses, il n'a pas grand-chose à dire. Par ailleurs, bien qu'il ait offert aux étudiants de les rencontrer individuellement, rares sont ceux qui lui demandent un rendez-vous, ce qui n'est pas étonnant vu l'interrogatoire serré qu'il leur a fait subir avant de les admettre en cours. Il ne fait pas grand-chose non plus pour les encourager à le contacter. Dès le début des cours, il fait comprendre à ses étudiants qu'il ne souhaite pas parler de ses propres écrits, le seul sujet qui aurait pu permettre de briser la glace. Ce n'est pas étonnant, car Richler parle rarement de son travail, y compris avec ses amis les plus proches. À la fin des cours, il est toujours pressé de quitter la salle et de sauter dans le taxi qui l'attend[80].

Les conseils littéraires de Richler sont judicieux: au lieu de dire, montrez; n'utilisez jamais cinq mots quand vous pouvez en utiliser un seul; ne faites pas la morale; oubliez les dénouements surprises. Mais sur une échelle de un à cinq – de «médiocre» à «remarquable» –, Richler accordera, quelque temps plus tard, un modeste trois («Bon») aux *Devins*, de Margaret Laurence. Que peut dire un critique si exigeant à une classe d'étudiants? Qu'il ne veut pas une thérapie de groupe, mais plutôt de la discipline? Il n'a pas à se plaindre sur ce point. N'étant pas du genre à faire beaucoup d'éloges, il dit à une étudiante que son histoire repose «sur une bonne idée et, bien qu'elle soit maladroite et exige encore huit autres brouillons, elle a du potentiel[81]». Ses étudiants n'en sont peut-être pas conscients, mais il s'agit là d'un compliment très flatteur. Il leur rappelle continuellement qu'il les juge en fonction de critères professionnels. Après avoir écouté l'un d'eux lire son histoire à voix haute et les commentaires mitigés de ses camarades de classe, Richler intervient en disant: «C'est de la merde prétentieuse... Tu affiches une confiance excessive.» «Je ne crois pas que je mérite ça», proteste l'étudiant. «Eh bien, nous ne sommes pas d'accord», répond Richler[82]. À la fin du semestre, il les amène au Faculty Club pour prendre un verre et souligne les forces (limitées) et les faiblesses (considérables) de chacun. Aucun de vos textes ne mérite d'être publié, mais j'ai eu du plaisir à travailler avec vous, leur dit-il. Silence. Cette fois, Richler respecte la promesse qu'il s'était fait de ne plus enseigner. Avec un meilleur salaire, il aurait peut-être accepté de continuer, mais Carleton n'a pas les moyens de satisfaire ses exigences pour prolonger le contrat[83].

Pour célébrer la fin de sa dernière année à Carleton, Richler prend la parole dans le cadre de l'édition de 1973 des Plaunt Lectures. La thèse qu'il défend est particulièrement choquante: ce n'est pas parce qu'une œuvre d'art est canadienne qu'elle est nécessairement remarquable! Comme il l'a déjà fait à plusieurs reprises, il déclare que le nationalisme culturel n'a pas lieu d'exister, à l'instar du Comité pour un Canada indépendant de Mel Hurtig. Hurtig adresse à Richler une lettre cinglante dans laquelle il le compare aux banquiers, aux industriels, aux Chambres de commerce et aux «politiciens néandertaliens». Pour guérir Richler de ses idées dépassées, Hurtig lui envoie l'un de ses propres discours et lui conseille de l'étudier attentivement. Sans rancune: Richler invite Hurtig à assister à un match de baseball des Expos de Montréal[84]. Mais un autre voyage et leur désaccord continuel sur un sujet si cher à Hurtig finiront par avoir raison de leur amitié[85].

Cette fois-ci, même Jack McClelland, un ami de Richler, ne peut s'empêcher de répliquer. McClelland est d'accord avec le fait qu'il peut y avoir des dérapages si le CIC parvient à faire publier des livres non pas parce qu'ils méritent de l'être, mais parce que leurs auteurs sont canadiens. En revanche, Richler estime que le Canada doit garder le contrôle sur son économie[86], et McClelland lui répond que le citoyen lambda est incapable de faire la différence entre le nationalisme culturel et le nationalisme économique. D'après Richler, le Conseil des Arts du Canada ne devrait pas accorder son soutien aux éditeurs canadiens, mais seulement aux auteurs canadiens, indépendamment de la nationalité de leur éditeur. McClelland n'est pas d'accord : pourquoi les Canadiens devraient-ils subventionner Oxford ou Doubleday ? De façon globale, affirme McClelland, les commentaires de Richler sont pernicieux : « Il y a suffisamment d'amoureux des États-Unis au Canada sans que tu viennes en rajouter en leur apportant ton soutien. Oh et puis tant pis, j'imagine que je m'en moque. » Un an plus tard, McClelland expose sa manière de voir les choses à Richler : sans les subventions du gouvernement canadien, l'édition serait contrôlée par des étrangers motivés par le profit qui entraveraient le développement culturel du pays[87]. À l'époque, McClelland est bien conscient de la situation financière précaire de sa propre entreprise, une maison d'édition qui se consacre à la publication de romans canadiens de qualité. Ce qu'il ignore peut-être, en revanche, c'est que Richler a reçu une lettre de Peter Thompson, un nationaliste du CIC, lui demandant pourquoi lui et d'autres écrivains canadiens publient chez des éditeurs étrangers. C'est presque une insulte pour un écrivain qui s'est battu pendant vingt ans pour réussir à vivre de sa plume et qui a fini par faire de l'argent grâce à la télévision et au cinéma, et non pas grâce à ses romans. Richler a déchiré la lettre de Thompson en deux[88].

Malgré leur désaccord, McClelland n'a pas très envie de se faire un ennemi de son bon ami et l'un de ses meilleurs auteurs. Au lieu de débattre à propos du nationalisme, McClelland réussit, en août 1974, à faire de Richler le premier conseiller canadien du Book-of-the-Month Club (BOMC)[89]. Pour les éditeurs, le BOMC est à la fois une bénédiction et une malédiction. S'il leur permet de vendre beaucoup de livres, les ventes s'effectuent selon ses propres conditions, en général avec une remise de 15 à 20 p. cent que l'éditeur doit payer de sa poche. Parfois, le BOMC importe même au Canada des éditions américaines de livres canadiens, ce que les nationalistes comme Mel Hurtig perçoivent comme un véritable affront. Au début des années 1970, le BOMC compte 125 000 membres ; au milieu des années 1980, il en compte deux millions. À la fin des années 1970, les juges du BOMC choisissent quinze titres principaux et deux cents titres secondaires parmi les quatre mille livres qui leur sont soumis par les éditeurs. L'objectif théorique de l'opération, clairement destinée à un public moyen, est de mettre entre les mains de la classe moyenne des livres intellectuels. Mais les juges se montrent réticents, car ils savent bien que ces livres ne se vendront pas. En théorie aussi, les juges doivent faire leur choix en fonction de leurs propres goûts, et non de ceux des membres, mais n'importe quel juge sensé sait qu'il est préférable de tenir compte des deux éléments[90].

Richler a pour mission de recommander, parmi la centaine de livres qu'il lit chaque année, des titres canadiens pour la liste du BOMC, sur laquelle figurent surtout des ouvrages américains[91]. S'il s'était déjà moqué du BOMC quelques années plus tôt[92], il avait aussi reconnu que le profond mépris des intellectuels envers la littérature populaire ressemblait beaucoup trop à une mode[93]. Selon Brian Moore, Richler fait une erreur en acceptant de travailler pour le BOMC[94] et, si on en croit Kerry McSweeney, il passe désormais ses journées à « écrire de stupides panégyriques pour de mauvais best-sellers[95] ». Rien ne pourrait être plus loin de la vérité. Richler établit une nette distinction entre les livres qui présentent un intérêt certain et ceux qu'il considère comme mauvais mais qui ont de bonnes chances d'avoir du succès auprès du public. Lorsqu'on lui demande ce qu'il pense de *Rivers of Canada*, de Hugh MacLennan, Richler dit que c'est « Polonius dans un canoë ». Il sait que l'ouvrage, qui contient de nombreuses photos, se vendra bien. Il le recommande donc en se fondant sur sa popularité potentielle, et non sur sa qualité. Il refuse toutefois d'écrire le texte de présentation et suggère au BOMC de demander à Pierre Berton de le faire[96]. Ce qui exaspère le plus les critiques comme McSweeney, c'est que Richler n'admire pas nécessairement les livres que les intellectuels considèrent comme des classiques et manifeste un certain respect pour les essais. Il recommande la lecture de *Drifting Home*, un récit autobiographique qui raconte le périple de Pierre Berton et de sa famille à bord d'un radeau pneumatique sur le fleuve Yukon[97], mais critique durement *Les Tentations de Gros-Ours* (*The Temptations of Big Bear*), qui a pourtant valu à Rudy Wiebe le Prix du Gouverneur général, en le décrivant comme : « un roman trop sérieux, globalement illisible... Une tentative empruntée et verbeuse de créer des mythes canadiens. Création littéraire 102. Dense, pseudo-faulknérien et beaucoup trop lent. Non. » Parfois, Richler discerne un meilleur roman à l'intérieur même d'un roman existant (*The Vanishing Point*, de W. O. Mitchell) ; d'autres fois encore, il se contente de dénigrer l'ouvrage, comme dans le cas de *Riverrun*. Richler considère que cette élégie dédiée au massacre des Béothuks de Terre-Neuve est « terriblement gênante ». Dans l'espoir de s'imprégner de l'esprit autochtone, l'auteur, Peter Such, écrit : « Les vagues bleues roulent dans la lueur pourpre tandis que le ciel déverse son rose sur le monde. » Richler se sent obligé, en tant que critique, d'ajouter : « Le lecteur affiche une humeur noire tandis que le roman lui déverse dessus sa prose pourpre[98]. » *Les Tentations de Gros-Ours* et *Riverrun* sont loin d'être de mauvais romans, mais les critiques de Richler, à la fois virulentes et justifiées, réussissent à en faire douter.

À l'instar des *Tentations de Gros-Ours*, nombre des romans critiqués par Richler sont publiés par celui-là même qui lui a obtenu le contrat pour le BOMC, mais Richler n'est pas du genre à mettre de côté ses opinions pour plaire. McClelland recommande à l'auteur d'*Un cas de taille* la lecture du roman *The Candy Factory*, de la talentueuse mais excentrique Sylvia Fraser, en le lui présentant comme « un texte magnifique et un roman extra-ordinaire[99] ». Richler le qualifie quant à lui de « mauvais... exceptionnellement médiocre... prétentieux, du porno soft... Je ne me rappelle pas avoir si peu apprécié un roman. » Il malmène tout autant les œuvres des auteurs littéraires (Adèle Wiseman, Morley Callaghan) que celles des auteurs de livres à succès (Charles Templeton, Don Harron). Le succès de *Charlie Farquharson's Jogfree of Canada*, de Harron, la suite d'un livre qui s'est vendu à près de 100 000 exemplaires reliés, consterne Richler. Ce n'est pas seulement le livre en lui-même qui le déprime, mais ce que des ventes comme celles-là révèlent de l'intelligence des lecteurs canadiens. Et que dire de la comédie de Dave Broadfoot, *Royal Canadian Air Farce*? Il lui oppose un non catégorique. Il refuse aussi, à contrecœur, les livres de Roch Carrier (*Le deux-millième étage* [*They Won't Demolish Me*]), Ray Smith (*Lord Nelson Tavern*) et Matt Cohen (*The Disinherited*)[100]. Ces écrivains ont du talent, admet-il, mais les livres en question présentent des défauts.

Demandez à un satiriste de rédiger des critiques de livres... Si les éditeurs du BOMC voulaient des descriptions divertissantes, ils sont servis. Ses éloges sont plutôt conventionnels, mais ses critiques, en revanche, sont perspicaces et brillantes. Il dit de Hugh Garner: «Il a tous les défauts de Nelson Algren et aucune de ses qualités. En d'autres mots, il n'écrit pas très bien.» Et il assène ensuite son verdict qui, jusqu'à la toute fin, peut encore passer pour un éloge: «Dans ses meilleurs passages, [Garner] possède le charme d'un petit boxeur inconnu.» Juste avant de procéder à une décapitation en règle, Richler utilise souvent la formule «pour être honnête avec vous...» Du roman *Les Devins* (*The Diviners*), de Margaret Laurence, une de ses connaissances, Richler dit: «Pour être honnête avec vous, ce n'est pas mon genre de livre.» «C'est un pavé», dit-il «un bouquin de femme ménopausée», et il ajoute: «Il y a beaucoup d'éléments gênants sur les risques du métier d'écrivain, et le roman est bourré de lieux communs sur la libération de la femme. Si Mme Laurence est loin d'être originale, elle se montre compatissante, honnête, chaleureuse et sait raconter des histoires.» Même s'il fait erreur en disant que Laurence manque d'originalité et que son œuvre présente peu d'intérêt littéraire, il reconnaît toutefois, dans son verdict, que tous ne seront pas du même avis. Il recommande d'ailleurs *Les Devins* comme titre principal, sachant que le roman se vendra bien et qu'il sera apprécié, «en particulier par les lectrices[101]».

Bien qu'il ait sélectionné (et louangé) *Recollections of a Mountain Summer*, de Joanna Glass, *The Lark in the Clear Air*, de Dennis Patrick Sears, et le délicieux recueil de poèmes pour enfants de Dennis Lee, *Ragoût de crocodile* (*Alligator Pie*), Richler commence à se détourner de la littérature[102]. L'étudiant qui a abandonné

Sir George en 1950 et l'écrivain à la recherche de matériel pour ses romans tourne finalement le dos à la fiction. Si le cours du BOMC sur la littérature canadienne ne l'intéresse pas, on ne peut pas en dire autant des cours sur la politique canadienne, l'histoire et la géographie. Richler s'intéresse aux ouvrages sur le fascisme canadien dans les années 1930, Mackenzie King, Lester Pearson, le baron de la presse Lord Thompson, le grand Nord canadien et la Seconde Guerre mondiale. Dans sa critique de *Sitting Bull : The Years in Canada,* de Grant MacEwen, Richler explique qu'il est plutôt content de tolérer la médiocrité lorsque, comme dans le cas de MacEwen, les idées sont bonnes[103]. Si l'Alexandre Pouchkine l'a amené sur le continent américain, on pourrait dire que ce sont plutôt les livres de l'auteur russe qui lui ont permis de s'imprégner de l'esprit du lieu.

Dans *Le cavalier de Saint-Urbain,* Duddy Kravitz organise une réunion d'anciens pour que ses ex-camarades de classe sachent bien qu'il est devenu millionnaire[104]. De retour au Canada, Richler songe à nouveau à son *alma mater.* À partir de 1972 et jusqu'à la fermeture de Baron Byng en 1980, Richler donne de l'argent pour les bourses aux élèves issus de milieux défavorisés[105]. Lorsqu'on l'invite à prendre la parole lors de la célébration du 25ᵉ anniversaire de sa graduation de Byng, en 1973, il saute sur l'occasion. Mais l'honneur que représente cette invitation est terni par les événements. Puisque Florence n'a pas particulièrement envie de faire connaissance avec les anciens camarades de classe de son mari, Richler invite l'un d'eux, le président de Trizec, Jack Rabinovitch, à l'accompagner. Au départ, Rabinovitch décline l'invitation, mais Richler exhorte la femme de Rabinovitch, Doris Giller, à faire pression sur son mari. Finalement, Rabinovitch appelle Richler et lui dit : « Je vais y aller à une seule condition : que tu ne foutes pas le bordel. » Dès les premières minutes de son discours, un membre du public se met à huer, et Richler hue en retour. « Mordecai avait du cran », raconte Rabinovitch. « Lorsqu'on l'emmerdait, il n'hésitait pas à répliquer... Il n'acceptait pas qu'on l'insulte. » Vexé, Richler quitte la scène et retourne

s'asseoir. « Tu veux partir ? » lui demande Rabinovitch. « Pas question », répond Richler. « Ils ne vont pas m'obliger à quitter ma
propre école. » Les deux hommes restent donc une autre heure
avant de s'en aller, leur honneur sauf[106].

19

Le Hollywood du Nord

Ｅｎ 1974, Richler effectue un retour dans le monde du cinéma, cette fois à ses propres conditions, ou presque. Au cours de la même année, deux films basés sur des scénarios de Richler font leur sortie sur les écrans : un téléfilm que la CBC passe près de supprimer parce qu'il contient une blague qui porte atteinte à la réputation d'Israël, et un long-métrage qui, en plus de valoir à Richler une nomination aux Oscars dans la catégorie «Meilleur scénario adapté», deviendra un classique du cinéma canadien.

Le téléfilm qui a failli disparaître aux mains des censeurs s'intitule *Les cloches d'enfer* (*The Bells of Hell*). Conscients du succès commercial de Richler, les producteurs Fletcher Markle et George Jonas, de la CBC, l'invitent à préparer quelque chose pour la série *The Play's the Thing*. Richler avait déjà fait des films pour la CBC dans les années 1950 et 1960, mais il n'est plus l'écrivain débutant qu'il était et, vu le budget limité, il s'inquiète maintenant que le résultat ne lui cause de l'embarras. Quant aux décideurs de la CBC, ils ne sont plus aussi épris de Richler. Ils avaient promis d'investir dans la réalisation d'un long-métrage basé sur *L'apprentissage de Duddy Kravitz* et ils se sont rétractés. Markle et Thom Benson avaient d'abord offert 100 000 dollars d'avance et le versement des premiers droits de diffusion télévisée dix-huit mois après la première, mais lorsque vient le temps de passer à l'acte, silence radio. Interrogé, le vice-président de la CBC (et futur présentateur de *Ideas*) Lister Sinclair soutient qu'il ne veut pas placer un tel

fardeau sur les épaules d'un nouveau directeur. Richler est profondément insulté : « Merde, on ne devrait pas avoir à supplier...
Ceux qui ont vu les premiers rushes du film ont l'impression qu'il
pourrait marquer un progrès important pour l'industrie cinématographique canadienne. » Son tarif « habituel » pour un scénario
de long-métrage est de 50 000 dollars, mais il dit à la CBC qu'il a
fait l'adaptation de son propre roman pour 5 000 dollars, une
véritable aubaine. Il y a fort à parier que la CBC ne voit pas dans
cet acte autant d'altruisme que lui[1].

Il finit pourtant par écrire le téléfilm *Les cloches d'enfer*, qui
raconte l'histoire de Manny Berger, un homme d'âge mûr vivant
dans un univers qui semble fait pour le frustrer sexuellement et
lui rappeler à tout moment que sa mort approche. Sans y trouver
beaucoup de réconfort, Manny entend la chanson :

> « Ô mort où est ta force, force, force,
> Ô tombeau, ta victoire ?
> Les cloches d'enfer sonnent, sonnent, sonnent,
> Pour toi, mais pas pour moi[2]. »

Manny cherche l'apaisement dans un salon de massage et,
lorsqu'il en émerge une demi-heure plus tard, il se fait sur-
prendre par une équipe de Radio-Canada en train de filmer un
documentaire ; son visage, crispé par la culpabilité, apparaît au
journal télévisé du soir. *Les cloches d'enfer* n'est pas un chef-
d'œuvre. Richler s'est contenté de rassembler des fragments d'un
nouveau roman qu'il tente d'écrire et qui raconte l'histoire d'un
homme obsédé par les Bronfman. Le roman ne verra pas le jour
avant la fin des années 1980, et *Les cloches d'enfer*, même dans ses
moments les plus drôles, n'est qu'une nouvelle mouture d'*Un cas
de taille*, avec Manny, un Juif, dans le rôle du pauvre Mortimer.
Le téléfilm présente malgré tout une certaine originalité et, au
départ, Richler espère que Kotcheff ou Jewison accepteront de
le diriger. Mais ils sont tous deux occupés et c'est Jonas, celui qui
s'y attendait depuis le début, qui s'en occupe à l'interne. Richler
n'est ni enthousiasmé ni déprimé en voyant le bout à bout : bien
qu'il soit fidèle à son intention, celui-ci laisse deviner un budget
serré et un jeu d'acteurs figé[3]. On est loin d'Hollywood – et même
du Hollywood canadien.

Le rabbin Jordan Pearlson, président du Comité consultatif national sur la religion (*National Religious Advisory Committee*) de la CBC, est horrifié lorsqu'il voit *Les cloches d'enfer*, non pas à cause du jeu figé des acteurs, mais de ce qu'il considère comme un relent des vieilles accusations antisémites de crime rituel qui ont poussé les Russes à massacrer de nombreux Juifs à la fin du XIXᵉ et au début du XXᵉ siècles. Dans le film, le Dʳ Schwartz fait chanter Manny pour le persuader de donner à la Fédération des Œuvres juives, lui rappelant qu'un autre patient, « Siggie Frankel, Dieu ait son âme, [...] n'a pas respecté ses obligations envers la communauté[4]. » La menace implicite de Schwartz ne présente-t-elle pas une ressemblance frappante avec les histoires de Juifs qui assassinent d'innocents enfants de Gentils et utilisent leur sang pour confectionner les *matzohs*? Et avec les fausses accusations portées en 1953 par Staline à l'encontre de neuf médecins – parmi lesquels six étaient juifs – qui, selon lui, avaient comploté pour l'empoisonner[5]? Les analogies de Pearlson sont absurdes, mais les préoccupations liées à la récente guerre du Kippour (en octobre, une coalition de pays arabes menée par l'Égypte et la Syrie ont lancé une attaque surprise sur Israël le jour du jeûne de Yom Kippour) influencent la CBC. Elles influencent également Richler, dont le fils Noah est devenu très anxieux et souhaite désespérément continuer à croire que le conflit entre les Arabes et les Juifs ne date que de vingt-cinq ans, au lieu de remonter à plusieurs centaines d'années[6].

Dans son rapport sur les manquements de Richler, Pearlson prend soin de ne pas entrer dans les détails, et notamment ceux de la scène dans laquelle le Dr Schwartz aborde la question des dons à la Fédération des Œuvres juives en trempant son index ganté dans un pot de Vaseline pour procéder à l'examen rectal de Manny.

SCHWARTZ: Parce que, vois-tu, Manny, cette année, c'est moi qui ai ta carte de la campagne de la Fédération des Œuvres juives.
MANNY: Quoi?
SCHWARTZ: Tu sais pourquoi? C'est parce que l'année passée t'as donné rien que deux mille cinq cents dollars, maudit vieux radin. (*Un temps.*) T'as pas honte[7]?

Schwartz rappelle à Manny le «fardeau» que l'État d'Israël doit maintenant supporter pour développer les nouveaux territoires, en particulier la Cisjordanie, et il recommande un don de 5 000 dollars. Lorsque Manny a le culot de suggérer qu'Israël s'est peut-être montré trop ambitieux, l'index du Dʳ Schwartz, possiblement pas aussi doux qu'il devrait l'être, fait un mouvement brusque. Même s'il s'agit d'une farce, Richler se moque ouvertement de la tendance des sionistes à qualifier de traîtres tous les Juifs qui n'applaudissent pas sans réserve les conquêtes militaires israéliennes.

En dépit de la faiblesse des accusations de Pearlson et malgré un investissement de 40 000 dollars, Thom Benson, responsable de la fiction à la CBC, annule la diffusion du téléfilm pour préserver la bonne réputation de la chaîne[8]. Heureusement, Richler connaît les bonnes personnes. Robert Fulford, qui travaille maintenant pour le *Toronto Star* mais a des amis à la CBC, organise une projection. Il annonce à tout le monde que la CBC a rejeté le meilleur téléfilm des années 1970[9]. Les rédactions des journaux et le siège de la CBC sont inondés de lettres de l'Union des écrivains du Canada[10] et de poids lourds comme Pierre Berton. Berton demande à Lister Sinclair: «Jusqu'à quand devra-t-on continuer d'être pénalisés par la morale étriquée des petits villages des prairies[11]?» Richler blâme le Comité national conjoint pour les relations communautaires (*National Joint Community Relations Committee*) du Congrès juif canadien (CJC) et le B'nai B'rith, mais ces organisations semblent n'avoir eu aucun rôle à jouer dans la plainte initiale de Pearlson[12]. En même temps, Benson est conscient que le téléfilm est plein d'esprit. D'après Richler, Benson est sympathique et ferait un bon vendeur de téléviseurs, mais il n'est pas très habile pour décider de ce qui peut moralement être diffusé sur le petit écran. Quant à la CBC, vénérable source de toute culture canadienne, Richler utilise une parabole pour la décrire. Dans un rêve, il voit brûler l'édifice de la CBC et tous les cadres sont contraints de sauter du bâtiment en flammes. Mais qui doit sauter en premier? En autorisant l'un ou l'autre à sauter d'abord, on risque chaque fois d'offenser une minorité différente. Mais tout se termine bien, dit Richler, car ils meurent tous[13].

Sensibles aux accusations d'autocensure, les cadres de la CBC décident finalement de diffuser le téléfilm à la fin janvier. Encouragé par Jewison[14], Richler demande qu'il soit diffusé intégralement[15]. En cas de refus, il souhaite récupérer les droits pour les vendre à la BBC, qui sera sans aucun doute ravie de les avoir. La CBC décide malgré tout d'éliminer les scènes les plus provocantes et d'avertir les spectateurs que certains d'entre eux pourraient être choqués. Tandis qu'en Israël le nouveau gouvernement travailliste minoritaire de Golda Meir tente de s'entendre avec le Likoud pour déterminer qui doit être considéré juif et si les mariages civils doivent être autorisés, *Les cloches d'enfer*, un film potentiellement anti-israélien, est présenté sur les ondes canadiennes[16]. Sa diffusion semble tomber à un moment inopportun. Le public et les critiques sont divisés et n'arrivent pas à déterminer s'il s'agit d'un bon téléfilm ou non. La CBC reçoit quelques lettres l'accusant d'antisémitisme. Les preuves sont là : des commentaires défavorables à Israël au téléjournal, l'annulation de la diffusion du film *Exodus* le premier soir de la guerre du Kippour et, finalement, la présentation sur les ondes des *Cloches d'enfer*. Et pourquoi Sydney Newman, un Juif talentueux, a-t-il été nommé à la tête de l'Office national du film mais pas à celle de la CBC[17] ? En fin de compte, les critiques fusent de tous les côtés : les Libéraux crient à la censure ; les sionistes crient à l'antisémitisme ; et les annonceurs, qui ne souhaitent pas se mouiller, se retirent et accordent dès lors à la CBC le « privilège » de diffuser *Les cloches d'enfer* sans interruption publicitaire[18].

～

Richler avait déjà écrit de meilleurs scénarios, qui n'ont cependant été réalisés qu'après la diffusion des *Cloches d'enfer*. À son retour au Canada en 1972, il avait été invité à écrire une série télévisée dans le style de *All in the Family* et en avait été profondément insulté[19]. Il a l'impression que son pays cherche à faire de lui un genre d'Archie Bunker avec un accent canadien. En revanche, il est ravi lorsque le réalisateur new-yorkais Alan Pakula prend une option sur *Le cavalier de Saint-Urbain*[20], même si c'est John Kemeny, un producteur canadien, qui finira par porter le roman de Richler à l'écran[21]. Kemeny a un parcours assez diversifié : il a travaillé sur *Cash Advances for Prairie Grain* (1961), *Ladies and Gentlemen, Mr. Leonard Cohen* (1965) et le film érotique *7 fois… par jour* (1971). Il a finalement jeté son dévolu sur un film de prestige avec lequel il pourra aussi faire de l'argent[22]. En 1958, sous le soleil de la Côte d'Azur, Ted Kotcheff avait promis à Richler d'adapter *L'apprentissage de Duddy Kravitz* au cinéma[23], mais le projet avait mis du temps à se mettre en branle. En 1960, Kotcheff avait filmé une petite portion du roman (les scènes qui se déroulent à Sainte-Agathe) pour la CBC et, en 1966, Kotcheff et Richler avaient commencé à discuter sérieusement de la possibilité de tourner un long-métrage ensemble. Ce n'est qu'en 1972 que leurs discussions ont pris un tour plus concret. Dans l'intervalle, Kotcheff s'est fait un nom en Grande-Bretagne, entre autres avec *Edna, the Inebriate Woman* (1971) et un film sur la vie dans le désert australien, *Réveil dans la terreur* (*Outback*, 1971), même s'il n'avait pas l'intention de faire du profit avec la scène du massacre de kangourous. *L'apprentissage de Duddy Kravitz* lui vaudra une reconnaissance internationale, car le film combine un objectif sérieux et un aspect commercial.

Kotcheff, qui détient les droits sur le roman de Richler, autorise Lionel Chetwynd, un écrivain néophyte né à Londres et élevé à Montréal, à l'adapter. Si le script leur permet de se faire connaître de la Société de développement de l'industrie cinématographique canadienne (SDICC)[24], il n'est pas assez bon pour leur obtenir une subvention, et Richler décide d'en rédiger un nouveau. En dépit des 10 000 dollars que lui font miroiter Richler et les producteurs, Chetwynd refuse de se dissocier du produit final. Si le fait de partager les crédits n'a aucune implication sur le plan financier, Chetwynd tient malgré tout au prestige qui lui est associé. L'affaire est présentée devant le Comité d'arbitrage de crédits de la Guilde des écrivains d'Amérique, qui décide que le générique devra se lire comme suit : « Scénario de Mordecai Richler » et « Adaptation de Lionel Chetwynd » [25]. Kotcheff obéit en plaçant le nom de Richler tout en haut en gros caractères et celui de Chetwynd tout en bas en petits caractères. Des années plus tard, Richler se moquera des nationalistes québécois qui mesurent la taille des lettres anglaises et françaises sur les panneaux d'affichage pour s'assurer que l'anglais est moitié plus petit que le français (comme l'exige la loi), mais il est déjà, à l'époque, familier de la sémiotique des communications. Les événements à venir lui feront regretter d'avoir accordé cette concession à Chetwynd.

Si l'argent ne tombe pas du ciel, le nom de Richler et la persévérance de Kotcheff les aident à obtenir les fonds nécessaires. En 1972 à Cannes, Michael Spencer (directeur général de la SDICC), Kemeny, Kotcheff et Richler parviennent à un accord[26]. Ils pourront embaucher cinquante acteurs et cinq cents figurants[27] et la SDICC contribuera à hauteur de 300 000 dollars, soit un tiers des frais de tournage[28]. Ce qui est plutôt bien si on considère que l'auteur du livre sur lequel est basé le film a, par le passé, critiqué avec violence l'industrie cinématographique canadienne[29] et affirmé avec passion que le nationalisme culturel était une absurdité. « Quels cons vous faites », se plaint Frank Yablans, le président de Paramount Pictures. « Si vous aviez décidé de le tourner à Chicago, nous aurions tous pu faire fortune[30]. » Mais les 300 000 dollars de la SDICC ne suffisent pas, et Gerry Schneider, un homme d'affaires montréalais qui a fait fortune dans la promotion foncière, doit injecter le reste de l'argent... et réunir d'autres fonds lorsque les coûts de production s'avèrent plus élevés que prévu[31]. Schneider ne s'intéresse pas particulièrement au cinéma, mais il a fréquenté Baron Byng un an après Richler et, même s'il le connaît à peine, il ne peut résister à l'envie d'immortaliser son ancienne école et ses anciens camarades de classe[32]. D'après l'un de ses collègues, Schneider n'ose pas avouer qu'il a décidé de participer au projet pour des questions sentimentales. Schneider proteste en disant : « L'émotion, c'est merveilleux, mais ça ne rapporte pas. » Si lui ou Richler ont remarqué l'ironie dans le fait qu'un promoteur finance la réalisation d'un film sur un promoteur immoral de Montréal, ils n'en ont jamais rien dit en public. Ce qui est certain, c'est que Schneider n'a pas servi d'inspiration pour le personnage de Duddy. Kotcheff exagère à peine lorsqu'il affirme que trente-six hommes ont revendiqué cet honneur[33].

En échange de sa contribution, Schneider apparaît dans plusieurs scènes et invite des membres de sa famille et des collègues à jouer les figurants[34]. Mais l'expérience ne se révèle pas aussi formidable que se l'imaginaient les riches amis de Schneider. Tirés du lit à 7 heures du matin, ils doivent enfiler un maillot de bain et attendre leur tour dans la fraîcheur automnale (les scènes estivales ont été tournées en automne). Quelques-uns d'entre eux doivent même plonger dans l'eau glaciale d'un lac des Laurentides. Au grand désarroi des maquilleurs, certaines femmes tentent d'atténuer le rouge vif du rouge à lèvres qu'on leur a mis – en vogue dans les années 1940 – avec des couleurs pastel, de l'ombre à paupière et du crayon[35].

Richard Dreyfuss interprète le rôle de Duddy. À l'époque, il n'a que vingt-cinq ans et vient tout juste de terminer *American Graffiti*. Certains ont l'impression que Kotcheff ne veut rien savoir des acteurs canadiens, mais en réalité, il est difficile de trouver de bons acteurs juifs au Canada[36]. Dreyfuss a tout ce qu'il faut. Il est juif, très doué mais pas encore trop connu ; il peut passer pour un gamin de dix-neuf ans et, en même temps, jouer au poker avec Kotcheff et Richler[37]. Si le personnage de Dreyfuss est un peu trop sympathique[38], il possède sans contredit la formidable énergie de Duddy. Comme prévu, Dreyfuss vole la vedette – nerveux, il parle sans cesse, se gratte la tête, se ronge les ongles. Tous les acteurs ne jouent pas aussi bien. Un observateur perspicace, Michael Samuelson, se plaint du fait qu'aucun des acteurs ne lui rappelle les habitants de la rue Saint-Urbain, et surtout pas Zvee Scooler, un vétéran du théâtre yiddish, dans le rôle du grand-père de Duddy. « Ils auraient pu avoir un meilleur *zeyda* dans une production du *Violon sur le toit* faite à Côte-Saint-Luc », déplore Samuelson, ajoutant que les quatre mêmes Chrysler font sans cesse le tour du pâté de maisons et que Kotcheff a utilisé un modèle de machine à coudre de 1973[39].

Au début du film, on sent bien qu'il s'agit d'une version abrégée du roman ; par la suite toutefois, Kotcheff semble avoir trouvé son rythme et ne se contente plus d'enchaîner de brefs tableaux. Le film offre même des moments émouvants, notamment lorsque la roulette et les mouvements de Duddy sont filmés au ralenti pour montrer comment Duddy, ruiné, abandonne son rythme effréné pour un semblant d'introspection. Afin de respecter la limite de deux heures fixée par les bailleurs de fonds,

Kotcheff est contraint de supprimer la majeure partie de la scène de la *bar-mitzvah* ainsi que certaines scènes avec Cuckoo Kaplan, interprété de manière brillante par l'acteur juif retraité Mickey Eichen[40]. Au départ, Richler avait décidé que la conclusion du film serait légèrement plus pessimiste que celle du roman, mais à la SDICC, les avis sont mitigés.[41] Au final, Richler et Kotcheff décident de conserver l'ambiguïté du roman : Duddy prend soudain conscience que même s'il a contribué à faire de Virgil un handicapé à vie, il est devenu assez important pour qu'on lui fasse crédit chez Wilensky.

Le tournage dure onze semaines et a lieu entre les mois de septembre et novembre. Richler suit l'équipe de tournage sur les lieux de son adolescence, notamment chez Wilensky et à Sainte-Agathe. À quatre-vingt-trois ans, Sam Stick, le propriétaire du Castle des Monts – où Mordecai a travaillé comme aide-serveur et serveur lorsqu'il était adolescent – se rappelle (ou se convainc) qu'il a un jour été comme un père pour lui[42]. Kotcheff fait rénover l'hôtel délabré et y filme quelques scènes. Dans un cimetière de Montréal, Kotcheff colle le nom de la mère de Duddy sur une pierre tombale et oublie de le retirer avant de quitter les lieux. Lorsque le fils de la femme enterrée à cet endroit découvre que la mémoire de sa mère a été profanée de la sorte, Kotcheff est menacé de poursuite et doit supprimer la scène malgré son importance. Un riche Montréalais qui avait offert de prêter son manoir pour le tournage du film change brusquement d'idée lorsqu'il apprend que le film est une adaptation d'un roman de Richler[43]. Pour les mêmes raisons, l'équipe de tournage a de la difficulté à trouver une synagogue. En revanche, Moe Wilensky se souvient de Moe Richler et de ses frères, qui venaient chez lui sans argent le jour du Shabbat, mais qui payaient consciencieusement leur facture le lundi suivant. Même si Wilensky fait l'éloge du pieux Shmarya et des frères de Moe, calmes et bien élevés, il consent à laisser l'équipe de tournage embarquer la nouvelle trancheuse et redécorer son resto à la mode des années 1940. Pour le remercier, Richler et Kotcheff l'autorisent à faire une apparition dans le film[44].

Si, à la fin du tournage, certains exhortent Richler à présenter le film à New York, celui-ci jette son dévolu sur Montréal, où ses

livres se vendent le plus et où il est connu. Pour la première, qui
a lieu à la Place des Arts, la tenue de soirée est exigée et les plats
sont à cinquante dollars. Parmi les invités, on compte notamment Robert Bourassa, le Premier ministre du Québec, Jean
Drapeau, le maire de Montréal, le Dr Theodor Meron, l'ambas-
sadeur israélien, et Hugh Faulkner, le secrétaire d'État[45]. Kotcheff
et même Richler se louent un smoking. On raconte souvent que
l'épouse de Sam Bronfman, – «la Reine douairière en personne»,
selon Kotcheff – serait venue voir les deux amis qui sirotaient
leurs cocktails dans le hall et aurait dit : «Eh bien, Mordecai, pour
un garçon de la rue Saint-Urbain, vous avez fait pas mal de
chemin.» Et Richler de répondre : «Et vous aussi, pour une
femme de contrebandier[46].» D'après Florence, Saidye n'était pas
mal intentionnée, mais son commentaire n'a pas plu à Richler[47].

Un autre accrochage aurait également eu lieu ce soir-là.
Depuis quelque temps déjà, les relations entre Richler et Lily se
détérioraient. Richler ne peut, en toute conscience, tenir ses
enfants éloignés de leur grand-mère, même si elle n'est pas le
genre de personne qu'il souhaite qu'ils côtoient. Il était facile de
l'endurer (et de s'en moquer) lorsqu'ils vivaient à Londres et
qu'elle ne venait qu'une fois tous les ans ou les deux ans. À leur
retour à Montréal, Lily propose d'emménager avec eux. Richler
refuse. Elle finit par lui écrire une lettre cinglante à laquelle il
répond de la même façon, en lui révélant ce dont il a été témoin
entre elle et Frankel lorsqu'il était enfant[48]. À partir de ce
moment-là, elle cesse de rendre visite aux Richler. Parfois, les
dimanches soir, Richler dépose les enfants chez elle, sur la rue
Stayner dans le bas Westmount. Fascinés par la télévision nord-
américaine, les enfants peuvent la regarder tant qu'ils veulent
lorsqu'ils sont chez leur grand-mère. Elle les gave de nourriture
et de chewing-gums Adams Wild Cherry et leur fait côtoyer leurs
cousins, qui les trouvent très bizarres avec leur accent britannique. Pour les enfants de la famille Richler, qui ne voient que
rarement les membres de la famille élargie, c'est Lily qui est
étrange[49]. Richler lui-même n'est plus autorisé à mettre les pieds
chez elle. À Londres, il avait appris à souffrir son côté manipu-
lateur et ses accès de colère imprévisibles, mais en la voyant aussi
souvent à Montréal, il est incapable de la supporter plus long-

temps. Sans le vouloir, Lily sort parfois des répliques amusantes. Une fois, lorsqu'Emma tente de déplacer un fauteuil, elle se précipite vers elle en criant : «Ne fais pas ça! Tu es en pleine puberté[50]!» La plupart du temps toutefois, Richler est horrifié par le comportement de sa mère et craint qu'elle n'influence les enfants[51]. D'après Noah, Richler tente aussi de cacher à sa mère le tournage de *L'apprentissage de Duddy Kravitz*[52]. Lorsqu'elle décide de lui faire une surprise et se présente à la première du film, il la laisse poireauter dans un coin et l'ignore superbement[53]. Par la suite et pendant les vingt-trois dernières années de la vie de Lily, Richler et sa mère ne s'adresseront plus jamais la parole et Lily répétera à qui veut l'entendre : «C'est si triste, car vous voyez, je me sens très seule[54].»

Si *L'apprentissage de Duddy Kravitz* ne marque pas «un progrès important dans l'industrie cinématographique canadienne» comme l'avait annoncé Richler à la CBC, c'est seulement parce qu'il n'y a pas beaucoup de films canadiens capables de se mesurer à lui. Le public adore le film, qui est également nominé aux Oscars dans la catégorie du meilleur scénario adapté. S'il gagne, Richler devra sourire et partager le prix avec Lionel Chetwynd. À l'idée de devoir subir un tel affront, Richler s'emporte. Dans un article pour le *New York Magazine*, il écrit que les producteurs et lui ont choisi de faire affaire avec un certain scénariste parce qu'ils n'avaient pas les moyens d'engager un écrivain connu et que lorsqu'il a réécrit le scénario, il n'a pu «récupérer» que sept pages de la première version. Le Comité d'arbitrage de crédits de la Guilde des écrivains écrit une lettre à Kemeny pour exprimer sa déception : Richler semble en effet déterminé à faire échouer l'arbitrage et à entacher la réputation de Chetwynd. La Guilde exige une rétractation et une promesse de bonne conduite[55]. Je ne peux pas contrôler ce qu'écrit Richler, répond Kemeny, et celui-ci, la fois suivante, se montre encore moins prudent que dans l'article du *New York Magazine*. Dans un article publié dans la *Gazette*, il reconnaît que Chetwynd a obtenu son nom au générique pour l'adaptation du scénario, «c'est-à-dire pour avoir réutilisé de nombreuses scènes intéressantes de mon propre roman avant que je le fasse moi-même. Des scènes qui, en vertu du raisonnement alambiqué de la Guilde des scénaristes, sont devenues sa propriété… Si son scénario n'avait pas été aussi mal ficelé, je n'aurais pas eu besoin d'intervenir et de le réécrire.» Il est intéressant de noter que John Kemeny avait refusé d'investir dans un film basé sur le scénario de Chetwynd. Selon Richler, Chetwynd a pour seul mérite d'avoir repris des scènes du roman et de les avoir tapées proprement à la machine[56].

L'apprentissage de Duddy Kravitz contribue malgré tout à faire connaître le terne Chetwynd, qui n'hésitera pas à se vanter de sa nomination aux Oscars dans la catégorie «Meilleur scénario adapté[57]». Chetwynd poursuit sa carrière de scénariste et devient, chose rare, un activiste conservateur à Hollywood. Parmi ses nombreux docu-fictions figure notamment un film sur le président George W. Bush et le 11 septembre. «Si l'un de ces minables de terroristes veut me voir», crie le Bush de Chetwynd, «dites-lui qu'il vienne me chercher! Je serai chez moi! J'attendrai ce bâtard de pied ferme!… Nous allons commencer avec Ben Laden. Je propose qu'on forme une coalition pour en finir avec lui.» Bush prophétise ensuite l'invasion de l'Irak, qui n'aura lieu qu'en 2003, en disant: «Nous pourrons ensuite former différentes coalitions pour mener à bien différentes missions[58].»

Au Canada seulement, *L'apprentissage de Duddy Kravitz* rapporte deux millions de dollars. Au Festival international du film de Berlin, il remporte l'Ours d'or, le prix le plus prestigieux de la compétition. Même s'il n'obtient pas beaucoup d'argent – Paramount et Famous Players empochent la majeure partie des profits –, Kemeny a réussi son pari de faire un film de prestige[59]. En plus de leur salaire, Kemeny, Kotcheff et Richler obtiennent le droit de tourner un autre film basé sur un roman de Richler.

Richler s'attend à ce que la sortie du film fasse ressortir les vieilles accusations d'antisémitisme dont il avait été victime au moment de la publication du livre. À sa grande surprise, celles-ci ne viennent pas de la communauté juive de Montréal qui, bien qu'elle entretienne des craintes quant à la réputation que peut lui valoir le film, s'abstient de commentaire. Richler reçoit toutefois une lettre anonyme d'un Juif outré: «Duddy Kravitz est une disgrâce pour tous les Juifs. Toi qui as fréquenté Baron Byng, qui as fait partie des Habonim et qui appartiens à cette bonne vieille famille Richler, comment as-tu pu faire ça ? Et le présenter la veille du Yom Kippour ! Que Dieu te punisse, Judas ! Que tu pourrisses en enfer[60] !» Certains membres de l'intelligentsia juive américaine arrivent à la même conclusion, même s'ils formulent leurs griefs d'une manière plus raffinée. Lors d'une projection organisée pour les faiseurs d'opinions, le film est applaudi, ce qui est rare[61]. À la suite d'une autre projection, quelques journalistes américains qualifient le film d'antisémite. John Simon, du magazine *Esquire*, écrit notamment : «Il aura beaucoup de succès en Arabie saoudite[62].» Le délégué général du Festival de Cannes, Maurice Bessy, estime lui aussi que le film est à la limite de l'antisémitisme. Pour se prémunir contre les accusations de racisme, Bessy décide donc de supprimer du programme un talentueux auteur juif et un excellent film juif et de les remplacer par *Il était une fois dans l'est*, de Michel Tremblay[63].

20

Mordecai, l'auteur pour enfants

S I LE SUCCÈS DU FILM *L'apprentissage de Duddy Kravitz* était prévisible en raison du roman, du réalisateur et du budget, le
succès suivant de Richler ne l'est pas du tout. Comment l'auteur
d'*Un cas de taille* en vient-il à écrire des livres pour enfants ?
D'après Florence, c'est elle-même qui lui en aurait donné l'idée
en lui demandant, un soir où elle était débordée, de prendre sa
relève[1] et de raconter une histoire à Jacob. Allongé sur le canapé,
Richler a pris son plus jeune sur lui et s'est mis à inventer une
histoire et des personnages. Florence, qui auparavant n'avait
jamais imaginé que son mari était capable d'écrire des histoires
pour enfants, lui a suggéré de la mettre sur papier[2].

Richler avait déjà songé qu'il y avait peut-être de l'argent à
faire avec la littérature enfantine. Déjà en 1959, il avait essayé de
vendre à Jack McClelland une idée de livre pour enfants, puis en
1966 ou 1967, il avait commencé à écrire *The Last Plum in the
House*[3]. À l'heure où les deux plus vieux s'éloignent de leurs
parents, il n'est pas si étonnant de voir Richler se tourner vers
Jacob. Florence lit les brouillons de Richler aux plus jeunes et lui
rapporte leurs réactions[4]. La « petite histoire » deviendra finalement *Jacob Deux-Deux et le Vampire masqué*, un court récit qui
s'adresse à un public de tous âges. Jacob, qui doit tout répéter
parce qu'il est le plus jeune et que personne ne lui prête attention, est accusé de conduite offensante envers une grande personne et condamné à être prisonnier dans la Prison des Enfants.

À l'histoire traditionnelle de l'enfant qui surmonte ses peurs, Richler ajoute une touche personnelle : il se moque des banalités que débitent les adultes à propos des punitions (« c'est encore plus douloureux pour moi que pour toi ») d'une manière accessible tant aux enfants qu'aux adultes, mais aussi, plus astucieusement, il se moque des solutions des enfants. Louis Laguigne, l'avocat de Jacob, cherche des arguments convaincants pour défendre son client. « Je l'ai », s'exclame-t-il soudain, triomphant. « Je vais pleurer[5]. » Comme le fait remarquer Perry Nodelman, *Jacob Deux-Deux et le Vampire masqué* donne aux enfants, de manière quelque peu subversive, le pouvoir de se créer un délire paranoïaque[6]. En même temps, comme de nombreux écrivains pour enfants conventionnels, Richler exige que Jacob cesse de gémir et tente de résoudre les problèmes qui surviennent de manière constructive.

Le livre semble décrire la famille Richler : la mère qui prépare le repas, le père qui lit le journal, allongé sur le canapé, rêvant de belles tomates bien fermes ; Noah et Emma qui se battent dans le jardin ; Daniel et « Marfa », nommés mais absents ; et le benjamin de la famille, Jacob, qui veut participer aux jeux de ses aînés, dont il est exclu à cause de son jeune âge. Même si Richler affirme s'être inspiré d'un charmant lutteur rencontré dans le cadre de la rédaction d'un article pour *McLean's*[7] pour créer le méchant, nommé le Vampire masqué, on peut soupçonner que Richler lui-même, avec sa répugnance pour les effusions sentimentales et son amour secret des enfants, a servi de modèle au personnage. C'est contre sa volonté que le vampire est considéré par les enfants comme l'un des leurs[8]. Après la mort de Richler, on produira un dessin animé de Jacob Deux-Deux dont les personnages ressembleront aux membres de sa famille, mais à l'époque, Richler semble tenter d'éviter de trop en dire sur sa famille immédiate. Après avoir exposé au monde l'intimité de sa famille élargie, il se refuse à faire de même avec sa famille proche. Quant à Jacob Richler, il ne semble pas avoir été traumatisé : il ne se rappelle pas avoir eu à répéter quoi que ce soit pour obtenir l'attention de sa famille et n'a donc pas l'impression que le livre lui est adressé. Il raconte toutefois avoir utilisé sa « célébrité » pour draguer les filles[9].

L'impertinence de Richler fait de lui un allié naturel pour un enfant qui a envie de se rebeller sans avoir la possibilité de contester les conditions fixées par les adultes. Ce qui ne signifie pas qu'il lui est facile de se transformer du jour au lendemain en auteur de livres pour enfants. Les lecteurs de McClelland & Stewart sont divisés : l'un considère que *Jacob Deux-Deux et le Vampire masqué* est ennuyeux, tandis que l'autre affirme que le récit mêle brillamment les styles de James Thurber, Jules Feiffer, Abbie Hoffman, Jonathan Swift, Spike Milligan et John Diefenbaker[10]. Abbie Hoffman ? John Diefenbaker ? Lorsque Richler annonce à André Deutsch, son ancien éditeur, qu'il lui accorde les droits britanniques, celui-ci demande également les droits pour le Canada. Richler le réprimande en lui disant : « Ne renouons donc pas nos relations professionnelles en refaisant les mêmes erreurs qu'il y a vingt ans[11]. » À New York, Knopf semble réticent à publier le livre et Richler en conclut aussitôt qu'il a perdu son temps à l'écrire. Jack McClelland le rassure en lui disant qu'il est normal qu'un « éditeur endurci de New York » y regarde à deux fois, mais qu'avec quelques modifications, les Américains accepteront sans aucun doute de le publier[12]. Richler doit simplement apprendre quelques trucs du métier. Lily Poritz Miller, l'éditrice de McClelland & Stewart, lui explique que les enfants ne s'intéressent pas aux personnages plus jeunes qu'eux et qu'un roman pour enfants dont le personnage est âgé de quatre ans est condamné d'avance. De toute façon, Jacob, à quatre ans, est beaucoup trop précoce pour être crédible. Elle lui recommande de se mettre dans la peau d'un enfant et d'éviter de leur faire la leçon au sujet de la pollution[13]. Son éditrice pour enfants à New York, Nina Bourne, lui donne elle aussi des conseils : n'essaie pas de faire des clins d'œil aux adultes par-dessus la tête des enfants (Richler avait utilisé des mots comme « cojones », le terme espagnol pour « testicules ») ; essaie de te débarrasser de l'adulte en toi au lieu d'utiliser du « vocabulaire de livres pour enfants » (Richler avait écrit « il se met joyeuse-ment au travail… ») ; et, phrase mémorable s'il en est, « adopte un style très simple et direct – comme si Cervantès enfant écri-vait à l'un de ses semblables[14] ». Au départ, Richler avait décidé de faire intervenir les troupes des Enfants au pouvoir, rappliquant des quatre coins de l'Angleterre pour libérer Jacob et les autres détenus de la Prison des enfants. Les éditeurs le convainquent toutefois d'abandonner les mitrailleuses[15], et Richler laisse finalement Noah et Emma aider leur petit frère à s'en sortir.

Richler avait presque toujours eu des préjugés envers la littérature enfantine, les «ennuyeuses histoires d'Esquimaux ou les légendes indiennes», qu'il trouvait trop didactiques. Enfant, il lisait des bandes dessinées de super-héros, mais pas de livres pour enfants[16]. Dans *The Incomparable Atuk*, il se moque de J. P. McEwen, qui publie les histoires qu'elle raconte à ses nièces à l'heure du coucher[17]. Mais lorsque les ventes de *Jacob Deux-Deux et le Vampire masqué* dépassent celles de son roman pour adulte le plus populaire, *Le cavalier de Saint-Urbain*[18], Richler se retrouve lui-même dans la position de McEwen. Soucieux de préserver sa dignité, il doit malgré tout participer à des séances de dédicaces organisées entre autres dans le cadre de la «Fête des Popsicles des Enfants au Pouvoir» et imaginées par les publicitaires de McClelland & Stewart[19]. Il est assailli de toutes parts par des petites personnes qu'il ne peut remettre à leur place avec des remarques cyniques comme il a l'habitude de le faire. Les enfants qui assistent à ses lectures publiques découvrent un homme tendu qui ne semble pas se divertir. Une jeune adolescente de douze ans tente de l'interviewer et n'obtient que des réponses laconiques: «oui», «non» et «euh[20]...». Il semble que le Vampire masqué ne soit pas prêt à renoncer à son côté bourru, sauf peut-être avec ses propres enfants. Malgré tout, il est alors découvert par une génération de Canadiens qui n'a jamais entendu parler du *Cavalier de Saint-Urbain* ou de *Gursky*. Mordecai Richler? Il écrit des livres pour enfants, non?

≋

Même si Richler s'est toujours considéré comme un homme résolument urbain, il décide, en 1974, d'utiliser l'argent que lui verse le BOMC pour acheter une maison de campagne au bord du lac Memphrémagog, dans les Cantons de l'Est[21]. C'est plus qu'une simple maison de campagne: il y a sept chambres à coucher réparties sur deux étages, décorées de caricatures de Terry

Mosher[22], et une vaste véranda dans laquelle il installe non pas la populaire table de billard du Rachel Pool Hall mais sa cousine de la haute, une table de snooker grand format[23]. Maintenant qu'il est passé du ghetto de la rue Saint-Urbain à la vie de gentleman, Richler appartient désormais à la catégorie des riches propriétaires terriens. À l'extérieur de sa maison, la forêt et le lac, le lac et la forêt, le Canada avec lequel il n'est pas familier, mais qui apparaîtra de plus en plus dans ses romans. Il y invite des amis, dont ses éditeurs Tony Godwin et Bob Gottlieb. Pendant que Godwin fait ses exercices de yoga sur la tête, les enfants de la famille Richler tentent de le déconcentrer en lui faisant des grimaces[24]. Lorsque le journaliste Ian Mayer rencontre des difficultés dans son combat contre l'alcoolisme, Richler l'invite à venir passer quelques jours chez lui. Mayer reconnaîtra par la suite la générosité de son ami : « Un simple merci ne suffit pas à exprimer ma reconnaissance. Ce week-end m'a fait plus de bien que n'importe quel psychiatre[25]. » L'hospitalité des Richler ne date pas d'hier. Richler et Florence ont toujours accueilli leurs amis à bras ouverts et tenté de leur trouver un endroit où dormir, même lorsque, au début des années 1960, ils habitaient dans un petit appartement avec trois enfants[26]. Bien entendu, Richler s'attend à recevoir un traitement similaire lorsqu'il s'invite chez des amis sans prévenir et à n'importe quelle heure[27].

Richler achète un bateau à moteur et, à l'occasion, il part en balade sur le lac Memphrémagog. Il daigne parfois entrer dans l'eau pour nager un peu[28]. Un soir où il revient à la maison avec Florence, il décide, inspiré par le film *The Turn of the Screw* (une adaptation d'un roman d'Henry James), de gratter à la fenêtre pour faire peur aux enfants. Le lac Memphrémagog offre de belles occasions de jouer des tours, surtout lorsqu'Emma et ses amis campent près du rivage[29]. Quelques années plus tard, lors des fêtes qu'il organise dans sa maison de campagne, il réussit à se mettre au courant des ragots politiques et fait la rencontre d'autres membres de l'aristocratie canadienne qui se désignent eux-mêmes comme tels : Jacques Parizeau et Jean Charest, qui vont tous deux occupé le poste de Premier ministre du Québec, Michel Cogger, un financier conservateur (et futur taulard), Peter White (le lieutenant de Conrad Black), Black lui-même, John

Cleghorn, le PDG de la Banque Royale du Canada (RBC), Lysiane Gagnon, une journaliste, John Lynch-Staunton, un avocat conservateur, et Jack Rabinovitch, le président de Trizec. Les deux derniers deviendront de bons amis de Richler[30].

Le lac Memphrémagog est un bon endroit pour écrire. Il offre à Richler un nouveau décor pour son prochain roman et la tranquillité d'un isolement relatif. Si des difficultés liées à la vie rurale surviennent, comme par exemple des problèmes de puits, rien ne rend le discours de Richler plus divertissant que la colère. Il écrit à l'entrepreneur : « Cher M. Montmigny, je vous remercie pour votre lettre du 28 mai. Malheureusement, je ne peux débuter ma lettre par la mention « sans préjudice » parce que, contrairement à vous et au tout aussi adroit M. Glenn Bennett (dont je détecte la plume ici), je n'ai jamais rien écrit qui soit sans préjudice. Ou sans style d'ailleurs. Ce qui ne veut pas dire que je n'apprécie pas votre ruse. » Richler promet qu'il déchargera l'entreprise de Montmigny de toute accusation s'il obtient un nouveau puits qui fournit une eau propre à la consommation. Il ajoute qu'une fois son nouveau puits dûment testé, il reconnaîtra « que vous l'avez fait non pas parce que vous étiez responsables de la fuite initiale, mais par pure bienveillance. En fait, votre bienveillance est si légendaire que je suppose que vous et M. Bennett irez dès ce soir sonner aux portes de toutes les maisons des Cantons de l'Est : "Bonsoir! Vous avez des problèmes avec votre puits ? On est les gars de chez bp et on serait ravis de régler ça pour vous – à condition de nous accorder trois ans de votre temps pour procès, erreurs et réunions de toutes sortes"[31]. »

Le lac Memphrémagog est aussi un bon endroit pour les enfants. Et ils en ont besoin, car au moment où Richler publie et fait la tournée de promotion de *Jacob Deux-Deux et le Vampire masqué* – dans lequel les juges condamnent des contrebandiers de « gomme balloune » et tout se termine bien –, les enfants de la famille Richler entrent dans l'adolescence et dans une période difficile. Ils ont été élevés dans le respect des règles de politesse. « Ce sont des enfants intelligents, intéressants, polis, presque parfaits », souligne un visiteur[32]. Ils sont aussi très indépendants. À douze ans, Martha obtient un rôle dans une version filmée de *Jacob Deux-Deux et le Vampire masqué* et doit faire seule le trajet entre le lac Memphrémagog et l'appartement des Richler à Montréal[33]. Leurs parents n'ont pas particulièrement cherché à les mettre en garde contre les menaces du libéralisme : la drogue, la censure, la liberté sexuelle, etc. À neuf ans, Noah est considéré trop jeune par son père pour lire *Un cas de taille*[34]. Lorsqu'à l'adolescence, il reprend le livre, Richler lui répète qu'il est trop jeune mais ne le lui enlève pas des mains[35]. Les enfants sont autorisés à jurer à condition de connaître la signification des mots qu'ils emploient et de faire preuve d'imagination[36]. Une fois, Richler tombe sur une lettre d'amour écrite par Noah et dans laquelle le mot « fuck » apparaît dans chaque phrase. Richler se contente de commenter le style : le terme serait beaucoup plus percutant s'il était employé moins souvent, dit-il à son fils[37]. Florence et Mordecai étaient des parents plutôt décontractés, en avance sur leur temps, dira Martha des années plus tard[38]. Lorsqu'on se rappelle la manière dont parlait Martha à onze ans, on constate l'importance que ses parents accordent au développement de la faculté d'expression[39].

À l'époque, Daniel et Noah sont en pleine adolescence et Richler ne se montre pas très empathique. « C'est un peu comme s'il nous abandonnait à douze ans et nous donnait rendez-vous à dix-neuf ans », se rappelle Noah. Si Daniel et Mordecai se disputent rarement, Daniel, qui se découvre une conscience politique, a tendance à blâmer son père pour tous les maux de la terre : le fossé entre les générations, le réchauffement climatique, le chômage, etc. Richler n'est pas non plus un bon confident pour les histoires de cœur. L'aîné de la famille a l'impression que Florence et Mordecai ont déjà tout vécu et que ses propres expériences n'ont rien de nouveau. Les Rolling Stones ? Richler les a déjà rencontrés. Le Festival de Cannes ? Il y est déjà allé. Lorsque Daniel se montre devant son père avec des jeans roses déchirés, celui-ci lui affirme qu'il ressemble à un cul de cheval. Daniel crée son propre groupe de punk, les Alpha Jerks, et Richler daigne assister à l'une de leurs pratiques. Malheureusement, il n'est pas aussi impressionné que Daniel l'espérait et il se contente de dire, avec un sourire amusé : « Vous êtes des durs à cuire, dis donc. » Dans *Kicking Tomorrow*, le roman que Daniel écrira des années plus tard, le cri de rébellion de Robbie Bookbinder – « Tous les

parents doivent mourir» – constitue une version exagérée de ce
que pensait Daniel durant son adolescence. «Je commençais à
énerver ma propre famille», admettra-t-il plus tard. Au moment
de la Pâque juive, Richler se divertit en faisant lire à ses garçons
le passage de la Haggadah sur le fils méchant[40].

Quant à Noah, il s'ennuie à l'école. Celle qu'il intègre à
Montréal est beaucoup moins exigeante que la King's House
School, qu'il fréquentait en Angleterre, et il est convaincu qu'il
sait déjà tout ce qu'on y enseigne. Il commence à trouver que
ses compatriotes qui prennent de la drogue sont plus intéressants que les autres garçons de sa classe. Avec des copains, il
s'attire des ennuis pour avoir fait du grabuge au Parc Westmount,
et à quinze ans, il doit comparaître devant un tribunal pour des
accusations de vandalisme (en réalité, il a fait du vélo dans le lac
des Castors, sur le Mont-Royal, alors qu'il était dans un état
second). Richler accompagne son fils au tribunal et, lorsque le
juge adresse des remontrances à Noah pour avoir été un mauvais
citoyen, Richler l'interrompt brusquement et se plaint que des
gens comme lui dépensent l'argent des contribuables pour des
poursuites ridicules. Noah et le juge sont tous deux impres-
sionnés par le discours de Richler. «Vous avez raison Monsieur»,
admet le juge. Mais il est plus facile de jouer l'avocat de la
défense, car en réalité, les garçons n'ont pas l'éthique du travail
de leur père». Une fois, à Londres, Noah et Daniel, à qui on avait
demandé de ramasser les feuilles mortes, s'en servent pour
former les mots «en grève». Daniel se rappelle que Richler, les
observant par la fenêtre de son bureau au dernier étage, semblait
désespéré en voyant ce que «l'éducation de la classe moyenne
avait fait de nous. Nous n'étions que des enfants gâtés de la classe
moyenne[41]».

Richler remarque bientôt que Noah est terriblement distrait:
il laisse les robinets ouverts, oublie le lunch qu'il s'est préparé,
etc. Richler sait que son fils consomme de la drogue[42] et il est
furieux[43]. Même s'il n'a lui-même jamais été un ange et boit toujours autant d'alcool, il passe un savon à son fils et aurait pu se
montrer plus dur encore si Florence n'avait pas été là. Il a tendance à adopter les méthodes de Florence parce qu'il sait qu'elle
est plus douce («en apparence», précise-t-elle) et que sa façon

de faire fonctionne. Aussi, en général, il tente de lui épargner sa colère et sa mauvaise humeur. Lorsqu'elle lui demande comment il fait pour ne pas éclater, lui qui se retrouve fréquemment dans des situations explosives, il répond : « Je n'ose pas. » Il peut sembler étrange qu'un homme comme lui, loué et blâmé précisément parce qu'il dit ce qu'il pense – « le dernier des francs-tireurs », selon certains –, réprime ses émotions de telle façon. C'est là une forme de rébellion contre sa mère, qui lui a causé du tort en s'abandonnant à la colère et au désir. En dépit de son franc-parler, Richler n'agit pas de manière irréfléchie : il préfère canaliser dans des écrits cinglants son immense colère[44]. Pourtant, Daniel le décrit comme un homme très généreux[45], et Noah lui accorde le mérite de l'avoir aidé à renoncer à la drogue. Richler s'inspire d'ailleurs d'une série de séjours dans l'Arctique pour imaginer la première étape d'une cure de désintox pour son fils.

La première fois, Richler et Mel Hurtig y sont invités par Stuart Hodgson, le sympathique commissaire des Territoires du Nord-Ouest. Au départ, Richler ne voit que fonctionnalité et corruption à Yellowknife, mais il insiste tout de même – peut-être avec le recul – sur le fait que l'endroit est « absolument merveilleux[46] » Hurtig n'apprécie pas particulièrement le voyage, surtout lorsqu'ils se retrouvent coincés sur l'île de Broughton, au large de la côte est de l'île de Baffin, et qu'il doit supporter la mauvaise humeur de Richler. Celui-ci n'est pas impressionné par les gens du Nord et affirme qu'il n'y a que « des ivrognes, des fugitifs ou des épaves ». Décidant d'abandonner le voyage à la moitié du parcours[47], Richler estime que les Inuits sont « stupides » de s'obstiner à vivre à cet endroit et de cette façon. Pour ceux qui cherchent des raisons de se plaindre, ou pour les autres qui, comme Hurtig, nourrissent une certaine rancune, il est cependant facile de répéter l'une ou l'autre des déclarations politiquement incorrectes de Richler. Après tout, c'est un spécialiste de la provocation. Pour contrarier Florence, il appelle les Japonais « Japs[48] ».S'il va parfois trop loin, ses propos ont beaucoup moins à voir avec un quelconque racisme que les réactions de ses critiques avec la censure. Malgré son incorrection, Richler éprouve tout de même un certain attrait pour le Grand Nord et ses habitants, et entre autres pour les gens intéressants qu'on rencontre dans les bars des régions arctiques. Ce n'est pas un public facile : « S'ils croient que tu es prétentieux ou poseur, il ne te reste qu'à rentrer chez toi[49]. »

Il retourne bientôt dans le Nord dans le but de faire une collecte d'informations en vue d'écrire un livre. À Yellowknife, il interroge tout le monde au sujet de Martin Hartwell, un pilote de brousse qui, en 1973, aurait survécu en Arctique pendant trente-deux jours. Le Beechcraft à quatre places de celui-ci se serait écrasé après s'être écarté de sa trajectoire et l'accident aurait fait trois victimes : une infirmière et deux patients inuits de Cambridge Bay. Lors de l'enquête, on découvre qu'il y a eu cannibalisme. Au départ, Hartwell ne souhaite pas parler à Richler, mais après deux mois de négociations, il finit par l'inviter chez lui[50]. À la suite de sa visite, Richler note ses impressions : « La maison de Hartwell est pleine de souvenirs. Sa vie semble se résumer à l'accumulation de drapeaux, de trophées, de briquets souvenirs… on s'y sent comme dans un bar de centre de ski[51]. » Il raconte avoir passé près de renoncer à la remise des Oscars (où il est nominé pour son adaptation de *L'apprentissage de Duddy Kravitz*) pour assister à un procès pour meurtre impliquant un Inuit. Mais puisqu'il y aura un autre procès, il sent qu'il peut sacrifier quelques jours dans l'Arctique pour quelque temps au soleil[52].

Richler abandonne rapidement son projet de rédiger un livre sur Hartwell, à la grande déception de Deborah Rogers, qui est devenue son agente britannique juste avant la publication du *Cavalier de Saint-Urbain*. Déjà en 1973, Rogers calculait l'argent qu'elle obtiendrait avec la publication du prochain roman de Richler et songeait au plaisir qu'elle aurait à voir tous les éditeurs tenter de séduire Richler. « Je te vois dans le rôle de la Vierge épousée », lui disait-elle en riant. Aussi, lorsque Richler l'informe qu'il lui remettra non pas un roman, mais plutôt un livre intitulé *I Ate Nurse Judy*, Rogers n'est pas troublée outre mesure : « Je m'attends à ce que tu me remettes quelque chose de complet, avec tes remarques acerbes habituelles et, avec un peu de chance, un synopsis vendeur pour le prochain roman (beaucoup de nichons et de mafia!) [53] » On est loin de Joyce Weiner. Il est possible que Richler ait décidé de renoncer à écrire *I Ate Nurse Judy* à la suite de la parution des *Survivants*, de Piers Paul Read. L'ouvrage raconte en effet comment les survivants d'un accident d'avion dans les Andes, des membres d'une équipe de rugby uruguayenne, ont été forcés, après quelque temps, de manger leurs coéquipiers. Ou peut-être a-t-il simplement réalisé que le matériel récolté en Arctique serait mieux employé dans un roman?

Le roman en question ne verra le jour que quatorze ans plus tard. Après l'écrasement de l'avion dans lequel avaient pris place Isaac Gursky et son père, Isaac est contraint de préparer un repas horrible mais qui, techniquement, respecte la cacheroute. À l'époque toutefois, Richler, au lieu de se lancer dans la rédaction d'un roman, tente d'établir les contacts qui lui permettront d'envoyer Noah pendant quelque temps dans le Nord. S'il peut extraire Noah des cercles qu'il fréquente à Montréal, songe-t-il, et le caser dans un environnement plus austère, les « tentations chimiques » risquent d'être rares. Il persuade ses amis de trouver un boulot d'assistant prospecteur au Yukon pour Noah. Plutôt que de se lancer dans de longues discussions avec son fils, Richler – qui a peu de patience pour les ados et s'irrite de leur rationalité limitée et de leur morosité – envoie son fils au loin avec treize classiques de la littérature, notamment *Les Frères Karamazov*, *Crime et châtiment*, *Le Zéro et l'Infini*, *Le Rouge et le Noir*, *Scoop* et *L'art du baiser*, mais aucun de ses propres romans. Lorsque Noah rentre à Montréal avec la tête rasée et une boucle d'oreille, Richler s'inquiète brièvement que son fils puisse être gay[54]. Si son séjour au Yukon n'a pas réglé ses problèmes de drogues, Richler espère, avec raison, qu'il aura permis d'amorcer un processus de sevrage destiné à éloigner Noah d'un mode de vie centré sur la drogue.

~

Les retombées de sa nomination aux Oscars obligent Richler à mettre de côté l'Arctique et lui donnent une certaine notoriété. Il annonce d'abord la nouvelle de sa nomination à son éditeur britannique, Tony Godwin. Sachant que Richler considère que de manière générale, les films sont surestimés[55], Godwin, un véritable maître des remarques sournoises, lui dit : « Ce serait plutôt gênant si tu gagnais, non[56] ? » Il ne semble pas y avoir de danger : *Le Parrain II* rafle en effet l'Oscar du meilleur film et Mario Puzo et Francis Coppola, celui du meilleur scénario adapté. La Guilde des scénaristes d'Amérique accorde toutefois le prix de la meilleure comédie au scénario de Mordecai Richler et Lionel Chetwynd. Assis à des tables différentes, les deux hommes se lèvent et se dirigent vers la scène. Réchauffé par l'alcool, Richler dit : « C'est la première fois que je vois cet homme. » Ignorant que Richler dit la vérité, les membres du public, tous vêtus de manière élégante, éclatent de rire[57].

Lorsque Kotcheff décroche le contrat pour la réalisation de la comédie à gros budget *Touche pas à mon gazon* (*Fun with Dick and Jane*)[58], produite par Columbia, il se tourne tout naturellement vers Richler pour assurer, moyennant un bon cachet, l'adaptation du scénario. Richler à Hollywood : la vie culturelle et intellectuelle trépidante de la capitale du cinéma se révèle être une source inépuisable d'inspiration. En novembre 1975 ou 1976, il est invité à Hollywood avec Kotcheff et convié à un dîner bien arrosé chez un producteur qui possède un manoir à Malibu. Le maître d'hôtel fait le tour des convives avec de la marijuana Acapulco Gold et de la cocaïne. Au grand amusement des débauchés d'Hollywood, Richler demande un billet supplémentaire pour que sa femme puisse le rejoindre[59]. On lui présente Jane Fonda, qui tiendra le rôle de Jane. Ils s'entendent bien, mais Fonda est contrariée lorsqu'elle s'aperçoit qu'elle a quarante-trois lignes de texte en moins dans la version adaptée de Richler[60].

Touche pas à mon gazon raconte l'histoire d'un couple de la haute bourgeoisie qui est contraint de se tourner vers le vol lorsque le mari perd son emploi en aérospatiale. Richler, autrefois considéré comme l'un des auteurs dramatiques du mouvement des Jeunes gens en colère (les *Angry Young Men*), demande maintenant 50 000 dollars pour adapter un scénario qui traite de gens de la haute anxieux de l'avenir de leur piscine. Bien que les personnages de Dick et Jane soient volontairement réduits à des silhouettes de carton obsédées par elles-mêmes, on s'attend tout de même à ce que le public les applaudisse sans réserve lorsque, vers la fin du film, ils volent les pots-de-vin d'un cadre de l'aérospatiale corrompu et se sauvent avec l'argent dissimulé sous leurs vêtements. Si la majeure partie du film est terre-à-terre, la satire renverse parfois le matérialisme et s'élève à un niveau supérieur, notamment lorsque le riche père de Jane répond à sa demande de lui prêter de l'argent par un sermon sur l'autonomie. «Pour moi, Ralph Waldo Emerson est un Dieu», commence-t-il, avant de lui demander de voir les choses de cette façon: «C'est la mousson et tu es trempée. Si tu prends mon argent, tu seras trempée pour le reste de ta vie.» La pauvreté soudaine de Dick et Jane est la meilleure chose qui pouvait leur arriver, conclut-il. Et la mère de Jane d'ajouter: «Je suis si heureuse pour vous[61].»

Puisque cinq scénaristes différents ont travaillé sur l'adaptation du roman de Gerald Gaiser, on ignore si ces excellentes répliques ont été écrites par Richler[62]. Une scène porte cependant la marque incontestable de l'auteur: lors d'une réception organisée pour des clients étrangers, Dick et Jane se glissent à l'intérieur du bureau de l'ancien patron de Dick et passent devant un portrait de 90 cm x 120 cm de Moshe Dayan, la figure la plus célèbre de l'expansionnisme israélien et sans aucun doute un client militaire très respecté – suffisamment, en tous les cas, pour qu'on accroche son portrait au mur. Une autre scène porte la signature richlérienne de la satire contre l'exception juive. Lorsque l'entreprise d'aménagement paysager vient saisir la tourbe et les arbustes qu'ils ont récemment installés sur le terrain de Dick et Jane, cette dernière accuse le responsable d'utiliser des tactiques nazies. «C'est impossible», répond celui-ci en détachant chaque syllabe, «je suis juif[63].» Nous sommes à la fin 1975, et l'Assemblée générale des Nations unies vient tout juste d'adopter une motion selon laquelle le sionisme est une forme de racisme.

Columbia n'a choisi aucune des deux conclusions qui apparaissent dans les archives de Richler. Il est probable, mais incertain, que la fin la plus satirique soit l'œuvre de Richler. Dans cette conclusion, des billets tombent du soutien-gorge de Jane, dont l'une des bretelles s'est brisée, et Dick et Jane se font prendre avec l'argent qu'ils ont volé. Ils ont malgré tout bonne presse. Le propriétaire d'un magasin qu'ils ont cambriolé découvre qu'il lui suffit d'afficher leur message de remerciement pour que sa boutique acquière une certaine popularité et qu'il récupère plus d'argent que ce qu'il a perdu. Lorsqu'un journaliste demande au propriétaire ce qu'il fait de la moralité, celui-ci, soudain furieux, réplique : « Vous aviez dit qu'il n'y aurait pas de questions-pièges. » Un évangéliste, lui aussi victime des vols de Dick et Jane, prêche « le Pardon et la Prospérité » et découvre, tout comme le souligne son sermon, qu'une histoire réconfortante comme celle de Dick et Jane fait affluer les dons. Le scénario se termine comme il a commencé, avec les images d'un livre de contes de Dick et Jane[64] : Dick et Jane jouant aux cartes ou au tennis dans une prison à sécurité minimum ; Dick et Jane posant devant la nouvelle maison qu'ils ont achetée avec les recettes perçues sur la vente de leur livre, dans lequel ils « racontent tout ». Ce ne sont pas les antihéros de la version finale du film, mais des personnages ridicules, symboles d'une société corrompue par le culte de la célébrité[65]. Mais Richler, qui dénoncera bientôt la trahison du poète A. M. Klein, qui s'est associé avec le magnat de l'alcool Samuel Bronfman, apprend qu'il faut souvent faire des compromis artistiques dans les grosses productions lucratives. La conclusion de Richler est modifiée et ses personnages de carton sont transformés en héros.

Richler se retrouve donc dans une position analogue à celle de Chetwynd à l'époque de *L'apprentissage de Duddy Kravitz*. Il est contraint de faire appel au Comité d'arbitrage des crédits de la Guilde des écrivains dont il s'était moqué trois ans plus tôt lorsque Chetwynd était demandeur[66]. Ce n'est pas tout. Avant de prendre l'avion pour Hollywood, Richler avait insisté pour qu'il n'y ait pas de réunion pour discuter du scénario[67] et les responsables avaient donné leur accord. Si Kotcheff et le producteur Peter Bart étaient satisfaits de ce que Richler leur avait remis après trois semaines de travail, Stan Jaffe, de Columbia, l'était moins, et Kotcheff avait décidé de convoquer Richler pour une autre semaine de travail en lui promettant 7 500 dollars de sa poche. À cela, Richler avait répondu qu'il n'y aurait aucun frais si les scènes n'étaient pas utilisées, mais que si certaines d'entre elles l'étaient, Columbia, Peter Bart ou Max Palevsky (un autre producteur) devrait payer, et non pas Kotcheff. Bart avait donné son accord. En fin de compte, certaines scènes sont utilisées sans que Richler obtienne son argent, même si Bart prédit qu'il en verra un jour la couleur et lui dit que s'il fait des histoires, il demandera que les scènes soient retirées du film. Furieux et complètement ivre, Richler écrit une lettre de protestation qui n'a d'autre résultat que de prouver que même lorsqu'il est inintelligible et abruti par l'alcool, il s'exprime bien. En effet, aucune preuve n'atteste qu'il aurait envoyé cette lettre, car elle a été retrouvée sans date et sans signature :

> « plusieurs semaines avant que la marmotte nordique ne se pointe
> quelques weekd puls trad, Bart a finalement refait surface...
>
> qui plus est bart, un gars subtil, prétend à tort que kotcheff ne lui a jamais
> dit qu'il dvrait payer... art croit-il que j'écris
> sans honoraires pour les producteurs de films dans l'espoir ténu qu'un jr
> ils vont m'inviter à dîner. est-ce la même chose pour les autres écrivains
> qui travaillent pour moi
> il ne me reste qu'à me taire et à avaler l'affront. J'ai été
> traité comme un mendiant soumis à des insultes, et j'ai trouvé
> xxxxxxxxx...
> j'aimerais bien savoir ce que je dois faire[68]. » [*sic*]

Même le Vampire masqué, qui est doux malgré de bourru, est incapable de garder son calme face aux machinations d'Hollywood.

21

Retour à Ibiza

E N 1976, Richler n'a pas publié de véritable roman depuis cinq ans. Il se contente de textes comme «Witches' Brew», qui raconte avec beaucoup d'esprit «le troisième festival annuel gnostique de l'Ère du Verseau sur l'astrologie, le pouvoir de l'esprit, les sciences occultes et la sorcellerie dans le Nouvel-Âge» et lui obtient un bon montant de la part de Playboy[1], même si des lecteurs diront par la suite qu'ils n'accordent aucune crédibilité au compte rendu d'un profane sur ces sujets ésotériques. S'il reçoit des conseils psychiques contradictoires de la part de différents astrologues, il obtiendra certainement des diagnostics contradictoires dans le cadre d'un congrès de médecins, n'est-ce pas ? «Vous l'ignorez peut-être», écrit l'un des lecteurs, «mais vous avez eu droit à une interprétation astrologique réalisée par l'un des plus grands astrologues de notre temps, Marc Edmund Jones. Avez-vous vraiment écouté son interprétation ? Avez-vous vraiment prêté attention à ce qu'il vous a dit[2] ?» Le succès du film de *Duddy Kravitz* et du livre de *Jacob Deux-Deux* dépasse de loin les attentes de Richler et le rend célèbre, y compris aux yeux de ses propres enfants[3]. Il est toutefois conscient que ses dernières réussites ne le représentent pas réellement. Il jongle avec de vieilles idées, dont le cannibalisme arctique, Manny Berger qui entend les cloches de l'enfer alors qu'il n'en est qu'à la moitié de sa vie et les Bronfman à l'époque de la prohibition. Déjà en

1972, Richler imagine un roman intitulé *Gursky Was Here*[4], qu'il se promet de finir avant 1977 et dont il publie un «extrait» sous le titre de «Manny Moves to Westmount». Deborah Rogers applaudit avec enthousiasme, espérant qu'en applaudissant assez fort, elle encouragera Richler à achever un roman qu'elle pourra vendre[5].

Si «Manny Moves to Westmount» paraît dans le magazine *Saturday Night*, le récit ne donne lieu à aucun roman. Richler décide en effet de mettre tous ses projets de côté lorsqu'il reçoit un appel de Jack McClelland, qui lui demande s'il peut lui recommander quelqu'un pour rédiger les textes d'un livre de photographies de l'Espagne. Richler lui donne quelques noms, mais il devient vite évident que McClelland préférerait lui confier le travail. Le projet présente un intérêt certain pour Richler, qui meurt d'envie d'aller voir si les fantômes du passé hantent toujours les rues d'Ibiza et de reprendre sa vieille querelle avec l'ex-colonel nazi «Mueller» qui, d'après les rumeurs, aurait ouvert une boîte de nuit sur l'île – «Vous en avez ou vous n'en avez pas?» Dans *Joshua au passé, au présent*, Joshua s'envole seul pour l'Espagne alors que la situation avec sa femme est tendue, mais dans la vraie vie, Richler, lui, amène Florence. Dans son ouvrage autobiographique intitulé *Feed My Dear Dogs*, Emma Richler décrit très bien le besoin qu'avait Richler de sa femme: «Lorsqu'il veut voir maman – c'est-à-dire pratiquement tout le temps – et qu'elle n'est pas devant lui quand il rentre à la maison ou dans une pièce où il s'attend à la voir, il devient fou et se met à crier son nom à la manière du roi Arthur se vengeant de l'enlèvement de sa femme par ce traître de Sir Lancelot[6].» Florence offre à Richler de le laisser partir seul en Espagne, mais il est de moins en moins enthousiaste à voyager sans elle, et il la convainc de l'accompagner[7].

Ce qu'il trouve à Ibiza est déprimant, mais salutaire. L'île est envahie de commerces de toutes sortes. Les hôtels poussent comme des champignons; on joue du «acid rock» dans les bars et les eaux d'égouts sont déversées directement dans la mer. Partout, il y a des touristes allemands et japonais. Mais Richler a changé lui aussi. Le bourgeois qu'il est devenu peut désormais s'installer dans l'un de ces nouveaux hôtels et voyager comme les touristes allemands et japonais qu'il méprisait dans sa jeunesse. Il s'inquiète de savoir si ses anciens compagnons le reconnaîtront et s'ils auront quelque chose à se dire. Il réussit à retrouver Juanito « Pus », le pêcheur qui l'avait pris sous son aile vingt-cinq ans auparavant. Celui-ci lui raconte qu'il n'y a plus de poisson près de l'île depuis le début des années 1960 et qu'il a dû aller pêcher au large. Il est maintenant à la retraite. L'ancien fêtard a renoncé à l'alcool et se couche tôt tous les soirs. De toute façon, la Casa Rosita n'existe plus et il n'y a plus de combats de coqs[8].

Richler songe à reprendre sa vieille querelle avec le colonel « Mueller », mais non plus comme le jeune homme de dix-neuf ans intimidable qu'il était à l'époque. Dans *Joshua au passé, au présent*, Juanito est piqué au vif lorsqu'il se rend compte que Joshua est plus intéressé par « Mueller » que par lui. Dans *Back to Ibiza*, Juanito est simplement perplexe. Lorsque Richler apprend que « Mueller » est décédé du cancer cinq ans plus tôt, il se sent bête et a le mal du pays[9]. Son séjour en Espagne lui fait apprécier sa famille et son foyer et l'aide à comprendre qu'on ne peut ni réparer ni corriger le passé. À son retour, il doit se rendre à Halifax avec Jacob et Martha pour faire la promotion d'un film de *Jacob Deux-Deux* dans lequel a joué Martha et pour lequel Jacob a contribué à la publicité[10]. Il envoie d'ailleurs à Jacob une carte postale – qui, selon toute apparence, doit être prise au second degré – dans laquelle il révèle son état d'esprit par rapport à sa famille : « Je considère Madrid, Séville, Grenade, Ibiza, etc. comme rien de plus qu'un prélude à la fantastique et excitante ville d'HaLifax… J'espère que tu n'as pas fait d'autres plans[11] ! »

De retour à la maison, Richler se lance dans la rédaction d'*Images of Spain*. Au lieu d'un récit de voyage de 10 000 mots, il se retrouve avec un mémoire de 30 000 mots. Sur les conseils de Florence, qui estime qu'il serait bête de « gâcher » tout ce précieux matériel pour un livre de photos, il supprime la majeure partie des anecdotes personnelles et transforme *Images of Spain* en un simple récit de voyage. Début 1977, il retravaille les anecdotes pour en faire *Back to Ibiza*, un manuscrit de cent quatre-vingts pages qu'il montre à Florence et Bob Gottlieb. Ceux-ci ne sont pas convaincus de son achèvement au plan formel, et

Richler se fie à leurs impressions. Si les passages fictifs sont les meilleurs, pourquoi ne pas en faire un roman[12]? En 1978, il trime dur sur son projet de roman, qu'il a intitulé *Joshua Bloom*. Il combine des passages de *Back to Ibiza* avec des anecdotes d'Hollywood et des scènes espagnoles qu'il n'a pas utilisées pour *Le cavalier de Saint-Urbain*. «Je ne te demanderai pas ce qui est arrivé à *Gursky Was Here*[13]», lui promet son ami Michael Darling.

≈

Avant l'Espagne, en 1974 et 1975, Richler avait fait partie du jury pour l'attribution du Prix du Gouverneur général dans la catégorie «littérature». C'est sans controverse que le prix revient, en 1974, à Margaret Laurence pour son roman *Les Devins*. En 1975 toutefois, Richler est ouvertement critiqué lorsque *The Great Victorian Collection*, de Brian Moore, est récompensé à la place de *The Snow Walker* de Farley Mowat, ou du *Monde des merveilles* (*World of Wonders*) de Robertson Davies, car l'amitié entre Moore et Richler est connue de tous. Certains nationalistes estiment qu'un ultranationaliste comme Mowat aurait dû l'emporter sur un écrivain qui habite la Californie (Moore). Les romans sont jugés en fonction de leur valeur littéraire, insiste Richler[14]. Il ne dit aucun mal des autres finalistes et s'empresse de proposer *The Snow Walker*, qu'il adore, comme titre secondaire pour le BOMC[15], même si Farley Mowat se fait désormais appeler «Hardly Know-It» dans les bars de Yellowknife comme le Hoist Room et le Gold Range.

En 1976, Richler est nommé président d'un jury dont font partie deux anciennes récipiendaires du prix, Alice Munro et Margaret Laurence. Si Munro, qui lui avait demandé conseil au sujet de la vente de ses documents aux Archives canadiennes littéraires de l'université de Calgary[16], s'entend bien avec Richler, elle doit se faire violence pour assister aux réunions du printemps 1977, surtout à cause de Laurence. Lors d'une réunion informelle dans un bar, Laurence boit trop et devient franchement désagréable, cherchant à intimider les autres parce qu'ils ne partagent pas son avis. Laurence, qui prévoit écrire un roman sur ses expériences des années 1940 dans le nord de Winnipeg avec le Parti communiste et des chrétiens fondamentalistes qui pensent détenir toutes les réponses (et qui tentent à l'époque d'interdire *Les Devins* et *L'apprentissage de Duddy Kravitz* dans les écoles secondaires[17]), reconnaît l'ironie de sa position. Elle admet : « Peut-être que je dois simplement regarder en moi pour comprendre que les gens sentent parfois qu'ils ont raison et qu'il faut enlever aux autres leurs œillères[18]. » Si ses divagations d'ivrogne n'ébranlent pas Richler, qui a l'habitude de ce genre de situation, on ne peut pas en dire autant de Munro.

À la suite de cette soirée, Laurence dit à Richler : « Tu as été fantastique, apaisant, etc. même si tu devais être furieux contre moi[19]. » Elle présente également ses excuses à Munro. Celle-ci raconte d'ailleurs à Richler : « La gentille et sobre Margaret Laurence m'a appelée pour excuser le comportement de son *alter ego* alcoolo et a suggéré que nous organisions une autre réunion... J'ai dit non. » Munro ajoute qu'elle aimerait que *Miracles en série* (*Small Ceremonies*) apparaisse sur la liste des présélections pour encourager Carol Shields[20]. Mais aucune liste de présélections n'est publiée[21]. Malgré son acte de contrition, Laurence semble obtenir le dernier mot. « Un livre banal, qui n'est pas en compétition », écrit W. H. New à Richler en apprenant que *Ours*, de Marian Engel, fait partie des finalistes au même titre que *Lady Oracle* de Margaret Atwood, et *Spit Delaney's Island* de Jack Hodgins[22]. Ni *Ours* ni aucun des thèmes qu'il aborde, tels l'accomplissement de la femme et les grands espaces canadiens, ne fascine Richler, mais le roman remporte malgré tout le Prix du Gouverneur général et Munro est contrainte de voir les choses à la manière de Laurence[23].

Si Richler participe à d'autres événements organisés par le milieu littéraire canadien, ceux-ci lui apportent encore moins de satisfaction. En février 1978, Jack McClelland balaye les objections de Richler et le traîne à l'université de Calgary, où, sous la direction de Malcolm Ross, « les diagnosticiens de la littérature canadienne » se réunissent pour identifier les cent meilleurs romans canadiens. *L'apprentissage de Duddy Kravitz* (3e position) et *Le cavalier de Saint-Urbain* (15e position) se placent en bonne position. *L'Ange de pierre* (*The Stone Angel*), de Margaret Laurence, occupe le premier rang et *The Incomparable Atuk*, le dernier. « De

toute évidence, je vais essayer de faire mieux la prochaine fois»,
dit Richler[24]. Il n'y a là aucune injustice, même si on peut trouver
étrange que le maladroit *Settlers of the Marsh*, de Frederick Philip
Grove, se trouve au 23e rang tandis que *The New Ancestors*, un
roman complexe et fascinant de David Godfrey, n'est qu'en
70e position[25]. Richler ne tire aucun plaisir de la conférence et
fait remarquer que McClelland & Stewart détient les droits de
réimpression de la plupart des titres sélectionnés[26]. Si les puristes
considèrent qu'il est de mauvais goût de publier une liste des
cent meilleurs romans, Jack McClelland croit qu'elle est nécessaire, car selon lui, «les enseignants des écoles secondaires et les
professeurs d'université ne connaissent rien à la littérature
canadienne[27]».

22

Lily, troisième round

RICHLER MÈNE UNE VIE généralement paisible. En 1976, après avoir été lecteur au BOMC, il devient membre du comité de rédaction[1] et, en 1980, il peut vivre avec le salaire qu'il reçoit[2]. Pendant un an et demi, Richler écrit une chronique pour *Maclean's*. Il imagine à nouveau que *Le cavalier de Saint-Urbain* sera adapté au cinéma pour quatre millions de dollars, avec George Segal dans le rôle principal et Ted Kotcheff à la réalisation. Les journaux parlent d'un contrat ferme, mais les bailleurs de fonds se montrent réticents[3]. En revanche, une comédie musicale adaptée de *Jacob Deux-Deux* prend l'affiche en Caroline du Nord et en Caroline du Sud avant d'être présentée à Londres, Washington et Toronto[4]. Comme le lac Memphrémagog semble bien lui convenir, Richler abandonne la maison de Westmount pour une suite dans un des plus prestigieux complexes d'appartements de Montréal, Le Château, situé sur la rue Sherbrooke Ouest, le genre d'immeuble qu'il décrit dans *Le monde de Barney* comme «un château fort de riches et vieux gagas… une forteresse de septuagénaires anglophones[5]». Il travaille généralement de 9 heures à 16 heures si la journée se passe bien. À 16 heures, ou avant s'il n'arrive plus à travailler, il se retire dans un bar, celui du Ritz Carleton quand il est à Montréal. Il regarde le téléjournal et se couche vers 23h30. Comme il travaille tous les jours, Richler n'a pas vraiment la notion du week-end, mais il connaît avec exactitude l'horaire du *Muppet Show* et de *La Soirée du hockey[6]*.

Installé dans cette paisible routine quotidienne, Richler avance enfin sur le roman qu'il a commencé à Ibiza. Il imagine le personnage de Joshua Shapiro, un Juif d'une quarantaine d'années. Parti de rien, il épouse une blonde *shiksa* et accède à la renommée, mais se retrouve en disgrâce : il risque d'aller en prison, ou pire, de perdre sa femme et sa famille[7]. Les critiques avides d'expérimentations structurelles, de thèmes neufs ou de radicalisme politique ne peuvent s'empêcher d'être déçus. Alors que d'autres romanciers canadiens, comme Michael Ondaatje (*Le Blues de Buddy Bolden*, 1976) et Robert Kroetsch (*What the Crow Said*, 1978) se montrent brillants dans l'utilisation de nouvelles formes, et qu'un auteur plus classique comme Alice Munro (*Pour qui te prends-tu ?*) aborde le réalisme avec une austérité telle qu'on ne peut réduire son œuvre à une comédie ou à une tragédie, Richler reste fidèle aux conventions dickensiennes. Dans ses plus grands romans, il s'appuie sur une structure comique fondamentale – le souhait d'«émettre une flamme affirmative» – pour des raisons morales : si les premières tragédies et satires de Richler pourraient justifier une position quiétiste et dégager le lecteur de toute responsabilité morale, il refuse d'utiliser cette excuse. Les lecteurs peu charitables qui se plaignent de la répétition ont tort de le faire, tel William Marshall, un producteur de Toronto, qui dit : « J'adore ce livre. Je l'achète chaque fois qu'il l'écrit[8]. » Si la structure générale utilisée par Richler est répétitive, le contenu est plein d'esprit et d'imagination, car il porte un regard critique sur les événements et offre un divertissement dans ses multiples formes. Au cours de la décennie précédente, Robertson Davies a commencé à écrire des livres inspirés par le mythe, offrant ainsi de nouvelles versions d'histoires anciennes, mais Richler s'inspire de sa vie pour écrire ses romans, tout comme Munro s'inspire de la sienne dans ses histoires[9]. Les épisodes et les actions témoignent d'un réalisme errant, car ils sont déterminés par la sensibilité et par les expériences de Richler, et non par ses romans précédents[10]. Dans le monde stratifié de *Joshua au passé, au présent*, Richler décrit les tensions entre les classes et entre les races et critique la culture WASP, le nationalisme canadien, le séparatisme québécois, la politique identitaire et Hollywood ; il s'agit d'un roman plein d'humour et d'un digne héritier du *Cavalier de Saint-Urbain*[11].

Cette fois, Richler prétend qu'il ne verse pas autant dans l'autobiographie. C'est faux. Si la plupart des actions et des discours des personnages semblent éloignés de sa vie, Richler fait preuve d'une plus grande ruse dans la manière dont il l'*utilise*. Même si l'exagération enlève tout réalisme à la satire, Richler ne fait jamais dans la théorie. Il se montre expérimenté et précis dans la vengeance. Et sa première victime s'appelle Lily Rosenberg.

Erna Paris dit de *Joshua au passé, au présent* qu'il constitue le troisième round dans le combat qui oppose Richler à sa mère, après le portrait peu flatteur qu'il a dressé d'elle dans *Le cavalier de Saint-Urbain* et leur brouille[12]. On peut facilement dire qu'il s'agit du quatrième round si on inclut *Mon père, ce héros*, ou même du onzième ou du quarante-troisième round si on tient compte les conflits liés à l'arrivée de Julius Frankel. La mère de Joshua, une danseuse exotique, décide de faire un striptease pendant la *bar-mitzvah* de son fils pour désennuyer ses amis, égayant ainsi considérablement la fête. Lorsqu'elle lit ce passage, Lily se sent immédiatement visée et refuse d'entendre les objections d'Avrum, qui soutient que ce n'est que de la fiction[13]. Comme Lily, la mère de Joshua trompe son mari. Elle s'appelle «Esther», la courtisane biblique dont le nom évoque celui de «Mordecai». Par ailleurs, si Lily n'a jamais fait de striptease devant des enfants de treize ans, elle n'en était pas loin au moment de la *bar-mitzvah* de Mordecai. La satire est sournoise et drôle, mais elle est trompeuse. À cette époque, l'aventure de Lily n'est plus qu'un souvenir; en revanche, Lily n'a pas perdu sa misanthropie et Richler pense toujours qu'elle est inadaptée, si bien que le retour qu'elle fait dans sa vie au cours des années 1960 et au début des années 1970 sonne également son retour dans les romans de son fils, en particulier dans *Le cavalier de Saint-Urbain* et dans *Joshua au passé, au présent*. Désormais, Richler ne lie plus la mère de son alter ego (Joshua) à une personne réelle. Toutefois, l'envie d'écrire un roman à clef ne l'a jamais quitté, et les absurdités psychologiques des personnages, qui déconcertent parfois les critiques[14], ne trouvent pas seulement leur source dans la satire, mais aussi dans l'autobiographie. Si on considère la vie de Richler, il semble tout à fait normal que la mère de Joshua fasse un striptease à l'occasion de sa *bar-mitzvah*. Si on se montre généreux, le personnage d'Esther présente avec finesse le travail de Lily à l'Esquire Show Bar et sa capacité à adapter son code moral à son travail. On peut aussi simplement considérer le personnage d'Esther comme une représentation satirique du coït de Lily et Julius Frankel auquel Mordecai, âgé de treize ans, a assisté à contrecœur alors qu'il dormait dans la même pièce.

Moins d'un an après la parution de *Joshua au passé, au présent*, le livre de Lily, *The Errand Runner: Reflections of a Rabbi's Daughter*, est publié. Les critiques sautent tout de suite à la conclusion que le livre se veut une réponse au portrait de la mère dans *Joshua au passé, au présent*[15], mais ce n'est pas le cas. Les lettres que Lily écrit à sa sœur, Ruth Albert, montrent qu'elle travaillait déjà à la rédaction de ses mémoires et se plaignait déjà de ses fils en 1978-1979 : « Ne te réjouis pas de la manière dont mes chers enfants me traitent, je les aime et ils m'aiment, et quand j'aurai besoin d'eux, ils viendront si vite que personne ne pourra les rattraper[16]. » Dans une de ces lettres, Lily évoque une visite faite à Ruth : « La visite s'est très bien passée jusqu'à ce que tu apprennes que j'écrivais. Pourquoi le fait que j'écrive te déplaît-il à ce point ? Tu es devenue une véritable furie… De quoi avais-tu si peur[17] ? » Ruth craint que Lily ne décide de régler ses comptes avec sa famille, et notamment avec elle, dans son livre.

Si elle évoque en effet quelques-uns de ses griefs, l'autobiographie de Lily est bien moins agressive que les mots qu'elle a eus en privé, peut-être parce qu'elle a une idée convenable du monde de la publication. D'une certaine façon, *The Errand Runner* est une version plus complète et plus révélatrice de la série d'histoires qu'elle a écrite dans les années 1930 sous le thème « I Pay a Visit to the Beloved Rabbi ». Lily continue en effet de vénérer son père tout en évoquant sans retenue les défauts des autres. Elle écrit sous son nom de jeune fille juif, Leah Rosenberg. Afin d'éviter les poursuites en diffamation, elle modifie quelques noms, mais elle prend soin de faire comprendre aux lecteurs qui se cache derrière quel personnage. Pinchus Willensky est Shmarya Richler, son beau-père et le grand-père de Mordecai : une crapule machiavélique, dit-elle.

Aron Willensky est Moe Richler, son mari : pas aussi coupable
– il aime ses garçons et ce n'est pas sa faute s'il n'est pas fait pour
Lily – mais, à bien y réfléchir, c'est une crapule lui aussi. Elle dit
de ses frères et sœurs, y compris de Ruth, qu'ils auraient pu faire
mieux, surtout pendant toutes ces années où leur mère était à
l'agonie.

Et Mordecai ? Ici, Lily surprend. Les critiques adressées à
Mordecai le sont de manière très indirecte. Elle le décrit comme
un « penseur de l'éthique talmudique » et seuls de petits indices
laissent entrevoir la profondeur de leur désaccord. Elle l'appelle
« Moishe », lui attribuant ainsi subtilement la sensibilité paillarde
de son incompatible mari, Moe. Le roman est dédicacé à ses
parents, ses petits-enfants et ses arrière-petits-enfants, mais pas
à ses fils. Lorsqu'on l'interroge au sujet de son célèbre fils, elle
répond toujours avec candeur : « Lequel ? J'ai la chance d'avoir
deux fils, tous deux très en vue et respectés dans leur profession
respective[18]. » Lily cherche par là à remettre gentiment Mordecai
à sa place. Dans ses lettres à Ruth, Lily dit même : « T'es-tu déjà
imaginé un jour que moi, qui ne suis personne, j'aurais deux
enfants très brillants, que D. les bénisse. »[19] En privé, elle est
moins sur ses gardes et parle (« avec un lourd sarcasme », selon
Lionel Albert) de Mordecai comme de son « génie[20] ».

Un jour, Lily retrouve quelques vieilles coupures de journaux
à propos de Mordecai et demande à Victoria Zinde-Walsh de les
lui envoyer, espérant ainsi renouer avec lui.[21] Avrum, qui lui non
plus ne voit pas beaucoup Mordecai, lui écrit peu de temps après
la publication de *Joshua au passé, au présent* pour le féliciter et lui
dire que Lily souhaite se réconcilier, même si elle attend toujours
des excuses de sa part. « La "fin" n'est plus très loin et la culpabilité n'est pas un sentiment agréable », écrit Avrum[22]. Comme le
prédit *Joshua au passé, au présent*, il n'y aura pas de réconciliation.
Les ressources émotionnelles de Mordecai sont limitées et
lorsqu'il raye quelqu'un de sa liste, c'est pour de bon. Lily vivra
encore dix-sept ans, ce qui lui laissera suffisamment de temps
pour harceler les membres de sa famille en les menaçant de faire
étalage de leur radinerie s'ils ne participent pas à la rénova-
tion du mausolée de leur père[23]. Pour célébrer le cinquantième
anniversaire de sa mort, le rabbin Rosenberg se voit offrir une

nouvelle maison, un joli petit édifice en briques de la taille et de la forme d'un abri de jardin. Lily n'a pas d'amis, explique Avrum, chez qui elle passera les dix dernières années de sa vie : « Figure-toi qu'elle est pire que jamais. Elle n'a jamais eu un mot gentil pour qui que ce soit... Le poison qui sort de sa bouche est infect. Mais c'est ma mère[24]... » À un moment donné, elle fait deux enregistrements, un pour chacun de ses fils, dans lesquels elle met toute sa haine. Elle avait également l'habitude de dire : « Je n'ai pas deux fils, j'ai deux pierres[25]. »

Plutôt qu'une réponse à *Joshua au passé, au présent*, *The Errand Runner* offre une reconnaissance polie de l'éloignement de ses fils de l'orthodoxie juive. La vie de Lily est en effet marquée par la fuite devant l'orthodoxie stricte et adorée, mais intolérante, et l'« intégration » de sa foi juive dans un monde laïque. Avec une certaine autosatisfaction, Lily distribue des calendriers juifs à ses voisins non juifs et parle sans cesse des fêtes juives[26]. Le changement se fait principalement au travers de ses fils, et elle est donc peinée de voir qu'au moment où elle écrit avec davantage de douceur, son plus jeune fils, loin d'approuver cette nouvelle personnalité, choisit de décrire la mère de Joshua comme une stripteaseuse qui devient une féministe au langage grossier.

Vu la brouille entre Mordecai et Lily, ni McClelland & Stewart ni Knopf ne peuvent espérer mettre la main sur *The Errand Runner*. Lily commence par proposer son manuscrit à Mel Hurtig, qui, bien qu'il insiste sur le fait qu'il apprécie le charme et l'esprit de Lily, ne pense pas être le bon éditeur pour son livre. Il lui prodigue des encouragements et la met en relation avec John Wiley & Sons[27]. À 76 ans, Lily célèbre le lancement de son premier roman à Montréal. Vive et éloquente, une orchidée à la boutonnière, elle divertit les libraires, les journalistes et sa famille, y compris Avrum, qui est venu de Terre-Neuve pour l'occasion. Mordecai, qui vit désormais à Montréal, n'assiste pas au lancement[28]. Il est furieux, car il pense qu'elle exploite sa notoriété[29]. Il a déjà avoué à Avrum qu'il n'a pas lu *The Errand Runner*[30], mais Florence l'a dans sa bibliothèque et il finira par le lire[31].

Quelques mois avant la publication du livre, dont on entend déjà parler, Richler reçoit une lettre d'« Aaron Goldberg », de Spelling-Goldenberg Productions, qui lui propose d'écrire le scénario de *The Errand Runner*. Goldberg estime que l'ouvrage a un véritable potentiel cinématographique : « Le mémoire se lit comme un roman de (qui d'autre que) Mordecai Richler. » Ted Kotcheff pourrait le réaliser, bien qu'en toute honnêteté, comme le concède « Goldberg », il devrait peut-être prendre une actrice plus jeune que « la vraie Leah Rosenberg » dans le rôle principal. « Goldberg » conclut sa lettre en déclarant : « Mme Rosenberg elle-même dit que ce serait un honneur pour elle si vous consentiez à participer à ce projet exceptionnel[32]. » Qui a écrit cette lettre ? Brian Moore ? Moore connaît bien les romans de Richler et a l'habitude de lui écrire ce genre de lettres. Le jeu de mots sournois inclus dans « Goldenberg Productions » (au lieu de Goldberg) rappelle à Richler Leah Adler, née Goldenberg, le pseudonyme transparent qu'il a utilisé pour Lily dans *Mon père, ce héros*. On peut se demander si Richler prend cette missive avec humour ou avec un froncement de sourcil. Quinze ans plus tard, dans *Le monde de Barney*, Richler utilise une partie du sous-titre de *The Errand Runner* pour un volume de la série de livres pornographiques de Girodias : *La Fille du rabbin*[33].

Si *Joshua au passé, au présent* blesse Lily, d'autres se montrent moins sensibles à la satire. Lionel Albert, le cousin de Richler, se reconnaît dans le personnage du cousin de Joshua, Sheldon Leventhal. Richler a déjà fait la satire du raffinement juvénile de Lionel dans « The Summer My Grandmother Was Supposed to Die », lorsque le « cousin Jerry » informe le narrateur que son grand-père (c'est-à-dire le rabbin Rosenberg, qui s'est élevé contre la grève des boulangers cachères) « était un réactionnaire de la plus belle eau[34] ». Dans *Joshua au passé, au présent*, Lionel est à la fois le jeune Sheldon, qui étale son argent sous le nez d'un Joshua démuni, et le Sheldon plus âgé, qui devient le subordonné de Joshua, car il ne s'est jamais vraiment montré à la hauteur des espérances qu'on fondait sur lui. Dans la deuxième moitié des années 1970, au cours d'un après-midi tranquille, Albert donne rendez-vous à Richler au Bar Maritime du Ritz. Ce jour-là, Albert attire l'attention de Richler sur les articles et les lettres qu'il a publiés dans le *Montreal Star* et la *Gazette*. Dans l'espoir que Richler, qui a une grande expérience du monde de l'édition, puisse l'aider, Albert lui confie vouloir devenir quelqu'un. Richler s'inspire de cette scène pour le passage de son roman dans lequel Sheldon implore Joshua de l'aider et se fait rembarrer, un juste retour des choses pour avoir pris son cousin de haut quand ils étaient jeunes. Richler n'aidera jamais Albert à accéder à la célébrité, même si celui-ci finira par coécrire un livre sur le séparatisme québécois intitulé *Partition: The Price of Québec's Independence* (1980) [35].

En ce qui concerne sa propre famille, Richler demeure circonspect. Il fonde de grands espoirs sur ses enfants. À une certaine période, Emma travaille comme costumière pour des théâtres londoniens, et son père se plaint en disant: «Je n'ai pas élevé ma fille pour qu'elle devienne une *shmatteh*[36]!», un sentiment qu'il attribuera au père de la famille Weiss dans *Feed My Dear Dogs*, d'Emma Richler[37]. À l'époque de la publication de *Joshua au passé, au présent*, Daniel a quitté l'université et Richler lui dit: «Je pense qu'il est temps que tu voles de tes propres ailes[38].» Mais c'est surtout Noah qui l'inquiète, et il transpose prudemment dans la fiction, à travers les difficultés que Joshua rencontre avec son fils Alex, les problèmes qu'il rencontre lui-même avec son fils. Il sollicite l'appui de son nouvel ami, le juge Bill Morrow, de la Cour suprême de l'Alberta, pour que Noah retourne dans le Nord travailler en tant que manutentionnaire de fret pour la compagnie Northwest Territorial Airlines, à Yellowknife, pour un salaire de cinq dollars de l'heure[39]. Mais Noah n'y va pas: il décide plutôt de voyager pendant un an en Afghanistan et en Inde. Est-ce une manière de faire mieux que son père lorsqu'il était jeune, en partant bien plus loin qu'Ibiza? De retour à Montréal au début de l'année 1979, il travaille chez Ben's Delicatessen et passe «un été très stone». Il fréquente le club de jazz L'Air du Temps, se procure de la drogue et en fournit à ses amis. Il est douloureusement conscient du fait qu'il a un problème et, lorsqu'il se rend de temps à autre à la maison du lac Memphrémagog, il laisse entendre qu'il tente de réduire sa consommation de drogue. Mais ce n'est pas suffisant pour Richler, qui décide d'organiser ce qu'il appelle ses «rencontres de Camp David». Si Florence fait face à la situation avec tact et retenue, Richler n'arrive pas à la surmonter, et ces rencontres se terminent toujours par des larmes[40].

Richler décide donc d'adopter une tactique différente : il emmène Noah au Lexington Hotel, à New York, et lui rappelle Mason Hoffenberg et sa descente aux enfers. Noah a rencontré Hoffenberg très brièvement en 1966, quand il était petit et que les Richler vivaient encore à Londres. À l'époque, Hoffenberg essayait d'en finir avec l'héroïne. Richler raconte en détail à Noah tout ce que celui-ci n'avait pas vu – les seringues usagées, les veines récalcitrantes, les horreurs de la constipation – et il ajoute qu'à son avis, Hoffenberg a gâché sa carrière d'écrivain : « Si tu avais vu ce qui est arrivé à Mason… Il avait tellement de talent. Je ne comprends pas pourquoi tu fais ça. » Richler se confie ensuite à Noah, lui avouant qu'il aime sa vie : il aime Florence, il a de merveilleux enfants et il a la chance de faire un métier pour lequel il a du talent. Noah est profondément touché par cette conversation[41]. Dans *Joshua au passé, au présent*, Richler se contente de faire allusion à ces événements en évoquant la crainte, probablement injustifiée, qu'éprouve Joshua à l'idée que son fils Alex consomme de la drogue[42]. On peut cependant faire un parallèle entre la culpabilité de Joshua après avoir délaissé Pauline pour se rendre en Espagne et celle de Richler lorsque, à l'automne 1976 – c'est-à-dire juste après le retour de Noah du Yukon –, il doit quitter Montréal alors que son fils a toujours des problèmes de drogue.

À Pauline, la femme de Joshua, Richler attribue la passion de Florence pour le jardinage[43]. Sous d'autres aspects toutefois, Florence s'avère très différente de la reine de Joshua, une reine originaire de Westmount, aux mœurs légères et au tempérament nerveux. Florence a peu de contacts avec sa famille, les Wood, qui sont liés à l'historique église anglicane St. Stephen de Lachine. Un de ses neveux apprend d'ailleurs, à l'âge tardif de vingt-sept ans, que Mordecai Richler est son oncle[44].

Richler évoque toutefois certaines passions qui l'ont enflammé, en particulier l'idée selon laquelle un jeune homme de la classe moyenne doit conquérir une « blonde *shiksa* » pour éprouver un sentiment de réussite[45]. Marshall Delaney note avec justesse que *Joshua au passé, au présent* est «le dernier livre des Jeunes gens en colère[46]». On retrouve deux Richler dans ce roman : Joshua, entreprenant et agréable, et Jack Trimble, entreprenant et répugnant, un jeune homme pauvre que personne ne remarque et qui décide qu'il va «glisser ses doigts crasseux sous la robe de Jane Mitchell[47]». Si Richler a parfois été animé par la même envie, il n'a pas la même vulgarité[48]. Trimble obtient ce qu'il cherche à obtenir, avant de se rendre compte qu'il n'est toujours pas à sa place à Westmount, car il ne peut s'empêcher de se vautrer, corps et âme, dans la fange. Richler compatit. Aux plans intellectuel et professionnel, Richler n'a à rougir devant personne à Westmount, mais il ne s'y sent jamais tout à fait à sa place. Toujours prompt à relever les contradictions, il a un jour fait passer un message à l'archevêque de Canterbury qui se trouvait alors dans le salon VIP d'un aéroport : «Est-ce que Jésus voyagerait en première classe[49] ?» Il faut cependant noter que Richler lui-même voyageait en première classe depuis longtemps[50] et qu'il pouvait dorénavant se permettre d'avoir deux maisons. Entre l'achat de sa maison sur les rives du lac Memphrémagog et l'écriture de *Joshua au passé, au présent*, il médite sur ce qu'il envisage comme deux formes distinctes de socialisme : «l'une améliore la vie ; l'autre est contaminée par la bile». Pour illustrer la première forme de socialisme, il cite le dirigeant du Parti travailliste britannique, Nye Bevan, qui apprécie «les personnes pleines d'esprit, les bons livres, les mets et le vin de qualité, les week-ends à la campagne» et se bat pour que tout le monde en profite. Pour illustrer la seconde, Richler se met dans la peau d'une hypothétique concierge parisienne : «Jour après jour, elle bouillonne dans sa loge de concierge qui sent mauvais, elle regarde des gens qui ont davantage de style et une meilleure vie passer devant sa loge et rejoindre leur appartement joliment décoré à l'étage et… rêve d'une douce vengeance[51].» Richler s'identifie *aux deux*, mais dans *Joshua au passé, au présent*, il reconnaît qu'il n'a plus de raison d'être en colère. Si Harry Stein a permis à Richler d'exorciser ses sombres pulsions de jeunesse, Jack Trimble fait la même chose pour la conscience de classe.

Malgré tout, la sensibilité de Richler n'aura jamais sa place à Westmount, comme le prouve l'une des satires les plus subtiles du roman. En 1971, Richler a écrit un article sur le premier (et pendant longtemps, l'unique) policier juif de Montréal, Ben Greenberg, pour *Saturday Night*. Greenberg est entré dans la police en 1928, à une époque où l'antisémitisme était encore très présent, mais il a réussi à y rester durant trente-six ans grâce à l'environnement de travail agréable qu'il s'était créé : « J'étais très agressif, je refusais de me laisser faire par les goyim et j'avais une réputation de battant[52]. » Quand Richler entre enfin en contact avec lui, Greenberg est le directeur de la sécurité pour les Expos de Montréal. Richler sent que l'histoire de Greenberg a du potentiel, surtout avec la manière qu'il a de s'exprimer. En apparence, c'est un homme dur, mais il semble étrangement simple en raison de son langage cru. À propos de ses années passées dans la Section moralité, il dit : « Tout le monde voulait travailler dans la Section moralité... Quand on débarquait dans une maison close, on nous offrait toujours du bon vin et une fille. » Il parle à Richler des tenancières de maisons closes qui laissaient les policiers observer les clients à leur insu, des propriétaires d'épicerie qui payaient pour bénéficier d'une protection et des policiers qui emmenaient les criminels au sous-sol du commissariat pour les faire « parler ». Lorsque Richler l'interroge sur la manière de « faire parler » les auteurs de crime, Greenberg ne rentre pas dans les détails et se contente de dire : « J'ai mes façons et j'ai mes moyens. » Il raconte qu'après avoir pris sa retraite, il s'est senti nu sans son arme à feu et qu'il a fait les démarches pour obtenir un permis l'autorisant à conserver une arme chez lui : « Si quelqu'un rentre chez moi, je le transforme volontiers en passoire. » Si on a du mal à imaginer quelles intentions Greenberg prête à un journaliste comme Richler, il reste qu'il devait quand même s'attendre à ce que ce dernier embellisse un tant soit peu la vérité. En fait, Richler cite Greenberg de manière littérale, et souvent[53]. Celui-ci riposte en menaçant de le faire exploser et, pour faire bonne mesure, de lui couper les couilles[54].

Lorsque Richler a besoin d'un policier corrompu pour harceler Joshua dans le roman, le nom de Greenberg – celui d'un homme dur, grossier, vindicatif, pas très intelligent mais qui ne se laisse pas mener en bateau et, par dessous tout, un individu imposant – lui vient naturellement à l'esprit. Pour s'assurer qu'on ne le reconnaisse pas, il lui donne le nom d'inspecteur-détective Stuart McMaster. Dans *Le monde de Barney*, Richler attribue au personnage d'Izzy Panofsky les meilleures citations de Greenberg, mais dans *Joshua au passé, au présent*, il donne à McMaster seulement quelques-uns des traits de caractère de Greenberg, en ajoutant quelques interprétations existentialistes :

> … donc on enfonce la porte, continue McMaster tandis que le Sony tourne, et ce petit avorton de pepsi… Efface ça. Ce Canadien français défavorisé – une terreur avec un revolver, mais là il n'en a pas – s'est caché dans un coin de la pièce. Un rat aux abois. Qui tremble comme du Jello des pieds à la tête. Sweeney, qui était mon partenaire à cette époque, se précipite à l'intérieur, prêt à le frapper avec la crosse de son revolver. Je le suis et je l'arrête à temps. Je lui dis : « Nous ne sommes pas membres d'un groupe d'autodéfense, nous sommes des fonctionnaires de la police. Je ne peux, en toute conscience, admettre la violence. Ce serait contraire à mon devoir. Nous devons nous efforcer de déraciner ce problème putrescent : l'injustice sociale. » Bon, donc ce petit voyou, toujours mort de trouille, trébuche et tombe tête la première dans l'escalier. C'est comme je te dis, même si, par la suite, son avocat a dit que c'était nous qui l'avions amoché. C'est des trucs comme ça qui m'ont fait réaliser que l'écrivain français bien connu Albert Camus avait raison quand il disait que la vie est absurde. Ce gars-là, mon vieux, a tapé droit dans le mille[55].

McMaster a pour partenaire une brute appelée « Sweeney ». Richler n'a pas choisi ce nom par hasard en feuilletant l'annuaire : au cours de l'été 1979, le critique littéraire Kerry McSweeney publie un essai dans la revue *Canadian Literature*, notant « une certaine énergie déconstructive… une vision sombre et contradictoire de la vie humaine » qui sape les inquiétudes constructives de Richler en tant que satiriste et moraliste[56]. Si ce commentaire renferme un fond de vérité, McSweeney l'entend comme une réprimande : l'écrivain travaille sans se comprendre lui-même, il impose une moralité tout en n'étant pas suffisamment moral. Ce dont il a besoin, suggère McSweeney, c'est à la fois de cette énergie contradictoire et d'une profondeur humaine fondée sur la tradition psychanalytique. Or McSweeney mélange tout : Richler n'est pas un moraliste satirique aveuglé par ses propres négations inconscientes. Si Richler, le jeune écrivain, a découvert la négation grâce à Céline et aux autres, Richler le satiriste, le moraliste et l'homme mûr cherche à la maîtriser pour pouvoir s'en servir. Richler sait qu'il a des tendances amorales et il s'en sert dans son écriture, tout en se méfiant des bases philosophiques sur lesquelles repose l'amoralité et de l'idée selon laquelle la psychanalyse pourrait faire ressortir de *nouveaux* et sombres secrets sur les êtres humains. Au lieu de répondre directement à la critique, Richler coupe le nom de McSweeney en deux et s'en sert pour nommer ses deux officiers de police corrompus.

~

Neuf ans séparent *Joshua au passé, au présent* du *Cavalier de Saint-Urbain*. Richler approche alors de la cinquantaine. Il a un vélo d'appartement, mais ne s'en sert pas[57], et il désespère d'arrêter la cigarette ou l'alcool[58]. Son âge invite à la critique : on dit de lui qu'il est démodé, réactionnaire. Eleanor Wachtel, qui deviendra quelques années plus tard la présentatrice de l'émission *Writers and Company* de la CBC, fait preuve d'un manque de délicatesse inhabituel en affirmant que Richler est dépassé et phallique et qu'il aime les hommes (Reuben, le père de Joshua ; Seymour, le coureur de jupons) mais déteste les femmes (la mère de Joshua)[59]. Bien entendu, cela s'explique par des raisons autobiographiques – des raisons plus fortes, une fois qu'il s'est éloigné de Lily et qu'il a pris assez de distance vis-à-vis de son père, depuis que celui-ci est mort, pour pouvoir l'idéaliser.

Une fois que l'on tient compte de la qualité autobiographique du roman, la critique féministe qui subsiste devient une question de goût et de forme sociale. Concernant la question du goût, Richler reconnaît que le phallus n'en fait qu'à sa tête, et qu'il ne lui déplaît pas d'enchaîner les aventures, bien qu'il ne fasse pas non plus l'apologie de l'infidélité – Joshua comprend certainement que le fait de commettre l'adultère reviendrait à tromper sa femme. À une époque où la civilisation occidentale favorise une plus grande liberté sexuelle par l'invention de la pilule et la suppression de nombreuses restrictions sexuelles, les récits de Richler deviennent des versions importantes de l'histoire masculine. En même temps, grâce au mouvement en faveur d'une plus grande égalité pour les femmes et au renforcement de leur pouvoir dans la sphère publique, le discours des hommes ne demeure pas entièrement incontesté, même si certains déshonneurs et restrictions subsistent. C'est cette situation que Richler explore et c'est l'une des raisons pour lesquelles ses romans sont fascinants et en disent long sur la masculinité.

Si les romans de Richler évoquent la force reproductrice, la biologie y adopte toujours une forme sociale et, ici, les critiques féministes de Richler se trouvent sur un terrain plus sûr. Les personnages féminins qui sont porteurs de valeurs sont confinés dans des rôles liés au foyer et subordonnés au plaisir masculin. Dans la vie, Richler se moque des féministes qui protestent contre les clubs réservés aux hommes[60]. Certaines de ses connaissances ont d'ailleurs évoqué l'existence d'une séparation entre les sphères masculine et féminine dans sa vie semi-publique de Montréal ou des bars des Cantons de l'Est, ainsi que dans sa vie privée : d'un côté, les hommes, l'alcool fort et le poker ; de l'autre, les femmes[61]. Il est pourtant erroné de qualifier son œuvre de « phallique ». Au fil du temps, les épouses des personnages principaux de ses grands romans sont de moins en moins stéréotypées. Richler s'oppose aux mesures rétrogrades qui limitent les droits des femmes et il n'a aucun problème à traiter avec des femmes qui occupent des postes à responsabilités dans le domaine du commerce ou celui de la politique. Si Richler joue sur cette séparation des sphères, c'est en partie parce qu'il sait que les aspects les plus vulgaires de son humour seront mieux appréciés par les hommes. Il sait aussi, bien entendu, que le « politiquement correct » – un terme tellement insaisissable et utilisé de manière indifférente pour évoquer l'affaiblissement de la liberté d'expression ou pour taper sur ceux qui s'élèvent contre le sexisme – risque à tout moment de le forcer à se taire.

Les critiques citent également la satire que fait Richler de la Gay Pride comme un autre indice de son caractère dépassé. Il importe ici de distinguer l'hétérosexisme de la politique identitaire : si Richler soutient le mouvement pour les droits des homosexuels, la politique identitaire l'exaspère. « De sinistres collectionneurs d'injustices », voilà comment il qualifie ceux qui surveillent la sphère publique, à la recherche de commentaires désobligeants[62]. Il est surpris lorsque Jane Rule et Marie-Claire Blais prêtent leur talent au Great Canadian Lesbian Fiction Contest de *Body Politic's*, car il estime que le concours n'a pas de raison d'être. S'il peut sembler quelque peu naïf lorsqu'il dissocie les droits des femmes et des homosexuels de la politique identitaire, il reste cohérent avec sa position en matière de politique identitaire raciale et nationale. Il aurait été tout aussi indigné par l'organisation d'un concours de littérature juive. Dans l'esprit de Richler, l'appartenance à la race humaine supplante toute autre appartenance. Ainsi, si les homosexuels méritent d'avoir des droits, c'est parce qu'ils appartiennent à la race humaine et non pas parce qu'ils ont connu la souffrance, comme c'est aussi le cas des Juifs.

Bien que Richler refuse de le reconnaître, les « collectionneurs d'injustices » ont contribué à faire évoluer son attitude à l'endroit de l'homosexualité. Dans le manuscrit de *The Rotten People*, daté de 1951, l'alter ego de Richler, Kerman, tolère ses amis homosexuels mais ressent un certain dégoût lorsqu'il les voit enlacés[63]. En 1971, quelque temps après que Richler ait écrit sur l'inspecteur-détective Ben Greenberg, celui-ci aurait dit à un chercheur qui se renseignait sur l'auteur qu'il devait être gay. Robert Fulford s'empresse de rassurer Richler : « Quant au Sgt Ben Greenberg, j'ai convaincu le chercheur de ne pas l'écouter à ce sujet. Je lui ai fait remarquer que tu étais très dur avec les pédés et que tu préférerais mettre un coup de poing à un pédé que de le regarder[64]. » Il est probable que Fulford se souvienne de l'attitude qu'adoptait Richler quelques années auparavant et qu'il exagère son propos pour amuser son ami, car dans les articles de l'époque, Richler laisse entendre que les doléances des homosexuels sont légitimes. Il comprend cependant que les rabbins refusent de célébrer des mariages homosexuels ou que les agences d'adoption rejettent les demandes des couples homosexuels[65]. À la fin des années 1970, alors que les changements culturels survenus à la suite des émeutes de Stonewall commencent à se concrétiser, le Seymour de *Joshua au passé, au présent* se plaint : « et voilà maintenant que Auden, mon Auden, est une pédale[66] ». S'il y a peu de chances que le passage plaise aux lecteurs homosexuels, le point de vue de Seymour n'est pas celui de Joshua, et Richler a choisi pour épigraphe une citation d'Auden (comme il l'avait fait pour *Le cavalier de Saint-Urbain*). Cette fois, l'épigraphe a une connotation érotique : « Pose ta tête endormie, mon amour », se réfère à la fois à la relation qu'entretient Joshua avec Pauline et, avec moins d'aisance mais sans sous-entendu à caractère homosexuel, à celle qu'entretient Joshua avec Murdoch. Dans une chronique parue dans un magazine, Richler appuie le droit des homosexuels à enseigner, même s'il admet qu'il ne laisserait peut-être pas ses fils partir en camping sous la supervision d'un professeur gay[67]. Dans *Joshua au passé, au présent*, McMaster défend cette position de manière exagérée : « Les pédés veulent qu'on inscrive dans les Droits de l'homme qu'ils ont le droit d'être prof de gym à l'école primaire et de savonner les petits gars dans la salle de douche[68]. » En plaçant ces propos dans la bouche de McMaster, Richler peut s'exprimer de manière plus viscérale (et plus drôle) sur les préjugés auxquels sont confrontés les homosexuels, mais cela ne veut pas dire pour autant qu'il approuve l'attitude de McMaster. Ici aussi, Richler se comporte comme un libéral avec un « l » minuscule. Il approuve la politique sociale de Trudeau, notamment la dépénalisation de l'homosexualité[69], et n'hésite pas à appuyer Timothy Findley lorsqu'il lui demande son soutien pour que Sinclair (Jim) Ross, un écrivain âgé et homosexuel ayant peu de succès, reçoive un prix du Conseil des arts du Canada[70].

En fin de compte, on peut dire que Richler est un temporisateur : lorsque l'homosexualité était réprouvée, il la réprouvait aussi ; lorsqu'elle est mieux acceptée, il l'accepte… avec difficulté. Dans son dernier roman, il traite de l'homosexualité et du féminisme comme si tous deux devaient être révisés, une attitude disciplinaire qui fait parfois tomber la satire à plat : le lecteur est-il invité à se moquer de la folie humaine ou des tentatives de mettre les femmes et les homosexuels sur un pied d'égalité avec les hétérosexuels ? Même si certains de ses points de vue sur la société sont dépassés, Richler trouve cependant des raisons d'adresser des piques satiriques. Dans *Le monde de Barney*, Norman Charnofsky déduit que si les homosexuels le mettent mal à l'aise, c'est qu'il ne doit pas être « convaincu » de sa masculinité, comme les autres professeurs le lui font sévèrement comprendre[71]. Richler ne nie pas que les homosexuels sont victimes de préjugés, mais en décrivant l'avilissement de Norman avec beaucoup d'esprit, il se moque de la notion selon laquelle «l'homophobie» est un trouble psychologique.

Les frissons homosexuels – les fausses lettres de Joshua à son ami Murdoch, la publication de la photographie de Joshua embrassant Murdoch, la scène dans laquelle Joshua porte des culottes de femme – empiètent étonnamment peu sur les questions sérieuses de genre. Ces rebondissements s'inspirent non seulement des calomnies proférées par Greenberg et des lettres écrites par Richler pour motiver son refus de servir dans l'armée à Haut-de-Cagnes au début des années 1950, mais aussi de l'humour qu'il utilise depuis peu dans les lettres qu'il adresse à Brian Moore et à l'éditeur de Knopf, Gordon Lish. Citant Richler comme référence, Moore envoie une lettre à Peter Thorslev, Jr., président du département d'anglais de l'université de Californie à Los Angeles, pour proposer sa candidature au poste de professeur de création littéraire[72]. Si Richler a bel et bien recommandé Moore pour ce poste, il lui a également fait parvenir une fausse lettre qu'il a fait passer pour sa lettre de recommandation. Moore y répond par une autre fausse lettre, signée Peter Thorslev, Jr., dans lequel il affirme: «J'ai été bouleversé par le ton injurieux de votre P. S. homophobe et j'en ai parlé en privé avec M. Clifton Fadiman qui, vous ne le savez peut-être pas, offre un soutien sans faille à notre cause[73].» Fadiman, un ami de Richler et membre du comité du BOMC, est homosexuel, comme Moore le sait. Gordon Lish, pour qui Richler compte beaucoup – peut-être parce qu'il lui fait faire toutes sortes de folies –, fait semblant d'entretenir une relation homosexuelle avec Richler. Prétendant qu'il souffre atrocement, il écrit une lettre très amusante à Florence:

> Flo, il vient tout juste de m'envoyer une autre lettre. Mon Dieu, faites qu'il n'en ait pas fait une copie et qu'il ne l'ait pas laissé traîner dans la maison, où les enfants pourraient la lire. Tu vois, Flo, je ne sais pas – pour un homme, une fois arrivé à un certain âge, si les choses ne se sont pas bien passées pour lui, ce genre de choses peut arriver, qui sait? Crois-moi, personne n'est à blâmer. Il faut prendre tout ça avec humour et, d'ici là, réconfort, réconfort. C'est ça, Flo

– du réconfort, voilà ce dont cette personne a besoin, et non pas qu'on la pointe du doigt. Donc, je t'écris simplement pour te tenir au courant, Dieu nous préserve que tout cela se passe à ton insu et que tu découvres le pot aux roses au dernier moment... Pour ma part, je vais devoir avoir un autre « rendez-vous » avec lui. Flo, je te le jure, la dernière fois que nous étions « ensemble », je l'ai supplié de revenir à la raison et de me laisser poursuivre ma route... Mais Flo, c'est pour le bien d'Alfred A. Knopf, n'est-ce-pas ? En d'autres mots, Flo, ce qui est bon pour Knopf est bon pour les Juifs, et c'est pourquoi, pour la dernière fois, je te promets, peu importe la façon dont son cœur se brise, c'est fini. Pour toi et pour les enfants, plus jamais, je le promets ! (Brûle cette lettre).

> Ta presque sœur,
> Gordy[74]

Quoi qu'on pense de ces « jeux de rôles », les plaisanteries qui apparaissent dans *Joshua au passé, au présent* ne sont pas hétérosexistes et ne représentent pas non plus un véritable défi pour les frontières du genre.

Un hommage bien plus significatif se cache derrière le baiser échangé par Joshua et Murdoch, un baiser par lequel Joshua déclare son amour à son ami qui se meurt à Hollywood, la ville où se déroule l'histoire de *Touche pas à mon gazon*, une ville où la mort n'est «... qu'une rumeur venue de l'Est, lancée par des rabat-joie, une insulte, une chose que l'on [représente] dans ces films européens misérabilistes qui, comme chacun le sait, sont tous des flops[75] ». Dans *Le cavalier de Saint-Urbain*, Jake avait une peur obsessive de sa propre mort ; dans *Joshua au passé, au présent*, Joshua s'inquiète davantage de la mort de ses amis. À l'époque de son séjour en Espagne, en 1976, Richler apprend la mort de son éditeur britannique et ami, Tony Godwin[76]. Deux ans plus tard, un autre bon ami de Richler, le cinéaste Jack Clayton, est victime d'une attaque qui ne laissera finalement aucune séquelle[77]. Clayton vivra encore dix-sept ans, mais le chagrin que Richler ressent face à la mort de Godwin et à l'occasion du malaise de Clayton transparaît fortement à travers le personnage de Murdoch.

D'un point de vue moins personnel, c'est dans *Joshua au passé, au présent* que Richler offre, pour la première fois, une place importante à la politique canadienne dans un roman, en particulier à l'histoire juive canadienne et au débat sur le séparatisme québécois. S'il a souvent abordé la politique canadienne dans ses essais, il s'est longtemps tenu éloigné des questions nationales dans ses romans parce qu'il avait vécu loin de sa patrie d'origine durant de nombreuses années. Toutefois, après cinq ou six ans au Canada, Richler sent qu'il en connaît suffisamment pour aborder le sujet dans *Joshua au passé, au présent*.

En 1977, les journaux de W. L. Mackenzie King, le Premier ministre en poste pendant la jeunesse de Richler, sont rendus publics. Richler découpe et utilise des articles de journaux révélant que Mackenzie King a reçu des messages de l'au-delà, notamment de la part de son petit terrier, Pat II, et qu'il considère que la mort de Pat est aussi importante que celle de Jésus : « J'ai l'impression qu'il [Pat II] est mort pour moi, afin que mes péchés me soient pardonnés[78]. » Si certains sont émus par ce témoignage, Richler se souvient que Mackenzie King, afin d'apaiser les Québécois, n'avait autorisé que quelques rares réfugiés juifs à émigrer au Canada dans les années précédant la Seconde Guerre mondiale, alors que ceux-ci avaient désespérément besoin d'être accueillis quelque part. Lorsqu'il commente la biographie de King écrite par C. P. Stacey, Richler affirme que le premier ministre entretenait avec son chien une relation qui « tend vers la sodomie... » Pat meurt dans ses bras au cours de l'été 1941, tandis que King, en bon candidat qui fait des promesses qu'il ne pourra tenir, lui chante : « Sur toi je me repose, ô Jésus[79]. » De la colère impuissante que ressent Richler naît également, dans *Joshua au passé, au présent*, la Société commémorative William Lyon Mackenzie King, dont les membres se souviennent de la guerre avec nostalgie et rage et se moquent de King en chantant en yiddish « Sur toi je me repose, ô Jésus. »

La Société commémorative William Lyon Mackenzie King n'est pas une structure qui peut provoquer un changement politique, du moins pas directement. L'association est probablement inspirée de la Corvine Society de *À la recherche du Baron Corvo (The Quest for Corvo)*, de A. J. A. Symons, dans laquelle quelques hommes de lettres se retrouvent pour spéculer sur l'identité de l'imposteur qui se fait appeler « Baron Corvo » et pour écrire sur des sujets tels que la métrique post-Einsteinienne, « rectiligne et curviligne[80] ». Les critiques finiront par reprocher à Richler son apparent refus de l'engagement politique dans *Joshua au passé, au présent*. La suspicion que les gouvernements nationaux éveillent chez Richler et la préférence qu'il a pour des solutions privées ouvrent la voie, selon Frank Davey, à l'« internationalisme libéral ». D'après lui, le personnage de Joshua accorde moins d'importance à l'histoire de son propre pays qu'à la guerre civile espagnole, et les cambriolages qu'il commet laissent deviner une personnalité de battant qui transgresse l'ordre afin de réussir[81]. Dans une certaine mesure, Davey n'a pas tort. Richler soutient les efforts réalisés pour que les combattants du Bataillon MacKenzie-Papineau, qui faisait partie des Brigades internationales lors de la guerre d'Espagne, soient reconnus en tant que vétérans[82]. Il croit également que les partis sont corrompus et, bien qu'il soit contre les Reaganomics, il se contente de chercher le bonheur auprès de sa famille et de ses amis au lieu de rejoindre un parti d'opposition. Les petites marques de politesse sont importantes, dit-il, et le but de la vie est de se faire plaisir sans blesser les autres[83]. Si le jeune Richler s'est moqué de la citation de Voltaire « il faut cultiver notre jardin » dans *Le choix des ennemis*, il n'ironise plus. Quelques années plus tard, il se fera le champion du libre-échange.

Mais son sens de l'histoire et de la politique est bien plus fin que ce que Davey laisse entendre. Aucune autre œuvre canadienne ne fouille autant les coins et les recoins de l'histoire : les conflits entre le ghetto juif de Montréal et les deux races « fondatrices », l'anglo-conformité, la liste noire anti-communiste canadienne, la « naïveté » canadienne telle que la représente Marilyn Bell, l'art Inuit, Irving Layton, *Maclean's*, le journalisme d'enquête de Pierre Berton, le complexe d'infériorité colonial, la CBC, l'héritage de Mackenzie King, l'antisémitisme canadien, le système de classes canadien ou la « mosaïque verticale », la réglementation sur les contenus canadiens, A. M. Klein, l'ascension de la famille Bronfman, l'expédition de Sir Franklin, le fiasco de la colonie Barr, la ligue canadienne de football (CFL), la contre-culture canadienne, le séparatisme québécois, les Canadiens de Montréal, les lois linguistiques, l'américanisation de la culture populaire canadienne – une liste à en perdre le souffle. Richler ne se contente pas de discourir consciencieusement sur l'histoire, comme s'il était condamné à aborder les problèmes sociaux pour contrevenir à l'habitude d'inventer propre au romancier. Au lieu de cela, il approche l'histoire avec esprit et créativité. À l'occasion d'une conférence donnée après la mort de Richler, Davey jouera le rôle du «provocateur» dans un débat intitulé «Le contenu de l'œuvre de Richler est-il canadien[84]?» À moins de considérer que le qualificatif «canadien» ne désigne «quelqu'un qui a une attitude protectionniste vis-à-vis de la culture canadienne», il est impossible de répondre sérieusement à cette question. Richler est né et a grandi au Canada; il y a vécu pendant cinquante-et-un ans; ses protagonistes sont tous canadiens, à l'exception de ceux d'*Un cas de taille*; le Canada et sa culture jouent un rôle important dans ses cinq romans majeurs. Il existe toutefois une exception: la question de la souveraineté nationale n'a pas la même valeur sentimentale pour un Juif qui a vu les siens se faire refuser l'asile au Canada.

Avant que Richler n'écrive *Joshua au passé, au présent*, une pique plus aiguisée lui est lancée par une personne bien moins sophistiquée que Davey: «Combien de causes juives défendez-vous[85]?» Si Richler trouve très drôle le fait que l'auteure de la lettre ait signé «une consœur juive», la question mérite réflexion. Richler ne croit pas que les partis politiques juifs ou que l'État juif soient plus honnêtes que leurs homologues canadiens. Il encourage d'ailleurs ses enfants à lire *La question de Palestine* (*The Question of Palestine*), d'Edward Saïd[86] qui, tout en livrant un plaidoyer très clair en faveur des Palestiniens, présente l'intérêt de remettre en cause la position pro-israélienne naturellement adoptée par une majorité de médias occidentaux après la Seconde Guerre mondiale[87]. Si des «progressistes» de tous horizons finissent par accorder leur soutien à l'OLP en proclamant qu'Israël n'est qu'un autre État colonialiste, la position de Richler est plus complexe. Il confesse une vague admiration pour la fermeté du Premier ministre israélien Menahem Begin, même s'il est l'un des artisans du massacre de Deir Yassin[88]. Dans *Gursky*, c'est tout à son honneur que Salomon vend à l'État israélien naissant des avions de chasse et qu'il joue un rôle dans la libération des passagers du vol à destination d'Entebbe détourné par l'OLP en 1976. Cependant, lorsqu'après un certain nombre d'attaques palestiniennes, Israël envahit le Liban en 1982 dans le but de créer un « corridor de sécurité », Richler retire son soutien à l'État juif[89]. De manière plus immédiate, dans *Joshua au passé, au présent*, Richler fait la satire des Bond Drive Dinners, ces dîners organisés dans le but de lever des fonds pour Israël en Amérique du Nord. Elie Wiesel n'apprécie pas que l'un des personnages fictifs de Richler rapporte que Wiesel a fait un discours lors de son dîner pour la somme de 5 000 dollars. Wiesel recopie le passage offensant et écrit en travers de la page : « Je n'ai jamais pris la parole lors d'un de ces dîners… Quant au tarif, j'aimerais que ce soit vrai[90]. » On ne peut pourtant pas dire que Richler évite les causes juives. En 1978, il fait une apparition à une grève de la faim de vingt-quatre heures organisée par le B'nai B'rith et les Étudiants *pour* la *Lutte* des *Juifs soviétiques devant le consulat soviétique* afin de protester contre les lourdes sentences prononcées contre Anatoly Sharansky et d'autres dissidents. Richler demande au gouvernement de suspendre les échanges culturels et sportifs, comme la Coupe Canada de hockey jusqu'à ce que l'URSS commence à faire preuve d'humanité envers les dissidents juifs[91]. Comme de nombreux autres auteurs juifs, il signe une lettre demandant à Ronald Reagan de mettre fin à la vente d'avions F-15 à l'Arabie Saoudite, l'un des principaux soutiens de l'Organisation de libération de la Palestine[92].

Mais c'est surtout dans ses romans que Richler apporte son soutien aux causes juives. En dépit des critiques de Davey, *presque tous* ses romans présentent une solution « individualiste ». Ainsi, on ne peut exiger de lui qu'il fasse mieux sans sombrer dans la propagande (car les objectifs politiques guident l'expérience individuelle) ou assumer que les réponses personnalisées n'ont aucune signification politique commune aux yeux des lecteurs. Dans tous ses romans, Richler sensibilise les lecteurs aux injustices et à la discrimination raciale. Si son style est plus léger, il n'en reste pas moins sérieux. Après le dangereux colonel nazi de *The Acrobats*, Richler fait du « Mueller » de *Joshua au passé,*

au présent un ancien propagandiste nazi et auteur de westerns
– il imagine ainsi une situation plus complexe et moins mélodramatique pour Joshua[93]. Richler a peut-être été marqué par le
refus de ses enfants d'écouter ses harangues avec respect.
Lorsqu'il s'élève contre Wagner, Emma se dirige vers l'imposante
collection de symphonies et d'opéras allemands de Florence, sort
les disques, qui font presque deux fois sa taille, et se dirige avec
ostentation vers la poubelle. Au moins, Richler est capable de
rire de lui-même[94]. Dans la villa de « Mueller », le personnage de
Joshua, lui, ne trouve aucun disque compromettant de Wagner[95].

Dans *Joshua au passé, au présent*, Richler fait à la fois la satire
de l'antisémitisme nazi et du refus poli, mais criminel, d'accepter
des réfugiés propre à Mackenzie King. Quel serait le remède aux
nationalismes antisémites ? L'internationalisme, répond-il.
Pourtant, Richler n'oublie pas la politique canadienne. Même
s'il n'a pas *l'intention* d'ériger le Canada en mythe à la manière
de Margaret Laurence dans *Les Devins*, c'est ce qu'il finit par faire.
Rapprochant les races et les classes, Richler lie non seulement
Joshua à Pauline – le jeune homme ambitieux du ghetto Saint-
Urbain et la princesse de Westmount –, mais aussi les deux
beaux-pères – l'ancien boxeur juif et le sénateur WASP. Si l'amour
et des attitudes générationnelles lient Joshua et Pauline, l'union
des beaux-pères est plus spirituelle, car Richler imagine comment un Juif de la classe ouvrière peut libérer un Anglo riche et
coincé.

La « communauté imaginée » par Richler, pour reprendre la
définition de la nation qu'a proposée Benedict Anderson, comprend principalement des Juifs et les Anglais. Il dépense moins
d'énergie pour les minorités visibles ou pour les francophones,
même si ces derniers sont présents dans le roman. En 1976, l'élection du Parti Québécois inquiète de nombreux anglophones :
133 000 d'entre eux, dont plus de 13 000 Juifs, quittent la province[96]. Si Richler n'a pas voté pour le PQ, il n'est pas mécontent
que celui-ci soit élu – du moins au début. Il apprécie l'assurance
auto sans égard à la responsabilité et la protection des espaces
verts mises en place par le PQ et n'est pas fâché, au départ,
lorsque la tristement célèbre loi 101 fait du français la langue
officielle du Québec, humiliant les puissants châtelains de

Westmount[97]. Dans son roman, Joshua ne s'inquiète pas du
déclin de la valeur de sa maison, contrairement à Richler[98], qui
soutient le projet de bilinguisme national de Trudeau[99] et commence à s'intéresser, dans ses articles, aux droits de la communauté minoritaire de langue anglaise au Québec. Il remarque
d'ailleurs que la loi 101 viole l'article 133 de l'AANB, qui garantit
l'usage de la langue anglaise devant les tribunaux et dans les
chambres de la législature[100]. Il ne mentionne pas que le Manitoba
viole depuis plus d'un siècle l'article 133, qui protège l'usage de
la langue française, un fait qui n'a jamais chagriné les anglophones. Contrairement à certains de ses articles parus ensuite,
l'article publié par Richler dans *Atlantic Monthly* en 1977, «Oh
Canada: Lament for a divided country», présente une vision
équilibrée du séparatisme. Il fait toutefois l'erreur de confondre
le thème du PQ «*Demain nous appartient*» («Tomorrow belongs
to us»), écrit par Stéphane Venne, avec «Tomorrow belongs to
me», un chant du répertoire des Jeunesses hitlériennes dans
Cabaret, qui a été composé quelques années plus tôt par John
Kander et Fred Ebb. «Une recherche peu rigoureuse peut
conduire à la paranoïa», reproche Venne à Richler[101]. À cause de
lui, le président d'une grande université américaine fréquentée
par un grand nombre d'étudiants juifs refuse de rencontrer le
Premier ministre René Lévesque. Richler ne présente pas d'excuses. Quelques mois plus tard, Lévesque transmet à Richler les
salutations de Venne en ajoutant: «Lorsque l'auteur vous trouvera, il vous mettra son poing au visage[102].»

La «reconquête» du Québec par les francophones est à
l'arrière-plan du roman. À l'instar de ses autres romans (sauf
L'apprentissage de Duddy Kravitz, dans lequel figure Yvette, la
petite amie de Duddy), *Joshua au passé, au présent* ne compte pas
de personnages francophones importants, un fait que les nationalistes québécois s'empresseront plus tard de souligner. Richler
attire quant à lui l'attention sur la nouvelle structure du pouvoir.
Lorsque René Lévesque, le nouveau Premier ministre, renverse et
tue accidentellement un piéton, les policiers de Montréal «qui,
à l'époque où les séparatistes se livraient encore à de houleuses
manifestations de rue, leur défonçaient allègrement le crâne à
coups de matraque», soustraient «l'infortuné Premier ministre

et sa compagne à l'exécrable curiosité des journalistes » et embarquent le « cadavre gênant »[103].

⬳

Pour de nombreux lecteurs, les monologues peu orthodoxes de Reuben sur le judaïsme sont l'aspect le plus mémorable de *Joshua au passé, au présent*. Répétant vaguement ce qu'on lui a appris quand il était petit, Reuben explique au jeune Joshua que Yom Kippour est le jour où « si tu as emmerdé des gens pendant l'année, tu as le droit légal de te repentir. » Dieu, ajoute Reuben plus loin, est un parieur, un joueur-né, et le livre de Job dit, en somme, que « si tu continues à croire en Dieu, même s'il t'arrive d'être dans le pétrin, tu vas finir par être payé double au bout du compte[104] ». Si *Le cavalier de Saint-Urbain* est assez respectueux de la tradition judaïque, *Joshua au passé, au présent,* s'en prend à l'histoire sacrée.

Le signal est peut-être venu de son héros Isaac Babel qui, dans *Cavalerie Rouge*, fait peindre à Pan Apolek une série de portraits de la Sainte Famille : « Des Josephs aux cheveux grisons séparés par une raie de milieu, des Jésus gominés, des Maries campagnardes aux flancs alourdis par les maternités et aux genoux écartés[105]. » Il provient peut-être aussi d'une lettre étrange que lui fait parvenir un fan, un homme nommé Arthur Rawet, qui lui écrit à propos d'une dispute qu'il a eue dans un restaurant, avec un ami orthodoxe, à propos de Moïse, le prétendu auteur de la Torah : « Je lui ai dit que son héros préféré s'était circoncis lui-même parce qu'il souffrait d'une MTS… Je lui ai soumis quelques-unes de mes interprétations de la Bible et il a pété les plombs. » Rawet expose quelques-unes de ses interprétations : « Abe, un prince à part entière, compatissant, jette son premier né et sa mère dehors, sans un drachme, parce que c'est ce qu'exige son zsa zsa préféré. Même le compatissant Tout Puissant qui vit À L'ÉTAGE gratuitement murmure à Abraham de suivre la volonté de Sara… Un chanteur du nom de Valachi dit à Jake qu'*Ésaü* est parti acheter une corde et à la minute où Isaac deviendra un C. D. (Cher Disparu) la corde pendra à son cou tel un collier[106]. » D'une manière à la fois dérangeante et divertissante, Rawet enlève à l'histoire sacrée sa distance idéalisée et insipide, la rendant contemporaine, tant elle est dérangeante et divertissante. Richler en tire une bonne leçon et, même s'il n'emprunte pas les mots ou les exemples de Rawet, son attitude et son style s'en rapprochent.

La désacralisation des récits de la Bible et la fusion de l'histoire sacrée et laïque (telle que la pratique Reuben) pourraient sonner le glas du judaïsme, affirmait le rabbin Samson Hirsh au XIXᵉ siècle[107]. À la fin des années 1970, Richler n'emmène plus ses enfants à la synagogue, même s'il y va de temps en temps pour voir ses oncles. Il ne se sent toujours pas protégé par la foi. La mort est irrévocable ; après l'Holocauste, on ne peut croire en l'existence d'un Dieu dans le sens traditionnel du terme ; la vie est absurde, mais on doit la vivre honorablement malgré cette absurdité[108]. Et pourtant, et pourtant... Richler fait preuve d'une grande ambivalence dans le domaine spirituel. Il souhaite clairement que les personnages du *cavalier* et de *Solomon Gursky* ne soient pas seulement des Juifs arrogants, c'est-à-dire qu'il y *ait* un royaume du prêtre Jean. Cet espoir lui vient de son passé orthodoxe, et qu'il n'abandonne pas complètement, surtout lorsqu'il exalte l'amour familial et cite Maïmonide, qui a dit : «Les hommes croient souvent que les choses mauvaises sont plus nombreuses sur cette terre que les bonnes[109].» Si Richler se sert de Reuben pour défendre la chair et les préoccupations matérialistes face à la conception orthodoxe de la pureté, la quête de sens de Reuben suggère que l'écrivain n'est pas complètement réconcilié avec l'absurde.

Plus tard, Richler abordera la rivalité, au premier siècle du judaïsme, entre l'école de Shammaï, qui prône une obéissance stricte et entière de la Torah, et l'école de Hillel, qui se concentre sur l'esprit du livre sacré[110]. Il peut sembler étrange que le très laïc Richler fasse référence à Hillel et qu'il témoigne de la compassion à Reuben, un simple recouvreur de créances. Néanmoins, comme les louanges de Richler à l'égard de Hillel, le personnage de Reuben a pour but, à un certain degré, de marquer la différence entre un respect sans amour de la Torah et une croyance plus humaine, voire excentrique. À un autre degré, le personnage est simplement amusant, comme l'ensemble du roman.

23

Le dernier écrivaillon du libre-échange

D ANS LES JOURS PRÉCÉDANT la tenue du référendum sur la souveraineté, le 20 mai 1980, René Lévesque affirme que Pierre Elliott Trudeau ne peut être un vrai Québécois si l'on se fie à son deuxième prénom. Trudeau répond avec véhémence que son nom est à la fois québécois et canadien. Au moment où Trudeau assène le *coup de grâce* en énumérant tous les noms «canadiens» qui devraient disparaître dans un Québec chauviniste[1], *Joshua au passé, au présent*, qui égratigne un peu Lévesque, fait son apparition sur les étagères des librairies. Soixante pour cent des électeurs ont voté pour que le Québec reste dans la Confédération, et *Joshua au passé, au présent* est en tête des ventes de livres dans le pays. Jack McClelland jette toutefois une ombre au tableau en soulignant que «les gens ne se battent pas pour acheter des livres en ce moment[2]». Avant la publication de *Joshua au passé, au présent*, Richler est sélectionné pour obtenir la distinction d'Officier de l'Ordre du Canada[3]. Il refuse cet honneur, soulignant que Hugh MacLennan, Margaret Laurence et Gabrielle Roy ont reçu la distinction de *Compagnon*, et non celle, plus modeste, d'*Officier*. Probablement piqué au vif par l'article de McSweeney qui remet en question sa place parmi les grands auteurs canadiens[4], Richler explique au Secrétariat des ordres et décorations qu'il considère que cette distinction est davantage «une humiliation qu'un honneur». S'il est un âpre négociateur, il devra attendre vingt-deux ans avant que le Secrétariat des ordres et décorations voit les choses à sa façon[5].

La célébrité croissante de Richler n'a pas toujours un effet positif sur lui. Sa colère, qu'il réussit en général à canaliser grâce à l'écriture – elle alimente en fait ce qu'il y a de plus vrai dans son œuvre –, n'a jamais disparu. Mais son succès vient confirmer le sentiment qui l'anime depuis longtemps, à savoir que la plupart des gens sont des fumistes, de sorte que la moindre des politesses est de le leur dire. À l'occasion d'une soirée, il dit ainsi au romancier populaire Richard Rohmer : « Si vous aimiez un tant soit peu les mots, vous ne vous approcheriez pas d'une machine à écrire[6]. » Lors d'une entrevue accordée à Paul Soles dans l'émission *Canada after Dark*, Richler n'aime pas la tournure que prend la discussion et interrompt le journaliste en disant : « Ne me posez pas ce genre de questions. Posez-moi vos *propres* questions. » Soles, un fan de Richler, se montre indulgent, mais l'équipe de *Canada after Dark* est furieuse. Même Peter Gzowski, un ami de Richler qui sait mieux que quiconque se prêter au jeu de l'entrevue, a beaucoup de difficultés à l'interroger. Gzowski n'ose poser une seule question dont Richler sait qu'il connaît la réponse, de peur que son ami ne le descende en flammes. Pour ceux qui ne font pas partie du cercle de Richler et qui souhaitent discuter avec lui, la règle n° 1 semble être de ne pas parler de son travail à moins qu'il ne lance lui-même la conversation sur ce sujet et la règle n° 2, de ne pas lui adresser la parole sauf s'il engage la conversation. Le respect de ces règles peut donner lieu à un échange intéressant. D'après un membre de la communauté littéraire, Richler ne *veut* pas laisser entrer les gens dans son cercle, surtout ceux qui pourraient essayer de le comprendre. Pour d'autres, il est tout simplement impoli : « Il refuse de communiquer, donc il incombe à l'autre personne de le faire. Avant que vous ne vous en rendiez compte, vous bafouillez comme un idiot et vous sentez qu'il se moque de vous[7]. » *Un cas de taille* est un roman à caractère misanthrope. Dans *Le cavalier de Saint-Urbain* et dans *Joshua au passé, au présent*, cette misanthropie caractérise surtout des personnages comme Harry Stein, Jack Trimble et l'inspecteur-détective McMaster. Les romans semblent en savoir davantage que Richler. Ou plutôt, ils en *font* plus pour atténuer la misanthropie, car il n'est pas si facile de le faire dans la réalité. Richler se bat contre sa mère, les critiques, les nationalistes, les socialistes; bref, tous ceux qui ne sont pas prêts à l'accepter tel qu'il est.

Bev Slopen, qui travaille pour le BOMC à la fin des années 1970, a l'impression que Richler cherche à la punir. Habitué à travailler seul, Richler ne pense pas que Slopen, qui s'occupe du recrutement pour le bureau canadien du BOMC, travaille pour lui, contrairement à Al Silverman, le directeur du BOMC. Au cours des quatre années où Slopen a travaillé pour le BOMC, Richler ne l'a jamais rappelée ni tenue au courant de son travail et il ne l'a même pas prévenue lorsque des candidats retenus par le BOMC se rendaient à Toronto. Finalement, l'attitude de Richler convainc le bureau de New York que Slopen n'est pas indispensable, et celui-ci décide d'évaluer les manuscrits canadiens lui-même. Bien sûr, Richler trouve peu de choses à redire sur cette application de l'économie de succursales au monde littéraire. Mais ce dont Slopen se plaint le plus n'est pas le néocolonialisme : elle souhaite simplement que Richler se montre solidaire, qu'il lui glisse un mot d'encouragement ou lui offre d'écrire une lettre de recommandation. Lorsqu'elle lui explique ce qu'elle ressent dans une lettre, il l'envoie promener[8].

Les amis de Richler attribuent son air occasionnellement revêche à sa timidité, son expression grave et son aversion pour les foules[9]. Selon Florence, il suffit qu'il entre dans une pièce pour que les gens tremblent et s'inquiètent de ce qu'il pense. Lors d'une fête surprise organisée par Florence, le médecin de la famille vient la voir en fin de soirée et lui confie avoir vu Richler assis sur sa chaise, une expression sérieuse sur son visage. Ignorant dans quel état d'esprit Richler se trouvait, le médecin a simplement décidé de l'éviter. Florence sait toutefois que Richler est nerveux parce qu'il est en train de rater un match de baseball dont il aimerait connaître le score. « C'est du Mordecai tout craché », dit-elle. « S'il est si sombre, c'est simplement parce qu'il s'interroge sur le score d'un match de baseball[10]. » D'après le compte rendu d'une autre personne qui était présente à la fête, après la surprise initiale, Richler s'est précipité dans sa chambre, probablement pour changer de chemise[11]. On peut imaginer que la panique ressentie par Bernard Gursky quand ses amis et sa famille crient « surprise » dans *Gursky* est issue de l'ambivalence de Richler face à une telle situation. Ce dernier n'est pas du genre à apprécier la surprise et la présence chez lui d'un groupe de personnes bruyantes qui l'empêchent de regarder son match de baseball. La timidité est une forme d'arrogance, dit à Moïse Berger une ancienne étudiante en psychologie très sûre d'elle dans *Gursky*[12]. Aussi risible qu'elle soit, cette affirmation catégorique n'est pas si loin de la vérité dans le cas de Richler. Il faut cependant comprendre que les gens le sollicitent souvent en raison de sa notoriété et pour leur propre avantage, ce que Richler déteste.

Les enfants de Richler ont hérité de ce manque de correction. Si Richler est fier de leur succès académique, il dit à Martha, lorsqu'il va la voir à Harvard en octobre 1980[13], que l'université n'est qu'un parc pour bébés. Il reste convaincu qu'à moins de suivre le pénible chemin de l'École de l'apprentissage autodidacte de Mordecai Richler, du « fauché à Paris » au « sans-un-rond à Londres », on n'apprend guère plus que des pratiques pieuses. « Il est inutile d'essayer de l'impressionner », dit Martha. « Il faut juste vivre sa vie ». En même temps, lorsque Martha veut travailler sur le bateau d'un ami, Richler s'y oppose parce qu'elle est une fille. En 1987, elle s'enflamme un peu lorsque Mordecai lui suggère de travailler quelque temps comme serveuse à « l'université de la vie » (ses propres mots) plutôt que de faire un doctorat. Elle lui fait remarquer que l'expression « jeune homme ambitieux » lui vient plus facilement que « jeune femme ambitieuse ». Il parle des écrivains Adam Gopnik et Roger Kimball, mais Martha a du mal à croire qu'il aurait recommandé à Gopnik (qui travaille au *New Yorker*) d'aller débarrasser les tables[14].

La nomination de Daniel en tant que correspondant culturel de l'émission phare de la CBC, *The Journal*, ne facilite pas les choses pour Martha[15]. Robert Fulford dit à Richler que dans les cercles branchés de Toronto, Richler est connu comme « le père de Daniel Richler, vous savez, celui qui écrit[16] ». Cela ne le gêne pas du tout. Martha craint que son père ne la prenne pas suffisamment au sérieux, et qu'il croie que les cours d'histoire de l'art ne sont qu'une simple occasion de se trouver un homme. Il pense qu'il est temps qu'elle subvienne à ses propres besoins et il est contrarié car il estime qu'elle n'avance pas suffisamment vite. «Alors, que fais-tu de tes journées?» lui demande-t-il. Elle lui rappelle qu'après avoir épuisé ses bourses de l'Université Columbia, elle a travaillé comme caissière et occupé deux emplois pendant ses études; elle est donc familière avec ce qu'il appelle l'«université de la vie». On ne peut toutefois s'attendre à ce qu'elle renie son enfance privilégiée et fasse comme son père, qui a passé un bon moment à «réfléchir» à Paris et à Ibiza. Puisqu'elle ne gaspille plus *son argent à lui* dans les clubs de gym et qu'elle peut presque gagner sa vie, elle s'attend à recevoir davantage de soutien émotionnel. «Tant que tu ne croiras pas en mon avenir, je ne pourrai pas être heureuse», lui dit-elle[17].

Malgré tout, Richler est loin d'être un père difficile et ses enfants l'aiment. Emma lui offre souvent des massages de tête pour son anniversaire[18] et Martha lui écrit une lettre difficile débutant par: «Il va sans dire que je t'adore[19].» Ses amis apprécient beaucoup sa compagnie, car il se montre chaleureux avec ceux qu'il respecte et n'use pas de flatteries. Les enfants, surtout les filles, le surnomment «Rex», un nom affectueux qui témoigne également de sa suprématie. À cette période, seul Jacob vit toujours à la maison, et Richler organise des parties de pêche au saumon avec lui[20]. Il passe davantage de temps avec Jacob qu'il n'en a passé avec les autres, et celui-ci, qui fait preuve d'une compréhension précoce de la politique et d'un esprit malicieux, semble également plus à l'aise avec son père que ses frères et sœurs l'ont été[21]. Selon lui, Richler était un bien meilleur père qu'un écrivain[22]. Lorsqu'il commence à cumuler les mauvaises notes à l'école et se comporte mal avec les autres élèves et les professeurs[23], Richler le prend à part et lui dit: «Si ton cerveau ne passe pas la vitesse supérieure assez vite, il va rester bloqué à cette vitesse.» Il peut se montrer attentionné: un jour, après avoir donné un de ses discours provocateurs, le dessinateur Terry Mosher le voit s'agenouiller en plein milieu de la rue Peel pour réparer délicatement le talon de la chaussure de Florence[24]. Lorsqu'il revoit Ted Allan après son attaque dans les années 1980, il le prend maladroitement dans ses bras et verse quelques larmes[25].

C'est peut-être dans l'introduction de l'anthologie *The Best of Modern Humour*, publiée en 1983, que Richler se décrit avec le plus de justesse. S'il parle visiblement de la comédie en général, il dresse en fait un portrait rapide de lui-même. Les humoristes, dit-il, sont souvent mélancoliques. Ils boivent beaucoup et préfèrent se montrer discrets lors des soirées, de peur que des étrangers leur demandent de dire quelque chose de drôle[26]. Cette peur d'être coincé, de devoir se montrer à la hauteur de l'esprit dont il fait preuve dans ses écrits et d'avoir à subir les critiques qu'il adresse généralement aux autres témoigne d'une forme d'élitisme défensif. Qu'il soit cliché ou non d'affirmer que l'humour cache une douleur, on ne peut l'ignorer dans le cas de Richler. Il n'a pas commencé sa carrière comme un écrivain comique, mais comme un romantique, en confrontant les expériences qui l'ont troublé, en particulier celles qu'il a vécues avec sa mère. Lorsqu'il affirme que «la meilleure revanche sur l'expérience est de bien écrire[27]», on comprend que les blessures anciennes, loin d'être refermées au moment de l'écriture de la comédie *Joshua au passé, au présent*, sont simplement enfouies.

Au début des années 1980, alors que Richler s'enrichit et gagne en notoriété, sa notion de l'argent change. S'il n'est pas «doué» avec l'argent, il adore en gagner[28], ce qui fait de lui le candidat parfait pour bénéficier du mécénat d'entreprise. Ce n'est plus *MacLean's* qui lui commande un reportage sur la situation politique en Israël, mais des magazines chic comme *Signature* (qui se vante que son lecteur moyen gagne 86 211 dollars par an[29]) qui l'envoie en 1982 au Kenya, dans la Vallée du grand rift et la réserve naturelle de Masaï Mara[30], accompagné de guides et de cuisiniers – une équipe de neuf personnes. Le garçon de la rue Saint-Urbain voyage désormais dans le luxe. L'équipe est devant pour monter les tentes; et Richler, Ted Kotcheff, Bob Shapiro, l'avocat de Richler et leurs femmes arrivent ensuite. Le soir, ils peuvent entendre les babouins, des animaux territoriaux, uriner sur les tentes. Pour Florence, l'expérience est encore plus marquante, car Richler s'est préparé à l'avance: il a acheté un enregistrement de bruits d'animaux à la Warner Brothers et s'est arrangé pour qu'un des membres de l'équipe mette la cassette en marche après qu'ils se soient couchés. Florence est effrayée et dit à Richler qu'elle n'apprécie pas le fait de séjourner en Afrique dans de telles conditions[31].

Ces reportages comportent une dimension ironique. L'auteur, qui manie la plume avec bravoure lorsqu'il est confronté au luxe, découvre tout à coup qu'il est dans son intérêt de bien se comporter et de tenir compte des exigences commerciales des éditeurs de voyage en murmurant à l'oreille du touriste potentiel : « Allez-y, allez-y avant qu'il ne soit trop tard. Avant... que le berger Masaï qui traverse les plaines n'ait un baladeur sur les oreilles[32]. » Conscient de l'ironie, il se défend en racontant qu'après un délicieux séjour à Paris, qu'il doit également à *Signature*, il a perdu tout appétit pour les matelas défoncés et se demande s'il est vraiment nécessaire que les jeunes d'aujourd'hui s'habillent de manière aussi débraillée[33]. Ainsi, bien que Richler lui-même ne soit pas vraiment passé par toutes les étapes allant de « débraillé » à « présentable », à l'automne 1983, il écrit un article pour le plus ancien des magazines masculins, *GQ, Gentleman's Quarterly*[34]. Lorsqu'on lui demande qui sont ses écrivains préférés, il cite Waugh, Walker Percy, Cheever, Bellow, Le Carré[35] – rien de nouveau pour Richler, mais il ne mentionne pas Céline non plus. Lorsque Peter C. Newman accepte de publier le *Debrett's Illustrated Guide to the Canadian Establishment*, l'équivalent colonial du *Debrett's Peerage*, il pense spontanément inclure Richler dans le projet et lui écrit pour lui demander des détails[36]. Si celui-ci accepte, il ne peut s'empêcher de se moquer de l'attitude vaniteuse des nantis. Lorsqu'on lui demande de faire la liste des clubs huppés auxquels il appartient, Richler dresse une liste qui étonne tout le monde dans la salle de rédaction. Newman décide de publier telles quelles les informations que lui a données Richler, mais en adoptant le ton de la raillerie : « Il appartient au club on ne peut plus distingué de l'Association automobile du Canada (CAA) et à un club qui s'appelle le Owl's Nest Society, à Mansonville, Québec[37]. »

La Owl's Nest Society regroupe les amis de Richler qui fréquentent le pub du même nom, située non loin du lac Memphrémagog.

Si Richler a une haute opinion de lui-même, une chose n'a pas changé depuis l'époque d'Ibiza et de Juanito «Pus»: il s'intéresse à des gens de divers horizons. Lorsque Florence a besoin d'un peintre, l'ancienne propriétaire de la maison du lac Memphrémagog, Mᵐᵉ McIntosh, lui donne une liste de noms d'hommes à tout faire qui habitent dans le coin. «Oh oui, il y a aussi Roger George», dit McIntosh, qui est sur le point de barrer un nom, «mais il vaut mieux ne pas l'appeler. Il boit trop.» Florence demande malgré tout à le rencontrer. Lorsque celui-ci se présente chez elle, il porte ses habits du dimanche et une petite casquette de baseball qu'il enlève avant de dire «Comment allez-vous?» Elle l'apprécie tout de suite. George – «Sweetpea» ou «Pea», comme tout le monde l'appelle – a les mains qui tremblent, ce qui n'est pas idéal pour un peintre. Il semble toutefois qu'au moment de passer le rouleau, les tremblements soient disparus et qu'il ait très bien fait son travail.

Au cours de ses deux premières années au service des Richler, George ne fait que croiser l'écrivain lorsque celui-ci descend remplir sa théière. Pendant que Richler travaille, Florence part à la découverte des environs avec Jacob et revient avec des histoires sur les gens qu'il a rencontrés. Puisque Mordecai l'écoute, elle sait qu'il ira un jour au pub pour rencontrer ces personnes[38]. En dépit des regards graves que lui jette Debrett, Richler passe bientôt tous ses après-midi en compagnie des clients du Owl's Nest. Il fréquente également le Thirsty Boot de Knowlton et, plus tard, le Caboose. Un jour, il se fait jeter du Thirsty Boot parce qu'il s'est montré impoli envers la fille du propriétaire, Gerry Wood. Après cet événement, Richler se montrera toujours poli[39]. Il parraine une équipe de baseball et en profite pour entrer sur le terrain, ce qui est une bonne nouvelle pour les adversaires; Sweet Pea doit alors lui offrir une grande bouteille de scotch pour l'attirer hors du terrain[40]. Au milieu des années 1980, moment où l'éducation des enfants est presqu'entièrement payée, Florence fait ajouter une extension en cèdre et en verre à la maison et Richler s'offre une table de snooker. Il accroche au mur un vieux ciseau ayant appartenu à Moe et écrit sa devise à la craie jaune: «Moses Isaac Richler – Aucun succès!» Tous les 26 décembre, Richler organise un tournoi de snooker chez lui pour ses enfants et ses compagnons de boisson des Cantons de l'Est[41]. Ces derniers apparaissent finalement dans *Gursky*[42], avec quelques modifications. Sweetpea George, qui devient Strawberry Watson, est ravi[43]. En donnant un caractère mythique aux origines canadiennes, Richler affirme que l'âme du Canada (s'il en a une) ne se trouve pas sur la colline parlementaire, mais dans les petits troquets du pays comme le Owl's Nest[44]. Richler peut très bien assister à une soirée à Montréal à laquelle est également convié Pierre Elliott Trudeau et, le lendemain, malmener un flipper avec «Mordecai» écrit dessus au Caboose tandis que George le regarde faire[45].

En 1984, Richler rassemble quelques-uns de ses essais, notamment ceux sur l'âme canadienne, dans un livre initialement intitulé *Hambourgeois*. Le livre prendra ensuite le titre de *North of Forty-Nine*, avant d'être finalement publié sous celui de *Home Sweet Home*[46]. Désireux de tirer profit de son travail sans compromettre son intégrité artistique, Richler songe à la comédie musicale. En 1984, il vend pour un dollar les droits musicaux de *L'apprentissage de Duddy Kravitz* à Sam Gesser, un imprésario originaire de la rue Saint-Urbain (c'est du moins ce qu'on raconte). Il y a une autre offre sur la table : un producteur américain veut adapter *Duddy* en série télévisée ; cependant, il veut modifier l'histoire afin que la série ne soit pas aussi juive, qu'elle ne se déroule pas au Canada et qu'elle soit plus actuelle[47]. Richler pense qu'il vaut mieux vaut opter pour Gesser, qui veut que Jerry Leiber et Mike Stoller écrivent les chansons en se basant sur son livre. La comédie musicale voit le jour à Edmonton – un choix surprenant pour le lancement d'une comédie musicale juive – et doit être jouée dans neuf villes canadiennes avant de débuter à Broadway. Par nécessité, la comédie est présentée comme un produit final aux abonnés du Citadel Theatre d'Edmonton, mais il s'agit en vérité d'un atelier... un atelier où tout le monde est nerveux parce qu'on a modifié des scènes et des chansons jusqu'au jour de la première. Si la plupart des places sont vendues, c'est qu'elles sont incluses dans l'abonnement de l'année, mais les critiques sont terribles, et plusieurs chansons de Leiber et Stoller, notamment l'ode à l'amitié de Duddy et Lennie en caleçons longs, sont jugées inappropriées[48]. La fin pessimiste de Richler n'arrange pas les choses, car le public s'attend toujours à un mariage à la fin d'une comédie musicale. Seule la star Lonny Price reçoit de bonnes revues de la part des critiques.

Richler n'a aucune expérience dans l'écriture de comédie musicale, mais Florence l'encourage à essayer, et il apprend au fil de l'écriture. Lorsque le metteur en scène Brian Macdonald se plaint d'une scène, Richler va au bar, écrit deux pages et revient avec une scène plus drôle. Richler et Lonny Price se vouent une admiration mutuelle. Price hurle sur Leiber et Stoller, mais il remercie chaleureusement Richler: «Vous êtes la raison pour laquelle j'ai accepté le rôle... Pendant tout ce temps, vous sembliez être la seule personne qu'on pouvait aller voir pour obtenir du soutien ou un compliment, et je vous en suis reconnaissant[49].» D'Edmonton, la production se rend de peine et de misère jusqu'à Ottawa, mais après quatre représentations dans un Centre national des Arts au trois quarts vide, le spectacle prend fin. Gesser et ses associés perdent un million de dollars. Leiber et Stoller considèrent que le livre de Richler est le seul responsable de cet échec et Richler lui-même se sent responsable par moments[50], mais Macdonald et les comédiens jettent le blâme sur Leiber et Stoller. Trois ans plus tard, la comédie revient brièvement à la vie à Philadelphie avec de nouveaux morceaux et un scénario largement modifié[51]. Rusés, les producteurs souhaitent que Duddy et Yvette se réconcilient à la fin, mais Richler tient bon, ruinant ainsi toutes ses chances de voir la nouvelle version en représentation à New York. Un spectateur habitué des comédies musicales se permet de faire des suggestions à Richler pour améliorer l'histoire: il faudrait que Duddy finance les études de médecine de son frère Lennie et que celui-ci trouve un remède à l'épilepsie dont souffre Virgil dans la scène finale[52]!

Richler n'apprécie pas particulièrement la ville d'Edmonton. Plusieurs années avant que ses écrits controversés sur la question des langues au Québec ne soient publiés, les lecteurs d'Edmonton lui donnent un avant-goût des conséquences que peut entraîner le fait de remettre en question la conception qu'un groupe a de lui-même. Dans un article du *New York Times*, il explique qu'Edmonton est la fournaise du Canada et, à la suite d'une entrevue avec la star du hockey d'Edmonton, il laisse entendre que Wayne Gretzky n'est pas Einstein. Gretzky avait dit à Richler qu'il était trop occupé pour lire des livres qui n'étaient pas réels – c'est-à-dire de la fiction[53]. Après la publication de l'article, *The Sun*, le journal d'Edmonton, publie son numéro de téléphone afin que les habitants d'Edmonton puissent laver leur honneur en passant des coups de téléphone obscènes à Richler et à sa famille. Lorsqu'un journaliste du *Sun* appelle Richler pour l'interviewer, celui-ci demande à obtenir le numéro de téléphone de son rédacteur. Son interlocuteur lui répond qu'il est contraire au règlement du journal de divulguer de telles informations[54]. Incapables d'accepter les plaisanteries, les plus naïfs écrivent des lettres cinglantes : « Sachez que nous sommes très fiers de Wayne Gretzky et que nous le soutiendrons. Il est l'un des seuls héros d'aujourd'hui. Il est bien élevé, attentionné… Il est malheureux que le fait de n'être qu'un athlète supérieur de classe mondiale ne soit pas assez bien pour les gens comme vous[55]. » Un groupe d'hommes d'affaires d'Edmonton menace de mettre en œuvre un mystérieux « plan B » qui mettrait le *New York Times* à terre si le journal ne se rétracte pas[56].

Mel Hurtig, un ancien ami de Richler, se jette dans la mêlée. Les propos de « cette grossière poule mouillée » contre Edmonton dégoûtent Hurtig, mais ne l'étonnent pas. Richler n'est-il pas, après tout, « le parfait colonial obséquieux » qui a choisi un seul écrivain canadien pour son anthologie *The Best of Modern Humour* et qui ne sélectionne pas suffisamment de livres canadiens pour le BOMC ? Hurtig rappelle à tout le monde que les lecteurs et critiques avertis d'Edmonton ont mal accueilli la comédie musicale adaptée de *Duddy*[57]. Ce n'est pas tout à fait vrai : si les critiques d'Edmonton ont en effet descendu *Duddy*, le public d'Edmonton a tout de même acheté les billets. Œil pour œil, dent pour dent, Richler révèle qu'il a refusé la demande d'Hurtig d'écrire des articles pour *L'Encyclopédie canadienne* et que celui-ci continue de lui envoyer des discours, espérant ainsi être cité dans un de ses articles. Hurtig sera finalement mentionné de

manière anonyme dans *Gursky*, lorsque le pilote Riley se plaint
auprès de Moïse Berger qu'il est poursuivi par un éditeur d'Edmonton : « un de tes frères… un mec cool, super classe, il s'assoit
à ta table et tu es tout de suite entouré[58] ». Richler se dit reconnaissant que le Citadel Theatre d'Edmonton ait accueilli *Duddy*,
mais l'idée exprimée par Hurtig germe dans son esprit : « Pourquoi
ne pas punir les villes où mes pièces n'ont pas été applaudies, où
l'on n'a pas écrit de critiques élogieuses de mes livres ? » La liste
serait trop longue, conclut-il. Richler doit ressentir une atroce
culpabilité, car il finit par se repentir : « Edmonton, Edmonton,
je te demande pardon. Depuis la publication de l'article, je
souffre d'une crise de conscience, je ne cesse de songer aux dommages que j'ai pu causer. Dans mes cauchemars, je vois des
dizaines de milliers de touristes qui devaient venir à Edmonton
en janvier, impatients de découvrir ses merveilles architectu-
rales, de se promener le long de ses élégants boulevards et de
dîner dans ses fabuleux restaurants, annuler leur séjour à cause
des mensonges que j'ai écrits[59]. »

Richler travaille à l'époque sur l'adaptation cinématographique de *Joshua au passé, au présent*. Lors d'un débat organisé
quelques années auparavant, Richler s'en est pris à l'industrie
canadienne du film et à la Société de développement de l'industrie cinématographique canadienne (SDICC) pour avoir financé
de la camelote parce que c'était de la camelote canadienne. Est-il
vraiment nécessaire de dépenser l'argent destiné à la « culture »
canadienne pour des films comme *Meatballs* ou *Shivers* ? En traitant les producteurs canadiens de « petits voyous pleurnichards »,
Richler a donné lieu à un échange d'insultes avec le producteur
Bill Marshall. On tente d'expliquer à Richler que sans les films
d'exploitation de Francis Coppola ou Martin Scorcese, *Apocalypse
Now* ou *Taxi Driver* n'auraient jamais vu le jour[60] – comme si la
progression de la camelote rentable à l'art était une excentricité
génétique chez les réalisateurs plutôt qu'un effet du système
hollywoodien. Jack McClelland s'amuse de voir Richler s'en
prendre aux riches et puissants producteurs (« ce pauvre mec
sans défense », dit-il de Marshall[61]), mais Richler ne semble pas
s'inquiéter des répercussions et veut inciter la SDICC à financer
des projets plus responsables.

Au moment de se lancer dans le projet d'adaptation cinématographique de *Joshua au passé, au présent*, Richler tend la main à la SDICC qui, étonnamment, décide de participer au financement du film. Il avait déjà tenté de faire une adaptation de *Reinhart in Love*, de Thomas Berger, mais les producteurs hollywoodiens avaient refusé le scénario[62]. Avec *Joshua au passé, au présent*, toutefois, il pense être aux commandes et demande à Kotcheff de l'assister en tant que réalisateur. Depuis *Duddy*, les honoraires de Kotcheff ont augmenté. Après le succès rencontré par *Rambo : Le dévastateur* et *Retour vers l'enfer*, il demande désormais un million de dollars par film, mais pour Richler, il accepte de diminuer son salaire de moitié et de recevoir un pourcentage des profits réalisés à la place[63]. Si le budget est bien supérieur à celui de *Duddy* – 9,2 millions de dollars –, les attentes sont elles aussi plus élevées. La longueur du roman pose problème. Même *Duddy*, qui est bien moins long, avait donné lieu à un scénario qui semble parfois épisodique. *Joshua au passé, au présent*, qui doit être adapté en un film de deux heures et une minisérie de trois heures et demie par la CBC-TV, risque de devenir une sitcom [situation comedy], ou plutôt, selon le critique Jay Scott, de Toronto, « une sitcom déguisée en satire[64] » à la *Touche pas à mon gazon*. D'un autre côté, les compensations financières risquent d'être substantielles, et le roman sera réédité, gagnant ainsi de nouveaux lecteurs[65]. S'il doit massacrer le roman pour faire un film, il se console en se disant qu'il pourra toujours massacrer Hollywood dans son prochain roman.

Dès le départ toutefois, les problèmes surgissent. Si la vie de Duddy reposait sur des *actions*, celle de Joshua, faite de réflexions, est beaucoup plus difficile à traduire en termes visuels. Les plus grands studios hollywoodiens, et notamment la 20th Century Fox, refusent le scénario de Richler. Kotcheff et Richler réussissent finalement à intéresser le producteur canadien Robert Lantos, qui, bien qu'il n'ait pas encore le statut qu'il aura plus tard dans l'industrie du cinéma, a envie de faire le film et dispose de suffisamment de relations pour réaliser le film canadien le plus cher jamais tourné. Grâce aux manigances de Lantos, la 20th Century Fox leur accorde deux millions de dollars. La SDICC verse officiellement de l'argent et impose en conséquence des restrictions. En temps normal, la SDICC autorise l'embauche d'un seul acteur étranger. *Joshua au passé, au présent* reçoit une dispense spéciale pour deux acteurs étrangers, mais il en aurait fallu au moins quatre[66]. Ainsi, bien que Cybill Shepherd ait accepté de jouer le rôle de Pauline, la femme de Joshua[67], le règlement canadien l'interdit. Kotcheff embauche donc Gabrielle Lazure (la fille de Denis Lazure, l'ancien ministre des Affaires sociales du PQ) pour son premier rôle en langue anglaise[68]. Lazure a la beauté de Pauline, la blonde *shiksa*, mais elle manque de talent dramatique et n'a pas l'accent WASP. Kotcheff est donc obligé de couper certaines scènes et, finalement, de faire doubler sa voix[69].

Plusieurs acteurs canadiens ne se montrent pas la hauteur, en particulier Michael Sarrazin, qui joue le rôle du beau-frère de Joshua comme s'il était un danseur de music hall. Bientôt, Richler se plaint publiquement des restrictions imposées par la SDICC. Bien qu'il soit doté d'une grande intelligence, l'acteur américain James Woods n'offre pas une meilleure performance dans le rôle principal. Son air d'aristocrate et son visage en lame de couteau l'empêchent de se faire passer pour un Juif peu raffiné et sa performance manque d'émotion, notamment lorsque le scénario exige qu'il éclate en sanglots. Seul Alan Arkin offre une performance brillante dans le rôle du père de Joshua.

Le scénario, qui fait près de deux heures et demie, doit subir des coupes importantes – exit la Société commémorative William Lyon Mackenzie King et l'intrigue espagnole avec l'ancien colonel nazi[70]. Le film conserve les meilleurs passages du livre, mais, en dehors de leur contexte, ils n'ont pas la même magie. On ne peut pas pour autant en jeter la faute sur le règlement canadien sur le contenu. Parmi les gens de la SDICC figure l'ancien patron de Richler à ABC-TV, Sydney Newman. Comme tous ceux qui ont lu le scénario, il dit à Richler que la narration doit être plus directe et se contenter de quelques retours en arrière pour ne pas désorienter les spectateurs[71]. Là non plus, le règlement canadien n'est pas responsable. Kotcheff prend les décisions finales, et c'est là le grand avantage du financement canadien[72]. Richler a-t-il oublié *Touche pas à mon gazon*, dont la fin satirique a été modifiée pour faire de Dick et Jane des héros ?

Si le film avait été financé par un studio d'Hollywood, Richler aurait pu embaucher une actrice avec un meilleur accent, mais il n'aurait pas eu son mot à dire sur la fin du film.

Quelques-unes des restrictions imposées par la SDICC s'expliquent par le fait que *Joshua* est également tourné pour la télévision. Le discours blasphématoire de Reuben (le père de Joshua) doit ainsi être censuré[73]. En cédant à la frilosité de la télévision, se lamente Kotcheff, la SDICC «protège ses inconvénients tout en compromettant ses qualités[74]». La coproduction film/télévision rend l'écriture et le tournage difficiles. Elle implique la rédaction de deux scénarios : l'un, plus fourni, de 180 pages pour la télévision, et l'autre, plus léger, de 150 pages pour le film. Elle entraîne aussi des restrictions supplémentaires, puisque la production télévisée ne doit pas coûter plus cher que le film et doit donc utiliser les mêmes acteurs et les mêmes lieux de tournage[75]. Le résultat : un cauchemar sur le plan de la continuité. Kotcheff s'inquiète des incohérences qui pourraient en résulter dans le développement des personnages, en particulier celui du premier rôle féminin, l'éternel point faible de Richler : «À un moment, [Pauline] se plante une paire de ciseaux dans la main, et l'instant d'après, elle est de retour chez elle.» La douleur et le sang pourraient permettre de résoudre le problème, songe Kotcheff[76].

Le tournage débute à l'été 1984 près de Brockville, en Ontario – le fleuve Saint-Laurent remplaçant le lac Memphrémagog[77]. À Montréal, les lieux de tournage incluent une ancienne synagogue dont la façade porte toujours des inscriptions en hébreu : «Ceci est la porte de Dieu : Les Vertueux passeront cette porte[78].» Pour les scènes censées se dérouler à Ottawa, le producteur adjoint, Julian Marks, demande l'autorisation de tourner dans la chambre du Sénat canadien[79]. Maurice Riel, le président du Sénat, justifie son refus par le fait que la chambre doit demeurer à la disposition des sénateurs en tout temps, y compris le dimanche[80]. Même si personne n'a jamais convoqué de session quand les sénateurs sont en congé, ceux-ci *peuvent* en théorie le faire. Richler suggère une réponse qui commence par «Cher (mettre le nom de l'insignifiante personne ici)» et supplie Riel de les laisser tourner discrètement dans les couloirs du Parlement. Nous essayons faire un film sur ce putain de pays, écrit Richler (ce ne sont pas tout à fait les mots qu'il emploie), et il mentionne sa nomination aux Oscars et ses deux prix du Gouverneur général[81]. Ils ne font aucune impression sur le président du Sénat. Les réalisateurs comprennent que la meilleure chose à faire est de passer outre la décision de Riel et de s'adresser à ses supérieurs hiérarchiques. Richler & cie obtiennent une lettre de John Roberts, le ministre de l'Emploi et de l'Immigration, expliquant qu'il est important que les Canadiens et la communauté internationale voient les institutions canadiennes sous toutes leurs coutures et demandant au sergent d'armes de la Chambre des communes de permettre à Richler de tourner dans les couloirs[82].

Mais le véritable problème de la production reste l'argent. Les dépassements de budget et les constants gaspillages menacent de saboter, et même de mettre fin, au tournage du film. Avec une équipe de soixante-dix personnes (incluant la fille de Richler, Emma, qui assiste Kotcheff[83]), cent vingt acteurs avec des rôles parlant et mille cinq cents figurants, les coûts atteignent vite onze millions de dollars. Malgré tout, les scènes de foule semblent vides et fausses. Douglas Leiterman, le président général de Motion Picture Guarantors, menace de suspendre la production du film, d'annuler le tournage des scènes à Londres et de finir le film en dépensant le moins d'argent possible[84]. En décembre, Leiterman prend le projet en main, mais après une lutte sans merci et l'injection de nouveaux fonds, Lantos en reprend le contrôle trois mois plus tard.

Bien qu'il soit moins bon que *Duddy*, et même si les problèmes de continuité n'ont jamais été résolus, le film est jugé digne d'être présenté à Cannes. Les passages trop rapides d'une scène à l'autre et d'une année à l'autre nuisent à la sympathie que le public éprouve pour Pauline et Joshua. Dans les films plus faibles, les problèmes de continuité sont généralement résolus par un morceau musical émouvant, mais la musique guillerette de carnaval qu'a choisie Kotcheff pour accompagner certaines transitions n'améliorent pas le film. Malgré tout, Lantos, le producteur Stephen Roth et d'autres responsables canadiens se déplacent pour aller défendre le film à Cannes. Personne ne songe à inviter Richler. «Je remercie les producteurs qui, entre deux succès légèrement pornos comme *Heavenly Bodies* et

Bedroom Eyes, ont réussi à libérer un peu de temps de leur programme chargé pour se rendre à Cannes en première classe avec leurs épouses. Je présume que si mon travail sur ce film remporte quelque chose, ils auront la bonté de me le rapporter», écrit-il[85] *Joshua au passé, au présent* ne remporte aucune récompense. Si les spectateurs applaudissent les monologues peu orthodoxes de Reuben (joué par Alan Arkin) sur le judaïsme et se lèvent à la fin du film pour faire une ovation[86], les critiques se montrent moins enthousiastes et s'interrogent sur la crédibilité de l'histoire d'amour[87]. C'est d'ailleurs la critique que Kotcheff avait formulée dès le départ. Le film remporte davantage de succès au festival du film de Berlin, où il est en nomination pour un Ours d'or[88].

≋

Dans les années 1960, Richler avait commencé à travailler dans le monde du cinéma afin de pouvoir consacrer davantage de temps à son métier d'écrivain. Avec *Duddy* et *Joshua au passé, au présent* toutefois, la frontière entre les deux univers semble s'estomper. D'un côté, il voit ses romans publiés; de l'autre, il les adapte au cinéma pour qu'ils plaisent au plus grand nombre. Les 480 000 dollars qu'il a reçus pour écrire le scénario[89] pèsent très lourd. Pendant longtemps, il a parlé de lui-même comme d'un artisan, «le dernier des entrepreneurs individuels dont le magasin se trouve au-dessus de sa maison, littéralement[90]». Plus il remporte de succès et gagne davantage d'argent, plus il dit de lui-même qu'il n'est qu'un petit artisan – intrépide, indépendant – et oublie que l'industrie du cinéma lui permet en effet de travailler à l'étage d'une très jolie maison de campagne. En 1994, il se décrit lui-même comme «l'un des derniers écrivaillons du libre-échange[91]».

Une telle utilisation du langage de l'entreprise témoigne du changement idéologique qui s'opère en lui: son côté socialiste s'estompe. Si le socialisme a toujours une valeur rhétorique à ses yeux, Richler se considère dorénavant comme un entrepreneur qui a risqué tout son capital et mérite donc d'être récompensé. Il continue à rédiger des articles sur des séjours de luxe, notamment en Écosse, où on peut pêcher dans le fleuve Spey et bénéficier des services d'un gillie (un guide de pêche) pour la modique somme de cent soixante-dix dollars par jour, et où les serveurs viennent vous trouver à l'heure du lunch pour vous apporter un scotch et un repas chaud[92]. Lorsque Richler entend dire que Kotcheff a reçu une caisse de scotch parce qu'il a fait apparaître la marque dans un de ses films, il est pris de jalousie. Au cours d'une soirée organisée à New York, il engage la conversation avec le président d'une entreprise de vin et spiritueux. On ignore qui a abordé le sujet, mais Richler finit par obtenir deux caisses de Macallan, et Macallan obtient le placement de son produit dans *Gursky*. L'anecdote permet de mieux comprendre le reste de sa déclaration: «Je suis l'un des derniers écrivaillons du libre-échange, dépendant de ma plume pour m'approvisionner en whisky single malt Macallan et en cigares Davidoff[93].» Au départ, l'employé de l'entreprise chargé d'envoyer l'alcool à Richler le fait à contrecœur, car il estime que Richler a les moyens de s'en acheter, mais lorsqu'il lit *Gursky*, il comprend que son président a pris la bonne décision[94]. Pendant ce temps, Richler se plaint des écrivains «qui profitent sans vergogne des commissions qu'ils reçoivent des fondations[95]».

Si Richler, en quête de richesses et d'alcool gratuit, n'a pas perdu de vue son véritable métier, on peut toutefois affirmer qu'il ne s'investit plus autant dans certains aspects de son travail. Après tout, son nom suffit maintenant à vendre des produits. Ainsi, à la différence de *Jacob Deux-Deux et le Vampire masqué*, une œuvre soigneusement conçue pour divertir ses propres enfants, *Jacob Deux-Deux et le Dinosaure* montre tous les signes d'un travail fait à la hâte dans le but de gagner de l'argent. Abandonnant son idée d'écrire un livre pour enfants mettant en scène Peter Plasticine[96] et un ouvrage sur les relations entre le Canada et les États-Unis[97], Richler choisit de raconter l'histoire d'un dinosaure ramené par inadvertance d'un safari au Kenya. Jacob Deux-Deux doit protéger «Hochet» des adultes, et en particulier du Premier ministre Jean Casse-Cœur, qui s'est fait dire que sa cote de popularité grimperait s'il tuait un dragon. L'histoire présente quelques éléments pleins d'esprit, dont le personnage de Casse-Cœur, à travers lequel on perçoit un clin d'œil évident au mielleux Premier ministre conservateur Brian Mulroney, élu en 1984. Une fois de plus, Richler laisse entendre qu'il ne supporte pas les livres moralisateurs qui tentent d'enseigner aux enfants les bonnes manières et l'hygiène[98] et il inclut des références à la chorale du père de Jacob et à ses copains de poker qui boivent de la bière et entonnent parfois de vieilles chansons[99]. Mais les livres pour enfants ne sont plus ce qu'ils étaient dans les années 1940 et 1950 : ils racontent presque tous l'histoire d'enfants irréprochables qui se rebellent contre des autorités despotiques. Ainsi, rien dans *Jacob Deux-Deux et le Dinosaure* ne le distingue véritablement des autres livres du genre. Les histoires d'enfants qui, par amour pour un animal, le sauve des griffes d'adultes calculateurs, véhiculent un nouveau message : ne faites pas confiance à l'autorité, n'ayez confiance qu'en vous-mêmes. Richler ne se montre pas sentimental au point de faire de ses jeunes rebelles des enfants complètement vertueux, mais il inclut ce personnage omniprésent, Tante Ida (Tante Bonne-pour-vous), qui critique le principe de plaisir – les cigares de Richler, les pin-up de Daniel, les disques de Frank Zappa de Noah, le poli à ongles de Marfa, la violence à la télévision – et doit donc être considérée comme une prude acharnée. Contrairement à Tante Ida, Mordecai et Florence encouragent une lecture sans méthode, sans ordre, tout en mettant l'accent sur les bonnes manières. Si Richler ne veut surtout pas qu'on croit qu'il se rallie à Tante Ida, il n'a pas pour autant mis de côté le contrôle social. À l'inverse, il se sert de la raillerie, entre autres lorsqu'il se moque de l'intérêt que Daniel porte à la musique punk[100].

Sa décision de vendre son dernier livre à Penguin plutôt que de le faire publier par McClelland & Stewart n'arrange rien aux faiblesses de *Jacob Deux-Deux et le Dinosaure.* En 1985, Jack McClelland vend sa société sous-capitalisée à Avie Bennett, un promoteur immobilier de Toronto[101]. La société retrouve soudain sa solidité financière et devient la propriété d'un homme qui a lu toute l'œuvre de Richler. Richler signe un contrat pour son prochain roman, provisoirement intitulé *Gursky Was Here,* pour lequel il reçoit une avance de 50 000 dollars[102]. Cependant, comme McClelland n'est pas là, Richler ressent moins d'attachement pour la société : un an plus tard, il veut partir et demande son avis à McClelland. Celui-ci répond qu'il ne *veut* recommander à personne de quitter McClelland & Stewart, mais sa réponse facilite la décision de Richler. McClelland admet qu'il n'est pas attaché à l'enseigne McClelland & Stewart et donne à Richler le nom des éditeurs auxquels il devrait s'adresser. Mets ton livre aux enchères, suggère McClelland. Tu récupéreras probablement 300 000 dollars[103]. Il semble peu probable que, comme certains l'ont suggéré, Richler soit parti parce que Bennett a proposé un poste éditorial à sa femme Beverly[104]. L'empressement initial de Richler à signer un contrat, suivi de sa décision de partir après que McClelland lui ait suggéré qu'il pouvait obtenir davantage, semble indiquer que son départ est motivé par des raisons pécuniaires.

Richler avait déjà compris que ses livres pour enfants pouvaient non seulement être rentables, mais qu'il pouvait aussi en faire cadeau à ses anciens éditeurs. Puisqu'André Deutsch déplore toujours le départ de Richler[105], celui-ci décide de lui confier ses livres pour enfants. De la même manière, Richler promet à Avie Bennett et Adrienne Clarkson, de M&S, de leur écrire un livre pour enfants qui se vendra bien et de ne pas dire de mal de la maison d'édition. Après tout, ils se sont montrés compréhensifs dans une situation embarrassante alors qu'ils perdaient le roman si longtemps attendu (Richler leur rend l'avance de 50 000 dollars)[106]. De peur qu'il leur enlève les restes, les éditeurs de ses livres pour enfants n'osent plus se montrer trop critiques. Loin de l'avantager, ce nouveau statu quo éditorial nuit à la qualité de son travail. La série des Jacob Deux-Deux garantit également que les «anciens» éditeurs de Richler demeurent attentifs à ses besoins. Deux ans après son départ de M&S, Douglas Gibson tente, sans en toucher mot à Richler, de céder les droits de l'édition de poche de *Rue Saint-Urbain* à McClelland & Stewart lorsque le contrat de Penguin prend fin. Mais toute tentative de mener Richler par le bout du nez est vouée à l'échec. Il répond :

«Pour faire suite à ta lettre sournoise du 16 mars :

Que tu aies voulu te montrer discourtois ou pas, c'est ainsi que tu t'es montré, c'est-à-dire que pendant toutes mes années chez M&S, & d'autres éditeurs à l'étranger, personne n'a jamais disposé de mes droits d'édition sans a. m'en informer b. demander mon accord. Quant au fait de se les approprier sans verser d'avance, et bien, ne sois pas ridicule. Je t'informe donc que je souhaite que tu renouvelles le contrat avec Penguin sur-le-champ. J'attends ta confirmation[107].

D'autres auteurs canadiens lui auraient probablement pardonné ses entreprises commerciales et sa position internationaliste si Richler n'avait pas manifesté en public son soutien à l'Accord de libre-échange avec les États-Unis. Déjà en 1968, Richler disait que gagner de l'argent est un exploit de l'imagination[108], et il continue à le croire. Alors que les membres de l'intelligentsia canadienne s'y opposent presque à l'unanimité, Richler, le 18 novembre 1987, se déclare en faveur de l'Accord de libre-échange devant le Comité permanent des affaires étrangères et du commerce international. Son témoignage, bien moins vigoureux que certains conservateurs progressistes l'auraient souhaité, est relativement équilibré. Il évoque des thèmes anciens (et quelque peu rebattus): le Canada est un État satellite; ne vous faites pas d'illusions à ce sujet; les Canadiens mettent du temps à saluer les accomplissements des leurs. Ce que Richler souhaite, c'est un monde idéal, comme la plupart des électeurs: si on peut lui garantir la création de 350 000 postes sans que les programmes sociaux soient menacés, il apportera un soutien total à l'Accord. Celui-ci doit être soigneusement négocié afin de protéger le régime d'assurance-maladie, le Conseil du Canada, la CBC et les paiements de péréquation.

Même s'il s'efforce d'en rester au débat rationnel, on sent que Richler a envie de plaisanter pendant son coming-out parlementaire[109]. L'un des brouillons de son discours commence ainsi: « J'avais espéré faire une belle apparition, accompagné d'un avocat. Chaque fois qu'on me poserait une question délicate, il couvrirait le micro et me chuchoterait à l'oreille. Je répondrais ensuite quelque chose comme: "autant que je me souvienne, à un moment donné…" ». Richler préfère prétendre qu'il a été appelé devant la Commission des activités anti-américaines (HUAC) et coupe court au préambule, mais il ne peut se borner à témoigner en faveur de l'Accord en citant des raisons économiques. Il souligne notamment le fait que la signature de l'Accord pourrait jouer un mauvais tour à l'Ontario, en particulier aux producteurs de vins douteux du Niagara. Bien qu'il prétende vouloir protéger l'industrie cinématographique naissante du Canada, le public a l'impression, lorsqu'il termine son discours sur les «astuces fiscales» des producteurs de films canadiens, qu'il souhaite la mort du cinéma canadien, une mort miséricordieuse, au chaud. Sa préoccupation pour le monde littéraire s'étend aux écrivains (qui, en dépit des bruits de couloir, ne sont pas vraiment menacés par le libre-échange), mais pas aux éditeurs canadiens. «Les impérialistes culturels à capitaux étrangers» comme Penguin ou Doubleday publient davantage de premiers romans canadiens par an que ne le font Mel Hurtig et "Capitaine Canada" en toute une vie», soutient Richler[110]. Cela n'a rien de bien étonnant, bien sûr, puisqu'Hurtig ne publie pas de romans[111]. De manière générale, le soutien que Richler apporte à l'Accord n'est pas fondé sur des principes économiques; il traduit plutôt une position antiprotectionniste. D'après Bernard Ostry, Richler ne croit pas au libre-échange tel que le définissent les économistes – il n'aime tout simplement pas l'idée que les gens contrôlent les choses[112].

Les questions adressées à Richler sont relativement anodines. Lorsque Bill Blaikie, un député du NDP, suggère que la joyeuse notion du pied d'égalité pourrait se retourner contre les Canadiens, Richler ne le contredit pas. Même aussi tard dans sa vie, Richler, qui s'exprime comme un conservateur avec un c minuscule, croit toujours aux idées sociales-démocrates dans le domaine de la fiscalité. Oui à l'égalitarisme; non au politiquement correct des socialistes[113]. C'est un député du Parti progressiste-conservateur de la grande ville d'Edmonton, Bill Lesick, qui exerce le plus de pressions sur Richler. Il tente notamment de le convaincre qu'il ne doit pas se contenter d'apporter son soutien au libre-échange, mais plutôt, qu'il ne doit pas en avoir peur du tout. Lesick joue au procureur et tente de faire dire à Richler que les progressistes-conservateurs forment le meilleur gouvernement canadien depuis des décennies. Richler s'empresse de rappeler à Lesick que Mulroney s'est opposé au libre-échange quatre ans plus tôt et que le gouvernement Mulroney n'a pas la confiance de tous – un fait que Richler espère ne pas être choquant. Les questions de Lesick démontrent cependant que Richler n'a pas lu le texte de l'Accord de libre-échange.

Une autre députée conservatrice, Mary Collins, adopte une ligne plus conciliante. Elle trouve rassurant que Richler manifeste son soutien à l'Accord alors que la communauté culturelle s'y oppose en masse. Ma position n'est pas très appréciée, l'avertit Richler. Elle ne l'est certainement pas. Farley Mowat, un nationaliste farouche et parfois irréfléchi, applique la même logique que Jacques Parizeau [à la suite du référendum de 1995] lorsqu'il se plaint que l'identité juive de Richler prévaut sur son identité canadienne[114]. Si Mowat a raison, il estime aussi qu'une description de la manière dont votent les «ethniques» constitue un argument valable pour prendre le contre-pied de leur position[115]. Margaret Atwood et Rick Salutin, qui expriment leur opposition à l'Accord de libre-échange, parlent pour la majorité des travailleurs culturels canadiens, qui considèrent que l'accord trahit la souveraineté nationale et que les conservateurs cèdent aux exigences des grandes entreprises. Lorsque Richler est invité à l'émission *The Journal* de la CBC pour débattre avec Salutin, celui-ci le traite de caniche des conservateurs : un puissant groupe d'écrivains a passé un savon aux conservateurs, et ceux-ci, apeurés, ont appelé Richler à leur défense. Étrange tactique que celle de Salutin, qui met involontairement Richler dans le rôle de Saint-Georges. Si Salutin, qui a lu l'Accord de libre-échange, se plaint de certains éléments de l'Accord, il est incapable de citer d'autres exemples après avoir mentionné la clause concernant les subventions culturelles. Il se contente d'adresser une mise en garde contre la philosophie américaine : il laisse entendre que les écrivains américains sont les porte-parole de leur gouvernement et annonce la fin de la littérature canadienne. Citant Atwood, il insinue que la signature de l'Accord entraînera, à terme, la disparition du gouvernement canadien. Richler répond qu'il ne pense pas que les obsessions personnelles des écrivains soient liées aux accords commerciaux[116].

L'ALE est le principal enjeu des élections fédérales organisées en 1988 par Brian Mulroney, qui soumet ainsi l'avenir de son gouvernement et de l'accord au verdict des électeurs. Son parti est réélu avec une forte majorité parlementaire. Avec le recul, il est difficile de critiquer Mulroney et Richler – qui lui a accordé un soutien ambivalent –, car l'ALE a entraîné une augmentation sans précédent des exportations canadiennes, et notamment de la littérature canadienne, vers les États-Unis.

Richler ne se réjouit pas outre mesure du succès électoral de Mulroney. C'est sans doute à cause de son soutien à l'ALE que Richler n'obtient pas le Prix du Gouverneur général dans la catégorie littérature en 1989. Par ailleurs, même s'il croit que l'ALE est nécessaire, il s'irrite de plus en plus face à ce qu'il considère être de la malhonnêteté et de la mauvaise foi de la part de Mulroney. Dans «Fool's Gold», un passage satirique qui apparaît dans un brouillon de *Gursky*, il évoque l'inégalable Herky Tannenbaum, le premier Canadien à avoir remporté le Booker Prize. Malheureusement, une analyse d'urine révèle qu'Herky buvait, ce qui constitue une violation évidente du règlement du Booker Prize et un coup terrible pour les millions d'amoureux de la littérature canadienne qui sont descendus dans les rues au moment de la victoire d'Herky. Avec l'aide du NPD, de la ligue de défense juive et de manifestants qui crient «souvenez-vous des six millions», Herky obtient le prix, devient une *cause célèbre* et signe avec un éditeur américain un contrat à sept chiffres pour son prochain livre. Le personnage du premier ministre canadien, qui se dit «profondément sincère» lorsqu'il offre ses condoléances à la nation dans les jours difficiles suivant l'analyse d'urine, est particulièrement intéressant. Bien que le nom de Mulroney n'apparaisse pas, il est le seul qu'on puisse imaginer «entouré de vieux camarades de classe de l'imaginaire université Saint-Francis Xavier, tous devenus des sénateurs. Ces derniers l'aident à charger des sacs remplis de billets dans l'avion qui survolera la côte Nord du Québec pour la livraison hebdomadaire d'un milliard de dollars[117].» Même s'il soutient le libre-échange, Richler n'apprécie pas Mulroney, et si Mulroney, en brillant négociateur, réussit presque à convaincre le Québec de signer la Loi constitutionnelle au lac Meech, Richler n'est pas impressionné. Il pense que la clause de la «société distincte» et les limites imposées aux dépenses fédérales, que les premiers ministres Bourassa et Mulroney ont défendu avec ardeur, ont peut-être plus à voir avec le fait que Mulroney souhaite assurer au Parti conservateur un fort soutien des électeurs du Québec qu'avec l'unité nationale. Richler soutient la sortie anti-Meech de Trudeau en déclarant que Mulroney, afin d'apaiser le Québec, accorde trop de compétences aux provinces. Il risque dès lors de créer un nouveau pays dans lequel les droits fondamentaux des citoyens seraient différents d'une province à l'autre. Dans les années 1990, Richler, qui deviendra un grand expert de la politique, aura de nombreuses occasions de prendre Mulroney pour cible.

Aussi, s'il ne peut entièrement se réjouir, c'est qu'il ressent lui aussi le poids de des grandes entreprises de l'Amérique. Pendant douze ans, il a profité des avantages que lui offrait son poste au comité éditorial du BOMC : il était grassement payé pour se rendre en avion à New York de temps à autre afin de sélectionner, avec ses collègues, les meilleurs livres du moment. Richler, qui a une foi absolue dans la méritocratie littéraire – s'il fait partie du BOMC, c'est qu'il le mérite – n'a jamais vu venir son licenciement. En septembre 1988, le BOMC décide de remodeler le comité éditorial. Trois des cinq juges sont licenciés ; seuls deux d'entre eux, dont l'ami de Richler, Clifton Fadiman (qui travaille pour le BOMC depuis quarante-quatre ans), conservent leur place. Les bons mots de John Hutchens (d'après qui Richler était le plus perspicace des juges, pendant les vingt-cinq ans qu'il a passés au comité)[118] et la satisfaction du directeur du BOMC, Al Silverman, n'y changent rien. Le principal concurrent du BOMC, la Literary Guild, ne dispose pas d'un comité et peut dès lors prendre ses décisions avec davantage de « flexibilité[119] ». En d'autres mots, Time-Life a acheté le BOMC et exige qu'un comité passe-partout soit mis en place. Par le passé, les verdicts des juges étaient définitifs ; désormais, ils ne sont plus que consultatifs[120]. Si les employés de la Guild n'ont pas besoin de demander l'opinion de tout un tas de gens pour savoir si des livres valent la peine d'être achetés, pourquoi le BOMC devrait-il le faire ? Richler est particulièrement blessé par le fait que Silverman n'ait pas pris la peine de le prévenir personnellement des licenciements. « C'est un homme faible », selon Richler[121]. Des années plus tard, Richler laissera parfois entendre qu'il a quitté le BOMC de son propre chef.[122] C'est faux : le contrat de Richler a été résilié et il a reçu une coquette somme pour garder le silence sur le BOMC, ses filiales, ses produits et ses employés pendant deux ans[123]. Fadiman, âgé de quatre-vingt-cinq ans, est attristé par le renvoi de ses amis. Il écrit à Richler et aux autres juges : « Je ne comprends pas, je n'apprécie pas et je l'ai dit à Al. Si j'avais eu quinze ans de moins, j'aurais dit non à la proposition d'Al de continuer à faire partie du jury.» Deux ans plus tard, Fadiman tente en vain de faire entrer *Gursky* dans la Collection principale du BOMC. «Vous me manquez», dit-il à Richler. «Nous faisons notre travail, mais il n'y a pas de jeu d'esprit, pas de pétillement. Si vous pouvez parfaitement vous passer de nous, l'inverse n'est pas vrai. Ne répondez pas, s'il-vous-plaît. Je voulais juste vous dire ce que j'avais sur le cœur. À mon âge, c'est important de remercier ceux qui ont rendu ma vie plus intéressante[124].»

24

Les Bronfman se réunissent

PENDANT QU'IL DÉFEND l'Accord de Libre-échange avec les États-Unis, Richler met la dernière main à son vieux/nouveau roman, *Gursky* (*Solomon Gursky Was Here*). Commencé en 1972 et achevé en 1986[1], *Gursky* est alors en passe de devenir, selon de nombreux lecteurs, son plus grand roman. Si on peut dire la même chose de ses quatre plus longs romans, *Gursky* présente un niveau de complexité esthétique supérieur à tout ce que Richler a entrepris auparavant. Il s'agit d'une œuvre dickensienne dans sa portée et d'un plongeon brillamment excentrique dans l'histoire canadienne. Présenté comme le Canadien de base, Bert Smith est originaire d'une colonie de pionniers britanniques nommée la Gloriana, une parodie de la colonie du révérend Barr, qui a véritablement existé et donné naissance à la ville de Lloydminster, en Saskatchewan[2]. À l'origine de la création de la Gloriana se trouverait «Ismaël Horn», le Juif Éphraïm Gursky, qui se fait passer pour un ecclésiastique anglican. Le roman de Richler – et le Canada du XIXᵉ siècle – semble peuplé de Juifs rusés. Au moment de sa publication, dans les années 1980, *Gursky* offre une réécriture opportune et pleine d'esprit de l'histoire canadienne. C'est l'époque de l'accord du lac Meech et de l'arrivée d'immigrants tardifs qui ne comprennent pas les raisons de l'éternel conflit entre les deux races fondatrices. Si certains canadianistes – des citadins, pour la plupart –, applaudissent ce qu'ils considèrent être la « réorganisation » postcoloniale des zones rurales, le roman de Richler évite de reprendre de tels slogans. Il fait cependant intervenir une multiplicité de voix, allant des parodies de l'anglais soutenu du xixᵉ siècle de cet escroc d'Éphraïm au journal intime au style vivant de riches sybarites, en passant par une imitation crédible du poète Robert Service. « Je n'ai jamais eu de plan[3] », dit Richler, ajoutant ailleurs qu'« il ne s'agit pas d'un roman minimaliste ou d'un petit roman à propos de l'adultère[4] ». L'absence de plan saute aux yeux : il est facile de se perdre dans le roman, qui associe le récit de l'ascension d'un baron de l'alcool à une fable postmoderne. Richler lui-même, qui refuse de travailler avec des fiches de personnages et des arbres généalogiques, finit par s'y perdre[5]. Son agente, Monica McCall, doit établir une chronologie de cinq pages à simple interligne pour s'assurer qu'il n'y ait pas de confusion dans le temps[6].

Le roman naît d'un projet avorté de biographie de Martin Hartwell, le pilote de brousse qui a dû manger ses passagers pour survivre à la suite d'un accident dans les régions arctiques, et de la fascination de longue date qu'éprouve Richler à l'endroit de la famille Bronfman, riche propriétaire de la distillerie Seagram. Lorsque Richler enseignait à Sir George, en 1968-1969, il avait loué une maison qui donnait vue sur celle des Bronfman, à Westmount[7]. Au départ, il souhaite écrire une suite à l'histoire de Duddy Kravitz, un projet qui lui permettrait de s'assurer de bonnes ventes[8], mais son intérêt pour les Bronfman le fait changer d'idée. S'il choisit d'écrire sur Duddy, Richler devra tisser une intrigue à partir de rien ; même chose s'il écrit sur Manny Berger, le personnage principal des *Cloches d'enfer*, qui avait également donné « Manny Moves to Westmount », un autre faux départ. En revanche, s'il décide d'écrire sur les Bronfman, l'intrigue principale est déjà trouvée : il s'agit de l'ascension de Samuel Bronfman en tant que roi des Juifs de la ville sainte de Montréal. Richler donne à Samuel le nom de « Bernard Gursky » et lui confie la femme de Manny, Libby. C'est plus qu'une histoire à la Duddy Kravitz : Sam Bronfman a réussi à faire oublier son passé de contrebandier pour devenir un philanthrope juif de renom, obtenir le poste de président du Congrès juif canadien

(CJC) et (le summum, à mon avis) recevoir un doctorat honorifique de l'université de Brandon; dès lors, son histoire présente dès lors une dimension morale beaucoup plus complexe que celle de Duddy. La taille du clan des Bronfman offre également une multitude de possibilités d'intrigues secondaires – certaines historiques, d'autres inventées, et d'autres encore combinant la réalité et la fiction.

Dans «Manny Moves to Westmount», Salomon Gursky est mort et il n'y a aucune aura de mystère autour de lui. Richler met l'accent sur l'ascension sociale vers les enclaves de l'élite anglophone. Manny Berger, aussi mobile que Richler mais beaucoup plus anxieux, craint d'être incapable d'assumer son nouveau rôle. Déjà avant la mort de Sam en 1971, Richler avait conscience de la richesse narrative et de la complexité morale de la famille Bronfman/Gursky, dont les membres sont beaucoup plus audacieux que le personnage de Manny. Tandis que Richler se fait traiter de «salaud» dans les synagogues à cause de sa franchise, des Juifs plus dévoués, comme le rabbin Stuart Rosenberg (l'auteur de *The Jewish Community in Canada*), inventent des contes de fées pour expliquer l'ascension au pouvoir de la famille Bronfman grâce à l'effort et au travail. On n'y fait aucune mention de la contrebande, d'affaires louches et encore moins de cadavres abandonnés sur le bord des routes. Aux yeux de Richler, Rosenberg ne commet pas seulement un délit d'ordre moral, mais aussi un délit d'ordre littéraire. Si l'histoire des Bronfman offre le matériel nécessaire pour construire une œuvre digne d'Isaac Babel, Rosenberg lui a en effet retiré toute substance[9].

Voyant que Richler est de plus en plus célèbre, Edward Bronfman (le fils du frère de Sam, Alan) commence à s'intéresser à lui. Les Richler sont invités aux fêtes organisées par les Bronfman[10] et, pendant quelques années, Edward Bronfman et son épouse leur envoient une carte pour le Nouvel An avec des billets pour un match des Canadiens de Montréal. En 1977, ils invitent Richler à la *bar mitzvah* de leur fils, qui a lieu à la synagogue huppée Shaar Hashomayim[11]. Par le passé, Sam Bronfman avait fait appel au talentueux A. M. Klein pour écrire ses discours, et Richler comprend que s'il la laisse faire, la nouvelle génération des Bronfman risque de faire de même avec lui. Les souvenirs douloureux du mépris que manifestait son riche oncle Joe envers son père dans les années 1940 ne l'encouragent pas à se montrer respectueux. En réalité, l'intérêt des Bronfman pour Richler, aussi faible soit-il, éveille chez lui un sentiment d'indignation qui ne lui est pas étranger. Tandis que les Bronfman sont érigés en représentants des Juifs simplement parce qu'ils sont fortunés, et non pour leur savoir ou leur sensibilité[12], Mordecai Richler, le grand écrivain, est relégué à la périphérie de la communauté. Même si Richler est plus riche que l'oncle Joe ne l'a jamais été, pour les Bronfman, il n'est rien, et il se revoit comme l'opprimé qui tente de se battre contre le roi des Juifs. Par ailleurs, Richler avait probablement lu *None is too many*, d'Irving Abella et Harold Troper, paru dans les années 1980. Outre le refus de Mackenzie King d'accepter des réfugiés juifs sur le territoire canadien, l'ouvrage aborde le rôle ambigu des dirigeants de la communauté juive, et notamment de Samuel Bronfman, à l'époque le président du CJC. Même si Bronfman a réussi à faire admettre quelques Juifs au Canada[13], il a toujours courbé l'échine devant les autorités anglophones et fait taire les Juifs canadiens qui s'indignaient du fait que le Canada continue de refuser des réfugiés désespérés[14].

C'est probablement la publication de *La dynastie des Bronfman* (*Bronfman Dynasty*), en 1978, qui a le plus incité Richler à écrire *Gursky*. Si l'ouvrage de Peter C. Newman n'apparaît pas sur la liste des sources utilisées par Richler, on sait qu'il en a fait une critique pour le BOMC et qu'il s'y est beaucoup fié pour la rédaction de son roman. Newman fait exactement le contraire du rabbin Stuart Rosenberg: il détruit un à un les contes de fées que les Bronfman ont répétés à tout le monde et relate des anecdotes inédites et croustillantes sur Sam. Dans une note de bas de page, Newman glisse une information particulièrement intéressante: Terry Robertson, le premier à s'attaquer à la rédaction d'une biographie des Bronfman, aurait découvert des faits gênants à propos de la famille et reçu des menaces de mort. Il n'a jamais voulu dire qui l'avait menacé et a souhaité en finir par lui-même: on l'a retrouvé mort à la suite d'un empoisonnement aux barbituriques[15].

Selon Michael Marrus, un professeur d'histoire de l'université de Toronto engagé par les Bronfman pour rédiger la biographie officielle de Sam, personne n'a cherché à dissimuler le contenu de l'ouvrage de Robertson. D'après lui, il s'agit simplement d'une « hagiographie inachevée et sans grande valeur ». En faisant allusion au mystère entourant la mort de Robertson, Richler présente son travail sous un faux jour[16]. Or Marrus se trompe sur plusieurs points. Si les histoires imputant le déclin de Robertson à l'alcoolisme sont probablement véridiques[17] – Richler les réutilise d'ailleurs pour le personnage de Moïse Berger, le biographe de Gursky –, Richler possède son propre exemplaire du manuscrit de Robertson et, même si celui-ci semble avoir voulu se montrer généreux envers Sam, Richler est bien conscient qu'il ne s'agit pas d'une hagiographie. Par exemple, Robertson, qui n'est pas particulièrement doué pour l'écriture, expose en détail les allégations selon lesquelles Harry Bronfman aurait tenté de soudoyer les agents des douanes pour continuer d'approvisionner les États-Unis en « liqueurs médicinales » pendant la Prohibition. Richler dispose également du compte rendu d'Harry, une propagande éhontée en faveur de la famille Bronfman. D'après l'écrivain et enquêteur criminel James Dubro, « Richler le romancier est plus près de la vérité sur les activités criminelles de Sam Bronfman que [Marrus] l'historien[18]. » Comme on pouvait s'y attendre, les premières lectures publiques de passages du roman suscitent l'intérêt des dirigeants de la distillerie Seagram. Greg Gatenby informe Richler qu'ils ont demandé à obtenir une transcription de la lecture qu'il a donnée dans le cadre de l'édition de 1982 du Festival international des auteurs d'Harbourfront, à Toronto[19]. Lorsque les amis de Richler apprennent que les Bronfman se font bâtir une énorme maison au bord du lac Memphrémagog, ils le taquinent en lui disant : « Dis donc, ils te surveillent ou quoi[20] ? »

Malgré tout, la paranoïa de Moïse Berger dans le roman n'est pas celle de Richler. Dans *The Errand Runner*, Lily avait donné à Mordecai le nom de « Moïse » et Moïse Berger partage certaines anecdotes, attitudes et caractéristiques physiques avec Richler, dont le fait qu'il n'a qu'un testicule[21]. Par ailleurs, la description que fait Tim Callaghan de Moïse dans le roman se rapproche de l'appréciation objective de Richler à l'endroit de ses propres faiblesses : « … trop impatient, toujours prompt à juger sans appel, et puis […] une tendance à en rajouter, née d'un sentiment d'insécurité peut-être, mais lassante à la longue[22].» Toutefois, parmi les personnages des principaux romans de Richler, Moïse – un homme sans but, incapable de mener une carrière ou d'entretenir sa relation avec Béatrice – est celui qui lui ressemble le moins. Malgré son nom, Moïse Berger n'est pas non plus une parodie de Moe Richler. Même si la consommation d'alcool de Berger peut, par moments, se comparer à celle de Richler, celui-ci demande à son vieil ami Ian Mayer, un journaliste brillant et tourmenté de Montréal, de lui expliquer les effets de l'alcoolisme et les différents traitements – l'Antabuse, les réunions des AA et ainsi de suite[23]. Durant la rédaction de *Gursky*, Richler tente aussi de convaincre son fils Jacob de limiter sa consommation d'alcool. Il lui dit: «Il est évident que j'aime boire un verre de temps à autre moi aussi. Mais je n'ai jamais pensé qu'il était nécessaire ou plaisant d'être tout le temps soûl.»

Pendant un court moment, Richler s'inquiète que les Bronfman ne lui intentent un procès pour diffamation[24]. À l'exception de Bernard/Sam toutefois, les membres de la famille Gursky ne ressemblent pas systématiquement aux Bronfman. C'est le sénateur Leo Kolber, l'ancien bras droit de Samuel Bronfman, qui a le plus de raisons de s'inquiéter: son épouse, Sandra, avait décrit son mari ainsi dans *Bitter Sweet Lemons and Love*:

> Mon mari est un véritable cogneur
> de mortier, d'argent et d'hommes.
> Pourtant, en dépit de sa fermeté,
> mon mari est doux comme un agneau[25].

Leo Kolber apparaît sous les traits de Harvey Schwartz, un flagorneur qui porte des semelles extrêmement fines pour paraître plus petit que Bernard et dont la femme a publié un livre intitulé *Douceurs, Douleurs et Cookies au chocolat*[26]. En privé, Richler n'hésite pas à traiter Leo Kolber de «nabot agité[27]», même s'il le connaît, lui a déjà présenté Max Richler[28] et a entretenu des rapports cordiaux avec lui, comme le suggère la réponse de Kolber à une lettre de Richler: «J'ai reçu ta lettre hypocrite du 10 avril et je remarque que le temps et l'argent ne t'ont pas adouci du tout... J'ai montré ta lettre à mon bon ami Harry Belafonte, et je te conseille de ne pas venir sur ce continent[29].» Sam Gesser raconte qu'après la publication d'un extrait du roman dans *Saturday Night*, au début des années 1980, Leo Kolber serait allé voir Jack McClelland pour lui demander de ne pas publier le livre de Richler. McClelland l'aurait tout simplement mis à la porte de son bureau[30].

Les Bronfman demandent au neveu de Saidye, l'avocat Michael Levine, spécialisé dans l'industrie du divertissement, de vérifier s'il y a matière à poursuite[31]. En fin de compte, aucune procédure n'est engagée et Levine devient même le nouvel avocat de Richler. Les plaintes concernant le traitement des Gursky dans le roman émanent essentiellement du B'nai B'rith, qui crie à l'antisémitisme et accuse Richler d'avoir ignoré toutes les activités philanthropiques et sionistes des Bronfman[32]. C'est faux. Dans le roman, la Première ministre israélienne Golda Meir offre un fervent hommage à Bernard Gursky (quoique les vantardises exagérées n'étaient peut-être pas ce que l'organisation avait en tête). Quelques années après la publication de *Gursky*, la Fondation CRB, créée par Charles Bronfman, demande à Richler de réaliser deux programmes d'une demi-heure chacun en s'inspirant des *Minutes du Patrimoine*, l'un sur Joe Shuster, l'un des créateurs de Superman, et l'autre sur Jacques Plante, l'inventeur du masque de hockey. Une belle preuve de bonne foi, souligne le président de la Fondation CRB qui, par le plus grand des hasards, n'est nul autre que Michael Levine[33].

Compte tenu du pouvoir et des prétentions de Sam Bronfman, il est peu probable que quiconque n'appartenant pas à Seagram soit véritablement choqué par la satire qu'en fait Richler. On ne peut toutefois pas en dire autant du personnage de L. B. Berger, une satire féroce (mais très drôle) du poète A. M. Klein. Si Bill Weintraub ou Robert Fulford considèrent que Richler est allé trop loin, c'est probablement parce qu'A. M. Klein a souffert, pendant les longues années qui ont précédé sa mort en 1972, d'une maladie mentale qui ajoutait un ton pathétique à sa brillante production littéraire[34]. En écrivant les discours de Sam Bronfman, Klein prêtait son éloquence à une cause qui lui était chère – le sionisme – tout en touchant un salaire auquel un poète ne peut généralement prétendre. Si la prosternation de Richler devant l'industrie cinématographique ne procède pas de motivations si différentes, il accomplit pourtant deux choses en faisant de L. B. Berger/Klein le père de Moïse Berger : premièrement, il reconnaît le rôle crucial de Klein dans la genèse de l'écriture juive à Montréal et l'influence qu'il a eue sur lui. Comme dans *Le cavalier de Saint-Urbain*, Richler, dans *Gursky*, s'inspire de la brillante intrigue métaphysique du roman de Klein, *Le second rouleau* – la quête du «Je suis celui qui est». Deuxièmement, et pour protester contre cette dette, Richler, en traitant durement L. B. Berger, déclare de manière emphatique qu'il n'est pas Klein et que la quête spirituelle inhérente à l'œuvre de celui-ci doit être surmontée pour permettre à un écrivain qui n'a pas peur de la vulgarité de faire sa place. Dans l'esprit de Richler, on peut comparer Klein à Lily Rosenberg, même si le premier a beaucoup plus de vocabulaire et de connaissances. Tous deux partagent en effet la même dévotion à la cause juive, la même sentimentalité et le même refus littéraire de traiter de choses «sales» malgré leurs propres infamies. Richler est profondément insatisfait de ses ancêtres littéraires (Lily, le rabbin Rosenberg, Klein) et non littéraires (son père Moe et son grand-père Shmarya). Pour les remplacer, il invente encore une fois des ancêtres dignes de ce nom, Éphraïm et Salomon Gursky : des hommes malins et rusés, à la fois impitoyables, vulgaires et profondément humains.

～

Pour la première fois, le passé tel que le réinvente Richler offre une brillante réécriture de l'histoire canadienne. Tandis que Rudy Wiebe et d'autres évoquent le passé avec une douloureuse précision archéologique et peut-être trop de sérieux, Richler, fonce tête baissée sans se préoccuper du reste. On peut peut-être attribuer cette fièvre à la lecture du roman qui a reçu le Prix du Gouverneur général l'année où *Joshua au passé, au présent* était en nomination (1980). *Burning Water* offre une version volontairement fictive, à la fois étrange et fascinante, de l'histoire de l'explorateur George Vancouver. S'il n'existe aucune preuve permettant d'affirmer que Richler a lu le roman de George Bowering, il fait cependant exactement ce que Bowering a fait avant lui : il combine des recherches sérieuses et une insouciance qui lui permet de mettre de côté les faits historiques chaque fois que la fiction l'exige. La recherche documentaire est aussi une première pour lui[35]. Il lit tout ce qu'il peut trouver sur l'expédition de Sir Franklin et confie au rédacteur du *Beaver*, Christopher Dafoe, la mission impossible de trouver un livre de cuisine de l'expédition de Franklin[36]. Si, au départ, les recherches lui pèsent[37], il met rapidement ses découvertes au service de son imagination, notamment lorsqu'il « révèle » que des salamis cachères et des filets de hareng gras dessalés, ou *schmaltz*, ont été cachés à bord des navires de Franklin par deux Juifs qui ne figurent pas sur les registres et qui, grâce à leur menu adapté, n'ont pas succombé à un empoisonnement au plomb comme le reste de l'équipage. Peu après la publication de *Joshua au passé, au présent*, Richler s'était plaint de la « manie » qu'avaient certains romanciers de mettre des dialogues fictifs dans la bouche de personnages historiques. C'est exactement ce qu'il fait dans *Gursky*, en changeant un nom ici et là pour protéger le coupable[38]. Si le passé dans lequel il plonge est relativement réel, il utilise le rêve, la fable et des allégories volontairement inachevées pour l'interpréter, comme le font les postmodernistes. C'est un choix étonnant de la part d'un écrivain qui n'a aucune sympathie pour le scepticisme de la philosophie postmoderne.

Richler fait la même chose avec l'histoire juive. Dans *L'Homme de Kiev* (*The Fixer*, 1966), gagnant du Prix Pulitzer de fiction, Bernard Malamud reconstruit le Kiev du XIXe siècle pour en faire le théâtre d'un procès pour crime rituel. Les procureurs accusent un Juif d'avoir massacré un jeune chrétien et utilisé son sang pour la confection de *matzohs* destinés à des rituels diaboliques. Si Richler a beaucoup d'admiration pour le roman de Malamud, il a cependant l'impression qu'il manque de vie[39]. Il décide donc d'aller dans la direction opposée et de défier l'histoire en imaginant une scène dans laquelle Salomon/Hyman Kaplansky invite, huit ans après la fin de la Seconde Guerre mondiale, des antisémites britanniques à prendre le goûter chez lui. Kaplansky réussit à leur faire manger des *matzohs* contenant du sang humain. En imaginant une telle scène, Richler n'est pas très loin de son grand-père, le rabbin Rosenberg, qui avait abordé le sujet en reprenant de vieilles légendes[40]. La « fausse » utilisation que fait Richler du crime rituel est ingénieuse et passionnante. Au moment même où la calomnie semble être confirmée – le Juif Kaplansky utilise bel et bien du sang humain pour confectionner ses *matzohs* –, Richler crée un effet esthétique intéressant en renversant la situation : le sang que contiennent les *matzohs* n'est pas celui d'un enfant de Gentil, mais celui qui a été versé tant de fois pendant l'Holocauste. En interprétant ce moment grotesque comme un simple passage de comédie blasphématoire, un « ricanement » de l'auteur[41], la critique Pearl K. Bell est passée complètement à côté de son propos.

Si on retrouve très peu d'humour dans la description du personnage de Salomon et dans ses confrontations avec l'antisémitisme, il apparaît souvent dans la description des pratiques et des rituels juifs ailleurs dans le roman. Ada Craniford a d'ailleurs ingénieusement décrit *Gursky* comme une réécriture de la Torah[42]. C'est vrai à plusieurs égards, entre autres lorsque Richler qualifie l'ascension sociale de L. B. Berger, devenu l'employé de Bernard Gursky, de « montée au Sinaï[43] » ou que Salomon déclare devant le juge : « Je suis celui qui est[44]. » C'est surtout vrai d'Éphraïm, qui se fait accepter par les Inuits en se présentant comme un Dieu : « Vous ne vous prosternerez pas devant Narssuk, dont j'ai ratatiné le pénis, ni devant d'autres dieux, espèces de sales petits ignares. Car moi Éphraïm votre Dieu suis un Dieu jaloux qui punit la faute des pères sur les enfants, les petits-enfants et les arrière-petits-enfants pour ceux qui me haïssent[45]. » Dans *Le monde de Barney*, Richler offre une parodie d'une « Haggadah de Pessa'h en rap, dans le style de la poésie d'Iced T » et d'une Haggadah féministe :

> Voici le plateau du seder
> Il est plat comme les femmes sont plates,
> Plates dans le relief de l'histoire[46]…

L'effet parodique de ces passages repose sur l'assurance que, malgré le scepticisme de Richler, il y a déjà eu une véritable Haggadah, sérieuse, dont les inflexions originales ont été perdues dans un monde moderne innovateur et suffisant. Dans *Gursky* toutefois, la possibilité de blasphème apparaît parce que ce que fait Éphraïm de la première Torah n'est pas simplement une *parodie* débauchée, mais aussi une *représentation* potentielle du texte original, un récit plus sceptique des aventures de Moïse et des Israélites. À cet égard, Richler se rapproche de l'une des premières formes de satire, les Silles grecs, des poèmes satiriques qui s'interrogent sur l'existence des Dieux[47]. Bien qu'il soit facile pour Henry Gursky de faire la distinction entre Moïse «le premier du nom» et «l'oncle Moïse» Berger[48], le pari n'est pas aussi simple pour le lecteur, pour qui la parodie acide de Richler vient saper la tendance idéaliste de la véritable Torah.

Tandis que Richler travaille sur *Gursky*, le poète et éditeur David Rosenberg lui demande d'écrire un essai pour un ouvrage intitulé *Congregation: Contemporary Writers Read the Jewish Bible*[49]. Richler choisit d'écrire sur le Deutéronome, le dernier livre de la Torah. Rosenberg est scandalisé par le résultat. Le récit de Richler, parsemé d'anecdotes sur la manière dont on a tenté de lui inculquer la Torah, décrit les commandements les plus troublants édictés par Dieu: la lapidation des faux prophètes (un signe, commente Richler, que les auteurs étaient déjà jaloux de leurs potentiels rivaux) et la loi qui autorise les Juifs à charger des intérêts aux Gentils mais pas à leurs compatriotes juifs. Il relate l'anecdote selon laquelle Randolph Churchill, après avoir lu l'Ancien Testament pour la première fois, aurait dit: «Je n'avais jamais réalisé que Dieu était une telle merde[50].» Il ajoute que Dieu n'a pas autorisé Moïse à entrer en Terre promise parce que celui-ci avait douté de lui une ou deux fois.

Si Rosenberg n'a pas dû être surpris après avoir lu le discours de Reuben sur «le sexe et la tradition juive[51]» dans *Joshua au passé, au présent*, il reste malgré tout stupéfait lorsqu'il lit l'article de Richler. Comme il croit beaucoup à la validité symbolique des textes bibliques à travers le temps, Rosenberg estime que Richler a besoin d'être guidé et il lui envoie une lettre presqu'aussi longue que l'article lui-même. Le malentendu entre les deux hommes est amusant. «En demeurant dans le monde adolescent, en refusant de prendre du recul, on se retrouve avec une interprétation unidimensionnelle qui rivalise avec le fondamentalisme de Falwells», explique Rosenberg à Richler. Rosenberg ne comprend pas pourquoi Richler a choisi d'ignorer les qualités littéraires du Deutéronome et pourquoi il n'a pas interprété «Dieu» comme un personnage plutôt que comme un être surnaturel. Il estime également que Richler devrait mentionner les commentaires sur le texte qui ont été faits pendant des milliers d'années et compilés dans le Talmud et le Midrash[52]. Il songe évidemment à la «genèse» de l'écrivain Isaac Bashevis Singer, qui débute avec la conscience d'un grand récit de l'espace, du temps et de l'éternité qui cède la place au doute et, finalement, à la méfiance à l'égard des certitudes que propose la science. Singer revient ainsi à la case de départ, la Genèse, avec un nouvel amour et une nouvelle complexité intellectuelle. Même si Richler n'a pas entièrement perdu son sens orthodoxe et qu'il croit toujours à l'existence d'une certaine spiritualité dans les textes bibliques, il n'est pas enclin à opérer de tels retours.

Aussi Richler ne change-t-il pas un mot à son essai. Il n'a pas l'intention de commencer à analyser le Talmud, qu'il a abandonné à l'âge de treize ans : il cherche simplement à satiriser et à lutter contre le contrôle qu'exerce le judaïsme sur les Juifs. Si la Bible est toujours utilisée comme un livre de règles par les orthodoxes, on ne peut simplement choisir de l'analyser comme s'il s'agissait d'un texte littéraire. En même temps, Richler estime que la modernisation d'un texte religieux le vide de sa substance. Même s'il manifeste toujours un certain attachement envers son passé religieux, il souhaite échapper aux règles qui y sont associées, et non pas se créer une sorte d'adhésion secondaire à la religion qui l'obligerait à réfléchir avec sérieux à la pertinence ou à l'absurdité de chacune des règles du Deutéronome. Sa position s'explique aussi par de solides raisons littéraires : les événements réels, les vrais Dieux ne sont-ils pas plus intéressants que l'«intention de l'auteur» sans effusion de sang que prône Rosenberg?

Incapable d'influencer Richler, Rosenberg, dans son introduction à l'ouvrage, se dissocie de celui-ci et de son «Deutéronome», ainsi que des auteurs d'essais tout aussi délicats : «Ils ont généralement répondu à mes critiques éditoriales par une adhésion sans faille au judaïsme "bagel et saumon fumé". C'est peut-être d'ailleurs le seul aspect du judaïsme avec lequel ils sont familiers.» Rosenberg ajoute qu'en dépit de son insistance, ces écrivains entêtés ont voulu conserver des commentaires qui ne concernent que des «sectes mineures de l'ultra-orthodoxie contemporaine[53]». Le succès de *Congregation* pousse Rosenberg à faire une suite. Cette fois, il demande à des écrivains juifs contemporains d'écrire sur l'Holocauste[54], mais Richler décline l'offre.

Dans l'imagination de Richler, les «sectes mineures de l'ultra-orthodoxie contemporaine» ne sont pas aussi marginales qu'il n'y paraît. Tant du côté maternel que du côté paternel, plusieurs individus de sa famille sont hassidiques et orthodoxes : certains, comme son oncle Bernard (son oncle préféré lorsqu'il était adolescent) et Baruch Rosenberg (qui avait entrepris de traduire l'œuvre du rabbin Yudel Rosenberg), entretiennent même des liens avec le mouvement Habad-Loubavitch[55]. Dans *Gursky*, Richler fait une satire de l'orthodoxie en général et du mouvement Habad-Loubavitch en particulier. Il se moque de l'observance littérale des règles de la Torah, qui obligerait les Juifs qui habitent au-dessus du cercle polaire à jeûner durant plusieurs mois pendant le Yom Kippour. Même s'il ne nomme pas explicitement le rabbin Schneersohn, il est évident qu'il fait référence de manière explicite au siège du mouvement Habad-Loubavitch lorsque Lionel Gursky fait allusion au fait que son cousin Henry Gursky a été instruit par «le rabbin du 770, Eastern Parkway à Crown Heights, Brooklyn[56]». Là, Henry entend des discours plus mièvres que profonds :

> Quand on se regarde dans le miroir, qu'y voit-on ? Soi, bien sûr
> Vous vous voyez vous, je me vois moi, et ainsi de suite […]
> Si nous levons les yeux dans le miroir, on voit son visage,
> mais en les baissant, que voit-on ? Ses pieds.
> Vous voyez vos pieds, je vois mes pieds, et ainsi de suite.
> Le rabbin nous a fait remarquer que pour Sim'hath Torah,
> ce n'est pas avec sa tête qu'on danse, mais avec ses pieds[57].

Même s'ils s'inspirent certainement en partie du grand-père de Richler, le rabbin Rosenberg, qui croyait que sa traduction du Zohar précipiterait l'arrivée du Messie[58], les Juifs inuits de Henry qui demandent «Nous voulons Moshiach maintenant[59] !» sont des proto-Loubavitchers. Après la publication de *Gursky*, le siège du mouvement ne fait aucun commentaire sur le roman[60].

Outre la farce au sujet de la nouvelle/ancienne Torah d'Éphraïm et du fondamentalisme de Henry, Richler, dans *Gursky*, dépasse les contraintes qu'il s'était imposées dans son essai sur le Deutéronome. La mission de sauvetage organisée par Henry pour amener les Juifs inuits plus au sud pour qu'ils n'aient pas à choisir entre le fait de renier leur foi ou de mourir en jeûnant a quelque chose de pathétique. «Ce bon berger», comme l'appelle Richler, place sur le même plan le messianisme chrétien et celui des Loubavitchers. La farce culmine avec l'horrible communion d'Isaac qui, même si son père ne lui dit pas explicitement «Voici mon corps, prenez et mangez...», se nourrit des restes de celui-ci après un accident d'avion. Et pourtant, l'attitude conciliante de Henry par rapport aux lois juives inspire la sympathie: il ne peut en effet ni mettre de côté son passé religieux ni permettre que la Torah accable de tout son poids les fidèles. Seul, le personnage de Henry semble plutôt misérable, prisonnier d'une mentalité apocalyptique juive et chrétienne qui l'oblige à rejeter presque tout ce qui appartient à la société contemporaine. À l'écart de la modernité, il est témoin d'indices annonçant le début d'une nouvelle ère glaciaire. Dans ce contexte, il n'est pas étonnant qu'il se jette tête baissée dans l'étude d'un passé qu'il juge insuffisamment documenté. Le trois-mâts, cette arche qui doit le sauver, le ramène non pas à l'époque de Noé, mais à celle de l'expédition de Sir Franklin, coincée dans les glaces de l'Arctique canadien. Pourtant, la piété simpliste de Henry semble préférable à l'avidité de son cousin Lionel, qui lui dit: «Henry... Toi, t'es dans des trucs qui comptent vraiment. Dieu, l'éternité, enfin toutes ces conneries». Richler lui-même considère la montée du fondamentalisme comme une quête de magie dans un monde absurde. Même Éphraïm ne peut être simplement considéré comme un escroc impie puisqu'il utilise son expertise médicale pour réparer des os cassés. On sent par ailleurs que s'il s'est lui-même imposé comme Dieu, c'est en partie parce que Dieu ne lui apparaît pas et qu'en dépit de toute sa volonté, il ne parvient pas à reproduire la rencontre de Moïse avec Dieu dans le Sinaï. «Face à face», crie Éphraïm, tandis que le vent se déchaîne autour de lui. «Je veux te voir face à face juste une fois[61]!» En raison de cette nouvelle forme de complexité et de l'évolution culturelle caractérisant la communauté juive à cette période, l'œuvre de Richler est de moins en moins critiquée par les Juifs.

Mais comme pour ses romans précédents, Richler est rappelé à l'ordre par certains pour y avoir fait des stéréotypes des Inuits et présenté les femmes comme des jouets, des folles ou des salvatrices[62]. Puisque Richler évite de plus en plus les stéréotypes, ces critiques n'ont pas beaucoup de valeur. Trois des principaux personnages féminins – Béatrice (la compagne de Moïse dans une partie du récit), Diana McClure (le grand amour de Salomon) et Nialie (l'épouse inuit de Henry Gursky) – ne correspondent pas du tout au modèle jouet/folle/salvatrice. Si Béatrice et Diana sont *considérées* par Moïse et Salomon comme des salvatrices, il est clair que les deux femmes sont suffisamment avisées pour refuser un tel rôle. Quant aux Inuits, Richler ne se prive pas de faire une satire des formes culturelles simples et de la vénération silencieuse que leur ont attribuées les Romantiques. Dans le roman, le professeur Hardy décrit les chants de gorge des interprètes de Cape Dorset comme une sorte de «gargarisme à sec» et il les compare au «tumulte des grandes rivières». Mais la satire de Richler contre les chants de gorge et, plus tard, contre le chamanisme, ne reflète pas un rejet en bloc de la culture inuite, tout comme sa satire contre les saignées et l'arrogance culturelle des médecins britanniques n'est pas une condamnation systématique de la médecine occidentale[63]. L'écrivain mêle certains aspects de la Torah avec des réalités inuites, notamment la figure du Corbeau, à la fois pourvoyeur d'Élie, messager de Noé et figure du *trickster* chez les Amérindiens. Pendant son séjour à Yellowknife, en 1975, Richler avait vu des corbeaux se rassembler un peu partout, et la Société arctique, qu'il a rejointe, l'informe que le corbeau, intelligent et habile, est l'un des rares oiseaux qui passent l'hiver dans le Nord[64]. Les légendes haïdas (et non pas inuits) racontées par Bill Reid et Robert Bringhurst indiquent que dans plusieurs cultures autochtones, le corbeau est considéré

comme un *trickster*, même si on ne trouve pas d'explication satisfaisante dans la cosmologie rationnelle. Salomon Gursky, la
figure associée au corbeau, se prête encore moins à une explication rationnelle. Le personnage de Hyman Kaplansky, un vieil
érudit spécialiste de la condition juive et l'une des incarnations
de Salomon, évoque celui de Chaim, le vieux sage de *The Acrobats*,
le premier roman publié de Richler («Hyman» est l'équivalent
anglais de «Chaim», nom hébraïque qui signifie «vie»). Mais
Richler a fait beaucoup de progrès et le traitement qu'il fait du
vieux sage juif est beaucoup plus complexe. Au bout du compte,
il n'est pas tout à fait clair que Salomon est une sorte d'insaisissable Yahvé, une ombre projetée par l'imagination de Moïse ou
un *trickster* qui, comme le corbeau, vole la lumière pour parvenir
à ses fins. Richler se fait l'écho d'un livre qu'il a adoré lorsqu'il
était adolescent[65], *À la recherche du Baron Corvo*, d'A. J. A. Symons.
Il s'intéresse non pas à la véritable histoire de Frederick William
Rolfe de Cheapside, qui essaie de se faire passer pour un baron,
mais plutôt au mystère que Symons et la Corvine Society (c'est-
à-dire une dizaine d'amis de Symons) ont créé autour de Rolfe.
«Salomon Gursky est un héros trop complexe pour être un
héros», reconnaît Richler. «Quoiqu'il en soit, je pense que les
Canadiens sont trop sceptiques pour croire aux héros[66].»

Si le manuscrit de *Gursky* est volumineux, Richler, avec l'aide
d'Alison Samuel, l'éditrice de la maison britannique Chatto &
Windus, supprime de nombreux passages[67]. Elle insiste pour qu'il
rende le personnage d'Isaac moins monstrueux et plus humain
et le convainc que des noms comme «Bobbykins», «Bubbles» et
«Poots» conviennent à un public moins raffiné que le sien[68].
Richler élimine également un long passage intitulé «The Dental
Academy Awards Night», un résumé de sept pages d'un film
«documentaire» dans lequel Richler flirte une nouvelle fois avec
le mauvais goût. L'ex-Président de la Société américaine pour
l'esthétique dentaire, Wayne «Overbite» Haliburton, parcourt
les États-Unis sur son skateboard afin de lever des fonds pour la
Ligue anti-diffamation dentaire. Lorsqu'il pleut trop fort,
Overbite, doublement amputé, se repose en dessous du camion
qu'il utilise pour ses déplacements. Tout se passe bien jusqu'au
soir de la remise des prix, lorsqu'Overbite révèle qu'il est gay.

Seule la mention «Raven Productions» à la fin du «documentaire» établissait un lien avec le reste du roman.

Florence raconte n'avoir eu qu'une seule altercation avec son mari au sujet de son travail. Lorsqu'elle lui suggère de supprimer une bonne partie d'un de ses romans, Richler, vexé, quitte la maison sans lui donner son traditionnel baiser et prend l'avion pour New York, où il espère obtenir une réaction moins critique. S'il appelle Florence pour lui faire savoir qu'il est bien arrivé à New York, comme à son habitude, il se montre plutôt distant au téléphone. Tard dans la soirée, Bob Gottlieb appelle Florence en rigolant: «J'ai entendu dire qu'on avait fait les mêmes critiques, et je me suis dit que tu serais contente de le savoir.» Richler se remet rapidement du choc et se réjouit de l'unanimité qui règne entre les deux lecteurs pour qui il a le plus d'estime[69]. Si Florence refuse de dire de quel livre il s'agit, Richler admet qu'il a coupé vingt mille mots de *Gursky* à sa demande[70]. Le fait que les éditeurs britanniques de Richler n'aient pas commenté «The Dental Academy Awards Night» laisse penser que Florence l'a éliminé, avec d'autres passages du même genre, avant que le manuscrit ne traverse l'océan[71]. On peut ainsi contredire l'affirmation de Florence selon laquelle elle n'a jamais supprimé un passage parce qu'elle le trouvait outrageant ou irrévérencieux[72].

Dans l'ensemble, le roman est très bien accueilli par le public et les critiques. Pourtant, lorsque vient le temps d'attribuer le prix du Gouverneur Général, les juges Robert Harlow, Sharon Butala et Kent Thompson ne retiennent pas *Gursky* parmi les finalistes[73]. Neuf ans plus tôt, *Joshua au passé, au présent*, avec sa trame chargée, n'avait pas non plus été nominé pour le Prix du Gouverneur général, mais le gagnant cette année-là était George Bowering, avec *Burning Water*, un roman plein d'esprit. Aussi, puisque Richler a déjà gagné à deux reprises (pour *Un cas de taille*, qui ne méritait pas le prix, et pour *Le cavalier de Saint-Urbain*, qui le méritait), personne n'en fait grand cas. En 1990 toutefois, Robertson Davies, Greg Gatenby, Alberto Manguel et d'autres crient au scandale. Lorsqu'il apprend que *Whale Music*, de Paul Quarrington, remporte le prix, Gatenby déplore que les choix stratégiques du jury aient triomphé des considérations esthétiques[74].

Alors que le roman est tenu à l'écart des concours canadiens, il est sélectionné pour le Booker Prize, une récompense beaucoup plus prestigieuse. Puisque l'âge moyen des finalistes du Booker Prize cette année-là est de soixante-et-un ans, les jeunes critiques qualifient le concours de «tombola de vieux schnoques[75]». Coincé dans un smoking, Richler assiste au dîner donné pour l'occasion. Une heure avant l'annonce du grand gagnant, il devine, en observant comment la BBC a placé ses caméras, que le prix ira à A. S. Byatt pour son roman *Possession*[76]. Richler devra se contenter du Prix des écrivains du Commonwealth, qui lui sera remis plus tard en Australie. Au dîner de remise du Booker Prize, il aperçoit Brian Moore, qu'il ne voit plus depuis un certain nombre d'années; tous deux sont trop orgueilleux pour faire les premiers pas et renouer le contact. C'est pourtant la dernière fois qu'ils auront l'occasion de le faire, car Moore décèdera neuf ans plus tard sans avoir revu Richler[77].

25

La police de la langue

AU TOURNANT DE LA DÉCENNIE 1980, les enfants de la famille Richler ont tous quitté la maison. Richler rassemble quelques-uns de ses essais dans un recueil qu'il intitule *Broadsides*; il va pêcher et boire avec les écrivains saskatchewannais Carpenter et Guy Vanderhaeghe[1] et lit sur la Seconde Guerre mondiale, un sujet qui l'intéresse depuis toujours. Avec l'aide de Martha[2], il réunit des extraits disparates, surtout britanniques et américains, qui présentent le point de vue de divers auteurs sur la guerre et les publie sous la forme d'une anthologie intitulée *Writers on World War II*. Pendant un court laps de temps, il rejoint un groupe d'investisseurs qui cherche à faire l'acquisition du *Record* de Sherbrooke, mais les négociations avec son propriétaire, Quebecor (dirigé par Pierre Péladeau), ne mènent nulle part[3]. À cette époque, Richler s'intéresse surtout aux nouvelles lois linguistiques du Québec, qu'il considère discriminatoires.

« Le pays est devenu trop grand pour lui, il n'y a pas de doute là-dessus », annonce l'animateur Larry Zolf en 1981[4]. Zolf porte un jugement beaucoup trop hâtif. En effet, à la fin des années 1980 et pendant toute la décennie 1990, aucun autre romancier n'occupe autant le devant de la scène politique canadienne que Richler. S'il a souvent écrit sur le Québec et le séparatisme, la plupart du temps en restant neutre, son discours devient davantage polémique et passionné autour de 1988. En 1977, le Parti Québécois a introduit la loi 101, qui exige que l'éducation, l'affichage ainsi que les documents internes des entreprises qui emploient cinquante personnes et plus soient rédigés en français. Certaines dispositions de la loi sont invalidées par la Cour supérieure du Québec en 1984 et la Cour suprême du Canada vient confirmer le jugement en 1988. Ses conclusions sont les suivantes: 1) En vertu de la clause sur la liberté d'expression qui apparaît dans la Constitution, le Québec (alors dirigé par les libéraux de Robert Bourassa) ne peut interdire l'usage de l'anglais; 2) La province peut cependant exiger qu'on accorde une place prédominante au français dans l'affichage. Le premier ministre Bourassa promet d'élaborer une loi pour refléter cette solution simple et juste, mais il finit par prendre le vent et invoquer la clause dérogatoire de la Constitution pour adopter la loi 178 qui, à quelques différences près, est très semblable à la loi 101. Lors des négociations qui ont précédé le rapatriement de la Constitution en 1982, les premiers ministres provinciaux avaient en effet obtenu de la part de Trudeau l'introduction de la clause «nonobstant», qui autorise une province insatisfaite à exercer son pouvoir de dérogation pendant une période renouvelable de cinq ans.

La loi 178 exige l'affichage unilingue français *à l'extérieur* des bâtiments commerciaux et autorise l'affichage en d'autres langues *à l'intérieur* – à condition qu'une place prédominante soit accordée au français. Comme de nombreux anglophones du Québec (dont trois ministres du cabinet de Bourassa), Richler est furieux que Bourassa n'ait pas tenu sa promesse d'autoriser l'affichage bilingue. Dans la nouvelle position de Bourassa, Richler perçoit l'influence de l'idée de «société distincte» propre à l'accord du lac Meech, et il a probablement raison de dire que l'utilisation de la clause «nonobstant» a contribué à faire échouer Meech en donnant aux Canadiens une idée bien précise de ce que pouvait vouloir dire, dans la pratique, une «société distincte[5]». Richler dénonce le soutien de Robert Bourassa, Brian Mulroney, le chef du Parti libéral du Canada John Turner, la *Gazette* et le *Globe & Mail* à l'accord du lac Meech.

À l'instar de ses opinions sur le libre-échange, les positions qu'adopte Richler au sujet des lois linguistiques ne le lient à aucun parti en particulier. S'il est très politique, très idéologique,

comme le reconnaissent ses amis, il est impossible de le catégo-
riser[6]. Selon Jack Rabinovitch, «il aime surtout identifier les
baratineurs et écrire sur toutes les conneries qu'ils peuvent
débiter[7]». Lorsque le journaliste William Johnson demande à
Richler de signer une pétition contre l'accord du lac Meech et
l'attribution de pouvoirs aux provinces, Richler refuse, expliquant qu'il peut faire mieux en écrivant[8]. Il accorde son soutien
au Parti Égalité, un nouveau parti, principalement composé de
Juifs, et dirigé par Robert Libman, dont l'objectif est de défendre
les droits des anglophones. Traditionnellement, les Juifs du
Québec ont toujours voté pour les libéraux[9], mais Richler aime
bien défier les chefs de la communauté, qui affirment qu'un vote
en faveur d'un autre parti pourrait nuire aux Juifs[10]. Il prédit que
les politiciens naïfs du Parti Égalité seront bientôt corrompus
par le processus politique et que Libman pourrait même finir
ministre au sein d'un gouvernement libéral. Il donne malgré tout
au parti, et il semble qu'il aurait même fait du porte-à-porte dans
le cadre de la campagne de l'avocat Richard Holden, le candidat
du Parti Égalité dans Westmount[11]. Il ne faut pas oublier que l'ami
de Richler, Nick Auf der Maur, journaliste à la *Gazette* et conseiller
municipal, est le directeur de campagne de Holden et que celui-ci
les accompagne souvent au Woody's Bar. Richler décrit d'ailleurs
Holden comme «un bon ami à moi[12]». Avant peu, Richler rava-
lera ses paroles : Holden et trois autres candidats du Parti Égalité
sont finalement élus, mais ni Richler ni les électeurs n'auraient
pu prédire ses éventuelles positions politiques.

Je peux faire mieux en écrivant... Richler fait retentir son
premier véritable coup de trompette avec la publication, dans le
New Yorker, de «Inside/Outside», un long extrait de son prochain
livre, *Oh Canada! Oh Québec!* S'il fait quelques références aux
origines du ressentiment des francophones, notamment le
contrôle exercé par les anglophones sur le secteur des affaires
– un contrôle qui a fait de l'anglais la langue *de facto* sur le lieu
de travail et a tenu les Québécois à l'écart des postes de direction,
l'article se concentre essentiellement sur l'application des lois
101 et 178. Il ridiculise les inspecteurs linguistiques qui doivent
faire le sale boulot du PQ et dénoncer les manquements à la loi.
Richler les compare à une sorte de «police de la langue» [*language*

trooper], et il n'est pas le seul à le faire. Il leur associe ainsi l'image menaçante des membres de la section d'assaut des Nazis [*storm trooper*]. On pourrait cependant argumenter que Richler devient lui-même une sorte de policier de la langue lorsqu'il condamne les tentatives puristes de remplacer les mots franglais « une bande » par « un corps de musique » et « hamburger » par « hambourgeois ». Il ne manque pas de mentionner les explications farfelues du ministre de l'Éducation, Claude Ryan, lorsque celui-ci cherche à justifier sa décision de retirer les subventions provinciales aux écoles françaises qui enseignent l'anglais avant la quatrième année : « Nous savons depuis longtemps que l'exposition prématurée à la langue anglaise n'est peut-être pas compatible avec le développement optimal de l'enfant. » Richler aborde également la tentative de Bourassa d'encourager la fécondité de la population francophone en proposant des primes monétaires pour chaque enfant mis au monde. Cette politique s'inspire probablement du documentaire *Disparaître*, de l'ancienne ministre péquiste Lise Payette, paru peu de temps auparavant. Le film montre une famille québécoise heureuse, les Tremblay, et insiste sur le fait que ses membres sont en danger, et la nation aussi ! Dans la partie la plus controversée de l'article, Richler accuse les Québécois d'antisémitisme, une accusation qui cadre bien avec le parallèle qu'il a déjà établi entre la police de la langue et la section d'assaut nazie. Il relate l'anecdote selon laquelle, à la fin des années 1980, le conseil municipal d'Outremont, dirigé par l'ancien felquiste Gérard Pelletier, a rejeté une demande de changement de zonage, une formalité qui aurait permis aux Juifs hassidiques d'édifier une synagogue sur un terrain vacant, et souligne la partialité de *La Presse* dans le traitement de l'affaire. Il rappelle également aux lecteurs les commentaires de Pierre Péladeau (le propriétaire du *Record* de Sherbrooke, dont Richler et ses amis avaient tenté de faire l'acquisition), qui a affirmé que les Juifs prenaient trop de place dans l'économie. Mais Richler s'intéresse surtout aux propos qu'a tenus, dans les années 1930, le père du nationalisme québécois moderne, l'abbé Lionel Groulx[13].

Aux États-Unis, l'article est simplement considéré amusant, rapporte Bob Gottlieb[14]. Au Québec toutefois, il fait l'effet d'une bombe. Le simple fait qu'il ait été publié à New York – ridiculisant ainsi les Québécois aux yeux du monde – ne fait qu'empirer les choses. La réaction des francophones n'est pas très différente de celle des Juifs de Montréal au moment de la parution de *Mon père, ce héros*, ou de celle des Canadiens face aux articles de Richler sur le Canada. Ils ont tous l'impression que Richler n'a aucune sympathie pour leur communauté, mais qu'il se permet tout de même de livrer des verdicts impitoyables à leur sujet sur la scène internationale[15]. La riposte des francophones prend plusieurs formes. Nombreux sont ceux qui ont mal lu ou interprété un passage en particulier et qui ont conclu qu'il traitait les Canadiennes françaises de «truies». «Aimeriez-vous que je traite votre mère de truie?» réplique le député du Bloc Québécois Louis Plamondon[16]. En réalité, Richler se pose en défenseur des femmes face à la pratique de l'époque, qui consiste à avoir jusqu'à douze enfants: «Cette fécondité exténuante, qui revenait à prendre les femmes pour des truies, était impunément encouragée en coulisses par l'abbé Lionel Groulx[17] ...» D'autres invoquent l'histoire, notamment la domination anglaise, pour justifier le bien-fondé des lois 101 et 178. L'écrivain québécois Jacques Godbout dit à Richler que si l'affichage en question n'était pas commercial, il se battrait pour l'avoir en français, en anglais, en japonais, etc. Est-ce que le fait que votre famille vit ici depuis trois cents ans vous donne plus de droits que quelqu'un qui est ici depuis cinq ans?, lui demande Richler. Oui, répond Godbout, car de nombreux immigrants sont des Américains mesquins qui ne connaissent que la culture populaire[18]. Certains, comme Lise Bissonnette, directrice du journal *Le Devoir*, choisissent d'ignorer complètement les attaques de Richler contre les lois linguistiques et de se concentrer sur ses commentaires à propos du «tribalisme» québécois, comme si sa rhétorique n'avait rien à voir avec la substance de sa plainte. Dans un article intitulé «Vu du Woody's Pub», Bissonnette s'interroge à savoir ce qui adviendrait si un écrivain blanc de Chicago proposait au *New Yorker* une satire sur les Afro-Américains dans laquelle il dirait d'eux qu'ils sont tribaux et que leurs femmes se reproduisent comme des truies. Ou, encore mieux, si un écrivain arabe de Jérusalem se mettait à insulter les Juifs[19]. D'autres soutiennent que la langue n'est pas un droit et qu'elle n'a pas la même valeur que la liberté d'expression ou l'*habeas corpus*[20]. Ils ajoutent que les Nord-Américains ne comprennent pas que dans les sociétés françaises, l'État a l'habitude d'intervenir dans les affaires linguistiques[21]. Bien entendu, aucun de ces arguments ne cadre avec la défense passionnée que les francophones font de *leur* langue.

Certains appellent à la pitié. Selon Lysiane Gagnon, une journaliste qui a côtoyé les Richler et a même été invitée à leur maison du lac Memphrémagog[22], la situation est suffisamment préoccupante sans que Richler vienne en rajouter. Le taux de chômage est élevé, les magasins du centre-ville sont barricadés avec des planches, les centres commerciaux sont déserts et les nouveaux bureaux sont vides. Après quatre-vingt-sept ans d'opération, les Ateliers Angus, le complexe d'entretien des trains et des locomotives du Canadien Pacifique, dans l'est de la ville, ferme ses portes et huit cent vingt personnes perdent leur emploi. Pour couronner le tout, Richler écrit dans le *New Yorker* que les Québécois sont antisémites[23]. Pourquoi devrait-il dédramatiser la situation alors que Montréal a été vidée par les promesses d'indépendance du Parti Québécois dont elle ne dit rien ? De la même façon, Gagnon n'explique pas pourquoi elle estime que Richler et les autres anglophones ont le devoir d'atténuer les craintes, de faire le ménage après qu'une loi linguistique maladroite a restreint leur liberté d'expression et qu'un parti séparatiste a menacé leur citoyenneté canadienne. Il y a fort à parier que Gagnon est irritée parce qu'elle s'est elle-même opposée à la loi 101[24] et que Richler l'a citée à plusieurs reprises, la plaçant ainsi dans une situation délicate face aux Québécois.

Pourtant, Gagnon et d'autres commentateurs beaucoup moins raisonnables ont raison de condamner ses accusations infondées d'antisémitisme. Richler s'est appuyé sur une étude réalisée dans l'ensemble du Canada par Joseph Fletcher, un politologue de l'université de Toronto. Dans le cadre de son enquête, Fletcher a demandé aux répondants si, selon eux, les Juifs faisaient usage de pratiques douteuses pour obtenir de l'avancement : 17,8 p. cent des anglophones et 34,8 p. cent des francophones ont répondu « oui ». À la question de savoir si les

Juifs avaient apporté une contribution significative à la vie culturelle canadienne, 69,3 p. cent des anglophones et 41,5 p. cent des francophones ont répondu par l'affirmative. Les Juifs sont-ils arrivistes? 24,9 p. cent des anglophones estiment que oui, contre 72,1 p. cent des francophones. Finalement, 32,5 p. cent des francophones et 15,8 p. cent des anglophones ont l'impression que les Juifs ne se préoccupent pas de tout ce qui touche les non-Juifs. Fletcher en conclut que l'antisémitisme est plus présent au Québec que dans les autres provinces canadiennes[25].

Certains défenseurs des droits linguistiques des Québécois estiment que les résultats de l'étude ne peuvent être utilisés comme preuves parce que celle-ci n'a pas été publiée[26]. Ils évitent ainsi de s'attaquer au nœud du problème. L'approche la plus objective est celle de Pierre Anctil, un universitaire francophone qui maîtrise bien mieux le yiddish que Richler lui-même – suffisamment pour avoir contribué, en 1992, à la traduction en yiddish des *Belles-Sœurs*, de Michel Tremblay, et pour avoir traduit en français l'œuvre du poète yiddish Jacob Isaac Segal. Anctil décortique l'accusation et plaide non coupable aux trois principaux marqueurs de l'antisémitisme: l'adoption de lois hostiles aux Juifs, la discrimination à l'embauche et l'élimination des références juives dans la culture nationale. Si on élargit la définition de l'antisémitisme pour y inclure la méfiance et l'hostilité, alors oui, il y a de l'antisémitisme au Québec, admet Anctil, mais il n'est ni organisé ni particulièrement élevé lorsqu'on compare, par exemple, les trente-six actes de vandalisme ou de harcèlement à caractère antisémite qui ont été enregistrés au Québec l'année précédente aux cent six actes du même type enregistrés en Ontario. Anctil attribue les résultats de l'étude de Fletcher et les problèmes survenus à Outremont au fossé historique entre les deux communautés. Un chercheur qui peut se faire passer pour un anglophone auprès des Juifs, Anctil est bien conscient que chaque côté a ses partis pris et qu'en privé les Juifs disent: «Les francophones n'aiment pas la démocratie; ils n'aiment pas les droits de la personne; et ils sont prêts à violer les règles élémentaires de la démocratie[27].» Anctil et plusieurs autres soutiennent que les positions antisémites de l'abbé Lionel Groulx n'ont plus rien à voir avec le nationalisme québécois.

À cela, Richler répond que les positions de l'abbé Lionel Groulx doivent avoir leur importance si les Québécois ont jugé bon de donner son nom à une station de métro, un CÉGEP et une chaîne de montagnes et si Claude Ryan (l'ancien directeur du journal *Le Devoir* et le chef du Parti libéral) le considère comme « le père spirituel du Québec moderne[28] ». Chaque fois qu'il en a l'occasion, Richler revient à Groulx et aux années 1930 et 1940, l'époque à laquelle il a développé ses propres opinions. Ses arguments ne sont pas très convaincants, car ils font appel à la correction politique contre laquelle il s'est toujours battu lui-même. Doit-on jeter aux oubliettes l'œuvre de T. S. Eliot ou de Céline parce qu'ils ont exprimé des opinions hostiles aux Juifs ? Doit-on effacer le nom de Mackenzie King des bâtiments public parce qu'il a refusé d'accorder l'asile aux réfugiés juifs avant la Seconde Guerre mondiale ? Si on peut comprendre que Richler se moque des tentatives de l'époque cherchant à réhabiliter Groulx, il est plus difficile de saisir pourquoi il ne peut admettre que les Québécois puissent admirer Groulx pour autre chose que son antisémitisme. Une étude sur l'antisémitisme canadien réalisée en 1984 (citée dans *Oh Canada !*) vient à la fois confirmer la conclusion de Fletcher, d'après laquelle il existe une certaine forme d'antisémitisme au Québec, et l'affirmation du Parti Québécois selon laquelle nationalisme n'est pas un synonyme d'antisémitisme. D'après cette étude, l'antisémitisme serait beaucoup plus répandu à Terre-Neuve, au Québec et au Nouveau-Brunswick que dans le reste du Canada. Si Richler s'empresse de citer ces résultats, il ne dit rien des autres conclusions de l'étude, et notamment qu'il n'y a pas plus d'antisémites au sein du PQ que dans le Parti libéral. Il semble toutefois que les francophones catholiques qui ont un faible revenu et peu d'éducation aient plus souvent tendance à être antisémite[29]. Il convient de mentionner que lorsque Richler a visité à nouveau Israël et qu'il a été forcé d'admettre qu'il s'agit du seul endroit pour un Juif, il a expliqué que l'antisémitisme n'était plus un problème au Canada[30].

À travers le débat linguistique, Richler tente surtout de prouver que le nationalisme, qu'il soit allemand (plus notoirement), canadien anglais, québécois ou israélien, représente toujours un danger pour les minorités – et il n'a pas tort sur ce point. Si, à l'époque, l'antisémitisme ne constitue pas une véritable menace, les nationalistes québécois, comme la plupart des nationalistes, se soucient peu des aspirations des minorités. Lorsqu'il entend les manifestants crier «Le Québec aux Québécois», Richler n'a pas l'impression qu'ils lancent un appel à la fraternité universelle[31]. De la même façon, il estime que les références répétées aux droits de «la collectivité» ne rejoignent pas les Juifs, car ceux-ci ont, de manière générale, une notion plus individualiste des droits[32]. Par ailleurs, dès qu'il s'est mis à critiquer le nationalisme québécois, Richler a rapidement senti qu'il n'était plus le bienvenu dans sa province natale[33], un sentiment partagé par de nombreux Québécois anglophones et allophones à la suite de l'introduction de la loi 101.

Richard Holden, le député du Parti Égalité et compagnon de beuverie de Richler, est dépassé par les réactions qu'ont suscitées l'article paru dans le *New Yorker*. Au départ, il ne comprend pas pourquoi les Québécois poussent les hauts cris, mais à la suite d'un gala organisé pour le 145e anniversaire de la congrégation Shaar Hashomayim, il a soudain un éclair de génie. Il comprend que Richler s'est montré trop dur avec eux et compare son attitude envers les lois d'affichage aux moqueries d'un Palestinien envers le Premier ministre israélien Yitzhak Shamir. «Imaginons qu'un auteur palestinien se moque du sionisme et des vaillants sacrifices des fils et des filles d'Israël pour défendre leur mère patrie?» Les Juifs ne seraient-ils pas scandalisés? C'est la même chose pour les Québécois. Holden comprend leur douleur, mais il s'empresse aussi de s'excuser auprès de son électorat juif au cas où l'analogie Israël/Québec aurait blessé quelqu'un[34]. Mis au courant des remarques de Holden, Richler riposte: «Tous ceux qui connaissent M. Holden savent bien qu'il ne faut pas le prendre au sérieux passé quatorze heures.» Lorsque les journalistes demandent à Holden s'il a l'intention de poursuivre Richler pour diffamation, celui-ci répond: «Impossible, je suis son avocat[35].»

S'il est loin d'être objectif, l'ouvrage *Oh Canada! Oh Québec!* est tout de même instructif et divertissant. Sa parution, quelques mois après la publication de l'article du *New Yorker*, au printemps 1992, entretient la polémique. Il se vend très bien auprès de la clientèle anglophone. Environ deux cent cinquante personnes se présentent à la séance de dédicaces organisée à la libraire Paragraphe, à Montréal. Pierre Brassard est présent avec son micro et ses caméramans. Mieux connu sous le nom de « Raymond Beaudoin », son personnage, Brassard réalise des entrevues surprises avec des célébrités pour l'émission humoristique francophone 100 Limite. On raconte que « Beaudoin » aurait fait fuir Richler. En réalité, le personnel de sécurité l'a raccompagné à l'extérieur du magasin, où il a attendu, en vain, que Richler sorte. Pendant ce temps, Richler s'est sauvé par la porte de derrière[36]. Même ses positions en faveur du libre-échange ne lui ont jamais attiré autant d'ennuis. S'il arrive à l'occasion que des francophones achètent les romans de Richler, Claude Hurtubise, président des Éditions La Presse, lui avait dit, en 1976, qu'il était absurde de faire traduire autre chose que des romans et qu'il était rare que les critiques prennent même la peine d'écrire sur ce genre d'ouvrage[37]. Pourtant, les droits pour la traduction française d'*Oh Canada! Oh Québec!* se vendent rapidement et l'éditeur en obtient un bon prix. Avant de le lire, le traducteur, Daniel Poliquin, avait un parti pris contre l'ouvrage. Après l'avoir traduit toutefois, il affirme que malgré l'impartialité de Richler, le livre lui a ouvert les yeux sur le manque de liberté au Québec[38]. André Beaudet, des Éditions Balzac, qui a également publié *Gursky*, se dit que le moment est bien choisi pour faire traduire *Un cas de taille*.[39] Malgré la demande pour les œuvres de Richler, un certain nombre de librairies francophones appartenant à des intellectuels nationalistes refusent de les vendre et de propager par le fait même le point de vue du « conquérant[40] ».

C'est une période difficile pour Richler. Les passants lui jettent des regards furieux[41] et les antisémites lui transmettent leurs amitiés. L'un d'entre eux prédit l'avènement d'un second holocauste quelques lignes seulement après avoir nié la Shoah : « Si vous continuez comme ça, c'est aux États-Unis qu'aura lieu le prochain holocauste, pas au Québec. » Puisque Richler est juif et que le chasseur de nazis Simon Weisenthal l'est aussi, l'auteur de la lettre assume qu'ils se connaissent : « Dites à Weisenthal de cesser de pourchasser ces vieillards – les Allemands sont plus civilisés[42].» D'autres, qui affirment ne pas être antisémites – «quand j'étais jeune, je me rappelle qu'on accueillait chez nous de pauvres Juifs et qu'on leur achetait des trucs. On acceptait aussi qu'ils dorment à la maison, pour vous dire!!» –, recommandent tout de même à Richler de quitter le pays: «Fous le camp en Israël si tu n'es pas content ici[43].»

Ce qui est plus dérangeant toutefois, c'est la réaction officielle de certains politiciens québécois et leur mépris de la liberté d'expression. La sénatrice Solange Chaput-Rolland affirme notamment que la presse francophone et anglophone n'aurait jamais dû autoriser Richler à publier ses conclusions[44]. Gilles Duceppe, à l'époque député du Bloc Québécois, prend la parole à la Chambre des Communes et déclare que si les dirigeants des communautés juive et anglophone ne dénoncent pas immédiatement Richler comme un «artisan du racisme», ils seront considérés comme ses complices[45]. Quelques jours plus tard, une autre députée du Bloc, Pierrette Venne, invoque l'article 319 du Code criminel et demande au gouvernement d'interdire *Oh Canada! Oh Québec!* pour incitation à la haine. Le ministre des Affaires constitutionnelles Joe Clark répond que les progressistes-conservateurs n'agiront que si une loi est enfreinte et s'inquiète de la politique du Bloc Québécois en matière de liberté d'expression[46]. Selon Lise Bissonnette, ce sont des attitudes comme celle de Clark qui sont à l'origine du nationalisme québécois. Si elle reconnaît que le Bloc Québécois a tort d'invoquer le code criminel, elle estime que Clark finit par blâmer la victime en gardant le silence sur l'ouvrage de Richler et en faisant des insinuations au sujet du Bloc[47]. Clark, qui a souvent été la cible des attaques de Richler, n'obtient pas de remerciement spécial pour s'être porté à sa défense. Quant à Lucien Bouchard, le chef du Bloc Québécois, il se dissocie des propositions d'interdiction du livre. Il soutient en effet qu'aussi détestables que soient les idées de Richler, ce dernier a le droit de les exprimer devant l'opinion publique. Il taxe même Joe Clark de démagogue[48] (c'est peut-être la seule fois qu'il sera traité de la sorte). D'après Richler, la véritable menace démagogique émane de Bouchard lui-même, un homme intelligent, ambitieux et agressif qui représente un danger beaucoup plus grand que les autres personnalités du Bloc ou du PQ[49]. Le Bloc n'échappe pas à la satire de Richler. Songeant probablement à Duceppe, qui prend la tête du parti huit mois avant la publication du *Monde de Barney,* Richler intègre à son roman un dirigeant du Bloc et lui donne le nom de «Dollard Réincarné», un jeu de mot avec «*dullard*» [empoté] et Dollard des Ormeaux, l'aventurier français du XVIIe siècle dont l'abbé Lionel Groulx a fait une sorte de héros martyr[50].

Si les critiques québécoises de *Oh Canada!* ne sont pas anti-sémites, elles prennent souvent la forme d'attaques personnelles à l'encontre de l'auteur. On accuse Richler, entre autres, d'être *nostalgique de l'époque «où les "frogs" savaient rester à leur place*[51]*»,* ce qui est totalement faux. Il n'a aucune envie de retourner aux beaux jours de l'Union nationale. On affirme aussi que *le personnage de Salomon Gursky est anti-Canadien français*[52], ce qui est tout aussi faux. Richler décrit la fuite des capitaux anglais hors du Québec, critique la loi 101 et crée une perle satirique en inventant le livre *Qui a tué Martineau?*, dans lequel on conclut qu'un peintre québécois suicidaire et criblé de dettes aurait en fait été assassiné par l'indifférence des anglophones. En même temps, Richler se moque de Russell Morgan, K.C., qui pense qu'il n'a pas besoin de savoir parler le français pour représenter Montréal au Parlement. Il se moque aussi des loyaux anglophones qui sont prêts à cracher de l'argent tant et aussi longtemps que des escrocs appuient sur les bons boutons:

SOUTINEZ LES FEWMIERS ANGLOPHOWNES
UNE WACE EN VOIE DÉ DISPAWITION[53].

«Même s'il vit au Québec, Richler n'intègre aucun personnage francophone dans ses romans[54]», souligne Lise Bissonnette. Elle ajoute que dans les forums publics, c'est toujours l'univers de Richler qui compte, et non celui des Québécois, qui ne sont qu'un «vague décor de son grand drame[55]». Ses critiques ne sont pas infondées: les personnages francophones de Richler sont toujours relégués au second plan, comme le juge corrompu dans *Gursky.* Seul *L'apprentissage de Duddy Kravitz* accorde un rôle important à une Canadienne française, Yvette, la copine de Duddy.

Si Richler est victime d'attaques personnelles, on ne peut nier qu'il l'ait un peu cherché en dénigrant lui-même les dirigeants québécois. Il qualifie Jacques Parizeau, le nouveau chef du Parti Québécois, de «jouisseur au tour de taille imposant» et de «Rottweiler résident» de Bernard Landry, le vice-président du PQ[56]. Il faut cependant comprendre que Richler n'a jamais été accepté au Québec[57]. Même s'il est né à Montréal, ses romans ont été publiés à Paris quinze ans avant de l'être au Québec et il a été invité dans les salons du livre européens dix ans avant de l'être dans la Belle Province. Cela s'explique notamment par le manque d'aisance de Richler en français. S'il s'est assuré que ses enfants le parlent bien en les inscrivant dans des écoles francophones[58], lui-même ne le maîtrise pas très bien. Il l'a étudié pendant plusieurs années à Baron Byng[59] et n'a aucun problème à le lire, mais il peut difficilement tenir une conversation. Ainsi, chaque fois qu'il le peut, il évite de parler la langue de Molière[60]. Jack Rabinovitch, qui l'a entendu parler français dans le sud de la France, estime que Richler, qui s'exprime particulièrement bien en anglais, est mal à l'aise de parler français parce qu'il n'a pas la même aisance. S'il peut se débrouiller[61], il préfère avoir un interprète lorsqu'il accorde des entrevues à la télévision francophone[62].

À la télévision anglophone toutefois, il se montre parfois trop éloquent. Lors d'une entrevue avec Barbara Frum pour l'émission d'affaires publiques *The Journal*, présentée à la CBC, Richler compare *Le Devoir* à l'hebdomadaire nazi *Der Stürmer*. Bissonnette est furieuse. D'un point de vue moral, elle dispose de toutes les preuves nécessaires pour accuser Richler de propos diffamatoires, car il continue de soutenir que l'antisémitisme qu'affichait *Le Devoir* dans les années 1930 est toujours d'actualité en 1992. Or bien qu'il soit ouvertement nationaliste, le journal n'a tenu aucun propos antisémites depuis cinquante ans. Bissonnette se met toutefois plusieurs personnes à dos en comparant les Canadiens anglais à des Rhodésiens blancs se plaignant de l'ingratitude de leurs domestiques à l'heure du thé : «On leur donne tout, on laisse nos enfants jouer avec les leurs (Richler confie qu'il a inscrit ses enfants dans une école française), nos lois sont civilisées, mais rien n'y fait. Ils restent tribaux, pleins de ressentiment et continuent à vouloir se libérer[63].» (Elle aurait pu ajouter, si elle l'avait su, que Richler encourageait ses enfants à lire des ouvrages sur l'histoire des Canadiens français et *Nègres blancs d'Amérique*, de Pierre Vallières[64].) La métaphore n'est guère surprenante : elle a déjà été employée à toutes les sauces par les nationalistes québécois, du « roi nègre » d'André Laurendeau aux « nègres blancs » de Vallières, en passant par les Rhodésiens de Westmount de René Lévesque[65]. Bissonnette aime tellement sa sonorité et les possibilités dramatiques qu'elle renferme qu'elle ne reconnaît pas l'absurdité de l'hyperbole, comme Richler lorsqu'il évoque *Der Stürmer*. Après tout, ce sont les Québécois qui *font* les lois.

Les réactions les plus contradictoires viennent des Juifs du Québec. De nombreux Juifs de la base se rangent aux côtés de Richler, ce qui n'est pas étonnant quand on sait que la plupart d'entre eux sont favorables au fédéralisme[66]. Environ un quart des membres du Congrès juif canadien (CJC) ne sont pas d'accord avec lui, un tiers pense qu'il a raison mais qu'il a simplifié à l'excès certains éléments, et le reste croit qu'il a mis le doigt sur le problème[67]. Bien qu'aucune étude scientifique n'ait été faite, il est facile de deviner qui pense quoi, sachant que 52 p. cent des Juifs parlent bien ou relativement bien français, et que 30 p. cent d'entre eux (surtout les jeunes) utilisent le français au travail[68]. Les Juifs plus âgés, qui parlent moins bien français et ont connu l'antisémitisme des années 1930 et 1940, ont tendance à défendre les mêmes idées que Richler[69]. Les membres de la famille élargie de Richler, qui ne voyaient dans les huit romans de Richler aucune raison de se réjouir, se rangent soudain de son côté. L'une de ses tantes, Anne Richler, lui dit : « Je veux que tu saches que sur ce point nous sommes tout à fait d'accord avec toi. » Il s'agit là d'un compliment à double sens : « sur ce point » signifie « et *seulement* sur ce point ». Elle ajoute que si les disciples du « *Je me souviens* » ont le droit d'évoquer sans arrêt Wolfe et Montcalm, pourquoi les Juifs ne pourraient-ils pas parler des moments difficiles qu'ils ont connus avant et pendant la Seconde Guerre mondiale[70] ?

Les Juifs qui parlent couramment le français – des jeunes qui n'ont pas été confrontés directement à l'antisémitisme, pour la plupart – trouvent Richler trop véhément. Certains Juifs n'aiment pas ses romans parce que ses positions sont « typiquement anglos : tous les Canadiens français sont soumis à l'Église et entretiennent quantité de préjugés[71]». Un Juif d'une quarantaine d'années écrit qu'il fonde son jugement sur des contacts quotidiens avec des Canadiens français, contrairement à Richler, qui semble trouver toutes ses informations dans des articles de journaux[72]. C'est avec la génération des parents de l'auteur de la lettre que Richler a le plus d'affinités. On peut toutefois souligner l'ironie inhérente au fait que les jeunes Juifs bilingues risquent davantage de quitter le Québec que leurs parents vieillissants et unilingues, qui resteront pour s'occuper de l'entreprise familiale. Les enfants de la famille Richler ne font pas exception : ils ont tous quitté la province. Ils continuent toutefois de se réunir à la maison du lac Memphrémagog pour Noël – ou «Richlermas», comme ils ont baptisé leur fête laïque[73]. Emma Richler décrit d'ailleurs la scène dans *Sœur folie*, où le patriarche de la famille, «l'œil un peu vitreux lui-même, savourant son pur malt... "se demandant" qui sont ces gens qui s'activent et s'excitent, qui sont ces grands enfants dans la maison... ces gazouilleurs de chants de Noël aux ventres emplis de bagels... qui le [font] se coucher bien plus tard qu'il ne le souhaiterait[74]?» C'est précisément l'insistance de la vieille génération à offrir une éducation bilingue à ses enfants qui a permis à ces derniers de réussir à Toronto et aux États-Unis. Même si les Juifs font partie de l'élite québécoise, leur population vieillit et risque d'être bientôt rattrapée par les Arabes, le groupe ethnique qui croît le plus rapidement à l'époque à Montréal[75]. Lors d'un dîner organisé par l'Association pour les jeunes adultes juifs (Association for Young Jewish Adults, AYJA), Richler conseille aux jeunes anglophones de fuir la Belle Province, forçant l'AYJA à intervenir pour limiter les dégâts[76].

Après l'entrevue avec Barbara Frum, les journalistes harcèlent le CJC pour qu'il prenne position sur les déclarations de Richler. D'après Michael Crelinsten, directeur exécutif du CJC pour le Québec, et Frank Schlesinger, président chargé des relations communautaires, les propos de Richler sont condamnables, notamment lorsqu'il prétend que le racisme des années 1930 existe toujours[77]. Personne ne demande aux organisations juives américaines de dénoncer Philip Roth ou Woody Allen[78], pourquoi, se demande Richler, le CJC doit-il absolument donner son avis sur mon livre ? « Il est possible que le gouvernement albanais ou la SPCA ou Black and Decker ne soient pas d'accord avec ce que je dis, mais ils ne se sentent pas pour autant obligés de donner leur avis[79].» Il est ravi lorsque Stephen Scheinberg, le président national du B'nai B'rith, refuse de commenter ses propos. Il est difficile de comprendre la position que défendent Richler et Scheinberg ; en effet, Roth et Allen n'ont jamais accusé l'État de New York d'antisémitisme. Ainsi, il est tout à fait normal de s'attendre à ce que le CJC commente des accusations d'antisémitisme systémique.

Richler rencontre Crelinsten, Schlesinger et Jack Jedwab à l'heure du lunch. Le repas s'étire et les invités discutent pendant près de quatre heures. D'après Schlesinger, Richler devient fou furieux et se met à les traiter de « Juifs de tribunaux » en affirmant que ce n'est pas à eux de décider ce qu'il a le droit de dire ou non[80]. Richler soutient quant à lui s'être contenté de demander ce qui était répréhensible dans les commentaires qu'il avait faits à l'émission *The Journal*. Je ne sais pas, aurait répondu Schlesinger, je n'ai pas vu la transcription[81]. Richler pense que Crelinsten n'a pas lu le livre, mais celui-ci s'empresse de lui dire que Jedwab et lui l'ont lu et qu'ils ont mis Schlesinger au courant du contenu[82]. Quelque temps auparavant, en réaction à l'article du *New Yorker*, Crelinsten avait naïvement répété la fausse accusation selon laquelle Richler avait traité les Canadiennes françaises de « truies[83] ». Au moment de la rencontre toutefois, Crelinsten a une idée plus claire de la position de Richler.

D'après Schlesinger, Richler aurait mieux fait de se taire[84]. Crelinsten estime quant à lui que Richler peut dire tout ce qu'il veut parce que, contrairement aux responsables du CJC, qui doivent s'efforcer de favoriser le dialogue entre les Juifs et les souverainistes québécois afin d'encourager la présence d'éléments modérés au sein du PQ[85], il n'a pas à craindre la réaction des électeurs. Les dirigeants du CJC ne se contentent pas de répondre avec le « langage hypocrite de la bureaucratie », comme l'affirme Richler, mais tentent d'analyser objectivement la situation du Québec[86]. Si Crelinsten admet que *Le Devoir* a publié des articles antisémites par le passé, il précise également que le journal n'a rien eu à se reprocher sous la direction de Claude Ryan ou de

Lise Bissonnette. Même *La Presse* d'Alain Dubuc et la très nationaliste Société Saint-Jean-Baptiste de Jean Dorion se sont amélio-
rées sur ce point[87]. Les commentaires de Crelinsten permettent
toutefois à Bernard Landry d'aller encore plus loin et de prétendre
que les Juifs réprouvent totalement l'attitude de Richler. Les Juifs
du Québec, vocifère Landry, n'ont absolument rien en commun
avec Richler et considèrent que ses propos sont répugnants.
Landry a du mal à comprendre pourquoi certains Juifs continuent
de craindre le nationalisme québécois. Après tout, se dit-il, il
n'existe que deux endroits au monde où les écoles juives sont
financées par l'argent des contribuables : en Israël et au Québec[88].

Le bar du Ritz Carleton, dont la clientèle est composée de
membres des élites francophone et anglophone, est le théâtre
«d'affrontements» entre Richler et Landry. Richler aime garder
Parizeau et Landry sous «surveillance» lorsqu'ils font leur apparition au Ritz.[89] Les chefs du PQ lancent des regards furieux à
Richler, et celui-ci les dévisagent en retour avec la même effron-
terie. Un après-midi, il tombe par hasard sur Landry dans le hall.
Bien qu'ils n'aient jamais été présentés, Landry se met à crier :
«Je vous hais. Je vous déteste. Vous êtes raciste!» «Vous n'êtes
qu'un petit bouseux de province», répond Richler. «Vous saurez
que moi j'ai mon diplôme universitaire», riposte à son tour
Landry dans une allusion évidente au fait que Richler ne s'est
pas rendu jusque là[90].

Une autre fois, Richler tente de convaincre Jack Rabinovitch,
qui passe par là, d'entrer prendre un verre. «Mordecai, je meurs
de faim», proteste Rabinovitch. «Tu mangeras plus tard», lui
promet Richler. «Landry est là et ils sont tous en train de m'observer. Pas question qu'ils me fassent quitter le Ritz.» Pour empêcher Rabinovitch de partir ou de se fâcher, Richler lui raconte
des anecdotes personnelles qu'il n'a jamais entendues, comme
la fois où Isaac Bashevis Singer a fait des avances à Florence.
Trois heures plus tard, Landry quitte le Ritz et Rabinovitch est
enfin libre[91].

Au Canada anglais, un groupe de vingt-cinq intellectuels de
gauche, dont Pauline Jewett, pour qui Richler avait déjà fait campagne[92], écrit une lettre ouverte au *Toronto Star* pour se «distancier» de *Oh Canada! Oh Québec!* et mettre les lecteurs en garde

contre ses incitations à la haine contre les francophones[93]. Ces intellectuels n'ont jamais été proches de moi, riposte Richler. Comment peuvent-ils se «distancier[94]»? On peut facilement comprendre que certains qualifient la lettre de «moralisatrice». En effet, aucun des vingt-cinq signataires ne vit au Québec et ils ne font aucun commentaire sur la loi 178. Pour leur défense, ils sont surtout préoccupés par la réaction du reste du Canada à l'ouvrage de Richler. Phyllis Lambert, la fille de Sam Bronfman, intervient elle aussi en faisant remarquer à Richler qu'il a malencontreusement oublié de mentionner que si le bilinguisme canadien est *de jure*, il n'est pas encore *de facto*, et que l'affichage unilingue anglais prévaut dans 8,5 provinces (le Nouveau-Brunswick correspond au 0,5). Elle ne voit donc aucun problème à ce qu'on affiche uniquement en français au Québec[95].

Ce n'est pas par hasard que Richler omet de mentionner ces éléments. S'il prétend avoir été surpris par le profond sentiment anti-québécois des habitants de l'Ouest du Canada[96], il a déjà parlé de l'existence d'un «affreux sentiment anti-québécois» dans le reste du pays[97]. Vu la levée de boucliers qui a accueilli la loi sur les langues officielles de Trudeau, il n'est pas difficile de prévoir la popularité de Richler au Canada anglais. Si on exclut les lettres que les enseignants des écoles primaires demandent à leurs élèves d'écrire à l'auteur de *Jacob Deux-Deux et le Vampire masqué*, *Oh Canada!*, celui-ci est le livre de Richler qui provoque le plus de réactions. Les lettres de soutien qu'il reçoit proviennent surtout d'anglophones vivant à l'extérieur du Québec, dont certains se plaignent qu'il se montre trop indulgent envers les francophones. *Oh Canada!* est perçu par plusieurs comme un manifeste des droits anglais et, au grand dam de Richler, on l'accueille parfois dans les restaurants en criant: «Faites-les baver, ces *frogs*[98]!» S'il se moque des anglophones extrémistes qui considèrent le bilinguisme comme la première étape de la prise du pouvoir des francophones, il ne le défend pas non plus. Richler multiplie les provocations et, s'il n'est pas démagogue, il frôle tout de même la démagogie avec ses remarques pleines d'esprit sur la loi 178. À Toronto, neuf cents personnes viennent l'entendre[99]. Pendant son discours à l'université de l'Ouest de l'Ontario, les cinq cents étudiants présents ricanent, même lorsqu'il ne fait pas de blagues[100]. À l'université du Manitoba, devant un auditorium rempli à craquer, Richler présente certains contenus d'Oh *Canada*! Pendant la période de questions, un membre du public – plus sensible à l'histoire qu'à la satire – ose mettre en doute les chiffres présentés par Richler, selon lesquels un Québécois sur six est le descendant de soldats illettrés et de prostituées («les Filles du roi», qui avaient été envoyées dans la colonie pour contribuer à peupler la Nouvelle-France). À la fin de son intervention, l'homme révèle qu'il est un anglophone de Montréal.

> Richler: Un anglophone de Montréal politiquement correct? Que faites-vous ici?
> Membre du public: Je suis professeur.
> Richler: C'est évident[101].

La foule hurle de rire tandis que Richler escamote tout semblant de débat rationnel. En réalité, l'homme a raison, même s'il est professeur. Le mythe selon lequel les Filles du roi étaient la plupart du temps des prostituées avait été réfuté quelques années plus tôt[102], mais comme la plupart des satiristes, Richler aime bien travestir nos origines et créer une vérité supérieure à celle de l'histoire. Après tout, c'est exactement ce qu'il a fait avec les origines juives d'Éphraïm Gursky. Grâce à son nouveau statut de porte-parole constitutionnel du Canada anglais élu par acclamation populaire, Richler obtient la faveur des habitants de l'ensemble du pays, en particulier des Prairies. Le ressentiment des autres provinces face au statut particulier du Québec au sein de la Confédération, aux emplois fédéraux qui favorisent les candidats bilingues et à l'éloignement de l'Ouest du pouvoir fait naître une vague de soutien en faveur de l'écrivain. Les habitants de l'Ouest du pays encouragent en effet ce qu'ils perçoivent comme des tentatives de pourfendre l'adversaire francophone. Même si Richler n'a jamais eu l'intention de fournir aux Canadiens anglais l'occasion de s'en prendre au Québec[103], c'est exactement ce qu'il finit par faire.

Certains amis de Richler, dont Peter Gzowski, sont gênés par sa position sur le français[104]. D'autres, comme Robertson Davies, le défendent[105]. Un ami de Richler aussi nommé le «goy des

Prairies», Guy Vanderhaeghe, l'homme pour qui Richler a mis au travail la mafia littéraire juive internationale[106], accueille toute l'affaire avec un petit rire. Richler est le deuxième écrivain canadien de sa connaissance à qui on a adressé des remontrances. La première, Lorna Crozier, avait heurté la sensibilité d'un député du Manitoba avec la phrase «les carottes baisent la terre», qui apparaît dans «Sex Lives of Vegetables». Mais Vanderhaeghe est plutôt excité de connaître non pas «un de ces pornographes insignifiants qu'on trouve partout», mais «un authentique raciste qui incite à la haine[107]».

Richler a joué deux rôles dans les conflits séparatistes. En tant que polémiste satirique, il a contribué à galvaniser l'opinion publique des camps anglophone et francophone. En mettant l'accent sur la tyrannie de la majorité et les outrages au bon sens, il a suscité l'indignation de nombreux nationalistes québécois et les applaudissements inconsidérés des Canadiens anglais les moins flexibles. Le pays n'a pas à l'en remercier, car il avait toujours en tête les années de la Seconde Guerre mondiale, les graffitis «*À bas les Juifs!*» et les bagarres de gangs sur l'avenue du Parc. En mettant l'accent sur le Québec antisémite de l'époque, Richler confond le vieux nationalisme défensif des catholiques francophones et le nouveau nationalisme linguistique. Le Québec se voyait autrefois comme une petite île au beau milieu d'un océan d'hérétiques. Si on ne pouvait déloger les protestants, on pouvait au moins faire la vie dure aux Juifs et aux témoins de Jéhovah. Mais le monde qu'il décrit n'existe plus : les nouveaux nationalistes sont essentiellement laïques et n'ont pas d'intérêt à molester les Juifs ou même à ne pas laisser entrer les étrangers. Ils veulent simplement qu'ils parlent français.

Le deuxième rôle de Richler, *indissociable* du premier, a eu une portée beaucoup plus importante, bien qu'elle soit moins visible. Alors qu'il entraînait son public vers des positions extrémistes, sa satire contre les excès de l'autosatisfaction nationaliste a contribué à modérer l'application des lois sur l'affichage. Personne ne voulait paraître ridicule. Si certains journalistes estiment que les écrits de Richler n'ont fait qu'élargir le fossé entre les deux solitudes du Canada[108], d'autres croient qu'en soulignant l'absurdité des lois linguistiques, il a réussi, à lui seul, à sauver le pays de l'éclatement. Comment oublier la Société Deux-fois-plus, créée par Richler et ses amis du Woody's Pub pour faire pression en faveur d'une modification de la loi 178 obligeant les habitants du Québec à parler le français deux fois plus fort que l'anglais[109]? D'autres encore se montrent plus réalistes et affirment que Richler, Alliance Québec et le Parti Égalité ont rendu difficile l'application de mesures extrémistes par le PQ et les libéraux du Québec[110]. Même si le PQ ou les libéraux ne reconnaissent pas le rôle de Richler dans l'assouplissement des lois sur l'affichage, ils ne peuvent nier qu'elles ont été assouplies. Au moment de l'expiration de la clause nonobstant, qui avait permis l'adoption de la loi 178, Bourassa se replie sur la loi 86, qui permet l'affichage extérieur bilingue, facilite l'accès aux écoles anglaises pour les enfants dont les parents ou les frères et sœurs ont étudié en anglais, et autorise, à certaines conditions, l'usage de l'anglais dans les hôpitaux et les entreprises[111]. Lorsque le PQ retourne au pouvoir, Parizeau et Bouchard n'apportent aucune modification à la loi 86, ce qui provoque la colère de certains partisans de la ligne dure[112]. Le PQ cherche plutôt à s'assurer que les nouveaux immigrants apprennent le français.

Dans ses écrits sur le Québec, Richler identifie les faiblesses des souverainistes et les attaque vigoureusement. Si le Canada est divisible, il n'y a pas de raison pour que le Québec ne le soit pas aussi, déclare Joe Norton, le chef des Mohawks de Kahnawake. Lorsque Parizeau s'empresse de réfuter les arguments de Norton, Richler réagit en disant: «Tiraillé entre la gêne et le plaisir, je suis, pour la première fois de ma vie, en total accord avec cet empoté de Jock Parizeau… "Le droit à la propriété", dit-il, "le droit d'utiliser les terres ancestrales – tout cela existe. Mais ça ne veut pas dire qu'on peut couper un pays en deux"[113].» Dans une pièce télévisée de quarante-cinq minutes réalisée pour la BBC en septembre 1992, Richler insiste sur la question de la divisibilité, notamment avec une chanson satirique intitulée «Anglophonia». Il laisse aussi entendre que les anglophones devraient déclarer l'indépendance des Cantons de l'Est parce qu'ils sont majoritaires dans cette région[114]. En brossant de nouveau un tableau négatif des Québécois dans les médias internationaux, Richler suscite une fois de plus leur irritation[115]. En page couverture de *La Presse*, une caricature de Jean-Pierre Girerd compare Richler à Hitler. La pique s'adresse à la BBC, qui avait déclaré avoir choisi Richler parce qu'il était connu. Hitler aussi était connu, riposte Girerd. Rien d'étonnant à ce qu'on finisse par évoquer Hitler : après tout, Richler avait comparé *Le Devoir* à *Der Stürmer* et le BQ l'avait taxé de raciste. *La Presse* finit par présenter de faibles excuses[116]. À la mort de Richler, Richard Martineau, rédacteur en chef de l'hebdomadaire culturel *Voir*, dira : « Le Québec ne pleurera pas autant la mort de Richler que le reste du Canada[117]. » Les yeux tout aussi secs, *Le Journal de Montréal* rapportera en page 15 que « Mordecai Richler, le mordant polémiste, a succombé à un cancer[118]. »

Si Richler s'est mis à dos de nombreux Québécois, son implication politique fédéraliste en a fait une véritable figure nationale, ce qu'il n'aurait jamais pu réussir avec ses romans. Les Juifs de Montréal commencent à l'inviter à des foires du livre juif[119] et même à des déjeuners père-fils. Autrefois le fils prodigue de la communauté juive de Montréal, il est désormais la vedette du « circuit bagel-saumon fumé[120] ».

26

Israël VIP

À L'AUTOMNE 1992, Richler, qui reçoit toujours des critiques pour *Oh Canada!*, convainc Bob Gottlieb, du *New Yorker*, de l'envoyer en Israël pour un reportage. L'idée lui vient d'une discussion qu'il a eue avec Percy Tannenbaum, un ami de longue date, lors de sa fête d'anniversaire à San Francisco. Les deux amis se sont mis à parler de l'époque où ils étaient membres du groupe sioniste des Habonim[1] et Richler, curieux du sort de ses anciens compatriotes qui ont fait *aliyah*, a décidé d'en faire un article. Si Lise Bissonnette et Richard Holden avaient tous deux eu une révélation au sujet de la similarité entre les nationalismes israélien et québécois, la position de Richler se rapproche davantage de la célèbre phrase de Marx: «l'histoire se répète, d'abord la tragédie, ensuite la farce» – Israël étant la tragédie et le Québec, la farce. Avant son deuxième séjour en Israël, Richler avait une opinion plutôt tranchée sur le conflit au Moyen-Orient. Il défendait la création d'un État arabe démilitarisé et l'établissement de Jérusalem en tant que «ville internationale[2]». Terrifié par l'approche militaire du ministre de la Défense du Likoud d'Ariel Sharon – une approche qui, au début des années 1980, encourageait les attaques sur des civils arabes[3], et notamment les massacres de Sabra et de Shatila, dans le sud du Liban –, Richler, en utilisant le surnom de Sharon, fait dire à Moïse Berger qu'«Arik Sharon» est un véritable «voyou» dans *Gursky*[4]. Richler considère

Sharon comme «ce qui se rapproche le plus d'un fasciste juif[5]», même s'il admet qu'Israël a besoin d'une armée puissante et, dans *Gursky*, laisse entendre que Salomon, peu après la création de l'État d'Israël, agissait en héros en y faisant entrer des armes à feu et des avions militaires. Même pendant sa période sioniste pourtant, Richler craignait qu'une approche militaire ne soit pas une solution véritable au problème palestinien. Il accordait son soutien au groupe «Shalom Arshav» (La Paix Maintenant)[6] et préférait lui verser de l'argent plutôt que de donner à l'Appel juif unifié[7]. Shalom Arshav est un mouvement – et non un parti – qui défend le principe de «la terre contre la paix», appelle à la création d'un État palestinien sur les territoires occupés en 1967 et s'oppose à la colonisation juive en Cisjordanie et dans les autres territoires contestés. Si certains ont qualifié Shalom Arshav de «mouvement de protestation de l'élite ashkénaze[8]», le Premier ministre travailliste Yitzhak Rabin, élu quelques mois avant le séjour de Richler en 1992, adopte la politique de «la terre contre la paix», qui culminera avec les accords d'Oslo et susci-tera l'espoir d'une résolution pacifique.

Mordecai et Florence se rendent d'abord en Égypte, où ils passent une semaine pendant laquelle l'estomac de Richler ne cesse de se rebeller[9]. À son arrivée en Israël, Richler perçoit tout de suite les tensions auxquelles sont confrontés en permanence les Israéliens. Conrad Black, le propriétaire du *Jerusalem Post*, demande qu'un employé du journal vienne chercher son ami à l'aéroport[10]. Dans la confusion de l'arrivée toutefois, ni le chauf-feur ni Richler ne songe à récupérer sa nouvelle machine à écrire électrique. Avant que celui-ci ne puisse prendre les arrangements nécessaires pour la récupérer, les forces de sécurité israéliennes, constamment sur le qui-vive, font exploser la machine à écrire. Black offre de la remplacer, mais Richler refuse en disant qu'en l'embellissant un peu, l'anecdote vaut plus que la machine elle-même[11]. Pendant le séjour de Richler en Israël, le *Post* rend hom-mage au dessinateur Noah Birzowski (alias Noah Bee). Dans l'un de ses dessins intitulé «Solutions finales», on aperçoit d'un côté des Juifs émaciés dans un camp de concentration et, de l'autre, un Juif qui épouse une non-Juive à l'Église. Sensible à cette polé-mique, et avec son épouse non-juive dans la pièce d'à côté,

Richler songe que le B'nai B'rith aurait sûrement accusé Bee de racisme s'il avait été catholique et qu'il avait fait un amalgame entre génocide et mariage mixte[12].

Lors de son premier séjour en Israël, en 1962, Richler n'avait pas cherché à reprendre contact avec le chef de son groupe Habonim, Ezra Lifshitz, et ses amis Gdalyah Wiseman et Sol et Fayge Cohen. Il décide cette fois-ci de leur rendre visite. Contents de leur sort, ces derniers adhèrent toujours au mouvement sioniste travailliste et accordent leur soutien aux initiatives de paix du Premier ministre Rabin, y compris la création d'un État palestinien. Lorsqu'il rend visite à des membres de sa famille éloignée – des orthodoxes, pour la plupart –, Richler recueille un point de vue complètement différent : ceux-ci craignent qu'en cédant des terres aux Palestiniens, Israël permettra aux terroristes de bénéficier d'une base plus puissante d'où lancer leurs attaques. Richler est parfois perturbé par ce qu'il voit. Chez les Juifs, il sent l'anxiété qui accompagne les tâches publiques les plus simples, dont la crainte que le sympathique collègue arabe ne soit en réalité un kamikaze. Chez les Palestiniens, il voit la destruction causée par l'armée israélienne.

Richler discute avec des hommes politiques et des citoyens ordinaires des quatre coins du pays et des deux côtés du fossé Israël/Palestine : il écoute leurs griefs, souvent légitimes, et note parfois des signes de fanatisme. Lors d'une entrevue avec Eliyakim Ha'etzni (un vétéran de Hébron/Kiryat Arba, la première colonie israélienne en Cisjordanie), un homme politique israélien intransigeant qui n'a aucun scrupule à utiliser la violence institutionnalisée contre les Palestiniens[13], Richler est confronté à un argument qui lui rappelle la position qu'il a lui-même adoptée dans *Le cavalier de Saint-Urbain* : « L'intérêt de l'État juif, c'est de nous permettre d'être comme les autres. Pourquoi doit-on prouver que nous sommes les meilleurs ? Nous avons été récompensés pour ça à Auschwitz. Je n'ai plus besoin d'être le meilleur[14]. » Richler n'hésite pas à signaler que Ha'etzni, en tant qu'avocat, agit au nom d'Arabes qui demandent de meilleures conditions en matière de santé et le droit à un salaire égal pour un travail égal. En même temps, il mentionne aussi que Ha'etzni parlait très fort pendant toute l'entrevue, ce qui lui donnait un air un peu dérangé. Si Richler reconnaît que les griefs des Palestiniens concernant la pauvreté et l'éviction forcée de leur propriété légitime sont fondés, il prend aussi la peine de mentionner le cas d'une veuve qui a refusé d'autoriser l'autopsie de son mari, victime d'une balle perdue des forces de sécurité, parce qu'elle «savait» que «les Juifs réutilisaient les parties du corps». En entendant l'anecdote, Richler songe immédiatement aux accusations de crimes rituels formulés par le passé à l'encontre des Juifs. À la fin de son séjour, la «guerre civile» canadienne, sans effusion de sang, lui manque terriblement[15].

Le reportage que Richler présente au *New Yorker* en mai 1993 est long, décousu et incomplet. S'il avait promis d'écrire sur les Juifs qui ont fait *aliyah*, il finit par insérer des passages historiques et autobiographiques. Je ne serais pas surpris, dit Richler aux éditeurs, si vous refusiez mon manuscrit. Loin d'être inquiet, il leur demande en quelque sorte de le rejeter, sachant très bien qu'il pourra en faire un livre en y mettant un peu plus de travail et en ajoutant l'une des histoires de golem du rabbin Rosenberg. Que l'ouvrage ait du potentiel ou non, il l'ignore[16].

Le résultat est intéressant. L'ouvrage fait alterner les récits de vie des anciens membres des Habonim avec des faits marquants de l'histoire du sionisme et d'Israël. Richler intègre également le point de vue d'Israéliens et de Palestiniens sur leur propre pays et ses propres anecdotes. Il raconte notamment qu'il avait lui aussi des plans pour faire *aliyah*, mais qu'il a fini par prendre conscience qu'il ne pourrait jamais être autre chose qu'un Juif de la diaspora. Tout au long de son récit, il prend soin d'éviter de faire la caricature de ceux avec qui il est en désaccord. Les passages les plus controversés ne sont pas les descriptions des atrocités commises par les deux factions, mais les parallèles qu'il établit entre les nationalistes palestiniens et les premiers sionistes; entre la rhétorique des terroristes palestiniens et celle des membres du groupe Stern, les terroristes des années 1940 qui dirigent maintenant le pays (Yitzhak Shamir, par exemple); entre les mères endeuillées des martyrs palestiniens et les grands-mères de la rue Saint-Urbain qui racontent la cruauté des Cosaques envers les Juifs. En faisant bien attention de laisser le rôle d'antisioniste sceptique à ce m'as-tu-vu de Jerry Greenfield,

Richler avance que s'il était lui-même un jeune Palestinien, il aimerait avoir le courage de se joindre aux lanceurs de pierres.

Parmi ses amis, les réactions sont mitigées. À l'exception de l'histoire du rabbin Rosenberg, Jack McClelland trouve l'ouvrage ennuyant et conseille à Richler d'ajouter la mention «pour Juifs seulement» sur la couverture[17]. Pressentant que ses positions seront considérées comme n'étant pas suffisamment sionistes, Richler dit: «[*This Year in Jerusalem*] risque de me faire perdre ce qu'il me restait de lecteurs au sein de l'establishment juif[18].» Les amis universitaires de Richler en Israël, Fayge et Sol Cohen, ne sont pas du même avis: ils estiment au contraire que le livre pourrait démentir sa réputation de «Juif antisémite» qui tente de «jeter le discrédit sur Israël[19]». Mais Zabam, l'éditeur israélien qui a acheté les droits pour *Gursky*, ne veut rien savoir de *This Year in Jerusalem*. Convaincus que les gens de l'extérieur ignorent tout d'Israël, les Israéliens n'achètent pas les livres écrits par des étrangers qui se permettent de leur faire la leçon[20].

La réaction de Sam Orbaum, un cousin de Richler qui travaille comme journaliste pour le *Jerusalem Post,* en dit long sur le lectorat israélien. Depuis l'adolescence, Orbaum a toujours voué une admiration sans bornes à Richler, même lorsqu'il suffisait de manifester un intérêt envers ce «*shegetz*[21]» pour irriter les parents, les oncles et les tantes. Orbaum s'organise pour que Richler se sente bien en Israël et, après son départ, il vérifie à sa demande certaines informations[22]. En dépit de son admiration pour Richler, Orbaum n'est pas impressionné par *This Year in Jerusalem.* Il estime que celui-ci n'en connaît pas suffisamment sur Israël pour se prononcer; qu'il n'a réussi, au cours de son voyage, qu'à se faire une idée superficielle de la situation et que son opinion est aussi celle de la grande majorité des gens qui visitent Israël: «Ils débitent tous les mêmes sottises... C'est comme si on leur avait donné une brochure à l'aéroport exposant un point de vue de VIP, celui des Nations Unies peut-être.» Après s'être entretenu avec toutes sortes de gens, Richler continue de prôner la création d'un État arabe démilitarisé. C'est une solution impossible, selon Orbaum, qui soutient qu'Israël est un modèle de démocratie occidentale dans une mer d'obscurantisme. Selon lui, il est «incroyablement stupide» d'analyser la situation en utilisant la logique occidentale, ce qui revient à « offrir de l'argent à un lion pour qu'il vous laisse tranquille[23] ». En Occident, de nombreux critiques juifs se plaignent également de son acerbité, de sa désinvolture ou de sa tendance à la comparaison[24] – ou, en d'autres mots, de « sa sympathie pour les Arabes ».

De retour chez lui, Richler subit les foudres de l'establishment juif montréalais pour avoir critiqué *La Liste de Schindler*, de Steven Spielberg. Dans les camps de concentration, les femmes juives ne portaient probablement pas de « crayon ou de fond de teint », hasarde-t-il. Il qualifie également de « bourde colossale » la scène dans laquelle ce qui a toutes les apparences d'un gazage se révèle n'être qu'une simple séance de douche collective[25]. Ces commentaires le placent dans le collimateur du rabbin Ira Grussgott et de Dan Nimrod. Le premier, le nouveau rabbin de la congrégation Shaar Hashomayim de Montréal, tente d'éloigner ses fidèles du conservatisme et de les guider vers l'orthodoxie. Le second, un ancien combattant de l'Irgoun, écrit, édite et publie le *Suburban*, un petit magazine juif imprimé à Dollard-des-Ormeaux, près de Montréal. Tandis que le rabbin se lance dans une virulente campagne verbale contre Richler[26], le journaliste s'en prend à lui par écrit. Si Spielberg a choisi de faire porter du crayon et du fond de teint aux femmes, il devait avoir ses raisons, souligne Nimrod[27].

Mais Grussgott ne va pas très loin : moins d'un an plus tard, la congrégation invite Richler à s'exprimer dans le cadre des Sternberg Lectures en échange de 6 500 dollars[28]. Il n'y a que des places debout, et tout le monde espère l'entendre s'exprimer sur le Québec et les lois linguistiques. Richler décide plutôt de lire des passages de son roman à paraître, *Le monde de Barney*, entre autres celui où le père de Barney meurt sur une table de massage après avoir éjaculé. Des membres du public quittent la salle. « Ça ne se fait pas de lire ce genre de choses dans une *shul* [synagogue], mais Richler a un côté très provocateur », raconte le rabbin Alan Langner, qui assiste à la conférence[29]. Langner n'aurait probablement pas apprécié de savoir que Richler, à qui Michael Levine avait demandé de donner une conférence à la Bishop Strachan School, l'école de sa fille, avait lu le même passage à un public composé d'un millier de jeunes filles de quinze ans[30]. Quant à Nimrod, il n'est pas particulièrement bouleversé d'apprendre qu'un partisan du Kach, le Dr Baruch Goldstein, a fait vingt-neuf victimes et plus d'une centaine de blessés parmi les fidèles de la mosquée Ibrahim, à Hébron. Au lieu de déplorer la mort de civils, Nimrod condamne la «moralité tordue» qui empêche les Israéliens de faire le nécessaire pour détruire leurs ennemis. Tandis que Nimrod exige un «Lebensraum» (un espace vital) pour les Juifs et accuse Yitzhak Rabin de faire le boulot des Nazis[31], Richler offre ses condoléances à son agent israélien pour ce «terrible revers qui compromet les perspectives de paix[32]».

~

À son retour d'Israël, la situation politique est toujours tendue au Québec. Richler joue un rôle actif – mais indirect – dans l'élection provinciale de 1994 et le référendum sur la souveraineté de 1995. Le Parti Égalité, qui n'avait jamais eu de véritable programme électoral à l'exception de la défense des droits des anglophones, se divise et finit par disparaître. Comme l'avait prévu Richler, le chef du parti, Robert Libman, propose sa candidature aux libéraux, qui la rejettent[33]. Richard Holden, l'ancien député du Parti Égalité pour qui Richler avait fait campagne, a une meilleure idée. N'a-t-il pas pleuré avec le Québec, cet Israël de l'Amérique du Nord, au moment de la crise suscitée par la parution d'*Oh Canada! Oh Québec!?* Holden se présente et réussit à être nommé candidat du PQ dans la circonscription de Verdun, un bastion libéral. Il préfère ne pas se représenter à Westmount et risquer que les anglophones se rappellent de lui.

Si le retour de Holden sur la scène politique en tant que candidat péquiste a de quoi choquer, il n'est pas si étrange d'un point de vue idéologique, estime Neil Cameron, ancien député du Parti Égalité. Au niveau fédéral, Holden est un conservateur et un partisan de Mulroney. À l'échelle provinciale toutefois, Holden, qui parle couramment français, est proche des vieux nationalistes francophones «bleus» comme l'ancien Premier ministre Daniel Johnson (père), de l'Union Nationale, et il a toujours manifesté une certaine sympathie pour les aspirations souverainistes des

Québécois. Richler ne s'est pas montré très doux avec Holden, après que celui-ci ait critiqué son article dans le *New Yorker*. Dans *Oh Canada!*, il a ajouté une phrase supplémentaire au passage de l'article dans lequel il parlait de lui : si Holden a un défaut, écrit-il, « c'est [de n'avoir] jamais rencontré de journaliste qu'il n'aimait pas flatter par une confidence juteuse, surtout s'il tenait là la chance de violer une confidence[34] ». Lorsqu'il repense à la campagne qu'il a menée en faveur de Holden, Richler a l'impression de s'être fait prendre pour un imbécile. On raconte qu'une fois, Holden est entré au Grumpy's Bar avec son air perpétuellement joyeux alors que Richler y lunchait. L'écrivain se serait discrètement retiré dans un coin plus tranquille, mais Holden, comme si de rien n'était, l'aurait apostrophé :

Mordecai! J'ai entendu dire que tu partais pour Israël!
— Qu'est-ce que tu en as à foutre ?
— Hé bien, je ne sais pas... Israël m'intéresse. On pourrait s'écrire.
— Ah bon, ils t'autorisent à écrire ?

Richler aurait ensuite quitté le bar, préparant sa vengeance.

Il trouve l'occasion de l'assouvir pendant la campagne électorale de 1994. Réchauffés par l'alcool, Richler, Terry Mosher et possiblement Nick Auf der Maur[35] décident de contribuer à leur manière à la campagne de Holden. Mosher dessine une caricature du candidat péquiste avec des chaussettes, des chaussures et un imperméable d'exhibitionniste. Holden, joufflu et souriant, ouvre son manteau pour montrer, là où devraient se trouver ses parties génitales, une fleur de lys maintenue en place par un string. « Boo! » dit-il. En faisant bien attention à ce que les caractères du texte anglais soient deux fois plus petits que ceux du texte français[36], Richler ajoute la mention suivante dans les deux langues : « Lorsque Diogène, les yeux éteints, partit à la recherche d'un homme honnête, sans nul doute cherchait-il Richard Holden. Optez pour l'intégrité. Votez pour Richard Holden. » Il engage deux adolescents pour distribuer les tracts dans la station de métro de Verdun le lendemain[37] et fait connaître son plan à la Gazette.

Les responsables électoraux ne trouvent pas cela très drôle et demandent aux policiers de surveiller la station de métro. Lorsque les auteurs du crime font leur apparition, les policiers tombent sur eux et saisissent les tracts[38]. La Direction des affaires juridiques invoque les articles 402 et 413 des lois électorales. En vertu de ces articles, les tracts sont considérés comme une dépense électorale et seul l'agent officiel d'un candidat peut faire de telles dépenses. Les amendes encourues vont de 100 à 1 000 dollars[39]. Si, d'après un journaliste, Richler a eu sa leçon[40], il n'a en réalité jamais payé d'amende. Plus les autorités le menacent d'engager une poursuite, plus Richler apprécie le jeu. Il est même déçu qu'il n'y ait pas de procès – « nous aurions organisé un bal », affirme Florence[41]. Même sans Diogène de Verdun, vaincu par le candidat libéral, le PQ est élu avec Jacques Parizeau à sa tête. Il semble que la confiscation des caricatures de Mosher n'ait pas suffi à faire pencher la balance en faveur de Holden.

Quelque temps après, le libraire John Mappin met en vente des copies signées du tract litigieux. L'avocat de Holden, Serge Sauvageau, menace de lui intenter un procès en diffamation[42]. Mappin accepte de régler l'affaire à l'amiable. Stupéfait, Richler dit à Holden : « Toi et Serge, vous avez provoqué le plus grand scandale du moment en poussant l'intrépide Mappin à abandonner parce qu'il faisait face à plus grand que lui[43]. » Fort de sa victoire, Holden estime que Mosher et Richler devraient eux aussi s'excuser. « Rien à foutre », dit Mosher[44]. Richler se montre à peine plus diplomate même si, techniquement, il finit par « s'excuser » : « Pour mémoire, je te fais de plates excuses pour avoir suggéré que tu manquais d'appétit avant, pendant ou après ton bref mandat comme représentant des citoyens de Westmount, défendant à tour de rôle la minorité anglophone et la collectivité tribale. Je préfère penser que, comme l'oncle Walt Whitman, tu es et demeures suffisamment complexe pour être pétri de contradictions[45]. » Par la suite, il arrive que Richler se retrouve à la même table que Holden[46]. En 1996 toutefois, il reçoit – de Holden ? – une ébauche de plainte pour diffamation, « Holden c. Richler *et al.* » On ignore s'il s'agit en réalité d'une invention de Richler (ce qui est improbable vu le langage employé), d'une farce de Holden (ce qui est peu probable puisqu'il n'a jamais fait d'autres farces du genre) ou encore (ce qui est plus probable) d'une tentative sérieuse, à la suite d'une menace de Richler, de l'empêcher de se moquer de lui dans l'un de ses romans :

2. Que le défendeur, qui affirme être un ami du demandeur, a écrit
et fait publier par le défendeur nnn un livre intitulé «zzz»
pour lequel il a créé un personnage nommé «xxx;
3. Que le défendeur a admis qu'il s'était inspiré de la personnalité
et du vécu du demandeur pour ledit xxx;
4. Que le défendeur, croyant – à tort – pouvoir éviter un procès en
diffamation,
a dépeint ledit xxx comme un homosexuel;
5. Que le défendeur assume avec arrogance qu'il peut impunément
écrire ou dire
n'importe quoi sur les gens – morts ou vivants – simplement parce
qu'il
romance et invente certains éléments pour masquer la vérité;
il s'agit là d'une tentative malveillante de calomnier et de nuire à la
réputation de
ceux qu'il utilise comme modèles pour ses personnages supposément fictifs.
6. Que le défendeur, partisan du principe du deux poids, deux
mesures,
a, en riant, exhorté le demandeur à le poursuivre pour
faire augmenter les ventes de son nouveau livre, zzz;
7. Que la présente n'a pas pour objectif de faire augmenter les
redevances
du défendeur, mais d'obtenir réparation pour le préjudice causé
par la représentation
fausse, calomnieuse et diffamatoire du demandeur dans le livre
intitulé zzz;

Le demandeur réclame un million de dollars de réparations
pour le préjudice subi[47]. Si un tel montant peut sembler élevé, il
n'est plus hors de portée de Richler, car ce dernier s'assure, à
chaque fois, que ses employeurs crachent le plus d'argent possible et il ne lésine pas sur les indemnités journalières, qui ne
sont pas imposables. Lorsque la BBC lui confie une mission et
lui propose trente livres par jour pour ses dépenses, il renchérit
et exige qu'on lui donne soixante-et-onze livres par jour pendant
deux semaines : « Si j'étais l'un de ces horribles végétariens… Je
pourrais peut-être me débrouiller avec ce montant. Mais je suis
un maudit carnivore. Je n'ai jamais rencontré un cochon qui
n'ait pas meilleure mine sous forme de bacon… Voyez les choses
de cette façon : pour trente livres par jour, soit le prix du bonnet

de nuit Babycham le plus abordable, vous aurez un écrivain déplaisant et peu accommodant.» Un écrivain qui, jure Richler, n'hésitera pas à aller parader devant la Broadcasting House, le siège de la BBC à Londres, avec une pancarte proclamant: «La BBC m'a fait venir à Londres. Maintenant, nourrissez-moi[48].»

En réalité, Richler vit bien au-dessus du seuil de la pauvreté. En 1993, il a déjà acquis trois propriétés: son appartement de luxe à Montréal, sa maison du lac Memphrémagog (évaluée à 548 000 dollars)[49] et un autre appartement à Londres, où Florence et lui passent chaque année les six mois d'hiver[50] pour rendre visite à Emma (et éventuellement à Martha) et profiter de la vie culturelle londonienne. Florence se passionne en effet pour les ballets et les opéras. S'il n'en tenait qu'à elle, ils resteraient toute l'année à Londres.

Quelque temps avoir acheté l'appartement de Londres, Richler aide Jack Rabinovitch à créer un prix en l'honneur de sa défunte épouse, la journaliste littéraire Doris Giller. D'une valeur de 25 000 dollars, le Prix Giller est le plus généreux prix littéraire canadien. Les entreprises de Richler n'ont cependant pas toutes un caractère philanthropique. Pour aider la journaliste Stevie Cameron à écrire le controversé *On the Take: Crime, Corruption and Greed in the Mulroney Years*, Richler, attentif à ce qui se passe autour de lui, lui donne un aperçu des alliances politiques et lui indique où trouver les informations compromettantes[51]. Dans *Saturday Night*, un magazine qui appartient à Conrad Black, il donne également son appréciation du règne de Mulroney dans un article intitulé «Hail Brian and Farewell», qui fait le procès quasi objectif du PDG du Canada. Si de nombreux Canadiens blâment Mulroney pour l'Accord de libre-échange et la taxe sur les produits et services, Richler n'a rien à redire là-dessus: c'est l'argent versé par Mulroney à ses alliés et l'opération de séduction menée auprès des nationalistes québécois à Meech et Charlottetown qui l'irritent. Comme Richler le découvrira plus tard, Mulroney a encore assez d'influence pour convaincre l'associé de Black, Peter White, de lui montrer l'article avant sa publication. Il demande même à White de supprimer certains passages, mais celui-ci, sur ce point au moins, demeure ferme. Heureusement, car l'article comprend l'une des phrases les plus drôles et les plus justes jamais écrites au sujet d'un homme politique canadien : « Tous les politiciens mentent, mais peu le font aussi souvent ou aussi agréablement que votre dévoué Brian Mulroney, qui a menti même lorsque ce n'était pas nécessaire, juste pour ne pas perdre la main. Chaque fois qu'il était sur le point de raconter l'un de ses mensonges, sa voix descendait aussi bas que ses Gucci et le trahissait[52]. » Même si, d'un point de vue idéologique, Richler a beaucoup en commun avec les conservateurs, il est en partie responsable de l'infamie qui est retombée sur eux après le départ de Mulroney.

En 1994, Richler décide d'abandonner Penguin Books et de signer avec Knopf. Il n'a probablement pas apprécié que Penguin ait refusé de publier *This Year in Jerusalem* alors que tout le monde prévoyait qu'il se vendrait bien. Il s'attendait probablement à obtenir davantage de soutien de la part de son éditeur, même pour un livre moins volumineux que les précédents. Réchauffé par l'alcool, il écrit une lettre d'excuses à l'éditrice Cynthia Good – une lettre qu'il n'a peut-être jamais envoyée :

> l'année dernière, espérant simplifier ma vife durant mes anénes de déclin, j'ai envisagé deux options de publication. Tt déménager chez viking
> ou knopf. et j'ai choisi knopf… j'avaisespéré
> espéerz que nous irs ensemble à lodnres et que je srais capble de te parler
> de cette décision…
> on a eu une bonne aventure ensemble
> y'a rien de eprsonnel dans cette histoire, et j'espère qu'on restera amis,
> et qu'on pourra rencontrer fordrinsk quand je srai à tronot à la mi-jn. on a
> fait trois livres pultôt bien ensembel et je veux en rester là,
> et tu recevras bientô t jacob deux-deux sur lequel je suis entarin de travailler
> et que j'espere te remttre à la fin juin. Te retournerai mon avance de 50, 000 dolalrs d'ici la fin du mois [*sic*][53].

Tel que promis, Richler travaille sur son troisième «Jacob», intitulé *Jacob Two-Two First Spy Case*, qu'il termine à la fin de l'été 1994[54]. Le résultat est bien meilleur que *Jacob Deux-Deux et le Dinosaure*. Si l'auteur n'est pas prêt à mettre beaucoup d'efforts dans ses livres pour enfants, il réussit tout de même à y introduire assez de satire (il se moque parfois de lui-même, notamment lorsqu'il parle de la balade dans son ancien quartier qu'il impose à ses enfants et que Noah appelle le «Daddy's Hard Times Tour»)[55] pour rendre le livre intéressant et remporter le prix M. Christie pour le meilleur livre anglais pour les enfants âgés de huit à onze ans. Cette fois-ci, il oppose Jacob à M. Greedyguts, le directeur d'une école élitiste qui, pour se venger des coups de pied qu'il reçoit, force les enfants à manger de la nourriture infecte à la cafétéria de l'école. Richler estime que les enfants ont le droit à des aliments de qualité au même titre que les adultes. Les élèves qui se comportent mal sont contraints de manger des frites ramollies et autres abominations culinaires. Le conflit avec le directeur s'inspire de problèmes qu'aurait eus Jacob Richler, lorsqu'il était adolescent, avec la direction de son école au sujet d'un acte de vandalisme et, de manière générale, de son manque de respect habituel. Lorsqu'on lui demande pourquoi la loi est aussi dure envers Jacob Deux-Deux, Richler répond : «Je me suis fait prendre à voler quand j'avais douze ans[56].» En réalité, il s'inspire des frasques de son fils. Puisque Jacob n'y est pas trop sensible, il peut se permettre d'exploiter certaines anecdotes. «Si je croyais qu'il n'apprécierait pas que je les utilise, je laisserais tomber», raconte Richler. «Mais il s'en fout, alors pourquoi ne pas les exploiter?»

Si la loi est si dure envers les enfants dans les livres de Richler, c'est aussi parce qu'il est facile d'écrire une histoire avec ce genre de scénario. Bien entendu, ses derniers romans pour adultes traitent de conflits beaucoup plus complexes. Pour justifier la simplicité de ses livres pour enfants, Richler invoque des raisons psychologiques : il affirme en effet que les enfants aiment le fait que les adultes soient dépeints comme des êtres avides et méchants parce qu'ils sont des figures d'autorité et qu'ils leur font peur[57]. Dans *Jacob Two-Two First Spy Case*, les adultes ont tendance à prêcher l'abstinence et la modération tout en savourant les plaisirs qu'ils interdisent aux enfants[58]. Le résultat est à la fois drôle et criant de vérité. Mais la logique de Richler n'explique pas pourquoi les enfants ne peuvent pas goûter aux plaisirs que s'offrent les adultes. En ce sens, on pourrait établir un parallèle entre la littérature pour enfants de Richler et un livre comme *Un cas de taille*, qui se moque à la fois de la répression et de l'indulgence. Dans les deux cas, on peut facilement deviner ce que l'auteur critique, mais pas ce qu'il défend (à l'exception du petit Jacob).

Malgré tout, la légèreté de la satire de Richler empêche le lecteur de s'attarder à de tels questionnements et atténue le caractère sérieux de l'univers de *Jacob Deux-Deux*. Par ailleurs, Richler se moque de certains des aspects les plus mièvres de la littérature pour enfants. L'un des méchants, Leo Louse, conserve quelques souvenirs ayant une valeur sentimentale : une photo de la méchante sorcière du Nord, injustement assassinée par Dorothée[59] ; l'authentique fouet utilisé pour battre le paresseux Black Beauty ; et le fusil qui a été pointé sur Bambi. Ce genre de railleries peut être apprécié tant par les adultes que par les enfants. Il se moque aussi un peu de lui-même lorsqu'il fait dire au père de Jacob : « Je viens ici tous les matins et je lance ces lettres dans les airs. Lorsqu'elles retombent, je les trie et ça me permet d'obtenir suffisamment d'argent pour acheter des hot-dogs, des skis de fond, de la crème glacée, des roses rouges pour maman et parfois même, lorsque j'ai de la chance, une bouteille de whisky single malt décent[60]... »

27

Le bourgeois malfaisant

Hormis quelques blagues, *Oh Canada!* et *This Year in Jerusalem* sont des ouvrages sérieux. De manière personnelle toutefois, Richler oriente sa vie dans la direction suggérée par *Jacob Two-Two First Spy Case* et *Gursky*, de sorte qu'il glisse vers le «toujours moins sérieux». Il a d'ailleurs commencé à endosser un rôle de méchant. Lorsque l'un des traducteurs de *Solomon Gursky Was Here* lui envoie une série de questions à propos du roman, il répond directement et précise ce qu'il a voulu dire, entre autres, par «Montreal Piss Quick». Mais bientôt, il change d'avis et adopte un autre ton :

> «Winnebagos à plat». Que signifie l'adjectif «à plat dans ce contexte»?
> exactement ce que c'est
> une ligue de basketball pour filles exhibant leurs seins à travers leurs chandails mouillés et dans laquelle il détenait les droits des Miami Jigglers'.
> Ça pourrait tout autant être du Chinois pour moi.
> J'ai bien peur, très peur – c'est comme du Chinois pour toi – pense plus fort.
> … «la future Madame d'âge moyen qui exhibe son sexe». Je ne comprends pas ça.
> Oh, voyons. Comprends-tu vraiment l'anglais?
> Qu'est-ce que «le Corgi»?
> Je vais te donner un indice. «Woof, woof, woof!»

Où est « Vail » ?

Trouve-le toi-même.

… « Le garçon avec deux boutons au ventre : tout le monde a l'air de ça

en sortant d'une piscine

(?) Je ne comprends pas.

Au Canada, le pénis d'un garçon tend à rétrécir lorsqu'il sort de l'eau.

À

[___] ça doit être différent[1]. »

La plupart des questions du traducteur sont légitimes. Lorsqu'on la compare à celle de nombreux autres écrivains, l'œuvre de Richler est bourrée de détails, de noms de marques commerciales et d'expressions idiomatiques. Si ces éléments enrichissent son œuvre, ils posent aussi beaucoup de difficultés aux traducteurs.

Richler a toujours été un correspondant prolifique, souvent plein d'esprit. Une fois, dans une lettre, il se fait passer pour une « thématicienne » de vingt-deux ans qui veut se prouver à elle-même qu'elle peut « faire mieux que remporter des concours de beauté » et souhaite rencontrer Brian Moore au sujet de la « Conférence historique des écrivains du gâteau de foie de volaille de 1956 » qui s'est apparemment tenue à Cagnes-sur-Mer[2]. Avec l'invention du télécopieur, Richler réalise qu'il peut se passer de raisons semi-formelles pour écrire à ses amis et se contenter de leur transmettre des pseudo-informations dans le simple but de les amuser. Il sait aussi qu'ils recevront aussitôt son message et le divertiront peut-être en retour le même jour. Lorsque son fils Jacob entreprend un stage au magazine *Saturday Night*, Richler envoie à son attention un fax portant la mention « PRIVÉ ET CONFIDENTIEL » dans lequel il remercie Jacob pour les timbres qu'il lui a obtenus à moitié prix. Il lui écrit aussi de ne pas s'inquiéter au sujet de ses rougeurs – celles-ci sont pro-bablement bénignes –, mais lui suggère de porter des gants au bureau jusqu'à ce qu'il ait l'occasion de se faire examiner[3].

Si Richler se moque de rougeurs imaginaires, il se montre tout aussi insouciant face aux risques que sa consommation d'alcool et de cigares fait peser sur sa santé. Pendant des années, Richler rencontre Jack Rabinovitch, Peter Gzowski et d'autres tous les derniers vendredis du mois pour un «déjeuner de prières» (en général) à la Bregman's Bakery de Toronto où, malgré les protestations des serveurs, il allume ses cigares n'importe où[4]. À l'époque de son soixantième anniversaire, en 1991, il décide d'arrêter de fumer après une fausse alerte : les médecins ont en effet remarqué une tumeur à la vessie, heureusement bénigne. Il réussit à ne pas fumer pendant environ un an[5]. Lorsqu'il annonce qu'il a une tumeur au caricaturiste Terry Mosher, celui-ci réagit avec désinvolture et tente de faire rire son ami[6]. Craignant d'avoir eu l'air insensible, il présente ses excuses à Richler peu de temps après en lui expliquant qu'il cherchait probablement à masquer ses propres peurs[7]. Il n'y a pas de mal, lui faxe Richler en retour, «mais sache que mon nouveau roman met en vedette un petit caricaturiste exubérant – un joueur de baseball raté – qui s'enfuie vers Toronto par la 401 lorsque sa charmante épouse découvre qu'il est pédé. Je l'ai nommé Merry Tosher[8].»

Richler aime beaucoup échanger des fax avec ceux qui ont autant de répartie que lui, dont Guy Vanderhaeghe. Alors qu'il agit comme intermédiaire auprès d'une ministre du culte de l'Église unie qui tente d'organiser une représentation de *Jacob Deux-Deux et le Vampire masqué*, Vanderhaeghe reçoit des fax dans lesquels Richler fait des blagues de mauvais goût au sujet de la ministre. En réponse, Vanderhaeghe l'informe que des féministes de l'Église unie ont lancé une fatwa contre lui et que plusieurs d'entre elles se sont portées volontaires pour s'enrouler des explosifs autour de la taille et servir de kamikazes. Il ajoute : «Si une femme qui a l'air d'être enceinte s'approche de toi, jette-la par terre et tire-toi de là au plus vite[9].» Lorsqu'une libraire de la Saskatchewan demande à Richler de lui envoyer un livre dédicacé pour une vente aux enchères au profit d'une œuvre caritative, celui-ci transmet le message suivant à Vanderhaeghe : «Chère Madame, J'étais sur le point de vous envoyer un livre dédicacé, signé et tout, mais lorsque j'ai contacté Guy Vanderhaeghe, mon expert de la Saskatchewan, il m'a appris que vous étiez une nymphomane notoire et que vous vous tapiez des collégiens derrière les rayons.» Après avoir également mentionné son implication dans le trafic de drogues et sa dépendance à la cocaïne, Richler signe : «Un père outré, Mordecai

Richler.» «Copie à Guy Vanderhaeghe[10]». Vanderhaeghe répond qu'une libraire indignée lui a téléphoné : «J'ai dû lui expliquer que c'était l'idée que se faisait M. Richler d'une blague. Après un temps de réflexion, elle m'a demandé si je pensais que ta lettre était un appel à l'aide déguisé, un cri de détresse qui jaillit du vide d'une existence sacrifiée à la bonne entente avec des producteurs de films et des starlettes capables de sucer des queues en moins de temps qu'il ne faut pour dire Jiminy Cricket. Je lui ai dit que je n'avais jamais rencontré quelqu'un d'aussi perspicace.» Vanderhaeghe, qui a lu *Un cas de taille* et se souvient bien du personnage de Mlle Ryerson, informe Richler que la libraire en question est en route pour Londres et qu'elle a décidé de venir passer dix-neuf jours chez lui. Il ajoute qu'elle n'est plus toute jeune et qu'elle utilise un déambulateur pour se déplacer[11].

En 1995, l'ancien rédacteur du magazine *Saturday Night*, John Fraser, à qui Richler avait envoyé un fax adressé à «Joe Fraser, rédacteur en chef provisoire» pour le féliciter de sa nomination[12], devient directeur du Massey College de l'université de Toronto. Richler lui garantit une ambiance de travail chaleureuse en faisant parvenir à sa secrétaire le fax suivant : «Cher John, J'imagine que vos nouvelles fonctions à titre de directeur du collège ne vous empêcheront pas de continuer à être le distributeur de coke, de smack et autres friandises hallucinogènes pour notre groupe sur le campus. Quant à votre demande concernant les trois filles que vous voulez placer au bordel de Madame Seymour, dans le quartier de Belgravia, nous ne pouvons y donner suite à moins que vous ne nous soumettiez d'autres photos d'elles nues. Celles que vous avez envoyées étaient floues… Sincèrement, Mordecai Richler. P. S. Je suis désolé de vous informer que, jusqu'à présent, nous n'avons pas été capables de trouver un seul client intéressé à se procurer des pièces d'argenterie à l'effigie du collège. Sachez cependant que nous n'avons pas abandonné pour autant.» Et ainsi de suite. Lorsque Fraser propose à Richler le poste d'écrivain résident au Massey College, celui-ci le remercie mais se dit troublé par la demande de Fraser de lui verser 20 p. cent de son salaire en espèces[13].

Dans les mois précédant le référendum du 30 octobre 1995 au Québec, ou le référendum sur la souveraineté-association (ou « Référendum II, la suite », comme Richler l'appelle), Richler monte aux barricades contre le séparatisme. Il est déjà sur place lorsque Bernard Landry décide de visiter Londres au début de 1995. Grâce à un contact au bureau des affaires étrangères britannique, Richler apprend que Landry a demandé à rencontrer « son... hum... homologue », le ministre des Affaires étrangères Douglas Hurd. Hurd n'ignore pas qu'il risque de provoquer le Canada en acceptant de rencontrer Landry comme si le Québec était indépendant. Il dépêche donc l'un de ses subordonnés. Espérant causer du tort à Landry, Richler tente de se faire inviter – en vain[14].

À l'approche du référendum, Richler rappelle à ses lecteurs la sagesse et le sens de la répartie de Pierre Bourgault, le conseiller spécial en communication de Parizeau. Bourgault avait déjà dit qu'un gouvernement indépendant pourrait être contraint d'exercer un certain contrôle des médias. Il avait également évoqué la possibilité d'une guerre civile si les anglophones entravaient la volonté de la majorité en votant « non[15] ». Si la menace implicite irrite Richler, il partage l'analyse de Bourgault et craint qu'un vote serré n'entraîne une réaction enflammée des perdants[16]. Si le clan du « non » l'emporte, les nationalistes seront dépités, en particulier les jeunes, qui risquent de désespérer de la démocratie et opter pour l'action directe[17]. Dans l'éventualité d'une victoire du « oui », Richler prédit (de manière plutôt absurde) que le reste du Canada n'autorisera pas le nouveau Premier ministre Jean Chrétien à négocier avec sa province natale et qu'il demandera plutôt à quelqu'un d'autre de le faire. Ce rôle pourrait être confié à Preston Manning, le chef du Parti réformiste, qui risquerait de se montrer beaucoup moins flexible[18].

Dans plusieurs articles, Richler fait remarquer que le Québec devra s'acquitter de sa part de la dette fédérale – soit 22 p. cent du total – s'il décide de faire bande à part. Il souligne également que 16 000 fonctionnaires fédéraux québécois viendront frapper à la porte de la nouvelle nation dès le 31 octobre pour quémander un emploi si le « oui » l'emporte. Par ailleurs, il se moque du PQ qui affirme que le Québec, même s'il devient indépendant, conservera la monnaie et le passeport canadien. Si Parizeau souhaite envoyer des Québécois à Ottawa pour représenter le nouveau pays au sein d'un Parlement canadien commun, Richler ne s'y opposera pas. Il suggère d'appeler le Parlement commun «C__a» et d'envoyer soixante-quinze représentants québécois. Puisque rien ne changera, Richler annonce qu'il a l'intention de voter «oui» au référendum[19]. Une victoire du «oui» provoquerait évidemment beaucoup de changements et Richler, à d'autres occasions, critique les dirigeants indépendantistes qui ne détrompent pas les 25 à 30 p. cent de Québécois qui assument que le Québec continuera d'envoyer des députés à Ottawa[20].

La question référendaire est un chef-d'œuvre de complexité. Au lieu de formuler une question directe – «Acceptez-vous que le Québec devienne indépendant?» ou «Acceptez-vous que le Québec devienne souverain?» –, le PQ tente de rallier tout le monde en incluant une promesse de partenariat pour ceux qui ont des craintes à propos de l'indépendance et une mystérieuse référence au projet de loi accordant le pouvoir au gouvernement québécois. La question se lit ainsi: «Acceptez-vous que le Québec devienne souverain après avoir offert formellement au Canada un nouveau partenariat économique et politique, dans le cadre du projet de loi sur l'avenir du Québec et de l'entente signée le 12 juin 1995?» On est loin du langage direct utilisé dans le projet de loi 1, ou projet de loi sur l'avenir du Québec – un projet de loi que peu de Québécois ont lu, mais qui annonce: «Nous, peuple du Québec, affirmons notre volonté de détenir la plénitude des pouvoirs d'un État: voter toutes nos lois, prélever tous nos impôts…» Amusé par les tentatives du PQ de «vendre» le référendum aux plus sceptiques, Richler décide de composer ses propres questions. Pour satisfaire les exigences du PQ, qui souhaite, dans le même temps, intégrer le terme controversé de «souveraineté» et convaincre les Québécois modérés de mettre de côté leurs craintes, Richler propose la question suivante:

> Êtes-vous d'accord pour doubler les pensions de vieillesse, gagner à la 6/49, profiter annuellement de vacances payées en Floride et, ah oui, faire l'indépendance du Québec. Répondez par oui ou non.

Et puisque le PQ ne semble pas savoir ce qu'il entend exactement par «souveraineté», Richler fait une seconde proposition:

> Êtes-vous d'accord pour réaliser une union économique et politique avec le Canada, partager une armée, une poste, des tempêtes de neige, une dette nationale, etc. tout en acceptant que le Québec soit une société distincte et qu'il puisse, à partir de maintenant, se considérer comme hémi-semi-demi souverain au moins pendant le traditionnel Happy Hour montréalais. Répondez par oui, non ou peut-être[21].

Richler est consterné par l'inefficacité de la campagne du gouvernement fédéral contre le séparatisme. D'après lui, Chrétien est un raté, la campagne télévisée fédéraliste n'est pas assez agressive et les députés du Parti réformiste n'ont réussi qu'à se ridiculiser en entonnant l'hymne national canadien au Parlement. Seul Jean Charest, le fougueux chef du Parti progressiste-conservateur, use de son intelligence pour faire avancer le débat. Richler tourne en dérision les menaces que Bernard Landry adresse à Washington lorsqu'il affirme que les Québécois seront furieux si les États-Unis osent défendre l'unité canadienne. Cinq jours avant le vote, Richler est témoin d'une scène qui le trouble profondément: pendant un grand rassemblement pour le «oui» organisé à Verdun, une jeune femme, les yeux fermés, embrasse à plusieurs reprises le drapeau du Québec en écoutant le discours de Lucien Bouchard. Une nouvelle religion, songe Richler. S'il avait prédit, trois semaines avant le référendum, un résultat de 43 p. cent contre 57 p. cent pour le clan du non, il réalise, deux jours avant la date fatidique, que l'issue du vote risque d'être plus serrée[22].

Le fédéralisme finit par l'emporter de justesse avec 50,6 p. cent des voix contre 49,4 p. cent. La victoire n'est pas d'un grand réconfort pour Richler. Puisque les anglophones votent avec leurs pieds en quittant la province, les séparatistes finiront, selon lui, par obtenir l'indépendance[23]. Les propos de Parizeau, qui, abattu, blâme «l'argent et le vote ethnique» pour la défaite du «oui», lui donnent cependant raison. Si Richler avait toujours affirmé que le nationalisme québécois avait quelque chose de tribal, il en a enfin la preuve[24]. Avec un résultat aussi serré, certains commentateurs pensent que l'intervention de Richler a permis, en quelque sorte, de sauver le Canada[25]. John Fraser estime qu'il a affaibli le pouvoir intellectuel des séparatistes québécois et qu'«il leur a volé la pureté de leur vertu[26]». Pourtant, puisqu'il dérange aussi les Québécois modérés, son nouveau rôle en tant que Capitaine Canuck est clairement ambivalent. S'il s'oppose à l'indépendance du Québec, il n'offre pas non plus de vision articulée d'un Canada dans lequel anglophones et francophones pourraient se côtoyer. Pas étonnant que Richler n'ait pas été invité, quelques mois après le référendum, au dîner organisé à l'ambassade canadienne à l'occasion de l'événement littéraire Les belles étrangères et auquel sont conviés cent écrivains du Québec. J'étais peut-être le 101e sur la liste, hasarde Richler[27]. Alberto Manguel et Mavis Gallant quittent la fête pour protester contre l'exclusion de Richler, mais personne ne suit leur exemple[28].

∼

Dans le commentaire de Parizeau au sujet du vote ethnique, Richler voit l'occasion d'une nouvelle satire. Puisqu'au Québec, tout semble être fait pour les Québécois francophones, pure laine, établis depuis longtemps dans la Belle Province, Richler et ses amis décident de créer une sorte de jumeau de la très nationaliste Société Saint-Jean-Baptiste : la Société impure laine. Celle-ci remettrait annuellement le «Prix Parizeau», nommé en l'honneur du grand homme, à un romancier anglophone d'origine ethnique ou à un Québécois «impure laine». Richler investit un peu d'argent et demande une contribution à certains de ses amis, notamment l'avocat Michael Levine, le magnat de la télévision Moses Znaimer et l'éditeur de McClelland & Stewart, Avie Bennett. «C'est le moment du Prix Parizeau», annonce Richler, «laissez tout tomber et sortez votre chéquier, svp[29].» En tant que coup médiatique – c'était son intention première –, le Prix Parizeau réussit son pari. Il frappe l'imagination de journalistes et de rédacteurs des quatre coins du pays, mais aussi celle de certains francophones : des fédéralistes qui ont de la difficulté à enseigner aux Québécois les joies du patriotisme et des séparatistes qui considèrent le prix comme une autre humiliation infligée par le Conquérant anglais[30]. Professeur de philosophie et vice-président du Mouvement souverainiste du Québec, Gilles

Rhéaume, qui a lui-même une certaine expérience des coups médiatiques, annonce son intention d'amener Richler devant la Commission des droits de l'homme du Québec pour violation de l'article 10 de la Charte des droits et libertés. L'article 10 interdit en effet d'accorder une préférence, quelle qu'elle soit, à une langue ou une origine ethnique[31]. Rhéaume n'explique cependant pas pourquoi la loi 178 n'est pas conforme aux dispositions de la Charte et accorde la préférence au français aux dépens de l'anglais. « Nous ne sommes plus les nègres blancs d'Amérique », insiste Rhéaume, ajoutant que les règles d'attribution du Prix Parizeau sont aussi racistes que des swastikas dans un cimetière juif[32]. Sa colère s'explique notamment par le fait que Richler s'était moqué de lui dans *Oh Canada!* pour avoir parcouru à pied la distance entre Montréal et Québec dans le but de protester contre la mise en veilleuse du projet de souveraineté par René Lévesque et le PQ. Rhéaume avait alors déclaré qu'il pisserait sur la statue du général James Wolfe. Arrivée devant la statue, il a lui aussi hésité et prié ses sympathisants de considérer la chose faite – symboliquement du moins[33].

La Commission des droits de l'homme refuse de donner suite à la plainte de Rhéaume au sujet du Prix Parizeau, estimant qu'il n'existe aucune preuve permettant d'affirmer que Richler appliquera les règles en question. Rhéaume accueille la nouvelle comme s'il s'agissait d'une victoire et prévient Richler qu'il ferait mieux de se rétracter s'il ne veut pas avoir des problèmes avec la Commission des droits de l'homme[34]. Richler fait peu de cas de ses avertissements et décide d'aller de l'avant en soulignant le fait que les écrivains francophones de sexe masculin ne sont pas éligibles au Prix Orange britannique (réservé aux écrivaines de langue anglaise) et qu'il a lui-même été victime de discrimination lorsqu'on a refusé sa candidature au Concours Miss Italia de Toronto. Il avait pourtant envoyé aux organisateurs une photo osée de lui dans ses « sous-vêtements Ralph Klein », ajoute-t-il[35].

La cérémonie de remise du Prix Parizeau offre à Richler une autre tribune pour se moquer des situations absurdes qu'engendrent les lois linguistiques québécoises. On y parle davantage de politique que de littérature. Dans son discours inaugural, en 1996, Richler aborde ce qu'il appelle le « Matzohgate ». Plus tôt cette année-là, des enquêteurs de l'Office québécois de la langue française sont entrés dans des magasins offrant des spécialités pour la Pâques juive et ont saisi les denrées qui n'étaient pas étiquetées en français – c'est-à-dire presque toutes. Il semble que les entreprises alimentaires (américaines, pour la plupart) n'aient pas jugé que la taille du marché justifie les coûts supplémentaires pour l'étiquetage en français. Le Congrès juif canadien (CJC) prend la défense les entreprises alimentaires et le gouvernement péquiste, dans sa grande magnanimité, autorise la vente de produits alimentaires spécialisés unilingues quarante jours avant et vingt jours après la Pâques juive. La nourriture cachère consommée toute l'année doit cependant être étiquetée en français[36]. Richler rapporte l'événement dans le discours d'ouverture de la cérémonie de remise du Prix Parizeau. L'héroïne est interdite toute l'année, mais « les Juifs, ces petits veinards » ont le droit de manger des *matzohs* unilingues pendant soixante jours, ironise-t-il. Et les Juifs suffisamment courageux pour tirer les rideaux et grignoter un *matzoh* le 61ᵉ jour peuvent se sentir des affinités avec les *Conversos* espagnols, ces Juifs qui continuaient de pratiquer leur religion en secret après s'être convertis au catholicisme sous la pression de l'Inquisition[37].

En tant que prix littéraire cependant, le Prix Parizeau est un fiasco. Dans une lettre rédigée à l'attention des éditeurs, Richler écrit : « Bonne nouvelle ! La nouvelle Société impure laine du Québec est fière de vous annoncer la création du Prix Parizeau, un tout récent prix littéraire d'une valeur de 3 000 dollars[38]. » Le gagnant reçoit également une caricature de Parizeau dessinée par Terry Mosher. Les éditeurs, réticents à s'aliéner les Québécois, ne sont pas particulièrement enthousiastes. Malgré la centaine de formulaires de participation distribuée aux maisons d'édition pour la seconde édition, les candidatures mettent plusieurs semaines à arriver et se comptent sur les doigts d'une main[39]. Parmi les quatre romans éventuellement proposés[40], *Ice In Dark Water*, de David Manicom, remporte finalement le prix. À la cérémonie de remise, Richler s'excuse du fait que Parizeau n'ait pu être présent. Il remercie les conseillers juridiques du Prix Parizeau, qui ont préféré garder l'anonymat, et les généreux bailleurs de fonds, qui ont eux aussi préféré garder l'anonymat[41].

28

Absolut Barney

POUR FAIRE OUBLIER à Cynthia Good qu'il a décidé de ne plus publier ses romans chez elle, Richler propose à Penguin un livre sur les grandes querelles littéraires[1]. Il demande à Emma de faire les recherches nécessaires et[2], pendant les quatre années suivantes, il envoie, une fois l'an, un fax à Good pour l'informer qu'il prévoit terminer le livre au cours de l'année à venir[3]. Il ne l'achèvera jamais. À l'époque, il est trop occupé à rédiger *Le monde de Barney*. Dans ses romans précédents, Richler avait tendance à mettre en scène des hommes d'âge mûr qui redoutent la vieillesse et la mort. Cette fois, il se met enfin dans la peau d'un vieil homme arrivé à la fin de sa vie. Si Richler aborde rarement le sujet de la mort[4], même avec Florence, il exprime ses préoccupations à ce propos dans *Le monde de Barney*, dans lequel un Barney Panofsky vieillissant fait le point sur sa vie, de ses années de jeunesse à Paris à sa réussite en tant que producteur de camelote télévisée. Il ne regrette qu'une chose, à savoir que sa troisième femme, Miriam, l'ait quitté. Après avoir mis la dernière main à *Gursky*, Richler avait considéré, une fois de plus, la possibilité d'écrire une suite à Duddy. Bien que Kotcheff et Richard Dreyfuss l'aient encouragé à le faire[5], Richler s'est rendu compte qu'écrire un roman qui n'a rien à voir avec Duddy lui permettrait de se faire connaître auprès d'un public plus vaste. Au début des années 1960, Richler avait admis que le seul personnage qui l'intéressait encore dans son premier roman, *The Acrobats,* était l'homme d'affaires Barney Larkin[6]. Si Larkin était surtout une figure ridicule, une sorte de revanche contre le mépris affiché par son oncle Joe à l'égard de Moe, Richler avait vaguement compris, dès 1952, que la coexistence entre un homme d'affaires et des bohèmes offrait des possibilités dramatiques et il avait donné à Barney une solidité humaine qui faisait défaut aux autres « acrobates » – ces créatures issues du romantisme juvénile de Richler. S'il décide de modifier le nom du personnage – Larkin devient Panofsky – et le décor – Ibiza devient Paris –, au fond, Barney reste le même : un Juif anxieux, non assimilé, pathétiquement reconnaissant d'être autorisé à frayer avec des artistes. Lorsque Richler jauge les artistes à l'aune de cet homme bouillonnant, il a l'impression qu'il leur manque quelque chose.

En l'espace de trois ans, Richler termine *Le monde de Barney*[7]. Sur le plan de la structure, le roman est beaucoup plus simple que *Gursky* : Barney se remémore les événements marquants de sa vie, dont le fait qu'on l'a accusé du meurtre de son ami Boogie. Ce n'est qu'après le décès de Barney qu'on apprend les circonstances plutôt exceptionnelles de la disparition de Boogie. À certains moments, Richler semble adopter un ton mordant et menacer de redevenir l'homme d'hier, en attaquant ses cibles habituelles : le féminisme radical, le défilé de la fierté gay, la rectitude raciale, le végétarisme et les lois anti-tabac. Contrairement à Atwood (et à des satiristes contemporains comme Russell Smith ou Edward Riche), Richler ne cherche pas à placer ses critiques dans la bouche d'un narrateur auquel on prête une intention ironique. *Le monde de Barney* présente pourtant le même luxe de détails et les mêmes missiles satiriques que tous les autres grands romans de Richler, et les digressions qu'il fait pour illustrer la progression de la maladie d'Alzheimer donnent au roman une grande profondeur émotionnelle.

Dans une entrevue réalisée vingt-cinq ans plus tôt, Richler avait rejeté les principes de base de la psychanalyse. D'après lui, on ne pouvait dire : « Je suis comme ça parce que… un jour, mon père s'est retrouvé dans une chambre d'hôtel avec une prostituée quelque part. » C'était digne d'Arthur Miller, d'Ibsen ou d'un scénario de télévision, disait-il[8]. C'était aussi l'histoire de Richler lui-même – celle d'un garçon de treize ans qui surprend sa mère dans les bras de son pensionnaire –, même s'il ne veut pas reconnaître que cet événement ait pu l'influencer. Dans *Le monde de Barney*, il accorde une importance fictive à une notion existentialiste et antipsychologique du libre arbitre. Après la mort de son père dans un salon de massage, rien, dans le comportement de Barney, ne suggère qu'il a vécu un choc. De la même façon, Richler ne peut blâmer la simplicité d'esprit de sa mère ou l'amour inconditionnel qu'elle vouait à certains danseurs de claquettes (comme Moe Richler d'ailleurs). Si les personnages préférés de Richler sont capables de faire toutes sortes de bêtises, voire des méchancetés, les faits inaltérables de leur existence ne sont pas les traumatismes de jeunesse qu'ils ont vécus, mais plutôt la maladie et la mort. Malgré ses faux pas, Barney a eu le choix. Le roman n'insiste pas sur l'expérience qu'il fait du vide existentiel entre les êtres humains. Ce trope existentiel – la fausse accusation – n'a pas empêché Barney de mener une bonne vie. En effet, même si Richler considère que *Le Procès*, de Kafka, est le livre du siècle, il est trop moqueur et espiègle pour tenter d'imiter l'écrivain pragois[9].

L'éditrice de Richler, Louise Dennys, fait l'éloge de sa créativité, surtout en ce qui concerne le personnage du père de Barney, Izzy Panofsky, qu'elle qualifie de personnage formidablement merveilleux et inoubliable[10]. Puisque Dennys ignore que Richler n'a pas créé Izzy, le compliment est à double-tranchant. Le personnage d'Izzy, en effet, est directement inspiré du premier policier juif de Montréal, l'inspecteur-détective Ben Greenberg, qui avait déjà menacé Richler de lui couper les couilles. Si Richler l'a déjà utilisé comme modèle pour le personnage de l'inspecteur-détective McMaster dans *Joshua au passé, au présent*, Izzy Panofsky s'en rapproche encore plus. Richler reprend l'article qu'il avait écrit en 1971 pour *Saturday Night* et relève les meilleures citations de Greenberg – les plus politiquement incorrectes – qu'il attribue à Izzy. Il donne aussi le nom de famille de Greenberg à Miriam. Puisque Ben Greenberg est décédé, Richer n'a plus à craindre les poursuites ou la castration.

Pour le personnage de Boogie, l'ami égoïste de Barney, Richler s'inspire de son ancien compagnon d'infortune à Paris, Mason

Hoffenberg, qui, en tant qu'auteur, ne s'est jamais montré à la hauteur des espérances qu'on avait placées en lui. Si Richler invente la liaison entre Madame Panofsky II et Boogie de même que sa disparition, il ne change rien au caractère de son ami. À cause de sa dépendance à l'héroïne, Hoffenberg est devenu une sorte de « parasite professionnel » qui a suffisamment d'énergie pour se plaindre à répétition et bruyamment de la manière dont Terry Southern l'a escroqué, mais pas assez pour écrire. En 1978, Hoffenberg vit à nouveau chez sa mère. Chaque fois que ses amis connaissent des difficultés, il leur recommande un traitement à base d'héroïne. En juin 1986, à l'âge de soixante-quatre ans, Hoffenberg meurt du cancer. Depuis qu'il l'a hébergé chez lui, à Londres, en 1966, Richler lui a à peine adressé la parole[11].

Le fils de Barney, Saul, est lui aussi un hippie. Richler le fait participer à l'émeute des locaux informatiques de l'université Sir George Williams. En 1969, il avait pourtant dit aux étudiants qu'il n'utiliserait pas l'anecdote dans un roman[12], mais la tentation est trop grande d'en faire une satire, d'offrir un aperçu des différences de génération entre Barney et son fils et d'exprimer l'ambivalence au sujet des changements culturels que Richler et d'autres ont apportés. Le personnage de Saul s'inspire aussi, en partie, de la phase de « marxiste provocateur » par laquelle est passé Noah juste après avoir quitté Oxford[13]. Daniel Richler craint, quant à lui, avoir servi de modèle pour le fils aîné, scrupuleux et végétarien, de Barney, Michael, même si, en réalité, c'était plutôt l'une de ses copines qui était végétarienne. Il décide cependant de ne pas aborder le sujet avec son père, qui n'a qu'une vie et mérite qu'on lui permette de l'utiliser pour son travail en sachant qu'il n'agira pas en traître[14].

En se moquant de la rébellion juvénile de Boogie et de Saul, Richler justifie son conservatisme et sa résistance aux expériences post-culturelles des années 1960, même s'il est maintenant prêt à admettre, à contrecœur, que « les voyous culturels » qui parlaient d'eurocentrisme n'avaient pas tout à fait tort[15]. Mais sa tolérance envers les radicaux a ses limites. Le personnage de Cedric Richardson est une parodie d'Amiri Baraka (autrefois connu sous le nom de LeRoy Jones), de ses commentaires antisémites et de sa manière de courtiser l'organisation Nation of Islam. Après la lecture de son poème sur le 11 septembre, «Somebody Blew Up America», on peut se risquer à affirmer que la satire ne corrige personne. Le poème en question, toujours fièrement affiché sur le site internet de Baraka, nous apprend que les États-Unis doivent répondre de bien d'autres choses que l'invasion de l'Irak:

Qui a mis le feu au Reichstag

Qui savait que le World Trade Center allait être attaqué
Qui a dit à 4000 travailleurs Israéliens aux Twins Towers
De rester à la maison ce jour-là[16]

Malgré la satire contre Richardson/Baraka, il est clair que Richler ne cherche pas à nier l'existence du racisme. Dans *Le monde de Barney*, Richardson est d'ailleurs violemment battu par des policiers[17].

Barney admet sans hésiter que le récit qu'il fait de sa vie est une sorte d'«*Apologia pro Vita Sua*[18]». À travers lui, Richler fait-il une apologie de sa propre vie? Dans une large mesure, oui. Dans les entrevues, il reste évasif sur les liens qui existent entre Barney, le narrateur, et lui-même. Je ne suis pas Barney, insiste Richler. «Pendant que j'écrivais le roman, j'étais Barney Panofsky, mais je ne l'étais ni avant ni après... Je suis bien plus sympathique que Barney», dit-il parfois. Ou encore: «les détails ne correspondent pas. Certaines attitudes, peut-être[19].» Certainement, devrait-il dire. On n'a qu'à songer à l'éloge que fait Barney de *Mort à crédit*, le roman de Céline; à son désir d'être un témoin fidèle, à sa muflerie lorsqu'il rappelle aux gens d'où il vient (une attitude qui, selon Florence, n'est pas très éloignée de celle de Richler), et ses accrochages avec les féministes[20]... Bref, la liste est longue. À titre d'exemple, on peut très bien interpréter *Le monde de Barney* comme une allégorie de la relation qu'entretient Richler avec l'univers académique: le vieux pêcheur plein d'esprit, autrefois chéri par son public (Miriam), est finalement chassé parce qu'il refuse de faire preuve de rectitude et parce qu'il a commis un ou deux péchés véniels. Sa bien-aimée Miriam se met à fréquenter le Dr Blair Hopper, né Hauptman, qui encourage ses aspirations féministes et dont l'anti-américanisme pourrait passer pour du fascisme s'il n'était pas aussi parfaitement adapté à l'esprit du temps.

Outre l'attitude de Barney, certains *détails* déguisés évoquent aussi Richler. Selon Martha, le personnage de Miriam, le grand amour de Barney, rappelle Florence[21]. Si, d'un point de vue professionnel, Miriam est plus près de la géniale Shelagh Rogers (l'animatrice de l'émission de musique classique *Take Five*, diffusée sur la CBC), elle a aussi beaucoup en commun avec Florence : elle possède sa grâce et sa culture ; elle est tout aussi vénérée par Barney que Florence l'est par Mordecai, y compris en vieillissant[22] ; et, surtout, elle a séduit Barney la veille de son mariage avec une autre femme. Avec un peu d'exagération, on peut affirmer que le roman raconte enfin ce qui s'est produit à Londres, la veille du mariage de Richler avec Cathy Boudreau, en 1954. Dans ses romans, Richler associe, de façon générale, l'amour à la conquête des femmes – ce qui n'est pas étonnant de la part d'un homme. Dans *Gursky* et *Le monde de Barney*, cette conquête finit par mal tourner lorsque Richler tente d'accorder à ses personnages féminins (Béatrice, Miriam) plus d'indépendance par rapport aux hommes, et lorsqu'il tient compte non seulement des désirs de ses personnages, mais aussi de l'égalité que réclament les femmes. Bien entendu, la rupture entre Barney et Miriam est fictive. Richler a simplement exagéré les éléments de sa personnalité – sa consommation d'alcool, son attachement envers les copains du bar, sa dépendance à la soirée du hockey – et les anxiétés de Florence – notamment sa crainte d'être considérée comme une simple femme au foyer – qui auraient pu les mener au divorce. L'échec de l'entreprise de reconquête de Barney peut être interprété comme un hommage à Florence ; c'est-à-dire une façon, pour Richler, de lui dire à quel point elle compte pour lui.

Madame Panofsky II est une pure invention : avec lui, Richler prend sa revanche contre la *yenta* juive[23]. Quant à Clara, la première femme de Barney, il s'agit d'une curieuse combinaison de Cathy Boudreau et de Sylvia Plath. « Et savez-vous, cher lecteur ? Je l'ai épousée », commence Barney, avant de s'écarter un peu du style de *Jane Eyre* : « Malgré ma condition de chaud lapin de vingt-trois ans à l'époque[24]… » Après tout, *Le monde de Barney* est un roman d'homme. Richler a probablement créé le personnage de Clara à partir de ses souvenirs. À Paris, il avait entendu parler d'une jeune fille enceinte qui était la cible de tous les tourments et qui s'est finalement tailladé les poignets[25]. Il se rappelle peut-être aussi de la situation délicate qu'il a vécue avec Ulla. Dans le roman, Clara tombe enceinte et si, pendant un bref moment, elle envisage la possibilité d'avorter, elle finit par insister pour donner naissance à son enfant. Au final, elle accouche d'un bébé mort-né. En lui conférant la combativité et le ton perçant de Cathy, Richler semble vouloir justifier en partie sa décision de quitter Cathy pour Florence. Mais il fait beaucoup plus : il exagère ces caractéristiques à un point tel qu'on ne reconnaît plus Cathy Boudreau, tant il a ajouté au personnage des traits de Sylvia Plath. Bien que Plath était hésitante à l'endroit du dogme féministe, les féministes l'ont adoptée, après son suicide, comme une figure emblématique. Même si Clara cherche à se justifier dans des poèmes confessionalistes et accusateurs, Richler ne l'enfonce pas complètement. Tous les personnages importants de Richler – ceux qu'il n'a pas créés dans le seul but de faire rire – partagent la psychologie antipsychologique de Barney. Si les traumatismes de l'enfance ont leur place, les personnages agissent surtout en fonction de leurs désirs et de leurs obligations. En tant que satiriste, Richler est à la fois très pessimiste par rapport à la capacité de changer des gens et convaincu qu'ils ont la liberté de le faire. Ce n'est que peu de temps avant son suicide que Clara, anéantie par ses propres désirs, prend conscience de ses obligations. En témoignent les cris perçants qu'elle lance à Barney lorsqu'il dévale l'escalier : « Et maintenant, fiche le camp ! Pourquoi on ne pouvait pas continuer comme avant ? Réponds, mais réponds[26] ! » En lui préparant un bon repas, elle cherche – tardivement, il est vrai – à récupérer son amour, même si Barney ne semble pas réaliser que les *latkes* lui sont destinés. Mais Barney n'entend pas le cri de détresse de Clara, et la culpabilité qu'il en éprouvera par la suite ne le quittera plus. C'est cette culpabilité qui persiste derrière les fausses accusations de meurtre qui pèsent sur lui. Si la dernière scène avec Clara est tragique, on ne peut pour autant blâmer Barney d'avoir voulu se protéger. Voilà l'instinct d'autoconservation, l'acquittement posthume de

Barney: si Richler aurait détesté qu'on le psychanalyse de la sorte, il est difficile d'ignorer comment il tente de justifier son passé à travers le personnage de Clara, même si celui-ci est fictif en grande partie. Ulla et Cathy se sont en effet toutes deux opposées au départ de Richler. En ce sens, l'apologie fictive du *Monde de Barney* dépasse les frontières de ce que Richler est prêt à admettre en public.

Richler n'a pas tort lorsqu'il considère qu'il a enfin réussi, avec *Le monde de Barney*, à donner aux femmes la place qu'elles méritent (même si Miriam vient contrecarrer les plans que Barney avait faits pour elle), et qu'il attribue cette réussite au fait qu'il est marié depuis près de quarante ans avec la même femme[27]. Martha partage son avis. Par ailleurs, l'utilisation de la lettre «féministe» de Martha, celle dans laquelle elle s'emporte contre son père parce qu'il attend moins d'elle que d'«ambitieux jeunes hommes[28]», pour dépeindre l'énergique Kate, la fille de Barney, contribue probablement à donner cette impression. Si les personnages féminins ne sont pas aussi solides que Barney lui-même, ils dénotent une certaine ambition. Au milieu des années 1990, après un divorce difficile, Martha est plus proche que jamais de son père. Elle sent qu'il s'est adouci, qu'il est moins intimidant et s'autorise à le taquiner (comme Kate) pour lui faire retrouver sa bonne humeur[29]. Richler ne peut s'empêcher de faire une satire théâtrale, parfois étrange, de la rectitude féministe qui est de mise au sein de la «Clara Charnofsky Foundation for Wimyn[30]». En outre, si le prénom «Kate» renvoie maladroitement à *La Mégère apprivoisée,* le portrait est moins inégal en raison de son caractère indépendant et de la demande qu'elle adresse à son père de financer un film sur la suffragette Nellie McClung. Si Richler est contre le fait d'autoriser les femmes journalistes dans les vestiaires des hommes et les poursuites pour harcèlement sexuel dans les cas où une simple gifle de la victime aurait parfaitement fait l'affaire, il demeure favorable à l'avortement et au projet d'amendement sur l'égalité des droits (ERA) aux États-Unis[31]. La référence à McClung est ajoutée à la demande de Dennys, qui estime en effet que le personnage de Barney est tellement misogyne que Richler doit montrer *pourquoi* Kate l'aime tant ou s'assurer que les lecteurs comprennent que Miriam et Kate «ne supportent pas ses blagues». Pour les mêmes raisons, Richler supprime les commentaires les plus condescendants de Barney à l'égard de Kate, tels que : «Arrête de t'en faire dans ta belle petite tête[32]. »

Dennys se demande comment faire accepter aux femmes le personnage de pécheur sympathique de Barney. Si elle considère le roman comme une belle histoire d'amour et reconnaît que Barney doit avoir de gros défauts – elle encourage même Richler à exagérer ses faiblesses pour que le départ de Miriam soit entièrement justifié[33] –, elle sent aussi que Richler, qui a un certain appétit pour le scandale, risque de rendre son personnage de vieux grincheux trop sinistre. Ébranlé par le départ de Miriam, Barney imagine qu'elle se fait arrêter pour vol à l'étalage et qu'il refuse de témoigner de sa moralité… «Qu'elle pourrisse au gnouf[34]. » Dans le manuscrit, il avait ajouté : «… violée par une bande de gouines à moustache dans la buanderie. Oups, je retire ce que je viens de dire[35]». Difficile de le retirer une fois qu'il est couché sur papier, réalise Dennys. Richler est très satisfait du travail de Dennys, bien que son éducation bourgeoise prenne parfois le dessus et qu'elle tente de rendre Barney «plus sympathique qu'il ne l'est en réalité[36]». Richler raconte, par ailleurs, qu'il aime ajouter à ses manuscrits deux ou trois «scandales inutiles» pour que les éditeurs se concentrent là-dessus et ne touchent pas au reste[37]. Dennys fait preuve d'une grande délicatesse et invoque toujours des raisons autres que celles qui peuvent sembler évidentes pour justifier la suppression de certains passages. À propos du passage fictif relatant un viol collectif, elle note : «Un peu trop long… une ou deux idées en trop pour en finir avec elle[38]. »Il est évident qu'elle hésite à dire : «Mauvais goût. Tu attaques férocement tes personnages comme dans *Un cas de taille*.» Si Joyce Weiner était à l'époque en position de force et pouvait insister sur le bon goût – un bon goût parfois exagéré –, Richler tient à sa vulgarité depuis qu'il a goûté à la liberté avec *The Incomparable Atuk* et *Un cas de taille*. Puisque Comme il est tout à fait capable de faire le contraire de ce qu'on lui demande lorsqu'on le provoque, Dennys est contrainte d'utiliser des euphémismes pour persuader l'ennemi des euphémismes de couper certains passages litigieux. Ainsi, il est doublement ironique que Barney

obtienne un franc succès en Italie pour son incorrection politique : les Italiens font en effet l'éloge de l'incorrection d'un
roman dans lequel Richler tente enfin de donner aux femmes la
place qu'elles méritent et où il reconnaît, avec une certaine réticence, l'intérêt de certains euphémismes.

Dans la vie de tous les jours, Richler continue de jouer son
rôle de parvenu honnête et civilisé. Il devient bientôt ami avec
l'ancien premier ministre ontarien Bob Rae, du NPD (un collègue
de son avocat Michael Levine). Lorsque l'épouse de Rae, Arlene,
décide de publier un ouvrage dans lequel des célébrités évoque-
raient un livre qui a marqué leur enfance, elle demande à Richler,
qui a lui-même écrit pour les enfants, de contribuer. Si elle songe
à des livres comme *Le Petit monde de Charlotte* (*Charlotte's Web*),
Anne... la maison aux pignons verts (*Anne of Green Gables*) ou *Le
Jardin secret* (*The Secret Garden*) [39], Richler, lui, a autre chose en
tête : « C'est chez un marchand de journaux, à l'angle de la rue
Fairmount et de l'avenue du Parc, que je me suis procuré en
cachette le livre qui m'a le plus ému quand j'étais gamin. C'était
une bande-dessinée qui coûtait 75 cents et portait le titre de *Dick
Tracy's night out*. On y voyait le détective et Tess Trueheart en
train de s'adonner à toutes sortes d'actes innommables. J'ai également apprécié *Gasoline alley gang bang*, lui aussi 75 cents et
illustré. » Richler fait référence aux « Tijuana Bibles » qui, en
quelques pages, racontent des histoires érotiques en utilisant
des personnages de bandes dessinées connus. Il lui promet néanmoins de réfléchir à une proposition plus respectable [40].

〜

Si Richler, suivant la recommandation de Dennys, en vient à
couper le commentaire sur le viol collectif, il ignore la plupart
de ses suggestions [41]. Par exemple, ses éditeurs souhaitent qu'il
supprime quelques-unes des lettres que Barney écrit pour jouer
des tours (un autre point commun entre Barney et Richler), mais
ils ne parviennent pas à s'entendre sur celles qu'ils veulent
conserver [42]. Richler les laisse presque toutes. En général, il possède un certain instinct pour savoir quand écouter ses éditeurs
– s'il refuse, la plupart du temps, de supprimer des passages

humoristiques ou hauts en couleur, il n'hésite pas à retravailler ceux qui exigent plus de clarté et à revoir ses personnages. Barney est lui-même une brillante création. La démonstration d'innocence de Barney, qui intervient après sa mort, constitue peut-être la seule erreur de calcul grave du roman. Tous les éditeurs de Richler – Dennys, Bob Gottlieb, Alison Samuel – l'exhortent à corriger le tir. «Un poil farfelu», écrit Dennys, avec sa prudence habituelle[43]. «Ça tombe comme une masse», affirme Samuel[44]. Le commentaire plein d'esprit que fait Barney en prison – «...je ne suis pas le seul innocent, dans cette taule. Nous sommes tous victimes d'une injustice[45]» – nous incite à croire à sa culpabilité. Son procès n'est guère plus qu'une série de gestes rhétoriques. Et si Barney, qui affirme: «On n'est pas le fils d'un inspecteur de police pour rien[46]», en sait assez pour se débarrasser de machines à écrire incriminantes, pourquoi n'en saurait-il pas assez pour inclure dans son autobiographie des références aux avions Canadair afin d'attirer l'attention de son fils Michael? Richler semble pourtant souhaiter que le lecteur ne découvre l'innocence de Barney qu'au dernier paragraphe. Gottlieb lui suggère une autre conclusion, que Richler trouvera encore plus tirée par les cheveux[47], de sorte qu'il décide de s'en tenir à sa première idée. Lorsqu'un lecteur lui reproche qu'aucun avion de ce type ne peut embarquer quelqu'un de cette façon, Richler répond: «Dans mon roman, ce type d'avion existe[48].»

Dennys ne se doute pas que Richler tient beaucoup à l'un des passages qu'elle lui a recommandé de couper. Aux deux tiers du roman environ, alors que Dennys meure d'envie de savoir ce qui advient du triangle amoureux (?) de Barney-Boogie-Madame Panofsky II, l'auteur se lance dans l'une de ses nombreuses digressions. Barney «se remémore» la fois où son ancienne maîtresse d'école, Madame Ogilvy, l'a invité dans les Laurentides pour se payer du bon temps. Même si Dennys admet avoir un faible pour le personnage de Madame Ogilvy, le fantasme auquel fait inévitablement appel Barney pour se masturber, qui entraîne une longue digression vis-à-vis de l'intrigue principale, suscite chez elle une certaine frustration[49]. Elle ignore sans doute que Madame Ogilvy s'inspire d'Evelyn Sacks et de la relation que celle-ci a entretenue avec Richler. Avant de se lancer dans la

rédaction du roman, Richler a découpé des articles sur une enseignante de musique britannique de quarante-et-un ans qui a eu
des rapports sexuels avec des garçons de treize à quinze ans. Il a
encerclé plusieurs passages, dont celui où le juge explique les
raisons de son acquittement : les garçons ont apprécié leur expérience et n'ont pas souffert de traumatismes psychologiques[50].
Dans le roman, Barney lit un article sur l'enseignante de musique
et se rappelle sa liaison avec Madame Ogilvy[51].

Le passage que Dennys souhaite voir supprimer présente certaines particularités. Richler donne en effet l'impression de jouer
à cache-cache avec ses lecteurs. Dans le chapitre précédent,
Barney fait déjà une digression d'une page sur la biographie littéraire. Il tient des propos qui vont à l'encontre de l'opinion de
Richler selon laquelle la biographie détruit la fiction en attirant
l'attention sur l'auteur plutôt que sur l'œuvre. Barney admet que
« rien ne lui semble plus délectable qu'une biographie qui dévoile
nos vrais Grands sous un jour peu favorable, révélant ainsi que
l'objet de notre admiration n'était, en réalité, qu'une sous-
merde ». Il cite même Samuel Johnson disant que la biographie
a pour objectif moral de protéger l'humanité du désespoir en
relatant les actes révoltants des grands hommes. À la fin de la
digression, Barney affirme : « Je suis prêt à jurer que ce qui va
suivre est la vérité vraie. » Bien entendu, le lecteur s'attend à ce
qu'il donne sa version de la disparition de Boogie, mais il se
contente de raconter son escapade dans les Laurentides avec
Madame Ogilvy ; d'où la plainte de Dennys concernant la digression. Si Richler, pour lui faire plaisir, supprime une infime partie
de la scène, il laisse notamment un curieux discours dans lequel
Madame Ogilvy détruit les fantasmes érotiques de Barney : « Mais
tu n'es pas allé plus loin que quelques attouchements aussi égoïstes que maladroits… Le reste, tu l'as fabriqué avec ta repous-
sante imagination, car aucune femme digne de ce nom ne
consentirait à seulement te regarder, désormais, espèce de vieux
juif libidineux, de gâteux rétréci, et pratiquement sourd comme
un pot, s'il faut dire toute la vérité[52]. » Est-ce là un moyen
détourné de révéler les limites de sa liaison adolescente avec
Sacks ? Ou une façon de tendre un piège aux biographes ? On ne
peut, avec Richler, écarter la possibilité d'une blague complexe.

Il est ainsi possible qu'il ait inventé sa relation avec Sacks à l'époque où sa mère entretenait une liaison avec Frankel et pimenté l'affaire par la suite à l'intention des biographes officieux qui pourraient interpréter comme des faits le produit de son imagination. Mais il aurait fallu beaucoup de préparation : Richler aurait ainsi dû s'adresser une lettre signée par Sacks dans les années 1950 pour ensuite la glisser dans les documents qui ont été rendus publics en 1999. La lettre de Sacks offre plutôt la preuve que Mrs Ogilvy est en réalité le fantôme d'Evelyn Sacks – un fantôme exagéré, transformé en fantasme émoustillant, mais qui s'inspire tout de même de la vérité, comme l'affirme Barney. Sinon, pourquoi aurait-il décidé de situer l'action dans les Laurentides plutôt que dans les Cantons de l'est, où il est maintenant installé depuis près de vingt ans ?

Richler rend aussi hommage à certains de ses amis. John Lynch-Staunton, un avocat et dirigeant conservateur au Sénat, devient le fidèle avocat de Barney, John Hughes-McNoughton. De crainte d'être accusé de flatteries, Richler adresse une pique ou deux à ses amis, tout en leur faisant l'honneur de leur offrir une existence fictive. Barney révèle ainsi que Hughes-McNoughton, « né dans la bonne société de Westmount, a égaré sa boussole morale il y a déjà plusieurs années[53] ». Dans un registre plus sérieux, le personnage de Hymie Mintzbaum, qui a survécu à la Seconde Guerre mondiale et côtoie Barney et sa bande à Paris, s'inspire de Joe Dughi, qui a combattu en Normandie et dans la bataille des Ardennes[54].

Dans le passage consacré à la mort de Hymie, Richler rend une sorte d'hommage déguisé à ses amis décédés, qu'il nomme d'ailleurs dans la dédicace – Jack Clayton, Ted Allan, Tony Godwin, Ian Mayer – et, en particulier, à Nick Auf der Maur. Depuis la disparition de Moe Richler, c'est avec Auf der Maur – avec son feutre, sa chemise vert pomme et sa cravate de Donald Duck[55] –, que Richler échange des blagues stupides[56]. Écarté depuis un certain temps du conseil municipal par les électeurs, Auf der Maur écrit toujours pour la *Gazette* lorsque, à la fin janvier 1997, il apprend qu'il est atteint d'un cancer de la gorge. À l'époque, Richler est en train de mettre la dernière main au *Monde de Barney*[57]. La frontière entre la vie et l'art finit par s'estomper. Tandis que l'Alzheimer plonge peu à peu Barney dans l'obscurité, Hymie Mintzbaum, qui a survécu à une attaque, lui écrit une lettre quasi incompréhensible qui lui offre l'un de ses derniers moments de lucidité. Dans la version publiée du roman, Richler griffonne les mots de Hymie : « Tiens bon, vieux frère[58]. » À cinquante-quatre ans, Auf der Maur doit subir une opération qui lui coûtera ses glandes salivaires et ses papilles gustatives[59] ; il devra ensuite se soumettre à deux séances de radiothérapie par jour. Depuis Londres, Richler écrit les mêmes mots que son personnage à un Auf der Maur déprimé : « Tiens bon, vieux frère : on a parié sur toi. » Pour le divertir, il raconte (ce qui est faux, bien sûr) qu'il a trouvé la phrase suivante dans la biographie d'Edmund Wilson écrite par Jeffrey Meyer : « Pendant son adolescence, (Marie-Claire Blais) a eu une liaison avec son mentor, le moine dominicain René Lévesque, qui est par la suite devenu le Premier ministre du Québec. » Plus sérieusement, Richler annonce à Auf der Maur qu'Iris Murdoch souffre d'Alzheimer et qu'elle ne se rappelle plus de ses propres romans. « Ça me paraît fantastique », ajoute-t-il avec tristesse. Il lui parle aussi de la tumeur qu'on a découverte sur sa vessie cinq ans plus tôt, de son opération, de ses chances de survie de 50 p. cent (comme celles d'Auf der Maur) et de sa visite annuelle à la clinique où, raconte-t-il, « on m'insère une canne à pêche équipée d'une lampe de poche à une extrémité pour faire du repérage[60] ». Pendant cette période difficile, il appelle et envoie régulièrement des fax à son ami. Par ailleurs, puisque la *Gazette* continue de supporter Auf der Maur, Richler tient Conrad Black au courant de son état, et l'incite à continuer de lui verser son salaire même s'il est loin d'être productif. En août, Auf der Maur subit une chirurgie à la gorge et aux joues d'une durée de treize heures, et Richler et ses amis du Ziggy's Pub réussissent à réunir 4 500 dollars pour qu'il puisse avoir sa propre chambre[61]. Il mourra au printemps de l'année suivante de tumeurs au cerveau et aux poumons[62].

C'est une période sombre pour Richler. À cette période, il dit à un intervieweur : « La vie nous donne à peine le temps de faire le tour du bloc. Il faut essayer d'en profiter le plus possible sans faire de mal à personne. Après ça, c'est fini[63].» Avant que son cerveau ne commence à s'atrophier, Barney fait part au lecteur de ses deux convictions les plus intimes : «la première, que la vie est absurde ; la seconde, que personne ne peut vraiment comprendre autrui[64]». Mavis Gallant a les larmes aux yeux lorsqu'elle lit ce passage : ainsi, Richler entretient toujours les croyances austères et peu optimistes de leur époque existentialiste à Paris dans les années 1950[65].

En mars 1997, peu de temps après avoir achevé son roman, Richler apprend la mort de sa mère. Comme Barney, Lily souffrait depuis longtemps d'Alzheimer et elle avait des trous de mémoire depuis 1981 au moins[66]. Après son décès, Avrum appelle Richler à Londres et lui dit : «Muttle, on est orphelins.» Richler ne manifeste aucune émotion. «Oh, elle est morte», répond-il. Avrum hasarde : «Tu ne viendras pas aux funérailles, j'imagine ?» Richler se met à rire. Sa mère lui a laissé quelques obligations et un petit héritage, qu'il ne réclame pas. Puisque Lily souhaitait être enterrée près de son père et de sa mère, Avrum fait transporter le corps de St. John's à Montréal. Par moins 30°C, Avrum et quelques parents assistent à l'enterrement. Même dans la mort, Lily espérait obtenir un peu de la gloire de son père : elle avait acheté sa parcelle en croyant qu'elle serait proche du mausolée du rabbin Rosenberg, mais elle finit par être enterrée à une trentaine de mètres de là, plus près de la tombe de son ex-mari que de celle de son père[67].

～

Juste avant la parution du *Monde de Barney*, à l'été 1997, Richler provoque des remous en publiant dans *Saturday Night* un extrait intitulé «Barney's Wedding», dont le texte, sur la dernière page, est disposé autour d'un espace vide en forme de bouteille de vodka Absolut. Juste en dessous se trouve inscrit, en lettres majuscules : «Absolut Mordecai». Les critiques l'accusent de retourner sa veste et de brouiller la frontière entre littérature et publicité. Le rédacteur en chef de *Saturday Night*, Ken Whyte, a montré «Barney's Wedding» aux responsables de chez Absolut avant la publication, violant ainsi l'intégrité journalistique et littéraire. Il est pourtant normal que l'entreprise souhaite s'assurer de récolter les fruits d'un tel investissement. Ses représentants remarquent d'ailleurs une référence au Johnny Walker Black dans l'extrait et demandent à Richler de la remplacer par Absolut Vodka. Pour préserver l'image de la marque, ils réclament également la suppression du passage où Boogie est surpris en train «d'aspirer je ne sais quelle substance avec une paille dans la narine». En 1959, Richler se moquait du placement de produits : «Pensez à tout l'argent qu'aurait pu faire Colin Wilson s'il avait dit aux journalistes que les Outsiders préféraient les cols roulés Jaeger… Par le passé, les romanciers ont fait l'erreur de faire boire à leurs personnages n'importe quel vieux whisky[68].» Près de quarante ans plus tard, il ne fait pas de secret de ses incursions dans l'univers de la pub. Il répond à Whyte :

> Vous avez le choix. Soit vous remplacez "la bouteille de scotch la plus proche"
> par "la bouteille de Johnnie Walker Black la plus proche"
> Ou vous insérez le dialogue suivant :
> «…s'étire pour attraper la bouteille la plus proche.
> "Oh mon Dieu, c'est de la vodka!"
> "Quel est le problème?"
> "La vodka entraîne la cécité, l'impuissance et le cancer. Seuls les communistes en boivent[69]."»

Finalement, Richler il de remplacer «Johnny Walker Black» par «scotch» et de laisser la référence à la cocaïne telle quelle[70].

Bien entendu, Richler s'est déjà censuré auparavant dans le processus d'écriture pour s'assurer que la réputation d'Absolut ne soit pas entachée. Doug Smith souligne avec justesse que rien, dans l'écriture de Richler, ne peut offenser un fabricant de vodka[71]. Lorsque certains critiques rapportent sa trahison dans les journaux, Richler choisit d'en rire. Il répond à Val Ross : «J'ai mes principes. Si Ken Whyte était arrivé avec un fabricant de yogourt ou de muesli comme commanditaire pour mon extrait, j'aurais dit non. Mais je suis fier d'être associé à un distillateur[72].» Richler n'est pas si loin de A. M. Klein, qui écrit des odes pour les anniversaires de Sam Bronfman : même s'il l'ignore, Seagram détient les droits pour la distribution d'Absolut au Canada[73].

Dans un article publié cet été-là, Richler met l'auteur de *God Wants You to Be Rich* au pilori : « Si vous avez été élevé dans la croyance qu'une personne ne peut servir à la fois Dieu et Mammon, oubliez ça... La vérité, c'est que Dieu, qui était probablement en train de faire la sieste pendant l'Holocauste, s'est joyeusement converti au libéralisme[74]. » Mais puisqu'Absolut Mordecai ne se réclame d'aucune autorité divine, les possibilités sont beaucoup plus vastes pour lui. Trente-six ans après que Joyce Weiner se soit plainte des agents littéraires qui jouent les gros bonnets et se baladent en Jaguar, Richler est finalement en position de s'en acheter une et il demande conseil à son fils Jacob[75].

29

Quelques verres pour la route

Dès qu'il a fini de réviser *Le monde de Barney*, Richler réserve une table dans un restaurant pour négocier un nouveau contrat avec Conrad Black et son empire. Depuis trois ans, Richler écrit chaque mois dans le magazine *Saturday Night*. Ashok Chandwani, de la *Gazette*, est surpris lorsqu'il accepte d'écrire une chronique hebdomadaire pour l'agence de Southam Press. Richler souhaite en effet faire entendre sa voix au Québec. La *Gazette* partage les coûts avec d'autres journaux du groupe imprimés à Vancouver, Edmonton, Calgary, Ottawa et Toronto, qui publient aussi la chronique de Richler. Les honoraires qu'il exige sont exorbitants[1]. Pour parvenir à un terrain d'entente, les deux amis divisent en deux la différence entre le prix demandé et le prix offert. Tandis que Black médite là-dessus, Richler se moque de lui en disant : « Si Conrad décide que je suis trop cher, je retirerai malgré tout un certain plaisir de nos négociations. À l'avenir, je coincerai des inconnus dans les bars pour leur dire que Conrad ne peut pas se payer Mordecai Richler[2]. » Black finit par accepter. Ainsi, lorsqu'il fonde le *National Post* en 1998, il a déjà au moins un journaliste de stature nationale en réserve.

Richler occupe une position enviable, car personne ne lui dicte ce qu'il doit écrire. Il prévient Ken Whyte, le rédacteur en chef de *Saturday Night*, qu'il écrira surtout sur des essais et qu'il ne critiquera plus les romans des autres : « Je n'ai plus le cœur de faire ça[3].» Lorsqu'un rédacteur manifeste son intention de modifier une phrase dans l'un de ses articles, Richler menace de laisser tomber le magazine et obtient le dernier mot[4]. Au moment de la parution de son recueil d'articles *Belling the Cat*, en 1998, il dispose d'une véritable machine publicitaire. Il sait d'avance que ses articles seront acceptés et qu'il peut utiliser le réseau de Black pour faire la promotion de ses livres. Au lieu de demander poliment aux rédacteurs s'ils sont intéressés par ses articles, il se permet d'adresser des messages ironiques à Chandwani, de la *Gazette*: «Cher M. Chandwani, Je suis un écrivain-pigiste qui vit actuellement à Londres grâce à une bourse du Parti Québécois. Au mois de juin, mon éditeur à Toronto, Knopf/Canada, fera paraître un recueil d'essais intitulé *Belling the Cat*. Je me demandais si vous seriez intéressé à faire paraître l'un de ces essais... Je ne veux pas vous influencer d'une manière ou d'une autre, mais j'aimerais ajouter que j'admire beaucoup votre peuple. Cordialement[5].» Richler agit de plus en plus comme un homme de pouvoir. Au début du mois d'octobre 1997, deux mois et demi avant la parution du *Monde de Barney* aux États-Unis, il envoie à Paul Bogaards, de Knopf, les noms de ceux à qui il doit faire parvenir un exemplaire de presse. À la mi-novembre, Bogaards n'a toujours rien envoyé. Richler lui écrit pour se plaindre et ajoute: «J'ai une bien meilleure idée: pourquoi ne pas attendre que mon putain de roman soit bradé pour envoyer les exemplaires de presse[6]?» Pour s'assurer que le message passe, il écrit également à Jon Segal, qui occupe un poste plus important chez Knopf: «Si tu croises dans le couloir cet abruti de Paul Bogaarts [*sic*], aussi nul en relations publiques qu'au hockey, frappe-le de ma part[7].» Peu de temps après, Richler, Martha et son compagnon Nigel Horne sont invités à passer quelque temps au château de Segal en France.

Depuis qu'il a vu, enfant, son père se faire humilier devant son frère Joe, Richler a toujours été très conscient de la hiérarchie. S'il s'opposait, plus jeune, au pouvoir des bourgeois, il rejette aujourd'hui celui du statut social. Seul le lieu a changé: Richler a abandonné le Paris de la bohème et fréquente dorénavant les bars politiques de Montréal. L'idée n'est pas de flatter les puissants, mais de se comporter en égal, ce qui exige parfois

de les aiguiller dans la bonne direction. Lorsque l'immeuble de
la rue Sherbrooke qui abrite le Mount Royal Club doit être
reconstruit et que le Club doit réunir un million de dollars, Steve
Jarislowsky, un avocat qui a travaillé à quelques reprises pour
Richler, lui demande de prendre la parole lors d'un dîner de levée
de fonds. Si Richler se dit profondément touché que le club ait
pensé à lui, il propose plutôt d'organiser une journée de financement : « Les PDG pourraient ainsi demander l'aumône sur la
Main ou dans les quartiers de Montréal-Nord, St-Henri ou NDG.
L'arrogance des vrais riches me fascinera toujours. » Piqué au vif,
Jarislowsky réplique que même si les humbles hériteront de la
terre, ce sont les riches qui créent les emplois et la prospérité. Et
si les riches sont arrogants, les grands auteurs le sont tout autant.
Il ajoute qu'il cherchait simplement quelqu'un en mesure d'apprécier la culture montréalaise[8]. Richler ne prend même pas la
peine de lui répondre. Au moment de signer avec Richler, Conrad
Black sait qu'il fait davantage une bonne affaire qu'une affaire
sûre en choisissant un homme qui, s'il ne se montre pas flatteur,
partage certaines valeurs avec lui. Dans l'un de ses articles,
Richler annonce un « concours d'euphémismes » fictif et offre
les mémoires de Black comme prix de consolation[9]. Pourtant,
chaque fois que les journalistes lui demandent son avis sur son
employeur, Richler demeure discret et le décrit comme un
homme de droite, oui, mais cultivé et original – deux qualités
auxquelles il accorde beaucoup d'importance[10].

Compte tenu de son franc-parler en politique, Richler, dont
les articles sont maintenant publiés dans le *Herald* de Calgary et
le *Journal* d'Edmonton, ne se fait pas que des amis parmi les habitants des provinces de l'Ouest du Canada, même si ceux-ci
applaudissent ses initiatives en matière de défense des droits des
anglophones au Québec. Déjà en 1976, Richler amorçait un virage
idéologique en déclarant qu'il n'était pas conservateur, mais que
le NPD n'allait nulle part et qu'avec Gordon Fairweather et Flora
MacDonald à la Chambre des communes, le Parti progressiste-
conservateur n'avait pas que des mauvais côtés. Il ajoutait également : « Si nous continuons de leur refuser le pouvoir, je crains
que les conservateurs ne perdent la boule et que le parti tombe
entre les mains de cowboys ignorants. À ce moment-là, chers

compatriotes, l'arrogance des libéraux sera un véritable spectacle[11].» Si Richler n'avait pas prédit que le Parti réformiste (ou un premier ministre *conservateur*, Mulroney) participerait involontairement à la renaissance du populisme dans les provinces de l'Ouest, il avait toutefois compris les dynamiques de la politique canadienne. Lorsque, en 1993, le Parti réformiste remporte une part importante des suffrages, Richler s'empresse d'en faire la satire et d'invectiver ses représentants afin d'en faire une option inacceptable et, ainsi, de s'assurer que ses amis conservateurs – de plus en plus nombreux – ne soient pas tentés de le rejoindre. Après l'élection fédérale de l'été 1997, qui voit les réformistes remplacer le Bloc Québécois en tant qu'opposition officielle, Richler laisse entendre que si le Parti réformiste l'avait emporté, l'anniversaire d'Hitler serait devenu une fête nationale et que seuls les chrétiens blancs auraient été autorisés à immigrer au Canada. Puisque Conrad Black et ses associés ne cachent pas leur sympathie pour le parti de Preston Manning, les réformistes furieux du *Alberta Report* s'attendent à ce que Richler soit réprimandé[12]. Mais Richler continue de se moquer de l'extrême-droite dans les pages des journaux de droite. En 1998, Manning lance le mouvement «Alternative unie» dans le but de fusionner les deux partis de droite. Richler surnomme le mouvement «l'alternative désespérée» ou «l'alternative pathétique» et place des discours imaginaires dans la bouche de Preston Manning: «Encore une fois, mes propos ont été déformés par la presse athéiste de gauche. Notre tente est grande et nous y accueillons tous les gens hargneux et délaissés… Nous voulons réintroduire la pendaison au nom des valeurs familiales, mais cela ne veut pas dire pour autant que nous soyons des droitistes inflexibles… Nous rassemblerons tous ceux qui sont incapables d'obtenir un rendez-vous un samedi soir ou qui n'ont jamais été invités à une fête VIP[13].»

Toujours obsédé par les trahisons de Mulroney, Richler suit de près le scandale Airbus et accumule une pile de coupures de presse dans un dossier nommé «Procès Brian Mulroney[14].» Alors que Richler dîne avec Bill Weintraub au Mas des Oliviers, à Montréal, Mulroney franchit la porte du restaurant. À la grande surprise de Weintraub, qui proposait de se glisser furtivement à l'extérieur, et malgré les attaques publiques de Richler contre Mulroney, l'ancien premier ministre salue Richler comme un vieil ami qu'il n'aurait pas vu depuis longtemps[15]. Richler songe même à intituler le recueil d'essais qu'il fait paraître à cette époque *Bye-Bye Mulroney and Other Celebrations*[16], mais il finit par opter pour *Belling the Cat*.

Pour ses amis et associés conservateurs qui pourraient envisager la fusion des deux partis politiques, Richler imagine ce que serait le pays si Manning était élu premier ministre – «Pédés, prenez garde[17].» Si les réformistes ne savent pas comment réagir à la satire de Richler, la communauté gay, elle, le sait. Après avoir lu *Le monde de Barney* et notamment le passage où Barney est interviewé par une journaliste de l'émission de radio communautaire Dykes on Mykes, qu'il tente de séduire, Johanne Cadorette, l'animatrice, lui écrit: «Nous en avons bien sûr parlé en ondes! C'était même la question finale Jeopardy! de notre party de levée de fonds en novembre dernier.» Elle demande à Richler de lui envoyer trois exemplaires du *Monde de Barney* qu'elle pourra donner pendant la campagne de levée de fonds de CKUT[18]. Richler obtient des résultats semblables lorsque, dans un article pour le *National Post*, il plaisante à propos de la toute nouvelle Association nationale des journalistes gay et lesbiens et prétend craindre la discrimination contre «[lui] et [son] espèce». Jared Mitchell le déclare aussitôt membre honoraire pour une durée d'un an. «Bienvenue, ma sœur», lui écrit Mitchell. Il l'invite à se joindre au groupe tous les premiers vendredis du mois au Pegasus Billiards, à Toronto, et signe: «Amitiés, compagnon geai gay[19]».

~

Après *Le monde de Barney*, Richler souhaite écrire un autre livre pour enfants sur Jacob Deux-Deux et la Coupe Stanley[20]. Depuis Londres, il écrit à John Aylen qu'il a une autre idée de roman en tête et lui demande d'aller dans les bars gays de Montréal pour faire une collecte d'informations. Aylen lui répond: «Je dois avouer que je te trouve plutôt pathétique de chercher à te renseigner au sujet de la communauté gay de Montréal et du mode de vie des homos sous le couvert de la recherche littéraire. De nombreux écrivains illustres ont eu le même penchant, si je puis dire. Je te suggère de "sortir du placard" tout de suite plutôt que de continuer de véhiculer cette image d'homme de famille que tu projettes depuis tant d'années[21].»

De plus en plus célèbre, Richler n'est plus prêt à tout pour vendre ses romans. Voyant que l'aspect showbiz de l'écriture acquière de plus en plus d'importance, Richler prévoit que les éditeurs, d'ici dix ou vingt ans, feront passer des auditions aux romanciers au lieu de les lire[22]. Mais le dernier roman de Richler est très bien accueilli. S'il demeure pendant longtemps en tête des ventes canadiennes[23], *Le monde de Barney*, comme les deux précédents romans de Richler, n'est même pas mis en nomination pour le Prix du Gouverneur général. Il faut probablement blâmer l'incorrection politique du personnage principal, estime Carol Shields[24]. Puisque les livres nominés, notamment *The Two-Headed Calf*, de Sandra Birdsell, et *Le peintre du lac* (*The Underpainter*), de Jane Urquhart (qui remportera le GG), sont acclamés par la critique, l'absence du roman de Richler ne provoque pas de remous comme c'était le cas en 1990. *Le monde de Barney* remporte toutefois le prix Giller – que Richler a d'ailleurs contribué à fonder – et les 25 000 dollars qui y sont associés. Il est d'ailleurs fort possible qu'il ait bénéficié d'un préjugé favorable (c'est son ami, Jack Rabinovitch, qui décerne le prix, et Mavis Gallant et Peter Gzowski font partie du jury de trois personnes), mais personne ne songe à remettre en cause le choix des jurés, vu l'esprit satirique du roman et l'impact émotionnel du déclin de Barney. Lorsque Gallant annonce le gagnant au Four Seasons Hotel de Toronto, le public est saisi par l'émotion[25]. Richler détend l'atmosphère en disant: «Merci, mais ce que je voulais vraiment, c'était le trophée Cy Young[26].»

Au même instant, Richler se voit offrir par Robert Lantos la possibilité d'adapter *Le monde de Barney* au cinéma. Peu de temps auparavant, en 1995, l'avocat de Richler, Michael Levine, exigeait encore de lui des sommes impayées en lien avec *L'apprentissage de Duddy Kravitz*[27]. Richard Dreyfuss harcèle toujours Richler pour qu'il fasse un Duddy II et convainc Ted Kotcheff et Robert Lantos de l'aider à le persuader. On observe ainsi une inversion des rôles par rapport aux pratiques hollywoodiennes habituelles : normalement, l'écrivain supplie le producteur, et non le contraire. Richler négocie les conditions pour la production d'un Duddy II – pas de quotas d'acteurs canadiens et « pas de budget serré, sinon, au diable le projet[28] ! » –, mais celui-ci n'ira pas plus loin que la rédaction d'un scénario. Il accorde en effet la priorité au *Monde de Barney*.

Même s'il avait jeté son dévolu sur Norman Jewison pour réaliser *Le monde de Barney*, Richler est tout de même heureux lorsque Ted Kotcheff lui offre ses services. Il n'est cependant pas question que l'épouse de Kotcheff, Laifun Chung, participe au projet en tant que productrice. Richler avertit Michael Levine qu'il n'acceptera « sous aucune condition que Lee Fun soit la – hum – productrice. Elle est surexcitée, agressive, vulgaire et traite les gens d'une manière exécrable (en particulier ceux qu'elle juge inférieurs à elle). Elle me rendrait fou. Stp, transmets le message aussi délicatement que possible à Robert [Lantos]. » Richler s'en remet de plus en plus à Levine, dont l'habileté et les contacts lui permettent de négocier sur un pied d'égalité avec presque tout le monde. Il lui demande, entre autres, de renégocier un point particulièrement délicat avec Alliance Atlantis, la maison de production de Lantos, et dit : « J'aime bien imaginer Big Mike là-bas dans le canyon, en train de faire cuire des fèves au lard sur un feu de camp pour déjeuner, toujours vigilant face aux attaques d'hostiles Peaux-Rouges. Je le vois, le samedi soir, mettre son chapeau de cow-boy pour aller à la soirée de danses du village. » Lorsque Levine fait l'erreur de charger une commission sur la TPS, Richler fait semblant de crier au scandale : « Gredin ! Escroc ! Fourbe !… La famille Bronfman au grand complet tente déjà de détourner les royalties de la comédie musicale de Duddy Kravitz, si en plus je dois me méfier de mon fidèle avocat[29]… »

~

En 1998, à l'âge de soixante-sept ans, Richler devient à son tour un *zeyde* et, comme il le dit lui-même, « ma chère Florence devient une *bubba* ». Leanne Delap, la compagne de Jacob, donne naissance à un garçon qu'ils appellent Max[30]. Dans le roman, le fils de Barney Panofsky épouse une non Juive, ce qui, étonnamment, contrarie Barney[31]. D'après Daniel, cela n'avait aucune importance pour Richler[32], et il n'a certainement pas cherché à empêcher ses enfants d'épouser des non Juifs. Il a malgré tout cru bon de souligner le fait que la plupart de ses enfants partageaient leur vie avec un Juif ou une Juive. D'après certaines rumeurs, Richler était déçu que ses enfants ne soient pas tous mariés[33], c'est pourquoi il se réjouit lorsque Martha et son compagnon, le rédacteur britannique Nigel Horne, décident de célébrer leur union au début de 1998[34]. À un moment donné, Martha demande l'aide de son père pour écrire un livre pour enfants, mais elle prend rapidement conscience qu'il est un lecteur intransigeant, catégorique même, et décide de ne pas lui montrer son travail tant qu'il n'est pas achevé[35].

À l'été 1998, Richler est obligé de mettre son travail de côté à la suite d'une rechute. Cette fois-ci, le cancer s'attaque à l'un de ses reins, et il est admis à l'hôpital général de Montréal pour une chirurgie. « Adieu rein droit », dit-il[36]. Lorsque le public apprend qu'il est à l'hôpital général, des lettres d'injures commencent à arriver. Craignant pour sa sécurité, les policiers lui demandent s'il verrait une objection à changer d'hôpital. Mais Richler ne voit aucun intérêt à se cacher. Pourquoi vous ne trouvez pas les gars qui ont fait ça au lieu de venir m'embêter ? fulmine-t-il[37]. Lorsque Brian Moore lui envoie une carte pour lui souhaiter un prompt rétablissement, Richler pleure en songeant à leur amitié brisée[38]. Moore meurt sept mois plus tard à Malibu.

Parmi les facteurs qui ont poussé Emma Richler à écrire en octobre de cette année-là[39], on peut probablement citer le flirt avec la mort qu'a expérimenté son père. Dans une histoire intitulée « Angel's Share » [la part de l'ange], Emma aborde certaines difficultés qu'elle rencontre elle-même dans sa relation avec son père, l'amour et les moyens détournés de l'exprimer à un proche alité : « Toujours avoir une provision de nouvelles sportives pour quand votre père est hospitalisé à la suite d'une opération angoissante ayant à voir avec une maladie mortelle[40]. » Noah décrit la scène sans détour. Placé sous morphine, Richler délire et refuse de laisser l'infirmière lui mettre un masque à oxygène. Il se redresse dans son lit et crie : « Non !… Non. Je ne veux pas

– c'est une machine antisémite.» Plus tard, il se lamente en disant: «Eh merde, qui aurait cru que ça se terminerait aussi mal?» Noah, qui ne sait pas si son père fait référence à la reconnaissance d'Israël en 1948 ou à sa propre vie, répond: «Ce n'est pas fini Pa[41].» Mais Richler a déjà changé de sujet et évoque les malheurs du Canada et les mérites de Don Cherry. Bizarrement, les séries éliminatoires de hockey – qui avaient justifié la location d'un téléviseur – ne l'intéressent plus.

À sa sortie de l'hôpital, Richler a l'impression qu'on lui a accordé un sursis[42]. S'il dit à ses amis qu'il doit boire des doubles pour compenser pour son rein manquant[43], il plaisante moins devant ses enfants. Pour faire la paix avec son rein restant, Emma lui suggère de boire du vin au lieu du scotch ou du cognac, de jeter ses sirops pour la toux et de manger moins d'acides gras saturés. Malgré ses protestations, elle insiste sur le fait qu'il n'a pas besoin d'une canne mais qu'il doit tout simplement faire plus d'exercices et d'étirements[44]. L'opération a fait assez peur à Richler pour le persuader d'arrêter de fumer et de boire, mais seulement pour un temps, puisque cette forme d'abstinence le rend fou[45]. Pendant un certain temps, il ne fume que deux cigares par jour. Au grand dam de Florence, il finit pourtant par reprendre ses mauvaises habitudes et se remet à fumer sans arrêt. «C'était sans doute trop tard... Tant pis. Il avait vraiment une attitude désinvolte», raconte Martha[46].

Après sa convalescence, il termine de rédiger le scénario pour *Le monde de Barney*. S'il avait pu vendre l'option et s'épargner le travail, il préfère déterminer lui-même les passages qui seront supprimés[47]. Aussi, même s'il ne le dit pas ouvertement, il adore frayer avec les producteurs, pas tellement pour leur compagnie, mais parce qu'il aime bien leur manière de brasser des affaires. Il apprécie aussi le côté glamour et l'attention qu'il obtient. Très content du scénario, Lantos promet un budget de 25 millions de dollars canadiens et des séances de tournage à Paris et Montréal d'ici l'été 2000[48]. «À moins que je me fasse frapper par un camion, je vais faire ce film», répète Lantos à la fin 2003[49]. Malheureusement, le projet ne verra jamais le jour[50].

Après avoir mis la dernière main au scénario, Richler décide d'aller passer la seconde moitié de l'année 1999 à Toronto. Son ami John Fraser, directeur du Massey College, l'a convaincu de venir passer le trimestre d'automne au Trinity College de l'université de Toronto en tant qu'«éminent professeur associé invité». On ne lui demande pas grand-chose. Il doit prendre la parole dans le cadre de deux événements officiels et participer aux «causeries au coin du feu» avec les étudiants et d'autres professeurs. En acceptant l'offre de Fraser, Florence et lui cherchent surtout à se rapprocher de leurs enfants – leurs trois fils vivent désormais à Toronto – et de leurs petits-enfants[51]. Richler se dit qu'il aura besoin d'une place de stationnement pour sa Jaguar. À toute personne qui s'enquerrait de la voiture, il somme le personnel de l'université de dire qu'il l'a achetée grâce à «une bourse pour l'achat d'une voiture attribuée par le Conseil des Arts du Canada et destinée aux vieux schnoques qui écrivent des romans». Après réflexion toutefois, il craint qu'en faisait étalage de sa richesse il ne détourne d'honnêtes professeurs du droit chemin en les incitant à griffonner des romans[52]. Richler fait ce qu'on attend de lui, mais il ne se sent pas tout à fait à l'aise dans son rôle. À Montréal ou au lac Memphrémagog, Florence est toujours dans les parages. À Toronto, Richler doit se rendre seul à son bureau à l'université pendant que Florence se balade en ville. Il n'a aucun moyen de savoir où elle se trouve à tout moment. En outre, Richler ne sait pas où aller pour fumer son cigare quotidien et prendre l'apéro. Dans ce contexte, il est incapable d'écrire autre chose que des articles pour les journaux et les magazines[53].

❧

Au début du nouveau millénaire, Richler abandonne sa chronique hebdomadaire, mais il continue d'écrire pour *Saturday Night*. Lors d'une visite qu'il fait à Jack Rabinovitch à Toronto, il commande une vodka pamplemousse et la sirote avec une paille. «Regarde ce que je suis devenu», se lamente-t-il[54]. De plusieurs façons, Richler s'adoucit pendant ses dernières années de vie. Il songe à retourner en Israël et à se rendre en Pologne pour retracer ses origines[55]. S'il a, à quelques reprises, vu son frère à Montréal, Richler décide cette fois d'entreprendre le périple jusqu'à Terre-Neuve pour une lecture et une visite. Avrum n'a pas vu Florence depuis plus de trente ans. Les deux couples passent une très belle soirée et Richler commande une bouteille de champagne hors de prix pour célébrer leurs retrouvailles. Plus tard ce soir-là, Richler révèle son secret et raconte à son frère ce qu'il a vu et entendu le soir où Julius Frankel est venu rejoindre Lily dans son lit[56].

Richler ne s'est toutefois pas adouci au point de perdre sa capacité à choquer. Ses écrits politiques continuent d'indigner certains. S'il était élu premier ministre, il aurait quelques solutions en réserve pour régler des problèmes de longue date. Il supprimerait la clause «nonobstant» de la Constitution et fusionnerait les trois provinces des Prairies pour que les pauvres petits fermiers soient soutenus par les cheikhs du pétrole albertain. Les agriculteurs n'ont-ils pas choisi de faire ce qu'ils font? Pourquoi les citadins devraient-ils toujours payer pour eux et non pour les travailleurs des chantiers navals, par exemple? Puisqu'il ne peut acheter le vote des Maritimes avec la promesse de deux semaines de travail par année et cinquante semaines d'assurance-emploi, il vendrait l'Île-du-Prince-Édouard aux Japonais et redonnerait à Terre-Neuve son indépendance. Le premier ministre de l'Île-du-Prince-Édouard, Pat Binns, estime que Richler est injuste envers les Canadiens de l'Atlantique[57].

Lorsque Pierre Trudeau meurt en 2000, Richler sent que le Canada a perdu son plus grand chef. Il n'est pourtant pas impressionné par les articles sentimentaux qui paraissent dans les journaux – le héron solitaire qui prend son envol au passage du train funéraire transportant la dépouille de Trudeau, le récit du dernier voyage de Trudeau sur le Styx, pagayant à la recherche de son fils Michel, mort dans une avalanche[58]. Dans un article intitulé «The Man behind the Mania», pour lequel il remporte la médaille d'argent des National Magazine Awards, Richler brosse un portrait plus mesuré de Trudeau. Puisque Landry est un «gaffeur avéré», Richler accueille la nouvelle de l'accession de son vieil ennemi au poste de Premier ministre du Québec comme une bonne nouvelle pour le fédéralisme[59]. Richler se moque par ailleurs de Gilles Duceppe, qui insiste sur le fait que si le Québec se sépare du Canada, il pourra toujours revenir en arrière en organisant un autre référendum. Et lorsque Landry manifeste sa tendance à l'exagération – «Au fond, nous sommes, depuis des siècles, un peu comme les pompiers au cœur de Tchernobyl : au centre d'un cataclysme, mais toujours debouts» –, Richler lui rappelle que le Québec n'est pas Belfast. Comme Trudeau et le chef Mohawk Joe Norton avant lui, Richler continue de soutenir que si le Canada est divisible, le Québec l'est tout autant. Il a pourtant visité Shankill Road, à Belfast[60], et ne souhaite plus la partition de Montréal. Si c'était à lui de décider, il obligerait tout le monde à fréquenter les mêmes écoles primaires et imposerait une demi-journée en anglais et une demi-journée en français. Il s'agit là d'une solution humaniste libérale typique : rationnelle, juste, elle ne fait aucune concession à l'histoire ou aux aspirations des minorités et n'est pas conçue pour apaiser l'une ou l'autre des parties[61].

Quant au conflit israélo-palestinien, Richler n'a plus de solution à proposer, même s'il continue à retourner la question dans tous les sens. Puisque l'Autorité palestinienne agit comme un dictateur, la vieille solution d'un État palestinien, maintenant partiellement en vigueur, semble avoir de moins en moins de chances de provoquer autre chose qu'une escalade de la violence, conclut-il. D'un côté, Israël est vulnérable face aux kamikazes ; de l'autre, les tribunaux israéliens se montrent indulgents envers les extrémistes juifs comme Nahum Korman, qui a écopé de seulement six mois de service communautaire pour avoir battu à mort un jeune Palestinien de douze ans. Richler nourrit la même méfiance envers l'Intifada et les Palestiniens qui demandent aux enfants de lancer des pierres pour couvrir les tireurs (les décès d'enfants ont la cote dans les médias) et l'armée israélienne, qui continue de torturer ses prisonniers et viole allègrement les normes internationales en matière de droits de l'homme. Israël n'est pas une démocratie libérale : l'État confisque des terres, impose des blocus et un tiers des Israéliens souhaitent que le gouvernement déporte tous les Palestiniens à l'extérieur du pays. Richler n'a qu'une chose à dire à propos du conflit israélo-palestinien : «Ça me fend le cœur[62].»

Au début de l'année 2001, Richler célèbre son soixante-dixième anniversaire à Londres avec sa famille et ses amis. Ses fils sont venus en avion depuis le Canada. Il boit son Macallan, se frotte les mains avec un plaisir évident et annonce une «prolongation[63]».

Compte tenu des livres qu'il a demandés et l'intérêt qu'il manifeste pour l'ordinateur Apple de Noah, celui-ci le soupçonne de préparer un nouveau roman abordant des sujets aussi variés que les Cathares (le sujet de prédilection d'Umberto Eco), la chirurgie plastique et un fruit étrange qui pousse dans les arbres du sud des États-Unis[64]. Mais la prolongation ne durera pas longtemps. Pendant ses derniers mois, Richler réussit à terminer un essai sur le snooker intitulé *On Snooker* et fait une tournée en Italie pour la promotion du *Monde de Barney*. Il y est accueilli comme un roi et rapporte à ses amis: «Je fais soudain fureur avec les Ritals[65].» En juin 2002, *Le monde de Barney* s'était vendu à 200 000 exemplaires en Italie. Sa tournée est une sorte de parade de la victoire et *Il Foglio*, un journal conservateur, en fait chaque jour un compte rendu. Y voyant peut-être moins d'ironie qu'il n'y en a en réalité, Giuliano Ferrara, le rédacteur en chef d'*Il Foglio*, décrit *Le monde de Barney* comme une «théologie moderne complète de l'amour et de la sagesse[66]». En d'autres mots, Barney est sexiste mais tout de même sympathique. Dans ses passages les plus complaisants, le roman fait la caricature (avec beaucoup d'esprit) des stéréotypes féminins: la mégère (Clara) et l'épouse-qui-ne-me-comprend-pas (Madame Panofsky II). Pour expliquer l'enthousiasme des lecteurs italiens, on peut aussi invoquer le fait que le roman comprend suffisamment de rôles sexuels traditionnels – l'homme qui séduit, la femme qui est séduite, le mariage en tant qu'engagement sincère entre deux personnes – pour plaire aux traditionnalistes. Mais en résistant à Barney, Miriam conserve assez de liberté pour ne pas aliéner complètement les lectrices. De plusieurs façons, le roman est construit comme une histoire d'amour. Même si la quête de Barney échoue, il poursuit cependant une quête, et sa passion dévorante a certainement contribué à doper les ventes italiennes. *Le monde de Barney* ne tente pas de dissimuler sa masculinité. Si on exige de Barney qu'il fasse preuve d'un certain niveau de maturité, on ne s'attend pas, dans sa vie intérieure, à ce qu'il prétende être plus sensible qu'il ne l'est en réalité.

Après le départ de Richler d'Italie, les articles d'*Il Foglio* se transforment en «Le monde d'Andrea», une chronique qui

déplaît aux féministes et attire un large public de lecteurs masculins[67]. Son auteur, Andrea Marcenaro, a l'impression (comme
de nombreux Canadiens) que Barney lui a donné une voix qui
lui permet d'attaquer la gauche politique sans être considéré
comme un fasciste de droite. Avec beaucoup de franchise, il
décrit à quel point ses propres écrits s'inspirent du style de
Richler et de celui du *Monde de Barney* : « Vous prenez un peu du
merveilleux *Monde*, vous ajoutez votre signature en bas et vous
le ramenez à la maison[68]. »

Mais la santé du créateur de Barney se détériore. Le cancer
réapparaît dans son autre rein, et Richler doit abréger son séjour
à Londres pour retourner à Montréal afin de se soumettre à un
traitement[69]. De nombreuses années après avoir refusé le second
rang, il est enfin nommé compagnon de l'Ordre du Canada, le
rang le plus élevé. Il se réjouit encore davantage de la parution
du livre d'Emma, *Sœur folie*, un chef-d'œuvre d'observation et de
style. Si Emma met le public en garde contre la facilité d'associer
le père de la famille Weiss avec son propre père, elle relate malgré
tout l'une de leurs disputes au sujet de l'impatience et l'incompréhension de Richler face à la dépression d'Emma – « Comme
il n'y croyait pas pour moi, il n'y croyait pas du tout », raconte-
t-elle[70]. En fin de compte, le roman est plutôt triste : la narratrice
y fait le deuil de la famille Weiss – autrefois très unie, mais dont
chacun des membres suit éventuellement son propre chemin[71]
– et du patriarche de la famille, dont le cancer risque d'écourter
sa vie. Richler qualifie le livre de « merveilleux[72] ».

À la surprise générale, Richler, en mai 2001 – c'est-à-dire quelques semaines avant sa mort –, fait une apparition à la *shiva* de
sa tante Celia (Zipporah) Hershcovich, une femme orthodoxe
qui n'a jamais rien voulu savoir de lui[73]. Il vient tout juste de
commencer un traitement de chimiothérapie qui doit durer six
mois[74]. Depuis un an ou deux, certains indices mineurs permettent de dire qu'il a aussi adouci ses positions par rapport au
judaïsme. Dans un article publié en 1999 et intitulé « Son's
prayers » [les prières du fils], Richler inclut une critique du kaddish par Leon Wieseltier, qui, après avoir abandonné le judaïsme
pendant vingt ans, y est revenu pour de bon à la mort de son
père. Wieseltier entreprend la tâche de réciter le kaddish pendant

les onze mois réglementaires. Jamais loin du *Cavalier de Saint-Urbain*, Richler prononce des verdicts sévères contre le kaddish. Il parle notamment de l'aversion de Vladimir Jabotinsky, le père des sionistes révisionnistes, pour cette prière. Le kaddish, déplore-t-il, n'aborde pas le sentiment de perte et se contente d'exalter Dieu, qui, dans son infini pouvoir, a sanctionné la mort, après tout. D'une manière remarquable, Richler termine son article avec une inscription trouvée dans une synagogue de Kovel, en Ukraine, faite par un Juif dans l'attente d'être fusillé – « Yeruham ben Shlomo Ludmirer était ici le cinquième jour de Tishri, 1942. Si un membre de ma famille survit, je lui demande de réciter le kaddish pour moi. » – à laquelle il ajoute son propre « Amen[75] ».

De manière plus fondamentale toutefois, Richler entretient toujours les mêmes croyances. En effet, quelques mois plus tard, lorsque l'éditeur américain Grove Press décide de faire paraître quatorze livres de la Bible en livres de poche, Richler est choisi pour rédiger l'introduction du livre de Job et il adopte une position moins conciliante. Le théologien Eliezer Berkovits, parlant au nom de ceux qui n'ont pas une expérience directe de l'Holocauste, a dit que nous n'étions pas Job, mais les frères de Job et que nous ne pouvions pas, dès lors, accuser Dieu comme Job l'avait fait. Deborah Lipstadt est allée encore un peu plus loin en affirmant que nous étions les neveux et nièces de Job[76]. En réponse, « le rabbin Richler[77] », comme il se surnomme lui-même, affirme que le méchant du livre de Job n'est pas Satan, mais Jéhovah – qu'aurait fait Job s'il avait su que toute cette souffrance était le résultat d'un simple pari ? Adoptant encore une fois la position littérale qui avait tant agacé David Rosenberg, Richler soutient que Jéhovah a une grande part de responsabilité et que le Dieu de Job était possiblement le premier à procéder à un nettoyage ethnique en cherchant à supprimer la population de Canaan[78]. Dans les mois précédant sa mort, Richler fait la satire d'une vulgarisation de la Kabbale et du ministre de l'Intérieur israélien, Eli Yishaï, qui a créé un groupe de travail pour vérifier des allégations selon lesquelles du pain levé aurait été consommé pendant la Pâque juive[79]. Lorsqu'un rabbin se plaint qu'un parc à thèmes d'Orlando, le « Holy Land Experience », transforme en imagerie chrétienne les rites juifs, dont le service du grand-prêtre le jour de Kippour, en les associant à la nativité du Christ, Richler offre des suggestions destinées à encourager le tourisme tout en restant fidèles aux textes bibliques : des discothèques sur le thème de Sodome et Gomorrhe, un endroit où les touristes peuvent lapider une femme adultère, un autre où ils peuvent voir Loth en train de s'envoyer en l'air avec ses filles et une cachette pour espionner Bethsabée, jouée par un mannequin, en train de se baigner « à poil[80] ».

Si Richler n'a pas oublié les motifs des comportements humains et l'aspect sinistre des textes bibliques, son apparition à la *shiva* de Celia Hershcovich est une surprise pour toute la famille. Bien que son oncle Max et quelques autres aient gardé contact avec lui au fil des années, il semble que Richler soit toujours resté très discret à ce sujet, car ses enfants ont été étonnés d'apprendre qu'il entretenait toujours des liens avec eux[81]. Mais Richler et sa tante Celia, la deuxième de la famille de Shmarya, se détestaient : à la simple mention du nom de Richler, elle s'échauffait et se répandait en invectives contre lui. Jusqu'à ce qu'il prenne conscience de la cruauté de son geste, Sam Orbaum, son petit-fils, prenait autrefois un malin plaisir à mentionner son nom pour la voir s'énerver et postillonner. D'après Orbaum, Richler s'est pris de sympathie pour lui parce qu'il était conscient de l'ironie qu'il y avait à être admiré par le petit-fils de Celia. Lorsque, au deuxième jour de la *shiva* de Celia, Richler se présente, une bouteille d'alcool à la main, de nombreux membres de la famille ont l'impression qu'il s'agit d'un geste de réconciliation et l'accueillent chaleureusement. Cette fois, tout le monde lui adresse la parole ; même ceux qui ne lui ont pas parlé depuis plusieurs dizaines d'années se réunissent autour de lui, discutent et rient de bon cœur[82]. L'animosité a disparu et on sent même, selon Sam Orbaum, une certaine fierté face au succès de Richler[83]. Mais tout le monde ne réagit pas de la même manière : « Sans whisky il ne serait pas venu... Il s'est assis et il a bu », dit Bernard Richler, l'oncle qui était le plus proche de Mordecai pendant sa jeunesse[84].

De l'avis de sa cousine, Sarah Snowbell, Richler n'a pas l'air malade, mais il n'est pas non plus très à l'aise avec tous les Juifs orthodoxes qui assistent à la *shiva*. On raconte qu'il aurait demandé à l'un de ses oncles de réciter pour lui une *mishebairach*, une prière pour les malades[85]. D'après Florence, si l'oncle a récité la prière, il l'a fait de sa propre initiative, et non à la demande de Mordecai. Celle-ci s'inquiète du fait que son mari affaibli soit confronté à tous ces gens qui lui ont été hostiles pendant des années. Mais le passage du temps semble avoir atténué certaines tensions, et il n'est plus nécessairement honteux d'entretenir des liens avec Mordecai Richler[86].

Tandis que Richler se réconcilie avec certains membres de sa famille, son cancer métastase et se propage dans ses ganglions lymphatiques, où il devient inopérable[87]. Lorsque Jacob vient à Montréal pour conduire ses parents à la maison du lac Memphrémagog en juin, il sait que la perte de poids de son père n'augure rien de bon. Jacob remarque aussi que, pour la première fois, le bureau de son père est propre et ordonné – il n'y a pas de livres ouverts, de coupures de journaux ou de pages manuscrites éparpillées. L'envie de travailler semble l'avoir définitivement quitté.

Trop faible pour rester à la maison du lac Memphrémagog seul avec Florence pour s'occuper de lui, Richler retourne à Montréal au moment où Jacob rentre à Toronto. Lorsque vient le temps de se séparer, Richler serre la main de son fils – trop fort, songe Jacob, craignant le pire[88]. Richler espère toujours «s'en tirer à bon compte», comme il le dit lui-même[89]. Un peu plus d'une semaine avant sa mort, il réussit même à se rendre au Ziggy's, son lieu de prédilection[90], mais il est bientôt hospitalisé à nouveau. Le 3 juillet 2001, pendant que les médecins discutent de la possibilité d'une chirurgie, Richler meurt des suites d'une hémorragie sans doute causée par la chimiothérapie[91].

～

Des années plus tôt, Richler avait réfléchi à ce qu'il souhaitait voir dans son avis de décès: «Hier, le monde littéraire a pleuré la disparition de l'incomparable Mordecai Richler, cet homme spirituel d'une beauté à couper le souffle qui nous a été arraché alors qu'il était, à neuf cent soixante-neuf ans, dans la fleur de l'âge[92].» Si la publication de cet avis n'est pas autorisée, la famille ne manque pas, dans le communiqué de presse qu'elle prépare, de faire de l'humour à la Richler. Le communiqué souligne que ceux qui le souhaitent peuvent adresser leurs dons à la Société canadienne du cancer, Centraide, Médecins sans frontières « ou, disons, aux Canadiens de Montréal, une véritable cause perdue[93].» Si Barney Panofsky avait exigé qu'aucun rabbin ne prenne la parole lors de ses funérailles[94], Richler, lui, a demandé à ce que son oncle Max, qui l'a toujours soutenu, préside la cérémonie. Les pratiques religieuses sont limitées au minimum. Même s'il s'est rapproché de son frère Avrum dans les derniers temps, Richler a réclamé que Max – et non Avrum – récite le kaddish[95]. Noah lit un passage drôle de *Joshua au passé, au présent* dans lequel Richler parle de la Bible et Max récite une prière commémorative pour «qu'il repose au paradis[96]». Richler est ensuite enterré au cimetière Mont-Royal, qui domine non pas le paradis, mais la rue Saint-Urbain et le quartier de sa jeunesse[97].

NOTES*

Introduction

1. Hynam, « The Scene », Fonds Richler Acc. # 582/153.19.
2. *Le cavalier de Saint-Urbain*, 141.
3. Victor Ramraj, *Mordecai Richler*, I.
4. *Le cavalier de Saint-Urbain*, 246-247.
5. Welbourn, « I Get Up at 10 A. M. », Fonds Richler Msc 36.54.14.
6. Interview avec Avrum Richler.
7. *Shovelling Trouble*, 18.
8. Weiner à Richler, 15 août 1971, Fonds Richler Msc 36.6.31.
9. Brouillon d'un manuscrit non identifié, Fonds Richler Acc. #582/110.1.
10. Peter Bailey, 126.

*p. 11
à
p. 24*

1. *Geyt, yidelech, in der vayter velt*

1. « Allez, petit juif, le vaste monde t'attend ! / Au Canada, tu trouveras de l'or ». Cité dans *Le monde de Barney*, 509.
2. Halberstam-Rubin, 21.
3. Paul Johnson, 364-365, 432.
4. Richler, « Goy », 1997, 2.
5. Paul Johnson, 370.
6. Interview avec Dansereau et Beaudet, 95.
7. *Rue Saint-Urbain*.
8. « Mordecai Richler : St. Urbain's Meistersinger » [ms non identifié] Fonds Richler Acc. # 582/135.18, 3-4. Shmarya (Stuart), site web de Richler, I. Interview avec McNay (Fonds Richler Msc 36.55.I.). *Back to Ibiza*, Fonds Richler Acc. # 582/65.4, 17.
9. Interview avec Avrum Richler. Max Richler, courriel, 10 septembre 2002, R. v. Richler, [1939] S.C.R. 101, Cour suprême du Canada, 1939 : 27 février 1939 : 21 mars, Appeal from the Court of King's Bench, Appeal Side, Province of Quebec.
10. Interview avec Bernard Richler. Interview avec Avrum Richler. *Errand*, 93.
11. *Home Sweet*, 62, 64.
12. Suzanne Rosenberg, 20. *Errand*, 22. N. Baumoil, 14.
13. Robinson, « Forgery », 4 ; Robinson, « Sabbath », 104.
14. Hayim Leib Fox, cité dans Asron Brody, 4.
15. Robinson, « Sabbath », 105 ; *Errand*, 66 ; Richler dans Nathan Cohen, « A Conversation… », *Tamarack Review*, 8. Le Zohar, un texte rédigé par l'écrivain espagnol du XIIIᵉ siècle Moses de Leon, prétend être une série de discours datant du IIᵉ siècle. Zohar, ix-x. La traduction de Rosenberg met l'accent sur la section éxégétique du Zohar qui est lié à

---

* Veuillez prendre note que nous avons abrégé les titres dans les appels de notes. Les références complètes se trouvent dans la bibliographie.

la Bible, parce qu'il estimait que «la Kabbale ésotérique» ne devait pas être révélée «au simple peuple». Roskies, 24-25.

16. Robinson, «Kabbalist», 49.

17. *Errand*, 67.

18. Richler, «On Being Jewish», 4, Fonds Richler Acc. # 582/110.20.

19. Aaron Brody, 3. Robinson, «Tarler *rebbe*», 58-60; «Forgery», 11, 8; «Kabbalist», 50-2, 55. N. Baumoil, 2. Souvenir de Rosenberg.

20. *Gursky*.

21. Shnayer Leiman, 31. Robinson, «Sabbath», 106. Ira Robinson, qui travaille présentement sur la biographie du Rabbin Rosenberg, explique de manière détaillée la carrière de celui-ci, y compris ses œuvres de fiction, dans une série d'articles.

22. Interview avec Bernard Richler.

23. Interview avec Avrum Richler.

24. Interview avec Max Richler.

25. Richler, Notes pour *The Rotten People*, 3, Fonds Richler Acc. # 582/102.2. Richler, *The Rotten People*, août 1951, Tourrettes-sur-loup, 116-7, Fonds Richler Acc. # 582/102, 7-8.

26. *Errand*, 93.

27. Interview avec Bernard Richler.

28. Robinson, «Kabbalist», 55.

29. Interview avec Bernard Richler.

30. Posner attribue de manière erronnée à Moe l'âge de dix-neuf ans et accepte sans réserves les dires de Lily lorsqu'elle prétend qu'elle avait alors dix-sept ans (Posner, *Last*, 2, 19). Mais en réalité, Moe est né le 25 décembre 1902 et Lily en 1905. Plus tard, lorsqu'elle voulait divorcer, elle a affirmé qu'elle avait seulement dix-sept ans et qu'elle s'était mariée contre la volonté de son père. Jusqu'à la fin de sa vie, elle s'en est tenue à cette version de son mariage.

31. *Errand*, 63.

32. *Canada Made Me*, 31-33. Le voyage de Levine au Canada s'est déroulé en 1956.

33. *Errand*, 13, 65.

34. *Errand*, 9, 49, 63, 93. Paris (Fonds Richler Acc. # 582/160.7). Albert, «Richler». Interview avec Lionel Albert.

35. Marchand, «Oy», Fonds Richler Acc. # 582/134.8, 64. *Errand*, 88, 97, 51, 69, 79.

36. *Errand*, 95.

37. Interview avec Avrum Richler.

38. Max Richler, courriel, 3 septembre 2002.

39. *Home Sweet*, 66. *Back to Ibiza*, Fonds Richler Acc. # 582/65.4, 9.

40. Fonds Richler Acc. # 582/110.20, «On Being Jewish», 4. Interview avec Avrum Richler.

41. *Home Sweet*, 58.

42. *Back to Ibiza*, Fonds Richler Acc. # 582/65.4, 9.

43. Interview avec Rindick, Fonds Richler Acc. # 582/39.3.

44. Lionel Albert, courriel, 24 septembre 2002.

45. *Errand*, 93.

46. Interview avec Avrum Richler.

47. Diana Athill à Richler, 1er avril 1960. Fonds Richler Msc 36.1.25.17.

48. Interview avec Lionel Albert.

49. *Home Sweet*, 59.

50. *Errand*, 95-7.

51. Avrum croit qu'elle a complètement inventé cette histoire. Interview avec Avrum Richler.

p. 24 à p. 30

52. *Mon père, ce héros*. Leah Adler est extraordinairement fière de son père défunt, Rabbi Goldenberg, et Wolf Adler est soumis à son père qui possède un dépôt de ferraille.

53. Interview avec Avrum Richler. *Errand*, 98.

54. *Errand*, 95.

55. «Mordecai Richler: St. Urbain's Maistersinger» [ms non identifié], Fonds Richler Acc. # 582/135.18, 4, 8.

56. *Errand*, 98-99.

57. Interview avec Max Richler.

58. Interview avec Bernard Richler. *Errand*, 99. Interview avec Max Richler.

59. *Errand*, 97, 99-100, 107-108.

60. *Mon père, ce héros*.

61. Emma Richler, *Sœur folie*, 258.

62. Peritz 2001, A4. *Errand*, 99.

63. *Errand*, 95, 98-99, 108.

64. *Errand*, 111, 99.

65. Interview avec Avrum Richler. «Mordecai Richler: St. Urbain's Meistersinger» [ms non identifié], Fonds Richler Acc. # 582/135.18,9.

2. Une lumière s'éteint en Israël

1. Lily Rosenberg à Ruth Albert, 27 juin [1978 ou 1979], collection privée de Lionel Albert. Nous ne savons si Ruth lui a prêté l'argent ou non, mais le ton qu'adopte Lily dans ses lettres laisse croire que Ruth ne l'a pas fait.

2. *Home Sweet*, 67.

3. *Errand*, 101, 110.

4. *Errand*, 102.

5. *Joshua au passé, au présent*.

6. *Errand*, 43.

7. Interview avec Lionel Albert. Interview avec Avrum Richler.

8. Interview avec Florence Richler.

9. «Mordecai Richler: St. Urbain's Meistersinger» [ms non identifié], Fonds Richler Acc. # 582/135.18, 7.

10. Interview avec Avrum Richler.

11. *Errand*, 103, 107, 97. Interview avec Florence Richler. Fonds Richler Acc. # 582/110.19, Richler, «On Turning 50», 3.

12. Lionel Albert, courriel, 24 septembre 2002.

13. Interview avec Avrum Richler.

14. *Errand*, 12.

15. Richler, *Leaving School*, 140.

16. Avrum Richler, courriel, 3 juillet 2002.

17. Interview avec Avrum Richler. Mordecai a dit, «Dans notre famille, c'est la première génération sans rabbins. J'aurais dû être un rabbin», Nathan Cohen, «A Conversation...», *Tamarack Review*, 14, Fonds Richler Acc. # 582/129.8.

18. Marchand, «Oy», Fonds Richler Acc. # 582/134.8, 147.

19. *Errand*, 103.

20. Lionel Albert, courriel, 19 septembre 2002. Avrum Richler, courriel, 21 octobre 2002.

21. *Errand*, 104.

22. «Dès que l'âme s'allie au corps, elle est remplie de malhonnêteté», avait écrit Rosenberg. Rosenberg, *Commentary on the Book of Jonah*, 19.

23. *Canadian Jewish Review*, 3 avril 1936, 7.

24. Lily Rosenberg à Ruth Albert, 27 juin [1978 ou 1979], collection privée de Lionel Albert.

p. 30 à p. 35

25. Interview avec Avrum Richler. Interview avec Lionel Albert.

26. *Errand*, 114-115. Avrum Richler, courriel, 26 août 2002. Interview avec Avrum Richler.

27. Shatz.

28. *Errand*, 115, 117, 118. Lionel Albert, courriel, 31 octobre 2002.

29. «Mordecai Richler: St. Urbain's Meistersinger» [ms non identifié], Fonds Richler Acc. # 582/135.18, 9.

30. Lily Rosenberg à Ruth Albert, 27 juin [1978 ou 1979], collection privée de Lionel Albert.

31. Interview avec Avrum Richler. *Errand*, 117. Richler, introduction à «*The Summer My Grandmother Was Supposed to Die*», non publié, destiné à une anthologie Ryerson, 1970, Fonds Richler Msc. 36.11.55.14b. «*The Summer My Grandmother Was Supposed to Die*», écrit vers 1960 (Ted Solotaroff, Éditeur associé à *Commentary*, à Richler, 18 novembre 1960, Fonds Richler Msc. 36.3.46), apparaît dans le deuxième chapitre de *Rue Saint-Urbain*. Sarah Gitel (Greenberg) est décédée à l'âge de soixante-seize ans, le 15 juillet 1942, à la maison des Richler. Lionel Albert, courriel, 31 octobre 2002.

32. *Errand*, 121.

33. Interview avec Lionel Albert. Lily Rosenberg à Ruth Albert, 27 juin [1978 ou 1979], collection privée de Lionel Albert.

34. Interview avec Pine.

35. Interview avec Lionel Albert.

36. Interview avec Pine.

37. *Errand*, 116, 119-120, 121. Interview avec Avrum Richler.

38. Richler, notes pour *The Rotten People* (petit carnet de notes bleu), 1, Fonds Richler Acc. # 582/102.2. Apparaît aussi dans Richler, *The Rotten People*, août 1951, Tourrettes-sur-loup, 115-116, Fonds Richler Acc. # 582/102.7-8.

39. *Errand*, 116.

40. Nathan Cohen, «A Conversation...», *Tamarack Review*, 8, Fonds Richler Acc. # 582/129.8. Lettre de Lionel Albert à *The Montreal Gazette* (non publiée), 1ᵉʳ mai 2000. *This Year in Jerusalem*, 99-100.

41. Interview avec Avrum Richler. *Acrobats*, 105.

42. *Canadian Jewish Review*, 11 décembre 1936, 44-45.

43. Avrum Richler, courriel, 25 juin 2002.

44. *Canadian Jewish Review*, 20 décembre 1935.

45. Avrum Richler, courriel, 25 juin 2002.

46. *Home Sweet*, 60. Noah Richler, «Family», 3.

47. *Mon père, ce héros*.

48. *Joshua au passé, au présent*, 103.

49. *Hunting*, 19.

50. *Canadian Jewish Review*, 23 septembre 1938.

51. *Canadian Jewish Review*, 20 décembre 1935, 6-7, 34-35.

3. À bas les Juifs

1. «Mordecai Richler: St. Urbain's Meistersinger» [ms non identifié], Fonds Richler Acc. # 582/135.18, 10. L'école Talmud Torah a été démolie. Au même emplacement se trouve aujourd'hui le terrain de jeu de l'École Primaire Nazareth. «On Site» [ms non identifié], Fonds Richler Acc. # 582/135.18,17. *Rue Saint-Urbain*. *Home Sweet*, 109. Richler, «School», 2-3.

2. Interview avec Nuremberg, Fonds Richler Msc 36.54.6.

3. Interview avec Avrum Richler.

4. *Snooker*, 5. Avrum se rappelle qu'elle faisait la même chose avec lui. Interview avec Avrum Richler.

p. 35 à p. 43

5. « Mordecai Richler : St. Urbain's Meistersinger » [ms non identifié], 9. « On Site », Fonds Richler Acc. # 582/135.18, 24. Voir aussi *Rue Saint-Urbain* et *Mon père, ce héros*. Hanes, « Homecoming », 1. *Broadsides*, 25.

6. Interview avec Avrum Richler.

7. Interview avec Pine.

8. Richler, « French », 1964, 41 (Fonds Richler Acc. # 582/163.5).

9. Interview avec Schwartz.

10. Notes pour *The Rotten People*, 1 (verso), Fonds Richler Acc. # 582/102.2. Richler, *The Rotten People*, août 1951, Tourrettes-sur-loup, 115-116, Fonds Richler Acc. # 582/102.7-8.

11. Avrum Richler, courriel, 11 février 2004.

12. Herman Silver et Avrum Richler, cités dans Posner, *Last*, 8, 12.

13. *Oh Canada! Oh Québec!*, 80, 98.

14. Lionel Albert, courriel, 12 septembre 2004.

15. Interview avec Lionel Albert. Lettre d'Avrum, 2 (Fonds Richler Acc. # 582/36.34).

16. Richler, notes pour *The Rotten People*, 3. Fonds Richler Acc. # 582/102.2. Richler, *The Rotten People*, août 1951, Tourrettes-sur-loup, 116, Fonds Richler Acc. # 582/102.7-8.

17. Interview avec Lionel Albert. Lionel Albert, courriel, 9 septembre 2002.

18. Richler, « Foreword », xxiv. *Broadsides*, 21. Interview avec Jack Rabinovitch. Richler, « Foreword », xxiv. *Broadsides*, 21.

19. *Back to Ibiza*, Fonds Richler Acc. # 582/65.4, 24.

20. Avrum Richler, courriel, juillet 2002. Richler, « Foreword », xxiv.

21. Interview avec Bernard Richler.

22. *Snooker*, 2, 177.

23. Noah Richler, « My », B2.

24. Interview avec Jack Rabinovitch.

25. Noah Richler, « My », B2.

26. Interview avec Kealey (Fonds Richler Acc. # 582/152.1). Interview avec Avrum Richler. *Hunting*, 47.

27. Abella, 17, 41-42, 142, 161-162.

28. Richler, « The French, the English, The Jews », 11, Fonds Richler Acc. # 582/163.5. *Home Sweet*, 38. Voir aussi *Rue Saint-Urbain*. William Henry Drummond, « The Log Jam », *The New Oxford Book of Canadian Verse in English*, éd. Margaret Atwood, Toronto, Oxford University Press, 1982.

29. Joe King, 190. NDLR : Adrien Arcand n'a jamais été élu député. Par ailleurs, un Arcand a été ministre libéral à cette époque.

30. M. Brown, « Zionism », 5.

31. Richler, « Man », 2.

32. *Home Sweet*, 37. Richler, « Canadian Conundrums », 3. Richler, « The French, the English, the Jews », 10, Fonds Richler Acc. # 582/163.5.

33. Richler, « The French, the English, the Jews », 10, Fonds Richler Acc. # 582/163.5.

34. Interview avec Avrum Richler.

35. *Rue Saint-Urbain*.

36. Interview avec Lionel Albert.

37. Interview avec Lionel Albert. *Joshua Then and Now* 21. Lionel Albert, courriel, 14 octobre 2002.

38. Interview avec Avrum Richler.

39. *Back to Ibiza*, Fonds Richler Acc. # 582/65.4, 15.

40. Geoffrey James *et al.*, « The Expatriate Who Has Never Left Home », *Time* (Canadian Edition), 31 mai 1971, Fonds Richler Msc 36.30.12.

41. *Back to Ibiza*, Fonds Richler Acc. # 582/64.5, 15-16, 131. Voir aussi *Joshua*. Interview avec Avrum Richler. Dans *Home Sweet Home*, Joe se fait appeler « Oncle Solly », le « jeune frère pompeux » de Moe.

p. 44 à p. 52

42. *Back to Ibiza*, Fonds Richler Acc. # 582/64.5, 131, 179. Il semble que la même chose soit arrivée à Avrum.

43. Richler, «Foreword», xxiii.

44. «Mordecai Richler: St. Urbain's Meistersinger» [ms non identifié], Fonds Richler Acc. # 582/135.18, 12.

45. Richler, «In his own words». «Mordecai Richler: St. Urbain's Meistersinger» [ms non identifié], Fonds Richler Acc. # 582/135.18, 11. Interview avec Kealey, Fonds Richler Acc. # 582/152.1.

46. Richler, «School», 3.

47. Avrum Richler, courriel, 3 juillet 2002.

48. Richler, «Writing *Jacob Two-Two*», *Canadian Literature* 78 (automne 1978), Fonds Richler Acc. # 582/18.38.

49. Richler, «Innocents», 4. *Broadsides*, 20.

50. Evelyn Sacks, citée dans Posner, *Last*, 13-14.

51. Avrum Richler, cité dans Posner, *Last*, 14.

52. Migdal, «Frances Katz», 39, Fonds Richler Acc. # 680/10.19.

53. Interview avec Kurtz. Interview avec Cadloff. Interview avec Barbarash. Interview avec Schecter.

54. Evelyn Sacks, citée dans Posner, *Last*, 13.

55. Nathan Cohen, «A Conversation...», *Tamarack Review*, 8. Fonds Richler Acc. # 582/129.8.

56. Richler, «School», 5, 7.

57. Duhm, 30, Fonds Richler Acc. # 582/161.1. *Broadsides*, 21-24.

58. Fonds Richler Acc. # 582/18.38. Richler, «Writing Jacob Two-Two», *Canadian Literature,* 78 (automne 1978); *Broadsides*, 19.

59. Interview avec Kealey, Fonds Richler Acc. # 582/152.1.

60. Richler, «Q Is for Quest», 2, Fonds Richler Msc 36.40.15.

61. Fonds Richler Acc. # 582/113.22, «Eye on Books/Canada».

62. Paul Johnson, 564.

63. Interview avec Bernard Richler.

64. Interview avec Avrum Richler.

65. *Errand*, 103. Interview avec Bernard Richler.

66. Interview avec Lionel Albert. «Mordecai Richler: St. Urbain's Meistersinger» [ms non identifié], Fonds Richler Acc. # 582/135.18, 30; *Rue Saint-Urbain*.

67. Lionel Albert, courriel, 11 décembre 2003.

68. *Home Sweet*, 59.

69. *Broadsides*, 10.

70. Richler, «Not Keeping», 1.

71. *This Year in Jerusalem*, 10, 124.

72. *Snooker*, 81. Interview avec Avrum Richler.

73. Richler, «On Being Jewish», 4. Fonds Richler Acc. # 582/110.20. *Snooker*, 81. *Rue Saint-Urbain*.

74. Avrum Richler, courriel, 22 octobre 2002.

75. «On Site» [ms non identifié], Fonds Richler Acc. # 582/135.18, 17.

76. Interview avec Kealey. Fonds Richler Acc. # 582/152.1.

77. *Joshua*.

78. Interview avec Avrum Richler. Dans *Mon père, ce héros*, Melech n'est pas impressionné par leur raisonnement casuistique et il les réprimande.

79. *Home Sweet*, 67.

80. Interview avec Avrum Richler. Nathan Cohen, «A Conversation...», *Tamarack Review*, 15, Fonds Richler Acc. # 582/129.8. *Broadsides*, 11. Richler, «School», 4.

81. *Broadsides*, 17, 11.

p. 52 à p. 58

82. *Errand*, 104.

83. Todd, 19.

84. *This Year in Jerusalem*, 16.

85. *Home Sweet*, 63. Richler surnomme David «Yankel» dans ses essais.

86. Congrégation Kehal Yeshurun. «Mordecai Richler: St. Urbain's Meistersinger» [ms non identifié], Fonds Richler Acc. # 582/135.118, 11, 26.

87. *Home Sweet*, 64.

4. Shabbes Goy

1. Todd, 17. *Snooker*, 3, 5-6, 82.

2. Les Juifs qui négligeaient le Shabbat, écrivait Rosenberg, n'étaient rien de mieux que les gentils. Robinson, «Sabbath», 106, 108.

3. Interview avec Max Richler.

4. Interview avec Bernard Richler.

5. *Home Sweet*, 63.

6. Max Richler, courriel, 10 septembre 2002.

7. *Mon père, ce héros.*

8. *Home Sweet*, 63-64. Interview avec Avrum Richler.

9. Nathan Cohen, «A Conversation...», *Tamarack Review*, 7, Fonds Richler Acc. # 582/129.8.

10. Val Ross, «Excusing», C12.

11. «Mordecai Richler: St. Urbain's Meistersinger» [ms non identifié], Fonds Richler Acc. # 582/135.18, 6. *Home Sweet*, 64. Richler, *The Rotten People*, août 1951, Tourrettes-sur-loup, 115, Fonds Richler Acc. # 582/102.7-8-8.

12. *Home Sweet*, 65.

13. Sam Orbaum, courriel, 2.

14. «Mordecai Richler: St. Urbain's Meistersinger» [ms non identifié], Fonds Richler Acc. # 582/135.18, 6, 11.

15. Avrum Richler, cité dans Posner, *Last*, 23.

16. Interview avec Avrum Richler.

17. Lionel Albert, courriel, 31 octobre 2002.

18. *Rue Saint-Urbain*. *Home Sweet*, 60-61.

19. Abella.

20. Interview avec Avrum Richler. Dans son autobiographie intitulée *The Errand Runner*, Lily surnomme Frankel «Reuben».

21. *Errand*, 122-123.

22. *Home Sweet*, 60.

23. Richler, Notes pour *The Rotten People*, 5 verso, Fonds Richler Acc. # 582/102.2.

24. «Mordecai Richler: St. Urbain's Meistersinger» [ms non identifié], Fonds Richler Acc. # 582/135.18, 11.

25. Interview avec Avrum Richler.

26. Richler, Notes pour *The Rotten People*, non paginé, Fonds Richler Acc. # 582/102.2.

27. Interview avec Wong, 2. Marchand, «Oy», 147. Fonds Richler Acc. # 582/134.8

28. Richler, *The Rotten People*, 206, Fonds Richler Acc. # 582/102.7.

29. Interview avec Florence Richler.

30. Richler, Notes for *The Rotten People*, 3 verso, Fonds Richler Acc. # 582/102.2.

31. En 1978, lorsque Richler rédigeait *Joshua Then and Now* et que l'éditeur d'une anthologie lui a demandé d'expliquer la genèse de l'histoire, il est devenu hostile: selon lui, la méthode d'écriture d'un écrivain, son adresse civique, son état d'esprit, ses problèmes d'alcool, sa vie amoureuse et ses habitudes alimentaires ne devraient intéresser personne d'autre que sa famille et ses amis. Le lecteur devrait s'en tenir à l'histoire qu'il lit, et à rien d'autre... J'ai écrit cette histoire il y a vingt ans, pendant que j'étais de l'autre

p. 58 à p. 65

côté de la lune, je ne peux plus me rappeler comment ni pourquoi ». Richler, à Edward Peck, Commcept Publishing, Vancouver, 27 février 1978, Fonds Richler Acc. # 582/14.13.

32. Interview avec Avrum Richler.

33. *Home Sweet*, 62.

34. Dans les notes ayant servi à la rédaction de *The Rotten People*, « Abe » prend le parti de sa mère lors du divorce. Richler, Notes for *The Rotten People*, non paginé, Richler, *The Rotten People*, 206, Fonds Richler Acc. # 582/102.2. Avrum dément avoir pris le parti de quiconque. Avrum Richler, courriel, 11 février 2004.

35. Interview avec Avrum Richler.

36. *Back to Ibiza*, Richler, *The Rotten People*, 206, Fonds Richler Acc. # 582/65.4, 18.

37. Richler, Notes for *The Rotten People*, 5 verso, Fonds Richler Acc. # 582/102.2.

38. *Errand*, 123.

39. Richler, Notes for *The Rotten People*, non paginé, Fonds Richler Acc. # 582/102.2. Richler, *The Rotten People* 206, Fonds Richler Acc. # 582/102.7.

40. Interview avec Avrum Richler.

41. « Mordecai Richler : St. Urbain's Meistersinger » [ms non identifié], Fonds Richler Acc. # 582/135.18, 11, 6. *Errand*, 95. Interview avec Avrum Richler. *Home Sweet*, 61, 58, 56.

42. Interview avec Wong, 2. Marchand, « Oy », 147, Fonds Richler Acc. # 582/134.8. *Home Sweet*, 67.

43. Richler, Notes for *The Rotten People*, non paginé, Fonds Richler Acc. # 582/102.2.

44. Richler, Notes for *The Rotten People*, non paginé, Fonds Richler Acc. # 582/102.2.

45. Richler, *The Rotten People*, Fonds Richler Acc. # 582/102.7.

46. Interview avec Avrum Richler. Avrum Richler, cité dans Posner, *Last*, 21.

47. Interview avec Bernard Richler. Interview avec Avrum Richler.

48. Lionel Albert, courriel, 10 novembre 2002.

49. Interview avec Max Richler.

50. « Mordecai Richler : St. Urbain's Meistersinger » [ms non identifié], Fonds Richler Acc. # 582/135.18, 11. *This Year in Jerusalem*, 16.

51. Nathan Cohen, « A Conversation… », *Tamarack Review*, 15, Fonds Richler Acc. # 582/129.8. Interview avec Avrum Richler.

52. *Snooker*, 2.

53. *Today Magazine*. « Beginnings », Fonds Richler Acc. # 582/160.8.

54. King, 105.

55. Richler, « School Days », 7.

56. Baron Byng Room 41 Class Reunion notebook, 6 octobre 1996, Fonds Richler Acc. # 680/45.1.

57. Beaudin, 3.

58. Marci McDonald, Fonds Richler Acc. # 582/154.2.

59. Interview avec Jack Rabinovitch.

60. Richler, « School Days », 1-2. Interview avec Jack Rabinovitch.

61. Interview avec Barbarash. Interview avec Cadloff.

62. Interview avec Jack Rabinovitch.

63. Interview avec Blankfort.

64. Interview avec Kurtz.

65. Interview avec Jack Rabinovitch.

66. Boone, 2.

67. Interview avec Jack Rabinovitch.

68. Richler, *Leaving School*, 138. Richler, « School Days », 2.

69. « Artist with a Message », *New/Nouvelle Generation* (Baron Byng), 1 : 3 (mai 1965), Fonds Richler Msc 36.54.14. Interview avec Barbarash. Interview avec Caldoff. Interview avec Blankfort.

p. 65 à p. 70

70. Interview avec Schecter.

71. Interview avec Lionel Albert. Lionel Albert, courriel, 24 septembre 2002, 10 juin 2004.

72. Fonds Richler Msc 36.30.12 (*Time*, 9a). «The Author», *Son of a Smaller Hero*.

73. Nathan Cohen, «A Conversation...», *Tamarack Review*, 15, Fonds Richler Acc. # 582/129.8.

74. Richler, «Bad boys», 1. *Home Sweet*, 113.

75. Interview avec Avrum Richler, *Home Sweet*, 67.

76. Richler, Notes for *The Rotten People*, non paginé, Fonds Richler Acc. # 582/102.2. Avrum Richler, courriel, 11 février 2004.

77. Interview avec Blankfort.

78. *Back to Ibiza*, Fonds Richler Acc. # 582/65.4, 148. Interview avec Avrum Richler.

79. Evelyn Sacks, citée dans Posner, *Last*, 13.

80. Dans l'une des notes préparatoires à la rédaction de *The Rotten People*, Richler a fait la liste des personnages, incluant les noms des personnes réelles entre parenthèses à côté de leurs homologues fictifs. Il a ensuite biffé les noms réels, mais à côté d'Helen, on peut encore apercevoir «(Evelyn)». Richler, Notes for *The Rotten People*, non paginé, Fonds Richler Acc. # 582/102.2.

81. Richler, Notes for *The Rotten People*, non paginé, Fonds Richler Acc. # 582/102.2.

82. Richler, Notes for *The Rotten People*, non paginé, Fonds Richler Acc. # 582/102.2. Dans *The Rotten*, l'aventure se termine de manière légèrement différente, avec le retour de son mari après la guerre. Richler, *The Rotten People*, 234, Fonds Richler Acc. # 582/102.8.

83. Richler, *The Rotten People*, 234, Fonds Richler Acc. # 582/102.8. Avrum dit : «Je pense qu'elle craquait pour mon frère, et encore davantage lorsqu'il a grandi et qu'il fréquentait Sir George Willians». Avrum Richler, cité dans *Posner, Last*, 14.

84. Evelyn à Richler, 27 novembre 1953, Fonds Richler Acc. # 680/1.5.

85. Richler, Manuscript of *The Rotten People*, 125, 127-128, 234, août 1951, Tourrettes-sur-loup, Fonds Richler Acc. # 582/102.7-8.

86. Pearl Babins (née Zipporah Stillman), citée dans Posner, *Last*, 26.

87. Joanna Bale, «Judge frees music teacher accused of sex with boys», *The Times*, 25 janvier 1996, 3, Fonds Richler Acc. # 680/47.3.

88. Interview avec Cameron, 124.

89. Richler, Notes for *The Rotten People*, non paginé, Fonds Richler Acc. # 582/102.2.

90. Richler, Manuscrit de *The Rotten People*, 320, 232-233, août 1951, Tourrettes-sur-loup, Fonds Richler Acc. # 582/102.8.

91. *Broadsides*, 19. Interview avec Jack Rabinovitch.

92. Interview avec Jon Anderson. Fonds Richler Acc. # 582/5.51. *Broadsides*, 3.

93. *Hunting*, 24.

94. Richler, Manuscrit de *The Rotten People*, 127-128, août 1951, Tourrettes-sur-loup, Fonds Richler Acc. # 582/102.7-8.

95. *This Year in Jerusalem*, 3.

96. *Back to Ibiza*, Fonds Richler Acc. # 582/65.4, 103.

97. Paul Johnson, 524.

98. Richler, *The Rotten People*, 321, Fonds Richler Acc. # 582/102.8.

99. «Mordecai Richler : St. Urbain's Meistersinger» [ms non identifié], Fonds Richler Acc. # 582/135.18, 11.

100. *This Year in Jerusalem*, 17, 95. *Rue Saint-Urbain*. Posner identifie «Jerry Greenfeld» comme étant Murray Greenfeld. Posner, *Last*, 26, 28.

101. Interview avec Snowbell.

102. *Rue Saint-Urbain*.

103. *This Year in Jerusalem*, 21, 31.

104. *Hunting*, 133.

p. 70
à
p. 78

105. Fonds Richler Acc. # 582/115.20 « Looking for Work », 1. Fonds Richler Msc 36.30.12 (*Time* 9a).

106. *Rue Saint-Urbain*. Il est possible que Richler ait utilisé de nouveau un « nous » collectif qui ne l'incluait pas personnellement. D'un autre côté, selon Jack Rabinovitch, le sentiment de nationalisme juif était si dominant durant les années 1940 que ceux qui y résistaient passaient pour des collaborateurs avec l'ennemi. Interview avec Jack Rabinovitch.

107. Walter Tannenbaum, cité dans Posner, *Last*, 28.

108. Nathan Cohen, « A Conversation... », *Tamarack Review*, 7, Fonds Richler Acc. # 582/129.8.

109. *Rue Saint-Urbain*.

110. M. Brown, « Zionism », 7.

111. Gefen, 1990, Fonds Richler Acc. # 582/159.1, 32. *Hunting*, 133.

112. Interview avec Avrum Richler.

113. Interview avec Kurtz. Interview avec Caldoff.

114. Paul Johnson, 398.

115. *The Georgian* (4 novembre 1948), « A People Come Home ! Israel Today », 5. Fonds Richler Acc. # 582/163.9.

116. *This Year in Jerusalem*, 182. Dans *Home Sweet Home* (65), la déclaration est attribuée à « oncle Solly », un autre masque pour Joe. L'interdiction apparaît dans *Mon père, ce héros*, mais elle est faite directement du grand-père au petit-fils (157).

117. Todd, 16.

118. *Home Sweet*, 66.

119. Interview avec Bernard Richler. Interview avev Max Richler. Avrum Richler, courriel, 17 mai 2003.

120. « Mordecai Richler : St. Urbain's Meistersinger » [ms non identifié], Fonds Richler Acc. # 582/135.18, 11. Todd, 16.

121. Interview avec Max Richler.

122. Sam Orbaum, « Make », 19.

123. *Home Sweet*, 111. Stanley Cadloff et Phil Kurtz ne se rappellent pas que MacDonald soit venu à l'école, mais ils se rappellent de Richler refusant de se tenir debout pour l'hymne. Interview avec Kurtz. Interview avec Cadloff.

124. Paul Johnson, 525. Joe King, 247.

125. Arnstein, 341.

126. *Rue Saint-Urbain*. *This Year in Jerusalem*, 33, 276.

127. « Mordecai Richler : St. Urbain's Meistersinger » [ms non identifié], Fonds Richler Acc. # 582/135.18, 12.

128. *Home Sweet*, 112.

129. Interview avec Avrum Richler.

130. Richler, *The Rotten People*, 42-43, 35, Fonds Richler Acc. # 582/102.7.

131. Interview avec Avrum Richler. *Today Magazine*, « Beginnings », Fonds Richler Acc. # 582/160.8.

132. Interview avec Bernard Richler. Interview avec Avrum Richler. Dave Gusky, cité dans Posner, *Last*, 47.

133. *Mon père, ce héros*, 171.

134. Interview avec Max Richler. Certains Juifs, qui avaient une vague notion de la *cachroute*, estimaient que l'endroit était *cacher*. Voir Jack Basiuk, cité dans Posner, *Last*, 47.

135. Colleen E. Gregory à Richler, 24 octobre 2002.

136. *Errand*, 124-126. Interview avec Avrum Richler. Lionel Albert, courriel, 24 octobre 2002.

137. Interview avec Avrum Richler. *Errand*, 141.

p. 78 à p. 82

138. «Mordecai Richler: St. Urbain's Meistersinger» [ms non identifié], Fonds Richler Acc. # 582/135.18, 12.

5. Un collège de second rang

1. Donnie Goldberg, citée par Posner, *Last*, 32.
2. Joe King, 292. Interview avec Avrum Richler. Interview avec Jack Rabinovitch.
3. Richler, «School Days», 5, 7. Rabinovitch, «Mordecai», 25, *Home Sweet*, 107.
4. Fonds Richler, Msc 36.30.12 (*Time*, 9a).
5. *Broadsides*, 24.
6. Knelman, «Icon», 3.
7. Richler, *The Rotten People*, 61, Fonds Richler Acc. # 582/102.7.
8. Richler, *Leaving School*, 145. Interview avec Steve Kondaks.
9. Jack Lieber, cité dans Posner, *Last*, 42.
10. *This Year in Jerusalem*, 41-43.
11. Donny Goldberg, cité dans Posner, *Last*, 4.
12. Bernard Dubé, «TV and Radio», *The Montreal Gazette*, 18 mai 1967, Fonds Richler Msc 36.54.14.
13. Richler, «Afterword», *The Moslem Wife*, 248.
14. «Mordecai Richler: St. Urbain's Meistersinger» [ms non identifié], Fonds Richler Acc. # 582/135.18, 13. Nathan Cohen, «A Conversation...», *Tamarack Review*, 13, Fonds Richler Acc. # 582/129.8.
15. Richler à Ted Allan, 24 octobre 1952, Bibliothèque et Archives Canada 20.15.
16. Richler à Weintraub, 21 mars 1952, Weintraub, *Started*, 87.
17. *Home Sweet*, 58.
18. Marchand, «Oy», 147, Fonds Richler Acc. # 582/134.8.
19. Interview avec Max Richler.
20. L'histoire se retrouve dans le chapitre 9 de *Rue Saint-Urbain*. Elle a d'abord été publiée en 1961 avec «Bambinger» dans une pièce radiophonique de la CBC, «The Spare Room», puis dans *Kenyon Review*, 24, hiver 1962, 80-105, Fonds Richler Msc 36.31.8.
21. *Rue Saint-Urbain*.
22. Richler à Weintraub, 30 août 1951, Weintraub, *Started*, 71. *Rue Saint-Urbain*.
23. Interview avec Max Richler.
24. Fonds Richler Acc. # 582/19.45d.
25. Interview avec Kealey (Fonds Richler Acc. # 582/152.1).
26. «Artist with a Message», *New/Nouvelle Generation*, (Baron Byng), 1: 3 (mai 1965), Fonds Richler Msc 161.1.
27. Interview avec Avrum Richler. Interview avec Lionel Albert.
28. Lionel Albert, courriel, 21 septembre 2002.
29. Interview avec Bernard Richler.
30. Richler, *Leaving School*, 146.
31. Richler, *Leaving School*, 148-149.
32. *Oh Canada! Oh Quebec!*
33. Richler, *Leaving School*, 148; *five cent Review*, décembre 1968, 16, Richler Fonds Msc 36.54.3.
34. Richler, «Evelyn» (Fonds Richler Acc. # 582/163.4).
35. Mike Gold, «Towards a Proletarian Art», 62-63.
36. Fonds Richler Acc. # 582/110.1.
37. Mike Gold, «Intro», 8-9.
38. *The Georgian*, 4 novembre 1948, «A People Come Home! Israel Today», 5, Fonds Richler Acc. # 582/163.9. Richler a aussi collaboré à *Focus: A Magazine for Jewish Youth*.
39. *Home Sweet*, 112. Richler, «Looking for Work», 1, Fonds Richler Acc. # 582/115.20.

p. 82 à p. 89

40. Richler, « Looking for Work », 1, Fonds Richler Acc. # 582/115.20.

41. *Montreal Herald*, 17, 19 février; 1ᵉʳ, 14 mars 1949, Fonds Richler Acc. # 582/163.10.

42. *Montreal Herald*, 5, 17, 19 25 février; 1, 2, 14, 16, 17 mars 1949, Richler, Fonds Richler Acc. # 582/163.10.

43. Jerry Brown, cité dans Posner, *Last*, 38.

44. Richler, *Leaving School*, 147.

45. *Hillel McGillah*, 18 novembre 1948 (Heshvan 5709), Richler, Fonds Richler Acc. # 582/103.3.

46. *The Georgian*, 28 octobre 1948, Richler, Fonds Richler Acc. # 582/163.9.

47. Interview avec McCormick, 22 août 1971, Richler, Fonds Richler Acc. # 582/152.16.

48. Trevor Philipps, cité dans Posner, *Last*, 44.

49. « Mordecai Richler: St. Urbain's Meistersinger » [ms non identifié], Richler, Fonds Richler Acc. # 582/135.18, 13. Nathan Cohen, « A Conversation... », *Tamarack Review*, 8, Richler, Fonds Richler Acc. # 582/129.8.

50. Richler, *Leaving School*, 137.

51. Richler, Fonds Richler Msc 36.55.2.

52. Interview avec Avrum Richler.

53. Nathan Cohen, « A Conversation... », *Tamarack Review*, 8, Richler, Fonds Richler Acc. # 582/129.8. « Mordecai Richler: St. Urbain's Meistersinger » [ms non identifié], Richler, Fonds Richler Acc. # 582/135.18, 13.

54. Interview ms avec Cameron (10 juin 1971), « Mordecai Richler: St. Urbain's Meistersinger » [ms non identifié], Richler, Fonds Richler Acc. # 582/135.18, 13.

55. Richler, « Looking for Work », Fonds Richler Acc. # 582/115.20. Nathan Cohen, « A Conversation... », *Tamarack Review*, 8, Richler, Fonds Richler Acc. # 582/129.8. Interview avec McCormick, 22 août 1971, Fonds Richler Acc. # 582/152.16.

56. Moe a épousé Sara Werb à Winnipeg le 10 janvier. Interview avec Avrum Richler. Il semble qu'elle se faisait appeler habituellement Sara Hendler.

57. Interview avec Avrum Richler.

58. Richler, « Looking for Work », 2, Fonds Richler Acc. # 582/115.20.

59. « Mordecai Richler: St. Urbain's Meistersinger » [ms non identifié], Richler, Fonds Richler Acc. # 582/135.18, 13.

60. Richler, « John D., A Guy with a Rep », Fonds Richler Acc. # 582/103.3.

61. Fonds Richler Acc. # 582/123.16. Cet article semble issu d'une présentation que Richler a donnée dans le cadre d'une célébration Callaghan. *Snooker*, 169.

62. Richler, « Afterword », *The Moslem Wife*, 248. Knelman, « Icon », 3.

63. *Mon père, ce héros*.

64. Interview avec Lionel Albert.

65. *Back to Ibiza*, Fonds Richler Acc. # 582/65.4, 42.

66. Interview avec Max Richler.

67. *Errand*, 123.

68. Interview avec Avrum Richler.

69. *Back to Ibiza*, Fonds Richler Acc. # 582/65.4, 42.

70. *Shovelling Trouble*, 19.

71. *Home Sweet*, 62. Richler, « On Being Jewish », 4, Fonds Richler Acc. # 582/110.20.

72. [Richler] « Biographical Notes », Fonds Richler Msc 36.55.2. Richler, « Q is for Quest », 1, Richler, Fonds Msc 36.40.15. Nathan Cohen, « A Conversation... », *Tamarack Review*, 8, Richler, Fonds Richler Acc. # 582/129.8. Interview avec Max Richler. Interview avec Avrum Richler. Interview avec Bernard Richler.

73. Jack Basiuk, cité dans Posner, *Last*, 47.

74. Service de presse pour *The Apprenticeship of Duddy Kravitz*, Fonds Richler Msc 36.32.5.

75. Richler, « Home », 5, Richler Fonds Msc 36.32.5.

p. 89 à p. 95

76. Gordon O. Rothney, professeur d'histoire, Sir George Williams University, lettre de recommandation, 23 août 1950, Fonds Richler Msc 36.12.23.

77. Registraire, Sir George Williams University, 18 août 1950, Fonds Richler Msc 36.12.23.

78. Jonathan Yardley, « Richler : Humane Vision, Healthy District », *Miami Herald*, 22 septembre 1974, *Home Sweet*, 4-5.

6. Ibiza : la bohème parmi les pêcheurs

1. *Back to Ibiza*, Fonds Richler Acc. # 582/65.4, 42.

2. Interview avec Tina Srebotnjak, *Midday*, CBC-TV, 12 septembre 1994.

3. Respectivement dans *Fifth Business, The Rebel Angels, What's Bred in the Bone*, et *The Lyre of Orpheus*.

4. Interview avec Weintraub (2002). Richler, *Leaving School*, 149. « Terence Mcewen Dies at 69 », *New York Times*, 23 septembre 1998, B12.

5. Richler, « Innocents », 2, 6.

6. *Back to Ibiza*, Fonds Richler Acc. # 582/65.4, 43.

7. Richler, « London Province », 42.

8. Richler à George Plimpton, Fonds Richler Acc. # 680/31.58.

9. Richler, « The Lamplight of Paris », TV play, n. d., 1-17, Fonds Richler Msc 36.39.1.

10. Interview avec Richmond, 4 février 1970, Fonds Richler Msc 36.55.1. *Shovelling*, 29.

11. James Baldwin, *Notes of a Native Son*, 127.

12. Mavis Gallant, citée dans Posner, *Last*, 60.

13. Lionel Albert, courriel, 16 septembre 2002.

14. *The Acrobats*, 29.

15. Richler à George Plimpton, Fonds Richler Acc. # 680/31.58.

16. Richler, « Cures for Homesickness ». Nathan Cohen, « A Conversation… », *Tamarack Review*, 8, Richler, Fonds Richler Acc. # 582/129.8. *Hunting*, 24.

17. Nathan Cohen, « A Conversation… », *Tamarack Review*, 8, Richler, Fonds Richler Acc. # 582/129.8.

18. Richler à George Plimpton, Fonds Richler Acc. # 680/31.58.

19. Richler, « Miller's », 8 octobre 1965, Fonds Richler Acc. # 582/163.7.

20. Interview avec Weintraub (2002).

21. Richler, « Q Is for Quest », 30 mai 1961, 3, Fonds Richler Msc 36.40.15. *Back to Ibiza*, Fonds Richler Acc. # 582/65.4, 14. « Eating », Fonds Richler Acc. # 582/103.2, 3. *Shovelling*, 25.

22. *Back to Ibiza*, Fonds Richler Acc. # 582/65.4, 43.

23. Richler, « Miller's », 8 octobre 1965, Fonds Richler Acc. # 582/163.7.

24. Interview avec Dansereau et Beaudet, 89.

25. Interview avec Weintraub (2001). Weintraub, *Started*, 12. Fonds Richler Msc 36.30.12 (*Time*, 9b).

26. Knelman, « Icon », 3.

27. Weintraub, « Callow », 30.

28. Interview avec Weintraub (2001).

29. Fonds Richler Acc. # 582/107.1, « Minders », 10. *Snooker*, 10.

30. *Shovelling*, 35.

31. [Richler], « Biographical Notes », Fonds Richler Msc 36.55.2. Interview avec Kealey, Fonds Richler Acc. # 582/152.1. *Shovelling*, 35.

32. Richler, « Shades of Darkness », 30, 32. S. Martin, « Insult », Fonds Richler Acc. # 582/160.7, 4.

33. Richler, *The Rotten People*, 190. Fonds Richler Acc. # 582/102.7.

34. *Back to Ibiza*, Fonds Richler Acc. # 582/65.4, 43.

35. *Images of Spain*, 21. Richler, *The Rotten People*, 190. Fonds Richler Acc. # 582/102.6.

p. 95 à p. 105

36. *Back to Ibiza*, Fonds Richler Acc. # 582/65.4, 48-9. Interview avec Noah Richler. Il semble que Rosita était le nom véritable de la dame en question.

37. *Back to Ibiza*, Fonds Richler Acc. # 582/65.4, 113.

38. Interview avec Weintraub (2002). *Images of Spain*, 20. Weintraub, *Started*, 58. *Back to Ibiza*, Fonds Richler Acc. # 582/65.4, 51.

39. Nathan Cohen, « A Conversation… », *Tamarack Review*, 10, Fonds Richler Acc. # 582/129.8. Brian Moore à Bill Weintraub, 8 janvier 1957, Weintraub, *Started*, 187.

40. Richler, *The Rotten People*, 190. Fonds Richler Acc. # 582/102.6.

41. *Images of Spain*, 31.

42. Richler à Weintraub, 9 juin 1951, Weintraub, *Started*, 57. *Back to Ibiza*, Fonds Richler Acc. # 582/65.4, 45, 52.

43. *Hunting*, 46. *Images of Spain*, 26, 22.

44. Paul Johnson, 311-312, 342.

45. Brouillon de *The Acrobats*, Fonds Richler Msc 36.15.4. Nathan Cohen, « A Conversation… », *Tamarack Review*, 10, Fonds Richler Acc. # 582/129.8.

46. Richler, « Intro », *Rue Saint-Urbain*. *Back to Ibiza*, Fonds Richler Acc. # 582/65.4, 9.

47. *Home Sweet*, 57.

48. Kotcheff, « Afterword », 214.

49. Haberman.

50. Weintraub, *Started*, 46.

51. *Back to Ibiza*, Fonds Richler Acc. # 582/65.4, 114.

52. MacGregor, 49, Fonds Richler Acc. # 582/157.4. Richler à Bill Weintraub, 1er avril 1951, Weintraub, *Started*, 46-7. *Back to Ibiza*, Fonds Richler Acc. # 582/65.4, 74, 114. Weintraub, « Callow », 30.

53. Richler à Bill Weintraub, 1er avril 1951 ; Bill Weintraub à Brian Moore, 15 avril 1951 ; Weintraub, *Started*, 47, 51.

54. *Back to Ibiza*, Fonds Richler Acc. # 582/65.4, 149-55. *Joshua*.

55. Richler, *The Rotten People*, 76. Fonds Richler Acc. # 582/102.7.

56. Interview avec Weintraub (2002).

57. *Back to Ibiza*, Fonds Richler Acc. # 582/65.4, 137-148, 54. Richler à Bill Weintraub, 9 juin 1951, Weintraub, *Started*, 57.

58. *Back to Ibiza*, Fonds Richler Acc. # 582/65.4, 167d, 78, 10,50, 108. *Le cavalier de Saint-Urbain*.

59. Dans *Back to Ibiza*, Mariano explique à Richler, « son nom n'était pas Mueller ». *Back to Ibiza*, Fonds Richler Acc. # 582/65.4, 167d, 41, 114, 150-155.

60. *Back to Ibiza*, Fonds Richler Acc. # 582/65.4, 76.

61. Interview avec Weintraub 2001, 2002.

62. Richler, Notes pour *The Rotten People*, Fonds Richler Acc. # 582/102.2.

63. Richler à Ted Allan, 24 octobre 1952, Bibliothèque et Archives Canada, Fonds Ted Allan, M630 D388 R2931-0-4-E boîte 20.15. Richler a répété cette plainte en ondes à la CBC (Richler, « Q Is for Quest », 30 mai 1961, 4, Richler Fonds Msc 36.40.15) et dans un interview datant de 1980. Adele Freedman, *Globe and Mail*, (17 mai 1980), Fonds Richler Acc. # 582/157.4.

64. Selon Richler, Florence et Bob Gottlieb ont lu *Back to Ibiza* et étaient d'accord sur le fait que « les meilleures parties du livre étaient les mensonges, ou la fiction, pas le journalisme ». Interview avec Goodman, Fonds Richler Acc. # 582/157.2.

65. Michael Ryval, 56, Fonds Richler Acc. # 582/161.1.

66. *Back to Ibiza*, Fonds Richler Acc. # 582/65.4, 79. *Joshua*, 237.

67. Richler, « Goldberg, Gogarty and Ko », 21.

68. *Joshua*. *Back to Ibiza*, Fonds Richler Acc. # 582/65.4, 109-12, 77, 46. Bill Weintraub affirme qu'il n'a jamais rencontré aucun prototype des Freibergs. Interview avec Weintraub (2002).

69. *Back to Ibiza*, Fonds Richler Acc. # 582/65.4, 158, 156.

p. 105 à p. 114

70. Richler à Bill Weintraub, cité dans Posner, *Last*, 67.

71. Richler à Weintraub, 26 juin 1951, Weintraub, *Started*, 59. Richler, «It Was Fun», 51.

72. Kotcheff, «Afterword», 216.

73. Interview avec Avrum Richler. *Back to Ibiza*, Fonds Richler Acc. # 582/65.4, 46, 177. Richler, «It Was Fun».

74. Richler à Weintraub, 9, 26 juin 1951, Weintraub, *Started*, 56-57, 59.

75. Richler, «It Was Fun», 51.

76. *Back to Ibiza*, Fonds Richler Acc. # 582/65.4, 174.

77. Richler, Brouillon de *St. Urbain's Horseman*, Fonds Richler Msc 36.25.1. Brouillon de *St. Urbain's Horseman*, Fonds Richler Msc 36.30.6. Il semble que la version intégrée dans *Back to Ibiza* était déjà romancée.

78. Richler, «It Was Fun», 51.

79. Richler, «My One and Only Countess», 7, 9, Fonds Richler Msc 36.48.1.

80. Florence n'a pas cherché à savoir auprès de Richler dans quelle mesure l'incident était factuel ou fictif, respectant son intimité et sachant que le fait de chercher de façon maladroite la source de son inspiration allait peut-être démystifier l'expérience. Interview avec Florence Richler.

81. *Joshua. Back to Ibiza*, Fonds Richler Acc. # 582/65.4, 74, 43. Budd Schulberg, et non «Bubb».

82. Voir Andrew Wheatcroft, *Infidels*, 104, 123.

83. *Acrobats*, 50 ; *Joshua au passé, au présent*, 240. *Back to Ibiza* intègre également cette citation. *Back to Ibiza*, Fonds Richler Acc. # 582/65.4, 116.

84. Interview avec Avrum Richler.

85. *Back to Ibiza*, Fonds Richler Acc. # 582/65.4, 177. *Joshua*.

86. Richler à Weintraub, 3 juillet 1951, Weintraub, *Started*, 60.

7. Paris : M. Gauche de la Rive-gauche

1. *Joshua. Back to Ibiza*, Fonds Richler Acc. # 582/65.4, 138.

2. *Joshua. Back to Ibiza*, Fonds Richler Acc. # 582/65.4, 178.

3. Richler à Weintraub, 9 juin, 3 juillet 1951, Weintraub, *Started* 57, 60.

4. Jori Smith, citée dans Posner, *Last*, 67-9. Interview avec Weintraub (2002). Richler à Weintraub, 3 août 1951, Weintraub, *Started*, 62.

5. Richler à Weintraub, 3, 30 août 1951, Weintraub, *Started*, 62, 71. Richler à Weintraub, cité dans Posner, *Last*, 67.

6. Richler, «Countess», Fonds Richler Acc. # 582/103.2.

7. Richler, «Countess», 122, Fonds Richler Acc. # 582/103.2 ; «Apprenticeship of Richler», 1961, Fonds Richler Acc. # 582/163.5.

8. Interview avec Weintraub (2002). Richler à Weintraub, 9 juin 1951, Weintraub, *Started*, 57.

9. Richler, *The Rotten People*, 411, Fonds Richler Acc. # 582/102.8.

10. Richler, *The Rotten People*, 6, 11, Fonds Richler Acc. # 582/102.7.

11. Richler, *The Rotten People*, 219, Fonds Richler Acc. # 582/102.7.

12. Richler, *The Rotten People*, 132, 134, Fonds Richler Acc. # 582/102.7.

13. Richler, Notes pour *The Rotten People*, 411, Fonds Richler Acc. # 582/102.2.

14. Richler, *The Rotten People*, 296, Fonds Richler Acc. # 582/102.8.

15. Richler, *The Rotten People*, 411, Fonds Richler Acc. # 582/102.8.

16. Richler à Weintraub, 30 août 1951, Weintraub, *Started*, 71.

17. Makow, «Master's», Fonds Richler Acc. # 582/135.9.

18. Richler, *The Rotten People*, 248, 296, 134, Fonds Richler Acc. # 582/102.8.

19. Richler à Weintraub, 30 août 1951, Weintraub, *Started*, 71. Les «manuscrits non identifiés» qui se trouvent dans les archives de Richler comportent une référence à l'histoire «Il faut s'agir», mais on n'y trouve aucune copie de l'histoire.

20. Richler à Weintraub, 21 septembre 1951, Weintraub, *Started*, 73.

p. 114 à p. 123

21. Interview avec Lionel Albert. Lionel Albert, courriel, 16 octobre 2002. Weintraub à Richler, 25 août 1951; Richler à Weintraub, 30 août, 21 septembre 1951, Weintraub, *Started*, 64-65, 71, 73.

22. Richler, «It Was Fun», 51.

23. Interview avec Lionel Albert. Richler, «Countess», 122, Fonds Richler Acc. # 582/103.2. Richler à Weintraub, 28 octobre 1951, Weintraub, *Started*, 74.

24. Richler à Weintraub, 28 octobre 1951, Weintraub, *Started*, 74.

25. Lionel Albert, courriel, 16 octobre 2002.

26. *Back to Ibiza*, Fonds Richler Acc. # 582/65.4, 168.

27. Richler à Weintraub, 14 novembre 1951, Weintraub, *Started*, 76.

28. Lionel Albert, courriel, 16 octobre 2002.

29. Richler, «Down and Up in Paris», 21, Fonds Richler Acc. # 582/125.6. Lionel Albert, courriel, 16 septembre 2002. Interview avec Kealey, Fonds Richler Acc. # 582/152.1.

30. Richler à Weintraub, 11 janvier 1952, Weintraub, *Started*, 52.

31. *Shovelling*, 40. Richler, «Down and Up in Paris», 24, Fonds Richler Acc. # 582/125.6.

32. Richler, *Leaving School*, 150.

33. Richler, «Eating», Fonds Richler Acc. # 582/103.2. Kotcheff, «Afterword», 214.

34. Bill Weintraub à Brian Moore, 15 janvier 1951, Weintraub, *Started*, 14.

35. Hill, *Grand Guy*, 34. *Shovelling*, 26, 36-37. Ann Duncan, «Richler Then and Now», Fonds Richler Acc. # 582/157.3. Richler, «Q Is for Quest», 30 mai 1961, 3, Fonds Richler Msc 36.40.15.

36. Mike Golden, 228. «Interview», 3. Richler, «Q Is for Quest», 30 mai 1961, 3, Fonds Richler Msc 36.40.15. Hill, *Grand Guy*, 38. *Shovelling*, 27.

37. Ron Bryden à Richler, 29 décembre 1980, Fonds Richler Acc. # 582/10.23.

38. Lionel Albert, courriel, 16 septembre 2002.

39. George Plimpton, 2.

40. William Styron, 217.

41. *Snooker*, 83. *Shovelling*, 32.

42. Richler, «Eating», 2. Richler à Weintraub, mai 1952, Weintraub, *Started*, 87.

43. Hill, *Grand Guy*, 38.

44. *Belling the Cat*, 144.

45. Hill, *Grand Guy*, 36.

46. *Shovelling*, 37.

47. Isou, «Selections from the Manifestos of Isidore Isou», 1, 3-4.

48. Terry Southern, «I Am Mike Hammer», *The Best of Modern Humor*, éd. par Richler, 279.

49. Hill, *Grand Guy*, 36.

50. Hill, «Interview», 4.

51. *Shovelling*, 28. *Barney's Version*, 89.

52. Metcalf, «Black», 3.

53. Merrill, 1. Hill, *Grand Guy*, 38, 32, 33. *Shovelling*, 28.

54. Interview avec Metcalf, 3.

55. Mason Hoffenberg, «Divination», *Zero Review*, 1, (1949).

56. *Le monde de Barney*, 92. Si Barry n'est pas Richler, il affiche des attitudes propres à celui-ci.

57. *Shovelling*, 29, 36.

58. *Back to Ibiza*, Fonds Richler Acc. # 582/65.4, 14.

59. Hill, *Grand Guy*, 32, 34. Noah Richler, «I Wanted», B2.

60. *Le monde de Barney*, 124.

61. Duhm, Fonds Richler Acc. # 582/161.1), 28. Ann Duncan, «Richler Then and Now», Fonds Richler Acc. # 582/157.3. Il est possible que Richler ait occupé ces emplois durant son séjour à Paris en 1995 plutôt qu'en 1952.

p. 123 à p. 129

62. Richler à Weintraub, 14 novembre 1952, Weintraub, *Started*, 77.

63. *Shovelling*, 38.

64. Interview avec Lionel Albert. Lionel Albert, courriel, 11 décembre 2002.

65. Richler à Weintraub, 11 janvier et 21 mars 1952, Weintraub, *Started*, 83, 87.

66. Ayre, 3.

67. Brouillon de *The Acrobats*, Fonds Richler Msc 36.15.4.

68. Richler à Weintraub, 21 mars 1952, Weintraub, *Started*, 87.

69. Richler, *The Rotten People*, 402, Fonds Richler Acc. # 582/102.8.

70. Richler, *The Rotten People*, 402, Fonds Richler Acc. # 582/102.8.

71. Richler, «The Biog of Chaim», Richler, *The Rotten People*, 402, Fonds Richler Acc. # 582/102.4. Richler, *The Jew of Valencia*, Richler, *The Rotten People*, 402, Fonds Richler Acc. # 582/102.4.

72. Richler à Weintraub, 9 février, 26 mai 1952, 30 août 1951, Weintraub, *Started*, 71, 83, 88. *Shovelling*, 40.

73. Mordecai Richler à Ted Allan, 24 octobre 1952, Bibliothèque et Archives Canada, 20.15. Richler à Weintraub, 26 mai 1952, Weintraub, *Started*, 88.

74. Nathan Cohen, «A Conversation…», *Tamarack Review*, 10, Fonds Richler Acc. # 582/129.8. Richler à Ted Allan, 24 octobre 1952, Bibliothèque et Archives Canada, 20.15.

75. Richler à Weintraub, 21 mars, 26 mai, 15 août 1952, Weintraub, *Started*, 87-88, 90. *Home Sweet*, 62. *Shovelling*, 46. Interview avec Lionel Albert.

76. Ulla Fribroch [ou Tribroch?] à Richler, 18 août 1952, Fonds Richler Acc. # 680/14.72.

77. *The Acrobats*, 115-116.

78. Richler à Ted Allan, 24 octobre 1952, Bibliothèque et Archives Canada, 20.15.

79. Interview avec Weintraub (2001). Dubé, A13. Kotcheff, «Afterword», 221. Florence Richler n'est pas d'accord, suggérant que ces commentaires ont été prononcés seulement parce que Weiner était célibataire et de forte taille.

80. Joyce Weiner à Richler, 16 septembre 1973, Fonds Richler Acc. # 582/47.31. Nathan Cohen, «A Conversation…», *Tamarack Review*, 10, Fonds Richler Acc. # 582/129.8.

81. Interview avec Weintraub (2001). Kotcheff, «Afterword», 221.

p. 129
à
p. 137

8. Qu'est-ce que *tu* connais au cirque?

1. Interview avec Avrum Richler.

2. Weintraub, *Started*, 93.

3. Richler à Ted Allan, 24 octobre 1952, Bibliothèque et Archives Canada, 20.15. Joyce Weiner à Richler, 9 décembre 1952, Fonds Richler Msc 36.6.31.

4. Richler à Weintraub, 15 août 1952, Weintraub, *Started*, 90. Joyce Weiner à Richler, 9 décembre 1952, Fonds Richler Msc 36.6.31.

5. Joyce Weiner à Richler, 26 septembre 1952, Fonds Richler Acc. # 582/47.31.

6. Fonds Richler Acc. # 582/42.22 (après septembre 1952).

7. Interview avec Lionel Albert.

8. Joyce Weiner à Richler, 26 septembre 1952, Fonds Richler Acc. # 582/47.31. Richler a aussi déclaré avoir travaillé comme simple ouvrier dans une usine et vendeur de couches, sans préciser à quelle période. Nathan Cohen, «A Conversation…», *Tamarack Review*, 10, Fonds Richler Acc. # 582/129.8. «L'auteur», *Mon père, ce héros*.

9. Interview avec Max Richler.

10. Richler à Ted Allan, 24 octobre 1952, Bibliothèque et Archives Canada, 20.15. Joyce Weiner à Richler, 9 décembre 1952, Fonds Richler Msc 36.6.31.

11. *The Montreal Gazette*, «Richler's Friends», 6.

12. «Mordecai Richler: St. Urbain's Meistersinger» [ms non identifié], Fonds Richler Acc. # 582/135.18, 15.

13. *Back to Ibiza*, Fonds Richler Acc. # 582/65.4, 92-3.

14. Weisbrod and Tree.

15. *Home Movies*, 187-188. Norman Allan, *Ted*, chapitre 3, « Spain »; chapitre 7, « The Nineteen Forties », 15.

16. Interview avec Florence Richler.

17. Richler à Ted Allan, 24 octobre 1952, Bibliothèque et Archives Canada, 20.15.

18. Norman Allan, *Ted*, chapitre 8, « Oh Canada », 11, 13. Weisbrod and Tree.

19. Interview avec Florence Richler.

20. « Mordecai Richler: St. Urbain's Meistersinger » [ms non identifié], Fonds Richler Acc. # 582/135.18, 15. Interview avec Lionel Albert. Lionel Albert, courriel, 3 octobre 2002.

21. Interview avec Lionel Albert.

22. Interview avec Lionel Albert. Lionel Albert, courriel, 14 décembre 2002. *Walking in the Shade*, 128.

23. Interview avec Weintraub (2001).

24. Interview avec Lionel Albert.

25. Richler, « Bones », 1.

26. Interview avec Bernard Ostry.

27. Interview avec Lionel Albert.

28. *The Montreal Gazette*, « Richler's Friends », 6.

29. Richler se rappelle que Mavis Gallant l'a introduit à Moore en France. (Richler, « Memories of Brian Moore », 45-46), mais Weintraub persiste à dire qu'*il* les a introduits l'un à l'autre à Montréal. Gallant a introduit *Weintraub* à Richler en France, Interview avec Weintraub (2002); Weintraub, *Started*, 93.

30. *Winnipeg Free Press*, 13 janvier 1999, D6.

31. Interview avec Weintraub (2001).

32. Richler, « Memories of Brian Moore », 45-46.

33. *Winnipeg Free Press*, 13 janvier 1999, D6. Patricia Craig, *Brian Moore,* 117.

34. Joel Yanofsky, *Mordecai & Me*, 58. Moore a quitté la *Montreal Gazette* en 1952, et Richler n'a pas reçu une note d'acceptation avant le début de 1953. Néanmoins, l'histoire est peut-être vraie, si Moore était ému par la décision de Joyce Richler de prendre en charge Richler.

35. Joyce Weiner à Richler, 13 février 1953, Fonds Richler Msc 36.6.31.

36. Joyce Weiner à Richler, 27 février 1953.

37. Hill, *Grand Guy,* 75.

38. Athill, *Instead*, 145-6, *Stet*, 22, 16.

39. Athill, *Stet*, 28, 38, 40, 52, 58, 91; *Instead*, 147, 154. Brian Glanville, « July Book Column », *Reynolds News,* 5 juillet 1959, Fonds Richler Msc 36.54.13.

40. Joyce Weiner à Richler, 25 novembre 1952, Fonds Richler Acc. # 582/47.31.

41. Interview avec Lionel Albert.

42. Joyce Weiner à Richler, 15 mars 1953, Fonds Richler Msc 36.6.31.

43. *Errand,* 140.

44. Colleen E. Gregory à Richler, 20 avril 1992.

45. Richler, « How I Became Unknown with My First Novel », *Maclean's*, 1er février 1958, 19, 40-41. « On Being Jewish », Fonds Richler Acc. # 582/110.20. *Shovelling*, 15-16.

46. Manuscrits non identifiés, Fonds Richler Acc. # 582/110.1, 11.

47. Diana Athill, citée dans Posner, *Last*, 82.

48. Torsten Blomkvist à Richler, 24 octobre 195-, Fonds Richler Msc 36.2.17.

49. Athill, *Stet*, 135-136. Diana Athill à Richler, 7 avril 1953, Fonds Richler Msc 36.1.25.6.

50. Joyce Weiner à Richler, 25 novembre 1952, Fonds Richler Acc. # 582/47.31.

51. Brouillon de *The Acrobats*, 49, 108f, Fonds Richler Msc 36.15.3.

52. Diana Athill à Richler, 7 avril 1953, Fonds Richler Msc 36.1.25.6.

53. *Acrobats,* 8.

54. Richler, « Q Is for Quest », copie, 30 mai 1961, 4, Fonds Richler Msc 36.40.15.

55. *Acrobats,* 146.

p. 138 à p. 145

56. Arnold Davidson a montré que l'action et la psychologie de certains personnages sont exagérés dans *The Acrobats*. Davidson, 24-25.

57. *Acrobats*, 49.

58. Brouillon de *The Acrobats*, 49, 108f, Fonds Richler Msc 36.15.3.

59. Selon Ted Kotcheff, l'agitation intellectuelle d'André et son émotivité intense appartiennent à Richler, mais la philosophie de Richler était beaucoup plus proche de celle de Chaïm – un «sens mélancolique de l'impossibilité de la vie, ses injustices indéracinables». Kotcheff, «Afterword», 217, 221.

60. Interview ms avec Cameron (10 juin 1971), 21, Fonds Richler Msc 36.54.1.

61. Ramraj, 47.

62. Craniford, 12.

63. *Acrobats*, 121, 51. *Joshua au passé, au présent*, 240.

64. Brouillon d'une version dramaturgique de *The Acrobats*, Fonds Richler Acc. # 582/103.4.

65. Richler à Diana Athill, 14 avril 1953, Fonds Richler Msc 36.1.25.7.

66. Richler à Weiner, 1er mai 1953, Fonds Richler Msc 36.6.31.

67. Joyce Weiner à Richler, 27 avril 1953, Fonds Richler Msc 36.6.31.

68. Brian Moore à Richler, 24 janvier [1954?], Fonds Richler Msc 36.9.19.

69. Joyce Weiner à Richler, 8 mai, 26 mars, 15 mars, 20 mai, 13 juillet 1953, Fonds Richler Msc 36.6.31.

70. Seulement «The Secret of the Kugel», «Four Beautiful Sailors Americain» et «Mr. MacPherson» semblent exister. Le personnage d'Isenberg dans «Mr. MacPherson» (Fonds Richler Msc 36.11.55.14b) et «MacPherson's Cloud» (Fonds Richler Acc. # 582/103.2) allaient produire éventuellement Duddy Kravitz.

71. Joyce Weiner à Richler, 23 novembre 1953, Fonds Richler Msc 36.6.31.

72. Robert Weaver a acheté «The Secret of the Kugel» pour la CBC malgré ses craintes. (Robert Weaver à Richler, 15 juillet 1954, Fonds Richler Msc 36.2.55). *New Statement* et le *Montreal Star* l'ont publié respectivement en 1956 et 1957, probablement parce que Richler commençait à jouir d'une certaine notoriété en tant que romancier. Plus tard, Richler a affirmé que l'histoire était «sentimentale de façon gênante».

73. «The Secret of the Kugel», Fonds Richler Acc. # 582/163.5.

p. 145 à p. 153

9. Londres : Cathy, le commerce et le Señor Hoore

1. Ted Kotcheff, cité dans Posner, *Last*, 81.

2. Evelyn à Richler, 27 novembre 1953, Fonds Richler Acc. #680/1.5.

3. Lionel Albert, courriel, 19 octobre 2002 (expédié par Bill Weintraub, courriel, 17 octobre 2002, citant une lettre de Richler à Weintrub, 6 septembre 1953). Richler à Weintraub, 11 septembre 1953, Weintraub, *Started*, 94.

4. Diana Athill à Richler, 5 juillet 1953, Fonds Richler Msc 36.1.25.8.

5. Salman Rushdie, *Step Across This Line*, New York, Alfred A. Knopf, 2002.

6. Richler à Bill Weintraub, 11 septembre 1953, Weintraub, *Started*, 94.

7. Nathan Cohen, «A Conversation…», *Tamarack Review*, 17, Fonds Richler Acc. # 582/129.8. Interview, *The Montreal Gazette*, 5 octobre 1955, Fonds Richler Msc 36.22.5.

8. Bernard Richler à Mordecai Richler, 4 novembre 1953, Fonds Richler Msc 36.11.21.

9. Richler à Ted Allan, 30 décembre 1953, Bibliothèque et Archives Canada, 20.23.

10. Richler à Bill Weintraub, 11 septembre 1953, Weintraub, *Started*, 95.

11. Fonds Richler Acc. # 582/19.45. Interview avec Gould (1983).

12. *Shovelling*, 39.

13. Richler à Bob Amussen (G. Putnam's Sons, NY), 8 février 1954 ; Richler à Amussen, 10 février 1954, Fonds Richler Msc 36.4.48.

14. Richler à Ted Purdy (G. Putnam's Sons, NY), 12 janvier 1954, Fonds Richler Msc 36.4.48.

15. Richler à Bill Weintraub, 11 septembre 1953, Weintraub, *Started*, 94.

16. Ted Allan à Richler, 7 février 1955, Bibliothèque et Archives Canada, MG-30-D388, R2931-2-8-E, boîte 20.30.

17. Interview avec Dansereau et Beaudet, 88.

18. Richler à Bill Weintraub, 29 janvier 1954, Weintraub, *Started*, 99.

19. Joyce Weiner à Richler, 4 juillet 1954, Fonds Richler Msc 36.6.31.

20. Richler, « Memories of Brian Moore », 45-46. Sampson, *Brian Moore : Chameleon Novelist*, 98. Moore papers 31.1.1. Richler à Ted Allan, 30 décembre 1953, Bibliothèque et Archives Canada, 20.23. Bill Weintraub cité dans Posner, *Last*, 135.

21. Richler à Bob Amussen (G. Putnam's Sons, NY), 12 janvier 1954, Fonds Richler Msc 36.4.48.

22. Michael Sayers à Richler, 1er juin 1954, Fonds Richler Msc 36.11.58.

23. Moore, *An Answer from Limbo*, 12, 99, 121.

24. Richler à Bill Weintraub, 29 janvier 1954, Weintraub, *Started*, 98-99.

25. « Wade Miller » [Moore] à Bill Weintraub, 19 mars 1954, Weintraub, *Started*, 101.

26. « Vasco de Gama » [Brian Moore] à « Marco Polo » [Bill Weintraub], 31 mars 1954, Weintraub, *Started*, 102.

27. « Señor Hoore » [Brian Moore] à Bill Weintraub, n. d., Weintraub, *Started*, 105. [Bill Weintraub] à Richler, 4 juin 1955, Fonds Richler Acc. # 680/1.3.

28. Richler à Ted Purdy (G. Putnam's Sons, NY), 12 janvier 1954, Fonds Richler Msc 36.4.48.

29. Brian Moore à Richler, 195, Fonds Richler Msc 36.9.19.2a-c.

30. Nathan Cohen, « A Conversation... », *Tamarack Review*, 13, Fonds Richler Acc. # 582/129.8.

31. Welbourn, « I Get Up at 10 A. M. », Fonds Richler Msc 36.54.14.

32. *Home Sweet*, 62.

33. Richler à Ted Purdy (G. Putnam's Sons, NY), 12 janvier 1954, Fonds Richler Msc 36.4.48.

34. Evelyn à Richler, 27 novembre 1953, 20 janvier 1954, Fonds Richler Acc. #680/1.5.

35. Richler à Bill Weintraub, 8 juillet, 24 mai, 14 mai 1954, Weintraub, *Started*, 118, 113, 110.

36. Brian Moore à Richler, 16 septembre 1958, Fonds Richler Msc 36.9.19.

37. Weintraub, *Started*, 118. Dans un interview, Richler a affirmé qu'il avait habité à Munich pendant quatre ou même six mois, mais ces périodes semblent trop longues, compte tenu de la datation de ses lettres et de la date de son mariage à Londres (Interview avec Richmond, 4 février 1970, Fonds Richler Msc 36.55.1; *Belling the Cat*, 119). Parfois, Richler fait erreur sur la date, affirmant qu'il a visité Munich en 1955 (Richler, « Foreword », xxvii; *Belling the Cat*, 119).

38. Richler à Bill Weintraub, 8 juillet 1954, Weintraub, *Started*, 116.

39. Richler à Brian Moore, n. d. [juin-août 1954], Documents de Moore, 31.1.3.

40. Interview avec Theo Richmond, 4 février 1970, Fonds Richler Msc 36.55.1.

41. Richler à Brian Moore, n. d. [juin-août 1954], Documents de Moore, 31.1.3.

42. Joyce Weiner à Richler, 4 juillet 1954, Fonds Richler Msc 36.6.31. Bob Amussen (G. Putnam's Sons, NY) à Richler, 8 février 1954, Fonds Richler Msc 36.4.48.

43. Cathy Boudreau, citée dans Posner, *Last*, 90.

44. Interview avec Lionel Albert.

45. Joyce Weiner à Richler, 4 juillet 1954, Fonds Richler Msc 36.6.31.

46. Brian Moore à Richler, 21 juillet [1954?], Fonds Richler Msc 36.9.19.

47. Fonds Richler Acc. #582/163.10, 25 février 1949, *Montreal Herald*.

48. Interview avec Florence Richler. Weintraub, *Started*, 135. Duhm-Heitzmann, 28, Fonds Richler Acc. #582/161.1. Kotcheff, « Afterword », 223.

49. Vivian Hislop, « Top Models Look to the Stage », *Liverpool Echo*, 17 avril 1959.

p. 153 à p. 160

50. Kotcheff, «Afterword», 223.

51. Duhm-Heitzmann, 28, Fonds Richler Acc. #582/161.1.

52. Interview avec Florence Richler.

53. Moe Richler, cité dans Posner, *Last,* 89.

54. Interview avec Avrum Richler.

55. Interview avec Bernard Richler.

56. *Acrobats,* 148.

57. Interview avec Avrum Richler.

58. Richler, «On Being Jewish», 5, Fonds Richler Acc. # 582/110.20.

59. Joyce Weiner à Richler, 23 juillet 1954, Fonds Richler Msc 36.6.31.

60. Marion Magid à Richler, 19 août 1955, Fonds Richler Msc 36.7.46.

61. *Errand,* 141.

62. Interview avec Avrum Richler.

63. Jackie Moore à Richler, 9 juin [1954], Fonds Richler Msc 36.9.20, 2.

64. Richler, «Minders», 10-11, Fonds Richler Acc. # 582/107.1.

65. Marchand, «Oy», Fonds Richler Acc. # 582/134.8, 147. Interview avec Avrum Richler.

66. Richler, «TV, Tension», 52.

67. Interview avec Weintraub (2001).

68. Ted Allan à l'éditeur, *The Montreal Gazette,* n. d., Fonds Richler Acc. # 582/160.8.

69. John Fraser, cité dans MacDonald *et al.,* 8.

70. Richler, «Apprenticeship of Richler», 1961, 21, Fonds Richler Acc. # 582/163.5.

71. Richler à Bob Amussen (G. Putnam's Sons, NY), 10 février 1954, Fonds Richler Msc 36.4.48.

72. Merle Shain, «Richler: It's not exotic to be Jewish», *Toronto Telegram,* 26 octobre 1968, Fonds Richler Msc. 36.54.14. Interview avec Rindick, Fonds Richler Acc. # 582/39.3.

73. *Rue Saint-Urbain.*

74. Richler à Bill Weintraub, 14 mai, octobre 1954, Weintraub, *Started,* 110, 119.

75. *Mon père, ce héros,* 39.

76. Joyce Weiner à Richler, 4 juillet 1954, Fonds Richler Msc 36.6.31.

77. Brian Moore à Richler, 9 juin 1955, Fonds Richler Msc 36.9.19.

78. Interview avec Avrum Richler. Interview avec Max Richler.

79. Richler à Bill Weintraub, 8 juillet 1954, Weintraub, *Started,* 117.

80. *Mon père, ce héros.*

81. Richler à Ted Purdy (G. Putnam's Sons, NY), 12 janvier 1954, Fonds Richler Msc 36.4.48.

82. *Mon père, ce héros.*

83. Nathan Cohen, «A Conversation…», *Tamarack Review,* 14, Fonds Richler Acc. # 582/129.8.

84. *Mon père, ce héros.*

85. *Mon père, ce héros.*

86. *This Year in Jerusalem,* 187-200.

87. *This Year in Jerusalem,* 201.

88. Arnold, «Kosher», Fonds Richler Acc. # 582/161.2. Robinson, «Toward», 39, «Kabbalist», 45, 56.

89. Robinson, «Kabbalist», 45-46. Robinson, «Sabbath», 109.

90. Richler, *The Rotten People* 357, Fonds Richler Acc. # 582/102.8.

91. Dans un brouillon, Richler élimine Leah de façon explicite à la fin du roman. Manuscrit de *Son of a Smaller Hero,* Fonds Richler Msc 36.22.3, f131. Dans le roman publié, sa mort est implicite.

92. Saul Goldstein à Richler, 28 octobre 1991, Fonds Richler Acc. # 582/37.2 *This Year in Jerusalem,* 124.

*p. 160
à
p. 168*

93. Interview avec Weintraub (2001).

94. Brian Moore à Richler, 9 juin 1955, Fonds Richler Msc 36.9.19.

95. *Joshua au passé, au présent*, 506.

96. Bill Weintraub n'a aucun souvenir d'une compagne juive. Lionel Albert spécule sur le fait que Sanki était peut-être Juive. Interview avec Lionel Albert.

97. Interview avec Lionel Albert.

98. *Mon père, ce héros*, 278.

99. Neil Compton (Sir George Williams College) à Richler, 17 mars 1955, Fonds Richler Msc 36.3.49.

100. Neil Compton à Richler, 23 août 1965, Fonds Richler Msc 36.12.23.

101. Interview avec Bernard Richler. L'intensité du mauvais traitement qu'on a réservé à Richler l'a surpris.

102. Nathan Cohen à Richler, 3 décembre 1955, Fonds Richler Msc 36.2.55.

103. Emmanuel Litvinoff, «Books», *Jewish Observer and Middle East Review*, 16 septembre 1955, Fonds Richler Msc 36.22.6.

104. James 9, Fonds Richler Msc 36.30.12 (*Time*, 9c).

105. Sam Orbaum, «Make», 19. Sam Orbaum, «Canadian», 2.

106. Nathan Cohen, «A Conversation…», *Tamarack Review*, 14, Fonds Richler Acc. # 582/129.8.

107. Richler à Bob Amussen, 11 mars 1955, Fonds Richler Msc 36.8.33.

108. Gershon Baruch a comparé Richler à Julius Streicher, et le roman au journal de propagande nazie *Der Stürmer*. Gershon Baruch, «Books in Review: Son of a Smaller Hero», Fonds Richler Msc 36.22.5. Il est ironique de constater que plusieurs traits du roman que Baruch critique sont les plus près de l'autobiographie.

109. Jackie Moore à Richler, 9 juin [1955], Fonds Richler Msc 36.9.20.

110. Interview avec Weintraub (2001). Weintraub à Richler, 26 juin [1955], Fonds Richler Msc 36.14.3; 4 juin 1955, Weintraub, *Started*, 125. B[ill Weintraub] à Richler, n. d. [1953-1954?], Fonds Richler Acc. # 680/1.3.

111. *Mon père, ce héros*. Allan a affirmé qu'il a adopté le nom «Ted Allan» afin d'infiltrer le groupe nazi d'Adrien Arcand et d'écrire à son sujet.

112. *Mon père, ce héros*.

113. Nathan Cohen à Richler, 23 juin 1955, Fonds Richler Msc 36.2.55. Jackie Moore à Richler, 9 juin [1955], Fonds Richler Msc 36.9.20. Interview avec Weintraub (2001).

114. Brian Moore à Richler, 9 juin 1955, Fonds Richler Msc 36.9.19.

115. *Mon père, ce héros*, 109.

116. Joyce Weiner à Richler, 4 juillet 1954, Fonds Richler Msc 36.6.31.

117. Nathan Cohen, «A Conversation…», *Tamarack Review*, 19, Fonds Richler Acc. # 582/129.8.

118. *Mon père, ce héros*.

10. Amis et ennemis

1. André Deutsch, Catalogue de printemps 1955, Fonds Richler Msc 36.22.5.

2. Ted (Theodore) Purdy à Richler, 10 février 1954, Fonds Richler Msc 36.4.48.

3. Ted Allan à Richler, 26 février 1955, Bibliothèque et Archives Canada, 20.28. Brian Moore à Richler, 24 janvier 1955, Fonds Richler Msc 36.9.19.

4. Interview de la CBC (1955) rediffusé dans l'interview avec Rex Murphy, «The Journal», CBC-TV, 17 novembre 1989.

5. Richler à Bill Weintraub, 3 janvier 1955, Weintraub, *Started*, 121. Nathan Cohen, «A Conversation…», *Tamarack Review*, septembre 1956, 7, Fonds Richler Acc. # 582/129.8. Interview, *The Montreal Gazette*, 5 octobre 1955, Fonds Richler Msc 36.22.5.

6. Ted Allan à Richler, 1er et 20 février 1955, Bibliothèque et Archives Canada, MG-30-D388, R-2931-2-8-E, boîte 20.30. Il semble que les articles portaient sur des sujets

p. 168 à p. 175

tels que l'anniversaire du décès de Mozart et la Bataille de Trafalgar. Ann Duncan, «Richler Then and Now», Fonds Richler Acc. # 582/157.3.

7. Richler à Bill Weintraub, mars 1955, Weintraub, *Started*, 123.

8. Kotcheff (Tribute).

9. Diana Athill, Richler à Bill Weintraub, cité dans Posner, *Last*, 96-97.

10. Natasha Lamming à Richler, 18 novembre 1977, Fonds Richler Acc. # 582/24.72. Richler à Bob Amussen, 10 février 1954, Fonds Richler Msc 36.4.48.

11. Richler, «London Province», 43, Fonds Richler Acc. # 582/124.16.

12. *Back to Ibiza*, Fonds Richler Acc. # 582/65.4, 60-61. Ms non identifié, Fonds Richler Msc 36.48.1, «-16-19-».

13. Bill Weintraub à Brian Moore, 18 septembre 1956, Weintraub, *Started*, 180, 209.

14. Robert Weaver (CBC) à Richler, 13 juin 1955, Fonds Richler Msc 36.2.55.

15. *Rue Saint-Urbain*.

16. Nathan Cohen, «A Conversation...», *Tamarack Review*, septembre 1956, 18, Fonds Richler Acc. # 582/129.8.

17. *A Tram Named Elsie*, n. d., pour Marjan Productions. Ted Allan M630D388, R2931-0-4-5, boîte 47-53, Bibliothèque et Archives Canada.

18. Michael Sayers à Richler, 20 décembre 1955; Michael Sayers à Bob [?], 21 décembre 1955, Fonds Richler Msc 36.11.58.

19. Lessing, *Walking in the Shade*, 128-129. Ann Duncan, «Richler Then and Now», Fonds Richler Acc. # 582/157.3. *Back to Ibiza*, Fonds Richler Acc. # 582/65.4, 100, 25-26, 33, 28. MS non identifié, Fonds Richler Msc 36.48.3, 17.

20. Gerry Gross, 2-4. *Back to Ibiza*, Fonds Richler Acc. # 582/65.4, 91, 94. Lessing, *Walking in the Shade*, 127.

21. Reuben Ship, *The Investigator*.

22. *Back to Ibiza*, Fonds Richler Acc. # 582/65.4, 28, 95.

23. Richler, «Apprenticeship of Richler» (Fonds Richler Acc. # 582/163.5) 1961, 44.

24. Lessing, *Walking in the Shade*, 129.

25. Kotcheff, Tribute. *Back to Ibiza*, Fonds Richler Acc. # 582/65.4, 28, 33.

26. Weisbrod and Tree.

27. Norman Allan, *Ted*, chapitre 9. «Across the Atlantic», 7. *Back to Ibiza*, Fonds Richler Acc. # 582/65.4, 32-33. Richler, «Pop Goes the Island», 68.

28. Richler, «As Offshore Islands Go» [1963], Fonds Richler Msc 36.43.6, 2-3.

29. Brian Moore à Richler, 24 février 1964, Fonds Richler Msc 36.9.19.

30. Arnstein, 354.

31. Weintraub, *Started*, 181, 183.

32. Richler, «Home», 6, Fonds Richler Acc. # 582/163.3, 6.

33. Weintraub à Brian Moore, n. d., *Started*, 182.

34. Weintraub, *Started*, 180.

35. Richler, ms non identifié, Fonds Richler Msc 36.48.3.

36. *Back to Ibiza*, Fonds Richler Acc. # 582/65.4, 35.

37. Robertson, 230. Eden, 545.

38. Nathan Cohen à Richler, 7 juin 1955, Fonds Richler Msc 36.2.55. Nathan Cohen à Richler, 23 juin 1955, Fonds Richler Msc 36.2.55.

39. Kotcheff, «Afterword», 223.

40. Interview avec Noah Richler.

41. Stanley Mann, Ted Kotcheff, Diana Athill cités dans Posner, *Last*, 102-103.

42. Interview avec Weintraub (2002).

43. Interview avec Florence Richler.

44. Eden, 551.

45. Carlton, 446.

46. *Back to Ibiza*, Fonds Richler Acc. # 582/65.4, 35.

p. 175 à p. 182

47. *Back to Ibiza*, Fonds Richler Acc. # 582/65.4, 35 ; interview avec Weintraub (2001).

48. Eden, 541, 546.

49. Richler se rappelait aussi de la police française qui frappait à la tête les étudiants contestataires avec des barres de plomb. Richler, « It Was Fun », 50.

50. Eleanor Wachtel, « Writers and Company », CBC Radio, 23 mai 1999.

51. Richler avait probablement lu Babel avant de rencontrer Brian Moore en 1953-1954. Richler, « Memories of Brian Moore », 45-46.

52. Isaac Babel, *Cavalerie rouge* (trad. de Jacques Catteau), 34.

53. Nathan Cohen à Richler, 11 juin 1957, Fonds Richler Msc 36.2.55. Nathan Cohen, « A Conversation… », *Tamarack Review*, septembre 1956, 18, Fonds Richler Acc. # 582/129.8.

54. *The Interview*, pièce radiophonique, n. d., Fonds Richler Msc 36.2.55. Richler a envoyé *Harry Like the Player Piano* à la CBC en juin 1957. Nathan Cohen à Richler, 11 juin 1957, Fonds Richler Msc 36.2.55. *The Interview* a probablement été écrit bien avant que Richler ne reçoive des commentaires et qu'il ait amorcé une réécriture majeure.

55. Frank Lalor, Fonds Richler Msc 36.38.17.

56. *Harry Like the Player Piano*, pièce radiophonique, Fonds Richler Msc 36.38.12, 5.

57. Muscowitz a été déporté après qu'Allan refuse de lui donner une lettre de recommandation. Norman Allan, *Ted*, chapitre 3, « Spain », 23-24.

58. *Harry Like the Player Piano*, pièce radiophonique, Fonds Richler Msc 36.38.12, 12, 30, 51.

59. *Harry Like the Player Piano*, pièce radiophonique, Fonds Richler Msc 36.38.12, 12, 34, 63.

60. Interview avec Florence Richler.

61. Interview, *The Montreal Gazette*, 5 octobre 1955, Fonds Richler Msc 36.22.5.

62. Richler connaissait *Darkness at Noon*. Voir par exemple *Le cavalier Saint-Urbain*.

63. Richler, « Fighting Tigers », Fonds Richler Acc. 582/163.4. La première de *Look Back in Anger* a eu lieu le 8 mai 1956.

64. Nathan Cohen, « A Conversation… », *Tamarack Review*, 19, Fonds Richler Acc. # 582/129.8.

65. Interview, *The Montreal Gazette*, 5 octobre 1955, Fonds Richler Msc 36.22.5.

66. Peter Scott, « A Choice of Certainties », David Sheps, éd., *Mordecai Richler*, 61. Victor Ramraj, 127. Arnold Davidson, 60.

67. Brian Moore à Richler, 9 février [1959 ?], Fonds Richler Msc 36.9.19. D'autres étaient d'accord. Victor Ramraj explique de manière convaincante que souvent, les actions des personnages sont « dictées… par les exigences du thème politique » (Ramraj, 62).

68. *Toronto Telegram*, 29 novembre 1968, Fonds Richler Msc 36.54.14. *Hunting*, 89. Richler a par la suite utilisé ces lignes dans *Le monde de Barney*.

69. Selon Weintraub, Ted Allan se retrouve quelque part dans *Le choix des ennemis*, mais il n'explique pas davantage. Interview avec Weintraub (2001).

70. *Le choix des ennemis*

71. Norman Allan, *Ted*, chapitre 9, « Across the Atlantic », 9-11.

72. Norman Allan, *Ted*, chapitre 9, « Across the Atlantic », 9-11.

73. Nathan Cohen à Richler, 11 juin 1957, Fonds Richler Msc 36.2.55. Comme si la référence à Norman Price n'était pas suffisante, le groupe des expatriés se doutait que Richler s'était aussi servi d'Allan dans un roman de Charlie Lawson, un écrivain médiocre aux ambitions littéraires démesurées. Allan, qui avait l'ambition d'écrire la plus grande œuvre littéraire jamais produite, avait eu recours à l'aide de Richler pour terminer plusieurs scripts de télévision. Lessing, *Walking in the Shade*, 127. À propos des ambitions d'Allan, voir aussi Norman Allan, *Ted*, chapitre 11, « The Secret of the World », 13 ; chapitre 10, « The Red Head and the Shrink », 1.

74. *Le choix des ennemis*. Richler, « Universe », 1966, 290, Fonds Richler Acc. # 582/163.7. Interview ms avec Cameron, 10 juin 1971, 17, Fonds Richler Msc 36.54.1.

75. *Le choix des ennemis*.

p. 182
à
p. 188

76. Lessing, *Walking in the Shade*, 129, 127.

77. *Le choix des ennemis*, 140.

78. *Le choix des ennemis*, 133.

79. Brouillon de *A choice of Enemies*, Fonds Richler Msc 36.22.2, f124, 419.

80. *Le choix des ennemis*, 160.

81. *Le choix des ennemis*.

82. Brouillon de *A choice of Enemies*, Fonds Richler Msc 36.22.2, f124-6, 418-420.

83. *Le choix des ennemis*.

84. *Shovelling*, 33.

85. Interview avec Cameron (10 juin 1971). Fonds Richler Msc 36.54.1.

86. *A Choice of Enemies* a été publié au début de l'année 1957. *Spain (A Friend of the People)* a été terminé le 13 décembre 1956, et Richler en a fait parvenir une copie à la CBC le 4 janvier 1957, même s'il n'a pas été diffusé avant septembre 1958. Fonds Richler Msc 36.2.55. Nathan Cohen à Richler, 13 décembre 1956, 4, 18 janvier 1957. Alice Frick à Richler, 20 mars 1957, Fonds Richler Msc 36.2.55.

87. *Le choix des ennemis*.

88. *A Friend of the People*, Fonds Richler Msc 36.38.9, 33, 8, 28.

89. Weisbrod and Tree. Norman Allan *Ted*, chapitre 3, « Spain », 10, 12, 14.

90. « [Bethune] a senti que je le trahissais et j'ai senti que l'avais trahi », a dit Ted Allan. Weisbrod and Tree. Norman Allan, *Ted*, chapitre 3, « Spain », 26, 23. Larry Hannant estime que Allan a exagéré l'importance de sa relation avec Bethune afin de s'inclure lui-même dans le mythe de Bethune. Larry Hannant, « Doctoring Bethune », *Saturday Night*, 113, 3, avril 1998, 75f.

91. Comptes rendus de *Friend of the People*, Fonds Richler Msc 36.38.10.

92. Richler a adhéré à une vision socialiste, mais non doctrinaire, jusqu'en 1956.

93. Monica McCall à Richler, 5 février 1964, Fonds Richler Msc 36.9.13. A. E. Tomlinson à l'éditeur, *Encounter*, 4 juillet 1962, Fonds Richler Acc. #582/17.1.

94. Kotcheff, « Afterword », 219. Lessing, *Walking in the Shade*, 330-333. Lessing affirme que Richler était impliqué dans le Centre 42, mais Florence Richler est certaine que celle-ci est dans l'erreur. Interview avec Florence Richler.

95. Interview avec Florence Richler.

96. Richler, « Dog Days (London Letter) », The Montrealer, mars 1959, 31, Fonds Richler Acc. #582/163.4.

97. Richler, « Evelyn », Fonds Richler Acc. #582/163.4. Richler, « Memories of Brian Moore », 45-46.

98. Richler à Bill Weintraub, 14 décembre 1957, Weintraub, *Started*, 207.

p. 189 à p. 196

11. Florence Mann, la blonde *shiksa*

1. Nathan Cohen à Richler, 1er février 1957, Fonds Richler Msc 36.2.55.

2. Florence Richler, cité dans Posner, *Last*, 105.

3. F. R. Scott à Richler, 13 août 1957, Fonds Richler Msc 36.12.6.

4. Richler à Bill Weintraub, 19 juin 1957, Weintraub, *Started*, 200.

5. Patricia Craig, 150.

6. Hill, « Interview », 3. Interview avec Metcalf, 4.

7. Hill, *Grand Guy*, 80.

8. *Broadsides*, 231.

9. Merrill, 1, 8.

10. Interview avec Bernard Richler.

11. Terry Southern et Richler, « The Panthers », pièce pour la télévision non produite, Fonds Richler Msc 36.40.5. La MCA l'a retournée seulement le 12 juillet 1960.

12. Terry Southern à Richler, 30 août 1957, Fonds Richler Msc 36.12.32. Un rédacteur qui travaillait pour le secteur des téléromans à la CBC a qualifié la pièce « The Panthers » de brillante ; mais six semaines plus tard, il a affirmé que la programmation de 8 h 30 p. m.

devait être destinée à un public familial, ajoutant que «s'il devait y avoir un événement comme la semaine de la délinquance juvénile au Canada, nous pourrions l'utiliser à des fins d'éducation populaire». George Salverson à Richler, 15 juillet 1957, 26 août 1957, Fonds Richler Msc 36.2.55.

13. Kotcheff, «Afterword», 213.

14. Press Kit, *The Apprenticeship of Duddy Kravitz*, Astral Films, 1974, Fonds Richler Msc 36.32.5. «Ted Kotcheff : Mini Biography», Base de données web sur les films, us.imdb. com. Frank Rasky, «Film Director Ted Kotcheff Cooks Up a Western Stew», *Toronto Star*, 5 février 1974, Fonds Richler Acc. # 582/155.1, 18. Kotcheff (Tribute).

15. Kotcheff (Tribute).

16. Knelman, «Ted Kotcheff», Fonds Richler Msc 36.55.1.

17. Knelman, «How», Fonds Richler Acc. # 582/155.1, 18. Kotcheff (Tribute).

18. Kotcheff (Tribute).

19. Richler à Bill Weintraub, 19 juin 1957, Weintraub, *Started*, 200. Kotcheff (Tribute).

20. Seymour Lawrence à Richler, 27 mars 1957, Fonds Richler Msc 36.1.38.

21. Joyce Weiner à Richler, 7 juillet 1957, Fonds Richler Msc 36.6.31.

22. Richler à Bill Weintraub, 19 juin 1957, Weintraub, *Started*, 200. Interview avec Weintraub (2002).

23. Nathan Cohen à Richler, 3 juillet 1957, Fonds Richler Msc 36.2.55.

24. Robert Weaver à Richler, 5 octobre 1956, 5 juillet 1957, Fonds Richler Msc 36.2.55 ; 11 mars, 22 mars 1965, Fonds Richler Msc 36.2.56. Nathan Cohen à Richler, 13 décembre 1956, Fonds Richler Msc 36.2.55.

25. Richler, «This Hour Has Seven Days», interview de Lord Thompson, 21 novembre 1965.

26. Knelman, «How», Fonds Richler Acc. # 582/155.1, 18.

27. Joyce Weiner à Richler, 16 septembre 1973, Fonds Richler Acc. # 582/47.31.

28. Richler à Claude Bissell, 30 août, 7 novembre 1957 (Documents de Bissell).

29. Richler à Bill Weintraub, 14 décembre 1957, Weintraub, *Started*, 206, 208.

30. Weintraub, *Started*, 208.

31. Claude Bissell à Richler, 22 mai 1958, Fonds Richler Msc 36.2.12. Diana Athill, 17 décembre 1958, Fonds Richler Msc 36.1.25.15. Richler, «Intro», *Rue Saint-Urbain*.

32. Richler à Wladyslaw Pleszczyski, 13 juin 1994, Fonds Richler Acc. # 582/34.32. En 1966, le Conseil des Arts du Canada a débattu afin de déterminer si Richler, avec l'ensemble de ses revenus de films, devait recevoir une bourse. Le conseil a décidé de privilégier la qualité sur les besoins. David Silcox à Richler, 4 mai 1992, Fonds Richler Acc. #582/42.25.

33. Kotcheff (Tribute).

34. Interview avec Florence Richler.

35. Hill, *Grand Guy*, 76.

36. Paul Shields, «Biographies : Sydney Newman», *625-Online*, 28 octobre 2001,www.625.org.uk/biograph/biognews.htm, 6 mai 2003.

37. Sydney Newman, «The Elephant Is Big», Fonds Richler Acc. #582/50.9.

38. Sydney Newman, «The Elephant Is Big», Fonds Richler Acc. #582/50.9. Hill, *Grand Guy*, 82.

39. Hill, *Grand Guy*, 82.

40. Interview avec Florence Richler.

41. Sydney Newman, «The Elephant Is Big», Fonds Richler Acc. #582/50.9.

42. Lez Cooke, «British Television : Culture, Quality and Competition», mcs.staff. ac.uk/ftvrs/tvintro/britishtv.htm.

43. Il en avait déjà fait une adaptation, *The Shining Hour*. Ted Kotcheff, cité dans Posner, *Last*, 101.

44. Richler, *Paid in Full*, Fonds Richler Msc 36.39.8, 48, 83.

45. William Oakley, «But first let's look at this Wideawake Play», *South Wales Argus*, 23 mai 1958, Fonds Richler Msc 36.40.4.

p. 196
à
p. 201

46. Richler, «Fighting Tigers», Fonds Richler Acc. # 582/163.4.

47. Richler, «Liberace and TV», 65.

48. «Top Ten» Programmes for the Week, T. A. M. Ratings, *Stage*, 29 mai 1958, Fonds Richler Msc 36.40.4. *Paid in Full*, l'une des premières émissions d'Armchair, s'est classé au très respectable rang n° 7 dans les sondages hebdomadaires nationaux.

49. John Marshall, «Intelligent Use of the Small Screen», *Yorkshire Post*, 23 mai 1958, Fonds Richler Msc 36.40.4.

50. Émission diffusée le 22 juin 1958, Fonds Richler Msc 36.38.15.

51. Émission diffusée le 12 avril 1959. Richler, «Apprenticeship of Richler», 1961, 46, Fonds Richler Acc. # 582/163.5.

52. Richler, «Making Out in the Television Drama Game», *The Twentieth Century* (mars 1959), 235-237. Fonds Richler Acc. # 582/130.5.

53. *Belling the Cat*, 187-188.

54. Emma Richler à Mordecai Richler, 17 août 1995, Fonds Richler Acc. # 680/10.18.

55. Le film a été diffusé le 19 mai 1958. Fonds Richler Msc 36.55.11.

56. *Hunting*, 93.

57. Brian Moore à Richler, [printemps 1959 ?], Fonds Richler Msc 36.9.19. La scène se déroulant dans la maison estivale ne fait pas vraiment référence à l'écriture de Richler. Moore s'est probablement fié au *Choix des ennemis*, mais le style de Richler était déjà en voie de changer. Il est plus vraisemblable qu'il ait puisé son inspiration dans des phrases telles : «Too many pansies around these days».

58. *Le cavalier de Saint-Urbain*.

59. Richler à Bill Weintraub, 30 avril 1959, Weintraub, *Started*, 234.

60. Marci McDonald, Fonds Richler Acc. # 582/154.2. Richler à Bill Weintraub, 2 juin 1958, Weintraub, *Started*, 216.

61. Fulford, *Best Seat in the House*, 122-131.

62. Nathan Cohen, «A Conversation…», *Tamarack Review*, 18, Fonds Richler Acc. # 582/129.8.

63. Robert Weaver à Richler, 16 décembre 1956, Fonds Richler Msc 36.2.56.

64. Nathan Cohen à Richler, 12 mars, 4 juin, 10 novembre 1956; 1er février, 11 juin 1957, Fonds Richler Msc 36.2.55. Nathan Cohen, «A Conversation…», *Tamarack Review*, septembre 1956, 21, Fonds Richler Acc. # 582/129.8.

65. Nathan Cohen à Richler, 10 novembre 1956, Fonds Richler Msc 36.2.55.

66. Cohen, «Heroes of the Richler View», G. David Sheps éd., *Mordecai Richler*, 53.

67. Victor Ramraj souligne à quel point *Un cas de taille* est redevable aux techniques de scénario (77); il en va de même, à un moindre degré, de tous les romans de Richler postérieurs à *Mon père, ce héros*.

68. Nathan Cohen à Richler, 24 février 1958, Fonds Richler Msc 36.2.55.

69. Bill Weintraub à Richler, 1er mars 1958, Weintraub, *Started*, 210. Cohen, «Heroes of the Richler View», G. David Sheps éd., *Mordecai Richler*, 53.

70. Nathan Cohen à Richler, 13 mai 1958, Fonds Richler Msc 36.2.55.

71. Richler à Claude Bissell, 27 avril 1958, documents de Claude Bissell.

72. Richler à Bill Weintraub, 2 juin 1958, Weintraub, *Started*, 213. L'attaque de Cohen est survenue au n° 6, à l'hiver 1958, «Mortimer Griffin…» au n° 7, printemps 1958, et la défense de Scott au n° 8, à l'été 1958.

73. Richler à Bill Weintraub, 2 juin 1958, Weintraub, *Started*, 213.

74. Ted Kotcheff, cité dans Posner, *Last*, 181.

75. Richler à Seymour Lawrence, 22 février 1958, Fonds Richler Msc 36.1.38.

76. Diana Athill à Richler, n. d., Fonds Richler Msc 36.1.25.1.

77. Hill, *Grand Guy*, 76. Tony Gruner, «Television», *Kinematograph Weekly*, 6 mars 1961, Fonds Richler Msc 36.40.4.

78. Richler à Bill Weintraub, 2 juin 1958, Weintraub, *Started*, 213.

79. Florence Richler, Cathy Boudreau, Ted Kotcheff, cités dans Posner, *Last*, 105, 112.

p. 201 à p. 207

80. Richler à Bill Weintraub, 14 décembre 1957, Weintraub, *Started*, 206.

81. Mavis Gallant, citée dans Posner, *Last*, 114.

82. MacGregor (Fonds Richler Acc. # 582/157.4), 50.

83. Richler à Bill Weintraub, 29 août 1958, Weintraub, *Started*, 219.

84. Knelman, « How », Fonds Richler Acc. # 582/155.1, 18. Richler, « How Duddy's Daddy Did It », 50.

85. Interview avec Florence Richler. Cathy Boudreau, Mordecai Richler, cités dans Posner, *Last*, 115.

86. Richler à Bill Weintraub, 2 juillet 1958, Weintraub, *Started*, 216.

87. « Mordecai Richler : St. Urbain's Meistersinger », [ms non identifié], Fonds Richler Acc. # 582/135.18, 16.

88. Richler à Bill Weintraub, 2 juillet 1958, Weintraub, *Started*, 216-217.

89. Stanley Mann à Florence Mann, ca 17 juillet 1960, Fonds Richler Msc 36.8.4.

90. Interview avec Lionel Albert. Stanley [Mann] à Daniel Richler, 17 octobre 1963, Fonds Richler Acc. # 680/10.17. Stanley Mann à Florence et Mordecai Richler, 25 septembre 1968, Fonds Richler Msc 36.8.4. Interview avec Daniel Richler.

91. Lessing, *Walking in the Shade*, 128.

92. *L'apprentissage de Duddy Kravitz*.

93. Jacob Richler, B4.

94. Dans *Feed My Dear Dogs,* il semble qu'Emma Richler s'inspire des origines de Florence pour développer le personnages de la mère, qui s'avère être une « enfant trouvée » (11).

95. Fonds Richler Msc 36.55.1 (Edwards). Stewart MacLeod, « Canadians Abound in U. K. TV », *Montreal Gazette*, 1er mai 1959, Fonds Richler Msc 36.40.4.

96. Posner, *Last,* 92. Daniel Richler, cité dans Posner, *Last,* 266.

97. Vivian Hislop, « Top Models Look to the Stage », *Liverpool Echo*, 17 avril 1959.

98. Gottlieb, 23.

99. Norman Allan, *Ted*, chapitre 9, « Across the Atlantic », 9.

100. Interview avec Weintraub (2001). Weintraub ajoute : « Je ne suis pas en train d'affirmer que c'est ce qui a causé leur rupture ». Diana Athill affirme que Cathy « présentait une bonne dose d'agacement avec plusieurs qualités attachantes ». *Stet*, 136.

101. Richler à Bill Weintraub, 10 juin 1959, Weintraub, *Started*, 237.

102. Interview avec Bernard Ostry.

103. Lionel Albert, courriel, 12 septembre 2004. Richler, « Innocents », 4.

104. Kotcheff (Tribute). Kotcheff s'est joint à elle dans ces post-mortems.

105. Interview avec Florence Richler.

106. Martha Richler, citée dans Posner, *Last,* 255.

107. Brian Moore à Richler, [printemps 1959 ?], Fonds Richler Msc 36.9.19.

108. Athill, *Stet*, 137.

109. Brian Moore à Richler, [été 1958], Fonds Richler Msc 36.9.19.

110. Interview avec Avrum Richler.

111. *Home Sweet*, 68.

112. Emma Richler, *Feed My Dear Dogs*, 412. L'amie des Richler Haya Clayton insiste sur le fait que le roman d'Emma Richler, *Sœur folie*, est un portrait juste – pas en détails, mais dans son essence – de la famille Richler. Haya Clayton, citée dans Posner, *Last*, 260.

113. Florence Richler, 40. Christian Rocca, « Sulle Strade di Barney ».

12. La fin de l'apprentissage

1. Kotcheff (Tribute).

2. Knelman, *Home Movies*, 189. *Back to Ibiza*, Fonds Richler Acc. # 582/65.4, 95. Richler à Bill Weintraub, 29 août 1958, Weintraub, *Started*, 218.

3. Brian Moore à Richler, 16 septembre 1958, Fonds Richler Msc 36.9.19, débute avec « Dear : HPTVW (GB) ».

p. 207 à p. 211

4. Richler à Bill Weintraub, 29 août 1958, Weintraub, *Started*, 218.

5. *Back to Ibiza*, Fonds Richler Acc. # 582/65.4, 96-7. Kotcheff (Tribute). MacGregor, 47, Fonds Richler Acc. # 582/157.4.

6. Kotcheff (Tribute). John T. D. Keyes, 4.

7. Babel, 124.

8. Richler, «Home», 5, Fonds Richler Acc. # 582/163.3. Richler à Bill Weintraub, 25 juillet, 8 novembre 1958, Weintraub, *Started*, 216, 221.

9. Richler, «Innocents», 4, 14.

10. Richler, «You Wouldn't Talk like That if You Were Dead» (1958), Fonds Richler Msc 36.49.20.

11. Interview avec Wright, 172, Fonds Richler Acc. # 582/134.11.

12. Seymour Lawrence à Richler, 27 janvier 1959, Fonds Richler Msc 36.1.38.

13. *L'apprentissage de Duddy Kravitz*, 315.

14. McSweeney («Revaluing», 129) explique erronnément que *The Apprenticeship of Duddy Kravitz* reproduit, à un certain degré, *What Makes Sammy Run?* Pour sa part, Karl Miller (*Observer*, 8 novembre 1959) suggère que Richler l'a emprunté à *The Adventures of Augie March*. À l'inverse, Ada Craniford et Robert Fulford ont montré quelques exemples de la manière dont Richler va plus loin que Schulberg. Craniford, 46-49. Robert Fulford, *Toronto Daily Star*, 15 octobre 1959, Fonds Richler Msc 36.16.6.

15. *L'apprentissage de Duddy Kravitz*.

16. Schulberg, 194, 228.

17. *L'apprentissage de Duddy Kravitz*, 476.

18. Alan Handel, *The Apprenticeship of Mordecai Richler*.

19. Stanley Mann et Sean Connery ont vécu ensemble durant une certaine période après leurs divorces respectifs. Pour cette raison, Richler rencontrait Connery fréquemment. Interview avec Florence Richler.

20. D'un autre côté, les enseignants et les écoliers du roman étaient pratiquement un calque parfait de personnes réelles (dans la fiction, Mr. McLetchie devient Mr. Macpherson). Frances Katz, l'ancien enseignant de Richler à Baron Byng, a affirmé qu'elle reconnaissait tous les personnages du roman, et Jack Rabinovitch était d'accord avec elle. Frances Katz à Richler, 21 avril s. a., Fonds Richler Acc. # 582/24.10. Interview avec Jack Rabinovitch.

21. Brouillon de *The Apprenticeship of Duddy Kravitz*.

22. *L'apprentissage de Duddy Kravitz*, 78 et 225.

23. Rosenberg, *Discourse on Tefillin*.

24. *L'apprentissage de Duddy Kravitz*, 502.

25. Isaac Ewen, «The Golden Dynasty: Rebbe of Sadeger», Dawidowicz, 197.

26. *L'apprentissage de Duddy Kravitz*, 432.

27. Nancy Reynold, éditrice générale d'Atlantic à Richler, 16 juin 1959, Fonds Richler Msc 36.1.38.

28. Diana Athill à Richler, 16 octobre 1959, Fonds Richler Msc 36.1.25.16.

29. Richler, «French», 1964, Fonds Richler Acc. # 582/163.5, 10.

30. Richler, «Quest», 30 mai 1961, Fonds Richler Msc 36.40.15, 11.

31. Richler à Brian Moore, 16 février 1959, Weintraub, *Started*, 230.

32. Paul Johnson, 475.

33. Brian Moore à Richler, 9 février [1959?], Fonds Richler Msc 36.9.19.

34. Bill Weintraub à Richler, 4 février [1959], Fonds Richler Msc 36.14.3.4a.

35. Répétition de scénario, «Keeping Up with Shapiro's Boy», Richler, Armchair Theater, Fonds Richler Msc 36.40.11.

36. *Times Educational Supplement*, «Never Again», 17 avril 1959, Fonds Richler Msc 36.40.14.

37. Lynne Reid Banks à Richler, n. d., Fonds Richler Msc 36.1.46. Sir Oswald Mosley a initié un mouvement de chemises noires sans succès en Grande-Bretagne en 1932. Il y

p. 211 à p. 221

a une faible possibilité que la lettre non datée de Banks ait été écrite en réaction à *Some Grist for Mervyn's Mill*, qui a été diffusé à ATV en 1963, et non à *The Trouble with Benny*.

38. Richler, «Quest», 30 mai 1961, Fonds Richler Msc 36.40.15, 11.

39. Interview avec Cameron (10 juin 1971).

40. Richler à Sydney Newman, 25 août 1960, Bibliothèque et Archives Canada, 12.29.

41. MacGregor, 47, Fonds Richler Acc. # 582/157.4.

42. Richler à Bill Weintraub, 23 janvier 1959, Weintraub, *Started*, 227.

43. Malina, 2, Fonds Richler Acc. # 582/154.2.

44. TV *Times*, 10 avril 1959, Fonds Richler Msc 36.40.14.

45. Vivian Hislop, «Top Models Look to the Stage», *Liverpool Echo*, 17 avril 1959. Stewart MacLeod, «Canadians Abound in U. K. TV», *The Montreal Gazette*, 1ᵉʳ mai 1959, Fonds Richler Msc 36.40.4. La pièce télévisée a été diffusée le 12 avril 1959.

46. Vivian Hislop, «Top Models Look to the Stage», *Liverpool Echo*, 17 avril 1959.

47. Florence Richler, citée dans Posner, *Last*, 123-124.

48. Interview avec Florence Richler.

49. Richler à Bill Weintraub, 30 avril 1959, Weintraub, *Started*, 234. Richler, «Apprenticeship of Richler», 1961, 46, Fonds Richler Acc. # 582/163.5.

50. Joyce Weiner à Richler, 11 septembre 1959, Fonds Richler Msc 36.6.31.

51. Richler à Bill Weintraub, 30 avril 1959, Weintraub, *Started*, 234.

52. Seymour Lawrence à Richler, 11 décembre 1958, Fonds Richler Msc 36.1.38. Richler à Bill Weintraub, 8 novembre 1958, Weintraub, *Started*, 221. Kildare Dobbs à Richler, 31 juillet 1959, Fonds Richler Msc 36.7.44. Jack McClennand à Richler, 5 janvier 1959, Fonds Richler Msc 36.8.23.

53. Robert Fulford, *Toronto Daily Star*, 15 octobre 1959, Fonds Richler Msc 36.16.1.

54. Brian Moore à Richler, 16 février 1959, Fonds Richler Msc 36.9.19.

55. Richler à Brian Moore, 16 février 1959, Weintraub, *Started*, 230.

56. Kotcheff (Tribute). Ted Kotcheff, cité dans Posner, *Last*, 126.

57. Richler à Silvio et Bea Narizzano, 5 février 1960, Fonds Richler Acc. # 582/31..7.

58. Interview avec Florence Richler.

59. *Back to Ibiza*, Fonds Richler Acc. # 582/65.4, 96.

60. Kotcheff (Tribute). Richler à Bill Weintraub, 10 juin 1959, Weintraub, *Started*, 236-237.

61. Richler à Bill Weintraub, 14 décembre 1958, Weintraub, *Started*, 224, 236.

62. Interview avec Bernard Richler.

63. Sara Richler à Mordecai Richler, 29 novembre 1959, Fonds Richler Msc 36.11.25.

64. Bernard Richler à Mordecai Richler, 6 décembre 1959, Fonds Richler Msc 36.11.21.

65. Richler, «Park Plaza», 64. James 10, Fonds Richler Msc 36.30.12.

66. David Judd, «Books Removed from Norfolk Curriculum», *Brantford Expositor* [1978], Fonds Richler Acc. # 582/155.4. *North Bay Nugget*, 26 août 1980, Fonds Richler Acc. # 582/155.4.

67. *Back to Ibiza*, Fonds Richler Acc. # 582/65.4, 97.

13. Certifié sans danger de poursuite

1. «Mordecai Richler: St. Urbain's Meistersinger» [ms non identifié], Fonds Richler Acc. # 582/135.18, 16. Richler, «Apprenticeship of Richler», 48, Fonds Richler Acc. # 582/163.5.

2. Interview avec Daniel Richler.

3. Richler à Bill Weintraub, 29 janvier 1960, Weintraub, *Started*, 253.

4. Interview avec Florence Richler.

5. Richler, «Apprenticeship of Richler», 48, Fonds Richler Acc. # 582/163.5.

6. Richler, «Foreword», *Belling the Cat*, 120. Interview avec Florence Richler. Eberhard Bethge, *Dietrich Bonhoeffer: A Biography*, rev. éd. Victoria Barnett, Minneapolis: Fortress P, 1989, 681.

p. 221 à p. 227

7. Interview avec Florence Richler. Richler à Ted Allan, 10 janvier 1959 [1960 en réalité], Bibliothèque et Archives Canada, Ted Allan 21.20. Richler a dû indiquer une année erronnée sur la lettre d'Allan.

8. Interview avec Florence Richler.

9. Richler à Ted Allan, 10 janvier 1959 [1960 en réalité], Bibliothèque et Archives Canada, Ted Allan 21.20.

10. John C. Moore, courriel, 14 octobre 2003.

11. Richler à Silvio et Bea Narizzano, 5 février 1960, Fonds Richler Acc. # 582/31.7.

12. Richler, «Apprenticeship of Richler», 48, Fonds Richler Acc. # 582/163.5.

13. Mordecai Richler et Nicolas Phipps, *No Love for Johnnie* (scénario), mai 1960. Fonds Richler Msc 36.34.8.

14. Une exception: un photographe, Flagg, prend des photos de Pauline. En parlant à Flagg de Johnnie, Pauline dit: «Il est… vivant d'une certaine façon». «An M. P.!», répond Flagg, «c'est un jeu de lumière». *No Love for Johnnie*, Dir. Ralph Thomas, 1961.

15. Betty Box à Joyce Weiner, 22 décembre 1959, Fonds Richler Msc 36.6.8.

16. Richler à Bill Weintraub, 30 avril 1959, Weintraub, *Started*, 234.

17. Joyce Weiner à Richler, 15 décembre 1961, Fonds Richler Msc 36.6.31.

18. Nina Hibbin, «New Films», *Daily Worker*, 11 février 1961. Anon, *Sunday Times*, février 1961. Fonds Richler Msc 36.34.10. Hugh Gaitskell, le successeur de Clement Attlee au titre de Chancellier de l'Échiquier, était perçu comme n'étant pas suffisamment de la gauche.

19. Richler à Ted Allan, 10 janvier 1959 [1960 en réalité], Bibliothèque et Archives Canada, Ted Allan 21.20. Richler, «Apprenticeship of Richler», 48, Fonds Richler Acc. # 582/163.5.

20. Florence Richler citée dans Posner, *Last*, 216.

21. *Back to Ibiza*, Fonds Richler Acc. # 582/65.4, 25.

22. Diana Athill à Richler, 4 avril [1960?], Fonds Richler Msc 36.1.25.18; 22 septembre 1960, Fonds Richler Msc 36.1.25.20.

23. André Deutsch à Richler, 20 mai 1960, Fonds Richler Msc 36.1.25.19.

24. Brouillon de *It's Harder to Be Anybody*, Fonds Richler Msc 36.21.3, f117, 165.

25. Brouillon de *It's Harder to Be Anybody*, Fonds Richler Msc 36.20.6, f77-9, 61-63. Avec quelques changements mineurs (par exemple, Victor Hugo et G. B. Shaw remplacent Dickens), Richler a publié le sketch de Robertson et quelques fragments de *The Incomparable Atuk* dans le numéro de *Tamarack Review* datant l'automne 1960 sous le titre «Wally Sylvester's Canadiana».

26. Diana Athill à Richler, 22 septembre 1960, Fonds Richler Msc 36.1.25.20.

27. Sydney Newman à Richler, 25 août 1960, Bibliothèque et Archives Canada, 12.29.

28. Seymour Lawrence à Richler, 6 mai 1960, Fonds Richler Msc 36.1.38.

29. Interview avec Weintraub (2001).

30. Joyce Weiner à Richler, 6 mai 1960, Fonds Richler Msc 36.6.31.

31. Jack McClelland à André Deutsch, 26 octobre 1962, Fonds Richler Msc 36.8.23.

32. Joyce Weiner à Richler, 15 décembre 1961, Fonds Richler Msc 36.6.31.

33. D'après Wiener, si Richler l'avait laissé gérer les droits cinématographiques d'*A Choice of Enemies*, l'entente n'aurait sans doute pas été conclue. Aussi, comme elle ne cessait de parler d'*A Choice of Enemies* à Betty Box, Richler en aurait sans doute fait un cas de conscience. Joyce Weiner à Richler, 15 décembre 1961, Fonds Richler Msc 36.6.31.

34. Joyce Weiner à Richler, 27 décembre 1961, Fonds Richler Msc 36.6.31.

35. Richler, «American Novels, British Reviewers», 8-9, Fonds Richler Msc 36.43.4.

36. Norman Levine à Richler, 6 août 1966, Fonds Richler Msc 36.7.10.

37. Dubarry Campau, «London», *Toronto Telegram*, 24 juillet 1965, Fonds Richler Msc 36.54.14.

38. Richler à Jack McClelland, 31 août 1961, McClelland, *Imagining*, 52.

p. 227 à p. 234

39. Joyce Weiner à Richler, 15 décembre 1961, Fonds Richler Msc 36.6.31.

40. Richler, « Cat », Fonds Richler Acc. # 582/163.7.

41. Richler à Bill Weintraub, 29 janvier 1960, Weintraub, *Started*, 253.

42. Interview avec Florence Richler. Richler à Sydney Newman, 25 août 1960, documents ABC-TV, Bibliothèque et Archives Canada, 12.29.

43. Ted Kotcheff à Richler, n. d. [mai 1960 ?], Fonds Richler Msc 36.6.54.

44. Ted Kotcheff cité dans Posner, *Last*, 128.

45. Interview avec Florence Richler.

46. Richler à Sydney Newman, 25 août 1960, documents ABC-TV, Bibliothèque et Archives Canada, 12.29.

47. Interview avec Florence Richler.

48. Interview avec Avrum Richler. *Errand*, 141.

49. « Mordecai Richler : St. Urbain's Meistersinger », [ms non identifié], Fonds Richler Acc. #582/135.18, 8.

50. Interview avec Weintraub (2001).

51. Interview avec Florence Richler.

52. Fonds Richler Msc 36.2.48.

53. Sydney Newman à Richler, 25 août [1960], documents ABC-TV, Bibliothèque et Archives Canada, 12.29.

54. Interview avec Max Richler.

55. Richler, « We Jews », 78-79.

56. Interview avec Max Richler.

57. Ces présentations étaient très semblables à un article qu'il a publié à cette période, « We Jews Are Almost as Bad as the Gentiles », 10, 78-79. Voir Green, « Synagogues », Fonds Richler Acc. # 582/162.4.

58. Lowy, « Montreal Writer », Fonds Richler Msc 36.54.13.

59. Green, « Synagogues », Fonds Richler Acc. # 582/162.4.

60. Lowy, « Montreal Writer », Fonds Richler Msc 36.54.13.

61. Barnett J. Danson à Richler, 17 octobre 1960, Fonds Richler Msc 36.3.66.

62. Richler, « French », Fonds Richler Acc. # 582/163.5, 10.

63. Bernard Schachter à Richler, 5 octobre 1960, Fonds Richler Msc 36.11.59.

64. Lorne E. Pogue à Richler, 14 octobre 1960, Fonds Richler Msc 36.10.48a.

65. Sydney Newman à Richler, 25 août 1960, Bibliothèque et Archives Canada, 12.29.

66. « Tastemakers' Toronto Tea Party », *Saturday Night*, 27 mai 1961, Fonds Richler Msc 36.54.14.

67. Richler à Claude Bissell, 18 octobre 1961, documents de Bissell. « Mordecai Richler : St. Urbain's Meistersinger », [ms non identifié], Fonds Richler Acc. #582/135.18, 16.

68. Kattan, « Richler », Fonds Richler Msc 36.54.14.

69. Richler à Monica McCall, 8 mars 1961, Fonds Richler Msc 36.9.13.

70. Brouillon de *The Incomparable Atuk*, Fonds Richler Msc 36.19.1, f78, 77.

71. Bernard Dube, « Dial Turns », 21 janvier 1959, Fonds Richler Msc 36.54.13.

72. Richler, « Quest », 30 mai 1961, 21, Fonds Richler Msc 36.40.15.

73. Jack McClelland à Richler, 28 mars 1962, Fonds Richler Msc 36.8.23.

74. Rubinstein, Nash & Co. À Diana Athill, 24 avril 1962, Fonds Richler Msc 36.11.52a.

75. Brouillon de *The Incomparable Atuk*, Fonds Richler Msc 36.19.1, 4. *Atuk*, 9.

76. Rubinstein, Nash & Co. À Diana Athill, 24 avril 1962, Fonds Richler Msc 36.11.52a.

77. Brouillon de *The Incomparable Atuk*, Fonds Richler Msc 36.19.1, f96, 95.

78. *Atuk*, 51-2.

79. Gzowski, « Afterword », *Atuk*, 182.

80. Robert Weaver à Richler, 7 novembre 1963, 6 novembre 1964, Fonds Richler Msc 36.2.56.

81. Robert Fulford à Richler, 3 avril 1962, Fonds Richler Msc 36.7.40.

p. 234 à p. 240

82. Gzowski, «Afterword», 181. Kildare Dobbs a dit : «Je suis content de ne pas figurer dans ce livre, et tout aussi content d'y reconnaître le rabbin F. et Irving L., etc. Bien sûr, on va te traiter d'antisémite – il est difficile d'être Juif». Kildare Dobbs à Richler, 31 juillet 1959, Fonds Richler Msc 36.7.44. La date inscrite sur la lettre de Dobbs est surprenante. Peut-être que Richler avait écrit cette parodie de Layton pour *The Apprenticeship of Duddy Kravitz* pour la reprendre ensuite dans *The Incomparable Atuk*. Dans ce cas, le rabbin F. pourrait être le rabbin Harvey Goldstone, le rabbin réformiste de *The Apprenticeship of Duddy Kravitz*.

83. *Atuk*, 70-71.

84. *L'apprentisage de Duddy Kravitz*. Le lecteur fait référence à *The Apprenticeship of Duddy Kravitz*, 15 janvier 1958, Fonds Richler Msc 36.16.1a.

85. Richler s'inspirait ici de *Canada Made Me* de Norman Levine, un livre qu'il considérait comme la meilleure œuvre essayistique au Canada.

86. Richler, «Trouble with Rabbi», Fonds Richler Acc. # 582/163.5. Richler avait fait le compte rendu de l'autobiographie de Feinberg, *Storming the Gates of Jericho*.

87. Todd, 20.

88. Abraham L. Feinberg, «Author Meets Critic», *Maclean's*, 22 août 1964, 40, Fonds Richler Acc. # 582/163.5.

89. Phillips, 16. Joe King, 317.

90. Dan Bereskin à Richler, 21 octobre 1966, 28 mars 1967, Fonds Richler Msc 36.14.31. La pièce avait été diffusée à la CBC et elle est devenue par la suite *Rue Saint-Urbain*.

91. *Atuk*, 43.

92. Gsowski, «Afterword», 181.

93. Brouillon de *The Incomparable Atuk*, Fonds Richler Msc 36.19.1, f37, 36. Richler a désigné Martin Bell comme l'une des choses qu'il croyait pouvoir mettre derrière lui lorsqu'il a quitté pour l'Europe. Richler, «Q Is for Quest», 1, Fonds Richler Msc 36.40.15.

94. Brouillon de *The Acrobats*, 134 [quoique le chapitre 4, dont est issue cette citation, s'intitule «The Rotten People»], Fonds Richler Msc 36.15.2.

95. Comme l'exprime avec justesse Arnold Davidson : «L'esquimau de Richler n'est certainement pas l'homme sauvage de Jean-Jacques Rousseau, détruit par le commercialisme sans fin d'un monde auquel il n'appartient pas». Davidson, 110.

96. *Atuk*, 40-41.

97. Sur le coup, Fulford a menacé de poursuivre Jack MacClelland à ce sujet. Robert Fulford à Richler, 3 avril 1962, Fonds Richler Msc 36.7.40.

98. Jack McClelland à Richler, 28 mars 1962, Fonds Richler Msc 36.8.23.

99. *The Tatler*, 6 novembre 1963, Fonds Richler Msc 36.19.6.

100. S. N., «Mordecai Richler», *Book and Bookmen*, 27, Fonds Richler Msc 36.29.6.

101. Richler, «American Novels, British Reviewers», 6, Fonds Richler Msc 36.43.4.

102. Roth, «Writing», 40, 46.

103. Welbourn, «I Get Up at 10 A. M.», *Montreal Star Weekend Magazine* (5 juillet 1969), Fonds Richler Msc 36.54.14. Richler a collaboré à *Commentary*, et il a utilisé son éditeur, Norman Podhoretz, à titre de référence lorsqu'il a posé sa candidature pour une Bourse senior en Arts du Conseil des Arts du Canada. Fonds Richler Msc 36.2.48, octobre 1965. Des années plus tard, Richler s'est référé directement à l'article de Roth. Eleanor Wachtel, «Writers and Company», CBC Radio, 23 mai 1999.

104. Alvin Kernan, 4.

105. *Atuk*, 85.

106. *Home Sweet*, 68.

107. Diana Athill à Richler, 1er avril 1960, Fonds Richler Msc 36.1.25.17.

108. *Rue Saint-Urbain*.

109. Sean Moore à Richler, 20 août 1961, Fonds Richler Msc 36.9.21.

110. Lily Rosenberg à Ruth Albert, 27 juin [1978-1979], Collection privée de Lionel Albert.

p. 240 à p. 245

111. Moses Richler à Mordecai Richler, 24 novembre 1964, Fonds Richler Msc 36. 36.11.24.

14. Les idoles de la tribu

1. Joyce Weiner à Richler, 3 juillet 1962, Fonds Richler Msc 36.6.31.
2. Brouillon de *The Incomparable Atuk*, Fonds Richler Msc 36.19.1.f14, 13.
3. Seymour Lawrence à Monica McCall, 12 mars 1962, Fonds Richler Msc 36.9.13.
4. Seymour Lawrence à Richler, 12 mars et 30 août 1962, Fonds Richler Msc 36.1.38.
5. Jack McClelland à Richler, 28 mars et 23 octobre 1962, Fonds Richler Msc 36.8.23. McClelland, *Imagining*, 64.
6. Richler, « Pleasures », 1998, 1.
7. McClelland, *Imagining*, xvii.
8. Richler, « Pleasures », 1998, 3.
9. Monica McCall à Richler, 25 juillet 1962, Fonds Richler Msc 36.9.13.
10. Bob Gottlieb à Richler, [décembre 1966], Fonds Richler Msc 36.12.18.
11. Interview avec Florence Richler.
12. Bob Gottlieb à Richler, 27 juin 1967, Fonds Richler Msc 36.12.18. Gottlieb 23.
13. Edwin McDowell, Fonds Richler Acc. #582/161.3.
14. Larissa MacFarquhar, *Lingua Franca*, à Richler, 8 avril 1994, Fonds Richler Acc. #582/25.39.
15. Gottlieb, cité dans Larissa MacFarquhar, *Lingua Franca*, à Richler, 8 avril 1994, Fonds Richler Acc. #582/25.39. Richler à Larissa MacFarquer [sic], 7 avril s. a., Fonds Richler Acc. #582/31.64.
16. Edwards, Fonds Richler Msc 36.55.1. Gottlieb, 22. Richler à Larissa MacFarquer [sic], 7 avril s. a., Fonds Richler Acc. #582/31.64.
17. Gottlieb, cité dans Larissa MacFarquhar, *Lingua Franca*, à Richler, 8 avril 1994, Fonds Richler Acc. #582/25.39.
18. Gottlieb, 22.
19. Fax de Richler à Larissa MacFarquer [sic], 7 avril s. a., Fonds Richler Acc. #582/31.64, 1.
20. Gzowski, « Afterword », *Atuk*, 180.
21. Peter Gzowski à Richler, 4 février 1964, Fonds Richler Msc 36.7.40.
22. McKenzie Porter, « Inside Toronto », *Toronto Telegram*, 19 novembre 1963, Fonds Richler Msc 36.54.14. Fulford, *Best Seat in the House*, 153, 156.
23. Moore, *An Answer from Limbo*, 20.
24. Interview avec Cameron (version manuscrit), 15, Fonds Richler Msc 36.54.1. Welbourn, 6, Fonds Richler Msc 36.54.14.
25. *Shovelling*, 89. Richler, dans l'erreur ou victime d'une erreur typographique, a plus tard daté cet événement en 1973. Richler, « Foreword », xxvii.
26. Richler, « Three », 3-4. Richler, « Foreword », xxvii.
27. Clive Sinclair, Fonds Richler Acc. #582/160.2.
28. *Errand*, 139.
29. Sandra Kolber, *Bitter Sweet Lemons and Love*, 78. Plus tard, Kolber a fait un compte rendu de *The Street*, qu'elle a acclamé pour être une œuvre moins dure à l'endroit des Juifs que ne l'étaient ses autres œuvres de fiction. Sandra Kolber, « Book World », *The Chronicle Review*, 20 juin 1969, Fonds Richler Msc 36.36.12.
30. *This Year in Jerusalem*, 249.
31. Richler à Brian Moore, n. d., Documents de Brian Moore 31.2.2.4a.
32. *This Year in Jerusalem*, 55.
33. Ha'am, « The Wrong Way », 42.
34. Richler à Brian Moore, n. d., Documents de Brian Moore 31.2.2.4a.
35. Richler, « This Year in Jerusalem », *Hunting*. Bill Arad, un ami qui a introduit Richler à plusieurs Israéliens, n'approuve pas cette interprétation. Bill Weintraub à Richler, 11 novembre 1962, Fonds Richler Msc 36.14.3.

p. 245 à p. 251

36. Gefen, 32, Fonds Richler Acc. #582/159.1.

37. Paul Johnson, 549.

38. Richler, « This Year in Jerusalem », *Hunting*.

39. Richler, « The Anglo-Saxon Jews », *Maclean's*, 8 septembre 1962, 18-19, 34-44. Richler, « This Year in Jerusalem », *Hunting*. La compilation « This Year in Jerusalem » qui a paru dans *Hunting Tigers Under Glass* comprend les mêmes histoires et le même ton que les articles originaux, mais avec moins de travail éditorial.

40. Interview avec Schulze. Fonds Richler Acc. #582/41.40.

41. Richler à Brian Moore, n. d., Documents de Brian Moore, 31.2.2.4a.

42. Robert Weaver à Richler, 20 juin 1961, Fonds Richler Msc 36.2.55.

43. Daryl Duke à Richler, 25 juillet 1961, Fonds Richler Msc 36.2.55. Daryl Duke à Richler, 1er octobre 1961, Fonds Richler Msc 36.2.55.

44. Robert Weaver à Richler, 29 novembre 1961, Fonds Richler Msc 36.2.55. Daryl Duke à Richler, 25 juin 1962, Fonds Richler Msc 36.2.55. Ken Lefolii à Richler, 29 novembre 1961, Fonds Richler Msc 36.7.40. Peter Gzowski à Richler, [décembre 1961 ?], Fonds Richler Msc 36.7.40.

45. Theodore (Ted) Solotaroff à Richler, 18 novembre 1960, 20 juin 1962, Fonds Richler Msc 36.3.46.

46. Athill, *Stet*, 144.

47. Brian Moore à Richler, [été 1958], Fonds Richler Msc 36.9.19. Athill, *Stet*, 144.

48. Interview avec Weintraub (2002).

49. Interview avec Noah Richler.

50. Richler, « Memories of Brian Moore », 45-46.

51. Brian Moore à Richler, [été 1958], [printemps 1959 ?], 21 octobre 1963, Fonds Richler Msc 36.9.19.41 ; 7 novembre [1962 ?], Fonds Richler Msc 36.9.19. Athill, *Stet*, 144. Interview avec Weintraub (2001).

52. Richler à Brian Moore, n. d., Documents de Brian Moore, 31.2.2.4a. Brian Moore à Richler, 17 novembre [1962 ?], Fonds Richler Msc 36.9.19.

53. Moore, *An Answer from Limbo*, 227-242.

54. Richler à Brian Moore, n. d., Documents de Brian Moore, 31.2.2.4a.

55. Bill Weintraub à Richler, 3 janvier 1963, Fonds Richler Msc 36.14.3. Brian Moore à Richler, 8 février 1963, Fonds Richler Msc 36.9.19.36.

56. Robert Fulford à Richler, 30 septembre 1963, Fonds Richler Msc 36.7.40.

57. Robert Weaver à Richler, 21 janvier 1963, Fonds Richler Msc 36.2.56.

58. Ralph Allen à Richler, 28 mars 1963, Fonds Richler Msc 36.2.56.

59. L'histoire de Babel, « First Love », décrivait la scène, et l'« introduction » de Lionel Trilling, datant de 1955, à l'œuvre de Babel qualifiait la scène d'autobiographique. Réimprimé dans Isaac Babel, *Collected Stories*, David McDuff (éd.), 350.

60. Richler, « Isaac Babel (1894-1939 ?) », Fonds Richler Msc 36.44.15, 1-3.

61. Comme Trilling, Richler utilise le mot « jaunty » (« débonnaire » en français) pour qualifier la présentation ironique donnée par Babel en 1934 ; il cite les mêmes passages que Trilling et date l'arrestation de Babel en 1937, comme lui. Comparer Richler, « Isaac Babel (1894-1939 ?) », Fonds Richler Msc 36.44.15, 1, avec l'introduction de Trilling, 342-344.

62. Nathalie Babel, « Introduction » à Isaac Babel, *The Lonely Years*, xiv-xv.

63. Budyonny s'est plaint du fait que Babel n'ait jamais participé activement au combat et qu'il soit resté exclusivement à l'arrière, où il s'était contenté de raconter des histoires critiquant rudement les « meilleurs officiers communistes ». Déclarant que Babel ne connaissait rien à la dialectique marxiste, Budyonny a dénoncé *La cavalerie rouge* sous prétexte qu'il s'agissait d'une œuvre de nature petite bourgeoise ». Semyon Budyonny, « An Open Letter to Maxim Gorky », dans Isaac Babel, *The Lonely Years*, 385-386. David McDuff, « Introduction », xii-xv.

64. Richler, *The Fall of Mendel Krick*, Fonds Richler Acc. # 680/26.6, 5.

65. Richler, « Isaac Babel (1894-1939 ?) », Fonds Richler Msc 36.44.15, 4.

p. 251 à p. 256

66. Après tout, ce discours n'était pas si ironique. Par exemple, Babel affirme que la vulgarité de bas étage doit être évitée dans l'écriture bolchevique et que toute écriture sérieuse doit intégrer un point de vue philosophique. Même en tenant compte de la difficulté d'écrire dans un pays communiste, il reste que le sort des écrivains pourrait être pire dans des pays où l'écriture compte moins : « Je dois admettre que si j'avais vécu dans un pays capitaliste, il y a longtemps que je serais mort de faim et nul ne se serait soucié de savoir, comme l'affirme Ehrenburg, si j'étais un lapin ou une éléphante », Babel, *The Lonely Years*, 399.

67. Paul Johnson, 454-455. David McDuff, « Introduction », ix-xxx.

68. « My Cousin, the Horseman », 1963, Fonds Richler Msc 36.39.3. Selon les différentes étapes de son évolution, l'histoire a tour à tour été intitulée « The Hammermans », « Lummox », « Manny », « Manny the Miracle », « Mrs. Hammerman's Miracle », « The Golem of St. Urbain Street », et « Jenny's Brother Manny ». Fonds Richler Msc 36.24.8.

69. Richler, « Isaac Babel », 3, Fonds Richler Msc 36.44.15.

70. *Home Sweet*, 6.

71. Richler, *The Fall of Mendel Krick*, 57, Fonds Richler Acc. #680/26.6.

72. Le 20 juin, « Began Work, St. Urbain's Horseman », Richler, Journal de 1965, Fonds Richler Acc. #582/148.

73. Richler, « My Jewish Troubles », 10-11, Fonds Richler Acc. # 582/122.7. *Home Sweet*, 6.

74. Ralph Allan à Richler, 2 juillet 1963, Fonds Richler Msc 36.2.56. Robert Weaver à Richler, 7 novembre 1963, Fonds Richler Msc 36.2.56. Robert Weaver à Richler, 6 novembre 1964, Fonds Richler Msc 36.2.56.

75. Interview avec Florence Richler.

p. 256 à p. 261

76. Brian Moore à Richler, 25 août 1963, Fonds Richler Acc. # 582/30.50.

77. Theodore Solotaroff à Richler, 11 janvier 1965, Fonds Richler Msc 36.3.46.

78. Ken Kavanagh, « Richler of St. Urbain Street », 8 mai 1971.

79. Paul Roddick à Richler, 1er décembre 1968, Fonds Richler Msc 36.11.35.

80. Interview avec Florence Richler.

81. Bill Weintraub à Richler, 21 décembre 1963, Fonds Richler Msc 36.14.3. Joyce Weiner à Richler, 6 décembre 1963, Fonds Richler Msc 36.3.31. Robert Weaver à Richler, 12 décembre 1963, Fonds Richler Msc 36.2.56. Monica McCall à Richler, 17 décembre 1963, Fonds Richler Msc 36.9.13.

82. Joyce Weiner à Richler, 3 janvier 1964, Fonds Richler Msc 36.3.31.

83. Interview avec Richmond, 4 février 1970, Fonds Richler Msc 36.55.1.

84. Monica McCall à Richler, 21 août 1963, Fonds Richler Msc 36.9.13. Dirk Bogarde à Richler, 18 janvier 1964, Fonds Richler Msc 36.2.18.

85. Richler, « Reward », 3 mai 1962, Fonds Richler Acc. # 680/103.3.

86. « Night of Wenceslas », scénario, 30 janvier 1963, Fonds Richler Msc 36.34.7.

87. Richler, « NOTES for a proposed dramatic series of six programmes to be based on famous JOURNALS », 23 novembre 1963, Fonds Richler Acc. # 680/28.3.

88. Richler, « Run Sheep Run », plan pour une émission télévisée d'une heure, 16 août 1963, Fonds Richler Msc 36.40.6.

89. George à Richler, 25 juillet 1963, Fonds Richler Msc 36.14.40.

90. Richler, « Sloth », scénario non terminé, Fonds Richler Msc 36.35.10, 22, 38.

91. « Montrealer at Top with Film Scripts and Novels », *The Montreal Gazette*, 22 mars 1966, Fonds Richler Msc 36.54.14.

92. Richler à Tony Forwood, 2 janvier 1964, Fonds Richler Msc 36.4.30. Dirk Bogarde à Richler, 18 janvier 1964, Fonds Richler Msc 36.2.18. Tony Forwood à Richler, 18 janvier 1964, Fonds Richler Msc 36.4.30.

93. « Montrealer at Top with Film Scripts and Novels », *The Montreal Gazette*, 22 mars 1966, Fonds Richler Msc 36.54.14.

94. *Le cavalier de Saint-Urbain.*

95. Robert Weaver à Richler, 6 mars 1966, Fonds Richler Msc 36.2.56.

96. Fonds Richler Msc 36.34.1.

97. *Back to Ibiza,* Fonds Richler Acc. # 582/65.4, 102.

98. «Mordecai Richler», *Book and Bookmen,* octobre 1963, 27, Fonds Richler Msc 36.19.6.

99. Richler, «Anyone».

100. Bill Weintraub à Richler, 4 juin 1961, Fonds Richler Msc 36.14.3.

101. Brouillon de *The Acrobats,* 52, Fonds Richler Msc 36.15.3.

102. Irving Layton à l'éditeur, *Maclean's,* 25 mars 1964, Fonds Richler Msc 36.14.5. La version émasculée a paru dans *Maclean's,* 77: 10, 16 mai 1964, Fonds Richler Msc 36.54.14.

103. Irving Layton à l'éditeur, *Holiday,* 28 mars 1964, Fonds Richler Msc 36.5.40.

104. Dusty Vineberg, «Cohen Felt like Punching Richler», [*Montreal Star?*], n. d., Fonds Richler Msc 36.54.13.

105. Robert Fulford à Richler, 5 novembre 1961, Fonds Richler Msc 36.7.40.

106. Richler, «My Year», Fonds Richler Acc. # 582/163.5. Richler, «North American», 15.

107. Richler à l'éditeur, *Holiday,* 9 avril 1964, Fonds Richler Msc 36.5.40.

108. *Home Sweet,* 33.

109. Davies, «London Letter», Fonds Richler Msc 36.54.14.

110. Richler, compte rendu BOMC de Lester B. Pearson, *Mike: Volume II,* Fonds Richler Acc. # 582/9.3.

111. Richler, «French», 1964, 42, Fonds Richler Acc. # 582/163.5.

112. *Five cent review,* 17, Fonds Richler Msc 36.54.3. *Brandon Sun,* 3 mars 1970.

113. Richler, «French», 1964, 10, Fonds Richler Acc. # 582/163.5.

114. «Je ne connais pas assez les Canadiens français pour inventer un personnage Canadien-français vraiment satisfaisant». «Mordecai Richler», *Le Devoir,* 31 mars 1966, Fonds Richler Msc 36.54.14.

115. Peter Gzowski à Richler, 15 décembre 1961, Fonds Richler Msc 36.7.40.

116. *Globe and Mail,* mardi, 19 juillet 1964, 1.

117. Richler, «French», 1964, 11, 39-42, Fonds Richler Acc. # 582/163.5. *Home Sweet,* 27.

*p. 262
à
p. 269*

15. *Un cas de taille*: un ver flétri

1. Joyce Weiner à Richler, 25 août 1964, Fonds Richler Msc 36.6.31.

2. Jo Stewart [of Monica McCall] à Richler, 9 septembre 1964, Fonds Richler Msc 36.9.13. Joyce Weiner à Richler, 19 octobre 1964, Fonds Richler Msc 36.6.31.

3. Cook, 5.

4. Robert Weaver à Richler, 6 novembre 1964, Fonds Richler Msc 36.2.56.

5. Jack McClelland à Richler, 8 octobre 1964, McClelland, *Imagining,* 97.

6. Richler à Martin Stern, 7 mars 1964, Fonds Richler Msc 36.12.49.

7. Martin Stern à Richler, 21 juillet 1964, Fonds Richler Msc 36.12.49.

8. *Hunting,* 59, 63-70. Richler, «Three», 3.

9. W. F. W. Neville à l'éditeur, *Encounter,* 16 décembre 1964, Fonds Richler Acc. # 582/17.1.

10. Richler, «Three», 6.

11. Lesley [la secrétaire de l'agent Gareth Wigan] à Richler, 25 février 1966, Fonds Richler Acc. # 582/17.1.

12. Interview avec Florence Richler.

13. Interview avec Lionel Albert. Interview avec Florence Richler.

14. Interview avec Daniel Richler. Interview avec Noah Richler.

15. Interview avec Florence Richler.

16. *Back to Ibiza,* Fonds Richler Acc. # 582/65.4, 17-19.

17. Shain, Fonds Richler Msc 36.54.14.

18. *Home Sweet,* 69.
19. Richler, «Man for Today», Fonds Richler Acc. # 582/163.7. *Home Sweet,* 87.
20. *Montreal Star,* 29 décembre 1965, Fonds Richler Msc 36.54.14.
21. Robert Weaver à Richler, 27 janvier 1966, Fonds Richler Msc 36.2.56.
22. Ted Solotaroff à Richler, 25 février 1966, Fonds Richler Msc 36.3.46.
23. Interview avec Florence Richler.
24. *Cinema Canada,* interview, 20.
25. Bob Gottlieb à Richler, 18 octobre 1966, Fonds Richler Msc 36.12.18.
26. Richler, «Aging», 12-14, Fonds Richler Acc. # 582/163.1.
27. *Shovelling,* 14.
28. Fonds Richler Msc 36.21.7.f2.
29. *Hunting,* 9.
30. Band, 222-224.
31. *Hunting,* 111.
32. *Montreal Herald,* 16 mars 1949, Fonds Richler Acc. # 582/163.10.
33. Lily Rosenberg Richler, *Canadian Jewish Review,* 18 septembre 1936, 33. Richler a lui-même utilisé cette réplique assez souvent, quoique de manière ironique, comme l'indique une réponse de Weaver : «Ce n'est pas vraiment très difficile d'être un Juif. Seulement, il est peut-être difficile d'être un Juif à Londres qui fait affaire avec les marchés boursiers de Toronto». Robert Weaver à Richler, 10 avril 1963, Fonds Richler Msc 36.2.56.
34. Aleichem, 256.
35. Roth, «Writing», 1961, 40.
36. Lorsqu'il a développé Shalinsky, qui d'un personnage de nouvelle est devenu un personnage de roman, Richler a reçu l'aide de Ted Kotcheff. Celui-ci qui avait fait la connaissance d'un survivant des camps de concentration, un individu importun du nom de Joseph Bermann. Ted Kotcheff à Richler, 4 août 1966, Fonds Richler Acc. # 680/6.48.
37. *Shovelling,* 33.
38. *Un cas de taille,* 253.
39. Richler, Mortimer Griffin, Shalinsky, and How They Settled the Jewish Question», *Tamarack Review,* 7, printemps 1958, 30-43. Voir aussi dans *Town* 4:12 (novembre 1963): 93, Fonds Richler Msc 36.49.8.
40. Brouillon de *Cocksure,* Fonds Richler Msc 36.18.4.f117, 222.
41. Richler, «Universe», 1966, Fonds Richler Acc. # 582/163.7, 290.
42. Bob Gottlieb à Richler, 27 juin 1967, Fonds Richler Msc 36.12.18.
43. Cynthia Ozick, 177, 169.
44. Brouillon de *Cocksure,* Fonds Richler Msc 36.18.4.f143, 2.
45. Jack McClelland à Richler, 22 novembre 1966, Fonds Richler Msc 36.8.23.
46. Interview avec Noah Richler.
47. Victor Ramraj, 80.
48. *Un cas de taille,* 136.
49. Anthony Burges à Tony Goldwin, 8 octobre 1968, Fonds Richler Msc 36.2.39.
50. Tony Goldwin à Richler, 12 octobre 1967, Fonds Richler Msc 36.4.60.
51. Interview avec Cameron (10 juin 1971), 116, Fonds Richler Msc 36.54.1. Merle Shain. Urjo Kareda. *Toronto Daily Star,* 1er juin 1968, Fonds Richler Msc 36.18.8.
52. Welbourn, «I Get Up at 10 A. M.». Interview avec Maulucci (2 avril 1976), Fonds Richler Acc. # 582/124.20.
53. *Un cas de taille,* 63.
54. Arnold Davidson, 121, 135.
55. Richler, «Where It», Fonds Richler Acc. # 582/163.4. *Back to Ibiza,* Fonds Richler Acc. # 582/65.4, 97.
56. *Le cavalier de Saint-Urbain,* 83.

p. 269
à
p. 278

57. Ron Bryden, Forence Richler, cités dans Posner, *Last*, 147-148.

58. Craniford, 72. Fulford l'a aussi nommé le livre le plus amusant jamais écrit par un Canadien et insiste sur le fait que, comme toute bonne satire, il retourne à des valeurs conservatrices. Robert Fulford, «Disgusting, Dirty, Funny, Distinguished», *Toronto Daily Star*, 23 mars 1968, Fonds Richler Msc 36.18.9.

59. Neil Compton à Richler, 6 mars 1968, Fonds Richler Msc 36.12.23.

60. Daniel Richler, «Such», 42.

61. Hill, *Grand Guy*, 263. *Broadsides*, 231-233.

62. Fiedler, 104-105.

63. Toynbee in Sheps, 108. Christopher Williams, *New Society*, 19 avril 1968. David Haworth, «Unclean Fun», *New Statesman*, 19 avril 1968, Fonds Richler Msc 36.18.9. Plusieurs critiques ont commenté le caractère facétieux de *Cocksure* et son incapacité à trouver des balises morales. Voir Victor Ramraj, 79.

64. Interview avec Cameron (10 juin 1971), 116, Fonds Richler Msc 36.54.1. Quatre ans avant la publication de *Cocksure*, Richler se plaignait des stéréotypes en vogue dans le monde littéraire: «Le coquin par excellence est toujours quelqu'un qui travaille dans l'industrie de la publicité. Celui qui vit dans une jolie banlieue et s'inquiète suffisamment de ses enfants pour se rendre à des réunions de parents est considéré comme un individu ennuyeux. Le héros traditionnel est toujours un drogué». Richler, «Anyone», Interview avec Robert Fulford, «This Is Robert Fulford», 23 juillet 1968.

65. Richler, «Involvement: Writers Repy», 5, Fonds Richler Acc. # 582/126.1. Les dons à Oxfam sont mentionnés dans Dan Bereskin à Richler, 21 octobre 1966, Fonds Richler Msc 36.14.31. Richler a signé une déclaration dans le *Times* contre la vente d'armes à l'Afrique du Sud; il a été engagé dans le mouvement anti-Apartheid, auquel il a contribué de 1965 à 1970. 19 octobre 1970, Fonds Richler Msc 36.1.29.

66. Interview avec Daniel Richler.

67. James King, 191. David Mercer à Richler, 16 octobre 1963, Fonds Richler Msc 36.9.1.

68. David Mercer à Richler, 16 octobre 1963, Fonds Richler Msc 36.9.1.

69. Margaret Laurence à Richler, 2 août 1968, Fonds Richler Msc 36.6.66.

70. *Un cas de taille*, 112. En anglais, c'est le nom de Mailer qui apparaît, NdT.

71. «Libel Report», sur «A Novel by Mordecai Richler», Oswald Hickson Collier and Co., 21 août 1967, 4, 2. Fonds Richler Msc 36.18.6.

72. Brouillon de *It's Harder to Be Anybody*, Fonds Richler Msc 36.21.5.

73. «Libel Report», sur «A Novel by Mordecai Richler», Oswald Hickson Collier and Co., 21 août 1967, 2. Fonds Richler Msc 36.18.6.

74. Woodcock, *Mordecai Richler*, 48, 45, 44, 50.

75. Interview avec Metcalf, avril 1973, 8.

76. «Libel Report», sur «A Novel by Mordecai Richler», Oswald Hickson Collier and Co., 21 août 1967, 6. Fonds Richler Msc 36.18.6.

77. Urjo Kareda, *Toronto Daily Star*, 1er juin 1968, Fonds Richler Msc 36.18.8.

78. «Libel Report», sur «A Novel by Mordecai Richler», Oswald Hickson Collier and Co., 21 août 1967, 4. Fonds Richler Msc 36.18.6. Les noms de Alan Ladd, Richard Chamberlain et celui, facile à identifier, du Gouverneur de Californie, ont tous été effacés avant que les avocats ne lisent les romans.

79. Florence Richler, 41. *Shovelling*, 119.

80. Brian Moore à Richler, 14 mars 1966, 10 juin 1966, Fonds Richler Msc 36.9.19.

81. Max Richler à Mordecai Richler, 17 septembre 1966, Fonds Richler Msc 36.11.23

82. Martin, «Anecdotes», A4.

83. Nathan Cohen à Richler, 13 mars 1967, Fonds Richler Msc 36.13.34.

84. Bill Weintraub à Richler, 15 janvier 1967, Fonds Richler Msc 36.14.3.40.

85. Interview avec Avrum Richler. Max Richler à Mordecai Richler, 4 mai 1967, Fonds Richler Msc 36.11.23.

*p. 278
à
p. 286*

86. Avrum Richler à Mordecai Richler, 8 juin 1988, Fonds Richler Acc. # 582/36.34.

87. *Le cavalier de Saint-Urbain*, 253.

88. Babel, 226.

89. *Cavalerie rouge*, 140. Sara Richler à Mordecai Richler, 19 mai 1967, Fonds Richler Msc 36.11.25.

90. *Le cavalier de Saint-Urbain*, 254.

91. Sara Richler à Mordecai Richler, 19 mai 1967, Fonds Richler Msc 36.11.25.

92. Joe King, 264.

93. Geffen, 32, Fonds Richler Acc. # 582/159.1. Dr S. J. Roth, World Jewish Congress, London, à Richler, 31 mai 1967, 37.14.19. Brouillon d'une lettre ouverte, 2 juin 1967, Fonds Richler Acc. # 582/17.1, 4-5. Richler, « Involvement : Writers Reply », Fonds Richler Acc. # 582/126.1.

94. Louis Marks, secrétaire honoraire, Writers for Israel Committee, London à Richler, 10 juillet 1967, Fonds Richler Msc 36.14.24. Louis Mark à l'éditeur, *London Magazine*, 24 août 1968, Fonds Richler Msc 36.14.24.3.

95. Nur Masalha, 16, 22, 163.

96. Interview avec Max Richler.

97. *This Year in Jerusalem*, 45.

98. Sam Orbaum, « Make », 19.

99. David Richler, cité dans Posner, *Last*, 300. Interview avec Avrum Richler. Interview avec Bernard Richler. Dans *Le cavalier de Saint-Urbain*, Richler a emprunté un long passage composé des affirmations du rabbin à propos de Issy Hersh (le Moe Richler du roman) directement de la lettre de condoléances envoyée par le frère de Lily, le Rabbin Abraham Rosenberg. Rabbin Abraham Rosenberg à Mme et M. Richler et leur famille, 9 juin 1967, Fonds Richler Msc 36.11.40.

*p. 286
à
p. 288*

100. Interview avec Bernard Richler. Il semble que Richler ait payé le Collège rabbinique du Canada pour dire le kaddish, bien qu'il ait ignoré les avis que le Collège lui a fait parvenir par la poste concernant l'anniversaire de la date de décès de son père. Dans une lettre officielle, on peut lire : « Il y a quelque temps, vous nous avez accordé la confiance sacrée de dire le Kaddish pour votre feu père bien-aimé... une somme d'argent a été donnée pour défrayer les coûts de ce Kaddish » [sic]. Le document inclut des avis pour 1977, 1979, 1988, 1989, 1991 et 1994. Le Collège voulait savoir s'il devait continuer de rappeler à Richler les dates du Yahrtzeit « et de le respecter selon les préceptes de la loi juive ». Collège rabbinique du Canada, Montréal, à Richler, n. d., Fonds Richler Acc. # 582/32.58.

101. Interview avec Bernard Richler. Interview avec Lionel Albert. Interview avec Max Richler. Richler avait dit, « Cela me frappe comme un névrosé, peut-être, mais cela demeure encore raisonnable, d'éprouver une grande terreur lorsque je prends l'avion ». *Broadsides*, 51. Ted Kotcheff, cité dans Posner, *Last*, 280.

102. Interview avec Dansereau et Beaudet, 95.

103. Interview avec Micki Moore.

104. Interview avec Wong.

105. Interview avec Avrum Richler.

106. *Snooker*, 115. Dans une interview, Richler a affirmé qu'il ne buvait pas beaucoup, mais il a cité de manière approbative la déclaration de Graham Greene, « Je suis né à moins de trois scotchs de la réalité ». Interview avec L. Brown.

107. *Home Sweet*, 56, 60. Avrum, qui avait seulement deux photographies encadrées de Moe, a supplié Sara de lui donner plus de photos des années plus tard. Elle a refusé. Avrum Richler à Mordecai Richler, 8 juin 1988, Fonds Richler Acc. # 582/36.34.

108. Avrum affirme que lorsqu'il était jeune, il a enfreint le code de l'agenda – une chose très simple à faire – mais soutient qu'il ne sait pas ce que contenait l'agenda. Interview avec Avrum Richler.

109. Sara Richler à Mordecai Richler, 11 octobre 1967, Fonds Richler Msc 36.11.25.

110. Max Richler à Mordecai Richler, 15 janvier 1968, Fonds Richler Msc 36.11.23.

16. Mortimer Ringard et la contre-culture

1. Diana Athill à Richler, 31 janvier 1967, Fonds Richler Msc 36.1.25.

2. Brian Moore à Richler, 2 mars 1966, 17 novembre 1967, Fonds Richler Msc 36.9.19.

3. Tony Godwin à Richler, 23 septembre 1968, Fonds Richler Msc 36.4.60.

4. Diana Athill et André Deutsch à Richler, 17 août 1967, Fonds Richler Msc 36.1.25.

5. *Back to Ibiza*, Fonds Richler Acc. # 582/65.4, 120-1. Tony Godwin à Richler, 23 septembre 1968, Fonds Richler Msc 36.4.60.

6. Bob Gottlieb à Richler, 23 août 1967, Fonds Richler Msc 36.12.18.

7. David Machin à Richler, 28 juillet 1967, Fonds Richler Msc 36.7.18.

8. Neil Compton à Richler, 22 août 1967, Fonds Richler Msc 36.12.23.

9. *Shovelling*, 18.

10. Mavis Gallant à Richler, [novembre ou décembre 1967?], 30 août 1967, Fonds Richler Msc 36.4.51.

11. Kotcheff, «Afterword», 218.

12. Bill Weintraub à Richler, [mai 1968], 2 février 1968, Fonds Richler Msc 36.14.3.

13. Richler à M. Berger, [1968], Fonds Richler Msc 36.1.61.

14. Fulford, «Mordecai». Merle Shain, «Richler», Fonds Richler Msc 36.54.14. Richler, «With-It», 45. Interview avec William Foster. Fonds Richler Msc 36.55.1. Interview avec McCormick, Fonds Richler Acc. # 582/152.16. William French, «Books and Bookmen», *Globe and Mail*, 8 mars 1969, Fonds Richler Msc 36.54.14. Rob Martin, Fonds Richler Msc 36.54.14.

15. McLaughlin.

16. Peter Gzowski à Richer, 21 février, 7 mars 1968, Fonds Richler Msc 36.12.43.

17. Jack Ludwig à Richler, 14 novembre 1968, 6 février 1969, Fonds Richler Msc 36.13.53.

18. *Shovelling*, 16. Interview avec Cameron, 116.

19. Jeremy Bugler, «The Bookseling Smiths», *The Observer*, 15 mars 1970, Fonds Richler Msc 36.55.1.

20. Kareda, Fonds Richler Msc 36.18.8.

21. John Metcalf à Richler, 6 juin 1970, Fonds Richler Msc 36.9.3.

22. Richler à David Berry, Ryerson Press, 20 juin 1970, Fonds Richler Msc 36.11.55.13.

23. John Metcalf à Richler, 6 juin 1970, Fonds Richler Msc 36.9.3.

24. Robert Fulford à Richler, 6 décembre 1971, Fonds Richler Msc 36.11.57.

25. Walter Stewart, *Maclean's*, télégramme à Richler, 30 décembre 1970, Fonds Richler Msc 36.7.41.

26. Doris Anderson, *Chatelaine*, à Richler, 20 janvier 1971, Fonds Richler Msc 36.3.28. La scène se retrouve dans *Le cavalier de Saint-Urbain*. «Old Lady Dry Cunt» n'y figure pas, mais apparaît plus tôt dans le roman.

27. Richler, «The Greening of Hersh», 58.

28. Jack McClelland à Richler, 5 et 17 juin 1968, Fonds Richler Msc 36.8.23.

29. William French, «Leonard Cohen Wants to Be Governor General?», *Globe and Mail*, 17 mai 1969, Fonds Richler Msc 36.54.14.

30. *Shovelling*, 152.

31. Nadel, *Various Positions*, 173-174.

32. En 1970, l'ouvrage de Michael Ondaatje intitulé *The Collected Works of Billy the Kid* allait gagner dans la catégorie «Prose and Poetry», mais il s'agit d'un livre hybride que les juges ne savaient dans quelle catégorie ranger.

33. Welbourn, «I Get Up at 10 A. M.».

34. Josh Greenfield à Richler, 15 mars 1968, Fonds Richler Msc 36.5.8.

35. Peter Hall and Filmways prévoyaient réaliser le film. «Not So Sure», *Evening Standard*, 20 août 1968, Fonds Richler Msc 36.54.14.

p. 288 à p. 296

36. Daniel Richler, «Such», 42.

37. King's Road, le quartier situé près du marché où Richler avait vécu durant les années 1950, a été abandonné durant les années 1960 au profit de boutiques de mode où tous les pantalons étaient dotés de pattes d'éléphant, au grand désarroi de Richler. Fulford, «Mordecai».

38. Richler, «With-It», 45.

39. Interview du *Publisher's Weekly*, Fonds Richler Msc 36.54.9.

40. Interview avec Cameron, ms 13, Fonds Richler Msc 36.54.1.

41. Interview avec Metcalf, 11-12.

42. *Hunting*, 89.

43. Patrick Lyndon à Richler, 23 mai 1968, Fonds Richler Msc 36.7.30.

44. «Open Letter to Richler», 6 février 1969, Fonds Richler Msc 36.2.3.

45. Richler, «With-It», 45.

46. Richler, «With-It», 46.

47. Patrick Lyndon à Robert Fulford, éditeur de *Saturday Night*, 12 février 1969, Fonds Richler Msc 36.11.57, 19b.

48. *Inner Space*, Fonds Richler Msc 36.54.4. Richler, «With-It», 45. *Home Sweet*, 146.

49. Bill Weintraub à Richler, 21 juin 1971, Fonds Richler Msc 36.14.3. Robert Weaver à Richler, 20 juillet 1971, Fonds Richler Msc 36.2.56.

50. Christina Somerville à Robert Fulford, éditeur de *Saturday Night*, 13 avril 1970, 4, Fonds Richler Msc 36.11.57.25.

51. *Inner Space*, Fonds Richler Msc 36.54.4. Interview avec Beker, Fonds Richler Msc 36.55.1.

52. Richler, «Involvement: Writers Reply», 6, Fonds Richler Acc. # 582/126.1.

53. Interview avec Noah Richler.

54. Richler, «Preparing for the Worst», Fonds Richler Acc. # 582/103.4.

55. Richler, «My Year», Fonds Richler Acc. # 582/163.5. *Inner Space*, 1, Fonds Richler Msc 36.54.4.

56. S. Martin, «Insult», 6, Fonds Richler Acc. # 582/160.7. Richler, «If Austin», 68, Fonds Richler Acc. # 582/163.7.

57. Richler, «If Austin», 68, Fonds Richler Acc. # 582/163.7.

58. Austin C. Clarke, Department of English, Yale University, à Richler, 19 novembre 1968, Fonds Richler Msc 36.3.35.

59. S. Martin, «Insult», 6, Fonds Richler Acc. # 582/160.7.

60. Lebel, 18-20.

61. Kildare Dobbs à Richler, 4 avril 1967, Fonds Richler Msc 36.11.57.

62. *Inner Space*, Fonds Richler Msc 36.54.4.

63. Jack Clayton à Richler, 2 mai 1969, Fonds Richler Msc 36.3.39.

64. Penelope Gilliatt, «Protest for Profit», *Observer*, 12 février 1961.

65. J. A. Laponce, 286.

66. Max Richler à Mordecai Richler, 27 juin 1968, Fonds Richler Msc 36.11.23.

67. *Home Sweet*, 150.

68. Richler, «Man Behind», 1.

69. Richler, Ms non identifié [probablement un brouillon de «Canada: "An Immensely Boring Country" – Until Now»], 16, Fonds Richler Msc 36.38.7.

70. Peter Gzowski à Richler, 21 février 1968, Fonds Richler Msc 36.12.43.22a.

71. Richler, «Style and Substance», Fonds Richler Acc. # 680/31.24.

72. Richler, «Man for Today», Fonds Richler Acc. # 582/163.7.

73. Richler, «How a Good», Fonds Richler Acc. # 582/163.7. Richler a aussi fait un don dans le cadre de la levée de fonds de Pauline Jewett, lorsqu'elle était encore une libérale. R. W. Sutherland, Directeur des finances, Campagne électorale fédérale de Pauline Jewett, à Richler, 7 novembre 1972, Fonds Richler Msc 36.4.18.

p. 296
à
p. 305

74. *Montreal Star Weekend Magazine*, 5 juillet 1969, Fonds Richler Msc 36.54.14.

75. « Involvement and the Writer », *Evening Standard*, 1ᵉʳ août 1968, Fonds Richler Msc 36.54.14.

76. Interview avec Rodriguez, Fonds Richler Msc 36.54.14.

77. *Belling*, 93.

78. Gruending, Fonds Richler Msc 36.42.21.

17. Le cavalier

1. Christina Somerville au *Saturday Night*, 13 avril 1970, lettre non publiée à propos de la conférence de Richler à l'University of Calgary, 3, Fonds Richler Msc 36.11.57.25. *Shovelling*, 19-20.

2. Richler à Jack McClelland, 8 septembre 1967, Fonds Richler Msc 36.8.23. Merle Shain, « Richler », Fonds Richler Msc 36.54.14.

3. Interview avec Cameron, 126. George Anthony, « St. Urbain's Richler Rides Again », *Toronto Telegram*, 5 juin 1971, Fonds Richler Msc 36.30.12.

4. Ken Kavanagh, « Richler of St. Urbain Street », 8 mai 1971.

5. Interview avec Noah Richler.

6. Interview avec Florence Richler. Florence Richler 40. Gzowski, « Afterword », *Atuk*, 182.

7. Ivana Edwards, Fonds Richler Msc 36.55.1.

8. Florence Richler, 41. Interview avec Sur Fox, 10.

9. Richler, « The Last Plum in the House », [1966 ou 1967 ?], Fonds Richler Acc. # 680/28.3.

10. Emma Richler, *Feed My Dear Dogs*, 210.

11. Robert Gottlieb, cité dans Posner, *Last*, 263.

12. Ivana Edwards, Fonds Richler Msc 36.55.1.

13. Florence Richler, 42.

14. Interview avec Noah Richler.

15. Emma Richler, *Sœur folie*.

16. Interview avec Sur Fox, 10.

17. Emma Richler, *Feed My Dear Dogs*, 25.

18. Emma Richler, *Sœur folie*.

19. Marchand, « Oy », 148, Fonds Richler Acc. # 582/134.8.

20. Interview avec Daniel Richler.

21. Interview avec Sur Fox, 9-10.

22. Daniel Richler, « Such », 42.

23. Noah Richler, « I Wanted », B1.

24. *Broadsides*, 13. Interview avec Florence Richler.

25. Richler, « On Being Jewish », 5, Fonds Richler Acc. # 582/110.20.

26. Richler à Bob Gottlieb, 17 novembre 1967, Fonds Richler Acc. # 582/4.25.

27. Interview avec Florence Richler.

28. Carol Service, King's House, Richmond, 15 décembre 1969, Fonds Richler Msc 36.23.2.

29. Interview avec Florence Richler.

30. Sam Orbaum, courriel.

31. Richler, « On Being Jewish », 2, Fonds Richler Acc. # 582/110.20. *This Year in Jerusalem*, 82.

32. *Le cavalier de Saint-Urbain*, 281.

33. Noah Richler, « I Wanted », B1. Richler, « On Being Jewish », 5, Fonds Richler Acc. # 582/110.20. *Montreal Gazette*, 19 mai 2001.

34. Interview avec Daniel Richler.

35. Interview avec Wong.

p. 305 à p. 312

36. Noah Richler, « I Wanted », B1.

37. Interview avec Max Richler.

38. *Le cavalier de Saint-Urbain*, 69. Shnayer Leiman, 35. Robinson, « Forgery », 13; « Sabbath », 106-107, 109-110; Kabbalist, 46-47.

39. Todd, 22.

40. Interview avec Noah Richler.

41. Gefen, 31, Fonds Richler Acc. # 582/159.1. Interview avec Daniel Richler.

42. Cynthia Ozick, 177, 169.

43. Daniel Richler, cité dans Posner, *Last*, 316.

44. Emma Richler, *Sœur folie*. Emma Richler, « Two », 8. Daniel Richler, « Such », 42. Interview avec Sur Fox, 10. Interview avec Daniel Richler.

45. Interview avec Noah Richler. *Back to Ibiza*, Fonds Richler Acc. # 582/65.4, 24. *Joshua au passé, au présent*. Florence ne se rappelle pas de l'incident.

46. *Back to Ibiza*, Fonds Richler Acc. # 582/65.4, 10.

47. *Shovelling*, 83.

48. Richler à Bob Gottlieb, [1973 ?], Fonds Richler Acc. # 582/4.25.

49. Buchan, 12. *Shovelling*, 83. Il est intéressant de noter que le roman de Buchan existe en français, mais que l'idée du complot juif a été complètement évacuée. Nous avons cependant trouvé la traduction de ce passage dans *Survivre, etc.*, la version française de *Mordecai Richler Was Here*, à la page 145, NdT.

50. Rosemary Dudley à l'éditeur, *Globe and Mail*, 19 mai 1969, Fonds Richler Msc 36.3.84.

51. Alan Sipress (*Washington Post*), « Malaysian PM says Islam Must Resist Jews », *Winnipeg Free Press*, 17 octobre 2003.

52. Paul Johnson, 577.

53. Rabbin Noah M. Gamze, Detroit, à l'éditeur de *Commentary*, n. d., Fonds Richler Msc 36.2.46.

54. M. Brown, « Zionism », 4. Joe King, 198-199.

55. Buchan, 44, 101. Tel que mentionné précédemment, la version française de l'ouvrage ne comporte pas cette idée de complot juif et ces citations.

56. Richler à Bob Gottlieb, [1973 ?], Fonds Richler Acc. # 582/4.25.

57. Richler à Bob Gottlieb, [1973 ?], Fonds Richler Acc. # 582/4.25.

58. Weintraub à Richler, 22 janvier 1970, Fonds Richler Msc 36.14.3.

59. Emma Richler, *Sœur folie*, 70.

60. Harold Keller à Richler, 19 juillet 1968, Fonds Richler Msc 36.3.46.

61. Interview avec Cameron, 122. Interview avec McCormick, Fonds Richler Acc. # 582/152.16.

62. Tony Godwin à Richler, 30 juin 1968, Fonds Richler Msc 36.4.60.

63. Richler, Notes and Outline for an Original Screenplay, « The Survivor », Fonds Richler Acc. # 680/27.9.

64. Richler à Ken Lindenberg, 22 juillet 1969, Fonds Richler Acc. # 680/27.9.

65. Richler, Notes and Outline for an Original Screenplay, « The Survivor », Fonds Richler Acc. # 680/27.9.

66. *Shovelling*, 20.

67. Richler, « The Aging of Mordecai Richler », 12-14, Fonds Richler Acc. # 582/163.1.

68. *The New Yorker*, 7 mars 1988. Richler, *Belling the Cat*, 91-92.

69. Sam Orbaum, « Make », 19. Martin Knelman, « Ted Kotcheff: A wandering son heads home to film Richler's Duddy Kravitz », *Globe and Mail*, (19 août 1972): 25, Fonds Richler Msc 36.55.1. Lindor Reynolds, « Just a Charm Ball' : Richler the Curmudgeon Still Seeks Perfection », *Winnipeg Free Press*, 25 octobre 1997, Bio. Jake Hersh avait déjà fait quelques apparitions (parfois comme alter ego de Richler) dans *Rue Saint-Urbain* et *L'apprentissage de Duddy Kravitz*.

p. 312 à p. 319

70. McSweeney, «Revaluing», 128.

71. Brian Moore à Richler, 1ᵉʳ juin 1971, Fonds Richler Msc 36.9.19.99.

72. John Fowles à Richler, 18 juin 1971, Fonds Richler Msc 36.4.33.

73. Joyce Weiner à Richler, 15 août 1971, Fonds Richler Msc 36.6.31. L'agent littéraire David Machin, lui aussi, a senti qu'il pouvait identifier les personnes réelles par rapport à un certain nombre de personnages. David Machin à Richler, 20 mai 196-, Fonds Richler Msc 36.5.10.

74. Interview avec Cameron, 121. Brouillon de *Saint-Urbain's Horseman*, Fonds Richler Msc 36.24.7.f65. Les inquiétudes apparaissant dans l'une des premières versions, «St. Urbain's Horseman», *Tamarack Review*, 1966, 138-139, sont largement réduites dans la version finale du roman. *Le cavalier de Saint-Urbain*.

75. Notes sur *St. Urbain's Horseman* par un éditeur non identifié [de toute évidence Tony Godwin], 1, Fonds Richler Msc 36.30.1.

76. Richler à Brian Moore, 16 février 1959, Weintraub, *Started*, 230. Interview avec Gibson, 288.

77. Interview avec Wong, 2.

78. Interview avec Florence Richler.

79. Marchand, «Oy», 64. Fonds Richler Acc. # 582/134.8. MacGregor, 47, Fonds Richler Acc. # 582/157.4. Edna Paris, Fonds Richler Acc. # 582/160.7.

80. Zosky, 41, Fonds Richler Acc. # 582/155.3. Interview avec Avrum Richler.

81. Avrum Richler à Mordecai Richler, 15 août 1971, Fonds Richler Msc 36.11.20.

82. Interview avec Avrum Richler. Avrum Richler, courriel, 6 octobre 2003.

83. Interview avec Toppings, Fonds Richler Msc 36.30.12.

84. John Ponder à Richler, 24 juin 1968, Fonds Richler Msc 36.4.13. Interview avec McCormick, Fonds Richler Acc. # 582/152.16.

85. *Le cavalier de Saint-Urbain*.

86. Candidature de Mensa, Fonds Richler Msc 36.22.7. Test pratique de Mensa et note de Mensa, Fonds Richler Msc 36.23.2.

87. *Shovelling*, 33.

88. *Le cavalier de Saint-Urbain*. Greta Nimiroff aux éditeurs, *New Statesman*, 9 septembre 1964, Fonds Richler Msc 36.10.1.

89. *Shovelling*, 24.

90. Mark Levene, 45.

91. David Roxan à Richler, 23 janvier 1972, Fonds Richler Acc. # 582/40.43. Levene v Roxhan et autres, Court d'appel, Division civile [1970] 3 All ER 683 [1970] 1 WLR 1322, 7 juillet 1970. Dans une citation ultérieure, le nom s'écrit «Levin». Citations à Mordecai Richler et George Weidenfeld et Nicolson (Défenseurs), 20 mai 1993, Fonds Richler Acc. # 582/25.18.

92. David Roxan à Richler, 23 janvier 1972, Fonds Richler Acc. # 582/40.43. Levene v Roxhan et autres, Court d'appel, Division civile [1970] 3 All ER 683 [1970] 1 WLR 1322, 7 juillet 1970. David Roxan, «Justice Catches Up with a Vicious Pest», *News of the World*, 23 juillet 1970. Interview avec Weintraub (2001).

93. Bien que la propre famille de Narizzano ait répudié le cinéaste, Richler a maintenu un contact irrégulier avec lui et il a vanté ses mérites en tant que directeur. Interview avec Peter Narizzano. Richler, «A Noted Film Writer Shatters the Great Canadian Movie Myth», 15, Fonds Richler Acc. # 582/163.1. Richler, «A Corporation That Is Hearing Footsteps», 2, Fonds Richler Acc. # 582/163.3.

94. David Roxan à Richler, 23 janvier 1972, Fonds Richler Acc. # 582/40.43. Levene v Roxhan et autres, Court d'appel, Division civile [1970] 3 All ER 683 [1970] 1 WLR 1322, 7 juillet 1970. Interview avec Julia Roxan.

95. «Harry B. Stein» à Richler, 17 juillet 1982, Fonds Richler Acc. # 582/44.18.

96. «Harry Fitznorman Stein» à Morticia Richler [14 janvier 1982], Fonds Richler Acc. # 680/11.1.

p. 319
à
p. 325

97. « Harry B. Stein » à Richler, 17 juillet 1982, Fonds Richler Acc. # 582/44.18.

98. Citations à Mordecai Richler et George Weidenfeld et Nicolson (Défenseurs), 20 mai 1993, Fonds Richler Acc. # 582/25.18.

99. Interview avec McNay, Fonds Richler Msc 36.55.1.

100. Hommage à Robertson Davies, Harbourfront Festival, Fonds Richler Acc. # 582/15.34.

101. Interview avec Florence Richler. Brian Moore à Richler, 10 juin 1966, Fonds Richler Msc 36.55.1.

102. Ted Kotcheff à Richler, 12 juillet s. a. [probablement 1959-1960], Fonds Richler Msc 36.6.54.

103. Richler, « Survivor », 29 janvier 1965, Fonds Richler Acc. # 582/163.7.

104. Joe King, 287-288.

105. Richler faisait une distinction entre les magazines qui payaient bien mais n'étaient lus par aucun de ses amis – *Life, Playboy* – et les magazines qui payaient peu, mais étaient lus par des gens qu'ils respectaient – *Encounter, New Statement, The Spectator, The New York Review of Books*. Richler, « Three », 3. Lorsqu'il a fait application pour une Bourse senior du Conseil des arts du Canada afin de travailler sur *St-Urbain's Horseman*, l'une de ses références était Mel Lasky, l'éditeur d'*Encounter*. Fonds Richler Msc 36.2.48, octobre 1965.

106. Bellow, « Some Notes », 55-56, 61.

107. Richler fait ici référence à un poème de W. H. Auden intitulé *The Novelist*, NdT. Richler, « Survivor », 29 janvier 1965, Fonds Richler Acc. # 582/163.7.

108. Kattan, « Mordecai Richler », Fonds Richler Msc 36.54.14.

109. *Shovelling*, 19.

110. Bellow, « Some Notes », 63.

111. Richler, « Survivor », 29 janvier 1965, Fonds Richler Acc. # 582/163.7.

112. Sir Harold Nicolson dans *Writers on World War II*, 26.

113. Richler, « Who Is a Jew ? », Fonds Richler Acc. # 582/163.8.

114. Chaim Kaplan, de *Scroll of Agony*, dans *Writers on World War II*, 23.

115. Interview ms avec Cameron, Fonds Richler Msc 36.54.1. Nous ne savons pourquoi Cameron a supprimé cette partie de l'interview publiée.

116. Ravvin, 39.

117. David Roxan à Richler, 23 janvier 1972, Fonds Richler Acc. # 582/40.43.

118. *Le cavalier de Saint-Urbain*, 389.

119. Martha Gellhorn, de *The Face of War*, dans *Writers on World War II*, 645.

120. Paul Johnson, 498.

121. Brian Moore à Richler, 1er juin 1971, Fonds Richler Msc 36.9.19.99.

122. Brouillon de *St. Urbain's Horseman*, Fonds Richler Msc 36.25.1. Brouillon de *St. Urbain's Horseman*, Fonds Richler Msc 36.30.6. « St. Urbain's Horseman », *Tamarack Review*, 142.

123. Notes sur *St. Urbain's Horseman* par un éditeur non identifié [de toute évidence Tony Godwin], 1, Fonds Richler Msc 36.30.1.

124. Paul Johnson, 486.

125. *Le cavalier de Saint-Urbain*, 37.

126. Interview avec Daniel Richler.

127. Brian Moore à Richler, 22 mars 1971, Fonds Richler Msc 36.9.19.

128. Emma Richler, *Sœur folie*, 57.

129. Suzanne Rosenberg, *A Soviet Odyssey*, 10-32. *Errand*, 82-86, 134-136. Interview avec Zinde-Walsh. Interview avec Avrum Richler. Un fragment non identifié dans les documents de Richler comprend aussi un compte rendu de la tentative du Rabbin Yudel Rosenberg d'adopter « Shoshannah » Rosenberg, et de l'entêtement d'Anna (Helen). [Lily Rosenberg ?], [fragment non identifié], Fonds Richler Acc. # 680/28.1.

p. 326 à p. 333

130. Suzanne Rosenberg, Moscou, à Richler, 15 septembre 1971, Fonds Richler Acc. # 582/40.30.

131. *Le cavalier de Saint-Urbain.*

132. Voir Rachel Brenner, par exemple.

133. Michael Greenstein, par exemple, examine la «dialectique négative» de Klein à cet égard (Greenstein, 9), tandis que Zailig Pollock fait référence à la tradition postmoderne et à l'histoire anti-polar qui s'inscrit dans le sillage de Borges, Nabokov et Robbe-Grillet (Pollock, 238).

134. Aucun de ces éléments n'apparaît dans l'une des premières adaptations pour la télévision de Richler, «My Cousin, the Horseman», l'ensemble de l'affaire se déroulant entre Jake Hersh et Harry Stein. Fragment de «My Cousin, the Horseman», Fonds Richler Msc 36.39.4.

135. *Le cavalier de Saint-Urbain.*

136. Interview avec McCormick, Fonds Richler Acc. # 582/152.16.

137. *Sanhedrin,* 65b. Maharal, *Chiddushei Agados,* cité dans Aaron Brody, 10.

138. Franz Klutschak, «Der Golam des Rabbi Löw», *Panorama des Universums,* vol. 8, 1841, rpt. Dans Hillel Kieval, 21-23. Paul Johnson, 265. Aaron Brody, 11-12. Scholem, *On the Kaballah and Its Symbolism,* 203.

139. Comme le note Ramraj, Joey était le Cousin Moe, et non J. H., dans les premiers brouillons du manuscrit. Ramraj, 94.

140. *Le cavalier de Saint-Urbain.*

141. *Hunting,* 80.

142. *Le cavalier de Saint-Urbain,* 248.

143. Interview avec Noah Richler.

144. Michael Folsom, «Introduction» dans Mike Gold, 11.

145. «My Cousin, the Horseman», 5, Fonds Richler Msc 36.24.8.f56.

146. Interview avec McCormick, Fonds Richler Acc. # 582/152.16.

147. Voir *Hasidic Tales of the Holocaust,* dans Yaffa Eliach (éd.), dans Richler, *Writers on World War II,* 336.

148. Paul Johnson, 509.

149. *Le cavalier de Saint-Urbain,* 243.

150. Chaim Bermant, *The Jewish Quarterly,* 46-49, Fonds Richler Msc 36.30.12.

151. Steven M. Cohen, 28.

152. Alan Berger, 229. Steven T. Katz, 144.

153. Wiesel, *La nuit,* 125. Richler cite ce passage dans *Writers on World War II,* 590.

154. Il s'agit d'une traduction libre d'un passage du *Zohar.*

155. Wiesel, *La nuit,* 129.

156. *Le cavalier de Saint-Urbain.* Wiesel, *La nuit.*

157. Neiman, 238-9. Steven T. Katz, 143. Richard Rubenstein, 223.

158. Steven T. Katz, 148-149. À propos des faiblesses relatives à la position de Rubenstein, voir Katz, 184-190.

159. Band, 218-219.

160. *Le cavalier de Saint-Urbain.*

161. Richler, «Who Is a Jew?», Fonds Richler Acc. # 582/163.8. *Shovelling,* 92.

162. *Portnoy's Complaint,* 283-284, 299-300. Nous ne savons pas à quel moment Richler a lu *Portnoy's Complaint* pour la première fois. Au début de l'année 1969, il a affirmé qu'il ne l'avait pas encore lu parce que les préoccupations de Roth étaient similaires aux siennes et il ne voulait pas être influencé. *Inner Space,* 19 février 1969, Fonds Richler Msc 36.54.4.

163. Dans ses œuvres sur Israël, Richler a répété certains faits mentionnés par Kohn, à savoir: qu'une rue a été nommée d'après Ha'am à Tel Aviv, que son nom signifie «Celui qui appartient au peuple», que c'était un pseudonyme pour Asher Ginzberg, que Ginzberg est mort en 1927, et qu'aujourd'hui la rue était très achalandée. Même la

p. 33:
à
p. 33ς

discussion de Kohn à propos de la préférence de Ha'am pour une Tel Aviv «occidenta-lisée» et Londres contre Jérusalem est apparue, *mutatis mutandis*, comme une réaction personnelle de Richler à l'endroit d'Israël. Hans Kohn, «Introduction», *Nationalism and the Jewish Ethic: Basic Writings of Ahad Ha'am*, 7, 29. *Hunting*, 134, 147.

164. *Hunting*, 147. Hans Kohn, «Introduction», 13-14, 20-21.
165. *Le cavalier de Saint-Urbain*, 125.
166. *Hunting*, 137, 148. *Le cavalier de Saint-Urbain*, 231.
167. *Acrobats*, 107, 169-170.
168. *Hunting*, 147.
169. *Le cavalier de Saint-Urbain*. Paul Johnson, 529. Nur Masalha, 59-60. À noter que la presse de l'époque avait estimé le nombre de victimes à 254; aujourd'hui, on croit qu'il s'élevait plutôt à 100 ou 120. Le massacre de Deir Yassin a eu lieu le 9 avril 1948, NdT.
170. Masalha, 57. *Le cavalier de Saint-Urbain*. Voir aussi *Hunting*, 159-160.
171. Hanna Arendt, «Eichmann», 54.
172. Notes sur *Le cavalier de Saint-Urbain* par un éditeur non identifié [de toute évi-dence Tony Godwin], 3, Fonds Richler Msc 36.30.1. Godwin a aussi demandé à ce que l'issue du cavalier et les résultats du procès soient regroupés.
173. *Exodus*, 20:5. *Le cavalier de Saint-Urbain*, 416.
174. *Le cavalier de Saint-Urbain*, 415-416.
175. Interview avec Cameron, 126.
176. Lettre de Mouth and Foot Painting Artists Ltd. Gillmour Hanko, «The Young Artist Who Broke the Sight Barrier», *Star Weekly Magazine*, 7 octobre 1967. Fonds Richler Msc 36.23.1.
177. (Mrs. Noel). Kathleen Edwards à Richler, 19 février 1968, Fonds Richler Msc 36.4.6. Florence croit que le dernier était génial. Interview avec Florence Richler.
178. Interview avec Florence Richler.
179. M. J., «Please Help Me», Fonds Richler Msc 36.23.1.
180. *Le cavalier de Saint-Urbain*.
181. Richler, «The Aging of Mordecai Richler», 12-14. Fonds Richler Acc. # 582/163.1.
182. Jack McClelland à Richler, 13 février 1970, Fonds Richler Msc 36.8.25.
183. Une caractéristique, si la réaction hyuperbolique est venue de Peter Desbarats, qui a dit «From now on, Bellow will remind me of Richler». Desbarats, «St. Urbain Street Reaches to the Ends of the Earth», *Montreal Star*, 29 mai 1971.
184. Robert Fulford à Richler, 28 juillet 1971, Fonds Richler Msc 36.11.57.
185. L'auteur semble dire que la récompense pour le Booker Prize était à l'époque de 5 000 livres sterling. Elle est 10 fois plus élevée aujourd'hui.
186. John Fowles à Richler, 19 juin 1971, Fonds Richler Msc 36.4.33. Le sixième juge était Lady Antonia Fraser.
187. Brian Moore à Richler, 22 mars 1971, Fonds Richler Msc 36.9.19.
188. *The Times*, «Booker Booked», 26 novembre 1971, Fonds Richler Msc 36.55.1.

18. Retour à Avonlea

1. *Home Sweet*, 143.
2. Bill Weintraub à Richler, 23 octobre 1970, Fonds Richler Msc 36.14.3.
3. Interview avec Nurenberger, 9, Fonds Richler Msc 36.54.6. Richler, «Intro: Nick», 16. *Home Sweet*, 152.
4. Richler, «Man». *Home Sweet*, 153. Richler, «Intro: Nick», 16.
5. Richler, «Intro: Nick», 16. Richler, «Man», 2. NDLR: Ce commentaire est très étonnant. M. Lévesque réprouvait l'action du FLQ d'autant plus que bien des adversaires cherchaient à associer PQ et FLQ.
6. Interview avec Allen, Fonds Richler Msc 36.55.1.
7. Richler, «Intro: Nick», 15.
8. Richler, «Canada: "An Immensely Boring Country" – Until Now».

p. 339 à p. 348

9. J. David Molson à Richler, 16 avril 1971, Fonds Richler Msc 36.3.40.

10. Interview avec Cameron, 115, 123.

11. Interview avec McCormick, Fonds Richler Acc. # 582/152.16.

12. Robert Weaver à Richler, 26 mars, 20 juillet 1971, Fonds Richler Msc 36.2.56.

13. Bill Weintraub à Richler, 27 avril 1971, Fonds Richler Msc 36.14.3.

14. Tess Taconis à Richler, 1971, Fonds Richler Msc 36.13.14. Bill Weintraub à Richler, 8 mai 1971, Fonds Richler Msc 36.14.3.

15. Knelman, « How Duddy's », 22.

16. Monica McCall à Richler, 12 septembre, 3 mars 1966, 30 janvier 1968, Fonds Richler Msc 36.9.13 ; 22 juin 1970, Fonds Richler Msc 36.6.2.

17. Télégramme de Monica McCall à Richler, 22 juin, 25 juin 1971, Fonds Richler Msc 36.6.2.

18. Bob Shapiro à Monica McCall, 15 octobre 1971, Fonds Richler Msc 36.14.9.7a. Richler à Monica McCall, 22 septembre 1971, Fonds Richler Msc 36.6.2.

19. Norman Jewison à Richler, 5 février 1973, Fonds Richler Acc. # 582/23.44.

20. Stanley Mann à Richler, 9 janvier 1974, Fonds Richler Acc. # 582/13.75. Norman Jewison à Richler, 12 septembre 1973, Fonds Richler Acc. # 582/23.44. Les Wedman, « Jewison in no Hurry », Fonds Richler Acc. # 582/154.2.

21. Monica McCall à Richler, 26 janvier 1971 [en réalité 1972], Fonds Richler Msc 36.9.13 ; 22 juin 1970, Fonds Richler Msc 36.6.2.

22. Norman Jewison à Richler, 18 avril 1975, Fonds Richler Acc. # 582/23.44. Jewison, *This Terrible Business Has Been Good to Me*, 241.

23. Richler à A. Davidson Dunton, 5 mai 1971, Fonds Richler Msc 36.3.15.

24. Interview avec Aiken, Fonds Richler Msc 36.55.1.

25. Richler à Monica McCall, 22 septembre 1971, Fonds Richler Msc 36.6.2.

26. Interview avec Pape, Fonds Richler Msc 36.55.1. *Home Sweet*, 4.

27. Geoffrey James, 11, Fonds Richler Msc 36.30.12. Noah Richler, « My », B3.

28. Noah Richler, cité dans Posner, *Last*, 167.

29. Richler à Jack McClelland, 8 septembre 1967, Fonds Richler Msc 36.8.23.

30. Richler, « Bedlam in Bytown », 27.

31. Lettre [signature supprimée] au *Star Weekly* [décembre 1967], Fonds Richler Msc 36.12.43.

32. *Home Sweet*, 54.

33. Richler, « Endure », 48.

34. *Brandon Sun*, 3 mars 1970.

35. Arnold Cohen, YMHA Community Center, Winnipeg, à Richler, 19 octobre 1971, Fonds Richler Msc 36.14.26.

36. Christina Somerville à Robert Fulford, éditeur de *Saturday Night*, 13 avril 1970, 4, Fonds Richler Msc 36.11.57.25.

37. William French, « Books and Bookmen », [*Globe and Mail ?*], 8 mars 1969, Fonds Richler Msc 36.54.14.

38. Marchand, « Oy », 62, Fonds Richler Acc. # 582/134.8.

39. Robert E. Lewis à Richler, 27 février 1969, Fonds Richler Msc 36.4.8.

40. Hurtig, *Twilight*, 33.

41. Richler, « Endure », 57, 59.

42. *Home Sweet*, 138, 73.

43. Interview avec Browne, Fonds Richler Msc 36.55.1.

44. L'anthologie a débuté sous la forme d'un numéro sur l'écriture au Canada pour le *London Magazine*. Robert Weaver à Richler, 7 mai 1965, Fonds Richler Msc 36.2.56.

45. Interview avec Browne, Fonds Richler Msc 36.55.1.

46. Fulford, *Best Seat in the House*, 199. Interview avec Aiken, Fonds Richler Msc 36.55.1.

47. Mel Hurtig à Richler, 5 juillet 1971, Fonds Richler Msc 36.7.32. Hurtig faisait réfé-

p. 34?
à
p. 35?

rence, en particulier, à l'article de Richler «Would Canadian Coupon-Clippers Give the People A Better Deal than American Coupon-Clippers?», *Weekend Magazine*, 26 juin 1971, Fonds Richler Acc. # 582/163.8.

48. Interview avec Aiken, Fonds Richler Msc 36.55.1. «Mordecai Richler on Canadian Novels, Film, Publishing and *Duddy Kravitz*», *Manitoban*, 22 octobre 1974, 6, Fonds Richler Acc. # 582/155.1.

49. Pape, «After». Fonds Richler Msc 36.8.7. *Home Sweet*, 4-5.

50. Jack McClelland à G. V. Svefhmikov, 23 février 1972, Fonds Richler Msc 36.8.25. A. H. Qureshi, Topair Employment Agency, à Florence Richler, 21 mars 1972, Fonds Richler Msc 36.13.32.

51. Emma Richler, *Sœur folie*.

52. Jack McClelland à G. V. Svefhmikov, 23 février 1972, Fonds Richler Msc 36.8.25.

53. Noah Richler, «My», B3.

54. Richler, «On Being Jewish», 5, Fonds Richler Acc. # 582/110.20.

55. Interview avec Florence Richler. Dans *Feed My Dear Dog*, Jem est récitente à déménager au «pays de papa», surtout parce que sa mère partage cette réticence. Emma Richler, *Feed My Dear Dog*, 68-69, 81.

56. Robert Weaver à Richler, 7 mai 1965, Fonds Richler Msc 36.2.56. Robert Fulford à Richler, 30 mars 1972, Fonds Richler Msc 36.11.57. Brian Moore à Richler, 11 mars 1972, Fonds Richler Msc 36.9.19. Interview avec Florence Richler.

57. Interview avec Florence Richler.

58. George Anthony, «St. Urbain's Richler rides again», *Toronto Telegram*, 5 juin 1971. Interview avec McCormick, Fonds Richler Acc. # 582/152.16.

59. Richler au bursar, St. Paul's School, 31 janvier 1972, Fonds Richler Msc 36.12.38. Michael Ryval, «St. Urbain Craftsman», *Financial Post*, avril 1980, 58, Fonds Richler Acc. # 582/161.1.

60. Interview avec McCormick, Fonds Richler Acc. # 582/152.16. Noah Richler, «My», B3.

61. «Artist with a Message», *New/Nouvelle Génération* (Baron Byng), 1: 3, mai 1965, Fonds Richler Msc 36.54.14. Duhm-Heitzmann, 28, Fonds Richler Acc. # 582/161.1.

62. Interview avec Daniel Richler. Interview avec Noah Richler.

63. Richler, «How Duddy's Daddy Did It», 52.

64. Gorman, 3.

65. Zosky, 41, Fonds Richler Acc. # 582/155.3.

66. Interview avec Bernard Ostry.

67. Richler à A. Davidson Dunton, 5 mai 1971, Fonds Richler Msc 36.3.15.

68. A. Davidson Dunton à Richler, 16 juillet 1971, Fonds Richler Msc 36.3.15.

69. Richler, «People of Our Time: Coming Home Again», 1er septembre 1975.

70. Florence Richler, 40.

71. Donia Mills, «Richler», Fonds Richler Acc. # 582/154.2.

72. A. Davidson Dunton à Richler, 16 juillet 1971, Fonds Richler Msc 36.3.15.

73. B. W. Jones à Richler, 5 janvier 1972, Fonds Richler Msc 36.3.15. Rob McDougall à Richler, 5 septembre 1972, Fonds Richler Acc. # 582/12.63.

74. James Downey, cité dans Posner, *Last*, 177-178.

75. Rob McDougall à Richler, 24 août 1973, Fonds Richler Acc. # 582/12.63.

76. Richler à A. Davidson Dunton, 5 mai 1971, Fonds Richler Msc 36.3.15.

77. Richler à A. Davidson Dunton, 5 mai 1971, Fonds Richler Msc 36.3.15.

78. Richler, «A Few Words of Advice for the Beginning Novelist», 1, Fonds Richler Acc. # 582/114.1. *Home Sweet*, 168. «Letter from Ottawa», *Harper's*, juin 1975.

79. John Aylen dans *The Montreal Gazette*, «Richler's Friends Have Their Say» (7 juillet 2001), 1.

80. Makow, «Master's», Fonds Richler Acc. # 582/135.9.

81. Makow, «Master's», Fonds Richler Acc. # 582/135.9.

p. 353 à p. 357

82. Makow, «Master's», Fonds Richler Acc. # 582/135.9.

83. James Downey, cité dans Posner, *Last*, 178.

84. Mel Hurtig à Richler, 15 juin 1973, Fonds Richler Acc. # 582/14.14.

85. Hurtig, *Twilight*, 33-34. Hurtig a tenté, à la blague, de faire des courbettes à Richler en 1978. Mel Hurtig à Richler, 13 février 1978, Fonds Richler Acc. # 582/21.69.

86. Gruending, Fonds Richler Msc 36.42.21.

87. Jack McClelland à Richler, 26, 28 mars, 26 avril 1973, 13 septembre 1974, Fonds Richler Acc. # 582/27.8. McClelland, *Imagining*, 177-179, 194-196.

88. Peter Thompson, Committee for an Independent Canada, à Richler, [printemps 1971?], Fonds Richler Acc. # 582/14.14.

89. Fetherling.

90. «Choosing the Choicest», [1979?], Fonds Richler Acc. # 582/45.5. Adrian Waller, «Once a Month», *Quill & Quire* (novembre 1974), Fonds Richler Acc. # 582/161.2.

91. Adrian Waller, «Once a Month», *Quill & Quire* (novembre 1974), Fonds Richler Acc. # 582/161.2.

92. *The acrobats*, 147. Richler, «The Survivor».

93. *Mon père, ce héros*.

94. Richler, «Memories of Brian Moore».

95. McSweeney, «Revaluing», 120.

96. Compte rendu du lecteur de Hugh MacLennan, *Rivers of Canada*, Fonds Richler Acc. # 582/9.3.

97. Fetherling.

98. Compte rendu du lecteur de Rudy Wiebe, *The Temptations of Big Bear*; W. O. Mitchell, *The Vanshing Point*; Peter Such, *Riverrun*, Fonds Richler Acc. # 582/9.3.

99. Jack McClelland à Richler, 31 mars 1975, Fonds Richler Acc. # 582/27.8.

100. Compte rendu du lecteur de Sylvia Fraser, *The Candy Factory* (1975); Adele Wiseman, *The Crack-pot* [sic]; Morley Callaghan, *A Fine and Private Place*; Charles Templeton; Don Harron, *Charlie's Farquarson's Jogfree of Canada*; Dave Broadfoot, *Sex and Security*; Roch Carrier, *They Won't Demolish Me*; Ray Smith, *Lord Nelson Tavern*; Matt Cohen, *The Disinherited*, Fonds Richler Acc. # 582/9.3.

101. Compte rendu du lecteur de Hugh Garner, *One Damn Thing After Another*; Margaret Laurence *The Diviners*, Fonds Richler Acc. # 582/9.3.

102. Compte rendu du lecteur de Joanna Glass, *Recollections of a Mountain Summer*; Dennis Patrick Sears, *The Lark in the Clear Air*; Dennis Lee, *Alligator Pie*, Fonds Richler Acc. # 582/9.3.

103. Compte rendu du lecteur de Lita-Rose Betcherman, *The Swastika and the Maple Leaf*; C. P. Stacey, *A Very Double Life*, Fonds Richler Acc. # 582/9.3. Richler à James Ellison, 27 août 1973, Fonds Richler Acc. # 582/8.20. Compte rendu du lecteur de Lester Pearson, *Mike Volume 2*, Fonds Richler Acc. # 582/9.2. Compte rendu du lecteur de Farley Mowat, *The Snow Walker*; Lord Thomson, *After I Was Sixty*; Barry Broadfoot, *Six War Years*; Grant MacEwen, *Sitting Bull, the Years in Canada*, Fonds Richler Acc. # 582/9.3.

104. *Le cavalier de Saint-Urbain*.

105. 1972-1981, Fonds Richler Acc. # 582/7.20.

106. Rabinovitch, «The Man». Interview avec Jack Rabinovitch.

19. Le Hollywood du Nord

1. Richler à la CBC [novembre-décembre 1973?], Fonds Richler Acc. # 582/11.53.

2. *Les cloches d'enfer*, 26-27. À l'origine, *The Bells of Hell* est chantée par les membres des forces aériennes britanniques pendant la Première Guerre mondiale. Il semble qu'il s'agisse d'une parodie d'une chanson populaire de l'époque intitulée «She Only Answered Ting-a-ling-a-ling», NdT.

3. Richler, «A Corporation», 3, Fonds Richler Acc. # 582/163.2.

p. 358 à p. 367

4. *Les cloches d'enfer*, 44. Dans la version anglaise, le Dr Schwartz tente de le persuader de donner à l'Appel juif unifié (United Jewish Appeal, UJA), NdT.

5. B. G. Kayfetz (National Joint Community Relations Committee du Congrès juif canadien et B'nai B'rith) à J. C. Horwitz, Qc, 3 janvier 1974, Fonds Richler Acc. # 582/31.21.

6. Interview avec Noah Richler.

7. *Les cloches d'enfer*, 42.

8. *Les cloches d'enfer*.

9. «Critical and Audience Reaction to The Bells of Hell», Fonds Richler Acc. # 582/11.53.

10. Graeme Gibson, Marian Engel, Harold Horwood et Rudy Wiebe à l'éditeur, *Globe and Mail*, 3 janvier 1974.

11. Télégraphe de Pierre Berton à Lister Sinclair, 27 décembre 1973, Fonds Richler Acc. # 582/7.54.

12. Richler, «A Corporation», 3, Fonds Richler Acc. # 582/163.2. B. G. Kayfetz (National Joint Community Relations Committee du Congrès juif canadien et B'nai B'rith) à J. C. Horwitz, Qc, 3 janvier 1974, Fonds Richler Acc. # 582/31.21.

13. Richler, «A Corporation», 3, Fonds Richler Acc. # 582/163.3.

14. Norman Jewison à Richler, 12 septembre 1973, Fonds Richler Acc. # 582/23.44.

15. Blaik Kirby, «CBC Will Reconsider Its Decision to Cancel Mordecai Richler Play», *Globe and Mail*, 30 décembre 1973.

16. 8 janvier 1974, Fonds Richler Acc. # 582/11.53. *Les cloches d'enfer*. *Globe and Mail*, 3 janvier 1974.

17. Ben Nobleman, «Opinion: "Airing of Richler Play in Line With CBC's Past Performance"», *Saturday Night*, 8 février 1974, 5, Fonds Richler Acc. # 582/155.6.

18. L. Ian MacDonald, «*Bells of Hell*: All That Fuss for This?», *The Montreal Gazette*, 25 janvier 1974, Fonds Richler Acc. # 582/155.6.

19. Richler, manuscrit d'une rubrique parue dans *Maclean's*, Fonds Richler Acc. # 582/115.22.

20. Monica McCall à Richler, 24 février 1972, Fonds Richler Msc 36.6.2. Stanley Mann à Richler, 9 janvier 1974, Fonds Richler Acc. # 582/13.75. Stephen D. Geller à Richler, 4 mai 1872, Fonds Richler Acc. # 582/18.54.

21. Michael Spencer à Richler, 23 février 1972, Fonds Richler Msc 36.3.1.

22. Knelman, «How», 18, Fonds Richler Acc. # 582/155.1.

23. Richler, «How Duddy's Daddy Did It», 50.

24. Aujourd'hui Téléfilm Canada, NdT.

25. Leonard Wasser (Writers Guild of America) à John Kemeny (Theseus Films, juillet 1974, Fonds Richler Acc. # 582/48.56. Lionel Chetwynd, Ted Kotcheff, cités dans Posner, *Last*, 186-189. Richler, «How Duddy's Daddy Did It».

26. Richler, «How Duddy's Daddy Did It», 50.

27. Documents de presse pour *L'apprentissage de Duddy Kravitz*.

28. Haberman, Fonds Richler Acc. # 582/154.2.

29. Richler, «A Noted Film Writer Shatters the Great Canadian Movie Myth».

30. Il s'agit, bien entendu, de la version de Richler. *Cinema Canada*, interview, 20.

31. Richler, «How Duddy's Daddy Did It», 52.

32. Documents de presse pour *L'apprentissage de Duddy Kravitz*.

33. Knelman, «How», 19, Fonds Richler Acc. # 582/155.1. Dane Lanken, «With Duddy and His Gang Down on St. Urbain Street», *The Montreal Gazette* (6 avril 1974): 45, Fonds Richler MSc 36.32.4.

34. Documents de presse pour *L'apprentissage de Duddy Kravitz*.

35. Knelman, «How», 20, Fonds Richler Acc. # 582/155.1.

36. Haberman, Fonds Richler Acc. # 582/155.1.

37. Knelman, «How», 20, Fonds Richler Acc. # 582/155.1.

p. 368 à p. 372

38. Kareda, «Why», Fonds Richler Acc. # 582/154.2.

39. Michael Samuelson à Richler, 28 mai 1974, Fonds Richler Acc. # 582/155.1.

40. Knelman, «How», 21, Fonds Richler Acc. # 582/155.1.

41. Compte rendu du lecteur #2 et #3 sur le scénario de *L'apprentissage de Duddy Kravitz* (version anglophone), dans Carole Langlois, CFDC, à John Kemeny, 17 juillet 1973, Fonds Richler Acc. # 582/22.3.

42. Documents de presse pour *L'apprentissage de Duddy Kravitz*.

43. Richler, «How Duddy's Daddy Did It», 51-52.

44. Thomas Schnurmacher, «Mordecai Makes a Movie», *Ottawa Citizen*, 19 janvier 1974, Fonds Richler Acc. # 582/154.2.

45. Haberman, Fonds Richler Acc. # 582/155.1.

46. Hommage à Kotcheff.

47. Andrew Silow Carroll, «The Wisdom of Solomon», *Broward Jewish World* (6-12 juillet 1990): 16, Fonds Richler Acc. # 582/159.1.

48. Mordecai Richler, Avrum Richler, cités dans Posner, *Last*, 182, 21.

49. Interview avec Daniel Richler. Interview avec Noah Richler.

50. Emma Richler, *Sœur folie*. Interview avec Florence Richler. Interview avec Noah Richler.

51. Interview avec Florence Richler.

52. Interview avec Noah Richler.

53. Interview avec Avrum Richler. Avrum ne se rappelle plus si c'était la première du film, mais il est certain que c'était une fonction liée au film. Zosky, dans 41, Fonds Richler Acc. # 582/155.3, cite aussi l'année 1974 comme date de la rupture finale entre Richler et Lily.

54. Lily Rosenbert à Ruth Albert [#3], [1978-1979], Collection privée de Lionel Albert.

55. Leonard Wasser, Writers Guild of America, à John Kemeny, 24 juillet 1974, Fonds Richler Acc. # 582/48.56.

56. Richler à l'éditeur, *The Montral Gazette*, 23 novembre 1977, Fonds Richler Acc. # 582/162.1 et Fonds Richler Acc. # 582/39.6. Richler répondait à un article dans le numéro de la *Gazette* daté du 18 novembre. Zosky, 41, Fonds Richler Acc. # 582/155.3.

57. Alan Waldman, «An Interview with Lionel Chetwynd», Writer's Guild of America, 1999 et 2002, www.wga.org/craft/interviews/chetwynd.html, 9 septembre 2003.

58. Lionel Chetwynd, «DC 9/11», cité dans Doug Saunders, «White House Insider Cleans Up Bush's Image on Film», *Globe and Mail*, 28 mai 2003, www.theglobeandmail.com/servlet/story/RTGAM.20030528.ufilmo528/BNStory/International, 29 septembre 2003.

59. Interview avec Maulucci, Fonds Richler Acc. # 582/124.20.

60. Lettre anonyme à Richler, n. d., Fonds Richler Acc. # 582/37.3. Donia Mills, «Richler», Fonds Richler Acc. # 582/154.2.

61. Bill Kenly, Paramount Pictures, rapport de diffusion pour *The Apprenticeship of Duddy Kravitz*, 30 mai 1974, Fonds Richler Acc. # 582/33.44.

62. Cathi Polich, Paramount Pictures, rapport de diffusion pour *The Apprenticeship of Duddy Kravitz*, 3 juin 1974, Fonds Richler Acc. # 582/33.44.

63. Wedman, Fonds Richler Acc. # 582/155.1.

20. Mordecai, l'auteur pour enfants

1. Interview avc Wong, 3.

2. Nelson Wyatt, «Jacob Two-Two's Mom Likes Cartoon», *Winnipeg Free Press*, 3 septembre 2003, D2.

3. Richler à Jack McClelland, 3 mars 1959, Fonds Richler Acc. # 680/7.55. Richler, «The Last Plum in the House» [1966 ou 1967?], Fonds Richler Acc. # 680/28.3.

4. Interview avec Wong, 3.

p. 372 à p. 378

5. *Jacob Deux-Deux et le Vampire masqué*, 31. Dans la version anglaise, l'avocat s'appelle Louis Loser, NdT.

6. Nodelman, 36.

7. Richler, « Three », 4.

8. *Jacob Deux-Deux et le Vampire masqué*.

9. Chenoweth, 53. H. J. Kirchhoff, A14, Fonds Richler Acc. # 680/44.

10. Jack McClelland à Richler, 18 janvier 1972, Fonds Richler Acc. # 582/27.8.

11. Richler à André Deutsch, 31 mars 1973, Fonds Richler Acc. # 582/5.53.

12. Jack McClelland à Richler, 22 mars 1973, Fonds Richler Acc. # 582/27.8.

13. Lily Poritz Miller, éditrice senior, McClelland & Stewart, à Richler, 1er mai 1973, Fonds Richler Acc. # 582/27.8.

14. Nina Bourne, de Knopf, à Richler, 12 janvier 1972, Fonds Richler Acc. # 582/4.25.

15. Lily Poritz Miller, éditrice senior, McClelland & Stewart, à Richler, 1er mai 1973, Fonds Richler Acc. # 582/27.8. Fabio Coen, de Knopf, à Richler, 19 mars 1974, Fonds Richler Acc. # 582/4.25.

16. Richler, « Writing *Jacob Two-Two* », Fonds Richler Acc. # 582/18.38.

17. *Atuk*, 78.

18. Richler, « Writing *Jacob Two-Two* », Fonds Richler Acc. # 582/18.38.

19. Patricia Bowles, publicité de McClelland & Stewart, à Richler, 31 juillet 1975, Fonds Richler Acc. # 582/27.8.

20. Philip Segal, « Richler Reads for Children », *Montreal Star*, 14 octobre 1975, Fonds Richler Acc. # 582/156.12.

21. Interview avec Jack Rabinovitch.

22. Mosher, 31.

23. Vaswpa, 74, Fonds Richler Acc. # 582/154.2.

24. Richler, « Tony Godwin », Fonds Richler Acc. # 582/123.2.

25. Ian Mayer, *Montreal Star*, à Richler, 23 juillet 1974, Fonds Richler Acc. # 582/26.7.

26. Patricia Craig, 168.

27. Marci McDonald, Fonds Richler Acc. # 582/154.2.

28. Coallier, 2. Noah Richler, « My », B2.

29. Interview avec Florence Richler. Emma Richler, *Sœur folie*.

30. Wilson-Smith, « On Safari ». Interview avec Jack Rabinovitch.

31. Richler à M. Montmigny, 2 juin 1976, Fonds Richler Acc. # 582/45.63.

32. David Staines, Harvard University, à Richler, 21 juillet [entre 1974 et 1978], Fonds Richler Acc. # 582/44.1.

33. Chenoweth, 53.

34. Richler, « Writing *Jacob Two-Two* », Fonds Richler Acc. # 582/18.38. Richler, « The History of *Jacob Two-Two* », Fonds Richler Acc. # 680/29.38.

35. Interview avec Noah Richler.

36. Emma Richler, *Sœur folie*. Interview avec Florence Richler.

37. Noah Richler, « I Wanted », B2. Interview avec Florence Richler.

38. Interview avec Sur Fox, 10.

39. Peter Downey, interview avec Martha Richler, CBC Radio, 28 juin 1976.

40. Daniel Richler, « Such », 42. Interview avec Daniel Richler. Daniel Richler, *Kicking Tomorrow*, 21. Gale Group, « Daniel Richler : Writer and Broadcaster », 3. Interview avec Noah Richler.

41. Appel à comparaître, Social Welfare Court (Montréal), 11 juin 1975, affaire de Noah Lichler [*sic*], Fonds Richler Acc. # 582/40.1. Noah Richler, « I Wanted », B2. Interview avec Daniel Richler. Interview avec Noah Richler.

42. Interview avec Noah Richler.

43. Telle est la description que fait Jem de son père dans *Sœur folie* d'Emma Richler – une description appropriée à Richler lui-même.

p. 379 à p. 385

44. Interview avec Florence Richler. Noah Richler, «I Wanted», B2.

45. Interview avec Daniel Richler.

46. *Home Sweet*, 220, 210.

47. Hurtig, *Twilight*, 34. Mel Hurtig à l'éditeur, *Edmonton Journal*, 9 octobre 1985, Fonds Richler Acc. # 582/155.3.

48. Emma Richler, *Sœur folie*. Interview avec Florence Richler.

49. Richler, cité dans Murray Waldren, «A Niche Between Saga and Satire», *The Weekend Australian*, 3-4 novembre 1990, Fonds Richler Acc. # 582/159.3.

50. Gorde Sinclair, «... For Hartwell», Fonds Richler Acc. # 582/156.12. Richler était allé très loin, au point d'accepter un contrat avec Knopf pour le livre. Monica McCall à Richler, 14 mars 1975, Fonds Richler Acc. # 582/22.6.

51. Itinéraire, mars 1974, note holographique de Richler, Fonds Richler Acc. # 582/32.33.

52. Gorde Sinclair, «... For Hartwell», Fonds Richler Acc. # 582/156.12.

53. Deborah Rogers à Richler, 13 juillet 1973, 4 avril, 13 mars 1974, Fonds Richler Acc. # 582/40.22.

54. Interview avec Noah Richler. Noah Richler, «I Wanted», B2.

55. Interview avec Kissel, Fonds Richler Acc. # 582/154.2.

56. Richler, «O God!», 18, Fonds Richler Acc. # 582/155.2.

57. Lionel Chetwynd, Robert Shapiro, cités dans Posner, *Last*, 191.

58. La première version de *Fun with Dick and Jane* (*Touche pas à mon gazon*) est sortie en 1977. Columbia en a fait une nouvelle version en 2005, qui a été traduite en français sous le titre *Les Folies de Dick et Jane* au Québec et *Braqueurs amateurs* en France. La version dont on parle ici est celle de 1977, NdT.

59. *Back to Ibiza*, Fonds Richler Acc. # 582/65.4, 126. Richler, «Screen». Richler à Bob [?] [n. d.], Fonds Richler Acc. # 582/39.6. Dans *Back to Ibiza*, écrit peu de temps après les événements, Richler suggère – probablement pour éviter des poursuites – que la visite à Hollywood a eu lieu en 1971.

60. Richler, «Screen». Richler, *Broadsides*, 97.

61. Richler, David Giler et Jerry Belson, *Fun with Dick and Jane*.

62. David Giler et Jerry Belson ont reçu par la suite des mérites aux côtés de Richler, mais W. O. Richter et John Rappaport ont aussi travaillé sur le film. Columbia Pictures, Notice of Tentative Writing Credit for «Dick & Jane», Fonds Richler Acc. # 582/14.7.

63. Richler, David Giler et Jerry Belson, *Fun with Dick and Jane*.

64. À l'origine, Dick et Jane sont les personnages principaux d'une série de livres pour enfants utilisée aux États-Unis entre les années 1930 et les années 1970 pour l'apprentissage de la lecture, NdT.

65. Richler, *Dick and Jane,* 2 décembre 1975, Bart-Palevsky Productions, Columbia Pictures, Burbank, 123-30, Fonds Richler Acc. # 680/26.5. Dans l'autre fin retrouvée parmi les documents de Richler, Dick, parce qu'il était très créateur en tant que braqueur de banques, obtient un poste de cadre dans la compagnie aérospatiale qu'il a volée. Il dirige un nouveau département destiné à travailler sur l'exploration sous-marine. Richler, *Dick and Jane* As Shot Script, 128-130. Fonds Richler Acc. # 582/147.1. Il semble que ce soit une fin dans laquelle soit Richler ou un autre écrivain a tenté de sauver une allusion minimale à la satire propre au script original.

66. Marge White, responsable des droits d'auteur, Writers Guild of America, à Columbia Pictures, 20 mai 1976, Fonds Richler Acc. # 582/48.4.

67. *Back to Ibiza*, Fonds Richler Acc. # 582/65.4, 126.

68. Richler à Bob [?] [n. d.], Fonds Richler Acc. # 582/39.6.

p. 386 à p. 392

21. Retour à Ibiza

1. L'article, avec quelques ajouts, apparaît dans *Broadsides* sous le titre «Of Spiritual Guides, Witches and Wiccans».

2. Jeanne Reichstein à Richler, 26 juin 1974, Fonds Richler Acc. # 582/38.4.

3. Interview avec Kissel, Fonds Richler Acc. # 582/154.2. Une édition piratée du livre allait même paraître en bengali. Marchand, «Caught», C1, Fonds Richler Acc. # 680/44.

4. Sybil Steinberg, «Mordecai Richler», 45, Fonds Richler Acc. # 582/159.1.

5. Deborah Rogers à Richler, 18 mars 1977, Fonds Richler Acc. # 582/40.22.

6. Emma Richler, *Feed My Dear Dog*, 282.

7. Interview avec Goodman, Fonds Richler Acc. # 582/157.2. *Back to Ibiza*, Fonds Richler Acc. # 582/65.4, 56, 106, 68. *The Montreal Gazette*, «Richler's Friends», 3. Florence Richler, 42.

8. *Back to Ibiza*, Fonds Richler Acc. # 582/65.4, 162, 164-9, 67, 113-14.

9. *Back to Ibiza*, Fonds Richler Acc. # 582/65.4, 56, 11, 167a.

10. Chenoweth, 53.

11. Jacob Richler, B4.

12. Interview avec Goodman, Fonds Richler Acc. # 582/157.2. *Back to Ibiza*, Fonds Richler Acc. # 582/65.4, 80. Michael Ryval, «St. Urbain Craftsman», *Financial Post*, avril 1980, 56, 58, Fonds Richler Acc. # 582/161.1.56.

13. Michael Darling à Richler, 14 septembre 1978, Fonds Richler Acc. # 582/15.24.

14. Richler à l'éditeur, *Globe and Mail*, 23 avril 1976, Fonds Richler Acc. # 582/19.16.

15. Richler, compte rendu du lecteur sur Farley Mowat, *The Snow Walker*, Fonds Richler Acc. # 582/9.3.

16. Alice Munro à Richler, 8 mai 1974, Fonds Richler Acc. # 582/30.82; 22 mai 1974, Fonds Richler Acc. # 680/8.31.

p. 393
à
p. 399

17. La tentative de bannir *The Diviners* est survenue à Lakefield, en février 1976. James King, 341. *The Apprenticeship of Duddy Kravitz* a été retiré temporairement des cours d'anglais dans les classes de 11e-13e dans le comté de York. Une semaine plus tard, le York County Board of Education a voté à 12 contre 2 pour réintégrer *Duddy*. Beverley Slopen [1975 ou 1976?], Canadian Book Publishers Council Newsletter, Fonds Richler Acc. # 582/42.48.

18. Margaret Laurence à Richler, 3 mars 1977, Fonds Richler Acc. # 582/24.84.

19. Margaret Laurence à Richler, 3 mars 1977, Fonds Richler Acc. # 582/24.84.

20. Alice Munro à Richler, 5 mars 1977, Fonds Richler Acc. # 582/30.82; 22 mai 1974, Fonds Richler Acc. # 582/30.82.

21. Richler, «Home», 7, Fonds Richler Acc. # 582/163.3.

22. W. H. New à Richler, 5 avril 1977, Fonds Richler Acc. # 582/45.82.

23. Conseil des Arts du Canada, 27 avril 1977 News Release, Fonds Richler Acc. # 582/10.51. Laurence a écrit l'argumentaire pour *Bear*, un travail donné habituellement au juge qui avait recommandé le livre récipiendaire.

24. Richler, «It's a Great», Fonds Richler Acc. # 582/163.5.

25. La liste a été réimprimée dans Charles Steele, *Taking Stock*, mais probablement en raison d'une erreur typographique, *The Stone Angel* n'apparaît pas à sa place, au sommet des cent titres!

26. Richler, «It's a Great», Fonds Richler Acc. # 582/163.5.

27. Jack McClelland à Richler, 28 février 1978, *Imagining Canadian Literature*, 232.

22. Lily, troisième round

1. Fonds Richler Acc. # 582/8.20.

2. MacGregor, 47, Fonds Richler Acc. # 582/157.4.

3. Harold Greenberg, président, Astral Bellevue Pathé, à Michael Spencer, Canadian Film Development Corporation, 26 septembre 1977, Fonds Richler Acc. # 582/6.38. «Bigger

Budget Movies Ahead Says Melzack», *Montreal Star*, 29 novembre 1977, Fonds Richler Acc. # 582/155.1.

4. Monica McCall à Richler, 29 septembre 1978, Fonds Richler Acc. # 582/22.6. Margaret McKelvey à Monica McCall, 16 février 1979, Fonds Richler Acc. # 582/22.6.

5. *Le monde de Barney*, 109.

6. Richler, «Day», Fonds Richler Acc. # 582/163.4.

7. La plupart des noms suggérés par Richler ont inscrit le roman dans la tradition du *Bildungsroman*, mais aucun d'entre eux ne semble particulièrement inspiré. «The Education of Joshua Bloom», «Time and Fevers», «Shapiro's Progress», «All the Running You Can Do», «Shapiro Then and Now», «Joshua Like the Player Piano», Fonds Richler Acc. # 582/65.2.

8. S. Martin, «Insult», 3, Fonds Richler Acc. # 582/160.7.

9. Voir Robert Thacker, *Alice Munro: Writing Her Lives*.

10. De manière juste, Ramraj qualifie le roman d'«épisodique» (11).

11. «Richler Writes Most Ambitous Novel», *Saskatoon-Star Phoenix*, 14 juin 1980, Fonds Richler Acc. # 582/157.2.

12. Erna Paris, Fonds Richler Acc. # 582/160.7.

13. Interview avec Avrum Richler. Voir l'avant-propos du présent ouvrage.

14. Par exemple, Ramraj, 124.

15. Craniford, 147. Erna Paris, Fonds Richler Acc. # 582/160.7. Slopen, «Richler's Mother».

16. Dans une enveloppe brune intitulée «La plume menteuse et toxique de Lily. Son esprit est tordu et malade», Ruth a conservé trois lettres de Lily qui sont arrivées en succession rapide. Lily Rosenberg à Ruth Albert [#1], [1978-1979], collection privée de Lionel Albert. Les lettres ne sont pas datées, mais une référence à «la grève au *Montreal Star*» indique qu'elles ont été écrites en 1978-1979. Lionel Albert, courriel, 31 octobre 2002. Je remercie Lionel Albert d'avoir remarqué la pertinence de ce détail.

17. Lily Rosenberg à Ruth Albert [#3], [1978-79], collection privée de Lionel Albert.

18. *Errand*, 104, 140.

19. Lily Rosenberg à Ruth Albert [#3], [1978-79], collection privée de Lionel Albert.

20. Lionel Albert, courriel, 3 octobre 2002.

21. Interview avec Zinde-Walsh.

22. Avrum Richler à Mordecai Richler, 3 septembre 1980, Fonds Richler Acc. # 582/36.24.

23. Lily Rosenberg à Jules Rosenberg, 7 octobre 1984, collection privée de Lionel Albert.

24. Avrum Richler à Mordecai Richler, 8 juin 1988, Fonds Richler Acc. # 582/36.34. Interview avec Avrum Richler.

25. Cité dans Posner, *Last*, 285.

26. *The Errand Runner*, 9.

27. Beverley Slopen, «Publishing a Cinch for Novelists' Wives», *The Montreal Gazette*, 14 août 1982, Fonds Richler Acc. # 582/161.1. Beverley Slopen, «Richler's Mother Writes Memoirs», *The Montreal Gazette*, 3 janvier 1981, 41, Fonds Richler Acc. # 582/161.4.

28. Beverley Slopen, «Literary Acclaim Stirs Up Writers», *The Montreal Gazette*, 27 juin 1981, 43, Fonds Richler Acc. # 582/160.7.

29. Jon Robinson, cité dans Posner, *Last*, 183.

30. Interview avec Avrum Richler. À une date aussi tardive que 1994, Richler a affirmé qu'il n'avait pas lu le livre de sa mère. «Je… me suis rendu jusqu'au passage où elle affirme qu'elle "m'a donné le nom de mon père". C'était tellement affreux que j'ai refermé le livre». Tom Adair, Fonds Richler Acc. # 582/160.4.

31. Interview avec Florence Richler.

32. «Aaron Goldberg, Spelling-Goldenberg Productions» [?], à Richler, 22 janvier 1981, Fonds Richler Acc. # 582/42.77. Le blagueur a combiné les noms des producteurs de

p. 399 à p. 405

télévision populaires Aaron Spelling et Leonard Goldberg, qui étaient alors en pleine gloire à la suite des succès de *Love Boat* et *Charlie's Angels*.

33. *Le monde de Barney*, 192.

34. *Rue Saint-Urbain*, 58. *This Year in Jerusalem*, 124.

35. Interview avec Lionel Albert. Lionel Albert, courriel, 14 octobre 2002.

36. En d'autres termes, itinérante. Interview avec Daniel Richler.

37. Emma Richler, *Feed My Dear Dog*, 41.

38. Interview avec Daniel Richler.

39. W. G. (Bill) Morrow, Justice of Appeal, Supreme Court of Alberta, à Richler, 4 avril 1978, Fonds Richler Acc. # 582/30.6.

40. Interview avec Noah Richler.

41. Noah Richler, « I Wanted », B2.

42. *Joshua au passé, au présent*.

43. Richler à Bob Gottlieb, 17 novembre 1967, Fonds Richler Acc. # 582/4.25.

44. Clifford Edward [Ted] Stuart Wood, Victoria, B. C., à Richler, 25 juin 1974, Fonds Richler Acc. # 582/48.33.

45. *Joshua au passé, au présent*.

46. Delaney, 82, Fonds Richler Acc. # 582/157.1.

47. *Joshua au passé, au présent*, 533.

48. Kotcheff, « Afterword », 223.

49. Marci McDonald, Fonds Richler Acc. # 582/154.2.

50. Bob Todd, « The Sky's the Limit », décembre 1969, Fonds Richler Acc. # 582/161.1.

51. Richler, « Home », 6, Fonds Richler Acc. # 582/163.3.

52. Joe King, 181.

53. Richler, « Life and Times », 20-24.

54. Bill Weintraub à Richler, 29 mars 1971, Fonds Richler Acc. # 582/36.14.3. Jon Robinson à Richler, 30 avril 1971, Fonds Richler Msc 36.11.31.

55. *Joshua au passé, au présent*, 525.

56. McSweeney, « Revaluing Richler », 121.

57. MacGregor, 46, Fonds Richler Acc. # 582/157.4.

58. Richler, « On Turning 50 », 1, Fonds Richler Acc. # 582/110.19.

59. Craniford, 101.

60. Richler, « Temptation », Fonds Richler Acc. # 582/163.5.

61. Patricia Craig, 170.

62. Richler, « Temptation », Fonds Richler Acc. # 582/163.5.

63. Richler, *The Rotten People*, 315-316, Fonds Richler Acc. # 680/102.8.

64. Bill Weintraub à Richler, 16 juin 1971, Fonds Richler Msc 36.14.3.

65. Richler, « Don't Spoil », 5, Fonds Richler Acc. # 582/124.13.

66. *Joshua au passé, au présent*, 209.

67. Richler, « Temptation », Fonds Richler Acc. # 582/163.5.

68. *Joshua au passé, au présent*, 33.

69. Richler, « Style and Substance », Fonds Richler Acc. # 680/31.24. Nous ne savons si l'approbation de Richler à l'endroit de cet aspect de la politique de Trudeau est survenue immédiatement ou plus tard.

70. Timothy Findley à Richler, n. d., Fonds Richler Acc. # 582/17.65.

71. *Le monde de Barney*.

72. Peter L. Thorslev, Directeur, English Departement, University of California, L. A., à Richler, 11 avril 1977, Fonds Richler Acc. # 582/46.4.

73. « Peter L. Thorslev, Jr. » [Brian Moore] à Richler, mai 1977, Fonds Richler Acc. # 582/46.4.

74. Gordon Lish à Richler, 29 novembre s. a., Fonds Richler Acc. # 582/4.25 ; 2 juin 1982, Fonds Richler Acc. # 582/25.41.

p. 405 à p. 416

75. *Joshua au passé, au présent*, 352.

76. Diana Athill à Richler, 20 avril s. a., Fonds Richler Acc. # 582/5.53.

77. Jack Clayton à Richler, 1ᵉʳ juin 1978, Fonds Richler Acc. # 582/13.88.

78. «Dog Was like Christ: King Diary», *The Montreal Gazette*, 4 janvier 1977, 4, Fonds Richler Acc. # 582/50.9. Richler a raccourci cet article. *Joshua au passé, au présent*, 206.

79. Richler, «Home», 5, Fonds Richler Acc. # 582/163.3.

80. Symons, *The Quest for Corvo*, 289.

81. Davey, *Post-national Arguments*, 134, 139, 135, 129. Voltaire, *Candide*, 204. Rachel Brenner fait une critique similaire (aussi erronnée, j'imagine) des solutions individuelles envisagées pour contrer les enjeux raciaux de la nouvelle. Brener, 139-141.

82. Ross Russell à Richler, 19 février 1982, Fonds Richler Acc. # 582/41.6.

83. Interview avec Harpur, Fonds Richler Acc. # 582/160.7.

84. «The Richler Challenge/Le défi Richler», 18-19 mars 2004, Montréal. www.fabula.org/actualites/article77725.php.

85. «A Fellow Jewess» à Richler, 19 mars 1977, Fonds Richler Acc. # 582/7.20.

86. Interview avec Noah Richler.

87. Said affaiblit sa colère légitime lorsqu'il décrit le terrorisme palestinien comme «des crimes présumés... surtout du type de ceux qu'une population occupée se sent autorisée à commettre contre l'occupant». Said, 136.

88. Pearl Gefen, 32, Fonds Richler Acc. # 582/159.1. *Home Sweet*, 254.

89. Duart Farquharson, «Tormented by Israeli Loyalty», *Windsor Star*, 7 août 1982, Fonds Richler Acc. # 582/160.8.

90. Elie Wiesel à Richler, n. d., Fonds Richler Acc. # 582/47.60.

91. Janice Arnold, «Author Richler Joins in Scharansky Protest», *Canadian Jewish News*, 4 août 1978, Fonds Richler Acc. # 582/161.4. B'nai B'rith Hillel Foundation of Montreal à Richler, 1ᵉʳ août 1978, Fonds Richler Acc. # 582/6.68.

92. Saul Bellow, E. L. Doctorow, John Kenneth Galbraith, Herb Gold, Erica Jong, Norman Mailer, Bernard Malamud, Arthur Miller, Cynthia Ozick, Chaim Potok, Richler, Neil Simon, Barbara Tuchman, Kurt Vonnegut, et douze autre signataires à l'éditeur, *New York Times*, 27 avril 1981, Fonds Richler Acc. # 582/48.54.

93. De manière pertinente, Michael Greenstein qualifie l'intrigue Mueller de «parodie d'Hemingway» (Greenstein, 159). Par comparaison avec l'imitation d'Hemingway que l'on retrouve dans *The Acrobats*, cela demeure pourtant une grande amélioration.

94. Interview avec Noah Richler.

95. *Joshua au passé, au présent*.

96. Joe King, 302.

97. *Home Sweet Home*, 244-245, 239. L'essai publié dans *Home Sweet Home*, «Language (and Other) Problems», suit de très près, sur vingt pages (224-244), le texte d'«Oh Canada: Lament for a Divided Country», qui a paru dans le numéro d'*Atlantic Monthly* datant de décembre 1977; Richler a aussi annexé un autre vingt pages (244-264), écrit en 1983.

98. *Joshua au passé, au présent. Back to Ibiza*, Fonds Richler Acc. # 582/65.4, 12.

99. Richler, «Style and Substance». Interview avec Gould, 48, Fonds Richler Acc. # 582/19.45.

100. *Home Sweet*, 246.

101. Stéphane Venne à Richler, n. d., Fonds Richler Acc. # 582/6.45. NDLR: À la même époque, deux universitaires de McGill font la même erreur dans un article publié dans *Commentary* (vol. 65, 1977, p. 55-59). Apparemment, Irwin Cotler aurait par la suite adressé des excuses au premier ministre René Lévesque. Cette histoire est d'autant plus triste que l'auteur de la chanson supposément plagiée, John Kander, est lui-même d'origine juive. L'épisode n'est pas banal. Les lendemains de la victoire du PQ ont été le signal d'un regrettable exode de Juifs montréalais vers Toronto.

p. 416 à p. 422

102. Jean-François Lisée, «Mordecai Richler rides again!», *L'Actualité*, 1er avril 1992: 12, Fonds Richler Acc. # 582/158.6. Traduction de l'auteur. Par la suite, Richler a admis son erreur dans *Oh Canada! Oh Quebec!*, 128-129. NDLR: «A few months later…» Mordecai Richler s'est excusé oui ou non? Ce serait étonnant que ce soit après avoir reçu une telle lettre de la part de M. Lévesque. L'auteur aurait dû en donner la date et être plus précis. En évoquant ces écrits de Mordecai Richler, il y avait lieu de souligner leurs effets néfastes auprès de l'opinion internationale.

103. *Joshua au passé, au présent*, 92.

104. *Joshua au passé, au présent*, 103 et 251.

105. *Cavalerie rouge*, 25-26.

106. Arthur Rawet à Richler, 9 janvier 1969, Fonds Richler Msc 36.11.13.

107. Paul Johnson, 328.

108. Interview avec Harpur, Fonds Richler Acc. # 582/160.7.

109. *Joshua au passé, au présent*, 240.

110. Todd, 20. Voir aussi Paul Johnson, 127.

23. Le dernier écrivaillon du libre-échange

1. L. Ian MacDonald, 170.

2. Jack McClelland à Richler, 3 juillet 1980, Fonds Richler Acc. # 582/27.9.

3. Roger de C. Nantel, Directeur, Secrétariat d'honneur, Ordre du Canada, à Richler, 7 novembre 1979, Fonds Richler Acc. # 582/33.2.

4. McSweeney, «Revaluing Mordecai Richler».

5. Richler à Roger de C. Nantel, Directeur, Secrétariat d'honneur, Ordre du Canada, 23 novembre 1979, Fonds Richler Acc. # 582/33.2.

6. MacGregor, 46, Fonds Richler Acc. # 582/157.4.

7. Zosky, 41, Fonds Richler Acc. # 582/155.3. Martin, «Anecdotes», A4. Julian Desalis, cité dans Brownstein, «Memories», 2.

8. Beverley Slopen à Richler, 5 juin, 22 juillet 1980, Fonds Richler Acc. # 680/14.16.

9. Zosky, 41, Fonds Richler Acc. # 582/155.3.

10. Interview avec Florence Richler. Ted Kotcheff a avoué que les silences de Richler étaient si intenses que les gens croyaient qu'il les jugeaient, même si ce n'était pas le cas. MacGregor, 46, Fonds Richler Acc. # 582/157.4.

11. MacGregor, 46, Fonds Richler Acc. # 582/157.4.

12. *Gursky*.

13. Richler, Journal quotidien de 1980, Fonds Richler Acc. # 582/149, 17-18 octobre, «Harvard».

14. Interview avec Sue Fox, 10, Fonds Richler Acc. # 680/45.1. Martha Richler à Mordecai Richler, 27 juillet 1987, Fonds Richler Acc. # 680/10.21. Martha Richler, citée dans Posner, *Last*, 314.

15. Arnold Beichman à Richler, 7 juin 1987, Fonds Richler Acc. # 582/7.35. Petersen, 53, Fonds Richler Acc. # 582/135.7.

16. Robert Fulford, *Saturday Night*, à Richler, 16 octobre 1986, Fonds Richler Acc. # 582/41.26.

17. Martha Richler à Mordecai Richler, 27 juillet 1987, Fonds Richler Acc. # 680/10.21.

18. Emma Richler à Richler, 27 janvier 1982, Fonds Richler Acc. # 582/36.39.

19. Martha Richler à Mordecai Richler, 27 juillet 1987, Fonds Richler Acc. # 680/10.21.

20. Interview avec Gould, Fonds Richler Acc. # 582/19.45.

21. Interview avec Daniel Richler.

22. Jacob Richler, B1, B4.

23. Alexis Troubetzkoy, Headmaster, Appleby College (Oakville, ON), à Richler, 8 février 1985, Fonds Richler Acc. # 582/6.10. Robert Manion, Headmaster, Selwyn House School, Westmount, à Richler, n. d., Fonds Richler Acc. # 582/36.41.

p. 422 à p. 429

24. Mosher, 31.

25. MacGregor, 46, Fonds Richler Acc. # 582/157.4. Ted Kotcheff, cité dans Posner, *Last*, 245.

26. Richler, «Foreword», *The Best of Modern Humour*, xv.

27. Richler, «Foreword», *The Best of Modern Humour*, xvi.

28. Michael Ryval, «St Urbain Craftsman», *Financial Post*, avril 1980, 56, 58, Fonds Richler Acc. # 582/161.1.

29. Fonds Richler Acc. # 582/42.23.

30. *Belling the Cat*, 129.

31. Interview avec Florence Richler.

32. *Belling the Cat*, 139.

33. Richler, «A Paris Perspective», 86.

34. Eliot Kaplan, éditeur senior, au directeur de la publicité, *GQ*, 28 septembre 1983, Fonds Richler Acc. # 582/18.57.

35. Interview avec Gould, Fonds Richler Acc. # 582/19.45.

36. Debrette's Peerage Ltd. À Richler, 8 mars 1983, Fonds Richler Acc. # 582/15.44.

37. *Debrett's*, 320. *Broadsides*, 37.

38. Interview avec Florence Richler.

39. Hanes, «Richler Was», 3.

40. Roger George, cité dans Posner, *Last*, 277.

41. Noah Richler, «My», B2.

42. Noah Richler, «My», B2.

43. Interview avec Florence Richler.

44. Bryden, «Solomon». *Gursky*.

45. Beuttler, 132, Fonds Richler Acc. # 582/124.4.

46. Linda McKnight à Jack McClelland, 13 octobre 1983.

47. Richler, «Apprenticeship of Playwright», 85, Fonds Richler Acc. # 582/163.4.

48. Martin Knelman, «Broadway», 44, Fonds Richler Acc. # 582/157.1.

49. Lonny Price à Richler, 12 juin 1984, Fonds Richler Acc. # 582/3.48.

50. Richler, «Edmonton, Edmonton», 4, Richler, Fonds Richler Acc. # 582/113.17.

51. Lyle Slack, «A Critic's Inquest into the Death of Duddy», *The Spectator*, 30 juin 1984, F1. Marianne Ackerman, «Musical "Duddy" Bows Out», *The Montreal Gazette*, 5 juin 1984. Lucinda Chodan, «The Philadelphia Experiment», *The Montreal Gazette*, 29 septembre 1987, Richler, «Edmonton, Edmonton», 4, Richler, Fonds Richler Acc. # 582/155.3.

52. Richler, «Apprenticeship of Playwright», 85, Fonds Richler Acc. # 582/163.4.

53. *Belling the Cat*, 240, 241, 243.

54. Richler, «Edmonton, Edmonton», 4, Richler, Fonds Richler Acc. # 582/113.17.

55. Roy Stewart, Millet, Alberta, à Richler, 6 octobre 1985, Fonds Richler Acc. # 582/38.4.

56. «Retract Richler Lies», *Edmonton Saturday Sun*, 13 octobre 1985, I4, Fonds Richler Acc. # 582/160.8.

57. Mel Hurtig à l'éditeur, *Edmonton Journal*, 9 octobre 1985, Fonds Richler Acc. # 582/155.3.

58. *Gursky*, 72.

59. Richler, «Edmonton, Edmonton», 3, 4, 1, Richler, Fonds Richler Acc. # 582/113.17.

60. «Government Helps to Make Trash Films, Richler Says», *The Montreal Gazette*, 9 septembre 1980, Fonds Richler Acc. # 582/161.4. «Richler vs Marshall vs CFDC», *CineMag*, 6 septembre 1980, Fonds Richler Acc. # 582/160.7.

61. Jack McClelland à Richler, 10 septembre 1980, Fonds Richler Acc. # 582/27.9.

62. Richler, *Reinhart's Women*, 1982, Fonds Richler Acc. # 582/105.4. Thomas Berger à Richler, 27 mai 1982, Fonds Richler Acc. # 582/7.48. Melissa Bachrach, éditrice, Sherwood

p. 429 à p. 437

Productions, Culver City, California, à Mary Lazar, Juno Productions, Los Angeles, 29 septembre 1982, Fonds Richler Acc. # 582/42.20.

63. Sid Adilman, « 2 Joshua Budgets Then and Now », *Toronto Star*, 3 mars 1985, Fonds Richler Acc. # 582/157.2.

64. Jay Scott, E3.

65. *Cinema Canada*, interview, 20.

66. *Cinema Canada*, interview, 18.

67. Ted Kotcheff, cité dans Posner, *Last*, 234.

68. Bruce Bailey. Allen and Walmsley, 49.

69. Ron Base, G8.

70. Canadian Film Development Corporation, compte rendu du lecteur de *Joshua, Then and Now*, Fonds Richler Acc. # 582/12.8. Sydney Newman à André Lamy, CFDC, 21 juin 1982, Fonds Richler Acc. # 582/44.49.

71. Sydney Newman à André Lamy, CFDC, 21 juin 1982, Fonds Richler Acc. # 582/44.49. Canadian Film Development Corporation, compte rendu du lecteur de *Joshua, Then and Now*, Fonds Richler Acc. # 582/12.8.

72. *Cinema Canada*, interview, 18.

73. Julian Marks, directrice de production, CBC, à Richler, 19 juillet 1984, Fonds Richler Acc. # 582/11.53.

74. Allen and Walmsley, 45.

75. *Cinema Canada*, interview, 18.

76. Ted Kotcheff à Richler, 21 avril 1984, Fonds Richler Acc. # 582/24.47.

77. Ron Base, G1.

78. « Mordecai Richler : St. Urbain's Meistersinger », Fonds Richler Acc. # 582/135.18, 27.

79. Julian Marks à l'Honorable Sénateur Maurice Riel, président du Sénat, 3 avril 1984, Fonds Richler Acc. # 582/41.1.

80. Maurice Riel à Julian Marks, 8 mai 1984, Fonds Richler Acc. # 582/41.1.

81. Brouillon de lettre, Richler à _____, n. d., Fonds Richler Acc. # 582/39.6.

82. John Roberts, Ministre de l'emploi et de l'immigration au Major-Général M. G. Cloutier, sergent d'armes, Chambre des Communes, 10 août 1984, Fonds Richler Acc. # 582/11.30. NDLR: Il serait plus juste de parler de « responsables administratifs » plutôt que de « supérieurs hiérarchiques » voir p. 440.

83. RSL Entertainment, Fonds Richler Acc. # 582/41.1.

84. Allen and Walmsley, 445, 48-9. Ron Base, G8.

85. *Last*, 201.

86. Ron Base, G8. Jay Scott, E3.

87. Brian D. Johnson, « Even God Has His Faults », *Maclean's*, 23 septembre 1985, 52, Fonds Richler Acc. # 582/135.16.

88. Ted Kotcheff à Richler, 21 avril 1984, Fonds Richler Acc. # 582/24.47.

89. Allen and Walmsley, 47.

90. Interview avec Cameron, ms, 11.

91. Richler à Wladyslaw Pleszcyski, 13 juin 1994, Fonds Richler Acc. # 582/34.32.

92. Richler, *Dispatches From the Sporting Life*, 4, 7.

93. Richler à Wladyslaw Pleszcyski, 13 juin 1994, Fonds Richler Acc. # 582/34.32.

94. Peter Black, « Mordecai Richler, in Passing », *Log Cabin Chronicles*, 5 juillet 2001, www.tomifobia.com/black/mordecai_richler.shtml, 11 juin 2003. MacPherson, Fonds Richler Acc. # 582/160.8.

95. Richler à Wladyslaw Pleszcyski, 13 juin 1994, Fonds Richler Acc. # 582/34.32.

96. Fabio Coen à Richler, 17 janvier 1977, Fonds Richler Acc. # 582/4.25.

97. Roger Kimball, Twentieth Century Fund, à Richler, 7 octobre 1986, Fonds Richler Acc. # 582/45.56.

98. H. J. Kirchoff, A14, Fonds Richler Acc. # 680/44.

p. 438 à p. 443

99. *Jacob Deux-Deux et le dinosaure.*

100. *Jacob Deux-Deux et le dinosaure.*

101. *Imagining*, 259-260. Communiqué de Jack McClelland, 16 mai 1985, Fonds Richler Acc. # 680/27.10. Communiqué de Jack McClelland, 30 décembre 1985, Fonds Richler Acc. # 680/27.10.

102. Avie Bennett à Richler, 11 juillet 1986, Fonds Richler Acc. #582/27.10. Richler à Adrienne Clarkson, 2 novembre 1987, Fonds Richler Acc. # 582/27.10.

103. Jack McClelland à Richler, 8 septembre 1987, Fonds Richler Acc. # 582/29.2.

104. Florence Richler, citée dans Posner, *Last,* 246.

105. Deborah Rogers à Richler, 15 octobre 1982, Fonds Richler Acc. # 582/40.22.

106. Richler à Adrienne Clarkson, 2 novembre 1987, Fonds Richler Acc. # 582/27.10.

107. Richler à Doug Gibson, [peu après le 16 mars 1990], Fonds Richler Acc. # 582/27.10.

108. Robert Fulford, « This Is Robert Fulford », 23 juillet 1968.

109. Richler, brouillon d'une présentation individuelle au Comité permanent des affaires extérieures et du commerce international du Parlement Canadien, Fonds Richler Acc. # 680/31.57.

110. Richler, présentation individuelle au Comité permanent des affaires extérieures et du commerce international du Parlement Canadien, 18 novembre 1987, 39 : 49, Fonds Richler Acc. # 582/162.3.

111. Don Gilmour, « Mordecai Richler », *Quill & Quire,* juillet 1989, Fonds Richler Acc. # 582/159.2.

112. Interview avec Bernard Ostry.

113. Todd, 22.

114. Gefen, 31, Fonds Richler Acc. # 582/159.1. Drainie, Fonds Richler Acc. # 582/159.1.

115. Richler n'était pas seul ; 60 p. cent des responsables des foyers juifs au Québec avaient visité Israël, dont 45 p. cent plus d'une fois. L'intérêt envers le Moyen-Orient était près de deux fois aussi élevé (47 p. cent) que l'intérêt envers les nouvelles du Québec (26 p. cent) et plus de deux fois plus élevé que l'intérêt envers les nouvelles nationales canadiennes (20 p. cent). Morton Weinfeld, 180.

p. 443 à p. 452

116. Interview avec Barbara Frum, *The Journal,* CBC-TV, 19 novembre 1987.

117. Richler, « Fool's Gold », Fonds Richler Acc. # 582/114.4.

118. John K. Hutchens, membre du comité éditorial, à Richler, 8 octobre 1988, Fonds Richler Acc. # 582/8.20.

119. Edwin McDowell, « BOMC Restructures Its Jury », *New York Times,* 20 septembre 1988, Fonds Richler Acc. # 582/160.8.

120. Sybil Steinberg, « Mordecai Richler », 46, Fonds Richler Acc. # 582/159.1.

121. Al Silverman, Wilfred Sheed, cité dans Posner, *Last,* 239-240.

122. David Holloway, « Hanging Out with Moses », *Telegraph Magazine,* 2 juin 1990, 24, Fonds Richler Acc. # 582/159.3.

123. 17 octobre 1988, Fonds Richler Acc. # 582/8.20.

124. Clifton (Kip) Fadiman à Richler, 17 septembre 1988, 10 avril 1990, Fonds Richler Acc. # 582/17.33.

24. Les Bronfman se réunissent

1. Sybil Steinberg, « Mordecai Richler », 45, Fonds Richler Acc. # 582/159.1.

2. Voir Lynne Bowen, *Muddling Through : The Remarkable Story of the Barr Colonists,* Vancouver, Douglas & McIntyre, 1992.

3. Interview avec Jon Anderson.

4. Gefen, 30, Fonds Richler Acc. # 582/159.1.

5. Noel Taylor, « Mordecai Richler », *Ottawa Citizen,* 2 décembre 1989, Fonds Richler Acc. # 582/159.1.

6. M. M. [Monica McCall ?], « Chronology », Fonds Richler Acc. # 582/87.2.

7. Geoffrey James, 11, Fonds Richler Msc 36.30.12.

8. Michael Ryval, « St Urbain Craftsman », *Financial Post*, avril 1980, 56, Fonds Richler Acc. # 582/161.1.

9. *Shovelling Trouble*, 141.

10. Hon. Greville Janner, QC, MP, à Richler, 3 décembre 1984, Fonds Richler Acc. # 582/14.20. Gefen 31, Fonds Richler Acc. # 582/159.1.

11. Edward et Beverley Bronfman aux Richler, 1974, 1975, 22 janvier 1977, Fonds Richler Acc. # 582/10.12.

12. Marchand, « Oy », 148, Fonds Richler Acc. # 582/134.8.

13. Newman, *Bronfman Dynasty*, 46.

14. Abella, 98, 146. *None Is too Many* a été publié en 1982, et bien que nous ne savons en quelle année Richler l'a lu, en 1989-1990 il l'utilisait dans sa recherche pour *Oh Canada! Oh Quebec!* Dans un compte rendu de *Mr. Sam* datant de 1992, Richler s'est plaint de la soumission de Sam Bronfman à l'endroit des autorités anglophones avant la période de la guerre.

15. Peter C. Newman, *Bronfman Dynasty*, 9-10.

16. Michael R. Marrus à John Fraser, éditeur, *Saturday Night*, 3 juillet [1992], Fonds Richler Acc. # 582/26.56.

17. Marrus, *Mr. Sam*, 460.

18. James Dubro à John Fraser, éditeur, *Saturday Night*, 13 septembre 1992, Fonds Richler Acc. # 582/41.26.

19. Greg Gatenby, Harbourfront Festival, à Richler, 28 avril 1983, Fonds Richler Acc. # 582/20.13.

20. Michael Darling à Richler, 10 juillet 1984, Fonds Richler Acc. # 582/15.24.

21. *Gursky*. Interview avec Avrum Richler.

22. *Gursky*, 185.

23. Ian Mayer à Richler, 28 avril 1987, Fonds Richler Acc. # 582/26.7. Interview avec Weintraub (2001).

24. Richler à Alison Samuel, 14 juillet 1989, Fonds Richler Acc. # 582/13.51.

25. Traduction libre. Sandra Kolber, 83.

26. *Gursky*, 141.

27. Richler à Michael Levine, 12 avril 1993, Fonds Richler Acc. # 582/19.33.

28. Interview avec Max Richler.

29. Leo Kolber à Richler, 17 avril 1972, Fonds Richler Msc 36.6.50.

30. Sam Gesser cité dans Posner, *Last*, 212. Cité dans Posner, *Last*, 251.

31. Yanofsky, *Mordecai and Me*, 219.

32. Craniford, 117-118.

33. « The Tatler », *Globe and Mail*, 12 mars 1993, Fonds Richler Acc. # 582/19.33.

34. Interview avec Weintraub (2001). Craniford, 127.

35. Interview avec Dansereau et Beaudet, 94. Voir aussi la note de l'auteur dans *Gursky*.

36. Christopher Dafoe, éditeur, *The Beaver*, à Richler, 28 mars 1988, Fonds Richler Acc. # 582/7.29.

37. Interview avec Rockburn, 187-189.

38. Richler, « On Turning 50 », 3, Fonds Richler Acc. # 582/110.19.

39. *Hunting Tigers Under Glass*, 112.

40. Voir Shnayer Leiman, 32-33, et Hillel Kieval, 15-16.

41. Pearl K. Bell, « Canada Way », *The New Republic*, 7 mai 1990, Fonds Richler Acc. # 582/159.1.

42. Craniford, ix.

43. C'est ainsi que Solomon appelle Moses Berger. *Gursky*, 32.

44. *Gursky*, 157, 527.

p. 452 à p. 460

45. *Gursky*, 483.

46. *Le monde de Barney*, 439, 274.

47. Voir des fragments du *silloi* de Timon (IIIe siècle avant J. C.) dans A. A. Long et D. N. Sedley, éds., *The Hellenistic Philosophers*, vol. 1, Cambridge, Cambridge University Press, 1987, 22-24. Northrop Frye (231) et Leon Guilhamet (24) affirment avec inexactitude que la satire *a commencé* avec des *silloi* pro-scientifiques. En réalité, l'invective personnelle d'Hipponax et Archilochus date de 3 à 4 siècles plus tôt. Voir Andrew M. Miller éd. et trad., *Greek Lyric : An Anthology in Translation*, Indianapolis : Hackett, 1996, 1-12, 104-106.

48. *Gursky*, 127.

49. L'essai de Richler a été réimprimé dans *Broadsides*, 9-18.

50. *Broadsides*, 13.

51. *Joshua au passé, au présent*, 103.

52. David Rosenberg à Richler, 3 mars 1987, Fonds Richler Acc. # 582/20.15.

53. David Rosenberg, «Introduction», *Congregation*, viii.

54. David Rosenberg à Richler, 15 septembre 1988, Fonds Richler Acc. # 582/40.29. Le nouveau livre a été publié en 1989 sous le titre *Testimony : Contemporary Writers Make the Holocaust Personal*.

55. Invitation à Bernard Richler, souper Testimonial, 24 janvier 1971, Fonds Richler Acc. # 582/36.35. Baruch Rosenberg a cité de manière approbative le Rabbin J. I. Schneersohn, dont plusieurs Lubavitch croyaient qu'il était le Messie. Yudel Rosenberg, *Jonah*, 25.

56. *Gursky*, 113, 118.

57. *Gursky*, 571.

58. *Gursky*.

59. *Gursky*, 128.

60. Sam Orbaum, «Make», 18.

61. *Gursky*, 101. Gefen, 31, Fonds Richler Acc. # 582/159.1.

62. Carole Corbeil, 23-24.

63. *Gursky*.

64. *Home Sweet*, 217. The Arctic Society (Ottawa), Fonds Richler Acc. # 582/6.15. Amy Edith Johnson, «The Man in the Sealskin Prayer Shawl», *New York Times Book Review*, 8 avril 1990, Fonds Richler Acc. # 582/159.1.

65. Richler, «London for Beginners», 3, Fonds Richler Acc. # 582/115.19. *Le cavalier de Saint-Urbain* fait référence à *À la recherche du Baron Corvo*, tout comme *Gursky*.

66. Stephen Godfrey, «I Really Feel I Took a Lot of Risks on This One», *Globe and Mail*, 8 novembre 1989, Fonds Richler Acc. # 582/159.1. *Last*, 213.

67. Il a alors supprimé un millier de mots à certains endroits, quarante mille à d'autres. Richler à Carmen Callil (Chatto & Windus), n. d., Fonds Richler Acc. # 582/13.51. Orbaum, «Make'em», 19, Fonds Richler Acc. # 582/160.8.

68. Alison Samuel à Richler, 26 mai, 7 juillet 1989, commentaires éditoriaux à propos de *Gursky*, Fonds Richler Acc. # 582/13.51. Richler à Carmen Callil (Chatto & Windus), n. d., Fonds Richler Acc. # 582/13.51.

69. Interview avec Florence Richler. Florence Richler, 40.

70. *Toronto Star*, 18 octobre 1989, Fonds Richler Acc. # 582/159.1.

71. Richler, [brouillon de Dental Academy Awards Night], Fonds Richler Acc. # 582/87.4.

72. Florence Richler, citée dans *Last*, 186.

73. Dennis Kucherawy, «The GG Awards : Who Knows ? Who Cares ?», *Toronto Star Saturday Magazine*, 3 mars 1990, Fonds Richler Acc. # 582/159.1.

74. Robertson Davies à Richler, 12 février 1990, Fonds Richler Acc. # 582/15.34. Alberto Manguel, «Literary Judges Need a Clear Mandate», *Globe and Mail*, 10 février 1990, Fonds Richler Acc. # 582/159.1. David Silcox à Richler, 4 mai 1992, Fonds Richler Acc. # 582/42.25.

p. 46o à p. 467

Greg Gatenby, « Let's Start a New Chapter in the Governor-General's Awards History », *Toronto Star* (24 février 1990), Fonds Richler Acc. # 582/159.1.

75. Richler, « Tundra », 22, Fonds Richler Acc. # 582/159.4.

76. Stephen Harris, « Tales of Fortune... », *The Dominion* (New Zeland), 10 novembre 1990, Fonds Richler Acc. # 582/159.3.

77. Richler, « Memories of Brian Moore ».

25. La police de la langue

1. Dave Carpenter à Richler, 5 avril 1991, Fonds Richler Acc. # 582/12.66.

2. Richler, « Foreword », *Writers on World War II*.

3. Reed à Richler, 17 octobre 1991, Fonds Richler Acc. # 582/3.48.

4. Zosky, 41, Fonds Richler Acc. # 582/155.3.

5. Interview avec Rex Murphy, *The Journal*, CBC-TV, 17 novembre 1989. Richler, *Oh Canada*, 153.

6. Interview avec Bernard Ostry. Interview avec Jack Rabinovitch.

7. Interview avec Jack Rabinovitch.

8. William Johnson, « Oh », 2.

9. Morton Weinfeld, 187.

10. *Oh Canada! Oh Quebec!*, 70.

11. Richard B. Holden, MNA, Westmount, à Richler, 10 octobre 1989, Fonds Richler Acc. # 582/21.34. Peter Stockland, « Mordecai Richler's Quebec », *Toronto Sun*, 25 novembre 1989, Fonds Richler Acc. # 582/160.8. Brendan Kelly, « Richler and the Wisdom of Solomon », *Montreal Daily News*, 14 novembre 1989, Fonds Richler Acc. # 582/159.1. Neil Cameron, courriel, 15 octobre 2003.

12. Mary Lou Findlay, *Saturday Morning*, CBC Radio, 29 octobre 1989.

13. Richler, « Inside/Outside », 54, 53, 50, 48-9, 70-72.

14. Gottlieb, 22.

15. Ingrid Peritz, « About », B2, Fonds Richler Acc. # 582/50.9.

16. Graham Fraser, « BQ », Fonds Richler Acc. # 582/158.6.

17. *Oh Canada! Oh Québec!*, 24.

18. Richler, « Assignment », Fonds Richler Acc. # 582/153.1.

19. Lise Bissonnette, « Vu », A8.

20. H. D. Forbes, 54-5, Fonds Richler Acc. # 582/161.4. C'était la position de l'ancien dirigeant du Parti libéral du Québec, Claude Ryan. Andrew Stark, un professeur en administration à la University of Toronto et un ancien appui à Mulroney, a soutenu un tel argument. Caldwell, « A Quebecker », 12, Fonds Richler Acc. # 582/134.12.

21. Poliquin, « St. », 38.

22. Interview avec Florence Richler.

23. Lysiane Gagnon, « Inside Quebec ».

24. Ingrid Peritz, « About », B3, Fonds Richler Acc. # 582/50.9.

25. Joseph E. Fletcher, Department of Political Science, University of Toronto, 3 août 1989, Fonds Richler Acc. # 582/17.79.

26. Steven Davis, « Richler Was Wrong », *The Montreal Gazette*, n. d., Fonds Richler Acc. # 582/161.1. Comme l'a fait remarquer Richler, Davis était le mari de Lysiane Gagnon. *Oh Canada!* Lettre anonyme à l'éditeur, *New Yorker*, 23 septembre 1991, Fonds Richler Acc. # 582/37.13.

27. Pierre Anctil, cité dans Jean-François Lisée, 17-18, Fonds Richler Acc. # 582/161.4. Traduction de l'auteur.

28. Richler, « The New Yorker, Quebec and Me », *Saturday Night*, mai 1992, 18. *Oh Canada!*

29. Brym et Lenton, 114-115. *Oh Canada!* Richler, « The New Yorker, Quebec and Me », *Saturday Night*, mai 1992, 87.

p. 468 à p. 476

30. *This Year in Jerusalem*, 168.

31. Interview avec Csillag, Fonds Richler Acc. # 582/161.2.

32. Morton Weinfeld, 188.

33. «The New Yorker, Quebec and Me», *Saturday Night*, mai 1992, 18.

34. Richard B. Holden, MNA, à l'éditeur, *The Montreal Gazette*, 22 septembre 1991, Fonds Richler Acc. # 680/44.

35. Pauline Couture, «Richler Stirs Fury...», *Globe and Mail*, 25 septembre 1991, Fonds Richler Acc. # 582/160.8.

36. Richard King, Paragraphe Libraire/Bookstore and Café, Montréal, 13 mars 1992, Fonds Richler Acc. # 582/33.43. Greg Gatenby, Harbourfront Festival, à Richler, 29 mars 1992, Fonds Richler Acc. # 582/20.14. «Oh Canada! Oh Quebec! Oh No!», *The Montreal Gazette*, 29 mars 1992, A1, Fonds Richler Acc. # 680/44. Neil MacDonald, CBC *Newsmagazine*, CBC-TV, 30 mars 1992.

37. Claude Hurtubise, président, Les Éditions La Presse, à Richler, Montréal, 17 juin 1976, Fonds Richler Acc. # 582/16.56.

38. Daniel Poliquin, «Richler's».

39. André Beaudet [éditeur, *L'impossible* et Les Éditions Balzac], à Richler, 4 mai 1992, Fonds Richler Acc. # 582/16.48. André Beaudet à Richler, 22 juillet 1992, Fonds Richler Acc. # 582/16.48.

40. Nick Auf der Maur, «Richler's Prize Pokes Fun at What's Absurd in Quebec», *The Montreal Gazette*, n. d., Fonds Richler Acc. # 680/44.

41. Lynne van Luven, Fonds Richler Acc. # 582/158.6.

42. Lettre anonyme à Richler, n. d., Fonds Richler Acc. # 582/39.5.

43. Lettre anonyme à Richler, Fonds Richler Acc. # 582/38.4.

44. Richler, «The New Yorker, Quebec and Me», 18.

45. Gilles Duceppe, [«Les propos tenus par Mordecai Richler»], 12 mars 1992, *Débats des Communes*, 8121. Caldwell, «A Quebecker», 11, Fonds Richler Acc. # 582/134.12.

46. Graham Fraser, «BQ», Fonds Richler Acc. # 582/158.6.

47. Lise Bissonnette, «Comme», A8, Fonds Richler Acc. # 582/161.2.

48. Manon Cornellier, Fonds Richler Acc. # 582/158.6.

49. Dennis Kucherawy, «Mordecai Richler Was Here», *Toronto Star*, 6 octobre 1990, Fonds Richler Acc. # 582/161.2.

50. *Le monde de Barney*. Dans la version anglaise, il s'agit de Dollar Redux, NdT.

51. Alain Dubuc, «Letter from Montreal: Damaging Outburst by Richler Helps Nobody at Times like These», *Toronto Star*, 21 septembre 1991, Fonds Richler Acc. # 582/15.51.

52. Richler à Pierre Guglielminn, 14 juin 1992, Fonds Richler Acc. # 582/16.50.

53. *Gursky*, 601.

54. Comme l'a affirmé l'hôte de débat télévisé Madeleine Poulin, par exemple. Caldwell, «A Quebecker», 11, Fonds Richler Acc. # 582/134.12. Pierre Anctil soutient que chez Richler, «les francophones sont des fantômes; il ne les saisit pas vraiment». Cité dans Michel Arsenault. Traduction de l'auteur.

55. Lise Bissonnette, «Comme», A8, Fonds Richler Acc. # 582/161.1.

56. *Oh Canada!*, 39. McKenzie, «Adieu» (2001), I.

57. Richard Peterson, *Vie en Estrie Living Magazine*, mai 1989, Fonds Richler Acc. # 582/17.20.

58. Bauch, «Stranger», 4.

59. Lionel Albert, courriel, 16 septembre 2002.

60. Bauch, «Stranger», 5. Lionel Albert, courriel, 16 septembre 2002. Emma Richler, *Soeur folie*. Michelle Lalonde, «Richler Defends His Writing», *The Montreal Gazette*, 21 septembre 1991, B2, Fonds Richler Acc. # 582/50.9.

61. Rabinovitch, «Mordecai», 25.

62. Poliquin, «St», 38.

p. 476 à p. 481

63. Lise Bissonnette, «Comme», A8, Fonds Richler Acc. # 582/161.1.

64. Interview avec Noah Richler.

65. *Oh Canada! Oh Quebec!*

66. Morton Weinfeld, 187.

67. Ingrid Peritz, «About», B2, Fonds Richler Acc. # 582/50.9.

68. Morton Weinfeld, 185.

69. Une correspondante a dit à Richler qu'*Oh Canada!* était un grand livre et qu'il ne pouvait faire l'objet d'aucune critique. Elle s'est rappelée avoir été battue souvent parce qu'elle était juive. Surtout, elle craignait les fêtes de la Saint-Jean-Baptiste et de Pâques. Rita à Richler, 14 août 1992, Fonds Richler Acc. # 582/3.48.

70. Anne Richler (Auntie Anne) à Mordecai Richler, 6 octobre 1991, Fonds Richler Acc. # 582/36.33.

71. Interview avec Lionel Albert.

72. Lettre anonyme à l'éditeur, *New Yorker*, 23 septembre 1991, Fonds Richler Acc. # 582/37.13.

73. Interview avec Daniel Richler.

74. Emma Richler, *Sœur folie*, 226.

75. Richler, «On Being Jewish», 6, Fonds Richler Acc. # 582/110.20. Emma Richler, *Sœur folie*.

76. Joe King, 322.

77. Jean Chartier, «Les réponses de Mordecai Richler inexactes et injurieuses», *Le Devoir*, 20 mars 1992, Fonds Richler Acc. # 582/162.1. Interview avec Chaim Bermant. Caldwell, «A Quebecker», 12, Fonds Richler Acc. # 582/134.12.

78. Interview avec Csillag, Fonds Richler Acc. # 582/162.1. Richler, «My Life As a Racist», Fonds Richler Acc. # 582/163.5.

79. Ron Csillag, «Memories», 2.

80. Janice Arnold, «Remembered», 2.

81. Interview avec Dansereau et Beaudet, 93.

82. Interview avec Michael Crelinstein.

83. Michael Crelinstein, directeur exécutif, Congrès juif canadien, région du Québec, à Stephen Florio, président et CEO, *New Yorker*, 20 septembre 1991, Fonds Richler Acc. # 582/12.17.

84. Janice Arnold, «Remembered», 2.

85. Interview avec Michael Crelinstein.

86. Richler, «My Life As a Racist», Fonds Richler Acc. # 582/163.5.

87. Michael Crelinstein, directeur exécutif, Congrès juif canadien, région du Québec, à Stephen Florio, président et CEO, *New Yorker*, 20 septembre 1991, Fonds Richler Acc. # 582/12.17. Caldwell, «A Quebecker», 36, Fonds Richler Acc. # 582/134.12.

88. Interview avec Bernard Landry, *Canadian Jewish News*, 15 octobre 1992, Fonds Richler Acc. # 582/160.8.

89. Brownstein, «Montreal's», 2.

90. Richler, «French Kiss-Off», 1. NDLR: L'auteur s'en remet à la version de Richler. Il aurait été intéressant de connaître celle de Bernard Landry.

91. Interview avec Jack Rabinovitch. Rabinovitch, «The Man».

92. Pauline Jewett à Richler, 7 novembre 1972, Fonds Richler Msc 36.4.18.

93. Maud Barlow *et al.* au *Toronto Star*, 02/04/1992, Fonds Richler Acc. # 582/45.24.

94. Interview avec Dansereau et Beaudet, 91.

95. Phyllis Lambert, OC, FRAIC, directrice, Centre canadien d'architecture/Canadian Center for Architecture, à Richler, 30 septembre 1991, Fonds Richler Acc. # 582/37.13.

96. Michel Arsenault.

97. Interview avec Rex Murphy, *The Journal*, CBC-TV, 17 novembre 1989.

98. Guy Vanderhaege, cité dans Posner, *Last*, 240. Cité dans Posner, *Last*, 284.

p. 481 à p. 486

99. Manon Cornellier, Fonds Richler Acc. # 582/158.6.

100. Scott Feschuk, «Montreal-Born Author Raises Quebecois Ire with His Rumina-tions», *The Gazette* (journal étudiant de l'University of Western Ontario), 3 avril 1992, Fonds Richler Acc. # 582/38.4.

101. Richler, «Oh Canada, Oh Quebec», conférence à l'University of Manitoba, 16 janvier 1991.

102. Janet Noel, «New France: Les femmes favorisées», *Atlantis*, 6: 2, printemps 1981, 89-97. W. J. Eccles, *France in America*, New York, Harper & Row, 1972, 76.

103. Lynne van Luven, Fonds Richler Acc. # 582/158.6.

104. Fulford, «Richler».

105. Richler à «Robin» MacNeil, 30 avril 1992, Fonds Richler Acc. # 582/26.19. Interview avec Rockburn, 192.

106. Richler à Ellen Seligman, 13 juin 1992, Fonds Richler Acc. # 582/27.10.

107. Guy Vanderhaeghe à Richler, 27 mars 1992, Fonds Richler Acc. # 582/46.58.

108. H. D. Forbes, 55. Yanofsky, *Mordecai and Me*, 240.

109. *Oh Canada! Oh Quebec!*, 57.

110. C'est la position de Garth Stevenson, 215-216.

111. Garth Stevenson, 213-215.

112. Paul Wells, Ah. Garth Stevenson, 237.

113. Richler à l'éditeur, *The Montreal Gazette*, 30 juillet 1991, Fonds Richler Acc. # 582/18.51.

114. Richler, «Assignment», Fonds Richler Acc. # 582/153.1.

115. Yves Boisvert, «Richler récidive sur les ondes de la BBC», *La Presse*, 30 septembre 1992, B4, Fonds Richler Acc. # 582/158.6.

116. Janice Arnold, «*La Presse* Apologies for Cartoon», *Canadian Jewish News*, 15 octobre 1992, Fonds Richler Acc. # 582/160.8. Richler, «My Life as a Racist», Fonds Richler Acc. # 582/163.5.

117. Ingrid Peritz et Tu Thanh Ha, «Mordecai Richler», A4.

118. William Johnson, «Oh», 5.

119. Fulford, «Seventy», A12.

120. Richler, cité dans Guy Vanderhaeghe à Richler, 11 mai 1992, Fonds Richler Acc. # 582/46.58. Richler semble avoir emprunté de manière inconsciente le terme à David Rosenberg, *Congregation*, viii.

26. Israël VIP

1. Richler à Fayge Cohen, 1er mai 1992, Fonds Richler Acc. # 582/3.13.

2. Sam Orbaum, «Make», 18.

3. Nur Masalha, 122.

4. *Gursky*, 602.

5. Gefen, 32, Fonds Richler Acc. # 582/159.1.

6. Interview avec Bill Weintraub (2001).

7. *This Year in Jerusalem*, 69.

8. Nur Masalha, 160.

9. Richler à Beth Elon et Deborah Harris, Harris/Elon Agency, 19 novembre 1992, Fonds Richler Acc. # 582/20.29.

10. Richler à Joan Avirovic, 25 septembre 1992, Fonds Richler Acc. # 582/21.36.

11. *The Montreal Gazette*, «Richler's Friends», 4. *This Year in Jerusalem*, 78-79.

12. Richler, «On Being Jewish», 2, Fonds Richler Acc. # 582/110.20. *This Year in Jerusalem*, 81-82.

13. Nur Masalha, 115-116, 170.

14. *This Year in Jerusalem*, 227.

15. *This Year in Jerusalem*, 215, 236.

p. 486 à p. 494

16. Richler à Pat, *New Yorker*, 16 mai 1993, Fonds Richler Acc. # 680/8.50.

17. Jack McClelland à Richler, 19 octobre 1994, Fonds Richler Acc. # 582/29.2.

18. Richler à Carmen Callil, 1er mai 1993, Fonds Richler Acc. # 582/13.51.

19. Solly Cohen à Richler, 27 décembre 1994, Fonds Richler Acc. # 582/13.100.

20. Beth Elon, Harris/Elon Agency, à Richler, 2 novembre 1994, Fonds Richler Acc. # 680/5.28.

21. Terme péjoratif utilisé pour désigner un jeune homme non Juif, NdT.

22. Sam Orbaum à Richler, 7 décembre 1993, Fonds Richler Acc. # 582/33.1. Sam Orbaum, courriel à l'auteur, 2 juillet 2002. *This Year in Jerusalem*, 116.

23. Sam Orbaum, courriel à l'auteur, 2 juillet 2002.

24. Joel Yanofsky, «Looking for Jerusalem», *The Montreal Gazette*, 3 septembre 1994, Fonds Richler Acc. # 582/160.4. Daphne Merkin, «Zion Lite», n. m., n. d., Fonds Richler Acc. # 582/160.4. Edna Paris, compte rendu de *This Year in Jerusalem, Toronto Star*, 10 septembre 1994, Fonds Richler Acc. # 582/160.2.

25. Richler, «Schindler», 34.

26. «A chaser fressing member of The Shaar», à Richler, 6 septembre 1994, Fonds Richler Acc. # 582/39.5.

27. Dan Nimrod, «Why I Pity», Fonds Richler Acc. # 582/162.1.

28. Lewis Dobrin, Synagogue Shaar Hashomayim, Westmount, à Richler, 7 juin 1995, Fonds Richler Acc. # 680/14.1.

29. Yanofsky, *Mordecai and Me*, 144.

30. Michael Levine, cité dans Posner, *Last*, 210.

31. Dan Nimrod, «The Enemy», Fonds Richler Acc. # 680/47.

32. Richler à Beth Elon, Harris/Elon Agency, 10 mars 1994, Fonds Richler Acc. # 582/20.29.

33. Joe King, 305.

34. *Oh Canada!*, 84.

35. Neil Cameron, courriel, 15 octobre 2003. Auf der Maur adorait ce genre de blague; auparavant, il avait créé des affiches de plaisanteries à l'occasion des élections provinciales et municipales.

36. Aislin et Richler, poster de Richard Holden, n. d., Richler à Beth Elon et Deborah Harris, Harris/Elon Agency, 19 novembre 1992, Fonds Richler Acc. # 582/21.34.

37. Eric Siblin, Fonds Richler Acc. # 582/162.1.

38. John N. Mappin Rare Books, Montréal, publicité pour une affiche cinglante de Richard Holden, septembre 1994, 36 X 22 cm, 75$, Fonds Richler Acc. # 582/23.49.

39. Francine Barry, avocate à la Direction des affaires juridiques, à Richler, 9 septembre 1994, Fonds Richler Acc. # 582/35.42.

40. Eric Siblin, Fonds Richler Acc. # 582/162.1.

41. Interview avec Florence Richler.

42. Serge Sauvageau, d'Ovadia, Sauvageau, Zito, à John N. Mappin, 25 octobre 1994, Fonds Richler Acc. # 680/6.32.

43. Richler à Richard Holden, 1er mars 1994, Fonds Richler Acc. # 680/10.15. Interview avec Mappin.

44. Interview avec Mosher.

45. Richler à Richard Holden, 1er mars 1994, Fonds Richler Acc. # 680/10.15.

46. Grant, «Table», 1.

47. Brouillon de «Holden c. Richler et al.», Fonds Richler Acc. # 680/10.15.

48. Fax de Richler à Lynne Abram, 8 août [1992], Fonds Richler Acc. # 582/10.6.

49. Jean Benoit Nadeau, «La gang du lac», *Affaires plus*, mai 1993, 14.

50. Lionel Albert, courriel à l'auteur, 19 septembre 2002.

51. Stevie Cameron, *On the Take*, xii, 43, 216-17, 259. Stevie Cameron, «Man».

52. *Belling the Cat*, 295, 15-17, 292.

p. 494 à p. 502

53. Richler à Cynthia Good?, n. d., Fonds Richler Acc. # 582/39.6.

54. Mordecai Richler à Emma Richler, 1ᵉʳ septembre 1994, Fonds Richler Acc. # 582/36.39. *Jacob Two-Two First Spy Case* n'a pas été traduit en français, NdT.

55. *Jacob Two-Two First Spy Case*, 36.

56. Val Ross, «Excusing», C1.

57. Val Ross, «Excusing», C1.

58. *Jacob Two-Two First Spy Case*, 12, 81.

59. Dans la véritable histoire, la sorcière du Nord n'est pas méchante et Dorothée ne l'assassine pas, NdT.

60. *Jacob Two-Two First Spy Case*, 120-121, 6.

27. Le bourgeois malfaisant

1. Questions à propos de la traduction de *Solomon Gursky Was Here*, 7 mai 1991, Fonds Richler Acc. # 582/7.37.

2. Susan B. Obscure [Mordecai Richler] à Brian Moore, 1ᵉʳ mai 1978, Documents de Brian Mooe, 49.5.5.2a. Richler a possiblement noté une date erronée, car l'été où de nombreux amis se sont réunis à Cagnes semble être celui de 1957, et non de 1956.

3. «From Mordecai», fax à Jacob Richler, 28 février, s. a.

4. O'Malley, 1.

5. Tom Adair, Fonds Richler Acc. # 582/160.4. Richler à Nick Auf der Maur, 20 janvier 1997, Fonds Richler Acc. # 680/1.56.

6. Interview avec Mosher.

7. Terry Mosher à Richler, 28 janvier 1991, Fonds Richler Acc. # 582/30.67.

8. Richler à Terry Mosher, 4 février 1991, Fonds Richler Acc. # 582/30.67.

9. Guy Vanderhaeghe à Richler, 23 janvier 1995, Fonds Richler Acc. # 680/15.15.

10. Richler à Guy Vanderhaeger, 3 août 1994, Fonds Richler Acc. # 582/46.58.

11. Guy Vanderhaeghe à Richler, 3 octobre 1994, Fonds Richler Acc. # 582/46.58.

12. McLaughlin.

13. Richler à John Fraser, 7 janvier 1995, Fonds Richler Acc. # 582/18.13.

14. Richler à John Lynch Staunton, 23 janvier 1995, Fonds Richler Acc. # 680/7.32.

15. Richler, «French Kiss-Off», 1-2.

16. Richler à John Lynch Staunton, 23 janvier 1995, Fonds Richler Acc. # 680/7.32.

17. Ken McGoogan, «Author Fears Violent Uprising», *Calgary Herald*, 25 mars 1997, Fonds Richler Acc. # 680/45.

18. Marie Tison, «Mordecai Richler récidive dans les pages du *New Yorker*», *Le Devoir*, 25 mai 1994, Fonds Richler Acc. # 680/44.

19. Richler, Manuscrit de «Once Upon a Time Doctors…», Fonds Richler Acc. # 582/41.26.

20. Marchand, «Caught», C2, Fonds Richler Acc. # 680/44.

21. Richler à John Lynch Staunton, 22 février 1995, Fonds Richler Acc. # 680/7.32.

22. Interview avec Micki Moore. Richler, «Clear», 4-5, 1. Marchand, «Caught», C2, Fonds Richler Acc. # 680/44.

23. Richler, «Clear», 3.

24. Interview avec Wong, 3.

25. Steyn, «Richler», 128.

26. Martin, «Anecdotes», A4.

27. Richler, «Pure».

28. Richler, «Snub».

29. Richler à Avie Bennett, 11 août 1997, Fonds Richler Acc. # 680/7.55.

30. Pierre Joncas, «No Laughing Matter», *The Montreal Gazette*, 3 juillet 1996, Fonds Richler Acc. # 680/44. Josée Legault, «Les détracteurs détraqués», *Le Devoir*, 26 juin 1996, Fonds Richler Acc. # 680/44.

p. 502 à p. 512

31. Diane Francis, «The Prix Parizeau Literary Award Is Just the Beginning», *Financial Post*, 29 juin 1996, 19.

32. Irwin Block, «Richler Parody-Prize Target of Complaint», *The Montreal Gazette*, 23 juin 1996, A3, Fonds Richler Acc. # 680/44.

33. *Oh Canada!*, 27. Richler, «Richler responds», B3.

34. Campbell Clark, Fonds Richler Acc. # 680/44.

35. Richler, «Richler responds», B3.

36. Joe King, 306-307.

37. Discours de Richler pour la Cérémonie du Prix Parizeau, n. d. [novembre 1996?], Fonds Richler Acc. # 680/33.9a.

38. Richler à «Dear Publisher», x]x [*sic*], juin 11996, Fonds Richler Acc. # 680/12.13.

39. Communiqué de presse, re: Prix Parizeau, 28 mai 1997, Fonds Richler Acc. # 680/1.60.

40. Yanofsky, *Mordecai and Me*, 281.

41. Discours de Richler pour la Cérémonie du Prix Parizeau, n. d. [novembre 1997?], Fonds Richler Acc. # 680/33.9a.

28. Absolut Barney

1. Cynthia Good, Penguin, à Richler, 7 juillet 1995, Fonds Richler Acc. # 680/9.21.

2. Emma Richler à Ferdinand Mount, 16 février 1996, Fonds Richler Acc. # 680/10.18.

3. Richler à Cynthia Good, 23 novembre 1996, 19 juillet 1997, 8 mars 1998, 15 mars 1999, Fonds Richler Acc. # 680/9.21.

4. Florence Richler, 42.

5. Jay Scott, «From Duddy to Rambo», *Globe and Mail*, 14 avril 1989, Fonds Richler Acc. # 582/161.2.

6. Richler, «Q for Quest» [*sic*], 4, Fonds Richler Msc 36.40.15.

7. Richler, «Write Stuff».

8. Interview avec Cameron, 124.

9. Richler, «Book of the Century», *The Daily Telegraph*, 5 décembre 1998, A3.

10. Brouillon de *Barney's Version*, 336, Fonds Richler Acc. # 680/21.4.

11. Hill, *Grand Guy*, 148, 210, 262-264.

12. *Inner Space*, interview, 2, Fonds Richler Msc 36.54.4.

13. Interview avec Daniel Richler. Interview avec Noah Richler.

14. Interview avec Daniel Richler.

15. Richler, «Innocents», 16.

16. Amiri Baraka, «Somebody Blew Up America», 1er octobre 2001, www.amiribaraka.com/blew.html. En toute équité, l'on devrait aussi lire sa défense personnelle, dans laquelle il affirme que sa critique du sionisme et d'Israël n'est pas une critique à l'endroit des Juifs. «Statement by Amiri Baraka, New Jersey Poet Laureate: *I will not "apologize", I will not "resign"*», 10 février 2002, www.amiribaraka.com/speech100202.html, 9 novembre 2006. À noter que le titre du poème de Richler est une citation tirée des *Réflexions sur le théâtre* de Bertrand de la Tour, NdT.

17. *Le monde de Barney*.

18. *Le monde de Barney*, 344.

19. Philip Marchand, «Hypocrisy, Wretched Taste and Sins against Richler», *Toronto Star*, 19 octobre 1997, Fonds Richler Acc. # 680/44. Lindor Reynolds, B1, B10.

20. *Le monde de Barney*. Interview avec Florence Richler.

21. Interview Avec Sur Fox, 10.

22. Interview avec Micki Moore.

23. Yenta est un mot yiddish péjoratif qui signifie commère et, dans certains cas, entremetteuse, NdT.

24. *Le monde de Barney*, 151.

p. 513 à p. 520

25. Richler, «Countess», Manuscrit 123, Fonds Richler Acc. # 582/103.2.

26. *Le monde de Barney*, 187.

27. Yanofsky, *Mordecai and Me*, 179.

28. Martha Richler à Mordecai Richler, 27 juillet 1987, Fonds Richler Acc. # 680/10.21.

29. Interview avec Sue Fox.

30. Richler se moque ici des féministes qui refusent d'employer le terme «woman» sous prétexte qu'il contient la racine «man», NdT.

31. Micki Moore, «Ms. Ump», 3, Fonds Richler Acc. # 582/107.2.

32. Brouillon de *Barney's Version*, 20-22, Fonds Richler Acc. # 680/20.6.

33. Louise Dennys à Richler, 3 janvier 1997, 3-4, Fonds Richler Acc. # 680/21.2.

34. *Le monde de Barney*, 33.

35. Brouillon de *Barney's Version*, 20-22, Fonds Richler Acc. # 680/20.6.

36. Richler, [fragment non identifié], Fonds Richler Acc. # 680/28.1.

37. Richler, «Three», 4.

38. Brouillon de *Barney's Version*, 20-2, Fonds Richler Acc. # 680/20.6.

39. Arlene Perly Rae à Richler, mai 1996, Fonds Richler Acc. # 680/10.2.

40. Richler à Arlene Perly Rae, 5 juin 1996, Fonds Richler Acc. # 680/10.2.

41. Dennys voulait supprimer un passage qui semblait représentatif de la vacuité de l'art avant-gardiste, «un crucifix qui flottait dans une mare d'urine ou un harpon surgissant du fessier ensanglanté d'une femme». Richler a refusé. Richler, Brouillon de *Barney's Version*, 25, Fonds Richler Acc. # 680/21.1.

42. Louise Dennys, Knopf Canada, à Richler, n. d. à propos du brouillon de *Barney's Version*, Fonds Richler Acc. # 680/19.3. Brouillon de *Barney's Version*, 307, Fonds Richler Acc. # 680/21.2.

43. Louise Dennys, Knopf Canada, à Richler, n. d. à propos du brouillon de *Barney's Version*, Fonds Richler Acc. # 680/19.3.

44. Alison Samuel, Chatto & Windus, à Richler, 9 janvier 1996, Fonds Richler Acc. # 680/3.1.

45. *Le monde de Barney*, 489.

46. *Le monde de Barney*, 421.

47. Richler à Louise Dennys, 7 février 1997, Fonds Richler Acc. # 680/1.31.

48. *The Montreal Gazette*, «Richler's Friends», 4-5.

49. Brouillon de *Barney's Version*, 342, Fonds Richler Acc. # 680/21.2.

50. Joanna Bale, «Judge Frees Music Teacher Accused of Sex with Boys», *The Times*, 25 janvier 1996, 3, Fonds Richler Acc. # 680/47.3.

51. *Le monde de Barney*.

52. Brouillon de *Barney's Version*, 342, Fonds Richler Acc. # 680/21.3. *Le monde de Barney*, 373-374.

53. *Le monde de Barney*, 116.

54. *Shovelling*, 31.

55. Jacob Richler, «Nick's Place», 1.

56. Richler, «Intro : Nick», 17.

57. Richler à Louise Dennys, 23 janvier 1997, Fonds Richler Acc. # 680/1.31.

58. *Le monde de Barney*, 549.

59. Richler à Conrad Black, 23 janvier 1997, Fonds Richler Acc. # 680/2.21.

60. Richler à Nick Auf der Maur, 20 janvier, 4 février 1997, Fonds Richler Acc. # 680/1.56.

61. Richler à Conrad Black, 23 janvier 1997, Fonds Richler Acc. # 680/2.21.

62. Richler à John Lynch Staunton, 6 mars 1998, Fonds Richler Acc. # 680/7.32. Noah Richler, «Nick's Place», 7.

63. Todd, 17.

64. *Le monde de Barney*, 552.

p. 521 à p. 529

MORDECAI RICHLER

. Mavis Gallant à Richler, 10 novembre 1997, Fonds Richler Acc. # 680/4.47. Martin Knelman, « Mordecai », 3.

66. *Errand*, 142.

67. Interview avec Avrum Richler.

68. Richler, « The Cure for the Novel », *The Montrealer*, juin 1959, 18, Fonds Richler Acc. # 680/33.23. Richler fait référence à l'essai de Colin Wilson intitulé *The Outsider* (*L'Homme en dehors*) et au fait que Wilson portait toujours des cols roulés, NdT.

69. Richler, « From Mordecai », fax envoyé à Ken Whyte et Gillian Burnett [juin 1997 ?].

70. Dans la traduction française, on parle de Johnny Walker Carte Noire, NdT.

71. Doug Smith, 2.

72. Richler à l'éditeur, *Globe and Mail*, 8 juillet, 1997, Fonds Richler Acc. # 680/28.1.

73. Val Ross, « Saturday Night Stirs It Up with Vodka Ad », *Globe and Mail*, 8 juillet 1997, A10, Fonds Richler Acc. # 680/47.

74. Richler, « Seek », 2.

75. Jacob Richler à Mordecai Richler, 9 juin 1997, Fonds Richler Acc. # 680/13.43.

29. Quelques verres pour la route

1. Ashok Chandwani, cité dans Posner, *Last*, 301.

2. Richler à Allan Allnutt, *The Montreal Gazette*, 16 février 1997, Fonds Richler Acc. # 680/13.43.

3. Richler à Ken Whyte, *Saturday Night*, 31 mars 1997, Fonds Richler Acc. # 680/13.43.

4. Interview avec Weintraub (2001).

5. Richler à Ashok Chandwani, *The Montreal Gazette*, 12 mars 1998, Fonds Richler Acc. # 680/4.49. Chandwani, 3.

6. Richler à Paul Bogaards, Knopf (New York), 5 octobre 1997, Fonds Richler Acc. # 680/1.32. Richler à Paul Bogaarts [sic], Knopf (New York), 19 novembre 1997, Fonds Richler Acc. # 680/1.31.

7. Richler à Jon Segal, éditeur senior, Knopf (New York), 19 novembre 1997, Fonds Richler Acc. # 680/1.31.

8. Steve Jarislowsky à Richler, 18 mars 1998, Fonds Richler Acc. # 680/6.20.

9. Richler, « Poor Winners », 2.

10. Mike Boone, « Fade to Black », *The Montreal Gazette*, 20 octobre 1996, Fonds Richler Acc. # 680/47.

11. Richler, « Home », 7, Fonds Richler Acc. # 582/163.3.

12. Brunner, 2.

13. Richler, « Close », 2-3.

14. « Brian Mulroney Lawsuit Clippings, January 6-14, 1997 », Fonds Richler Acc. # 680/47.3.

15. Weintraub, « Callow », 30.

16. Fonds Richler Acc. # 582/107.1.

17. Richler à Douglas Robertson, Goodman, Phillips & Vineberg, 15 mars 1999, Fonds Richler Acc. # 680/5.2.

18. Johanne Cadorette, Dykes on Mykes, CKUT FM, Montréal, à Richler, 26 mars 1998, Fonds Richler Acc. # 680/10.5.

19. Jared Mitchell à Richler, 6 décembre 1998, Fonds Richler Acc. # 680/8.40.

20. Richler à Avie Bennet, 11 août 1997, Fonds Richler Acc. # 680/7.55. Richler, « The History of Jacob Two-Two », Fonds Richler Acc. # 680/29.38.

21. Richler à John Aylen, 7 février 1997, Fonds Richler Acc. # 680/1.60. John Aylen à Richler, 7 février 1997, Fonds Richler Acc. # 680/1.60.

22. Interview avec Evan Solomon, « Hot Type », CBC-TV, 24 novembre 1998.

23. Richler à Louise Dennys, 15 janvier 1998, Fonds Richler Acc. # 680/1.31.

24. Ken McGoogan, « Oxford Delivers on CanLit ».

25. Martin Knelman, «Mordecai», 3.

26. Martin Levin.

27. Michael Levine à Richler et Ted Kotcheff, 12 juillet 1995, Fonds Richler Acc. # 680/5.2.

28. Richler à Richard Dreyfuss, 22 septembre 1996, Fonds Richler Acc. # 680/3.66.

29. Richler à Michael Levine, 20 décembre, 9 novembre 1997, 3 janvier, 17 février 1998, Fonds Richler Acc. # 680/5.2.

30. Richler à Louise Dennys, 30 mars 1998, Fonds Richler Acc. # 680/1.31.

31. *Le monde de Barney.*

32. Interview avec Daniel Richler.

33. Interview avec Lionel Albert.

34. Richler à Jon Segal, éditeur senior, Knopf (New York), 19 novembre 1997, Fonds Richler Acc. # 680/1.31.

35. Interview avec Sue Fox, 10.

36. Richler à Alan Allnutt, *The Montreal Gazette,* après le 3 juin 1998, Fonds Richler Acc. # 680/4.49.

37. Interview avec Jack Rabinovitch.

38. Richler, «Memories of Brian Moore».

39. Rebecca Caldwell, «Profile: Emma Richler», R1.

40. Emma Richler, *Sœur folie,* 62.

41. Noah Richler, «My», B3.

42. Richler à Deborah Rogers, n. d., Fonds Richler Acc. # 582/40.22.

43. Richler à Art Cooper, éditeur de *GQ,* 21 novembre 1998, Fonds Richler Acc. # 680/3.28.

44. Emma Richler à Mordecai Richler, 3 août 1998, Fonds Richler Acc. # 680/10.18.

45. Richler à Deborah Rogers, n. d., Fonds Richler Acc. # 582/40.22. Interview avec Avrum Richler.

46. Nigel Horne, Martha Richler, cités dans *Last,* 233; cités dans Posner, *Last,* 279, 275.

47. Lucinda Chodan, «Alliance to Make Barney's Version Movie», *The Montreal Gazette,* 21 mars 1998, D1.

48. Richler à Tony Cartano, 28 juin 1999, Fonds Richler Acc. # 582/11.29. Richler à Louise Dennys, 28 juin 1999, Fonds Richler Acc. # 680/1.31.

49. Stephen Cole, 6.

50. Robert Lantos a fini par produire le film, qui est sorti au cinéma en décembre 2010, NdT.

51. Richler à Cynthia Good, 15 mars 1999, Fonds Richler Acc. # 680/9.21.

52. Richler à Thomas Delworth, 22 mai, 28 juin 1999, Fonds Richler Acc. # 680/14.73.

53. Interview avec Avrum Richler. Jacob Richler, B4.

54. Rabinovitch, 25.

55. Richler à Ken Whyte, *Saturday Night,* 22 février 1999, Fonds Richler Acc. # 680/13.43.

56. Interview avec Avrum Richler.

57. Richler, «Richler for P. M.», CBC, «Premier Binnsw». Richler, «Farmers».

58. Richler, «Supposed».

59. Richler, «You're». NDLR: «Gaffeur invétéré», écrit l'auteur. Évidemment, il s'agit de l'opinion de Richler.

60. Le quartier de Shankill Road était au cœur des affrontements entre les camps catholique et loyaliste, NdT.

61. Richler, «Canadian Conundrums».

62. Richler, «Mideast».

63. Jacob Richler, «Chats with Dad», B4.

64. Noah Richler, «Pa's Book List», 3.

65. Richler à Lionel Albert, 8 février 2001.

p. 537 à p. 544

66. « La Capria : "La vitalità di Barney era detteta dal suo stoicismo" », *Il Foglio,* 5 juillet 2001. MacDonald *et al.,* 3.

67. Honoré, « Italians ». Wilson-Smith, « Mordecai », 20.

68. Andrea Marcenaro, « Marcenaro, grazie a Barney, a speiga com ha saccheggiato Barney », *Il Foglio,* 5 juillet 2001.

69. Ingrid Peritz et Tu Thanh Ha, « Mordecai », A4. Gayle MacDonald, « Richler Fights Second Round with Cancer », *Globe and Mail,* 30 juin 2001.

70. Emma Richler, citée dans *Last,* 279 ; citée dans Posner, *Last,* 328, 330-331.

71. Emma Richler, *Sœur folie.*

72. Richler à Lionel Albert, 8 février 2001.

73. Richler à Reinhold Kramer, 13 juin 2001.

74. Interview avec Snowbell.

75. Richler, « Son's ».

76. Alan Berger, 228.

77. Richler à Paul Tough et Dianna Symonds, *Saturday Night,* 5 juillet 1999, Fonds Richler Acc. # 680/13.43.

78. Richler, « God's ».

79. Richler, « More trouble ».

80. Richler, « Finding ».

81. Interview avec Noah Richler.

82. Sam Orbaum, courriel.

83. Sam Orbaum, « Canadian », 2-3. Sam Orbaum, courriel.

84. Interview avec Bernard Richler.

85. Interview avec Snowbell.

86. Interview avec Florence Richler.

87. Gayle MacDonald, « Richler Fights Second Round with Cancer », *Globe and Mail,* 30 juin 2001. Interview avec Daniel Richler.

88. Jacob Richler, « Chats with Dad », B4.

89. Richler à Reinhold Kramer, 13 juin 2001.

90. Ingrid Peritz et Tu Thanh Ha, « Mordecai », A4.

91. Martin Knelman, « Mordecai », 4.

92. Richler à Deborah Rogers, n. d., Fonds Richler Acc. # 582/40.22.

93. Hamilton, « Table », 28.

94. *Le monde de Barney.*

95. Max Richler, cité dans Posner, *Last,* 176.

96. Bauch, « Family », 2. Hamilton, « I Can't ».

97. Noah Richler, « My », B3. Hamilton, « One ».

p. 544 à p. 549

BIBLIOGRAPHIE

ABELLA, Irving, et Harold TROPER, *None Is Too Many: Canada and the Jews of Europe 1933-1948*. Toronto, Lester and Orpen Dennys, 1982.

ADAIR, Tom, « Whiskey Sour », *Scotland on Sunday* (13 novembre 1994), Richler Fonds Acc. #582/160.4.

ALBERT, Lionel, « Richler Roots in Ontario Too », *The Montreal Gazette* (10 juillet 2002).

ALEICHEM, Sholom, *It's Hard to Be a Jew [Shver tsu zayn a yid]*. Mark Schweid, trad., *Sholom Aleichem Panorama*. London (On.), Jewish Observer (1948), p. 235-266.

ALLAN, Norman Bethune, *Ted*. Chapitre 3: « Spain », www.normanallan.com/misc/TedCh3.html (28 avril 2003); Chapitres 7-11: « The Nineteen Forties », « Oh Canada », « Across the Atlantic », « The Redhead and the Shrink », « The Secret of the World », www.normanallan.com/Misc/Ted/Ted%20home.htm (19 mai 2005).

ALLEN, Glen, et Ann WALMSLEY, « The Making of "Joshua" », *Maclean's* (23 septembre 1985), p. 44-50, Richler Fonds Acc. #582/135.16.

ANDERSON, Benedict, *Imagined Communities: Reflections on the Origin and Spread of Nationalism*. Nouvelle édition, London, Verso, 1991.

ARENDt, Hannah, « Eichmann in Jerusalem: An Exchange of Letters between Gershom Scholem and Hannah Arendt », *Encounter*, 22 (janvier 1964), p. 51-56.

ARNOLD, Janice, « Montreal's Early Kosher Meat Industry Examined in Robinson's Scholarly Research », *Canadian Jewish News* (22 février 1990), p. 2.

ARNOLD, Janice, « Mordecai Richler Remembered », *Canadian Jewish News* (12 juillet 2001), www.cjnews.com/pastissues/01/july12-01/main.asp, 5 mai 2002.

ARNSTEIN, Walter L., *Britain Yesterday and Today: 1830 to the Present*. Troisième éd., Lexington, Mass., D.C. Heath, 1976.

ARSENAULT, Michel, « L'homme qui n'a pas d'amis », *L'actualité* (15 avril 1990):
—, *Stet: A Memoir*. London, Granta, 2000.

ATHILL, Diana, *Instead of a Letter*. Garden City (N. Y.), Doubleday, 1962.

AUSUBEL, Nathan, *A Pictorial History of the Jewish People*. New York, Crown, 1953.

AYRE, John, [*The Acrobats?*] *Books in Canada*. www.amazon.ca/exec/obidos/tg/browse/-/915398/701-6610772-2151554 (9 octobre 2002).

BABEL, Isaac, *Collected Stories*. David McDuff, trad., London, Penguin, 1994.

—, *Isaac Babel, The Lonely Years 1925-1939: Unpublished Stories and Private Correspondence*. Nathalie Babel, dir., New York, Farrar, Straus, 1964.

BAILEY, Bruce, «"Joshua"—Here and Now», *The Montreal Gazette* (31 octobre 1984), Richler Fonds Acc. #582/157.1.

BAILEY, Peter J. *The Reluctant Film Art of Woody Allen*. Lexington, University of Kentucky Press, 2001.

BAKER, Zachary M. «Montreal of Yesterday: A Snapshot of Jewish Life in Montreal During the Era of Mass Immigration», dans *An Everyday Miracle: Yiddish Culture in Montreal*, Ira ROBINSON *et al.*, dir., Montréal, Véhicule Press, 1990, p. 39-52.

BALDWIN, James, «A Question of Identity», dans *Notes of a Native Son*. Boston, Beacon, 1955.

BAND, Arnold J, «Popular Fiction and the Shaping of Jewish Identity», dans *Jewish Identity in America*. David M. GORDIS et Yoav BEN-HORIN, dir., Jersey City, Ktav Pub Inc, 1991, p. 215-226.

BANTEY, Ed., «Tall Tales: Is Richler Book Fact or Fiction?», *The Montreal Gazette* (22 mars 1992), A4. Base, Ron, «The When and How of *Joshua Then and Now*», *Toronto Star* (1ᵉʳ septembre 1985), G1, G8, Richler Fonds Acc. #582/157.1.

BAUCH, Hubert, «A Family Bids Farewell», *The Montreal Gazette* (6 juillet 2001).

—, «A Stranger in His Own Land», *The Montreal Gazette* (7 juillet 2001).

BAUMOIL, N., «Harav R. Yehudah (Yudel) Rosenberg», Toronto, ca 1943. www.rabbiyehudahyudelrosenberg.com/pdf/RR-NB.pdf (11 mai 2005).

BEAUDIN, Monique, «St. Urbain's chronicler», *The Montreal Gazette* (4 juillet 2001).

BELLOW, Saul, *The Adventures of Augie March*. New York, Viking, 1953.

—, *Herzog*. New York, Penguin, 1964.

—, «Some Notes on Recent American Fiction», dans *The Novel Today: Contemporary Writers on Modern Fiction*, Malcolm BRADBURY, dir., Manchester, Manchester University Press, 1977, p. 54-69.

BENCHIMOL, Evelyne, «The Apprenticeship of Daniel Richler», *Ryerson Review of Journalism* (printemps 1987), www.ryerson.ca/rrj/archives/1987/benchimol.html (19 mai 2005).

BERGER, Alan L., «Job's Children: Post-Holocaust Jewish Identity in Second-Generation Literature», *Jewish Identity in America*, David M. GORDIS et Yoav BEN-HORIN, dir., Jersey City, Ktav Pub Inc, 1991, p. 227-249.

BETHUNE, Brian, «Sex and Contempt», *Maclean's* (24 juin 2002), p. 26.

BEUTTLER, Bill, «Appetite for the Absurd», *American Way* (15 mai 1990), p. 132, Richler Fonds Acc. #582/124.4.

BISSONNETTE, Lise, «Comme à Salisbury», *Le Devoir* (18 mars 1992), A8, Richler Fonds Acc. #582/162.1.

—, «Vu du Woody's Pub», *Le Devoir* (18 septembre 1991), A8.

BLACKMAN, Ted, «Richler's Joust Better than Entertainment», *The Montreal Gazette* (23 avril 1980).

BOONE, Mike, «Pride of Baron Byng Never Lost Edge», *The Montreal Gazette* (4 juillet 2001).

BOUTHILLIER, Guy, Société Saint-Jean-Baptiste de Montréal Press Release (3 juillet 2001) www.newswire.ca/releases/July2001/03/c9545.html.

BRADBURY, Malcolm. *The Modern American Novel* (nouvelle éd.). Oxford, Oxford University Press, 1992.

—, «Neorealist Fiction», *Columbia Literary History of the United States*. New York, Columbia University Press, 1988, p. 1126-1141.

BRENNER, Rachel Feldhay, *Assimilation and Assertion: The Response to the Holocaust in Mordecai Richler's Writing*. New York, Peter Lang, 1989.

BRODY, Aaron, «Rabbi Yehudah Yudel Rosenberg», www.rabbiyehudahyudelrosenberg.com/biography.html (10 mai 2005).

BRONFMAN, Samuel, *From Little Acorns*. Montreal, Seagrams Distillers, 1970.

BROWN, Michael, «Zionism in the Pre-Statehood Years: The Canadian Response», *From Immigration to Integration: The Canadian Jewish Experience*. Malcolm LESTER, dir., Toronto, International Affairs, B'nai Brith Canada, 2001, www.bnaibrith.ca/institute/millennium/millennium08.html (17 mai 2002).

BROWNSTEIN, Bill, «Memories of a Maker of Folklore», *The Montreal Gazette* (5 juillet 2001).

—, «Montreal's Watering-Hole», *The Montreal Gazette* (2 mars 2003).

BRUNNER, Paul, «Editor's Notes (How Could Mordecai Richler Be So Right about Quebec Separatists and So Wrong about the Reform Party?)», *Alberta Report* 24:29 (30 juin 1997), p. 4.

BRYDEN, Ronald, «Why *Solomon Gursky* Is the Great Canadian Novel», *National Post* (7 juillet 2001).

BRYM, Robert J. et Rhonda LENTON, «The Distribution of Anti-Semitism in Canada in 1984», *The Jews in Canada*. Robert BRYM, William SHAFFIR, and Morton WEINFELD, dir., Toronto, Oxford University Press, 1993, p. 112-120.

BUCHAN, John, *The Thirty-Nine Steps* [1915]. London, Pan, 1959.

BUGLER, Jeremy, «The Book Selling Smiths», *Observer* (15 mars 1970).

BULLIN, Christine, «Postcard from Terry McEwen», *Opera News* 58:2 (août 1993), p. 26-29.

CALDWELL, Christopher, «A Quebecer Waves a Flag for English», *Insight on the News* (22 juin 1992), 11, p. 34-36.

CALDWELL, Rebecca, «Profile: Emma Richler», *Globe and Mail* (12 mars 2005), R1.

CAMERON, Don, «Don M. and the Hardhats», *Canadian Forum* (mars 1972), p. 32-33.

CAMERON, Stevie, *On the Take: Crime, Corruption and Greed in the Mulroney Years*. Toronto, MacFarlane Walter and Ross, 1994.

—, «The Man Who Came to Dinner (and Dished the Dirt)», *Globe and Mail* (7 juillet 2001).

CARLTON, David, *Anthony Eden: A Biography*. London, Allen Lane, 1981.

CBC. «Premier Binns Isn't Laughing», 30 octobre 2000, charlottetown.cbc.ca/cgi-bin/templates/view.cgi?/news2000.

CBC-TV. «Mordecai Richler: A Celebration», *Opening Night*, 27 juin 2002, enregistrée le 20 juin 2002, Monument-National Theatre, Montreal.

CHANDWANI, Ashok, «Missives from Mordecai», *The Montreal Gazette* (4 juillet 2001).

CHENOWETH, Dave, «[?]... Jacob Two-Two—Marfa, Too», *The Montreal Gazette* (1er mars 1979), 53, Richler Fonds Acc. #582/156.12.

CLARK, Campbell, «Separatist Plans Book on Richler», *The Montreal Gazette* (5 juillet 1996), A6, Richler Fonds Acc. #680/44.

COALLIER, Marie-France, «A Toast to Mordecai from His Buddies at Bar 243», *National Post* (6 juillet 2001). Cohen, Nathan, «A Conversation with Mordecai Richler», *Tamarack Review* (hiver 1957), p. 6-23.

—, «Heroes of the Richler View», *Tamarack Review* 6 (hiver 1958), p. 47-60. Reprinted in David Sheps, dir. *Mordecai Richler*, Toronto, Ryerson Press, 1971, p. 43-57.

COHEN, Steven M., «Response to Bruce Phillips», *Jewish Identity in America*. David M. GORDIS et Yoav BEN-HORIN, dir., Jersey City, Ktav Pub Inc, 1991, p. 27-29.

COLE, Stephen, «The kid stays in pictures», *Globe and Mail* (29 décembre 2003). www.globeinvestor.com/servlet/ArticleNews/print/GAM/20031229/RO1LANTOS (23 janvier 2006).

COOK, Dana, «Mordecai Then and Now», *Globe and Mail* (7 juillet 2001).

CORBEIL, Carole, «Richler Redux or What I Should Have Said on tv», *This Magazine* 23: 6 (janvier-février 1990), p. 22-24.

CORNELLIER, Manon, «Le jugement sur le livre de Mordecai Richler doit émaner du public, dit Lucien Bouchard», *Le Devoir* (18 mars 1992), A3, Richler Fonds Acc. #582/158.6.

CRAIG, Patricia, *Brian Moore: A Biography*. London, Bloomsbury, 2002.

CRANIFORD, Ada, *Fact and Fiction in Mordecai Richler's Novels*. Queenston, Edwin Mellen, 1992.

CSILLAG, Ron, «Memories of Mordecai», *The Canadian Jewish News* (12 juillet 2001) www.cjnews.com/pastissues/01/july12-01/community/csillag.htm (10 mai 2002).

DAAT EMET EDITORIAL BOARD [Yaron Yadan], «Gentiles in Halacha», www.daatemet. org.il/daathalacha/en_gentiles3.html (20 mai 2005).

DARLING, Michael, «Mordecai Richler», *The Annotated Bibliography of Canada's Major Authors*, Volume 1, Robert Lecker and Jack David, eds, Downsview, ECW Press, 1979.

DAVEY, Frank, *Post-National Arguments: The Politics of the Anglophone-Canadian Novel since 1967*. Toronto, University of Toronto Press, 1993.

DAVIDSON, Arnold, *Mordecai Richler*. New York, Frederick Ungar, 1983.

DAWIDOWICZ, Lucy S., *The Golden Tradition: Jewish Life and Thought in Eastern Europe*. New York, Holt, Rinehart and Winston, 1967.

DELANEY, Marshall, «A Touch of Class», *Saturday Night* (novembre 1985), 82, Richler Fonds Acc. #582/157.1.

DOWNEY, Peter, entretien avec Martha Richler, *The Entertainment Section*, CBC Radio (28 juin 1976). «Mordecai Richler Was Here», CBC Archives, archives.cbc.ca/IDD-1-68-753/arts_entertainment/mordecai_richler/ (13 mai 2005).

DRAINIE, Bronwyn, «And in This Corner... Canadian Writers in Fighting Trim», *Globe and Mail* (24 février 1990), C3, Richler Fonds Acc. #582/159.1.

DUBÉ, Francine, «Death from Cancer Comes as a Shock», *National Post* (4 juillet 2001), A1, A13.

DUNCAN, Ann, «Mordecai Richler Then and Now», *International Herald Tribune* (3 juin 1985), p. 16.

EDEMARIAM, Aida, «The Great Unread», *National Post* (7 avril 2001).

EDEN, Sir Anthony, *The Memoirs of Sir Anthony Eden: Full Circle.* London, Cassell, 1960.

EDWARDS, Ivana, «Mrs. Mordecai Richler Seems Most Happy with Her Lot», *The Montreal Gazette* (1er juin 1971), Richler Fonds Msc 36.55.1.

EISENDRATH, Rabbi Maurice N., «Be Fair to Your Children», *Canadian Jewish Review* 18:10 (20 décembre 1935), p. 1.

En Ville: The Business Family Paper, «The Richlers: Faith Is no Obstacle», (24 avril 1965), p. 10.

EVANS, Elaine, «On Self-Mutilation and Family Dynamics», *National Post* (26 mai 2001).

FELDMAN, Rabbi Dr. Arthur A., «Judaism Under the Onslaught of the Modern Age», *Canadian Jewish Review* 18:10 (20 décembre 1935), p. 6-7, 34-35.

FETHERLING, Doug, «BOMC Names Richler to Board», *Toronto Star* (21 août 1973), Richler Fonds Acc. #582/160.7.

FIEDLER, Leslie, «Some Notes on the Jewish Novel in English», dans David SHEPS, dir., *Mordecai Richler*, Toronto, Ryerson Press, 1971, p. 99-105.

FITZGERALD, Judith, «Mordecai Then and Now», *Globe and Mail* (27 août 1983).

FORBES, H.D., «Mordecai's Mischief: H.D. Forbes Asks Which Rights Are Rights», *The Idler* 35 (mars 1992), p. 52-55, Richler Fonds Acc. #582/161.4.

FRASER, Graham, «BQ urges Ottawa to Ban Richler Book», *Globe and Mail* (17 mars 1992).

FRIEDBERG, Maurice, «Introduction», dans Sholom ALEICHEM. *The Bloody Hoax.* Aliza Shevrin, trad., Bloomington, Indiana University Press, 1991.

FULFORD, Robert, *Best Seat in the House: Memoirs of a Lucky Man.* Toronto, Collins, 1988.

—, «Mordecai's Version», *National Post* (22 juin 2002), B5.

—, «Richler Didn't Abide Pandering to Bigotry», *National Post* (15 juin 2002), www.nationalpost.com/search/site/story.asp?id=7A815EE1-5B5D-4233-A37255 C85DF9468D (25 juin 2002).

—, «Robert Fulford on Mordecai Richler», *Saturday Night* Online, www.saturday night.ca/webexclusives/mordecai/MRfulford.html (22 août 2001).

—, «Seventy Years of Glorious Trouble», *National Post* (4 juillet 2001), A1, A12.

GAGNON, Lysiane, «Inside Quebec: Things Are Bad Enough without Nastiness from Mordecai Richler», *Globe and Mail* (21 septembre 1991).

GALE Group, «Daniel Richler: Writer and Broadcaster», *Contemporary Canadian Biographies* (novembre-décembre 2002).

GATENBY, Greg, «Let's Start a New Chapter in the Governor-General's Awards History», *Toronto Star* (24 février 1990).

GEFEN, Pearl Sheffy, «Richler Rides Again», *Weekend, the Jerusalem Post Magazine* (4 mai 1990), p. 30-32.

GOLD, Mike, *A Literary Anthology.* Michael Folsom, dir. et intro., New York, International Publishers, 1972.

GOLDEN, Mike, «A Conversation with Terry Southern», *Paris Review* 38:138 (printemps 1996), p. 215-238.

GOODSPEED, Peter, «Novelist, Journalist, Wit», *National Post* (4 juillet 2001), A13.

GORDIS, David M. et Yoav BEN-HORIN, dir., *Jewish Identity in America*. Los Angeles, University of Judaism, 1991.

GORMAN, Brian, «Richler's Version», *Today* (10 octobre 1997), www.canoe.ca/JamBooksFeatures/richler_mordecai.html (23 mai 2000).

GOTTLIEB, Robert, «He Got "Better and Better"», *Maclean's* (24 juin 2002), p. 22-23.

GRANT, Alyson, «Table 28 at Le Mas Is Empty», *The Montreal Gazette* (4 juillet 2001).

GREEN, Mary, «Synagogues Have Become "religious Drug Stores" Novelist Richler Claims», *Montreal Monitor* (30 juin 1960), 7, Richler Fonds Msc 36.54.13.

GREENSTEIN, Michael, *Third Solitudes: Tradition and Discontinuity in Jewish-Canadian Literature*. Kingston, McGill-Queen's University Press, 1989.

GROEN, Rick, «Tears of a Clown», *Globe and Mail* (25 octobre 2002), R1.

GROSS, Gerry, «A Palpable Hit: A Study of the Impact of Reuben Ship's *The Investigator*», *Theatre Research in Canada* 10:2 (Fall 1989).

GRUENDING, Dennis, «Not Much of a Nationalist», *Saskatoon Star-Phoenix* (17 novembre 1972), Richler Fonds Msc 36.42.21.

GUILHAMET, Leon, *Satire and the Transformation of Genre*. Philadelphia, University of Pennsylvania Press, 1987.

GZOWSKI, Peter, «My Mordecai: Wicked Smoothie, Gentle Genius, Loyal Friend», *Globe and Mail* (7 juillet 2001).

—, «Afterword», *The Incomparable Atuk*. Toronto, McClelland & Stewart, 1989.

HA'AM, Ahad, *Nationalism and the Jewish Ethic: Basic Writings of Ahad Ha'am*. Hans KOHN, dir. et intro., New York, Schocken Books, 1962.

HABERMAN, Clyde, «Mordecai Richler's Apprenticeship», *New York Post* (27 juillet 1974), Richler Fonds Acc. #582/154.2.

HALBERSTAM-RUBIN, Anna, *Sholom Aleichem: The Writer as Social Historian*. New York, Peter Lang, 1989.

HAMILTON, Graeme et Francine DUBÉ, «At Table 28 and across Canada, Gestures of Respect for Richler», *National Post* (5 juillet 2001).

HAMILTON, Graeme, «"I Can't See This and I Do Not Want It, Life without Him"», *National Post* (6 juillet 2001).

—, «One Great Writer Is Remembered… Richler's Voice Is Heard», *National Post* (21 juin 2002), www.nationalpost.com/search/site/story.asp?id=57B5B0C4-6F88-49F8-B238-E445D8B828ED (25 juin 2002).

HAMILTON, Graeme, «Separatists' Farewells Brief, Bitter», *National Post* (4 juillet 2001), A2.

HANDEL, Alan, dir. *The Apprenticeship of Mordecai Richler*. National Film Board, 1986.

HANES, Allison, «Novelist's Burial a Homecoming», *The Montreal Gazette* (6 juillet 2001).

—, «Richler Was Just One of the Guys», *The Montreal Gazette* (5 juillet 2001).

HEICHELHEIM, Professor F.M., «Mind and Spade», *The Jewish Standard* (15 novembre 1955), Richler Fonds Msc 36.22.6.

HILL, Lee, *A Grand Guy: The Art and Life of Terry Southern*. New York, Harper-Collins, 2001.

—, «Interview with a Grand Guy», [Terry Southern] *Backstory 3: Interviews with Screenwriters of the 60s*. Patrick MCGILLIGAN, dir., Berkeley, University of California Press, 1996. www.altx.com/interviews/terry.southern.html (14 novembre 2002).

HONORÉ, Carl, «Italians Make Folk Hero of Barney», *National Post* (4 juillet 2001), B3.

—, «The Name Can't Hurt», *National Post* (3 mai 2001).

HURTIG, Mel, *At Twilight in the Country: Memoirs of a Canadian Nationalist*. Toronto, Stoddart, 1996.

—, «How Richler Earns His Roast Beef» [lettre à l'éditeur], *Edmonton Journal* (9 octobre 1985), A5.

IDEL, Moshe, *Golem: Jewish Magical and Mystical Traditions on the Artificial Anthropoid*. Albany, State University of New York Press, 1990.

ISOU, Isidore, «Manifesto of Letterist Poetry» (1942; *Introduction à une Nouvelle Poésie et une Nouvelle Musique*. Paris, Gallimard, 1947). *Selections from the Manifestos of Isidore Isou*. David W. SEAMAN, dir. et trad., www.thing.net/~grist/l&d/lettrist/isou-m.htm (18 décembre 2002).

JAMES, Geoffrey, «The Expatriate Who Has Never Left Home», *Time* [Canadian edition] (31 mai 1971), p. 7-11, Richler Fonds Msc 36.30.12.

JEWISON, Norman. *This Terrible Business Has Been Good to Me*. Toronto, Key Porter, 2004.

JOHNSON, Brian D., «Even God Has His Faults», *Maclean's* (23 septembre 1985), p. 52.

JOHNSON, Paul, *A History of the Jews*. London, Phoenix, 1987.

JOHNSON, William, «Oh, Mordecai. Oh, Quebec», *Globe and Mail* (7 juillet 2001).

KAREDA, Urjo, *Toronto Daily Star* (1er juin 1968), Richler Fonds Msc 36.18.8.

—, «Why Did They Turn Duddy into a Charmer?», *New York Times* (25 août 1974), Richler Fonds Acc. #582/154.2.

KATTAN, Naim, «Mordecai Richler—Craftsman or Artists [sic]», *Congress Bulletin* (septembre-octobre 1965), p. 7, Richler Fonds Msc 36.54.14.

KATZ, Steven T. *Post-Holocaust Dialogues: Critical Studies in Modern Jewish Thought*. New York, New York University Press, 1983.

KENNEDY, Mark, «Anglo Group Decries Richler's Version of Quebec», *The Montreal Gazette* (2 avril 1992).

KERNAN, Alvin, *The Cankered Muse: Satire of the English Renaissance*. New Haven (Conn.), Yale University Press, 1959.

KEYES, John T. D., «Chillin' with Ted Kotcheff», *Chill Magazine Online* 1 (Fall 2003), p. 1-5. www.thebeerstore.ca/chill/Issue1'issue1-features-kotcheff.html (14 janvier 2004).

KIEVAL, Hillel J., «Pursuing the Golem of Prague: Jewish Culture and the Invention of a Tradition», *Modern Judaism* 17:1 (1997), p. 1-23.

KING, James, *The Life of Margaret Laurence*. Toronto, Knopf, 1997.

KING, Joe, *From the Ghetto to the Main: The Story of Jews in Montreal*. Montreal, Montreal Jewish Publication Society, 2001.

KIRCHHOFF, H.J., «Richler Revels in Kidlit Success», *Globe and Mail* (10 juin 1987), A14, Richler Fonds Acc. #680/44.

KNELMAN, Martin, «Broadway or Bust», *Financial Post Magazine* (1er novembre 1984), p. 43-53, Richler Fonds Acc. #582/157.1.

—, *Home Movies: Tales from the Canadian Film World*. Toronto, Key Porter, 1987.

—, «How Duddy's Movie Brings Us All Back Home», *Saturday Night* (mars 1974), p. 17-24, Richler Fonds Acc. #582/155.1.

—, «Mordecai Richler: A Canadian Icon», *Toronto Star* (4 juillet 2001).

—, «Ted Kotcheff: A Wandering Son Heads for Home to Film Richler's Duddy Kravitz», *Globe and Mail* (19 août 1972), Richler Fonds Msc 36.55.1.

KOESTLER, Arthur, *Darkness at Noon*. Daphne Hardy, trad., New York, Bantam, 1941.

KOLBER, Sandra, *Bitter Sweet Lemons and Love*, Toronto, McClelland & Stewart, 1967.

KOTCHEFF, Ted, «Afterword», *The Acrobats*. Mordecai Richler. Toronto, McClelland & Stewart, 2002.

—, (Hommage à Mordecai Richler) Soirée hommage à Richler au Festival international des auteurs de Toronto. «Mordecai's Version.»Eleanor Wachtel, dir., *The Arts Today*, CBC Radio 1, 31 octobre 2000.

LALONDE, Michelle, «Richler Defends His Writing», *The Montreal Gazette* (21 septembre 1991), B2.

LANCTÔT, Gustave, et Jan Noel, «Filles de Joie ou Filles du Roi», *Atlantis* 6:2 (printemps 1981), p. 80-98.

LANKEN, Dane, «With Duddy and His Gang Down on St. Urbain Street», *The Montreal Gazette* (6 avril 1974), p. 45.

LAPONCE, J.A., «Left or Centre? The Canadian Jewish Electorate, 1953-1983», dans Robert J. BRYM, William SHAFFIR, et Morton WEINFELD, *The Jews in Canada*, Toronto, Oxford University Press, 1993.

LEBEL, Ronald, «So It Couldn't Happen in Montreal?», *The Globe Magazine* (*Globe and Mail*) (15 février 1969), p. 18-20.

LEIMAN, Shnayer Z., «The Adventure of the Maharal of Prague in London: R. Yudl Rosenberg and the Golem of Prague», *Tradition* 36:1 (printemps 2002), p. 26-46.

LEIREN-YOUNG, Mark, «Absolut Literature», *Quill and Quire* 63:9 (septembre 1997), p. 7.

LESSING, Doris, *Walking in the Shade: Volume Two of My Autobiography 1949-1962*. London, HarperCollins, 1997.

LEVENE, Mark, «Mordecai Richler», *Profiles in Canadian Literature: Volume 2*, Jeffrey M. Heath, dir., Toronto, Dundurn, 1980.

LEVIN, Martin, «Blessed Be Mordecai», *Globe and Mail* (7 juillet 2001).

LEVINE, Norman, *Canada Made Me*. Deneau and Greenberg, 1958.

LISÉE, Jean-François, «Québec antisémite? Non coupable! "Interview" avec Pierre Anctil», *L'actualité* (décembre 1991), 17f, Richler Fonds Acc. #582/161.4.

LITVINOFF, Emanuel, «Books», *Jewish Observer and Middle East Review*, 16 septembre 1955, Richler Fonds Msc 36.22.6.

LOWY, Henny, «Montreal Writer Meets His Public», *The Canadian Jewish Chronicle* (1er juillet 1960), Richler Fonds Msc 36.54.13.

LUVEN, Lynne Van, «Rock-Star Treatment Envisioned for Richler Readings», *Edmonton Journal* (9 mai 1991).

MACDONALD, Gayle, Sandra Martin, Simon Houpt, et Megan Williams, «How We Remember Him», *Globe and Mail* (5 juillet 2001).

MACDONALD, L. Ian, *From Bourassa to Bourassa: Wilderness to Restoration*. Deuxième éd. Montreal, McGill-Queen's University Press, 2002.

MACDONALD, Neil, «CBC Newsmagazine», CBC-tv. 30 mars 1992. «Mordecai Richler Was Here». CBC Archives, archives.cbc.ca/IDD-1-6753/arts_enter tainment/ mordecai_richler/ (13 mai 2005).

MACGREGOR, Roy, «The Boy from St. Urbain», *Maclean's* (9 juin 1980), p. 45-50.

MACPHERSON, Don, «Well Done», *The Montreal Gazette* (11 mai 1993), B3.

MAKOW, Henry, «Master's Feet: The Pedagogical Method of Mordecai Richler», *Globe and Mail Weekend Magazine* (26 avril 1975).

MALINA, Martin, «Duddy Kravitz, Where Are You?», *The Montreal Star Entertainments* (21 avril 1973), Richler Fonds Acc. #582/154.2.

MALAMUD, Bernard, *The Fixer*. New York, Dell, 1966.

MANDEL, Charles, «How the Richler Papers Went West», *National Post* (14 juillet 2001), B5.

MARCHAND, Philip, «Caught in the Middle», *Toronto Star* (29 octobre 1995), C1-C2, Richler Fonds Acc. #680/44.

—, «Hypocrisy, Wretched Taste and Sins against Richler», *Toronto Star* (19 octobre 1997; 4 juillet 2001).

—, «Oy, Mordecai», *Chatelaine* (octobre 1990), p. 62-64, 147-149.

MARTIN, Rob, «Focus», *The Varsity* (University of Toronto) (13 décembre 1968), Richler Fonds Msc 36.54.14.

MARTIN, Sandra, «Anecdotes and Tributes Flow Freely», *Globe and Mail* (4 juillet 2001), A1, A4.

—, «Insult and Injury», *Books in Canada* (mars 1981), 3-6.

MARRUS, Michael, *Mr. Sam: The Life and Times of Samuel Bronfman*. Toronto, Viking, 1991.

MASALHA, Nur, *Imperial Israel and the Palestinians: The Politics of Expansion*. London, Pluto, 2000.

MCDOWELL, Edwin, «Gottlieb Reign Alters The New Yorker», *New York Times* (9 novembre 1981).

MCDUFF, David, «Introduction», *Isaac Babel, Collected Stories*. David McDuff, trad., London, Penguin, 1994.

MCCLELLAND, Jack, *Imagining Canadian Literature: The Selected Letters of Jack McClelland*. Sam Solecki, dir., Toronto, Key Porter, 1998.

MCDONALD, Marci, «St. Urbain's Famous Hustler Returns», *Toronto Star* (13 octobre 1973), Richler Fonds Acc. #582/154.2.

MCKENZIE, Robert, «Quebec's Adieu Shows Mixed Feelings», *Toronto Star* (4 juillet 2001).

MCLAUGHLIN, Gord, «A Last Great Public Moment», [18 octobre 2000] *National Post* (4 juillet 2001), A3.

MCPHERSON, Hugo, «Fiction 1940-1960», *Literary History of Canada*. Carl F. Klinck, dir., Toronto, University of Toronto Press, 1965, p. 694-722.

MCSWEENEY, Kerry, «Revaluing Mordecai Richler», *Studies in Canadian Literature* 4:2 (été 1979), p. 120-131.

—, «Tap-Dancing» [Compte rendu de *Barney's Version*], *Canadian Literature* 159 (hiver 1998), p. 188-190.

MERRILL, Sam, «Mason Hoffenberg Gets in a Few Licks», *Playboy* (novembre 1973), theband.hiof.no/articles/mason_hoffenberg_gets_in_a_few_licks.html (14 novembre 2002).

MIGDAL, Celine, «Frances Katz Short in Size, Big in Chutzpah», *Canadian Jewish News* (28 novembre 1996), 39, Richler Fonds Acc. #680/10.19.

MILLS, Donia, «Richler: Movie Initiation of a Canadian Author», *Washington Star News* (13 août 1974), Richler Fonds Acc. #582/154.2. «Richler's Friends Have Their Say», *The Montreal Gazette*, 7 juillet 2001.

MOORE, Brian, *An Answer from Limbo*. Toronto, General, 1962.

MOSHER, Terry, «Comrades in Satire», *Maclean's* (24 juin 2002), p. 31.

NADEL, Ira B., *Various Positions: A life of Leonard Cohen*. Toronto, Random House, 1996.

NEIMAN, Susan, *Evil in Modern Thought*. Princeton, Princeton University Press, 2002.

NEWMAN, Peter C. *Bronfman Dynasty: The Rothschilds of the New World*. Toronto, McClelland & Stewart, 1978.

—, dir., *Debrett's Illustrated Guide to the Canadian Establishment*. Agincourt (On.), Methuen, 1983.

NIMROD, Dan, «The Enemy from Within», *Suburban* (29 juin 1994), p. 11, Richler Fonds Acc. #680/47.

—, «Why I Pity Mordechai Richler», *Suburban* (6 juillet 1994), Richler Fonds Acc. #582/162.1.

NODELMAN, Perry, «*Jacob Two-Two* and the Satisfactions of Paranoia», *Canadian Children's Literature* 15-16 (1980), p. 31-37, Richler Fonds Acc. #582/134.7.

O'MALLEY, Martin, «Please Help Me with the Mordecai Richler Story» (4 juillet 2001), cbc.ca/news/viewpoint/columns/omalley/martin010703.html.

ORBAUM, Sam, «Canadian Author Mordecai Richler Made Them All Mad» (7 juin 2001), www.samorbaum.com/ThisN/Misc/Mordecai%20Richler, %20obit.html (18 juin 2002).

—, «Make 'Em Mad, Mordecai», *Jerusalem Post International Edition* (21 novembre 1992), p. 18-19, Richler Fonds Acc. #582/160.8.

O'REILLY, Finbarr, «Richler Stable after Surgery: Author Underwent Kidney Operation», *Globe and Mail* (10 juin 1998).

—, «Richler Undergoing Chemotherapy», *National Post* (30 juin 2001).

OZICK, Cynthia, «Toward a New Yiddish», *Art and Ardor*. New York, Knopf, 1983.

PAPE, Gordon, «After 22 Years Mordecai Richler Is Coming Home», *Hamilton Spectator* (30 juin 1972), Richler Fonds Acc. #582/160.7.

PARIS, Erna, «Memoirs of St. Urbain's Doyenne», *Quill and Quire* (mai 1981), Richler Fonds Acc. #582/160.7.

PERITZ, Ingrid, «About: Province's Reputation», *The Montreal Gazette* (21 septembre 1991), B2-B3, Richler Fonds Acc. #582/50.9.

PERITZ, Ingrid et Tu THANH HA, «Eaton's Shuts its Doors – but Only on Quebec» (samedi, 21 août 1999), www.globetechnology.com/archive/19990821/ UMONTM. html (13 mai 2002).

PERITZ, Ingrid et Tu THANH HA, «Mordecai Richler 1931-2001: "We Will Miss Him Very Much"», *Globe and Mail* (4 juillet 2001), A1, A4.

PETERSEN, Richard L., «Mordecai Richler Then and Now», *Vie en Estrie= Estrie Living Magazine* (octobre-novembre 1986), p. 51-57.

PHILLIPS, Bruce, «Sociological Analysis of Jewish Identity», *Jewish Identity in America*. Gordis and Ben-Horin, dir., p. 3-25.

PILE, Stephen, «All Alone with a Camera Crew», *Daily Telegraph* (17 décembre 1994), 24, Richler Fonds Acc. #680/44.

PLIMPTON, George, «The Quality Lit Game: Remembering Terry Southern», *Harper's*, 303:1815 (août 2001), Ebscohost.

POLIQUIN, Daniel, «Richler's "Unforgivable Sin"», *Globe and Mail* (4 juillet 2001), A13.

—, «St. Urbain's Prodigal Scold», *Maclean's* (24 juin 2002), p. 36, 38.

POLLOCK, Zailig, *A.M. Klein: The Story of the Poet*. Toronto, University of Toronto Press, 1994.

POSNER, Michael, «Celebrating Richler in the City He Loved», *National Post* (21 juin 2002), www.globeandmail.com (25 juin 2002).

—, *The Last Honest Man: Mordecai Richler, An Oral Biography*. Toronto, McClelland and Stewart, 2004.

RABINOVITCH, Jack, «The Man – His Solitude and Fortitude: "We Stared and We Drank"», *National Post* (21 juin 2002), www.nationalpost.com/search/site/ story. asp?id=FB0BE393-3C0E-471B-B0E3-E89D3D1C0D1C (25 juin 2002).

—, «Mordecai My Pal», *Maclean's* (24 juin 2002), p. 24-25.

RAMRAJ, Victor J., *Mordecai Richler*. Boston, Twayne, 1983.

RAVVIN, Norman., *A House of Words: Jewish Writing, Identity, and Memory*. Montreal, McGill-Queen's University Press, 1997.

RENZETTI, Elizabeth, «Sex Matters, in Book Boys and "Chick Lit"—Fact or Fiction?», *Globe and Mail* (5 juillet 1999), C1, Richler Fonds Acc. #680/45.

REYNOLDS, Lindor, «"Just a Charm Ball": Richler the Curmudgeon Still Seeks Perfection», *Winnipeg Free Press* (25 octobre 1997), B1, B10.

RICHLER, Daniel, *Kicking Tomorrow*. Toronto, McClelland & Stewart, 1991.

RICHLER, Daniel, «Such a Great Laugh and a Moral Compass», *Maclean's* (24 juin 2002), p. 42.

RICHLER, Emma, *Feed My Dear Dogs*. Toronto, Random House, 2005.

—, *Sister Crazy*. Toronto, Random House, 2001.

—, «Two or Three Things I Know about Grief», *Maclean's* (24 juin 2002), p. 32-34.

RICHLER, Florence, «A Man Who Enjoyed Loving», *Maclean's* (24 juin 2002), p. 40-42.

RICHLER, Jacob, «Chats with Dad», *National Post* (22 juin 2002), B1, B4.

—, «In the Belly of the Ritz», *Saturday Night*, 110:6 (juillet-août 1995), p. 56-57.

—, « Nick's Place », *Saturday Night*, 113:6 (juillet-août 1998), p. 70.

RICHLER, Leah Rosenberg, « I Pay a Visit to the Beloved Rabbi », *Canadian Jewish Review*, 18:10 (20 décembre 1935), p. 33, 36.

—, « I Pay a Visit to the Beloved Rabbi », *Canadian Jewish Review*, 18:25 (3 avril 1936), p. 7, 56-57.

—, « I Pay a Visit to the Beloved Rabbi », *Canadian Jewish Review*, 18:49 (18 septembre 1936), p. 33-35.

—, « I Pay a Visit to the Beloved Rabbi », *Canadian Jewish Review*, 19:9 (11 décembre 1936), p. 44-45, 48.

—, « I Pay a Visit to the Beloved Rabbi », *Canadian Jewish Review*, 19:24 (26 mars 1937), p. 8-9.

RICHLER, Noah, « The Family business », *National Post Online* (3 avril 2001), www. nationalpost.com/search/story.html?f=/stories/20010403/ (1er juin 2001).

—, « Goa: Land of Fantasy Made Real », *The Plant* (Dawson College Student Paper) (4 septembre 1979), Richler Fonds Acc. #582/162.4.

—, « I Wanted to Do Good for Pa », *National Post* (4 juillet 2001), B1-B2. *Reprint* de « His Balls. » *Fatherhood*. Virago Press, UK, 1992.

—, « My Father, the Fan », *National Post* (22 juin 2002), B1-B3. Aussi publié comme préface de Mordecai Richler, *Dispatches from the Sporting Life.*

—, « Pa's Book List », *Maisonneuve*, 11 (octobre-novembre 2004), www. maisonneuve. org/article.php?article_id=435 (22 avril 2005).

RICHLER, Shmarya (Stuart), « Richler Family Home Page » (19 juin 2002), www.gtr-data.com/richler/richler.htm (25 juin 2002).

ROBERTSON, Terence, *Crisis: The Inside Story of the Suez Conspiracy*. New York, Atheneum, 1965.

ROBINSON, Ira, « Kabbalist and Communal Leader: Rabbi Yudel Rosenberg and the Canadian Jewish Community », *Canadian Jewish Studies*, 1 (1993), p. 41-58.

—, « Letter from the Sabbath Queen: Rabbi Rosenberg Addresses Montreal Jewry, A », *An Everyday Miracle: Yiddish Culture in Montreal*, p. 101-114.

—, « Literary Forgery and Hasidic Judaism: the Case of Rabbi Yudel Rosenberg », *Judaism*, 40 (1991), p. 61-78.

—, « The Tarler *rebbe* of Lo´dz´ and his Medical Practice: Towards a History of Hasidic Life in Pre-First World War Poland », *Polin: Studies in Polish Jewry*, 11 (1998), p. 53-61.

—, « Toward a History of Kashrut in Montreal: The Fight Over Municipal By-Law 828 (1922–1924) », dans *Renewing Our Days: Montreal Jews in the Twentieth Century*. Ira Robinson et Mervin Butovsky, dir., Montreal, Véhicule Press, 1995, p. 30-41.

—, « The Uses of the Hasidic Story: Rabbi Yudel Rosenberg and His Tales of the Greiditzer Rebbe », *Journal of the American Association of Rabbis*, 1 (1991), p. 17-25.

—, Pierre Anctil et Mervin Butovsky, « Introduction », dans *An Everyday Miracle: Yiddish Culture in Montreal*, Ira Robinson, Pierre Anctil et Mervin Butovsky, dir., Montreal, Véhicule Press, 1990, p. 11-21.

ROSENBERG, David, dir., *Congregation: Contemporary Writers Read the Jewish Bible*. New York, Harcourt Brace Jovanovich, 1987.

ROSENBERG, Leah, *The Errand Runner: Reflections of a Rabbi's Daughter*, Toronto, John Wiley and Sons, 1981.

ROSENBERG, Suzanne, *A Soviet Odyssey*. Toronto, Oxford University Press, 1988.

ROSENBERG Souvenir, «HaRav haGaon hamefursam (the well-known Rebbe Yudel Rosenberg)», Seventieth Anniversary Jubilee. Montreal, 1931, p. 5-6, www.rabbiyehudahyudelrosenberg.com/pdf/RR70.pdf (11 mai 2005).

ROSENBERG, Yehuda Yudel, *Kovets Maamar Yehuda : Collected Discourses of Rabbi Yehuda Yudel Rosenberg, Part 1 : Discourse on Tefillin*. Baruch Rosenberg, trad., Thornhill (On.), Eitz Yehuda Publications, 1988.

—, *Kovets Maamar Yehuda : Collected Discourses of Rabbi Yehuda Yudel Rosenberg, Part 2 : Commentary on the Book of Jonah According to the Zohar*. Baruch Rosenberg, trad., Thornhill (On.), Eitz Yehuda Publications, 1989.

ROSKIES, David G., «Yiddish in Montreal : The Utopian Experiment», dans *An Everyday Miracle : Yiddish Culture in Montreal*, Ira ROBINSON et al., dir., p. 22-38.

ROTH, Henry, *Call It Sleep*. New York, Avon, 1934.

ROTH, Philip, *Letting Go*. New York, Bantam, 1962.

—, *Portnoy's Complaint*. New York, Bantam, 1969.

—, «Writing American Fiction», *Commentary*, 31:3 (mars), p. 223-233.

The Novel Today : Contemporary Writers on Modern Fiction. Malcolm Bradbury, dir., Manchester, Manchester University Press, 1977, p. 32-47.

RUBENSTEIN, Richard L., *After Auschwitz : Radical Theology and Contemporary Judaism*. Indianapolis, Bobbs-Merrill, 1966.

RYVAL, Michael, «St Urbain Craftsman», *Financial Post* (avril 1980), p. 56, 58, Richler Fonds Acc. #582/161.1.

SAID, Edward, *The Question of Palestine*. New York, Times Books, 1979.

SAMPSON, Dennis. *Brian Moore : Chameleon Novelist*. Toronto, Doubleday, 1998.

Sanhedrin. Jacob Shachter et H. Freedman, trad., *The Babylonian Talmud*. London, Soncino Press, 1935.

SCHOENFELD, Stuart, «The Religious Mosaic : A Study in Diversity», *From Immigration to Integration*, www.bnaibrith.ca/institute/millennium/millennium11.html.

SCHOLEM, Gershom, «The Idea of the Golem», *On the Kabbalah and Its Symbolism*, Ralph Manheim, trad., New York, Schocken, 1965.

SCHULBERG, Budd. *What Makes Sammy Run?* New York, Penguin, 1941.

SCOTT, Jay, «A Film Made "For Cannes"?», *Globe and Mail* (25 mai 1985), E3, Richler Fonds Acc. #582/157.1.

SCOTT, Peter Dale, «A Choice of Certainties», *Tamarack Review* 8 (été 1958), p. 73-82. Repris dans David Sheps, dir., *Mordecai Richler*, Toronto, Ryerson Press, 1971, p. 58-68.

SHAFFIR, William, «Safeguarding a Distinctive Identity : Hasidic Jews in Montreal», *Renewing Our Days*, Ira Robinson, dir., p. 75-94.

SHAIN, Merle, «Richler : "It's Not Exotic to be Jewish"», *Toronto Telegram* (26 octobre 1968).

SHATZ, Naomi, «#4 Week 1 : Jerusalem», *1998 Israel Trip, Week 1 – Journal*, «2002 Summer Youth Experience In Israel», www.jfed.org/israel/week1.htm (13 juillet 2002).

SHEPS, G. David, dir., *Mordecai Richler*. Toronto, Ryerson Press, 1971.

SHIP, Reuben, *The Investigator: A Radio Play* (1954). «From the Archives», *The Journal for MultiMedia History,* 3 (2000), www.albany.edu/jmmh/vol3/ investigator/ investigator.html (28 aril 2003).

SIBLIN, Eric, «Hard Lesson for Richler», *The Montreal Gazette* (10 septembre 1994), Richler Fonds Acc. #582/162.1.

SINCLAIR, Clive, «Home on the Range», *Times Literary Supplement* (4 novembre 1994), Richler Fonds Acc. #582/160.2.

SINCLAIR, Gorde, «… For Hartwell, Book by Oscar Nominee», *Edmonton Journal* (29 mars 1975), Richler Fonds Acc. #582/156.12.

SKIDMORE, «This Richler Shuns the Light», *The Montreal Gazette* (19 mai 2001).

SLOPEN, Beverley, «Richler's Mother Writes Memoirs to Be Understood», *Montreal Gazette* (3 janvier 1981), p. 41, Richler Fonds Acc. #582/161.4.

SMITH, Doug, «Absolut Richler», *Canadian Dimension,* 31:5 (septembre-octobre 1997), p. 48.

SMITH, Stephen, «Writer's Embarrassment Is a Scholar's Dream», *Globe and Mail* (5 octobre 2002), R6.

STEELE, Charles, dir. *Taking Stock: The Calgary Conference on the Canadian Novel.* Downsview (On.), ECW Press, 1982.

STEINBERG, Sybil S., «Mordecai Richler», *Publisher's Weekly* (27 avril 1990), p. 45-46, Richler Fonds Acc. #582/159.1.

STEVENSON, Garth. *Community Besieged: The Anglophone Minority and the Politics of Quebec.* Montreal, McGill-Queen's University Press, 1999.

STEYN, Mark, «In the Shadow of His Balls», *National Post* (5 juillet 2001).

—, «Mordecai Richler, 1931-2001», *New Criterion* (septembre 2001), p. 123-128.

STYRON, William, «Transcontinental with Tex», *Paris Review,* 38:138 (printemps 1996), p. 215-226.

SYMONS A.J.A, *Essays and Biographies,* London, Cassell, 1969.

—, *The Quest for Corvo.* East Lansing, Michigan State University Press, 1955 (1934).

SYMONS, Julian, «War and Pieces», *New Criterion* (janvier 1992), p. 73-75.

THACKER, Robert, *Alice Munro: Writing Her Lives.* Toronto, McClelland & Stewart, 2005.

Times Educational Supplement, «Never Again», 17 avril 1959, Richler Fonds Msc 36.40.14.

Today Magazine, «Beginnings: Mordecai Richler», *The Montreal Gazette* (17 juillet 1982). Richler Fonds Acc. #582/160.8.

TOYNBEE, Philip, «*Cocksure*», dans David SHEPS, dir., *Mordecai Richler,* Toronto, Ryerson Press, 1971, p. 106-109.

TRILLING, Lionel, «Introduction to the First English Translation (1995) of Isaac Babel's *Collected Stories.* rpt. Babel», *Collected Stories,* trad. McDuff.

VANDERHAEGHE, Guy, Interviewé par Sandra Martin, «A Very Courageous Writer», *Globe and Mail* (4 juillet 2001), R5.

VALLIÈRES, Pierre, *White Niggers of America.* Joan Pinkham, trad., Toronto, McClelland and Stewart, 1971.

VESPA, Mary, «Bestselling Mordecai Richler Found There Was Room at the Top», *People* (25 août 1980), p. 74, Richler Fonds Acc. #582/154.2.

VOLTAIRE. *Candide ou l'optimisme*. New York, Bantam, 1962 (1761).

WEDMAN, Les, «Canada Should Can Cannes», *Vancouver Sun* (1ᵉʳ mai 1974), Richler Fonds Acc. #582/155.1.

WEINFELD, Morton, «The Jews of Quebec: An Overview», dans *The Jews in Canada*. Robert BRYM, William SHAFFIR et Morton WEINFELD, dir., Toronto, Oxford University Press, 1993, p. 171-192.

WEINTRAUB, William, *Getting Started: A Memoir of the 1950s*. Toronto, McClelland & Stewart, 2001.

—, «Callow, Courageous», *Maclean's* (24 juin 2002), p. 30.

WEISBROD, Merrily, et Tanya Tree, *Ted Allan: Minstrel Boy of the Twentieth Century* [Film]. Montreal, National Film Board of Canada, 2002.

WELBOURN, Patricia, «I Get Up at 10 a.m.—That Is What Life Is All About», *Montreal Star Weekend Magazine* (5 juillet 1969), p. 6, Richler Fonds Msc 36.54.14.

WELLS, Paul, «Polemic on Language Laws Still Resonates», *National Post*, 4 juillet 2001, A4.

WHEATCROFT, Andre, *Infidels: A History of the Conflict between Christendom and Islam*. New York, Penguin, 2003.

WHITTAKER, Stephanie, «Memories but No Mourning for a Famous Byng Old Boy», *The Montreal Gazette* (16 février 1980).

WIESEL, Eli, *Night*. Stella Rodway, trad., New York, Bantam, 1958.

WILSON-SMITH, Anthony, «Mordecai Remembered», *Maclean's* (24 juin 2002), p. 20.

—, «On Safari in the Townships: Where but in Quebec's Eastern Townships Would Jacques Parizeau Be Found Lunching with Mordecai Richler?», *Maclean's*, 111:14 (6 avril 1998), p. 13.

WOODCOCK, George, *Mordecai Richler*. Toronto, McClelland & Stewart, 1971.

YANOFSKY, Joel, *Mordecai and Me: An Appreciation of a Kind*. Calgary, Red Deer Press, 2003.

Zohar. Vol. 1 et 2, Harry Sperling et Maurice Simon, trad., London, Soncino Press, 1934.

ZOSKY, Brenda, «Private Richler a One-Man Army», *The Montreal Gazette* (7 novembre 1981), p. 41.

Œuvres de Mordecai Richler

Livres en anglais

The Acrobats. London, World Distributors, 1954.

The Apprenticeship of Duddy Kravitz. Markham (On.), Penguin, 1959.

Barney's Version. Toronto, Alfred A. Knopf, 1997.

Belling the Cat: Essays, Reports and Opinions. Toronto, Alfred A. Knopf, 1998.

Broadsides: Reviews and Opinions. Markham (On.), Viking Penguin, 1990.

A Choice of Enemies. Toronto, McClelland & Stewart, 1957.

Cocksure. Toronto, Bantam, 1968.

Dispatches from the Sporting Life. Toronto, Alfred A. Knopf, 2002.

Home Sweet Home: My Canadian Album. Markham (On.), Viking Penguin, 1984.

Hunting Tigers Under Glass. Toronto, McClelland & Stewart, 1968.

Images of Spain (photographs Peter Christopher). New York, W.W. Norton, 1977.

The Incomparable Atuk. London, Panther, 1963.

Jacob Two-Two and the Dinosaur. Toronto, Tundra, 1987.

Jacob Two-Two Meets the Hooded Fang. Toronto, Bantam, 1975.

Jacob Two-Two's First Spy Case. Toronto, Tundra, 1995.

Joshua Then and Now. Toronto, McClelland & Stewart-Bantam, 1980.

Notes on an Endangered Species. New York, Alfred A. Knopf, 1974.

Oh Canada! Oh Quebec! Requiem for a Divided Country. Toronto, Penguin, 1992.

On Snooker. Toronto, Alfred A. Knopf, 2001.

Shovelling Trouble. Toronto, McClelland & Stewart, 1972.

Solomon Gursky Was Here. Markham (On.), Penguin, 1989.

Son of a Smaller Hero (1955). Toronto, McClelland & Stewart, 1965.

The Street. Toronto, McClelland & Stewart, 1969.

St. Urbain's Horseman (1971). Toronto, McClelland & Stewart, 1985.

This Year in Jerusalem. Toronto, Alfred A. Knopf, 1994.

Livres traduits en français

L'apprentissage de Duddy Kravitz, 1998, [Saint-Laurent]: BQ, impression 1998.

L'apprentissage de Duddy Kravitz, 1976, Montréal: CLF, 1976.

L'apprentissage de Duddy Kravitz: Roman, 1960, Paris: Julliard, [c1960].

Un cas de taille: roman, 1998, Montréal [etc.]: Balzac-Le Griot, impression 1998.

Le cavalier de Saint-Urbain: roman, 2005, Paris: Buchet Chastel, impression 2005.

Un certain sens du ridicule: essais, 2007, [Montréal]: Boréal, impression 2007.

Le Choix des ennemis, 1955, Paris: Seuil, [1955].

Le choix des ennemis: roman, 1959, Paris: Éditions du Seuil, [1959].

Les cloches d'enfer, 1974, [Montréal]: Leméac, 1974.

Gursky: [roman], 1992, [Paris]: Calmann-Lévy, impression 1992.

Jacob Deux-Deux et le dinosaure: roman, 1987, Vieux-Montréal: Québec/Amérique, cop. 1987.

Jacob Deux-Deux et le vampire masqué, 1977, Montréal: CLF, 1977.

Jacob Deux-Deux et le vampire masqué: roman, 2001, Saint-Laurent: Éditions Pierre Tisseyre, impression 2001.

Joshua: roman, 2004, Paris: Buchet-Chastel, impression 2004.

Joshua au passé, au présent: roman, 1989, Montréal: Quinze, cop. 1989.

Mon père, ce héros, 1975, Montréal: Cercle du livre de France, 1975.

Le monde de Barney: roman, 2001, Paris: Librairie générale française.

Le monde de Barney: roman, 1999, Paris: Albin Michel.

Oh Canada! Oh Québec!: requiem pour un pays divisé, 1992, Candiac: Éditions Balzac, impression 1992.

Qui a peur de Croquemoutard?, 1996, [Paris]: Hachette jeunesse.

Rue Saint-Urbain: roman, 2002, [Saint-Laurent]: Bibliothèque québécoise.

Rue Saint-Urbain, 1969, Montréal,: Editions HMH.

Survivre, etc--, 2008, [Montricher, Suisse]: Anatolia.

Collectifs

The Best of Modern Humor. New York, Alfred A. Knopf, 1983.

Canadian Writing Today. Harmondsworth, Middlesex, Penguin, 1970.

Writers On World WarII: An Anthology. New York, Penguin, 1991.

Textes inédits

Back to Ibiza [1977], Richler Fonds Acc. #582/65.4.

The Rotten People, août 1951, Tourrettes-sur-loup, Richler Fonds Acc. #582/102.7-8.

Nouvelles

«Eating», *The Montrealer* (novembre 1958).

«Fool's Gold», *Saturday Night* (janvier 1989).

«The Greening of Hersh», *Chatelaine*, 44:5 (mai 1971), p. 38, 58-60.

«Manny Moves to Westmount», *Saturday Night* (janvier-février 1977), p. 29-36.

«Mortimer Griffin, Shalinsky, and How They Solved the Jewish Problem», *Tamarack Review* 7 (printemps 1958).

«The Secret of the Kugel», *The Montrealer* (novembre 1957), p. 22-23 (Parue pour la première fois dans the *New Statesman*, 1956).

«Shades of Darkness (Three Impressions)», *Points*, 8 (décembre 1950-janvier 1951), p. 30-34.

«St. Urbain's Horseman», *Tamarack Review*, 41 (automne 1966), p. 137-142, 145-150, 153-156, 159-160.

«Wally Sylvester's Canadiana», *Tamarack Review*, 17 (automne 1960), p. 27-32.

«You Wouldn't Talk like That if You Were Dead», *The Montrealer* (décembre 1958), p. 49-56.

Scénarios radiophoniques et télévisuels

The Acrobats. CBC Radio, 21 octobre 1956.

The Acrobats. CBC-tv, 13 janvier 1957.

The Apprenticeship of Duddy Kravitz. CBC-tv, 10 avril 1960.

The Apprenticeship of Duddy Kravitz. Scénario de Richler et Lionel Chetwynd, Réal., Ted Kotcheff, Prod., John Kemeny, 1974.

«The Bells of Hell», *Toronto Life* (février), p. 40-55.

Benny, the War in Europe, and Myerson's Daughter Bella. CBC Radio, 10 décembre 1958.

Faces in the Dark. (Pseud. Ephraim Kogan). Dir. David Eady, Prod. Jon Penington, 1960.

The Fall of Mendel Krick. Scénario tv, adapté par Richler de Isaac Babel, «Sunset», Joe Melia, trad., BBC-tv, 17 février 1963, Richler Fonds Acc. #680/26.6.

A Friend of the People. Émission tv, CBC-tv, 26 mai 1957, Richler Fonds Msc 36.38.9.

Fun with Dick and Jane. Scénario de Richler, David Giler et Jerry Belson, basé sur la nouvelle de Gerald Gaiser, réal., Ted Kotcheff, prod. Peter Bart et Max Palevsky, 1977.

Harry Like the Player Piano. Émission tv non-produite, Richler Fonds Msc 36.38.12.

The House of Bernarda Alba. Émission tv, adaptée par Richler à partir du scénario de Federico Garcia Lorca, Dir. William [Ted] Kotcheff, abc-tv Manchester, 22 juin 1958, Richler Fonds Msc 36.38.15.

Insomnia Is Good For You. Avec Lewis Greifer. Brève comédie (26 minutes). Dir. Leslie Arliss, 1957.

It's Harder to Be Anybody. CBC Radio, 7 novembre 1965.

Jacob Two-Two Meets the Hooded Fang. Scénario de Richler et Theodore Flicker, réal., Theodore Flicker, prod. Mychèle Boudrias, 1979.

Joshua Then and Now. Réal., Ted Kotcheff, prod., Robert Lantos, Julian Marks, and Stephen Roth, 1985.

Life at the Top. Basé sur la nouvelle de John Braine, Réal., Ted Kotcheff, prod., James Woolf et William Kirby, 1965.

Night of Wenceslas. Scénario inédit, 30 janvier 1963. Richler Fonds Msc 36.34.7.

No Love for Johnnie. Scénario de Nicholas Phipps et Richler, basé sur le livre de Wildred Fienburgh, réal., Ralph Thomas, prod. Betty Box, 1961.

Paid in Full (ou *For Services Rendered*). Réal., William [Ted] Kotcheff, Armchair Theatre, ABC-tv, Manchester, 18 mai 1958, 90 minutes, Richler Fonds Msc 36.39.8.

«Q Is for Quest», CBC, 30 mai 1961, Richler Fonds Msc 36.40.15.

Reinhart's Women. Scénario original, 1982, Richler Fonds Acc. #582/105.4.

Room at the Top. Scénario de Neil Paterson, dialogues de Richler, basé sur la nouvelle de John Braine, réal., Jack Clayton, prod., Raymond Anzarut, James Woolf, and John Woolf, 1959.

Some Grist for Mervyn's Mill. ATV, 1er juillet 1963.

The Spare Room. CBC Radio, 4 juin 1961.

The Street. Film d'animation, dir. Caroline Leaf, 1976.

Such Was St. Urbain Street. CBC Radio, 27 septembre 1966.

Tiara Tahiti. Scénario de Geoffrey Cotterell et Ivan Foxwell, dialogues additionnels de Richler, réal., Ted Kotcheff, prod., Ivan Foxwell, 1962.

A Tram Named Elsie. Scénario inédit, [1955?]

The Trouble with Benny. ABC-tv, Manchester, 12 avril 1959.

The Wild and the Willing. Scénario de Richler et Nicholas Phipps, basé sur *The Tinker* de Laurence Dobie et Robert Sloman, réal., Ralph Thomas, prod. Betty Box [released 1965, titre américain: *Young and Willing*], 1962.

The Wordsmith. CBC-tv, 1979.

Sélection d'émissions journalistiques (télévision)

«Assignment»: *Oh Canada! Oh Quebec!*. BBC (West One tv), 29 septembre 1992, vidéocassette, Richler Fonds Acc. #582/153.1.

People of Our Time: Coming Home Again. CBC-tv. 1er septembre 1975.

«Mordecai Richler Was Here», CBC Archives, archives.cbc.ca/IDD-1-68753/arts_entertainment/mordecai_richler/ (12 mai 2005).

This Hour Has Seven Days. Entrevue de Lord Thompson. CBC-tv. 21 novembre 1965.

« Mordecai Richler Was Here », CBC Archives, archives.cbc.ca/IDD-168-753/arts_entertainment/mordecai_richler/ (11 mai 2005).

Sélection d'articles

« Afterword », Mavis Gallant. *The Moslem Wife and Other Stories*. Toronto, McClelland and Stewart, 1994. « The Aging of Mordecai Richler », *Weekend Magazine* (27 novembre 1971), p. 12-14, Richler Fonds Acc. #582/163.1.

« The Anglo-Saxon Jews », *Maclean's* (8 septembre 1962), p. 18-19, 34-44. Repris de « This Year in Jerusalem », *Maclean's*, 11, 25 août, 8 septembre 1962.

« Anyone with a Thick Accent Who'd Steal Milk Money from Little Children Can't Be All Bad », *Maclean's* (4 avril 1964), p. 52.

« The Apprenticeship of Mordecai Richler », *Maclean's* (20 mai 1961), p. 21, 44-48.

« The Apprenticeship of Playwright Richler », *GQ* (janvier 1988), p. 85-88.

« As Great Leaps Forward Go, Laurin Ranks between Stumble and Pratfall », *Maclean's*, 91:14 (10 juillet 1978), p. 58.

« Award of the State », *Saturday Night*, 115:1 (février 2000), p. 78.

« Backbenchers and Youthquakers », *New Criterion*, 15:10 (juin 1997), p. 39f.

« Bad boys », *Saturday Night*, 115:2 (mars 2000), p. 78.

« Be It Ever so (Increasingly) Humble, There's No Place like Home », *Maclean's*, 91:16 (7 août 1978), p. 54, Richler Fonds Acc. #582/50.9.

« Bedlam in Bytown : A Disillusioned Account of Grey Cup Week—to Say the Least », *Star Weekly Magazine* (23 décembre 1967), p. 20-27.

« Blowing Smoke », *Saturday Night*, 113:3 (avril 1998), p. 29.

« Bones to Pick : There's Not Much Else to Do in Montreal These Days », *Saturday Night*, 110:7 (septembre 1995), p. 29.

« Buzz a Mountain... », *Esquire* (mai 1976), p. 95, 152-153, Richler Fonds Acc. #582/125.2.

« Canada : An Immensely Boring Country—Until Now », *Life* (9 avril 1971).

« Canadian Candour », *Sunday Times* (9 février 1959).

« Canadian Conundrums », The Stanley Knowles Lecture, University of Waterloo (23 mars 1999), www.arts.uwaterloo.ca/ECON/needhdata/richler.html (22 août 2001).

« A Canadian in Paris », *GQ* (décembre 1984), p. 64, 68.

« Cat in the Ring », *Spectator* (13 octobre 1961), p. 510, Richler Fonds Acc. #582/163.7.

« Citizen Bane », *Saturday Night* (octobre 1994).

« Clash of the Titans (Observations on Canada's Rich, as Told by Peter Newman...) », *Saturday Night*, 114:1 (février 1999), p. 29.

« A Clear and Present Danger », *Saturday Night* (février 1996).

« A Close Look at the Sexy Mannings », *National Post* (21 novembre 1998).

« Company of Men (Trashy British Magazines Cater Mostly to Men) », *Saturday Night*, 112:8 (octobre 1997), p. 29.

« A Corporation That Is Hearing Footsteps », *Time* [1974 ?], Richler Fonds Acc. #582/163.3.

« Cures for Homesickness », *Saturday Night* (juillet 1967), p. 19-22, Richler Fonds Acc. #680/33.24.

« A Day in the Life », *Weekend Magazine* (11 mars 1978), p. 9.

« The Declaration of Dependence », *Book Week* (31 octobre 1965), p. 2.

« The Delicious Secrets of Spies and Priests », *National Post* (20 novembre 1999).

« Does Strapping... or Getting the Biffs, as They Called It at Baron Byng... Produce in the Subject a Feeling of Deep Gratitude ? », *Saturday Night* (mars 1969), p. 49.

« Dog Days (London Letter) », *The Montrealer* (mars 1959), p. 31.

« Don't Cry for Spoiled Farmers », *National Post* (28 avril 2001).

« Don't Look to Writers for Morality Lessons », *National Post* (5 mai 2001).

« Don't Spoil a Good Case by Exaggeration », *Community* (avril 1971), p. 5, Richler Fonds Acc. #582/124.13.

« Down and Up in Paris », *Geo* (août 1984), p. 22, Richler Fonds Acc. #582/125.6.

« Endure, Endure : The Man From St. Urbain discovers the West », *Maclean's* (mars 1971), p. 48-60.

« England Swings : And Not Just from Right to Left », *Saturday Night*, 112 : 2 (mars 1997), p. 29.

« Evelyn Waugh Revisited », *GQ* (septembre 1984), p. 140.

« The Fighting Tigers Tamed », *Saturday Night* (17 mars 1962), p. 44.

« Fighting Words », *New York Times* (1er juin 1997).

« Finding the Faith in Marv's Holy Land », *National Post* (3 mars 2001).

« "Five of the Best" Should Earn Me Millions », *National Post* (10 mars 2001).

« Foreword », *The Best of Modern Humor*. Mordecai Richler, dir., New York, Knopf, 1983, p. xiii–xxix.

« Foreword », *Writers On World War II : An Anthology*. Mordecai Richler, dir., New York, Penguin, 1991, p. xix–xxix.

« French Kiss-Off : Yes or No, Quebec's Anglophones Are Still in for a Nasty Time », *Saturday Night*, 110 : 3 (aril 1995), p. 31.

« The French, the English, the Jews... and What's Bugging Everybody », *Maclean's* (22 août 1964), p. 10-11, 39-42.

« God's Straight Man : Was Job the Butt of God's Biggest Joke ? », *Saturday Night*, 114 : 7 (septembre 1999), p. 75-76, 78.

« Goldberg, Gogarty and Ko », *The Montrealer* (septembre 1961), p. 20-21.

« Good Fight : The Heroes of the Second World War Should Be Remembered, Not Remaindered », *Saturday Night*, 111 : 5 (juin 1996), p. 27.

« Gotta Love That Big-Hearted Little Guy », *National Post* (31 mars 2001).

« Goy to the World : Pass the Turkey and the Chopped Liver Too », *Saturday Night*, 111 : 10 (décembre 1996-janvier 1997), p. 41.

« Having My Lox and Being Pope Too », *Saturday Night*, 110 : 2 (décembre 1994-janvier 1995), p. 46.

« Hitting Home », *Saturday Night* (décembre 1997).

« Home Thoughts », *The Canadian* (14 août 1976), p. 5-7.

« How a Good, Honest Writer Was Ruined by the Schemes of a Publisher Hungry for Publicity », *Saturday Night* (septembre 1968), Richler Fonds Msc 36.

« How Duddy's Daddy Did It », *New York Magazine* (29 juillet 1974), p. 50-52, Richler Fonds Acc. #582/154.2.

«How I Became an Unknown with My First Novel», *Maclean's* (1 février 1958), p. 19, 40-41.

«If Austin C. Clarke Doesn't Appear on *Front Page Challenge* Does This Prove Prejudice?», *Saturday Night* (novembre 1969), p. 68.

«If Flying Doesn't Kill Me, the Scotch Beef Might», *National Post* (3 février 2001).

«In for a Penny, in for a Pound», *National Post* (7 avril 2001).

«In His Own Words», *The Montreal Gazette* (4 juillet 2001). Repris de «Going Back: St. Urbain St. revisited», *The Montreal Gazette* (27 septembre 1998).

«In Review» [André Malraux, *The Conquerors*], *The Montrealer* (février 1958).

«In the Eye of the Storm», *Maclean's* (1992), p. 28-30.

«"The Innocents Abroad" or the new pilgrim's progress», *New Criterion*, 14:9 (mai 1996), www.newcriterion.com/archive/14/may96/richler.htm (11 juin 2001).

«Inside/Outside», *New Yorker* (23 septembre 1991), p. 40-92.

«Inside Stuff», *Spectator* (22 septembre 1961), p. 395.

«Bambinger», *Montreal Mon Amour*. Michael Benazon, dir., Toronto, Deneau, 1989.

«Introduction», *Canadian Writing Today*. Harmondsworth, Middlesex, Penguin, 1970.

«Introduction: Remembering Nick», *Nick: A Montreal Life*. Dave Bist, dir., Montreal, Véhicule Press, 1998. «Introduction», *The Street*. Toronto, Penguin, 1985.

«Invasion of the Organ-Snatchers: with Truth like This, Who Needs Satire?», *Saturday Night*, 110:6 (juillet-août 1995), p. 34.

«Is This the Twilight of the Age of Prurience?», *Saturday Night* (novembre 1971), p. 57.

«Isaac Babel», 29 janvier 1967, Richler Fonds Msc 36.44.15-16.

«It Was Fun to Be Poor in Paris», *Maclean's* (6 mai 1961), p. 16-17, 49-52.

«It's a Great Honor, but You Shouldn't Have Done It (Really Wish You Hadn't!)», *Maclean's* (20 mars 1978), p. 67.

«King Saul», *National Review*, 46:14 (1er août 1994) [8/1/94], p. 58f.

«Liberace and tv», *The Montrealer* (décembre 1956), p. 64-66.

«The Life and Times of Detective Inspector Greenberg, *Saturday Night*, 86:1 (janvier 1971), p. 20-24. «London Province», *Encounter* (juillet 1962), p. 40-44, Richler Fonds Acc.#582/124.16.

«Low Life in High Office», *Saturday Night*, 112:3 (avril 1997), p. 37.

«Major General Boredom: Richard Rohmer Has Just Committed Another Novel, so to Speak», *Saturday Night*, 110:9 (novembre 1995), p. 43-44.

«The Man Behind the Mania: A Twenty-Year Conversation with Pierre Trudeau», *Saturday Night* (23 septembre 2000).

«A Man for Today: Why We Need Him», *Star Weekly Magazine* (2 mars 1968), p. 3-7, Richler Fonds Acc. #582/163.7.

«Memories of Brian Moore», *Saturday Night*, 114:2 (mars 1999), p. 45-46.

«Mideast Quagmire Full of Blood and Half-Truths», *National Post* (24 mars 2001).

«The Miller's Tale», *Spectator* (8 octobre 1965), p. 451.

«Montreal or Bust: Here's How to Save the Country: Move the Capital from Dreary Ottawa to a Real City», *Saturday Night*, 111:8 (octobre 1996), p. 49.

«Mordecai Richler», *Leaving School. London Magazine Editions* 6/6. London, Alan Ross, 1966, p. 137-150.

«Mordecai Richler on Snooker», *Saturday Night* (21 et 28 juillet 2001), p. 16-26.

«More Brilliancy from the PQ Brain Trust: Conversations in English Could Only be Half as Loud as Those in French», *National Post* (3 juin 2000).

«More Trouble for God's Chosen People», *National Post* (21 avril 2001).

«My Life as a Racist», *Globe and Mail* (16 février 1993), Richler Fonds Acc. #582/163.5.

«My Year in Canada», *Weekend Magazine* (27 septembre 1969), p. 5-6.

«A New Introduction», Erich Maria Remarque, *All Quiet on the Western Front [Im Westen Nicht Neues*, 1928]. A.W. Wheen, trans., Boston, Little, Brown, 1986 (1929).

«The New Yorker, Quebec, and Me», *Saturday Night* (mai 1992), p. 17f.

«Niagara-on-the-Make», *Saturday Night*, 112:7 (septembre 1997), p. 48-52, 54f.

«No More Absinthe on the Left Bank», *Books and Bookmen* (avril 1956), p. 9.

«The North American Pattern», *The New Romans: Candid Canadian Opinions of the U.S.* Al Purdy, dir., Edmonton, Mel Hurtig, 1968, p. 12-15.

«Not keeping Up with the Verners», *National Post* (14 avril 2001).

«A Noted Film Writer Shatters the Great Canadian Movie Myth», *Star Weekly Magazine* (3 février 1968), p. 12-15, Richler Fonds Acc. #582/163.1.

«Now if only Cheever, Bellow or Singer Could be Useful like Arthur Haley…», *Maclean's*, 92:4 (22 janvier 1979), p. 41.

«O God! O Hollywood!», *New York Times* (18 mai 1975), p. 18, 22-24, 28, 30, 35-6, Richler Fonds Acc. #582/155.2.

«O Israel, Quebec and Canada, I Stand on Guard for Ye!», *Maclean's*, 91:12 (12 juin 1978), p. 68.

«Odd Testament», *Saturday Night*, 113:4 (mai 1998), p. 33.

«Oh Canada: Lament for a Divided Country», *Atlantic Monthly* (décembre 1977), p. 41-55, Richler Fonds Acc. #582/6.45.

«One Good Man», *Saturday Night*, 110:2 (mars 1995), p. 32.

«Our Place in History (Canadian Connections to Historical Events)», *Saturday Night*, 113:10 (décembre 1998), p. 27.

«Overstating the Case to be Made for Israel», *National Post* (17 mars 2001).

«A Paris Perspective», *Signature* (mars 1983), p. 85-87, 107-112.

«The Park Plaza», *Toronto Life* (avril 1982), p. 32, 64, 66, Richler Fonds Acc. #582/129.23.

«Penury from Heaven», *Saturday Night*, 113:6-7 (juillet-août 1998), p. 35.

«P.E.T. (Pierre Elliot Trudeau) Theories», *Saturday Night*, 113:9 (novembre 1998), p. 41.

«Playing the Circuit» *Creativity and the University: The Gerstein Lectures; 1972.* David N. Weisstub, dir., Toronto, York University Press, 1975.

«Pleasures of His Co», *Saturday Night*, 113:8 (ocotobre 1998), p. 47.

«Political Promises and Other Works of Fiction», *National Post* (24 février 2001).

«Poor Winners: We Won the War, so Why Are We Apologizing?», *Saturday Night*, 110:4 (mai 1995), p. 35.

«Pop Goes the Island», *Commentary*, 5:39 (mai 1965), p. 67-70.

«A Pure Laine Roller Coaster Ride», *National Post* (23 décembre 2000).

«Rags to Wretches (Souvenirs of an Indisputably Great Writer's Life Are Worth Almost Nothing)», *Saturday Night*, 113:2 (mars 1998), p. 25.

«Reader's Choice: Hip Humor or Square», *Star Weekly Magazine* (2 mars 1968), p. 44.

Compte rendu de *Bronfman Dynasty: The Rothschilds of the New World*, par Peter C. Newman, *Book-of-the-Month Club News* (décembre 1978), p. 2-4.

«Richler for PM—Just Think about It», *National Post* (21 octobre 2000).

«Richler Responds» («Mark Abley Is a Familiar Type to Me»), *The Montreal Gazette* (4 juillet 1996), B3, Richler Fonds Acc. #680/44.

«Russia's Lost Century», *Saturday Night*, 114:3 (avril 1999), p. 39.

«School Days, Not so Golden Rule Days», *Professionally Speaking* (mars 1999), www. oct.ca/english/ps/march_1999/richler.htm (25 juin 2002).

«Screen Testy (Screen Writing)», *Saturday Night*, 112:9 (novembre 1997), p. 37.

«Seek and Ye Shall Score (God Wants You to Be Rich, by Paul Zane Pilzer)», *Saturday Night*, 112:5 (juin 1997), p. 29.

«Son's Prayers», *Saturday Night*, 114:6 (juillet-août 1999), p. 37.

«Snub», *Saturday Night*, 111:3 (avril 1996), p. 30

«Stormy Weather: Unemployment Goes Up. Rain Comes Down. The PQ Connects the Dots», *Saturday Night*, 111:9 (novembre 1996), p. 37.

«The Style and Substance of Pierre Trudeau», *Times Literary Supplement*, 4749 (8 avril 1994), Richler Fonds Acc. #680/31.24.

«Summer of My Discontent», *Saturday Night*, 111:7 (septembre 1996), p. 31.

«Supposed Grief, Supposed Journalism», *National Post* (14 octobre 2000).

«Surly Genius», *Saturday Night*, 114:5 (juin 1999), p. 39.

«The Survivor», *Spectator* (25 janvier 1965), Richler Fonds Acc. #582/163.7.

«Talking Dirty», *Saturday Night*, 113:1 (février 1998), p. 35.

«The Temptation Is Great, Sometimes, to Line Up with the "Sexual Oppressors"», *Maclean's*, 91:18 (4 septembre 1978), p. 57, Richler Fonds Acc. #582/163.5.

«They'd Kill for a Cigarette: Are Smoke-Free Prisons Really Such a Good Idea?», *Saturday Night*, 110:10 (décembre 1995-janvier 1996), p. 45.

«This War Is unlike Any That's Gone Before: Clinton Has Promised His Air Crews a Tax Holiday for as Long as They Serve [sic]», *National Post* (1er mai 1999).

«The Three-Cognac Lunch», *Saturday Night* (juin 1995).

«Trouble in Tinseltown», *Saturday Night*, 110:1 (février 1995), p. 32.

«The Trouble with Rabbi Feinberg Is He's Just too Palatable», *Maclean's* (25 juillet 1964), p. 46.

«Tundra Man Heads for the Sun», *Telegraph Weekend Magazine* (1990 ou 1991?), p. 23-28.

«T.V., Tension, and the Teddy Boys», *The Montrealer* (novembre 1956), p. 52-54.

«The Universe of Hatred», *Spectator* (2 septembre 1966), p. 290.

«We Jews Are Almost as Bad as the Gentiles», *Maclean's* (22 octobre 1960), p. 10, 78-79, 80.

«Where It All Began: has the Swing Lost Its Zing?», *Maclean's* (20 août 1966), p. 14, 26-28, Richler Fonds Acc. #582/163.4.

«Who Is a Jew?», *Montreal Star* (23 mai 1970), p. 3.

«Why I Hate *Schindler's List*», *Saturday Night* (juin 1994), p. 34, 68.

«A With-It Professor Proudly Wearing a Nehru Jacket Is the Academic Equivalent of a Fat Old Woman Dressed in a Bikini», *Saturday Night* (février 1969), p. 45-46.

«Would Canadian Coupon-Clippers Give the People a Better Deal than American Coupon-Clippers?», *Weekend Magazine* (26 juin 1971), p. 4f, Richler Fonds Acc. #582/163.8.

«Write Stuff: Novelists Are a Disagreeable Bunch. We Have Our Reasons», *Saturday Night*, 112:1 (février 1997), p. 41.

«Writing *Jacob Two-Two*», *Canadian Literature*, 78 (automne 1978), Richler Fonds Acc. #582/18.38. Repris de Richler, «Once upon a Time, a Writer Told His Kids…», *The Montreal Gazette* (3 mars 1979), p. 51, Richler Fonds Acc. #582/156.12.

«You're Never too Dumb to be a Politician», *National Post* (17 février 2001).

Contributions diverses

«Como Conversazione: A Conversation on Literature and Comedy in Our Time», *Paris Review*, 37:136 (Fall 1995), Richler Fonds Acc. #680/29.1.

«From Mordecai with Love and Laughter» [télécopies photocopiées], *National Post* (22 juin 2002), B6-B7.

Individual Presentation to the Parliament of Canada's Standing Committee on External Affairs and International Trade, 18 novembre 1987, 39:45-39:65, Richler Fonds Acc. #582/162.3.

«Involvement: Writers Reply», *London Magazine* (août 1968), p. 5-6, Richler Fonds Acc. #582/126.1.

Entrevues de Mordecai Richler

AIKEN, D.L., «Mordecai Left His "Id" Behind», *Winnipeg Tribune* (23 octobre 1971).

ALLEN, Ted, «Novelists Are Not Naders, Richler Says», *Winnipeg Tribune* (20 octobre 1971).

ANDERSON, Jon, «Richler Gets Personal about Writing», *Chicago Tribune* (9 octobre 1986), Richler Fonds Acc. #582/5.51.

ASHWELL, Keith, «From a Sparse Heritage to a Room at the Top», *Edmonton Journal* (13 mars 1970), p. 71.

BEKER, Marilyn, «Mordecai Richler: Where Would We Be without Him?», *Saturday Gazette* (29 mai 1971), p. 45, Richler Fonds Msc 36.55.1.

BERMANT, Chaim, «Canada's Dry Wit», *Jewish Chronicle* (1er mars 1996), p. 23, Richler Fonds Acc. #680/44.

BROWN, Laurie, «Mordecai Richler Was Here», CBC Newsworld, *On the Arts*, 1997, www.cbc.ca/MRL/clips/ram-newsworld/brown_richler010703.ram, CBC Archives, «Mordecai Richler Was Here», 18 mai 2005.

BROWNE, Lois, «Richler Says Canadian Artists Have "Sympathetic Environment"», *Brandon Sun* (3 mars 1970).

CAMERON, Donald, *Conversations with Canadian Novelist −2*. Toronto, Macmillan, 1973 [version inédite de la même entrevue dans Richler Fonds Msc 36.54.1].

CBC Infoculture, «Mordecai Richler on His Latest Book, *Barney's Version*», *On the Arts* (20 juillet 1998), www.infoculture.cbc.ca/archives/bookswr/ bookswr_06201998_barneysversion.html (6 juin 2001).

Cinema Canada (mai 1985), p. 18-20, Richler Fonds Acc. #582/157.2.

CSILLAG, Ron, «Richler», *Canadian Jewish News* (2 avril 1992), p. 4.

DANSEREAU, Patrice, et André BEAUDET, «Mordecai Richler: Un témoin honnête de son temps», *L'impossible* (septembre 1992), p. 87-95, Richler Fonds Acc. #582/125.13.

DAVIES, Stan, «London Letter», *Saturday Night* (novembre 1964), p. 13, Richler Fonds Msc 36.54.14.

DUHM-HEITZMANN, Jutta, «Provokateur aus Passion, Portrait: Mordecai Richler», *Zeit Magazin* (2 octobre 1992), p. 28, 30, Richler Fonds Acc. #582/161.1.

FINDLAY, Mary Lou, *Sunday Morning*, CBC Radio, 29 octobre 1989, «Mordecai Richler Was Here», CBC Archives, archives.cbc.ca/IDD-1-68-753/arts_enter tainment/ mordecai_richler/ (13 mai 2005).

Five-cent reviews (décembre 1968), p. 16-17, Richler Fonds Msc 36.54.3.

FOSTER, William, «The Return of Mordecai Richler», *The Scotsman* (4 Sept. 1971).

FOX, Sue, «Relative Values» [entrevue de Mordecai et Martha Richler], *The Sunday Times Magazine* (7 décembre 1997), p. 9-10, Richler Fonds Acc. #680/45.1.

FRUM, Barbara, *The Journal*, CBC-tv, 19 novembre 1987, «Mordecai Richler Was Here», CBC Archives, archives.cbc.ca/IDD-1-68-753/arts_entertain ment/mordecai_richler/ (18 mai 2005).

FULFORD, Robert, *This Is Robert Fulford*, CBC Radio, 23 juillet 1968, CBC Archives, archives.cbc.ca/IDD-1-68-753/arts_entertainment/mordecai_richler/ (11 mai 2005).

GOODMAN, Walter, *New York Times Book Review* (22 juin 1980).

GOULD, Allan M., *Chatelaine* (mars 1993), p. 48.

HARPUR, Tom, «Richler: We Have to Be Gentle with Other People», *Toronto Star* (23 octobre 1981), C1.

HYNAM, Paddy, «The Scene», *Radio Arts* (20 septembre 1972), Richler Fonds Acc. #582/153.19.

Inner Space, Carleton University (printemps 1969), Richler Fonds Msc 36.54.4.

JAGODZINSKI, Richard, «Mordecai Richler», Pages Books on Kensington (novembre 1997), www.pages.ab.ca/richler.html (12 juin 2001).

JOHNSTON, Penny, «Mordecai and Me», *University of Western Ontario Alumni Gazette*, 48:1 (septembre 1971): p. 5-7.

KAVANAGH, Ken, «Richler of St. Urbain Street», CBC-tv, 8 mai 1971, «Mordecai Richler Was Here», CBC Archives, archives.cbc.ca/IDD-1-68-753/arts_enter tainment/mordecai_richler/ (11 mai 2005).

KEALEY, Maura, *Homerun*, CBC Montreal, 940 AM (22 septembre 1994).

KISSELL, Howard, «An Interview with Duddy Kravitz's Creator», *Women's Wear Daily* (22 juillet 1974), Richler Fonds Acc. #582/154.2.

MAULUCCI, Anthony S., «Interview», *Elite* (2 avril 1976).

McCORMICK, Marion, «Speaking of Books» (cassette), Montreal, 22 août 1971, Richler Fonds Acc. #582/152.16.

McNay, Michael, « Canadian Nub », *Arts Guardian* (15 septembre 1971).

Metcalf, John, « Black Humour: An Interview with Mordecai Richler », *Journal of Canadian Fiction*, avril 1973., Metcalf Papers, Canadian Literary Archives, University of Calgary, 565/95.3, 6.3.

The Montreal Gazette (5 octobre 1955), Richler Fonds Msc 36.22.5.

Moore, Micki, « Richler's Version », *London Free Press* (15 août 1998), C1. Réimpression de *Sunday Sun* (5 juillet 1998), p. 52-53, Richler Fonds Acc. #680/44.

Murphy, Rex, *The Journal*, CBC-tv, 17 novembre 1989, « Mordecai Richler Was Here », CBC Archives, archives.cbc.ca/IDD-1-68-753/arts_entertainment/ mordecai_richler/ (18 mai 2005).

Nurenberger, M.J. et Arnold Ages, « Entre Trudeau et Lévesque », *Nouveau Monde* 3:9 (mars 1970), p. 9-12, Richler Fonds Msc 36.54.6. Repris dans *Canadian Jewish News Supplement* (12 septembre 1969), p. 20f.

N., S., « Mordecai Richler », *Book and Bookmen* (octobre 1963), p. 27, Richler Fonds Msc 36.19.6.

Pape, Gordon, « Expatriate Novelist Coming Home », *The Province* (4 avril 1972).

P.W. [Richler, Mordecai], entrevue, *Publishers Weekly* (28 juin 1971), p. 29-31, Richler Fonds Msc 36.54.9. [Richler s'interviewe clairement lui-même, même si l'« interviewer » est appelé PW. Voir Arnold W. Ehrlich, éditeur en chef, *Publishers Weekly*, à Richler, 28 juin 1971, Richler Fonds Acc. #582/35.20.]

Richmond, Theo, « The Man Who Likes Nowhere », *Arts Guardian* (4 février 1970), p. 8.

Rindick, Ivor, « The Talk of Australia », Radio National, ABC Radio, Sydney, 1990.

Rocca, Christian, « Sulle Strade di Barney: A Mordecai Richler il trendy faceva schifo. Parte IV », *Il Foglio* (28 giugno 2002), www.ilfoglio.it/uploads/camillo/ barney4.html (19 mai 2005).

Rockburn, Ken, « Mordecai Now and Then », *Medium Rare: Jamming with Culture*, Toronto, Stoddart, 1995, p. 183-194.

Rodriguez, Juan, « An Evening with Mordecai Richler », *Other Stand* (9 avril 1969), p. 5-8.

Schulze, David, « Mordecai Richler », *McGill Observer* (février 1983), p. 5.

Solomon, Evan, *Hot Type*, CBC-tv, 24 novembre 1998, « Mordecai Richler Was Here », CBC Archives, archives.cbc.ca/IDD-1-68-753/arts_entertainment/mordecai_richler/ (18 mai 2005).

Srebotnjak, Tina, *Midday*, CBC-tv, 12 septembre 1994, « Mordecai Richler Was Here », CBC Archives, archives.cbc.ca/IDD-1-68-753/arts_entertainment/mor decai_richler/ (18 mai 2005).

Todd, Douglas. *Brave Souls*. Toronto, Stoddart, 1996.

Toppings, Earle, « Ross/Richler: Canadian Writers on Tape », Ontario Institute for Studies in Education, 1971.

Wachtel, Eleanor, *Writers and Company*, CBC Radio, 23 mai 1999, « Mordecai Richler Was Here », CBC Archives, archives.cbc.ca/IDD-1-68-753/arts_entertainment/ mordecai_richler/ (13 mai 2005).

Wong, Jan, « Lunch with Mordecai Richler », *Globe and Mail*, 25 septembre 1997.

Wright, Eric, « A Deeper Sense of Outrage, An Afternoon with Mordecai Richler », *Descant* 56/7 (printemps-été 1987), p. 168-173.

Entrevues et correspondance

Albert, Lionel, entrevues téléphoniques (Knowlton, Québec), 3 et 12 septembre 2002; courriels, septembre 2002-septembre 2004.

Barbarash, John, entrevue téléphonique (Richmond Hill, Ontario), 20 janvier 2004.

Blankfort, Joe, entrevue téléphonique (Montréal), 20 janvier 2004.

Cadloff, Stanley, entrevue téléphonique (Montréal), 20 janvier 2004.

Cameron, Neil, courriel, 15 octobre 2003.

Crelinsten, Michael, entrevue téléphonique (Montréal) 23 janvier 2004.

Kondaks, Steve, entrevue téléphonique (Montréal), 7 août 2003.

Kurtz, Phil, entrevue téléphonique (Floride), 23 janvier 2004.

Mappin, John, entrevue téléphonique (Montréal), 6 février 2004.

Moore, John C., courriel, 14 octobre 2003.

Mosher, Terry (Aislin), entrevue téléphonique (Montréal), 6 février 2004.

Narizzano, Paul, entrevue téléphonique (Angleterre), 7 octobre 2003.

Orbaum, Sam, courriel (Jérusalem), 2 juillet 2002.

Ostry, Bernard, entrevue (Toronto), 19 septembre 2003.

Pine, Bessie, entrevue téléphonique (New York), 12 septembre 2002.

Rabinovitch, Jack, entrevue (Toronto), 18 septembre 2003.

Richler, Avrum, entrevue (Toronto), 9 juin 2002; courriels (St. John's, Terre-Neuve), juin-août, octobre 2002; mai, octobre 2003; février 2004.

Richler, Bernard, entrevue (Montréal), 21 mai 2001.

Richler, Daniel, entrevue téléphonique (Toronto), 12 février 2004.

Richler, Florence, entrevue (Toronto), 17 septembre 2003.

Richler, Max, entrevue (Montréal), 22 mai 2001; courriels (Montréal), septembre 2002.

Richler, Noah, entrevue (Winnipeg), 24 septembre 2004.

Roxan, Julia, entrevue téléphonique (Angleterre), 16 octobre 2003.

Schecter, Wigdor, entrevue téléphonique (Montréal), 11 février 2004.

Schwartz, Frances (Frima), entrevue téléphonique (Toronto), 12 septembre 2002.

Snowbell, Sarah, entrevue téléphonique (Toronto), 20 juin 2002.

Weintraub, William, entrevue (Montréal), 28 mai 2001; entrevue téléphonique, 22 mai 2002.

Zinde-Walsh, Victoria, entrevue téléphonique (Montréal), 18 août 2003.

Archives

ABC Television files, Bibliothèque et Archives Canada, R738-7-x-E.

Brian Moore Papers, Special Collections, University of Calgary Library, MsC 31, 49.

Claude Bissell Papers, Thomas Fisher Rare Book Room, University of Toronto, Acc B86-0023/001/15.

Mordecai Richler Papers, Special Collections, University of Calgary Library, First Accession, MsC 36; Second Accession #582/95.20; Third Accession #680 [cités comme Richler Fonds].

Ted Allan Papers, Bibliothèque et Archives Canada, M630D388,R2931-0-4-E et 2-8-E.

Œuvres de Richler traduites vers le français

Le monde de Barney [braille], trad. de l'anglais (Canada) par Bernard Cohen, accompagné de notes et d'une postface de Michael Panofsky, Longueil, Institut Nazareth et Louis-Braille, 2011.

Le monde de Barney : roman, trad. de l'anglais (Canada) par Bernard Cohen, accompagné de notes et d'une postface de Michael Panofsky, Paris, Albin Michel, 2010.

Un certain sens du ridicule : essais [braille], choisis par Nadine Bismuth et trad. de l'anglais (Canada) par Dominique Fortier, Longueuil, Institut Nazareth et Louis-Braille, 2008.

Survivre, etc., édition de Jonathan Webb, intro. d'Adam Gopnik et trad. de l'anglais par Béatrice Dunner, Montricher (Suisse), Anatolia, 2008.

Un certain sens du ridicule : essais, choisis par Nadine Bismuth et trad. de l'anglais (Canada) par Dominique Fortier, Montréal, Boréal, 2007.

L'apprentissage de Duddy Kravitz, trad. de l'anglais par Jean Simard, Saint-Laurent, Bibliothèque québécoise, 2006.

Le cavalier de Saint-Urbain : roman, trad. de l'anglais (Canada) par Martine Wiznitzer, Paris, Buchet Chastel, 2005.

Joshua : roman, trad. de l'anglais (Canada) par Françoise Jaouën, Paris, Buchet Chastel, 2004.

Rue Saint-Urbain : roman, trad. de l'anglais par René Chicoine, Saint-Laurent, Bibliothèque québécoise, 2002.

Jacob Deux-Deux et le vampire masqué : roman, trad. de l'anglais par Jean Simard, Saint-Laurent, Éditions Pierre Tisseyre, 2001.

Le monde de Barney : roman, notes et postface de Michael Panofsky, trad. de l'anglais (Canada) par Bernard Cohen, Paris, Librairie générale française, 2001.

Le monde de Barney : roman, notes et postface de Michael Panofsky, trad. de l'anglais (Canada) par Bernard Cohen, Paris, Albin Michel, 1999.

L'apprentissage de Duddy Kravitz, trad. de l'anglais par Jean Simard, Saint-Laurent, BQ, 1998.

Un cas de taille : roman, trad. de l'anglais par André Beaudet, Montréal, Balzac-Le Griot, 1998.

Qui a peur de Croquemoutard ?, trad. de l'anglais par Marie-Raymond Farré, illustré par Daniel Maja, Paris, Hachette jeunesse, 1996.

Gursky : roman, trad. de l'anglais par Philippe Loubat-Delranc, Paris, Calmann-Lévy, 1992.

Oh Canada! Oh Québec! : requiem pour un pays divisé, trad. de l'anglais par Daniel Poliquin, Candiac, Éditions Balzac, 1992.

Joshua au passé, au présent : roman, trad. de l'anglais par Paule Noyart, Montréal, Quinze, 1989.

Jacob Deux-Deux et le dinosaure : roman, trad. de l'anglais par Jean-Pierre Fournier, illustré par Norman Eyolfson, Vieux-Montréal, Québec Amérique, 1987.

Jacob Deux-Deux et le vampire masqué, illustré par Fritz Wegner, trad. de l'anglais par Jean Simard, Montréal, CLF, 1977.

L'apprentissage de Duddy Kravitz, trad. de l'anglais par Jean Simard, Montréal, CLF, 1976.

Mon père, ce héros, trad. de l'anglais par Jean Simard, Montréal, Cercle du livre de France, 1975.

Les cloches d'enfer, trad. par Gilles Rochette, Montréal, Leméac, 1974.

Rue Saint-Urbain, trad. par René Chicoine, Montréal, Éditions HMH, 1969.

L'apprentissage de Duddy Kravitz: Roman, trad. de l'anglais par Elisabeth Gille-Nemirovsky, Paris, Julliard, 1960.

Le choix des ennemis: roman, trad. de l'anglais par Daniel Apert, Paris, Seuil, 1959.

Le Choix des ennemis, trad. de l'anglais par Daniel Apert, Paris, Seuil, 1955.

INDEX

L'ESSAI DE REINHOLD KRAMER est construit autour d'une famille élargie tant sur le plan génétique que culturel. Cet index incomplet et imparfait permettra aux lecteurs les plus curieux de circuler dans l'ouvrage et de vérifier certains détails. Comme les membres de sa famille et son propre milieu ont profondément inspiré Mordecai Richler, il n'était pas facile de distinguer le réel de la fiction ou des personnages dont les noms sont semblables. L'index a aussi été l'occasion d'apporter certaines précisions, en particulier à propos d'Adrien Arcand et de Pierre Vallières. Dans les références qui ont été indexées selon leur contenu, on trouvera d'autres précisions marquées NdT ou NDLR. Face aux remarques de ses réviseurs, l'éditeur a choisi de respecter la version originale sans toutefois renoncer à apporter un complément d'informations.

À noter qu'une recherche par mot-clé est possible à partir de notre site Internet au www.septentrion.qc.ca.

TABLE DES MATIÈRES

CET OUVRAGE EST COMPOSÉ EN REMINGA CORPS 11
SELON UNE MAQUETTE DE JOSÉE LALANCETTE
ET ACHEVÉ D'IMPRIMER EN NOVEMBRE 2011
SUR LES PRESSES DE L'IMPRIMERIE HLN
À SHERBROOKE
POUR LE COMPTE DE GILLES HERMAN
ÉDITEUR À L'ENSEIGNE DU SEPTENTRION